Guido Armellini
Adriano Colombo

Letteratura
Letterature

Antologia

Secondo Novecento

Realizzazione editoriale:
– Coordinamento redazionale del progetto: Sandro Invidia
– Redazione: Mirca Melletti, con la collaborazione di Luca Bonafè
– Rilettura redazionale: Lalla Riccardi
– Progetto grafico: Editta Gelsomini
– Ricerca iconografica: Maria Giulia Pasi, Luca Bonafè, Lucia Tozzi (*Percorsi*),
  Donatella Franchi, Katia Ricci (*Percorsi sulle donne*), con la collaborazione
  di Claudia Patella

Contributi:
– Rilettura del testo: Chiara Ghirga
– Esercizi guidati: Simonetta Corradini
– Indice dei nomi, Indice delle opere: Lalla Riccardi

Copertina:
– Realizzazione: Roberto Marchetti
– Immagine di copertina: Andy Warhol, *Portrait of Corice Arman*, 1977. Arman&Arman

Prima edizione: marzo 2005

Ristampa:
9 8 7 6   2008 2009 2010 2011

L'editore mette a disposizione degli studenti disabili una copia dei file,
solitamente in formato pdf, in cui sono memorizzate le pagine di questo libro.
I file per studenti non vedenti o ipovedenti possono essere richiesti, per iscritto,
nel periodo aprile-dicembre di ogni anno, a:
Zanichelli editore s.p.a. - Direzione Generale - Via Irnerio 34 - 40126 Bologna
dai docenti oppure dai responsabili educativi.
Il formato dei file permette l'ingrandimento dei caratteri del testo.

I file per studenti dislessici o con altri disturbi specifici
di apprendimento devono essere richiesti a:
Biblioteca Digitale dell'AID (Associazione Italiana Dislessia onlus)
c/o Istituti Aldini Valeriani e Sirani - Via Bassanelli, 9 - 40129 Bologna
http://www.dislessia.it - e-mail: biblioteca.aid@iav.it

Realizzare un libro è un'operazione complessa, che richiede numerosi controlli:
sul testo, sulle immagini e sulle relazioni che si stabiliscono tra essi.
L'esperienza suggerisce che è praticamente impossibile pubblicare un libro
privo di errori. Saremo quindi grati ai lettori che vorranno segnalarceli.
Per segnalazioni o suggerimenti relativi a questo libro scrivere al seguente indirizzo
indicando il nome e il luogo della scuola:

Zanichelli editore S.p.A.
Via Irnerio 34
40126 Bologna
fax: 051 293298
e-mail: lineadue@zanichelli.it
sito web: www.zanichelli.it

Zanichelli editore S.p.A. opera con sistema qualità
certificato CertiCarGraf n. 477 - IQ Net IT- 16130
secondo la norma UNI EN ISO 9001:2000

Fotocomposizione: Belle Arti, Quarto Inferiore (Bologna)

Stampa: Grafica Ragno
Via Lombardia 25, 40064 Tolara di Sotto, Ozzano Emilia (Bologna)
per conto di Zanichelli editore S.p.A.
Via Irnerio 34, 40126 Bologna

Guido Armellini
Adriano Colombo

Letteratura Letterature

Antologia

Secondo Novecento

Alla stesura del libro hanno collaborato:

Enrico Casarini; Nicola De Cilia	Scegli il tuo film; Da vedere
Simonetta Corradini	Scegli il tuo libro
Fiorella Foschini	Teatro dell'assurdo
Maria Pia Miglio	La narrativa: gli anni del neorealismo
	La narrativa in Italia: anni ottanta
Maurizio Pancaldi	Linee di pensiero
Alessandra Vaccarone	Guida all'ascolto

Zanichelli

Piano del volume **H**
SECONDO NOVECENTO

Indice

SECONDO NOVECENTO

38. I GENERI

La narrativa in Italia: gli anni della grande trasformazione

La poesia in Italia

39. CARLO EMILIO GADDA 409

Documenti

Le opere

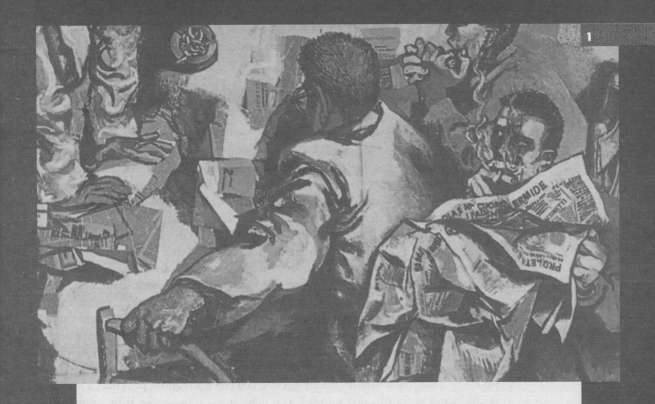

37 IL CONTESTO

Secondo Novecento

Linee di pensiero

Il pensiero del secondo Novecento si trova ad affrontare una quantità di problemi nuovi, che tendono a farlo "esplodere" in svariate direzioni. Nel momento della sua massima espansione economica, il mondo occidentale è attraversato da inquietudini che rimettono in discussione le basi della sua cultura: questo accade nella discussione sulla società di massa, condotta per lo più da punti di vista di tipo catastrofico, intrecciata a quella sugli effetti dei nuovi *media* elettronici, che non solo trasformano le abitudini di vita, ma investono alla radice le relazioni tra l'uomo, il mondo, la conoscenza. Attacchi radicali alla civiltà occidentale nascono al suo stesso interno a proposito della minaccia di catastrofe nucleare, delle responsabilità del colonialismo, del dominio maschile su cui questa civiltà si è costruita. In una situazione così instabile, l'atteggiamento prevalente nei confronti dei grandi problemi della conoscenza è relativistico e problematico, anche nella filosofia delle scienze della natura; da questa tendenza si distingue l'orientamento strutturalista, a lungo prevalente nelle scienze umane, che si ispira all'ideale di una conoscenza esatta e oggettiva. L'insieme delle trasformazioni sociali e culturali che hanno investito il mondo intero è tale che porta molti pensatori a ritenere che siamo entrati in una nuova epoca della storia umana, che in mancanza di meglio viene definita "postmoderna".

La critica della società di massa

Il tema della società di massa, già emerso nel dibattito culturale del primo Novecento (vedi Ortega y Gasset, Vol. G *T31.10*), diventa centrale nel periodo seguente alla seconda guerra mondiale, caratterizzato in Occidente da un'enorme diffusione di benessere e consumi. Prevalgono le visioni totalmente negative (o "apocalittiche") della società massificata: la meccanizzazione distrugge l'umanità nell'uomo (Zolla, *T37.1*); il benessere crea individui conformisti, privi di autonomia e responsabilità (Fromm, *T37.2*); dal punto di vista marxista scompare ogni prospettiva di trasformazione radicale della società (Marcuse, *T37.3*). Tra gli osservatori della società italiana, chi ha avvertito per primo e più lucidamente la radicalità della trasformazione in corso è stato uno scrittore, Pier Paolo Pasolini, quando ha parlato di una «rivoluzione antropologica» (*T37.4*).

Andy Warhol
Coca Cola Verde
(1962, 209,5×266,7 cm, olio su tela, New York, collezione privata)

Elémire Zolla

Elémire Zolla (1926-2002), nato a Torino, è stato docente di letteratura angloamericana a Roma. Come saggista interessato a tematiche filosofiche e morali, ha avuto risonanza con *Eclissi dell'intellettuale* (1959); tra le numerose opere seguenti, *Storia del fantasticare* (1964), *Le potenze dell'anima* (1968), *I letterati e lo sciamano* (1969), *Uscite dal mondo* (1992), *L'incontro fra le tradizioni d'Oriente e d'Occidente* (1999), e un'ampia antologia *I mistici* (1963). È anche autore di romanzi psicologici.

▶ **T37.1**

T37.1

L'uomo, meccanismo imperfetto

Scritto nel 1959, nel pieno del boom *economico del dopoguerra*, Eclissi dell'intellettuale *rappresenta uno dei primi tentativi di indagare un fenomeno allora appena emerso in Italia: la formazione di una società di massa e le sue conseguenze sul modo di vivere e di pensare. Ne presentiamo una pagina.*

Elémire Zolla
ECLISSI DELL'IN-
TELLETTUALE
(Bompiani, Milano,
1959)

Che cosa sta accadendo all'uomo? Günther Anders[1] risponde: sta diventando un essere *antiquato*. La tecnica della riproduzione ha creato un mondo sovrapposto al mondo[2] un cosmo spettrale e mortuario; la profusione di immagini riprodotte, dal cinematografo alle riviste illustrate alla televisione, mostra il mondo all'uomo per nasconderglielo[3], la funzione interpretativa della realtà viene soffocata e la percezione si trasforma da attiva in ricettiva[4]. Ne viene una cecità dinanzi al particolare irripetibile, svanisce l'aura delle cose[5], che vengono a coincidere con la loro riproduzione meccanica: la realtà diventa fotografica. 1

I prodotti meccanici diventano d'altro canto un arcano[6] non soltanto nel senso che la merce ha, nelle parole di Marx, un carattere mistico[7] ma anche nel senso che alla loro perfezione meccanica l'uomo si sente inferiore, addirittura si sente svergognato dalla loro efficienza. Non solo l'uomo vuole essere un meccanismo accanto a meccanismi, ma un meccanismo a servizio dei meccanismi; libero non è già l'uomo; ma la cosa, l'uomo diventa una *faulty construction*[8]: una macchina da raddrizzare e rendere efficiente. [...]. Così alle forze maggiori che hanno minacciato da sempre l'uomo, la fame, la malattia, la vecchiaia e la morte, se n'aggiunge un'altra, inventata dall'uomo, la propria riduzione a cosa. 10 15

Le merci hanno un carattere eterno, poiché si reincarnano all'infinito, in serie, e sono quindi sostituibili: per l'uomo l'esperienza che egli non è riproducibile, che non è in serie, costituisce il suo odierno *memento mori*[9], e 20

1. **Günther Anders**: saggista e filosofo tedesco (1902-1992). Zolla si riferisce al suo saggio *L'uomo è antiquato* (1957; vedi T37.9).
2. **La tecnica... mondo**: la riproduzione fotografica, cinematografica, televisiva sovrappone un mondo di immagini a quello reale.
3. **mostra... nasconderglielo**: perché induce a scambiare l'immagine con la realtà.
4. **la funzione... ricettiva**: di fronte alle immagini riprodotte meccanicamente lo spettatore non è indotto a una reazione critica e attiva, ma puramente passiva.
5. **una cecità... cose**: si perde la capacità di vedere in ogni oggetto ciò che è proprio e singolare (*particolare irripetibile*), le cose perdono la loro *aura*, quell'atmosfera emotiva che costituisce la loro unicità.
6. **arcano**: mistero, segreto.
7. **nel senso... mistico**: secondo la teoria marxiana le merci non rivelano immediatamente il processo sociale che ha condotto alla loro produzione; di qui il loro carattere *mistico*, cioè quel senso di assolutezza e inspiegabilità che sembra circondarle.
8. **faulty construction**: "costruzione difettosa" (inglese).
9. **memento mori**: "ricorda che devi morire"; espressione latina, usata in ambito monastico.

da questa vergogna egli tende a fuggire grazie all'iconomania[10], guaritrice del malessere della singolarità irripetibile. La riproduzione dell'immagine converte l'uomo riprodotto in merce dotata di ubiquità[11] ed eternità, che continuamente si reincarna[12]. Di qui il culto dell'attore cinematografico o dello *speaker* televisivo, che appartengono alla sfera ontologicamente superiore dei prodotti in serie[13].

25

10. iconomania: passione morbosa per le immagini; termine coniato dall'autore dal greco, su modelli analoghi (ad es. *megalomania*).
11. ubiquità: facoltà di essere in più luoghi contemporaneamente.
12. continuamente si reincarna: una volta diventato immagine registrata, l'uomo sembra tornare in vita ogni volta che l'immagine viene proiettata; in questo modo si illude di sfidare la propria mortalità personale.
13. che appartengono... serie: l'attore e il presentatore televisivo non sono tanto persone quanto immagini riprodotte in serie (come i prodotti industriali): per questo sembrano appartenere a un piano di realtà superiore (*ontologicamente* è un termine filosofico che si può rendere come "dal punto di vista dell'essere").

dialogo con il testo

I temi

Nella società industriale avanzata, la produzione di serie trasforma il rapporto fra l'uomo e gli oggetti: essi perdono da un lato la loro unicità, la loro "aura", dall'altro posseggono una sorta di eternità, perché sono riproducibili all'infinito. Di fronte alla loro perfezione meccanica l'uomo, che è singolare, imperfetto, mortale, si sente inadeguato: da qui, secondo l'autore, nascono gli sforzi per meccanizzare la società e la vita umana, per creare il dominio delle cose sull'uomo.

Zolla non è uno scienziato sociale, interessato a un'indagine oggettiva del fenomeno, ma un letterato che è direttamente coinvolto in un processo a cui si sente estraneo e che rifiuta, in quanto minaccia i presupposti stessi della sua cultura. La sua posizione è di quelle che Umberto Eco ha definito "apocalitti-che" (la società moderna vista come un'Apocalisse, una fine del mondo), nel famoso saggio *Apocalittici e integrati* (1964).

Particolarmente penetrante (e profetica, se guardiamo alla data) appare l'analisi dell'autore sull'illusione di immortalità creata dalle immagini; basta ricordare che oggi le tecniche elettroniche permettono di ridare illusoriamente vita nel cinema e nella televisione a chi è scomparso.

Le forme

? Zolla, che è studioso del misticismo, usa ripetutamente espressioni tratte dal linguaggio religioso per definire ironicamente gli atteggiamenti dell'uomo di fronte alle merci. Individuate alcune di queste espressioni.

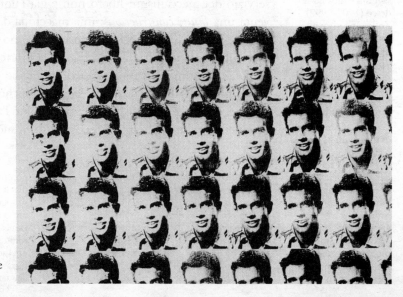

Andy Warhol
Warren 1962: il personaggio riprodotto è l'attore americano Warren Beatty (1962, particolare, collezione privata)

Erich Fromm

Erich Fromm (1900-1980), nato a Francoforte da famiglia ebraica, studiò filosofia a Heidelberg e a Monaco e si specializzò successivamente in psicanalisi, professione che esercitò sempre accanto al lavoro teorico e di saggista. Fu nel gruppo di intellettuali che negli anni trenta diede vita alla scuola di Francoforte; all'avvento del nazismo emigrò negli Stati Uniti, dove elaborò una sua versione "umanistica" della psicanalisi, che rispetto alla teoria classica freudiana dà maggiore rilievo alla coscienza individuale. Tra le sue opere *Fuga dalla libertà* (1941), *Il linguaggio dimenticato* (1951), *L'arte d'amare* (1956), *Avere o essere?* (1976).

▶ **T37.2**

T37.2

Il conformismo e la non frustrazione

Fromm ha svolto una critica serrata a tutte le forme di condizionamento sociale, sviluppando in modo personale i princìpi della scuola di Francoforte, che coniugavano le teorie di Marx e di Freud. Psicoanalisi della società contemporanea *(1955), da cui sono tratte queste pagine, è la sua opera più completa e sistematica: essa esamina la situazione dell'uomo moderno in una società esclusivamente orientata alla produzione economica, e prospetta varie possibilità di mutamenti per ritrovare la salute mentale e la realizzazione di una personalità matura e responsabile.*

Erich Fromm
PSICOANALISI
DELLA SOCIETÀ
CONTEMPORANEA
(Trad. dall'inglese di
C. De Roberto,
Edizioni di
Comunità, Milano,
1978)

L'autorità alla metà del ventesimo secolo ha mutato il suo carattere; essa non si presenta più come autorità manifesta, bensì come *autorità anonima, invisibile, alienata*[1]. Non c'è nessuno che ordini, né una persona, né una idea, né una legge morale. Però tutti ci conformiamo come o più di quanto non si farebbe in una società fortemente autoritaria. Infatti, non c'è nessuna autorità, al di fuori di «oggetti». Quali sono questi «oggetti»? Il guadagno, le necessità economiche, il mercato, il senso comune, l'opinione pubblica, quel che «*si*» fa, «*si*» pensa, «*si*» sente. Le leggi dell'autorità anonima sono invisibili quanto le leggi del mercato, e altrettanto incontestabili. Chi può attaccare l'invisibile? Chi può ribellarsi contro Nessuno?

La scomparsa dell'autorità manifesta è chiaramente osservabile in tutti i campi della vita. I genitori non comandano più; essi formulano con il bambino l'ipotesi che «abbia voglia di far questo». Poiché i genitori stessi non hanno né principi né convinzioni, tentano di guidare i bambini a fare quel che vuole la legge del conformismo, e spesso, essendo maggiori d'età e dunque meno al corrente del «nuovo», essi imparano dai figli qual è l'atteggiamento richiesto. La stessa cosa vale anche negli affari e nell'industria: non si danno ordini, ma si «propone»; non si comanda, ma si persuade e si influenza. Persino l'esercito americano ha accolto molte delle forme nuove di autorità. L'esercito è presentato come si trattasse di un'interessante impresa commerciale; il soldato dovrebbe sentirsi come un membro di una «squadra», anche se rimane l'aspra realtà che egli deve esser addestrato a uccidere e ad esser ucciso.

Fino a che c'era una autorità manifesta, c'era contrasto e c'era ribellione contro l'autorità irrazionale[2]. Nel conflitto con gli imperativi della propria

1. *alienata*: che appare estranea, anche se è un prodotto della società. A partire da Marx, il termine "alienazione" si riferisce a un processo in cui l'uomo "pone se stesso in altro", cioè viene a dipendere da fattori o forze che, sebbene prodotte da lui, appaiono esterne.
2. *l'autorità irrazionale*: un'autorità che non abbia fini accettati e condivisi.

1

5

10

15

20

25

coscienza[3], nella lotta contro l'autorità irrazionale si sviluppava la personalità – e particolarmente si sviluppava il senso dell'io. Io riconosco me stesso come «io» in quanto dubito, protesto, mi ribello. Anche se mi sottometto e prevedo la sconfitta, mi sento «io»: «io», lo sconfitto. Ma se non sono consapevole di sottomettermi e di ribellarmi, se sono guidato da una autorità anonima, perdo il senso di me stesso e divento «uno qualsiasi», una parte dell'«oggetto»[4].

Il meccanismo attraverso cui l'autorità anonima agisce è il *conformismo*. Io dovrei fare quel che tutti fanno, e perciò devo conformarmi, non essere diverso, non sporgere dalla fila; devo esser pronto e disposto a cambiare secondo i cambiamenti del modello, non devo chiedermi se ho ragione o torto, ma se sono adattato, se non sono «strano», differente. La sola cosa immutabile in me è proprio questa disposizione a cambiare. Nessuno ha potere sopra di me al di fuori del gregge di cui sono parte, benché vi sia soggetto. [...]

Come ho indicato sopra, l'autorità anonima e il conformismo automatico sono in larga misura il risultato del nostro metodo produttivo, che richiede rapido adattamento alla macchina, disciplinato comportamento collettivo, gusti comuni e obbedienza senza l'uso della forza. Un altro aspetto del nostro sistema economico, il bisogno di consumi collettivi, è servito come strumento per creare una fisionomia del carattere sociale dell'uomo moderno che costituisce uno dei più evidenti contrasti col carattere sociale del diciannovesimo secolo. Mi riferisco al *principio per cui ogni aspirazione deve esser soddisfatta immediatamente, nessun desiderio deve essere frustrato*. [...]

Il principio che i desideri devono esser soddisfatti senza indugio ha anche determinato il comportamento sessuale, specialmente dalla fine della prima guerra mondiale. Una rozza forma di frainteso freudismo[5] servì a dare la appropriata giustificazione razionale: l'idea che le nevrosi risultino da desideri sessuali «repressi» e che le frustrazioni siano «traumatiche», e perciò meno ci si reprime tanto più sani si è. Persino i genitori preoccupati di dare ai loro figli qualsiasi cosa essi desiderassero per paura che fossero frustrati, acquistarono un «complesso[6]». Disgraziatamente, molti di questi figli, così come i loro genitori, finivano sul lettino dello psicanalista, sempre che potessero permetterselo.

30

35

40

45

50

55

60

3. conflitto... coscienza: secondo la psicanalisi, l'uomo porta dentro di sé *imperativi* (comandi, leggi) che riflettono l'educazione ricevuta dai genitori, e deve lottare per liberarsene.
4. dell'«oggetto»: della struttura sociale vista come un dato di fatto oggettivo e immodificabile.
5. frainteso freudismo: un'applicazione sbagliata del pensiero di Freud.
6. complesso: termine psicanalitico che indica un insieme di rappresentazioni, pensieri, ricordi per lo più inconsci e carichi di valenze affettive, formatisi nell'infanzia, che turbano un adulto e provocano fenomeni nevrotici. Il termine è entrato nell'uso comune per indicare qualunque forma di disagio psichico.

dialogo con il testo

I temi

Il tema del conformismo di massa nelle società industriali avanzate è al centro dell'attenzione della critica sociale nel secondo Novecento. Nell'epoca e nei paesi in cui la maggioranza delle persone è liberata dall'oppressione politica e da quella del bisogno, ci si sarebbe potuti aspettare un fiorire di comportamenti liberi e creativi, e invece la maggioranza si conforma a «quel che *si* fa, *si* pensa, *si* sente».

La diagnosi di Fromm utilizza elementi derivati dal marxismo e dalla psicanalisi. In base al marxismo, il conformismo è prodotto dalle esigenze di disciplina volontaria imposte dalla produzione industriale. Dal punto di vista della psicanalisi, si assiste a un rovesciamento: la subordinazione al sistema sociale, che secondo le precedenti analisi era prodotta dall'interiorizzazione dell'autorità paterna, è ora prodotta dall'educazione permissiva e da una società che maschera gli imperativi che impone. La mancanza di autorità esplicite con cui confrontarsi ostacola lo sviluppo di una personalità autonoma, produce individui passivi soggetti a un'autorità anonima e invisibile.

? Sviluppando un accenno dell'autore, mostrate come per lui anche la propensione al consumismo sia spiegabile in base a meccanismi economici, psicologici ed educativi.

? A mezzo secolo di distanza, il pensiero di Fromm può apparire singolarmente attuale. A vostro parere, ci sono aspetti della società e dell'educazione di oggi che corrispondono alla sua analisi?

Herbert Marcuse

Herbert Marcuse (1898-1979), tedesco di nascita, dopo gli studi filosofici entrò a far parte dell'Istituto per la ricerca Sociale di Francoforte, finché all'avvento del nazismo non emigrò negli Stati Uniti. Là insegnò in varie università e pubblicò le sue opere più importanti, tra le quali *Ragione e rivoluzione* (1941), *Eros e civiltà* (1955), *La fine dell'utopia* (1967). Ottenne una popolarità mondiale con *L'uomo a una dimensione* (1964), che fece di lui improvvisamente il teorico dei movimenti di contestazione della nuova sinistra degli anni sessanta e settanta negli Stati Uniti e in Europa.

▶ **T37.3** **T37.22**

T37.3

Le nuove forme di controllo

L'uomo a una dimensione (1964) è una critica radicale della società industriale contemporanea, in cui l'individualità della persona viene schiacciata da un'organizzazione sociale apparentemente tollerante e in realtà fortemente repressiva. Il libro godette di uno straordinario successo mondiale anche al di fuori degli ambienti filosofici a cui era destinato, e divenne quasi un testo sacro per i movimenti studenteschi di contestazione esplosi in Europa e in America intorno al 1968. Presentiamo alcune pagine iniziali.

Herbert Marcuse
L'UOMO A UNA DIMENSIONE
(Trad. dall'inglese di L. Gallino e T. Giani Gallino, Einaudi, Torino, 1967)

Una confortevole, levigata, ragionevole, democratica non-libertà prevale nella civiltà industriale avanzata, segno di progresso tecnico. In verità, che cosa potrebbe essere più razionale della soppressione dell'individualità nel corso della meccanizzazione di attività socialmente necessarie ma faticose[1]; della concentrazione di imprese individuali in società per azioni più efficaci e più produttive[2]; della regolazione della libera concorrenza tra soggetti economici non egualmente attrezzati[3]; della limitazione di prerogative e sovranità nazionali che impediscono l'organizzazione internazionale delle risorse[4]. Che questo ordine tecnologico comporti pure un coordinamento

1

5

1. che cosa... faticose: dal punto di vista delle attività produttive, necessarie alla società ma faticose, l'individuo (inteso come particolare, vario, imprevedibile) rappresenta un ostacolo alla *meccanizzazione*, per cui sopprimere l'individualità appare altamente razionale. Il discorso è ovviamente ironico. **2. concentrazione... produttive**: un'altra forma di riduzione dell'individualità in nome dell'efficienza produttiva. **3. regolazione... attrezzati**: la libera concorrenza è uno dei grandi princìpi del capitalismo; qui l'autore insinua che tra soggetti di diversa potenza economica è un'illusione credere ad essa e alla sua *regolazione*. **4. limitazione... risorse**: si riferisce allo strapotere di potenze egemoniche come gli Stati Uniti, che impongono una limitazione di sovranità agli stati minori in nome di un'economia organizzata a livello sovranazionale.

Richard Estes
Cabine telefoniche
(1968, 121,9×175,2
cm, olio su tela,
H.H. Thyssen-
Bornemisza
Collection)

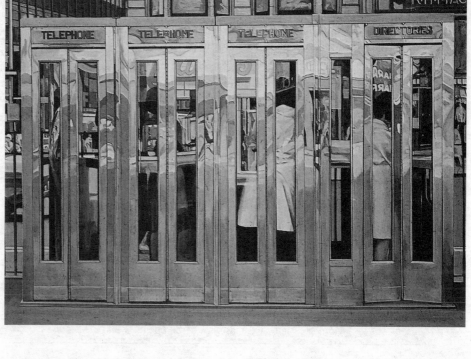

5. un coordinamento... intellettuale:
l'autore intende in
realtà una riduzione
della libertà politica e
un asservimento delle
energie intellettuali;
ma continua a usare
ironicamente i termini che userebbe un
sostenitore del nuovo
ordine mondiale.
6. lo status quo: la
situazione esistente
(espressione latina di
origine diplomatica).
Non esiste più la possibilità di lottare per
alternative radicali,
ma solo di proporre
modifiche secondarie
dell'ordine esistente.
7. il fatto... differenza: la soddisfazione
dei bisogni materiali
rende secondaria la
differenza tra regimi
liberi e dittatoriali.
8. abiti prescritti:
abitudini obbligate.

politico ed intellettuale[5] è uno sviluppo che si può rimpiangere, ma che è   10
tuttavia promettente.

[...]

L'indipendenza del pensiero, l'autonomia e il diritto alla opposizione
politica sono private della loro fondamentale funzione critica in una società che pare sempre meglio capace di soddisfare i bisogni degli individui   15
grazie al modo in cui è organizzata. Una simile società può richiedere a
buon diritto che i suoi principî e le sue istituzioni siano accettati come sono, e ridurre l'opposizione al compito di discutere e promuovere condotte
alternative *entro* lo status quo[6]. Sotto questo aspetto, il fatto che la capacità
di soddisfare i bisogni in misura crescente sia assicurata da un sistema au-   20
toritario o da uno non autoritario sembra fare poca differenza[7]. In presenza di un livello di vita via via più elevato, il non conformarsi al sistema
sembra essere socialmente inutile, tanto più quando la cosa comporta tangibili svantaggi economici e politici e pone in pericolo il fluido operare
dell'insieme. Almeno per quanto concerne le necessità della vita, non sem-   25
bra davvero esservi alcuna ragione per cui la produzione e distribuzione di
beni e servizi dovrebbero essere svolte mediante la concorrenza competitiva
di libertà individuali.

[...]

L'apparato produttivo, i beni ed i servizi che esso produce, «vendono» o   30
impongono il sistema sociale come un tutto. I mezzi di trasporto e di comunicazione di massa, le merci che si usano per abitare, nutrirsi e vestirsi,
il flusso irresistibile dell'industria del divertimento e dell'informazione, recano con sé atteggiamenti ed abiti prescritti[8], determinate reazioni intellettuali ed emotive che legano i consumatori, più o meno piacevolmente, ai   35
produttori, e, tramite questi, all'insieme. I prodotti indottrinano e mani-

polano; promuovono una falsa coscienza che è immune dalla propria falsità[9]. E a mano a mano che questi prodotti benefici sono messi alla portata di un numero crescente di individui in un maggior numero di classi sociali, l'indottrinamento di cui essi sono veicolo cessa di essere pubblicità: diventa un modo di vivere[10]. È un buon modo di vivere – assai migliore di un tempo – e come tale milita contro un mutamento qualitativo. Per tal via emergono forme di *pensiero e di comportamento ad una dimensione*[11] in cui idee, aspirazioni e obiettivi che trascendono come contenuto l'universo costituito del discorso e dell'azione[12] vengono o respinti, o ridotti ai termini di detto universo. Essi sono definiti in modo nuovo ad opera della razionalità del sistema in atto e della sua estensione quantitativa.

40

45

9. una falsa coscienza... falsità: la *falsa coscienza* (termine di tradizione marxista) è l'incapacità di vedere la propria posizione nel sistema sociale; *immune dalla propria falsità* significa forse, ironicamente, "che non soffre della propria falsità".
10. l'indottrinamento... vivere: la pubblicità è un veicolo che trasmette l'adesione

alla società come è (*indottrinamento*); ma quando questa adesione si generalizza, diventa intrinseca alla

vita stessa degli individui.
11. *ad una dimensione*: incapace di concepire altre possi-

bilità di esistenza.
12. che trascendono... azione: che abbiano per oggetto ipotesi che vanno al

di là (*trascendono*) delle idee stabilite (*universo costituito del discorso*) e dei comportamenti imposti.

dialogo con il testo

I temi

Continuatore come Fromm della scuola di Francoforte, Marcuse presenta la visione più radicalmente negativa della società industriale avanzata. Essa gli appare come un universo totalmente chiuso, in cui è cessata ogni possibilità di progettare, o perfino di pensare, un sistema di vita alternativo: pensieri e comportamenti sono «a una dimensione». Gli individui non sono realmente liberi, ma sono divenuti indifferenti alla propria libertà, legati al sistema dalla soddisfazione dei propri bisogni materiali, sottoposti a un «indottrinamento» pubblicitario che si trasforma in un «modo di vivere».

Marcuse era legato alla prospettiva rivoluzionaria del pensiero marxista, ma non vedeva nessuna possibilità che il proletariato dei paesi industriali, ormai integrato nel sistema, la promuovesse; le sue deboli speranze di liberazione erano affidate agli emarginati dei paesi industriali e ai popoli del terzo mondo, che soli avvertono il peso di questo assetto sociale. È sorprendente che un pensiero che rappresentava in sostanza una critica senza speranza sia stato assunto come bandiera dai movimenti studenteschi, che sognavano una radicale trasformazione della società.

Pier Paolo Pasolini

T37.4

Notizie
sull'autore   **T38.40**

«Il centralismo della civiltà dei consumi»

La "rivoluzione dei consumi" arrivò in Italia più tardi che in altri paesi, grazie al rapidissimo sviluppo industriale del decennio intorno al 1960 (il "miracolo economico"); anche nel nostro paese si diffusero da allora i consumi di massa, la pubblicità, la grande industria culturale, portando una radicale trasformazione dei costumi, dei modi di vita e delle idee correnti. Uno dei primi e più acuti osservatori del fenomeno fu Pier Paolo Pasolini, che vide in quel che stava accadendo una vera «rivoluzione antropologica», cioè qualcosa che colpiva le radici stesse dell'uomo quale era stato fino allora. Gli ultimi anni di vita dello scrittore furo-

no dedicati a una instancabile critica del «nuovo edonismo» (cioè di un atteggiamento morale che pone la soddisfazione del piacere individuale al di sopra di tutto) e della «omologazione culturale» (cioè della cancellazione delle diverse culture e tradizioni presenti nel popolo italiano). La polemica fu condotta con articoli e saggi raccolti in volumi che intendevano essere provocatori fin dal titolo: Empirismo eretico *(1972),* Scritti corsari *(1975),* Lettere luterane *(1976, postumo). Dal secondo dei volumi citati riportiamo una parte di un articolo apparso in origine sul "Corriere della sera" nel 1973.*

Pier Paolo Pasolini
SCRITTI CORSARI
(Garzanti, Milano,
1975)

Nessun centralismo fascista è riuscito a fare ciò che ha fatto il centralismo della civiltà dei consumi. Il fascismo proponeva un modello, reazionario e monumentale, che però restava lettera morta[1]. Le varie culture particolari (contadine, sottoproletarie, operaie) continuavano imperturbabili a uniformarsi ai loro antichi modelli: la repressione si limitava ad ottenere la loro adesione a parole. Oggi, al contrario, l'adesione ai modelli imposti dal Centro[2], è totale e incondizionata. I modelli culturali reali sono rinnegati. L'abiura è compiuta. Si può dunque affermare che la «tolleranza» della ideologia edonistica voluta dal nuovo potere, è la peggiore delle repressioni[3] della storia umana. Come si è potuta esercitare tale repressione? Attraverso due rivoluzioni, interne all'organizzazione borghese: la rivoluzione delle infrastrutture e la rivoluzione del sistema d'informazioni. Le strade, la motorizzazione ecc. hanno ormai strettamente unito la periferia al Centro, abolendo ogni distanza materiale. Ma la rivoluzione del sistema d'informazione è stata ancora più radicale e decisiva. Per mezzo della televisione, il Centro ha assimilato a sé l'intero paese, che era così storicamente differenziato e ricco di culture originali. Ha cominciato un'opera di omologazione[4] distruttrice di ogni autenticità e concretezza. Ha imposto cioè – come dicevo – i suoi modelli: che sono i modelli voluti dalla nuova industrializzazione, la quale non si accontenta più di un «uomo che consuma», ma pretende che non siano concepibili altre ideologie che quella del consumo.

1   5   10   15   20

**1. un modello...
morta**: dei valori che si richiamavano al passato dell'Impero romano (per questo "reazionari" e "monumentali"), che però non penetravano in profondità nel modo di vita del popolo.
2. Centro: nel regime fascista il *Centro* era la capitale, il potere politico; nella nuova realtà è l'invisibile centro dei poteri eco-

nomici.
**3. la "tolleranza"...
repressioni**: Pasolini riprende qui il concetto di "tolleranza

repressiva" elaborato da Herbert Marcuse (*T37.3*): la società dei consumi in apparenza è aperta a ogni

scelta individuale, mentre in realtà impone un conformismo di massa.
4. omologazione: qui

vale più o meno "uniformazione"; in questo senso il termine è stato diffuso appunto da Pasolini.

T37.4

IL CONTESTO *Secondo Novecento*

Un edonismo neo-laico[5], ciecamente dimentico di ogni valore umanistico e ciecamente estraneo alle scienze umane.

L'antecedente ideologia voluta e imposta dal potere era, come si sa, la religione: e il cattolicesimo, infatti, era formalmente l'unico fenomeno culturale che «omologava» gli italiani. Ora esso è diventato concorrente di quel nuovo fenomeno culturale «omologatore» che è l'edonismo di massa: e, come concorrente, il nuovo potere già da qualche anno ha cominciato a liquidarlo. Non c'è infatti niente di religioso nel modello del Giovane Uomo e della Giovane Donna proposti e imposti dalla televisione. Essi sono due Persone che avvalorano la vita attraverso i suoi Beni di consumo (e, s'intende, vanno ancora a messa la domenica: in macchina). Gli italiani hanno accettato con entusiasmo questo nuovo modello che la televisione impone loro secondo le norme della Produzione creatrice di benessere (o, meglio, di salvezza dalla miseria).

25

30

35

5. **neo-laico**: si dice "laico" un atteggiamento che vuole una netta separazione tra morale religiosa e legislazione dello stato; qui probabilmente Pasolini intende il rifiuto di qualunque sistema di valori morali.

dialogo con il testo

I temi

Nei romanzi e nelle poesie degli anni cinquanta (*T38.40*, *T38.69*), Pasolini aveva rappresentato il sottoproletariato delle borgate romane: un tipo umano rozzo, brutale, ma dotato di una sua vitalità e di una sua identità definita. A distanza di una quindicina di anni constatava che quel mondo, così come quello dell'Italia contadina, era stato travolto da una uniforme frenesia consumistica che distruggeva ogni forma di cultura popolare, cancellava identità e differenze. Da qui la sua critica appassionata, che riprendeva certo temi e spunti elaborati in precedenza da altri pensatori, ma li sostanziava di una percezione acuta della nuova realtà italiana (quella che nella *Guida storica* abbiamo chiamato "la grande trasformazione").

[?] Mentre critica radicalmente la nuova realtà italiana, Pasolini non intende però mostrare nostalgia per le situazioni precedenti. Esplicitate i giudizi impliciti nelle espressioni che si riferiscono ai rapporti di potere nel passato recente.

XIV Triennale di Milano, mostra del "Grande Numero", sezione "La protesta dei giovani": elettrodomestici e televisori distrutti (1968, Publifoto)

I nuovi *media*

La cultura contemporanea deve fare i conti con le radicali trasformazioni portate nei consumi culturali dai nuovi mezzi di comunicazione di massa. Le prime reazioni in ordine di tempo, e in seguito le più diffuse, sono del tipo detto "apocalittico": le rappresenta tipicamente Adorno, sociologo della scuola di Francoforte, che già prima della diffusione della televisione vede nei prodotti dell'industria culturale solo banalità e volgarità sistematicamente instillate nel pubblico (*T37.5*). Gli risponde indirettamente un altro grande sociologo, Edgar Morin, che spiega questi giudizi come una reazione degli intellettuali alla perdita della propria tradizionale egemonia sulla cultura (*T37.6*). Lo stesso autore, fin dagli anni sessanta, analizza i mutamenti indotti dalla televisione nei rapporti fra l'uomo e la realtà, cercando di mantenere un atteggiamento di distacco scientifico, anche se non propriamente ottimista (*T37.7*). Ma chi ha proposto nel modo più radicale l'idea che dopo l'avvento della televisione l'umanità non è più quella di prima è stato Marshall McLuhan, che ha additato nei nuovi *media* il fattore di una svolta epocale, una mutazione nella natura stessa dell'uomo (*T37.8*).

Theodor W. Adorno

Theodor Wiesengrund Adorno (1903-1969), nato a Francoforte sul Meno, dopo essersi laureato in filosofia in quella città visse alcuni anni a Vienna, dove studiò musica, in contatto con l'avanguardia dodecafonica. Intorno al 1930 divenne uno dei membri più influenti dell'Istituto per la ricerca sociale di Francoforte, di orientamento marxista, chiuso nel 1933 all'avvento del regime nazista. Durante la seconda guerra mondiale riparò negli Stati Uniti, e nel 1949 rientrò a Francoforte, dove l'Istituto si era ricostituito sotto la direzione del suo amico Max Horkheimer, e dove Adorno fu docente universitario fino alla morte. La sua vasta produzione saggistica spazia dall'estetica e sociologia della musica (*Filosofia della musica moderna*, 1949) alla sociologia (*La personalità autoritaria*, 1950, ricerca collettiva condotta negli Stati Uniti sotto la sua direzione), alla filosofia (*Tre studi su Hegel*, 1963), alla teoria letteraria (*Note per la letteratura*, quattro volumi usciti dal 1958 al 1974).

▶ **T37.5**

T37.5

«La passione ipnotica e stregata»

Il testo che segue è tratto da Minima moralia *(in latino, "Minime questioni morali"), una raccolta di brevi riflessioni ed aforismi scritti fra il 1944 e il 1947. Il sottotitolo* Meditazioni della vita offesa *dice il tema di fondo dell'opera: una riflessione che, partendo da spunti apparentemente minori della vita sociale e culturale contemporanea, ne mette in luce la profonda disumanità.*

Theodor W. Adorno
MINIMA MORALIA
(Trad. dal tedesco di R. Solmi, Einaudi, Torino, 1994)

Come il progresso e la regressione siano oggi strettamente intrecciati, può risultare chiaramente da un esame del concetto di possibilità tecniche. I procedimenti di riproduzione meccanizzati[1] si sono sviluppati indipen-

1

1. **I procedimenti... meccanizzati**: le tecniche che riproducono suoni e immagini; Adorno ha in mente in particolare l'industria discografica e quella cinematografica.

Tom Wesselman
Still-Life Painting, 30 (1963, 123,2×167,6×10,2 cm, assemblaggio, New York, The Museum of Modern Art)

2. **conservazione... idiozia**: la passione per la novità tecnica fine a se stessa si risolve nella conservazione di un livello culturale infimo dei prodotti (*porcherie abituali*) e nella promozione di gusti banali nel pubblico (*programmazione dell'idiozia*).

3. *kitsch*: cattivo gusto, falsa arte (termine tedesco diventato di uso internazionale, che in origine significa "scarto").

4. *haute nouveauté*: novità di alta classe (francese, dal linguaggio dell'alta moda).

5. **il bisogno relativamente razionale**: la scelta dei prodotti in base a gusti e bisogni autentici.

6. **avversione... spregiudicata**: il pubblico ha in antipatia l'arte più autentica del nostro tempo, come la musica moderna d'avanguardia (di cui Adorno era un cultore appassionato).

dentemente da ciò che si tratta di riprodurre e hanno finito per rendersi completamente autonomi. Essi sono considerati progressivi, e tutto ciò 5 che non si serve di essi passa per reazionario o provinciale. Questa fede è coltivata in modo tanto più intensivo e capillare in quanto gli impianti colossali, appena restano in qualche modo inutilizzati, rischiano di trasformarsi in investimenti passivi. [...] La passione ipnotica e stregata che spinge a consumare, di volta in volta, gli ultimi ritrovati della tecnica, non 10 rende solo indifferenti nei confronti di ciò che viene propinato, ma torna anche a vantaggio della conservazione delle porcherie abituali e della programmazione sistematica dell'idiozia[2]. Essa conferma e ribadisce il vecchio *kitsch*[3], in sempre nuove variazioni, come *haute nouveauté*[4]. Al progresso tecnico corrisponde, da parte dei clienti e degli spettatori, il deside- 15 rio ottuso e ostinato di non acquistare mai un fondo di magazzino, di non restare mai indietro al progresso produttivo scatenato nella sua corsa, senza curarsi minimamente del significato di ciò che viene prodotto. Lo spirito gregario, l'impulso a fare ressa agli sportelli e a mettersi in fila, sostituisce, in ogni campo, il bisogno relativamente razionale[5]. Di poco infe- 20 riore all'avversione per una composizione d'avanguardia, troppo moderna e spregiudicata[6], è quella per un film già vecchio di tre mesi, a cui si preferisce in ogni caso l'ultimo, anche se assomiglia al primo come una goccia d'acqua all'altra. Come i clienti della società di massa vogliono essere sempre subito presenti, così non possono omettere o saltare nulla. [...] 25 Ogni programma deve essere seguito religiosamente fino alla fine, ogni *best seller* deve essere letto scrupolosamente, bisogna assistere avidamente ad ogni film nei giorni della sua gloria nel cinematografo di prima visione. La profusione illimitata di ciò che viene consumato senza criterio non

può fare a meno di avere effetti nefasti. Essa rende impossibile orientarsi, 30
e come nell'emporio sterminato ci si guarda intorno in cerca di una guida[7], così la popolazione, assediata e presa in mezzo tra offerte contrastanti, non può fare altro che aspettare la sua.

7. una guida: nel te-
sto tedesco l'autore
scrive *Führer*, che può
indicare una guida di
turisti, ma anche un
dittatore; con questo

insinua che il diso-
rientamento creato

dalla sovrabbondante
offerta di merci (*em-
porio sterminato*) è il
migliore terreno di

coltura per le ditta-
ture

dialogo con il testo

I temi

Dagli Stati Uniti, dove scriveva queste note nel
1945, Adorno poteva osservare l'avanguardia di un
fenomeno che nel dopoguerra si sarebbe rapidamente diffuso in Europa e nel mondo: la crescita di
un'industria culturale sempre più colossale, che offre
(o impone) a un pubblico di massa prodotti confezionati in serie. Al tempo in cui Adorno scriveva si
trattava di film, dischi e trasmissioni radiofoniche,
ma il suo discorso si attaglia anche all'epoca successiva della televisione e delle cassette audio e video.
Questi prodotti soddisfano quel bisogno di esperienza estetica e di immaginario a cui è stata sempre rivolta l'arte e la letteratura, ma lo soddisfano in modo
degradato, al livello delle «porcherie» e del *kitsch*.

❓ L'autore sottolinea che anche il bisogno che spinge il pubblico verso i prodotti dell'industria culturale
è qualcosa di falso, indotto dal conformismo alle
mode; individuate i punti del brano in cui questo
motivo compare in varie forme.

❓ D'altra parte l'autore, ispirandosi al punto di vista marxista che vede nell'economia la "base" di ogni
fenomeno sociale, mette in primo piano, nella spinta
ai consumi, un motivo economico. Individuate il
passo in proposito.

La condanna di Adorno per l'industria culturale, totale e senza appello, inaugura la tradizione dei giudizi "apocalittici" sul fenomeno, che ha avuto numerosi seguaci nei decenni successivi; nel filosofo tedesco,
questa condanna si lega alla visione esplicitamente
"disperata" della società del capitalismo avanzato, comune agli studiosi della scuola di Francoforte.

❓ Gli studiosi della corrente "apocalittica" sono stati accusati di avere un atteggiamento aristocratico di
sostanziale disprezzo per le masse (nonostante l'o-
rientamento marxista di alcuni di loro, come Adorno). Sulla base di questo brano, ritenete di poter
condividere tale critica? Motivate la vostra valutazione con riferimento a espressioni del testo.

Confronti

Il giudizio "apocalittico" sulla cultura di massa va letto sullo sfondo di quelli dello stesso genere sulla società di massa in generale, in particolare di un altro
studioso della scuola di Francoforte (Marcuse
T37.3).

L'accenno alla musica moderna d'avanguardia come
autentica arte contemporanea si lega alle considerazioni di Marcuse sull'arte del "Grande rifiuto"
(*T37.22*).

T37.6 *Secondo Novecento*

Edgar Morin

Edgar Morin (1921), sociologo francese, si è dapprima interessato all'analisi dei fenomeni culturali conseguenti al diffondersi dei mezzi di comunicazione di massa. Successivamente le sue ricerche si sono spostate sui problemi epistemologici delle scienze umane, cui è tuttora dedito con lavori transdisciplinari. Tra le sue opere, *L'industria culturale* (1962), *Il paradigma perduto: la natura umana* (1973), *Il metodo* (1977), *La vita della vita* (1980), *Scienza con coscienza* (1982). In anni più recenti si è interessato ai problemi dell'educazione, con interventi che hanno avuto larga risonanza (*La testa ben fatta*, 1999).

▶ T37.6 T37.7 T37.13

IL CONTESTO

T37.6

Cultura alta e bassa

L'industria culturale, *edito in Francia nel 1962, è stato uno dei primi libri che abbiano affrontato il nuovo fenomeno della cultura di massa da un punto di vista non* polemico, ma con distacco sociologico. Presentiamo alcune pagine iniziali, in cui l'autore imposta il suo tema di ricerca.

Edgar Morin
L'INDUSTRIA
CULTURALE
(Trad. dal francese,
Il Mulino, Bologna,
1963)

Gli «uomini colti» vivono sopra una concezione valorizzante, differenziata, aristocratica della cultura. Ecco perché il termine «cultura del XX secolo» evoca loro immediatamente, non il mondo della televisione, della radio, del cinema, dei cartoni animati, della stampa, della canzone, del turismo, delle vacanze, del tempo libero, ma Mondrian, Picasso, Stravinsky, Alban Berg[1], Musil, Proust, Joyce.   5

Gli intellettuali rigettano la cultura di massa negli inferi infra-culturali[2]. Un atteggiamento umanistico deplora l'invasione dei sottoprodotti culturali dell'industria moderna. Un atteggiamento di destra tende a considerarla come divertimento di iloti[3], barbarie plebea. A partire dalla vulgata   10
marxista[4] si è delineata una critica di «sinistra», che considera, la cultura di massa come barbiturico (il nuovo oppio del popolo[5]) o mistificazione deliberata (il capitalismo distrae le masse dai loro veri problemi). Più profondamente marxista è la critica della nuova alienazione[6] della civiltà borghese: l'alienazione dell'uomo nel lavoro si prolunga ormai in alienazione nei   15
consumi e nei «loisirs»[7], nella falsa cultura. Tornerò beninteso su questo argomento, ma vorrei innanzitutto notare qui che, per differenti che siano le origini del disprezzo umanistico, di quello di destra e di quello di sinistra, la cultura di massa è considerata come merce culturale di pessima qualità, oro falso, o, come si dice negli Stati Uniti: «kitsch»[8]. Sospendendo ogni   20
giudizio di valore, possiamo dunque diagnosticare una resistenza globale della «classe intellettuale» o «colta».

1. **Mondrian... Berg**: due grandi pittori e due grandi musicisti, esponenti di un'arte sofisticata e difficile.
2. **negli inferi infra-culturali**: nell'inferno della sottocultura.
3. **iloti**: classe infima e ignorante. Nell'antica Sparta gli *iloti* erano i contadini in condizione servile.
4. **vulgata marxista**: la forma del pensiero marxista più diffusa tra gli intellettuali. Propriamente, si dice *vulgata*, la versione latina della Bibbia che ebbe la massima diffusione nel Medioevo.
5. **il nuovo... popolo**: una nuova versione del celebre giudizio contenuto in un'opera giovanile di Marx, «la religione è l'oppio dei popoli» (cioè lo strumento per addormentare la loro coscienza critica).
6. **alienazione**: estraniazione da se stessi; nel linguaggio di Marx il termine indica il processo per cui l'uomo si trova di fronte ai prodotti del suo lavoro come realtà estranee, in quanto divenuti merci, finalizzati al profitto e non alla soddisfazione dei suoi bisogni.
7. **«loisirs»**: svaghi, tempo libero (francese).
8. **«kitsch»**: cattivo gusto, falsa arte (termine tedesco diventato di uso internazionale, che in origine significa "scarto").

Questa cultura non è stata fatta dagli intellettuali; i primi autori di film erano saltimbanchi, comici da baraccone, i giornali si sono sviluppati al di fuori delle gloriose sfere della creazione letteraria; radio e televisione sono 25
state il rifugio di giornalisti o attori mancati. È vero che progressivamente gli intellettuali sono stati attirati nelle redazioni, negli studi radiofonici, negli uffici dei produttori cinematografici, e che molti vi hanno trovato un mestiere. Ma questi intellettuali sono *impiegati* dall'industria culturale, e non realizzano se non per caso o dopo lotte sfibranti i progetti che portano 30
in sé. Nei casi limite, l'autore è separato dalla sua opera, che non è più sua. La creazione è spezzata dalla produzione: Stroheim, Welles, vinti, sono rigettati dal sistema, poiché non vi si piegano[9].

L'intellighentia[10] letteraria è spodestata dall'avvento di un mondo culturale in cui la creazione è dissacralizzata, smembrata[11]. E più alta è la sua 35
protesta contro l'industrializzazione dello spirito, in quanto vi partecipa parzialmente, da piccola impiegata.

Ma l'intellighentia non soffre soltanto di esser stata spodestata: tutta una concezione della cultura, dell'arte viene colpita dall'intervento delle tecniche industriali, oltre che dalla determinazione mercantilistica[12] e dal- 40
l'orientamento dei consumi della cultura di massa. Al mecenate succede il mercenariato[13]. Il capitalismo installa le sue filiali nel cuore della grande riserva culturale. La reazione dell'intellighentia è anche una reazione contro l'imperialismo del capitale e il regno del profitto.

Per finire, l'orientamento dei consumi distrugge l'autonomia e la gerar- 45
chia estetica proprie di questa cultura. «Nella cultura di massa non c'è discontinuità tra l'arte e la vita[14]». Solitario ritiro o riti cerimoniali non oppongono la cultura di massa alla vita quotidiana. Essa viene consumata lungo tutte le ore del giorno. I valori artistici, non si differenziano qualitativamente nell'ambito del consumo corrente: i juke-box offrono contem- 50
poraneamente Armstrong e Brenda Lee, Brassens e Dalida[15], tiritere e melodia. Alla radio, alla televisione, al cinema, stesso eclettismo[16]. Questo universo non è retto, regolamentato dalla polizia del gusto, dalla gerarchia del bello, dalla dogana della critica estetica[17]. I settimanali, i giornali per i ragazzi, i programmi radiofonici e, salvo eccezioni, i film, non sono affatto 55
diretti dalla critica «colta» più di quanto non lo siano i consumi degli alimentari, dei detersivi o delle macchine lavatrici. Il prodotto culturale è strettamente determinato dal suo carattere industriale da una parte, e dal suo carattere di consumo quotidiano dall'altra, senza poter emergere all'autonomia estetica. Non è raffinato, né filtrato, né strutturato dall'Arte, valo- 60
re supremo della cultura degli uomini colti.

Tutto sembra opporre l'alta cultura alla cultura di massa: qualità a quantità, creazione a produzione, spiritualità a materialismo, estetica a mercanzia, eleganza a grossolanità, sapere a ignoranza. Ma prima di chiederci se la cultura di massa sia proprio come la vede l'uomo colto, occorre 65
domandarci se i valori dell'«alta cultura» non siano dogmatici, formali, fe-

---

9. **Stroheim... piegano**: due grandi registi, il viennese Erich von Stroheim (1885-1957) e lo statunitense Orson Welles (1916-1986), che ebbero difficoltà con l'industria hollywoodiana perché non volevano sottomettere le proprie esigenze artistiche alle sue richieste.
10. **intellighentia**: termine russo che indica il mondo degli intellettuali, divenuto di uso internazionale.
11. **dissacralizzata, smembrata**: non ha più il carattere sacro che si attribuiva alla creazione artistica, ed è divisa (*smembrata*) tra diversi collaboratori, in un processo di tipo industriale.
12. **determinazione mercantilistica**: la scelta di ciò che si produce in base a criteri commerciali.
13. **Al mecenate... mercenariato**: l'artista, che una volta dipendeva da un mecenate (un ricco protettore), ora è ridotto al ruolo di un salariato (mercenario).
14. **«Nella cultura... vita»**: citazione da un saggio del 1957 dello studioso americano Clement Greenberg.
15. **Armstrong... Dalida**: il grande trombettista jazz Louis Armstrong e lo *chansonnier* francese Georges Brassens sono citati come esempi di arte di qualità, anche se di largo consumo; le cantanti Brenda Lee e Dalida come esempi di produzione musicale scadente di

successo.
16. **eclettismo**: mancanza di scelta.

17. **dogana... estetica**: la critica che, giudicando la

qualità estetica, eserciterebbe una specie di controllo doganale

sul successo delle opere, come fa nel caso dell'arte "alta".

ticizzati[18], se il «culto dell'arte» non nasconda spesso un commercio[19] superficiale con le opere. Tutto ciò che fu considerato innovatore, si oppose sempre alle norme dominanti della cultura. Questa osservazione, che vale per la cultura di massa, non vale anche per la cultura degli uomini colti? Da Rousseau l'autodidatta a Rousseau il doganiere[20], da Rimbaud al surrealismo, un «revisionismo» culturale[21] contesta i canoni e i gusti dell'alta cultura, apre all'estetica ciò che sembrava triviale[22] o infantile.

70

18. **feticizzati**: oggetto di un culto feticistico.
19. **commercio**: rapporto, relazione (qui non in senso commerciale).
20. **Da Rousseau... doganiere**: il primo è il filosofo e scrittore del Settecento, che non ebbe una formazione scolastica regolare, il secondo il pittore Henri Rousseau

(1844-1910), detto "il doganiere" dalla sua professione principale, il primo pittore *naïf* che raggiunse larga fama. Sono citati come esempi di pensatori e artisti accettati dall'alta cultura dopo essersi formati al di fuori di essa.
21. **un «revisionismo» culturale**: la disponibilità a rivedere i canoni dell'alta cultura. Il termine *revisionismo* è virgolettato perché il suo uso proprio è in ambito politico (revisione del pensiero marxista).
22. **triviale**: banale, volgare.

dialogo con il testo

I temi

Morin critica l'atteggiamento di disprezzo indiscriminato per la cultura di massa, che giudica di stampo aristocratico, non importa se si ispira a valori conservatori, "di destra", o rivoluzionari, "di sinistra" (come nel tipico caso di Adorno, *T37.5*).

☐ Più che difendere la cultura di massa, il sociologo intende capire le ragioni della frattura che si è creata fra questa e l'alta cultura; ricapitolate queste ragioni classificandole in
– ragioni connesse alla posizione sociale del creatore di opere culturali;
– ragioni connesse al cambiamento dei modi di fruizione dell'arte;
– ragioni connesse alla caduta di tradizionali criteri di valore estetico.

☐ Anche se l'autore cerca di mantenere un tono distaccato, in vari punti affiora una certa ironia che colpisce gli esponenti dell'alta cultura tradizionale; individuateli.

☐ Nell'ultimo capoverso, Morin insinua un ulteriore dubbio sulla distinzione rigida tra arte "alta" e "bassa", citando i casi di artisti "irregolari", come Rousseau "il doganiere" e Rimbaud, che col tempo sono stati accolti nei canoni della cultura ufficiale. Provate a citare altri esempi più recenti di registi, musicisti, comici, un tempo considerati "spazzatura" e in seguito ricordati con universale ammirazione.

Edgar Morin

T37.7

Notizie
sull'autore **T37.6**

L'uomo televisionario

*Se nel brano precedente Morin aveva mo-
strato di non condividere una critica indiscriminata della cultura di massa, in questo, tratto dallo stesso saggio (*L'industria*

*culturale, 1962) il sociologo descrive alcu-
ne conseguenze non propriamente positive
dell'uso dei nuovi* media.

Edgar Morin
L'INDUSTRIA
CULTURALE
(Trad. dal francese,
Il Mulino, Bologna,
1963)

Lo spettatore guarda. È spettatore anche il lettore del giornale e del settimanale. Le nuove tecniche creano un tipo di spettatore puro, cioè distaccato fisicamente dallo spettacolo, ridotto allo stato passivo di chi sta a vedere.
Tutto si svolge dinanzi ai suoi occhi, senza però che egli possa toccare, aderire materialmente a quanto contempla. In compenso, l'occhio dello spet-   5
tatore è dappertutto, nella stanza da letto di Brigitte Bardot[1] come nella capsula spaziale di Titov[2].

La cultura di massa intrattiene e amplifica questa sorta di piacere visivo,
fornendogli inoltre pettegolezzi, confidenze, rivelazioni sulla vita delle ce-
lebrità. Lo spettatore tipicamente moderno è colui che è votato alla *tele-vi-*   10
sione[3], che vede sempre tutto in piano riavvicinato, come al teleobbiettivo,
ma nello stesso tempo a una impalpabile distanza; anche ciò che è più vicino si colloca all'infinito dell'immagine[4], sempre presente, invero, ma mai
materializzata. Egli partecipa allo spettacolo, ma la sua partecipazione avviene sempre tramite l'altro[5]: corifeo[6], mediatore, giornalista, annuncia-   15
re, fotografo, operatore, divo, diva, eroe immaginario.

Più largamente, un sistema di cristalli e di vetri, di schermi cinematografici, di video televisivi, di porte vetrate di appartamenti moderni, di
plexiglas di autopullman, di finestrini di aereo, qualcosa di sempre translu-
cido, trasparente o riflettente ci separa dalla realtà fisica... Questa membra-   20
na invisibile ci isola e nello stesso tempo ci consente di veder meglio e meglio sognare, cioè anche di partecipare. In effetti, attraverso la trasparenza
di uno schermo, l'impalpabilità di una immagine, una partecipazione tramite l'occhio e lo spirito ci apre l'infinito del cosmo reale e delle nebulose
immaginarie.   25

Così, noi partecipiamo a mondi che sono a portata di mano, ma fuori
della nostra presa. Così, lo spettacolo moderno è una grande presenza e al
tempo stesso una grande assenza. È insufficienza, passività, fallacia[7] televi-
sionaria, e al tempo stesso partecipazione alla molteplicità del reale e del-
l'immaginario.   30

Al limite, l'uomo televisionario sarebbe un essere astratto in un universo astratto: da una parte, la sostanza attiva del mondo svapora parzialmente, poiché la sua materialità è svanita; dall'altra, e simultaneamente, lo spirito dello spettatore evade, ed erra, invisibile fantasma, fra le immagini. In
questo senso, si potrebbe dire che le telecomunicazioni (sia che esse con-   35
cernano il reale o l'immaginario) impoveriscono le comunicazioni concrete

1. **Brigitte Bardot**:
attrice francese, *sex
symbol* e mito divisti-
co degli anni
cinquanta e sessanta.
2. **Titov**: uno dei primi astronauti sovieti-
ci, che viaggiò con la
capsula Vostok 2.
3. *tele-visione*: scom-
pone la parola nei
suoi elementi etimo-
logici: "visione da
lontano".
4. **all'infinito
dell'immagine**: l'im-
magine, per quanto
avvicinata dalla ripre-
sa, resta a una distan-
za infinita dallo spet-
tatore, nel senso che
questi non può inte-
ragire con essa.
5. **tramite l'altro**:
attraverso qualcuno
che orienta il rappor-
to fra lo spettatore e
lo spettacolo.
6. **corifeo**: letteral-
mente, il capo del co-
ro nella tragedia gre-
ca. Qui si intende
chiunque influenza
l'opinione pubblica.
7. **fallacia**: falsità, inganno.

dell'uomo col suo ambiente. Il banale esempio della televisione, che impoverisce le comunicazioni familiari, la sera, durante il pranzo, è sintomatico. E infine, non soltanto la comunicazione con gli altri, ma anche l'esser presenti a se stessi verrebbe a diluirsi, a forza di essere mobilitati sempre altrove[8]. Alla televisione potrebbe applicarsi la proposizione di Machado[9]: «Ho sognato senza dormire, forse anche senza neppure svegliarmi».

Ma, nelle partecipazioni tele-visive, certi succhi filtrano attraverso la membrana del video, dello schermo, della foto, e vanno a nutrire le comunicazioni vissute. Gli scambi effettivi si svolgono nelle conversazioni in cui si parla di film, di divi, di trasmissioni, di fatti di cronaca; noi ci esprimiamo e conosciamo il prossimo evocando ciò su cui ci proiettiamo[10].

40

45

8. mobilitati sempre altrove: continuamente impegnati a seguire oggetti lontani.
9. Machado: Antonio Machado (1875-1939), poeta spagnolo.
10. ci esprimiamo... ci proiettiamo: parliamo di noi e degli altri parlando di persone e fatti dell'universo televisivo, in cui ci identifichiamo. La *proiezione* è un termine del linguaggio psicanalitico, che indica l'attribuire inconsciamente qualcosa di sé ad oggetti esterni.

dialogo con il testo

I temi

Le osservazioni sulla passività indotta dalla televisione sono ormai diventate un luogo comune; ma l'analisi di Morin resta interessante non solo perché è stata una delle prime in proposito, ma anche per la finezza con cui è condotta. L'autore non pronuncia giudizi sommari e apocalittici sul mezzo televisivo, ma cerca di cogliere nella loro complessità le modificazioni che esso produce nei rapporti fra l'individuo e il mondo.

2 Spiegate sinteticamente i seguenti punti salienti del brano:
– l'ambiguo statuto di presenza e insieme assenza di ciò che è percepito come immagine;
– il rapporto di estraneità e insieme di partecipazione che ha lo spettatore verso il mondo reale e immaginario;
– l'estensione del rapporto "televisionario" con la realtà ad altri aspetti della vita contemporanea.

Keith Haring
**Senza titolo,
12 aprile 1984**
(1984, 152×152 cm,
acrilico su legno,
Colonia, Galleria
Paul Maenz)

Marshall McLuhan

Marshall McLuhan (1911-1980), sociologo canadese, si dedicò principalmente allo studio dei mezzi di comunicazione e alla loro incidenza sui modi di pensiero e di comportamento. Tra le sue opere *La galassia Gutenberg: nascita dell'uomo tipo-* *grafico* (1962), *Guerra e pace nel villaggio globale* (1968), *Città come aula* (1977).

▶ **T37.8**

T37.8

«Il *medium* è il messaggio»

Le pagine qui presentate sono tratte dai primi capitoli del libro più noto di McLuhan, Gli strumenti del comunicare (1964; il titolo originale significa piuttosto "Capire i media"). L'autore, dopo aver indagato l'influenza che ha avuto la stampa sulla mente dell'uomo moderno, estende l'analisi agli strumenti di comunicazione contemporanei, fondandosi sull'assunto che non è possibile separare il messaggio dal veicolo che lo trasmette: le caratteristiche tecniche dei mezzi condizionano il contenuto e vanno a incidere sulla mente e sul comportamento del destinatario. Dunque l'evoluzione tecnologica produce effetti di ordine psichico e fisico di cui è necessario rendersi conto, in una società in cui la comunicazione si è fatta immediata e globale.

Marshall McLuhan
GLI STRUMENTI DEL COMUNICARE
(Trad. dall'inglese di E. Capriolo, Garzanti, Milano, 1977)

Dopo essere esploso per tremila anni con mezzi tecnologici frammentari e puramente meccanici, il mondo occidentale è ormai entrato in una fase di implosione[1]. Nelle ere della meccanica, avevamo operato un'estensione del nostro corpo in senso spaziale[2]. Oggi, dopo oltre un secolo d'impiego tecnologico dell'elettricità, abbiamo esteso il nostro stesso sistema nervoso centrale in un abbraccio globale[3] che, almeno per quanto concerne il nostro pianeta, abolisce tanto il tempo quanto lo spazio. Ci stiamo rapidamente avvicinando alla fase finale dell'estensione dell'uomo: quella, cioè, in cui, attraverso la simulazione tecnologica, il processo creativo di conoscenza verrà collettivamente esteso all'intera società umana[4], proprio come, tramite i vari *media*[5] abbiamo esteso i nostri sensi e i nostri nervi.

Che questo prossimo estendersi della comunicazione, cui mirano da tempo i tecnici pubblicitari con riguardo a particolari prodotti, debba o no considerarsi ciò che si dice «un bene» costituisce un problema aperto a un'ampia gamma di soluzioni. Ma è praticamente impossibile dare una risposta a qualsiasi domanda su tali estensioni dell'uomo senza prenderle tutte in esame nel loro insieme. Non v'è estensione infatti, sia essa del tatto, ad esempio, oppure degli arti, che non investa per intero la sfera psichica e quella sociale.

1

5

10

15

1. implosione: l'opposto di *esplosione*, uno scoppio diretto dall'esterno verso l'interno di una massa. I mezzi *meccanici* di comunicazione estendevano lo spazio dell'azione umana; grazie ai nuovi mezzi di comunicazione elettrici (radio, televisione) «il nostro mondo, con drammatico rovesciamento di prospettive, si è ora improvvisamente contratto. L'elettricità ha ridotto il globo a poco più di un villaggio», come scrive altrove l'autore.
2. un'estensione... spaziale: secondo McLuhan i progressi tecnici vanno interpretati come estensioni del corpo umano: la ruota estende le facoltà del piede, le macchine utensili sono estensioni delle mani ecc.
3. abbiamo esteso... globale: con l'avvento della radio e televisione, sono le facoltà percettive e psichiche dell'uomo che si estendono: è come se il sistema nervoso si estendesse ad abbracciare l'intero globo terrestre.
4. attraverso... umana: le macchine che simulano il pensiero estenderanno a tutta l'umanità la creazione di nuova conoscenza.
5. *media*: mezzi di comunicazione. Termine latino adottato in inglese e poi importato nell'italiano.

[...]

L'uomo occidentale aveva derivato dalla tecnologia dell'alfabetismo la 20
capacità di agire senza reagire[6]. I vantaggi di questa autoframmentazione[7]
trovano un esempio significativo nel caso del chirurgo, che sarebbe ridotto
all'impotenza se dovesse partecipare emotivamente alle operazioni che esegue. Tutti, del resto, avevamo ormai finito per imparare l'arte di eseguire 25
con totale distacco le operazioni sociali più pericolose[8]. Ma questo distacco
era segno di non partecipazione. Ora che – dopo l'avvento dell'energia
elettrica – il nostro sistema nervoso centrale viene tecnologicamente esteso
sino a coinvolgerci in tutta l'umanità e a incorporare tutta l'umanità in
noi, siamo necessariamente implicati in profondità nelle conseguenze di 30
ogni nostra azione[9]. Non è praticamente più possibile mantenere l'atteggiamento tipicamente estraneo e superiore che aveva finito con il caratterizzare l'uomo occidentale di media cultura.

[...]

In una cultura come la nostra, abituata da tempo a frazionare e dividere 35
ogni cosa al fine di controllarla, è forse sconcertante sentirsi ricordare che,
per quanto riguarda le sue conseguenze pratiche, il *medium* è il messaggio[10]. Che in altre parole le conseguenze individuali e sociali di ogni *medium*, cioè di ogni estensione di noi stessi, derivano dalle nuove proporzioni introdotte nelle nostre questioni personali da ognuna di tali estensioni o 40
da ogni nuova tecnologia. [...]

La nostra reazione convenzionale a tutti i *media*, secondo la quale ciò
che conta è il modo in cui vengono usati, è l'opaca posizione dell'idiota
tecnologico. Perché il «contenuto» di un *medium* è paragonabile a un suc-
coso pezzo di carne con il quale un ladro cerchi di distrarre il cane da guar- 45
dia dello spirito. L'effetto del *medium* è rafforzato e intensificato dal fatto
di attribuirgli come «contenuto» un altro *medium*. Il contenuto di un film
è un romanzo, una commedia o un'opera. Ma l'effetto della forma cinematografica non ha nulla a che fare con il suo contenuto programmatico. [...]

Gli effetti della tecnologia non si verificano infatti al livello delle opi- 50
nioni o dei concetti, ma alterano costantemente, e senza incontrare resistenza, le reazioni sensoriali o le forme di percezione.

---

6. **L'uomo... reagire**: la scrittura alfabetica (*tecnologia dell'alfabetismo*) ha caratterizzato tutta la cultura del mondo occidentale; da essa deriva una capacità di distacco intellettuale, senza partecipazione emotiva (*agire senza reagire*).
7. **autoframmenta-zione**: capacità di dividere, in se stessi, l'azione dalla reazione emotiva.
8. **le operazioni... pericolose**: come spiega altrove McLuhan, «i nuovi *media* e le nuove tecnologie con cui amplifichiamo ed estendiamo noi stessi costi-

tuiscono una sorta di enorme operazione chirurgica collettiva eseguita sul corpo sociale con la più totale assenza di precauzioni antisettiche».
9. **siamo necessaria-mente... azione**: la comunicazione alfabetica tramite la stampa era lenta, e consentiva di separare

il messaggio dalla reazione emotiva; la comunicazione elettrica è istantanea, ed esige una risposta imme-diata. Questo, secon-do McLuhan «ha in-tensificato in misura straordinaria la consa-pevolezza della responsabilità uma-na».
10. **il *medium* è il**

messaggio: è la tesi centrale del saggio. Secondo McLuhan le caratteristiche tecni-che del mezzo condi-zionano il messaggio trasmesso, e al limite si identificano con esso: il fatto che un messaggio sia stampa-to, cinematografico, televisivo ecc. è molto più importante di ciò

che esso dice, poiché «è il *medium* che con-trolla e plasma le pro-porzioni e la forma dell'associazione umana. I contenuti, invece, cioè le utiliz-zazioni, di questi *me-dia* possono essere diversi, ma non han-no alcuna influenza sulle forme dell'asso-ciazione umana».

dialogo con il testo

I temi

La tesi centrale di McLuhan è che i mezzi di comunicazione non sono soltanto strumenti, neutrali rispetto al loro contenuto elevato o scadente, o al loro uso buono o cattivo. Essi sono un prolungamento dell'essere umano, e di conseguenza modificano in profondità la sua natura. Così la storia della civiltà occidentale può essere scandita in fasi riferite ai *media* prevalenti: la stampa ha imposto a suo tempo procedimenti di conoscenza analitici, lenti ed emotivamente distaccati; l'avvento dei mezzi elettrici, che impongono una comunicazione simultanea, abolendo le distanze spaziali e temporali, orienta la conoscenza verso una partecipazione immediata e coinvolgente. Il pianeta diventa un "villaggio globale", in cui tutti comunicano con tutti in ogni momento.

Queste trasformazioni sono state valutate per lo più negativamente dagli intellettuali, come una perdita di razionalità, un pericolo di banalizzazione generale della conoscenza. McLuhan si astiene invece dal giudicare un'evoluzione che, trasformando i *media*, trasforma in profondità l'uomo stesso: si tratta di capire che l'umanità è entrata in una nuova era. L'autore tende piuttosto a sottolineare alcuni aspetti positivi dei nuovi mezzi di comunicazione: essi allargano gli orizzonti mentali perché mettono a disposizione di tutti i beni della cultura, ed esigendo una risposta emotiva immediata favorirebbero un sentimento di partecipazione responsabile alle vicende del mondo. Infine, come scrive in un altro passo, «l'aspirazione della nostra epoca alla totalità, all'empatia e alla consapevolezza in profondità è un complemento naturale della tecnologia elettrica».

Le forme

I procedimenti argomentativi di McLuhan vogliono esemplificare le nuove condizioni del pensiero umano di cui l'autore parla: egli procede per associazioni di idee, esempi imprevedibili, saltando da un punto a un altro e ritornando circolarmente sulle stesse idee anche a distanza di pagine. In questo modo tenta di far sperimentare direttamente al lettore una forma di conoscenza non più analitica e sequenziale, ma "simultanea", intuitiva e coinvolgente.

Confronti

❓ La disponibilità immediata di una grande quantità di informazioni attraverso i *media* rende le persone più partecipi e responsabili? A questa domanda McLuhan e Morin (*T37.7*) danno risposte diverse; individuate la differenza e sintetizzate le tesi in proposito dei due autori.

Nam June Paik
Video Buddha
(1989, Stuttgart,
Froehlich Collection)

L'autocritica dell'Occidente

La cultura della seconda metà del Novecento è percorsa da un ripensamento autocritico delle conquiste materiali e culturali che hanno costituito l'orgoglio dell'Occidente e gli hanno assicurato la supremazia mondiale. L'incubo di un'autodistruzione dell'umanità in seguito a una guerra nucleare porta a denunciare il potenziale distruttivo insito nel grande sviluppo tecnico-economico seguito alla rivoluzione industriale (Anders, *T37.9*). Ma già sulla storia precedente dell'Occidente pesa la responsabilità del genocidio (materiale o culturale) perpetrato ai danni dei popoli colonizzati; riconoscere questa responsabilità significa rinunciare al punto di vista che identifica nella propria civiltà *la* civiltà, accettare ciò che è "altro" da noi come un valore (Todorov, *T37.10*). Intanto un'altra critica radicale all'assolutizzazione di una cultura è venuta dal movimento femminista, che ha rivendicato il valore dell'alterità femminile e ha denunciato come questa sia stata soffocata da millenni di oppressione maschile (Irigaray, *T37.11*).

Günther Anders

Günther Anders (pseudonimo di Günther Stern, 1902-1992), nato a Breslavia (nella Slesia allora tedesca), si laureò in filosofia; all'avvento del nazismo emigrò prima a Parigi e poi negli Stati Uniti. Dopo la seconda guerra mondiale tornò in Europa ed iniziò la sua attività di saggista e di intellettuale impegnato nelle vicende cruciali del nostro tempo, come la minaccia nucleare, la guerra del Vietnam, l'incidente della centrale nuclea-

re di Černobyl. Tra le sue opere, *L'estraneità dell'uomo al mondo*, *Essere o non essere*, *La coscienza al bando*, *Le opinioni di un eretico*.

▶ T37.9

T37.9
La bomba atomica

L'uomo è antiquato, uscito in due volumi separati da un lungo intervallo (1956 e 1980), si compone di schizzi, descrizioni, analisi filosofiche, riflessioni, annotazioni, che spaziano su temi svariati. Il filo conduttore è una diagnosi nettamente pessimistica dell'uomo nell'età della tecnica, ispirata al "principio di disperazione": *l'uomo è giunto al tempo finale della sua storia, che è quello dell'autodistruzione. Tutto è stato ridotto a materia prima indefinitamente manipolabile e sfruttabile da una tecnica sfuggita a ogni controllo. Presentiamo una pagina tratta dall'Introduzione al secondo volume.*

Günther Anders
L'UOMO È
ANTIQUATO
(Trad. dal tedesco di
M.M. Mori, Bollati-
Boringhieri, Torino,
1992)

Ora in questo stadio, nel quale i bisogni devono essere prodotti, io vedo quello della seconda rivoluzione industriale[1]. Ma questo mutamento, che è già cominciato nel secolo passato, non è affatto l'ultimo; e non era l'ultimo neppure allora, quando io lavoravo al primo volume di quest'opera. Di fatto già allora, nel saggio di chiusura, avevo trattato di una ulteriore rivoluzione introdotta da un nuovo apparecchio; una rivoluzione il cui inizio risaliva a dieci anni prima[2] e che ha portato con sé un mutamento così spet-

1

5

1. in questo... industriale: secondo Anders la prima rivoluzione industriale coincide con il macchinismo, la seconda rivoluzione con la produzione dei bisogni indotti: il consumismo necessario all'espansione dell'industria.
2. **dieci anni prima**:

tacolare della sorte dell'umanità, che già allora sarebbe stato più conveniente parlare di una rivoluzione sui generis, dunque di una «terza rivoluzione industriale».

Il mezzo di produzione spettacolare a cui mi riferisco è naturalmente quello che per la prima volta ha messo l'umanità in condizione di *produrre la propria distruzione*, dunque, *la bomba atomica*. Affermare che essa ci «ha messo in condizione di», è naturalmente un *understatement*[3] addirittura, come si dice in America, l'*understatement of the century*[4], appunto per il motivo esposto prima: non solo perché fa parte dell'essenza della nostra esistenza tecnica che ciò che sappiamo produrre non possiamo non produrlo, ma anche perché non possiamo non usare ciò che abbiamo prodotto[5]. Stando così le cose, viviamo – e già da trent'anni – in un'èra nella quale gestiamo la produzione della nostra stessa distruzione (ciò che non sappiamo è solo il momento in cui essa avverrà). Se questo non è un criterio per un nuovo stadio della rivoluzione industriale, dunque per la terza rivoluzione industriale, allora non so dove si dovrebbe cercare un tale criterio.

L'energia nucleare non è il simbolo della terza rivoluzione industriale per il fatto che è una novità fisica – è anche questo –, ma perché il suo possibile o probabile effetto – cosa che non si poteva sostenere per alcun precedente effetto umano – è di *natura metafisica*[6]. Chiamo «metafisico» l'effetto dell'energia nucleare, perché l'epiteto «epocale» suppone ancora come cosa ovvia il proseguimento della storia e il susseguirsi di ulteriori epoche, supposizione non più lecita a noi contemporanei. *L'epoca del mutamento d'epoca è finita dal 1945.* Ormai viviamo in un'èra che non è più un'epoca che ne precede altre ma una «scadenza», nel corso della quale il nostro essere non è più altro che un «esserci-ancora-appena».

(margin notes)

si riferisce alle prime esplosioni di bombe nucleari, sganciate nel 1945 sulle città giapponesi di Hiroshima e Nagasaki.
3. *understatement*: attenuazione, minimizzazione (inglese).
4. *understatement of the century*: la minimizzazione del secolo.
5. *ciò che sappiamo... prodotto*: una logica inarrestabile dell'*esistenza tecnica* vuole che tutto ciò che è possibile produrre sia prodotto e usato, indipendentemente dalla sua utilità o nocività: dunque le bombe atomiche prima o poi saranno usate.
6. è di *natura metafisica*: va al di là del fatto fisico, rivelando ciò che vi è di universalmente essenziale (e perciò definitivo) nella condizione umana.

dialogo con il testo

I temi

Con l'invenzione delle bombe nucleari l'umanità ha creato la possibilità della propria autodistruzione totale e definitiva. Questo incubo non può non pesare sulla riflessione filosofica, rendendo superate tutte le concezioni ottimistiche dell'uomo e del progresso: la storia dell'uomo può finire per opera propria. Anders interpreta questa consapevolezza nella sua forma più radicale: per lui non si tratta di una possibilità, ma di una certezza, dovuta alla logica inesorabile del predominio della tecnica sull'uomo. In questo è erede di una critica della tecnica variamente presente nel pensiero filosofico del Novecento, e risente in particolare del pensiero di Heidegger, fondatore dell'esistenzialismo.

Tzvetan Todorov

Tzvetan Todorov (1939) è nato a Sofia e vive e lavora in Francia, dove si è trasferito dalla Bulgaria. Critico letterario, è tra i maggiori studiosi di semiotica di impostazione strutturalista. Tra le sue opere, *I formalisti russi*, *Critica della critica*, *Noi e gli altri*.

▶ **T37.10**

T37.10

La profezia di Las Casas

La conquista dell'America (1982) affronta il tema di quella che prima si chiamava "scoperta", dal punto di vista dell'incontro-scontro tra gli invasori spagnoli e le civiltà degli Incas, Maya, Aztechi. Per Todorov, la storia della conquista si giocò, da entrambe le parti, sulla possibilità di conoscere e capire una cultura radicalmente "altra"; il concetto cardine che anima l'indagine è che l'essere umano è essenzialmente dialogico e che l'identità si costruisce attraverso il rapporto con l'altro nella sua irriducibile differenza da noi.

Tzvetan Todorov
LA CONQUISTA
DELL'AMERICA
(Trad. dal francese di
A. Serafini, Einaudi,
Torino, 1992)

Giunto al termine della sua vita, Las Casas[1] scrisse nel proprio testamento: «Credo che, a causa di queste opere empie, scellerate e ignominiose, perpetrate in modo così ingiusto, barbaro e tirannico, Dio riverserà sulla Spagna la sua ira e il suo furore, giacché tutta la Spagna si è presa la sua parte, grande o piccola, delle sanguinose ricchezze usurpate a prezzo di tante rovine e di tanti massacri».

Queste parole, a mezza strada fra la profezia e la maledizione, definiscono dunque la responsabilità collettiva degli spagnoli, e non solo dei conquistadores[2]; per il futuro, e non solo per il presente. E annunciano che il crimine sarà punito, che il peccato sarà espiato.

Oggi siamo pienamente in grado di giudicare se Las Casas vide giusto o no. Si può apportare una lieve correzione all'estensione della sua profezia, sostituendo alla Spagna l'«Europa occidentale». Anche se la Spagna fu all'avanguardia nel movimento di colonizzazione e di distruzione degli *altri*, essa non fu sola: portoghesi, francesi, inglesi, olandesi la seguirono dappresso. E se, in fatto di distruzioni, gli spagnoli furono superiori alle altre nazioni europee, queste cercarono in tutti i modi di eguagliare e superare la Spagna. Leggiamo dunque «Dio riverserà il suo furore sull'Europa», se ciò può farci sentire coinvolti più direttamente.

[...]

Certo, molti avvenimenti della storia più recente sembrano dar ragione a Las Casas. La schiavitù è stata abolita da un centinaio d'anni[3], e il colonialismo vecchio stile[4] (alla spagnola) è scomparso da un ventennio. Nu-

1

5

10

15

20

1. Las Casas: Bartolomeo de Las Casas (1474-1566), domenicano spagnolo, scrittore e missionario, vescovo di Chiapas, in Messico, in due opere, *Brevissima relazione sulla distruzione delle Indie* e *Storia delle Indie*, difese i diritti degli indios e criticò i metodi della conquista e della colonizzazione spagnola. In una famosa disputa tenuta a Valladolid nel 1550 difese contro il filosofo Ginés de Sepùlveda la tesi dell'umanità degli indigeni e della loro uguaglianza rispetto ai conquistatori europei.
2. conquistadores: i conquistatori spagnoli degli imperi azteco (Hernando Cortés) e degli Incas (Francisco Pizarro) e del popolo Maya (Francisco de Montejo).
3. da un centinaio d'anni: la schiavitù fu abolita negli Stati Uniti nel 1865, in Francia nel 1833, in Gran Bretagna nel 1848, in Brasile nel 1888.
4. colonialismo vecchio stile: quello basato sul dominio diretto e sul puro sfruttamento.

merose vendette sono state compiute, e continuano ad essere compiute, contro cittadini delle antiche potenze coloniali, il cui unico delitto personale è, non di rado, semplicemente quello di appartenere a una determinata nazione; gli inglesi, gli americani, i francesi vengono considerati collettivamente responsabili dai loro antichi colonizzati. Non so se in questo si debba vedere l'effetto della collera divina, ma io penso che due considerazioni si impongano a chiunque abbia preso conoscenza della storia esemplare della conquista dell'America: anzitutto, quegli atti non arriveranno mai a saldare il bilancio dei crimini perpetrati dagli europei (e, in questo senso, possono anche essere scusati); in secondo luogo, simili atti non fanno altro che riprodurre quanto di più condannabile gli europei hanno compiuto; niente è più triste che veder la storia ripetersi, anche quando si tratta della storia di una distruzione. Se l'Europa venisse, a sua volta, colonizzata dai popoli dell'Africa, dell'Asia e dell'America Latina (e, a quanto mi risulta, ne siamo piuttosto lontani), la cosa potrebbe forse rappresentare una «bella rivincita», ma non costituirebbe certamente il mio ideale.

[...]

La storia della conquista dell'America mi fa ritenere che un grande cambiamento sia avvenuto (o meglio, sia stato *rivelato*) all'alba del XVI secolo. [...] A partire da quell'epoca, e per circa trecentocinquanta anni, l'Europa occidentale ha cercato di assimilare l'altro, di far scomparire l'alterità esteriore[5], e in gran parte ci è riuscita. Il suo modo di vita e i suoi valori si sono diffusi in tutto il mondo; come voleva Colombo, i colonizzati hanno adottato le nostre usanze e si sono vestiti.

[...]

Credo che questo periodo della storia europea sia oggi, a sua volta, in via di esaurimento. I rappresentanti della civiltà occidentale non credono più così ingenuamente alla sua superiorità e il movimento di assimilazione si sta spegnendo da parte dell'Europa, anche se i paesi – antichi o recenti – del Terzo Mondo continuano a voler vivere come gli europei. Per lo meno sul piano ideologico, noi cerchiamo di combinare quel che ci sembra abbiano di meglio i due termini dell'alternativa: vogliamo l'uguaglianza senza che ciò significhi identità; ma vogliamo anche la differenza senza che degeneri in superiorità/inferiorità; speriamo di poter godere i benefici del modello egualitarista e quelli del modello gerarchico; aspiriamo a ritrovare il senso del sociale senza perdere le qualità dell'individuale.

25

30

35

40

45

50

55

5. **l'alterità esteriore**: la diversità rappresentata dalle civiltà esterne ad essa.

dialogo con il testo

I temi

La conquista del Nuovo mondo costituisce il culmine dell'espansione mondiale della civiltà europea; essa avvenne tra stragi e violenze inenarrabili, che il frate Las Casas aveva denunciato subito, ma che per secoli sono rimaste estranee all'orgogliosa coscienza dell'uomo occidentale. Negli ultimi cinquant'anni gli sviluppi della cultura occidentale, favoriti anche dalla perdita di centralità politica dell'Europa, hanno portato a una consapevolezza delle sue responsabilità storiche, che Todorov delinea come colpe da espiare. Ma l'autore sottolinea anche ciò che la civiltà europea ha perduto, negando l'identità culturale degli "altri": «vincendo da un lato, – scrive altrove Todorov – l'europeo perdeva dall'altro; imponendo il suo dominio su tutto il globo in forza della sua superiorità, egli schiacciava in se stesso la capacità di integrazione col mondo». Da qui la proposta, oggi possibile, di «vivere la differenza nell'uguaglianza»; ancora oggi, «l'altro va scoperto». In queste affermazioni si esprime lo sforzo di dare uno sbocco positivo all'autocritica dell'Occidente, alla crisi della sua identità e al relativismo proprio della cultura odierna.

d Confronti

La riconsiderazione autocritica di ciò che è stata la conquista dell'America si è riflessa anche al livello della cultura di massa: nel cinema *western*, un tempo gli Indiani d'America erano soltanto i "selvaggi", poi si è cominciato a rappresentarli come portatori di una loro cultura diversa.

❓ Fate un confronto da questo punto di vista tra un *western* classico (ad esempio *Ombre rosse*) e uno dei film che più di recente hanno rivisitato il genere (ad esempio *Balla coi lupi*).

Luce Irigaray

Luce Irigaray (1930), belga, ha studiato filosofia a Lovanio e psicologia a Parigi. Membro della Società psicanalitica francese, docente a Vincennes, ha perso la cattedra dopo la pubblicazione nel 1974 di *Speculum. L'altra donna*, opera giudicata troppo spregiudicata e scientificamente non ortodossa. Da allora ha proseguito la sua attività di ricerca, pubblicando *Questo sesso che non è un sesso, Passioni elementari, L'etica della differenza sessuale*.

▶ **T37.11**

T37.11

Lo sfruttamento della donna

Luce Irigaray è una delle più significative rappresentanti del femminismo degli ultimi decenni, quello che ha superato la semplice rivendicazione dell'uguaglianza dei diritti per addentrarsi nella denuncia dei meccanismi economici, sociali e culturali che hanno relegato la donna in uno stato di inferiorità. In questa analisi Irigaray, psicanalista, si serve di strumenti concettuali attinti a Marx e a Freud, ma nel contempo ne denuncia il carattere sessista; in particolare, nel pensiero freudiano la sessualità è considerata da un punto di vista esclusivamente maschile, mentre della donna non si dice nulla, come se non costituisse un sesso specifico, ma fosse semplicemente il rovescio del maschio, il non-maschile. Da qui il titolo del libro di cui presentiamo un brano, Questo sesso che non è un sesso *(1977).*

Luce Irigaray
QUESTO SESSO CHE NON È UN SESSO
(Trad. dal francese di L. Muraro, Feltrinelli, Milano, 1978)

1. **nei circuiti produttivi**: nelle attività produttive, nel lavoro riconosciuto come tale (a differenza di quello domestico).

La donna, a causa della reclusione nella "casa", il luogo della proprietà privata, non era altro che la madre. Ora, non soltanto per la sua entrata nei circuiti produttivi[1], ma anche – soprattutto? – per il generalizzarsi della contraccezione e dell'aborto, viene riportata ad un ruolo impossibile: essere donna. Benché della contraccezione e dell'aborto non si parli di solito che come possibilità di controllare, addirittura di "padroneggiare" le nascite, d'essere "consapevolmente" madre, tuttavia comportano una possibilità di *modificazione dello statuto sociale della donna* e di conseguenza dei modi di rapporto sociale tra l'uomo e la donna.

Ma la donna, indipendentemente dalla funzione riproduttrice, corri- 10 sponderebbe a che cosa, a quale realtà? Sembra che le siano riconosciuti due ruoli possibili, a volte o spesso contraddittori. La donna sarebbe *l'uguale dell'uomo*. Godrebbe, in un avvenire più o meno vicino, degli stessi diritti economici, sociali, politici. Sarebbe un uomo in divenire. Ma la donna dovrebbe anche conservare ed alimentare, sul mercato degli scambi – propriamente o esemplarmente, quelli sessuali[2] – la cosiddetta *femminilità*. Alla donna verrebbe valore dal ruolo materno e, d'altra parte, dalla "femminilità". Ma di fatto tale "femminilità" è un ruolo, un'immagine, un valore, imposti alle donne dai sistemi di rappresentazione[3] degli uomini. Nella mascherata della femminilità la donna si perde, e vi si perde a forza di farla. Ciò non toglie che la cosa richieda da parte sua un *lavoro*[4], per il quale non riceve alcun compenso. A meno che il suo piacere non consista semplicemente nel vedersi scelta come oggetto di consumo o di cupidigia da parte dei "soggetti" maschili. E d'altra parte, come fare diversamente senza finire "fuori commercio"?

Nel nostro ordine sociale le donne sono "prodotte"[5], usate, scambiate dagli uomini. Hanno lo statuto di "merci". Come potrebbe questo oggetto d'uso e di transazione[6] rivendicare un qualche diritto di parola e, in genere, una partecipazione agli scambi? Le merci, si sa, non vanno solo al mercato, e se potessero parlare...[7] Le donne devono dunque rimanere una "infrastruttura"[8] ignorata come tale dalla nostra società e dalla nostra cultura. L'uso, il consumo, la circolazione dei loro corpi sessuati assicurano l'organizzazione e la riproduzione dell'ordine sociale[9], senza che a questo partecipino mai come "soggetti"[10].

La donna si trova dunque in una situazione di *sfruttamento specifico* in rapporto al funzionamento degli scambi: sessuali, ma più generalmente economici, sociali, culturali. Non vi "entra" se non come oggetto di transazione a meno che non accetti di rinunciare alla specificità del proprio sesso. La cui "identità" le viene d'altronde imposta secondo modelli che a lei sono estranei. L'inferiorità sociale delle donne si rinforza e si complica per via che la donna non ha accesso al linguaggio, se non mediante dei sistemi "maschili" di rappresentazione[11] i quali la spogliano del rapporto con se stessa e con le altre donne. Il "femminile" si determina sempre e soltanto con e per il maschile, il contrario non essendo "vero".

Ma questa specifica oppressione forse oggi può permettere alle donne d'elaborare una "critica dell'economia politica"[12] in quanto esse si trovano in una situazione esterna alle leggi degli scambi, pur essendovi comprese come "merci"[13]. Critica dell'economia politica che questa volta non potrebbe fare a meno di quella del discorso in cui si realizza[14], e segnatamen-

---

2. **scambi... sessuali**: le relazioni sessuali e familiari considerate come una forma di "scambio", analoga a quelli economici.

3. **sistemi di rappresentazione**: modelli coi quali si vede e interpreta la realtà.

4. **richieda...** *lavoro*: in quanto la femminilità include la maternità, il lavoro domestico, la cura delle persone.

5. **sono "prodotte"**: come figura sociale e mentalità.

6. **transazione**: contratto, scambio.

7. **Le merci... parlare**: prima di essere immesse sul mercato, le merci sono prodotte; e se la merce-donna potesse parlare, esprimerebbe la violenza che ha subito nell'essere ridotta a merce.

8. **una "infrastruttura"**: un elemento o una condizione per il funzionamento della struttura sociale, di cui però non è parte integrante.

9. **la riproduzione... sociale**: la donna assicura che l'ordine sociale si perpetui (*riproduzione*), generando ed educando i figli.

10. **soggetti**: persone attive e dotate di autonomia.

11. **non ha... rappresentazione**: è costretta a usare un linguaggio tutto impregnato di una visione del mondo maschile.

12. **"critica dell'economia politica"**: è il titolo di una delle opere fondamentali di Marx (1859; notizie in *T25.6*) in cui si analizzano i rapporti di produzione capitalistici. Irigaray intende estendere l'analisi marxiana fino a comprendere i modi dello sfruttamento e dell'appropriazione delle donne da parte maschile.

13. **in quanto... "merci"**: le donne sono in grado di criticare il sistema sociale in quanto non ne sono parte attiva, ma lo subiscono come "merci" di scambio degli uomini.

14. **non potrebbe... realizza**: la nuova critica deve contestare non solo gli assetti sociali, ma le convenzioni linguistiche (*il discorso*) che li esprimono e li perpetuano.

te dei suoi presupposti metafisici[15]. E che sicuramente interpreterebbe diversamente la *rilevanza dell'economia del discorso nell'analisi dei rapporti di produzione*[16].

Infatti, senza sfruttamento del corpo-materia delle donne, che cosa succederebbe del funzionamento simbolico che regola la società[17]? Che modificazione subirebbero questa e quello se le donne, da oggetti di consumo o di scambio, forzatamente afasici[18] diventassero anche "soggetti parlanti"? Certo non secondo il "modello" maschile, o più esattamente fallocratico[19].

La cosa non passerebbe liscia per il discorso che oggi fa la legge, che legifera su tutto, compresa la differenza dei sessi, al punto che l'esistenza d'un altro sesso, d'un altro, altra: la donna, gli appare ancora inimmaginabile.

50

55

60

15. presupposti metafisici: presupposti che sottostanno al discorso, gli danno fondamenti filosofici mascherati: quelli del pensiero maschile.
16. sicuramente... produzione: i rapporti di produzione, analizzati da Marx, non vanno visti solo in chiave economica, ma anche in quella di *un'economia del discorso* (lo scambio linguistico che condiziona il pensiero, determinando in questo modo le relazioni sociali).
17. funzionamento... società: la società è regolata da un insieme di simboli, di significati attribuiti ai suoi elementi; lo sfruttamento del corpo femminile, come "materia prima" ne è un fondamento essenziale.
18. afasici: che non parlano; nel senso che non hanno un proprio linguaggio che esprima la loro specifica condizione.
19. fallocratico: dominato dal membro genitale maschile (*fallo*); il movimento femminista ha denunciato come "fallocratico" il potere sessuale maschile.

dialogo con il testo

I temi

All'interno del movimento femminista degli ultimi decenni è maturata la convinzione che l'intera cultura occidentale sia stata dominata dalla componente maschile, con la negazione di quella femminile. Non si tratta soltanto di un problema di libertà e diritti, ma anche delle categorie di un pensiero che è stato sempre inteso come neutro, oggettivo, mentre in realtà è determinato dal predominio di un genere sull'altro. Se la realtà sociale è stata organizzata in funzione maschile, anche le forme del pensiero e del discorso inevitabilmente ricevono questa impronta. Esiste dunque un modo specificamente femminile del pensiero che finora è stato occultato dalla cultura dominante, e che ora si tratta di fare emergere in tutta la sua autonomia e differenza. Pertanto, l'emancipazione sociale della donna è insieme condizione e risultato dello schiudersi di un orizzonte di cultura finora rimasto inespresso.

? Per definire la condizione di "oggetto" a cui la donna è stata ridotta, l'autrice utilizza una serie di concetti e termini desunti dall'economia, in particolare marxista. Individuateli nel testo e spiegateli.

? In un passo, viene denunciato anche un aspetto propriamente economico dello sfruttamento della donna; indicatelo.

Tuttavia, Irigaray non assegna all'economia un ruolo prioritario; la metafora della "economia del discorso" sposta il ragionamento sulla cultura e sul linguaggio che la veicola, che sono un prodotto del dominio maschile e lo perpetuano, perché attraverso il linguaggio la donna è costretta ad assumere categorie di pensiero maschili; le considerazioni sulla "femminilità" sono un esempio efficace di questa analisi.

Confronti

In un brano di Virginia Woolf (*T31.23*) potete trovare significative anticipazioni del femminismo contemporaneo.

Il dibattito sulla scienza

Nell'ultimo mezzo secolo i progressi della ricerca scientifica e delle sue applicazioni tecnologiche sono stati impressionanti; ma proprio la rapidità di questi progressi porta a rimettere continuamente in questione i risultati acquisiti, e contribuisce a far cadere la fiducia nella scienza come fonte di conoscenze assolute e definitive. Le più autorevoli teorie epistemologiche di questi decenni sottolineano la fallibilità delle teorie scientifiche, il loro carattere ipotetico e provvisorio (Popper, *T37.12*). Nella filosofia della scienza si afferma il tema della complessità inesauribile del reale, dell'alone di indeterminatezza e oscurità che circonda ogni conoscenza, della presenza ineliminabile di un elemento soggettivo; questo porta ad attenuare l'opposizione tra scienze della natura e scienze dell'uomo (Morin, *T37.13*).

Karl Popper

Karl R. Popper (1902-1994), viennese, dopo l'occupazione nazista dell'Austria si trasferì prima in Nuova Zelanda e poi in Inghilterra, dove insegnò alla famosa London School of Economics. Da giovane partecipò, sia pure in posizione critica, al circolo di Vienna, un movimento di intellettuali che intendeva ridiscutere le basi della scienza e rifondare su basi scientifiche la filosofia (Vol. G *T31.6*). Nel 1935 pubblicò la sua opera fondamentale, ristampata in inglese nel 1959 col titolo *Logica della scoperta scientifica*. Tra le altre opere, *Congetture e confutazioni* (1963), *Conoscenza oggettiva* (1972), *La società aperta e i suoi nemici* (1945), di contenuto politico.

▶ **T37.12**

T37.12

«Noi operiamo sempre con teorie»

Popper è stato uno dei maggiori filosofi della scienza del secolo scorso. Il nucleo del suo pensiero è la teoria che sostituisce alla "verificabilità" la "falsificabilità" come carattere proprio di una teoria scientifica. Esposta per la prima volta nel 1935, questa tesi è stata successivamente sviluppata e divulgata in una serie di articoli e saggi. Le pagine qui presentate sono tratte dal testo di una conferenza tenuta ad Atlantic City nel 1963 e inserita in un volume appositamente preparato per il lettore italiano.

Karl Popper
PROBLEMI, SCOPI E RESPONSABILITÀ DELLA SCIENZA
(In *Scienza e filosofia*, trad. dall'inglese di M. Trinchero, Einaudi, Torino, 1969)

I l nuovo metodo di Bacone[1], che egli raccomanda come il vero metodo, la vera via d'accesso alla conoscenza e al potere[2], è il seguente. Dobbiamo purgare la nostra mente da tutti i pregiudizi, da tutte le idee preconcette, da tutte le teorie; da tutte quelle superstizioni, o «idoli[3]», che la religione, la filosofia, l'educazione o la tradizione possono averci tramandati. Quando avremo purgato la nostra mente da tutti i pregiudizi e le impurità, potremo avvicinare la natura, e la natura non ci trarrà in inganno. Perché ciò che ci trae in inganno non è la natura, ma soltanto il nostro pregiudizio,   1

5

---

1. Bacone: il filosofo inglese Francis Bacon (1561-1626), uno dei padri del metodo scientifico moderno (vedi Vol. C *T13.3*).

2. potere: secondo Bacone «la scienza è potere», nel senso che conferisce all'uomo capacità di controllo sulle forze della natura a proprio vantaggio.

3. idoli: il termine usato da Bacone per indicare i preconcetti e le abitudini mentali accettati senza discussione, venerati appunto come idoli (*T13.3*).

l'impurità della nostra mente. Quando la nostra mente sarà pura saremo in grado di leggere il Libro della Natura[4] senza fargli violenza: non avremo da far altro che aprire gli occhi, osservare pazientemente le cose, e la natura, o essenza delle cose osservate, ci si riveleranno.

Questo è il metodo baconiano dell'osservazione e dell'induzione[5]. Per dirla in poche parole: l'osservazione pura e incorrotta è buona: l'osservazione pura non può sbagliare. La speculazione e le teorie sono cattive, sono la fonte di tutti gli errori. Più in particolare, ci fanno leggere malamente il Libro della Natura, cioè, ci fanno interpretare erroneamente le nostre osservazioni.

[...]

Ora criticherò brevemente il dogma di Bacone e la sua caratterizzazione della scienza, e quindi mi dedicherò alla mia propria caratterizzazione della scienza – e specialmente della scienza sperimentale – che propongo di sostituire a quella di Bacone.

1) L'idea che noi possiamo, volendolo, e in via preparatoria rispetto alla scoperta scientifica, purgare la nostra mente dai pregiudizi – cioè da idee o teorie preconcette – è ingenua e sbagliata. Soprattutto dalla ricerca scientifica impariamo che alcune delle nostre idee – l'idea che la terra è piatta, o che il sole si muove – sono pregiudizi. Scopriamo che una delle nostre credenze è un pregiudizio solo dopo che il progresso della scienza ci ha portati ad abbandonarla; non esiste infatti nessun criterio in grazia del quale potremmo riconoscere i pregiudizi in anticipo rispetto a questo progresso.

2) La regola «purgatevi dai pregiudizi» può dunque solo avere il pericoloso risultato che, dopo aver fatto uno o due tentativi, pensiate di essere finalmente liberi da pregiudizi, e questo, naturalmente, significa soltanto che vi attaccherete più tenacemente ai vostri pregiudizi e ai vostri dogmi inconsci[6].

3) Inoltre, la regola significa «purgate la mente da tutte le teorie». Ma la mente, così purgata, non sarà una mente pura: sarà solo una mente vuota.

4) Noi operiamo sempre con teorie, anche se spesso non ne siamo consapevoli. L'importanza di questo fatto non dovrebbe mai essere sminuita. Piuttosto dovremmo tentare, in ciascun caso, di formulare esplicitamente le teorie che sosteniamo: ciò infatti ci dà la possibilità di cercare teorie alternative, e di discriminare criticamente fra due teorie.

5) L'osservazione «pura» – cioè l'osservazione priva di una componente teorica – non esiste. Tutte le osservazioni – e, specialmente, tutte le osservazioni sperimentali – sono osservazioni di fatti compiute alla luce di questa o di quella teoria[7].

[...]

La mia soluzione consiste di due passi.

Il primo passo è il seguente: ogni volta che uno scienziato pretende che la sua teoria sia sostenuta dall'esperimento e dall'osservazione dovremmo porgli la seguente domanda.

Puoi descrivere una qualsiasi osservazione possibile, che, effettivamente compiuta, confuterebbe la tua teoria? Se non lo puoi, allora è chiaro che la teoria non ha il carattere di una teoria empirica[8]; infatti, se tutte le osserva-

10

15

20

25

30

35

40

45

50

55

4. **Libro della Natura**: metafora diffusa nel XVII secolo (si veda ad esempio Galileo, Vol. C *T13.8*). La natura è come un libro e il conoscere è un processo analogo alla lettura: si tratta di seguire i caratteri che sono impressi in lei per coglievi il messaggio, la verità, che vi è contenuta.

5. **induzione**: procedimento logico che dall'esame di alcuni casi particolari giunge a conclusioni di carattere generale.

6. **dogmi inconsci**: princìpi inconsapevolmente accettati come assoluti, come verità di fede.

7. **Tutte le osservazioni... teoria**: l'osservazione dei fenomeni naturali non procede a casaccio, ma è guidata dalle ipotesi che si trovano nella nostra mente, anche se possono non essere esplicite.

8. **empirica**: fondata sull'esperienza.

zioni concepibili vanno d'accordo con la tua teoria, allora non hai il diritto di pretendere che una qualsiasi osservazione particolare offra un sostegno empirico alla tua teoria[9].

Oppure, per dirla più in breve: solo se puoi dirmi in qual modo la tua teoria possa essere confutata, o falsificata, possiamo accettare la pretesa che la tua teoria abbia il carattere di una teoria empirica. 60

Questo criterio di demarcazione fra teorie non-empiriche e teorie che hanno carattere empirico, l'ho chiamato anche criterio di falsificabilità, o criterio di confutabilità. Esso non implica che le teorie inconfutabili sono false, e non implica neppure che sono prive di significato[10]. Ma implica 65 che, finché non possiamo dare una descrizione dell'aspetto che ha una possibile confutazione della teoria, allora quella teoria è al di fuori della scienza empirica.

Il criterio di confutabilità o falsificabilità può anche essere chiamato criterio di controllabilità. Infatti, controllare una teoria, o la parte di un macchinario, significa tentare di coglierlo in fallo. Così, una teoria, di cui sappiamo in anticipo che non può essere colta in fallo o confutata, non è controllabile. 70

[...]

Quelli tra voi che hanno la mia età ricorderanno forse i giorni in cui si 75 affermava che la scienza possiede un'autorità incontestata[11]. Si riconosceva che le ipotesi hanno una funzione nella scienza, ma questa funzione era una funzione euristica e transitoria[12]: e si credeva che la scienza, in se stessa, costituisse un corpo di conoscenze. Non di ipotesi, ma di teorie provate: provate come la teoria di Newton. 80

È interessante notare, in questo contesto, che Max Planck[13], un contemporaneo di noi tutti perché è sopravvissuto alla seconda guerra mondiale, racconta che, quand'era un giovane pieno di ambizioni, un fisico famoso tentò di dissuaderlo dallo studiare fisica con l'osservazione che la fisica stava quasi per raggiungere la sua completezza estrema, e che in questo 85 campo, non c'erano più grandi scoperte da fare.

Quest'epoca dell'autoritarismo della scienza è passata, e io credo per sempre, grazie alla rivoluzione einsteiniana[14]. È interessante notare, a questo proposito, che lo stesso Einstein non riteneva che la sua teoria generale fosse vera, anche se credeva che costituisse un'approssimazione alla verità mi- 90 gliore di quella rappresentata dalla teoria di Newton, e che un'approssimazione ancora migliore – che, naturalmente, sarebbe stata la teoria vera –, avrebbe dovuto contenere a sua volta, come approssimazione, la relatività generale. In altre parole, fin dai primissimi inizi, Einstein aveva ben chiaro il carattere congetturale delle sue teorie. 95

---

9. **se tutte... teoria**: ad esempio, la teoria "vitalista", secondo la quale i fenomeni biologici dipendono da una "forza vitale" di natura diversa dai processi fisici e chimici, può applicarsi a tutti i processi vitali, ma non può indicare una situazione in cui le cose andrebbero diversamente a seconda che la "forza vitale" esista o non esista, tale da permettere un controllo sperimentale.

10. **prive di significato**: secondo i neopositivisti (vedi Vol. G *T31.6*), le proposizioni della scienza sono le uniche dotate di senso, in quanto esistono verifiche empiriche atte a stabilirne la verità o la falsità («il significato di una proposizione è il metodo della sua verifica», M. Schlick). Per Popper invece nessuna teoria può essere definitivamente verificata, ma solo even-

tualmente "falsifica-ta"; d'altro canto, anche le teorie prive del requisito della falsificabilità possono essere significative e importanti.

11. **i giorni... incontestata**: Popper allude

ancora alle concezioni dei neopositivisti. Poco oltre queste righe, afferma che in quell'ambiente era consueto proclamare l'autorità assoluta della scienza quasi fosse una religione.

12. **euristica e transitoria**: utile provvisoriamente alla ricerca.

13. **Max Planck**: grande fisico tedesco (1858-1947), fondatore della fisica quantistica.

14. **rivoluzione einsteiniana**: l'autore si riferisce alla teoria della relatività di Einstein, che ha messo in discussione quella di Newton, considerata in precedenza una verità definitiva.

dialogo con il testo

I temi

Popper parte dalla critica all'idea baconiana dell'osservazione "pura" e "libera da pregiudizi": l'uomo osserva la natura in quanto si pone problemi, formula ipotesi. Il punto di partenza non è dunque un'impossibile «mente vuota», perché la ricerca è sempre guidata da "pregiudizi" (concetti che preesistono all'osservazione). La teoria della conoscenza scientifica come induzione (dall'osservazione "pura" alle generalizzazioni) credeva di poter eliminare dal processo di ricerca questo momento soggettivo, che per Popper è invece necessario.

In sostanza, il pensiero di Popper scuote la fede ingenua nella certezza assoluta del sapere scientifico, sorta ai tempi di Newton, trionfante nell'epoca del positivismo e ripresa in forme più raffinate dal neopositivismo del Novecento (Vol. G *T31.6*). Per i neopositivisti, la conoscenza scientifica consiste di proposizioni verificate sperimentalmente in via definitiva, e ogni altra forma di discorso è destituita di validità, è addirittura "priva di significato". Per Popper invece nessuna conferma sperimentale può provare definitivamente una teoria, perché non si possono prevedere i nuovi problemi e la scoperta di nuovi fenomeni che la possono mettere in discussione; a sostegno di questo porta l'esempio della teoria newtoniana della gravitazione, un tempo considerata un'acquisizione definitiva, mentre le nuove teorie di Einstein la riducono ad un'approssimazione alla realtà.

Al principio di verificazione Popper oppone quello di falsificazione, secondo cui una teoria ha carattere scientifico se è in grado di prevedere quali esperienze potrebbero smentirla. Questo criterio consente di escludere dall'ambito scientifico quelle teorie tanto ampie e generiche da poter includere qualunque esperienza presente e futura: ad esempio l'ipotesi vitalista in biologia, o la psicanalisi. Ma questo stesso criterio non permette di affermare che una certa teoria è definitivamente confermata: si potrà dire solo che *finora* non è stata falsificata. Inoltre anche le teorie confutate possono contenere qualche elemento di verità, così come quelle nuove possono essere confutate in futuro.

A una visione assolutistica della scienza Popper ne sostituisce una più critica, il cui compito è affrontare e risolvere problemi procedendo per prove ed errori; il nostro sapere è strutturalmente problematico e fallibile, e all'uomo non compete il possesso della verità, ma la ricerca sempre aperta di essa.

Le concezioni di Popper sono state formulate fin dal 1935, ma la loro influenza si è fatta più estesa negli anni successivi alla seconda guerra mondiale: un'epoca in cui si afferma la tendenza a considerare ogni verità come problematica e provvisoria, a non separare in modo netto la conoscenza presunta "oggettiva" dalla soggettività di chi la formula, a collocare ogni conoscenza in una dinamica storica.

Edgar Morin

T37.13

Notizie sull'autore T37.6

Le vie della complessità

Edgar Morin
LE VIE DELLA
COMPLESSITÀ
(In AA.VV., *La sfida della complessità*, a cura di G. Bocchi e M. Ceruti, trad. dal francese di G. Bocchi, Feltrinelli, Milano, 1985)

Il tema della "complessità" si è imposto in Italia a partire dagli anni ottanta, ponendosi all'incrocio delle riflessioni epistemologiche sulle scienze della natura e dell'uomo. Il concetto è per sua natura ampio e sfu- *mato; il saggio di Morin di cui riportiamo alcune pagine costituisce una lucida guida a interpretarne il significato, attraverso una rassegna dei suoi campi di applicazione.*

Per lungo tempo molti hanno creduto – e molti forse credono ancor oggi – che la carenza delle scienze umane e sociali stesse nella loro incapacità di liberarsi dall'apparente complessità dei fenomeni umani, per elevarsi alla di-

1

gnità delle scienze naturali, scienze che stabilivano leggi semplici, principi semplici, e facevano regnare l'ordine del determinismo[1]. 5

Oggi vediamo che le scienze biologiche e fisiche sono caratterizzate da una crisi della spiegazione semplice. E di conseguenza quelli che sembravano essere i residui non scientifici delle scienze umane – l'incertezza, il disordine, la contraddizione, la pluralità, la complicazione, ecc. – fanno oggi parte della problematica di fondo della conoscenza scientifica. 10

[...]

In maniera molto sommaria, e non complessa (perché farò una specie di enumerazione o di catalogo), intendo ora indicare le differenti strade che conducono alla "sfida della complessità".

La prima via, la prima strada, è quella dell'irriducibilità del caso o del 15 disordine. Il caso e il disordine hanno fatto irruzione nell'universo delle scienze fisiche anzitutto con l'irruzione del calore, che è agitazione-collisione-dispersione degli atomi o delle molecole, in seguito con l'irruzione delle indeterminazioni microfisiche[2], e infine con l'esplosione originaria e con la dispersione del cosmo ora in atto[3]. 20

[...]

Nel campo della complessità vi è qualcosa di ancor più sorprendente. È il principio che potremmo definire ologrammatico. L'ologramma[4] è un'immagine fisica le cui qualità (prospettiche, di colore, ecc.) dipendono dal fatto che ogni suo punto contiene quasi tutta l'informazione dell'insieme 25 che l'immagine rappresenta. E nei nostri organismi biologici noi possediamo un'organizzazione di questo genere: ognuna delle nostre cellule, anche la cellula più modesta come può essere una cellula dell'epidermide, contiene l'informazione genetica di tutto il nostro essere nel suo insieme. Naturalmente solo una piccola parte di questa informazione è espressa in questa 30 cellula, mentre il resto è inibito[5]. In questo senso possiamo dire non soltanto che la parte è nel tutto, ma anche che il tutto è nella parte.

[...]

Dobbiamo connettere questo principio ologrammatico con un altro principio della complessità: il principio dell'organizzazione ricorsiva[6]. L'or- 35 ganizzazione ricorsiva è quell'organizzazione i cui effetti e i cui prodotti sono necessari per la sua stessa causazione e per la sua stessa produzione. È proprio il problema dell'autoproduzione e dell'autorganizzazione. Una società è prodotta dalle interazioni fra individui, ma queste interazioni producono una totalità organizzatrice che retroagisce sugli individui per co- 40 produrli quali individui umani[7]. Perché essi non sarebbero tali, se non disponessero dell'educazione, del linguaggio e della cultura. Il processo sociale è allora un anello produttivo ininterrotto nel quale, in qualche misura, i prodotti sono necessari alla produzione di ciò che li produce. Le nozioni di effetto e di causa erano già diventate complesse con la comparsa 45

---

1. **determinismo**: l'idea che tutti i fenomeni sono determinati da cause riconducibili a leggi costanti e univoche; il determinismo è alla base della scienza moderna e fu eretto a principio filosofico in età illuminista (vedi Laplace, Vol. D *T15.11*).

2. **indeterminazioni microfisiche**: si riferisce al principio di indeterminazione di Heisenberg (Vol. G *T31.5*) e ai fenomeni quantici, per cui al livello delle particelle elementari è possibile una conoscenza solo statistica, non la determinazione della posizione e velocità di ogni singola particella.

3. **l'esplosione... atto**: la teoria del *big bang* e dell'espansione dell'universo.

4. **ologramma**: l'olografia è una tecnica di registrazione e riproduzione di immagini che produce effetti tridimensionali.

5. **solo una piccola... inibito**: la cellula contiene il programma genetico di tutto l'organismo, ma ne realizza solo la parte che riguarda il tessuto a cui appartiene, mentre il resto è *inibito*, cioè non si può sviluppare in quella cellula.

6. **ricorsiva**: qui indica una specie di causalità circolare: un effetto riproduce le proprie cause.

7. **Una società... umani**: una società risulta dall'insieme delle influenze reciproche (*interazioni*) fra gli individui, ma questo insieme organizzato influisce a sua volta (*retroagisce*) sugli individui, contribuisce a farli essere ciò che sono (*co-produrli*) nella loro qualità di esseri umani. Dunque, se la società è prodotta dai rapporti tra gli individui, a loro volta questi ultimi sono un prodotto della società.

Jackson Pollock
Alchemy
(1947, 114,6×221,3
cm, tecnica mista su
tela, Venezia,
Collezione Peggy
Guggenheim)

della nozione di anello retroattivo di Norbert Wiener[8] (nel quale l'effetto ritorna in maniera causale sulla causa che lo produce): ciò che è prodotto e ciò che produce diventano nozioni ancora più complesse, e si richiamano vicendevolmente. Ciò vale per il fenomeno biologico più evidente: il ciclo della riproduzione sessuale produce degli individui, ma questi individui 50 sono necessari per continuare il ciclo riproduttivo. Detto in altri termini, la riproduzione produce individui che producono il ciclo di riproduzione. In questo caso siamo dinanzi a un problema di complessità concettuale. E di conseguenza la complessità non è soltanto un fenomeno empirico (caso, alea[9], disordini, complicazioni, grovigli nell'ambito dei fenomeni), ma è 55 anche un problema concettuale e logico che confonde le demarcazioni e le frontiere così nette fra concetti quali "produttore" e "prodotto", "causa" ed "effetto", "uno" e "molteplice".

Ecco la settima via[10] verso la complessità, la via della crisi dei concetti chiusi e chiari (dove chiusura e chiarezza sono complementari), cioè della 60 crisi della *chiarezza* e della separazione nella spiegazione. Qui abbiamo davvero una rottura con la grande idea cartesiana[11] per cui la chiarezza e la distinzione delle idee sono indice della loro verità, e non possiamo quindi avere una verità che non si possa esprimere in maniera chiara e distinta. Oggi vediamo le verità manifestarsi nelle ambiguità e in un'apparente con- 65 fusione. Assistiamo alla fine del sogno di stabilire una demarcazione chiara e distinta fra scienza e non scienza. [...]

La sfida della complessità ci fa rinunciare per sempre al mito della chia-rificazione totale dell'universo, ma ci incoraggia a continuare l'avventura della conoscenza, che è un dialogo con l'universo. E la razionalità stessa 70 non è nient'altro che questo dialogo con l'universo. Fra ragione e raziona-lizzazione vi è stata un'enorme confusione. Abbiamo creduto che la ragio-ne dovesse eliminare tutto ciò che fosse irrazionalizzabile – e quindi l'alea-

8. **Norbert Wiener**: matematico america-no (1894-1964), fon-datore della cibernetica, che è alla base del-la scienza dei compu-ter.
9. **alea**: rischio, incer-tezza.
10. **la settima via**: si riferisce a un'enume-razione di cui qui ab-biamo riprodotto solo il primo e l'ultimo termine.
11. **cartesiana**: da Cartesio, filosofo e matematico francese del Seicento (vedi Vol. C *T13.4*), che afferma che nella ri-cerca della verità è necessario ricondurre tutte le conoscenze ad idee chiare e distinte.

torio, il disordine, la contraddizione – per rinchiudere le strutture del reale entro una struttura di idee coerenti, teoria o ideologia che fosse. Ma la realtà oltrepassa le nostre strutture mentali da ogni parte. "Ci sono più cose in cielo e in terra che in tutta la nostra filosofia", notava Shakespeare[12]. E il fine della nostra conoscenza non è quello di chiudere, ma è quello di aprire il dialogo con l'universo. Il che significa: non soltanto strappare all'universo ciò che può venir determinato in maniera chiara, con precisione ed esattezza, come erano le leggi di natura, ma entrare anche in quel gioco fra chiarezza e oscurità che è appunto la complessità.

75

80

12. **Shakespeare**: la frase è tratta da *Amleto*, atto I, scena V.

dialogo con il testo

I temi

Per lungo tempo le scienze umane e sociali hanno sofferto di un complesso di inferiorità di fronte alle scienze della natura, che sembravano capaci di risolvere l'apparente complessità dei fenomeni in leggi rigorose, chiuse in formule matematiche che rivelano l'esistenza di rapporti semplici e costanti. Le scienze dell'uomo parevano invece limitate dalla complicazione dei fatti con cui si misuravano, incapaci di formulare previsioni precise e verificarle; il loro ideale era di adeguarsi al rigore delle cosiddette "scienze esatte".

Morin mostra come proprio i risultati più avanzati delle scienze della natura abbiano messo in crisi l'ingenua fiducia nella possibilità di ridurre il mondo fisico entro schemi concettuali semplici, ordinati ed esaurienti. Da questi risultati l'autore ricava alcuni princìpi:
– nella fisica, il principio del caso e del disordine, ineliminabile dai fenomeni al livello degli atomi e delle particelle, pone un limite all'esattezza della conoscenza;
– in biologia, il «principio ologrammatico», per cui in ogni cellula è contenuto il "programma" dell'intero organismo, pone in crisi l'idea di un'ordinata gerarchia fra il tutto e le sue parti;

– il «principio dell'organizzazione ricorsiva», che interessa fatti fisici, biologici e sociali, mostra che i fenomeni non si possono spiegare con una sequenza lineare di cause ed effetti.

A questo punto il divario con le approssimative scienze dell'uomo non appare più incolmabile: la complessità è un carattere ineliminabile del mondo e della conoscenza umana, ciò che possiamo conoscere in modo "chiaro e distinto" (secondo l'ideale di Cartesio) è sempre circondato da una zona di oscurità e ambiguità. Come Morin afferma nell'ultimo paragrafo riportato, questo non significa che l'uomo debba rinunciare a conoscere il mondo, o che le sue conoscenze non valgano niente: significa acquisire la consapevolezza del carattere relativo, fallibile, perennemente in divenire, di ogni conoscenza.

Confronti

Potete trovare espresso l'ideale dell'adeguamento delle scienze dell'uomo a quelle della natura, alle sue origini (positivismo) nel brano di Spencer, Vol. F *T25.3*, nella sua versione più recente (strutturalismo) nel brano di Lévy-Strauss *T37.14*.

Dallo strutturalismo all'ermeneutica

Lo strutturalismo è stato il fenomeno nuovo di maggior rilievo nella cultura del secondo Novecento; esso ha interessato la maggior parte delle scienze umane (antropologia, sociologia, psicologia, teoria della letteratura), proponendo un'unificazione metodologica di questi saperi sull'esempio della linguistica, che pareva offrire un modello di rigore e precisione non inferiore a quello attribuito alla scienze della natura (Lévi-Strauss, *T37.14*). Non sono mancate però nel contempo ricerche che al mito della "scienza esatta" opponevano la rivalutazione di forme di conoscenza più aperta, dialogica, flessibile, come la "nuova retorica" (Perelman, *T37.15*). La posizione che ha più contribuito al tramonto dell'egemonia strutturalista, diventando secondo alcuni un nuovo terreno comune della cultura, è l'ermeneutica, cioè la teoria dell'interpretazione intesa come metodo generale di conoscenza (Gadamer, *T37.16*).

Claude Lévi-Strauss

Claude Lévi-Strauss (1908), nato in Belgio, si laureò in filosofia a Parigi. Nel 1934 fu nominato professore di sociologia all'università di San Paolo: in Brasile maturò il suo interesse per l'antropologia, che lo portò a compiere spedizioni tra le popolazioni del Mato Grosso e dell'Amazzonia. Trasferitosi a New York, ebbe modo di conoscere i metodi e i risultati della linguistica strutturalista attraverso uno dei suoi massimi esponenti, Roman Jakobson. Tornato a Parigi nel 1947, si dedicò alla carriera accademica, e specialmente negli anni sessanta le sue teorie furono al centro del dibattito tra filosofi, sociologi, linguisti e letterati.

Tra le sue opere: *Le strutture elementari della parentela* (1949), *Tristi tropici* (1955), *Il pensiero selvaggio* (1962) e i quattro volumi di *Mitologica* dedicati all'analisi strutturale dei miti indigeni delle due Americhe.

▶ **T37.14**

T37.14 Linguistica e antropologia

Sorto agli inizi del Novecento nel campo della linguistica, lo strutturalismo è diventato negli anni sessanta il metodo comune a molte scienze umane, dalla teoria della letteratura all'antropologia, alla psicologia. A questa diffusione ha dato un contributo essenziale l'antropologo Claude Lévi-Strauss, lo studioso che ha consegnato al proprio campo di studi l'impostazione strutturalista più rigorosa e compiuta.

Possiamo riassumere l'approccio strutturalista (con molte semplificazioni) in alcuni princìpi:

– lo studio "sincronico" dei fenomeni, cioè basato sulla descrizione delle loro relazioni sistemiche in un dato momento, che si oppone alla tendenza ottocentesca a privilegiare l'approccio storico, la ricerca delle origini di ogni singolo fenomeno;

– l'idea della struttura *come insieme di relazioni astratte e costanti che sottostanno alla variabilità dei fenomeni che si osservano, e possono essere descritte con grande precisione;*

– l'ideale di una conoscenza dei fenomeni umani distaccata, oggettiva, non valutativa o normativa: simile, per rigore e certezza, a quella che si attribuisce alle scienze della natura.

Lévi-Strauss ha applicato questo metodo nello studio delle relazioni di parentela e in quello dei miti e delle maschere rituali. Il suo debito nei confronti della linguistica è esplicitamente ammesso, come appare da queste pagine, tratte da un intervento tenuto nel 1952 a un congresso di linguisti e antropologi, negli Stati Uniti, e inserita in Antropologia strutturale *(1958), una raccolta di saggi per lo più metodologici.*

Claude Lévi-Strauss
ANTROPOLOGIA STRUTTURALE
(Trad. dal francese di P. Caruso, Il Saggiatore, Milano, 1966)

1. **ci sentiamo**: noi antropologi.
2. **Per anni... fianco a fianco**: lo studio antropologico delle culture (in particolare delle cosiddette "culture etniche", cioè lontane dalla civiltà occidentale) si è sempre intrecciato con quello delle loro lingue.
3. **gli ingegneri... comunicazione**: si riferisce alla teoria dell'informazione, sorta dai problemi tecnici dei sistemi di comunicazione tra macchine, che misura l'informazione trasmessa in termini matematici.

Nei confronti dei linguisti, ci sentiamo[1] in una posizione delicata. Per anni, abbiamo lavorato fianco a fianco[2], e bruscamente ci sembra che i linguisti sfuggano: li vediamo passare al di là di quella barriera a lungo giudicata invalicabile, che separa le scienze esatte e naturali dalle scienze umane e sociali. Come per farci un brutto scherzo, eccoli mettersi a lavorare in quella maniera rigorosa di cui ci eravamo rassegnati ad ammettere che le scienze della natura detenessero il privilegio. Da cui, per quel che ci riguarda, un po' di malinconia e – confessiamolo – molta invidia. Vorremmo imparare dai linguisti il segreto del loro successo. Non potremmo anche noi applicare al complesso campo dei nostri studi – parentela, organizzazione sociale, religione, folklore, arte – quei metodi rigorosi di cui la linguistica verifica di continuo l'efficacia?

[...]

Ma non è tutto. Da tre o quattro anni, non assistiamo solamente a una fioritura della linguistica su un piano teorico. La vediamo realizzare una collaborazione tecnica con gli ingegneri di quella nuova scienza che è definita «della comunicazione»[3]. Voi non vi accontentate più, per studiare i vostri problemi, di un metodo teoricamente più sicuro e rigoroso del nostro: arrivate al punto di chiedere all'ingegnere di costruire un dispositivo sperimentale adatto a verificare o a infirmare le vostre ipotesi. Così dunque, per uno o due secoli, le scienze umane e sociali si sono rassegnate a contemplare l'universo delle scienze esatte e naturali come un paradiso il cui accesso era loro vietato una volta per tutte. Ed ecco che tra i due mondi, la linguistica è riuscita ad aprire un piccolo passaggio.

1

5

10

15

20

dialogo con il testo

I temi

❷ Ricercate nel brano le espressioni del "complesso di inferiorità" delle scienze umane nei confronti delle "scienze esatte".

Agli studiosi che ambivano a dare alle scienze dell'uomo oggettività e certezza di risultati, lo strutturalismo linguistico apparve come una rivelazione: finalmente un insieme di fenomeni umani veniva analizzato con metodi rigorosi, permettendo di giungere a formalizzazioni di tipo matematico. Esteso ad altri campi delle scienze umane, lo strutturalismo offriva una nuova possibilità di unificazione metodologica dei saperi, con un rigore che non aveva nulla da invi-

diare a quello delle scienze della natura; l'"oggettività" appariva a portata di mano anche degli studiosi dei fatti umani. Il brano di Lévi-Strauss mostra l'entusiasmo con cui un antropologo imboccava la nuova strada, riconoscendo alla linguistica il ruolo di scienza-guida.

Confronti

Lévi-Strauss usa con piena fiducia il termine "scienze esatte"; si può notare come l'esattezza delle scienze fisiche fosse già stata messa in questione sia dagli sviluppi della fisica (Heisenberg, Vol. G *T31.5*), sia dalla filosofia della scienza (Popper, *T37.12*).

Chaïm Perelman

Chaïm Perelman (1912-1984), nato a Varsavia, dopo aver compiuto gli studi di filosofia nel suo paese si trasferì in Belgio. Dopo essersi occupato di logica, rivolse i suoi interessi alla filosofia pratica e alla retorica come arte del discorso persuasivo. Tra i suoi scritti è fondamentale il *Trattato dell'argomentazione* (1958, scritto con Lucie Olbrechts-Tyteca); sviluppi di questa opera si possono considerare *Il campo dell'argomentazione* (1970), *Il dominio retorico* (1977).

► **T37.15**

T37.15

L'argomentazione retorica

La retorica sorse nel mondo antico come studio delle tecniche con cui l'oratore (rètor in greco antico) può persuadere il suo uditorio; il suo oggetto era il discorso pubblico, politico o giudiziario. Nella tarda antichità e nel Medioevo, col decadere della vita pubblica, la retorica si ridusse allo studio dell'ornamentazione del testo (soprattutto scritto), indipendentemente dalla sua funzione persuasiva; divenne così una disciplina letteraria, il cui oggetto principale erano le figure retoriche. In questa forma sopravvisse fino agli inizi dell'età romantica, quando fu fortemente svalutata, in nome della libertà creativa dell'ispirazione; allora la parola retorica *assunse il senso negativo, ancora oggi in uso, di "discorso ornato ma vuoto, intimamente falso". Col* Trattato dell'argomentazione *(1958), che porta il sottotitolo* La nuova retorica, *Perelman ha inteso rivalutare questa disciplina come studio dell'argomentazione, cioè dei mezzi con cui si può persuadere qualcuno della validità di una tesi, nei campi in cui non si può ricorrere alla dimostrazione matematicamente rigorosa o alla prova sperimentale. Il pensiero di Perelman ha avuto larga risonanza, e la retorica è tornata a essere un campo importante di studi filosofici e linguistici. Le pagine che presentiamo sono tratte da un saggio dal titolo* Logica e retorica *del 1952.*

Chaïm Perelman
RETORICA E
FILOSOFIA
(Trad. dal francese di
F. Semerari, De
Donato, Bari, 1979)

Noi vorremmo, ripetiamolo, studiare le *argomentazioni* attraverso cui noi ci convinciamo ad aderire a una opinione piuttosto che a un'altra. È sufficiente leggere i lavori contemporanei per vedere che tutti quelli che si occupano di argomentazione nel campo etico o estetico non possono limitare questa alle prove ammesse nelle scienze deduttive[1] o sperimentali. Essi sono costretti a estendere la parola "prove"[2] per inglobare ciò che chiameremmo prove retoriche. [...]

Costretti, dunque a estendere il senso della parola "prova" non appena ci si occupi di scienze umane[3], si è condotti a comprendervi tutto ciò che non è pura e semplice suggestione[4], che l'argomentazione utilizzata assume sia dalla logica sia dalla retorica.

Nondimeno, è opponendoli alla logica che si perverrà a caratterizzare meglio i particolari mezzi di prova che noi chiameremo retorici. Cerchiamo, dunque, di indicare qualcuna di queste opposizioni.

1

5

10

1. scienze deduttive: le scienze che procedono attraverso dimostrazioni rigorose, deducendole da assiomi considerati di per sé evidenti, come la logica e la matematica.
2. prove: gli argomenti che provano la validità di una tesi.
3. scienze umane: le scienze che si occupano dell'uomo. Pare che l'autore abbia in mente soprattutto campi filosofici, come l'*etica* (teoria della morale) e l'*estetica* (teoria dell'arte e del bello), che ha nominato prima, o la filosofia del diritto.
4. pura e semplice suggestione: la persuasione esercitata per via puramente emotiva.

5. **categorica o ipotetica**: nella logica aristotelica il ragionamento-tipo, il sillogismo, è *categorico* quando trae conseguenze necessarie da premesse certe, è *ipotetico* quando parte da premesse soltanto probabili (*se* è vero *A*, allora è vero *B*).

6. **ciò che sarà ammesso... un altro**: per persuadere l'uditorio, l'oratore deve partire da premesse che questo accetta: il suo compito è spostare l'adesione dell'uditorio da punti già condivisi ad altri che intende fargli accettare. Diversi uditori possono accettare premesse diverse; dunque l'argomentazione, diversamente dalla dimostrazione logica, è relativa a specifici destinatari in una situazione specifica.

La retorica, nel senso che noi diamo alla parola, differisce dalla logica per il fatto che essa si occupa non di verità astratta, categorica o ipotetica[5], ma di adesione. Il suo fine è di produrre o di accrescere l'adesione di un uditorio determinato a certi tesi e suo punto di partenza sarà la adesione di questo uditorio ad altre tesi. (Notiamo, una volta per tutte, che se la nostra terminologia utilizza i termini di "oratore" e di "uditorio", è per semplice comodità d'esposizione e che con questi vocaboli si devono comprendere tutti i modi di espressione verbale, tanto la parola quanto la scrittura).

Perché l'argomentazione retorica possa svilupparsi, è necessario che l'oratore dia valore all'adesione altrui e che chi parla sia ascoltato da coloro ai quali si rivolge: è necessario che chi sviluppa la sua tesi e chi egli vuol conquistare formino già una comunità, e ciò per il fatto stesso dell'impegno degli spiriti a interessarsi a uno stesso problema. La propaganda, per esempio, implica che si dia importanza alla convinzione, ma questo interesse può essere unilaterale; chi è preso di mira dalla propaganda non ha necessariamente il desiderio di ascoltare. Così, a un primo stadio, prima che l'argomentazione s'impegni veramente, avrà fatto ricorso ai mezzi necessari per forzare l'attenzione: saremo al limite della retorica.

[...]

Poiché l'argomentazione retorica mira all'adesione, essa dipende essenzialmente dall'uditorio al quale si rivolge, giacché ciò che sarà ammesso da un uditorio non lo sarà da un altro[6]; e ciò concerne non solo le premesse del ragionamento ma anche ogni suo anello, e infine il giudizio stesso che sarà formulato sull'argomentazione nel suo insieme.

15

20

25

30

35

dialogo con il testo

I temi

Il razionalismo moderno, di matrice cartesiana, aveva inteso estendere i metodi delle scienze matematiche a ogni campo dell'attività e del sapere (vedi Cartesio, Vol. C *T13.4*). Nell'età contemporanea il neopositivismo, dichiarando "prive di senso" le proposizioni non verificabili sperimentalmente, ha escluso che le questioni attinenti al mondo dei valori (l'etica, il diritto, le scienze dell'uomo in generale) potessero essere sottoposte a una sistemazione razionale (Vol. G *T31.6*). In tal modo la sfera della vita pratica veniva abbandonata all'irrazionale, all'emotività, alla suggestione.

Questa tendenza è particolarmente forte nell'età contemporanea, che da un lato è dominata dal progresso scientifico e tecnico, dall'altro ha visto affermarsi regimi totalitari che pretendevano di basarsi su verità assolute e "scientifiche", e parallelamente scatenavano l'appello subdolo alle emozioni nella propaganda. L'intento di Perelman è di ricucire lo strappo che si è prodotto tra la ragione e il campo delle scelte pratiche (etiche, politiche, giuridiche), reagendo alle pretese

assolutistiche del razionalismo scientista. La retorica, nella sua prospettiva, oppone alla logica del vero quella del preferibile, e alla prova di tipo dimostrativo (ottenuta per calcolo o per esperimento) fa subentrare un concetto di prova non dimostrativa, ma argomentativa: questa non ha il rigore della dimostrazione matematica, e tuttavia è una forma di razionalità.

La ragione retorica vuole recuperare tutti quei fattori che il razionalismo aveva cancellato: la socialità, la storicità, la molteplicità dei valori, la scelta. Rivalutando l'uso pratico della ragione, Perelman s'ispira a un ideale di società in cui vi sia posto per le scelte guidate razionalmente. L'argomentazione presuppone una discussione libera, che può svilupparsi solo in una società democratica. In quanto tende a giustificare e a guidare le scelte, il procedimento argomentativo è un antidoto contro le opposte tentazioni del fanatismo e dello scetticismo, accomunati dal miraggio di una verità assoluta e definitiva, anche se giungono a sbocchi diversi. Esso sostiene una concezione della verità da sottoporsi a continua revisione mediante il confronto delle ragioni pro o contro.

Hans-Georg Gadamer

Hans-Georg Gadamer (1900-2002), filosofo tedesco, è stato tra gli intellettuali più rilevanti del secolo scorso; dopo essersi laureato col fondatore dell'esistenzialismo Heidegger, ha insegnato in varie università del suo paese e ha sviluppato le tematiche del maestro in modo personale, pervenendo a una teoria dell'interpretazione che si fonda sulla sua vasta cultura artistica e letteraria. Tra le sue opere *Verità e metodo* (1960), *L'attualità del bello* (1977).

▶ **T37.16**

T37.16

La comprensione ermeneutica

Ermeneutica *significa "scienza o tecnica dell'interpretazione"; il termine, derivato dal greco, è entrato in italiano nel Settecento. Il problema dell'interpretazione si pose dapprima in relazione ai testi biblici: per il cristiano è di importanza vitale comprendere il significato esatto della Parola divina. Un altro campo di indagine ermeneutica è quello filologico e letterario: si tratta di comprendere i testi antichi ricostruendo il valore che avevano le parole per chi le scrisse, e l'insieme dei concetti a cui facevano riferimento. Da qui l'ermeneutica è diventata fondamentale per qualunque ricostruzione storica, che si basa su documenti che vanno interpretati. Nel Novecento, essa è poi diventata una componente essenziale della filosofia dell'uomo e del suo rapporto con la realtà nel pensiero del filosofo esistenzialista Martin Heidegger. Per Hans-Georg Gadamer, la filosofia viene a identificarsi senz'altro con l'ermeneutica, cioè coll'interpretazione dell'eredità culturale storica in cui si riassume il nostro essere nel mondo. Il suo pensiero ha avuto grande influenza, tanto che il filosofo Gianni Vattimo ha potuto affermare che la filosofia dell'interpretazione è diventata negli anni ottanta una nuova "koinè" (lingua comune della cultura), cioè il punto di riferimento comune di correnti diverse di pensiero, come erano stati, negli anni cinquanta e sessanta, prima il marxismo e poi lo strutturalismo: «come in passato gran parte delle discussioni filosofiche o di critica letteraria o di metodologia delle scienze umane, facevano i conti con marxismo e strutturalismo, spesso anche senza accettarne le tesi, così oggi questa posizione centrale sembra essere stata assunta dall'ermeneutica». Presentiamo brani di un saggio del 1960 del filosofo tedesco, che espone in modo più divulgativo le tesi della sua opera maggiore, Verità e metodo.*

Hans-Georg Gadamer
IL PROBLEMA DELLA COSCIENZA STORICA
(Trad. dal francese di G. Bartolomei, Guida, Napoli, 1969)

Pensiamo alle questioni che si pongono nell'analisi di un testo antico oppure quando ci viene richiesta una traduzione. Ci si rende facilmente conto che l'impresa deve cominciare con uno sforzo da parte nostra per afferrare la maniera del tutto personale dell'autore di servirsi delle parole e dei significati nel suo testo: come sarebbe arbitrario voler comprendere il testo esclusivamente in funzione del nostro vocabolario e del nostro bagaglio concettuale particolari! Salta agli occhi il fatto che la nostra comprensione deve essere guidata dagli stessi usi linguistici dell'epoca o dell'autore.   5

[...]

Tuttavia, l'intenzione autentica della comprensione è la seguente: leggendo un testo, volendo comprenderlo, noi ci attendiamo sempre che esso ci *insegni* qualche cosa. Una coscienza formata dall'autentico atteggiamento ermeneutico, sarà innanzi tutto recettiva rispetto alle origini e ai caratte-   10 ri interamente stranieri di ciò che le giunge dal di fuori. Tuttavia, questa recettività non si acquisisce con una «neutralità» oggettivistica: non è né possibile né necessario né auspicabile mettere se stessi tra parentesi[1]. L'atteggiamento ermeneutico presuppone soltanto una presa di coscienza, la quale, designando le nostre opinioni e i nostri pregiudizi[2], li qualifichi come tali, e, con ciò stesso, li privi del loro carattere oltranzistico[3]. E proprio assumendo questo atteggiamento, si dà al testo la possibilità di apparire nel suo essere differente e di manifestare la sua propria verità[4], contro le idee preconcette che gli opponiamo in anticipo.

[...]

Col porre bene in valore il ruolo svolto nei nostri procedimenti intellettivi da certe anticipazioni assolutamente fondamentali[5], cioè *comuni* a noi tutti[6], noi ci mettiamo ora in condizione di determinare più esattamente il senso del fenomeno di «affinità»[7] cioè il fattore tradizionale nel comportamento storico-ermeneutico. L'ermeneutica deve muovere dal fatto che comprendere significa essere in rapporto, contemporaneamente, *con la «cosa stessa»*[8], che si manifesta attraverso la tradizione[9], e *con una tradizione*, a partire dalla quale la «cosa» possa parlarmi. D'altro canto, colui il quale realizza una comprensione ermeneutica, deve rendersi conto che il nostro rapporto con le «cose» non è un rapporto che «vada da sé», senza porre problemi. Noi fondiamo il compito ermeneutico precisamente sulla tensione esistente tra la «familiarità» e il carattere «straniero» del messaggio trasmessoci dalla tradizione.

[...]

Questa «situazione ermeneutica», dalla quale l'ermeneutica è collocata d'ora innanzi al «centro delle cose»[10], consente di mettere in valore un fenomeno assai poco investigato fino ad oggi. Si tratta della *«distanza temporale»* e del suo significato per la comprensione. Infatti, contrariamente a ciò che si è spesso immaginato, il tempo non è un precipizio che si dovrebbe superare per ritrovare il passato; esso è, in realtà, il terreno portante del divenire ed è ciò in cui il presente affonda le proprie radici. La *«distanza temporale»* non è una distanza nello stesso senso in cui si parla di superare o vincere una distanza. Questo era l'ingenuo pregiudizio dello storicismo[11], il quale credeva di poter raggiungere il terreno dell'oggettività storica sforzandosi di collocarsi nella prospettiva di una certa epoca e di pensare con i concetti e le rappresentazioni «propri» di quell'epoca. In realtà, si tratta, piuttosto, di considerare la «distanza temporale» come fondamento di una

15

20

25

30

35

40

45

50

1. **mettere... parentesi**: ignorare la soggettività di chi interpreta.

2. **pregiudizi**: il termine, centrale nel pensiero di Gadamer, non ha un significato necessariamente negativo: nel momento in cui ci confrontiamo con un testo del passato, non possiamo fare a meno di mettere in gioco la nostra concezione del mondo, le nostre idee acquisite (pre-giudizi, cioè giudizi che abbiamo in mente da prima). Si tratta solo di "designare" *le nostre opinioni e i nostri pregiudizi*, cioè di prenderne coscienza.

3. **oltranzistico**: estremistico. I pregiudizi non devono renderci ciechi di fronte ai messaggi che ci giungono dai testi del passato.

4. **nel suo essere... verità**: ogni testo scopre qualche aspetto della verità, che noi possiamo riconoscere in quanto accettiamo che sia differente dal-

le nostre opinioni e aspettative.

5. **anticipazioni... fondamentali**: sono i pregiudizi, che appunto anticipano, condizionano il nostro atteggiamento nei confronti del passato. Essi sono *fondamentali* in quanto costitutivi del nostro essere nella storia.

6. *comuni* **a noi tutti**: noi apparteniamo a una comunità culturale che si riconosce in determinati valori storicamente determinati.

7. **fenomeno di «affinità»**: possiamo dialogare coi testi del passato in quanto abbiamo qualcosa in comune con loro,

non vi siamo estranei.

8. *la «cosa stessa»*: l'oggetto (un testo, un monumento), che ha una propria autonomia.

9. **attraverso la tradizione**: la tradizione è la trasmissione dei valori culturali attraverso il tempo, che stabilisce una continuità tra le generazio-

ni e fonda la possibilità della comprensione ermeneutica.

10. **al «centro delle cose»**: l'esperienza ermeneutica è costitutiva del nostro essere in quanto storicamente determinato.

11. **storicismo**: qui si intende l'aspirazione a una conoscenza storica "oggettiva".

possibilità positiva e produttiva di comprensione. Essa non è una distanza da superare, ma una continuità vivente di elementi, i quali si accumulano per diventare una tradizione. Quest'ultima è proprio la luce in cui tutto quanto portiamo con noi del nostro passato, tutto quanto ci è trasmesso, fa la sua apparizione.

55

dialogo con il testo

I temi

Nella prospettiva di Gadamer, la coscienza ermeneutica viene a coincidere con la nostra consapevolezza di essere nella storia: il comprendere interpretativo non è una delle tante forme possibili di comportamento, ma il modo stesso dell'esistenza del soggetto nel mondo.

Il problema dell'interpretazione è quello della soggettività: di fronte a una testimonianza del passato sta l'interprete, con i suoi "pregiudizi" inelimimabili, per cui la pretesa di ricostruire il passato in modo "oggettivo" è irrealizzabile. Se ne potrebbe concludere che tutto è soggettivo, relativo e non esiste comprensione possibile, non esiste verità. Gadamer sottolinea invece che la comprensione storica si realizza attraverso un dialogo tra presente e passato, un delicato equilibrio tra la differenza che separa il nostro modo di pensare da quelli antichi e l'"affinità" che tuttavia li lega. Ciò che rende possibile questo legame è la *tradizione*, il fatto che le nostre idee si sono formate in un contesto storico in cui l'eredità del passato è già presente. Dunque attraverso i testi del passato noi comprendiamo noi stessi: in questo senso ogni testo possiede «la sua propria verità», rivela qualche lato dell'esperienza umana. Non esiste una verità assoluta e definitiva, ma tante verità parziali, che si rivelano attraverso un dialogo senza fine nel tempo.

La prospettiva ermeneutica è diventata centrale nella cultura recente, dalla filosofia alla storia letteraria, e ha segnato una svolta rispetto all'egemonia dello strutturalismo (vedi Lévi-Strauss, *T37.14*):
- lo strutturalismo aspirava alla verità oggettiva; l'ermeneutica presenta invece la verità come un processo, un dialogo senza fine;
- lo strutturalismo svalutava la storia, cercando di scoprire strutture profonde costanti soggiacenti a ogni comportamento umano; l'ermeneutica segna invece una ripresa di interesse per l'uomo come essere storico;
- lo strutturalismo letterario metteva l'accento sul "testo in sé", come oggetto da analizzare nelle sue strutture proprie; l'ermeneutica sottolinea invece il significato che ogni testo ha *per noi*.

Postmodernità

I momenti più significativi del dibattito intellettuale degli ultimi decenni sono quelli in cui si tenta di cogliere le trasformazioni più profonde che stanno investendo la società e la cultura, e che secondo alcuni indicano che la storia umana è entrata in un'epoca nuova. Per definirla, a partire dalla fine degli anni sessanta si è andato diffondendo il termine "postmoderno", impiegato con significati molteplici nei campi filosofico, artistico, letterario. Il termine mostra la difficoltà di qualificare ciò che di nuovo sta maturando (con *post-* ci si riferisce a qualcosa che "viene dopo", senza definirlo). Presentiamo un brano da un saggio che è stato uno dei primi tentativi di analisi del problema (Lyotard, *T37.17*), e uno da un saggio più recente che tenta una sintesi dei fenomeni sociali e culturali che vanno sotto l'etichetta di "postmodernità" (Ceserani, *T37.18*).

Jean-François Lyotard

Jean-François Lyotard (1924-1998), filosofo francese, compì studi di impostazione fenomenologica e passò successivamente attraverso esperienze intellettuali di ispirazione marxi- sta. Verso la fine degli anni settanta maturò la sua riflessione sull'età presente, culminata col saggio *La condizione postmoderna* (1979). Tra le altre sue opere *Economia libidinale* (1974), *A partire da Marx e Freud* (1978), *Peregrinazioni* (1990).

▶ **T37.17**

T37.17

Sapere e potere nelle società informatizzate

Questo brano è tratto dalle pagine iniziali del saggio La condizione postmoderna *(1979), dedicate alle conseguenze delle nuove tecniche informatiche sulla circolazione del sapere e sul suo uso come strumento di potere.*

Jean-François Lyotard
LA CONDIZIONE POSTMODERNA
(Trad. dal francese di C. Formenti, Feltrinelli, Milano, 1981)

L'incidenza di queste trasformazioni tecnologiche[1] sul sapere sembra destinata ad essere considerevole. Esso ne viene o ne verrà colpito nelle sue due principali funzioni: la ricerca e la trasmissione delle conoscenze. Quanto alla prima, un esempio accessibile al profano è offerto dalla genetica, che deriva il suo paradigma teorico dalla cibernetica[2]. Ne esistono altri cento. Riguardo alla seconda, è noto come standardizzando, miniaturizzando e commercializzando le apparecchiature, si siano già oggi modificate le operazioni di acquisizione, di classificazione, di messa a disposizione e di utilizzazione delle conoscenze. È ragionevole pensare che la moltiplicazione delle macchine per il trattamento delle informazioni investe ed investirà la circolazione delle conoscenze così com'è avvenuto con lo sviluppo dei mezzi di circolazione delle persone prima (trasporti), e di quelli dei suoni e delle immagini poi (media).

Questa trasformazione generale non lascia intatta la natura del sapere.

1

5

10

1. queste trasformazioni tecnologiche: si riferisce agli elaboratori elettronici, all'informatica, alla telematica, alle banche di dati, ai terminali "intelligenti" ecc.
2. genetica... cibernetica: la *genetica* (scienza della trasmissione dei caratteri ereditari) usa schemi di spiegazione formali (*para-*

digma teorico) derivati dalla *cibernetica*, la disciplina che studia i

sistemi di comunicazione tra macchine e tra organismi viventi,

e li applica alla tecnologia (come tale si identifica con la scien-

za dei calcolatori). È un esempio di come le nuove tecnologie in-

Esso può circolare nei nuovi canali, e divenire operativo, solo se si tratta di conoscenza traducibile in quantità di informazione[3]. Se ne può trarre la previsione che tutto ciò che nell'ambito del sapere costituito non soddisfa tale condizione sarà abbandonato, e che l'orientamento delle nuove ricerche sarà condizionato dalla traducibilità in linguaggio-macchina degli eventuali risultati. I "produttori" del sapere al pari dei suoi utenti devono e dovranno disporre dei mezzi per tradurre in tali linguaggi ciò che i primi cercano di inventare ed i secondi di imparare. Le ricerche su queste macchine interpreti[4] sono già avanzate. Attraverso l'egemonia dell'informatica, si impone una certa logica, cioè un insieme di prescrizioni fondate su enunciati accettati come enunciati "del sapere"[5].

Da ciò è possibile aspettarsi una radicale esteriorizzazione del sapere rispetto al "sapiente"[6], qualunque sia la posizione occupata da quest'ultimo nel processo della conoscenza. L'antico principio secondo il quale l'acquisizione del sapere è inscindibile dalla formazione (*Bildung*)[7] dello spirito, e anche della personalità, cade e cadrà sempre più in disuso. Questo rapporto fra la conoscenza ed i suoi fornitori ed utenti tende e tenderà a rivestire la forma di quello che intercorre fra la merce ed i suoi produttori e consumatori, vale a dire la forma valore[8]. Il sapere viene e verrà prodotto per essere venduto, e viene e verrà consumato per essere valorizzato in un nuovo tipo di produzione: in entrambi i casi, per essere scambiato. Cessa di essere fine a se stesso, perde il proprio "valore d'uso"[9].

È noto come negli ultimi decenni il sapere sia divenuto la principale forza produttiva[10], cosa che ha già notevolmente modificato la composizione della popolazione attiva nei paesi più sviluppati[11] e che costituisce il principale collo di bottiglia per i paesi in via di sviluppo[12]. Nell'età postindustriale[13] e postmoderna, la scienza conserverà e indubbiamente svilupperà ulteriormente la propria importanza nella dotazione di capacità produttive degli Stati-nazione. Questa situazione è anche uno dei motivi che fanno ritenere che il ritardo dei paesi in via di sviluppo non cesserà in avvenire di aggravarsi.

(margine sinistro)
fluenzano la ricerca scientifica.
3. traducibile... informazione: trattabile con metodi quantitativi, traducibile in *bit* di informazione che un calcolatore possa manipolare.
4. macchine interpreti: computer (o forse piuttosto *software*) capaci di tradurre in linguaggio macchina le conoscenze prodotte in lingua comune.
5. fondate... sapere: proposizioni fondamentali, princìpi, che vengono accettati come oggettivi, propri *del sapere* in sé; ciò che sfugge a questa norma non fa più parte del "sapere".
6. esteriorizzazione... sapiente: il sapere diventa esterno alla persona che lo produce e lo utilizza, un dato consegnato alle memorie elettroniche e a disposizione di chiunque.
7. *Bildung*: termine tedesco che significa "formazione" nel senso di "educazione".
8. forma valore: valore di scambio in senso economico.
9. valore d'uso: nel linguaggio marxiano indica la capacità di un bene di soddisfare un bisogno individuale o collettivo. Si oppone al "valore di scambio" che si riferisce alla capacità di quel bene di essere

scambiato come merce.
10. sia divenuto... produttiva: le conoscenze tecniche incidono sulla produzione più delle tradizionali forze produttive (materie prime, capitali,

forza lavoro).
11. modificato... sviluppati: il numero dei tecnici e lavoratori intellettuali è enormemente cresciuto rispetto a quello dei lavoratori manuali.
12. costituisce... svi-

luppo: la scarsità di tecnici e di conoscenze tecniche diffuse è la principale strozzatura (*collo di bottiglia*) che ostacola lo sviluppo dei paesi del terzo mondo.
13. età postindustria-

le: epoca in cui il cuore dell'economia non è più la produzione industriale di oggetti materiali (che anzi si sposta nei paesi meno sviluppati), ma il controllo sull'informazione e sul sapere.

dialogo con il testo

I temi

Dopo i mezzi di comunicazione elettrici, un nuovo fattore di trasformazione profonda della cultura è l'avvento del computer, la sua diffusione in ogni campo dell'economia e della scienza, la sua accessibilità a strati larghissimi di utenti. Lyotard vede in questo fenomeno uno dei tratti decisivi della nuova

condizione umana che definisce "postmoderna". Il problema che l'autore si pone è quali conseguenze abbia il trattamento informatico delle conoscenze sulla produzione e circolazione del sapere, e la sua diagnosi è preoccupata.

❓ Enumerate in una serie di punti distinti gli effetti negativi che l'autore imputa alle nuove tecnologie.

Remo Ceserani

Remo Ceserani, nato nel 1933, è docente di Letterature comparate all'università di Bologna. È autore, con Lidia De Federicis, di un importante manuale di storia letteraria, *Il materiale e l'immaginario*. Ha scritto saggi di teoria della letteratura (*Raccontare la letteratura*, 1990; *Il fantastico*, 1996; *Guida allo studio della letteratura*, 1999).

▶ **T37.18**

T37.18

Una mappa del postmoderno

In generale, la nozione di "postmoderno" si oppone a una nozione di "modernità" o "modernismo", associata in particolare alla cultura e arte più innovativa del Novecento: le avanguardie, il nuovo romanzo, la nuova poesia, i grandi maestri delle arti figurative e della musica colta. I caratteri comuni del "moderno" si potrebbero schematizzare come una volontà di liberarsi da ogni schema tradizionale (conoscitivo, morale, artistico), associata a un senso di smarrimento di fronte alla perdita di punti di riferimento e valori assoluti; il tutto espresso in forme innovative e altamente sofisticate. Dalla negazione di questi caratteri si possono ricavare alcuni elementi di ciò che si definisce "postmoderno": l'indifferenza per l'innovazione stilistica come un valore in sé; la caduta delle barriere tra arte "alta", difficile, e arte "di massa"; la scomparsa di quel senso di lacerazione drammatica dell'uomo che contrassegnava le esperienze letterarie e artistiche più notevoli; l'indebolimento del senso della storicità della cultura, associato al gusto di citare idee e stili di ogni epoca, posti tutti su uno stesso piano.

Una definizione compiuta di questi fenomeni non è ancora possibile, e non lo sarà per un pezzo. Un bilancio provvisorio è stato tentato da Remo Ceserani nel saggio Raccontare il postmoderno *(1997), dal quale traiamo un brano che delinea alcuni tratti salienti del fenomeno; nelle pagine che precedono queste che riportiamo, il discorso muove dagli «atteggiamenti formali e retorici», ma va consapevolmente oltre questi, verso un più generale sfondo di vita e di costume, che solo li può rendere significativi.*

Remo Ceserani
RACCONTARE IL POSTMODERNO
(Bollati Boringhieri, Torino, 1997)

1. **procedimenti rappresentativi tematizzati**: forme di rappresentazione che acquistano significato di per sé.
2. **Il soggetto**: l'idea dell'individuo umano in quanto ha coscienza di sé.
3. **nei propri doppi**: in figure di fantasia che creano un "doppio" dell'individuo.

Posso, anzitutto, dare un primo grande elenco di temi e motivi e anche di procedimenti rappresentativi tematizzati[1] appartenenti ad alcune grandi categorie dell'esperienza.

a) Il soggetto[2] e la sua realtà corporea e sentimentale [...]. Un soggetto comunque indebolito, decentrato, moltiplicato e frammentato. Così come frammentata risulta la sua esperienza di sentimenti e ideali, priva ormai della possibilità dell'autoanalisi, costretta a rinunciare all'amore di sé e all'esplorazione della propria intimità, spinta a cercarsi nei propri doppi[3], nelle immagini riflesse dagli specchi o dalle prospettive rovesciate degli strumenti ottici, nelle apparizioni spettrali. Così come frammentato risulta il corpo, dopo la sua separazione netta dall'anima. La medicina ne cura le parti in modo separato e con estrema specializzazione (chi il cervello e chi il cuore, chi lo stomaco e chi l'apparato genitale, chi i denti e chi i piedi), le sostituisce e trapianta creando un vero e proprio mercato di organi umani (così co-

1

5

10

me avveniva un tempo con le reliquie dei santi), inserisce protesi artificiali, cambia sessi, affida a macchine ingegnose il controllo della circolazione, delle alterazioni e dello stesso mantenimento della funzionalità vitale o vegetante. La cosmesi, alleandosi alla microchirurgia, si specializza a sua volta concentrandosi su questo o quel pezzo di corpo (dai capelli alle unghie, dal naso alla peluria considerata superflua), agevolando il modellamento personale del proprio corpo, il travestimento, il *camouflage*[4], la transessualità, la teatralizzazione dei gesti e dei comportamenti. L'individuo, rappresentato e riprodotto dalla tecnologia delle immagini, si trasforma in icona[5] e in simulacro di sé, diviene un personaggio fittizio, entra in un romanzo o in un film, può da quel romanzo e quel film trasmigrare in altro romanzo o altro film o rientrare nel mondo della realtà vissuta.

    b) Il processo di frammentazione ha investito anche l'esperienza, il senso del tempo e quello della storia. [...]

    Il passato e il futuro si schiacciano sul presente, l'esperienza della temporalità, della memoria e delle sue intermittenze[6], l'aspirazione utopica[7] vengono sostituite da rappresentazioni della crisi della temporalità e della storicità, accompagnate da uno storicismo onnipresente, onnivoro e quasi libidico[8], che lavora a ridurre il passato a museo di fotografie e raccolta di ritagli di immagini e simulacri, figurine Liebig o figurine Panini, a manipolarlo o «manopolarlo[9]». Il passato e la storia vengono quindi anch'essi trasformati in mercato, scambiati e consumati. [...]

    c) La natura è tutta ormai colonizzata dall'uomo, per cui il naturismo, o i prodotti «naturali» sono a loro volta un fenomeno di mercato – alternativo a quello dei prodotti industriali in serie o a quelli nobilitati da una griffe – e sono sistematicamente caricati di un sopravvalore culturale e ideologico[10] che li trasforma in merce raffinata. A fare da pendant[11] al commercio e all'offerta ideologica dei prodotti «naturali», che vengono esposti in negozietti o mercatini nostalgicamente riesumati in quartieri della città dove abita l'intellettualità diffusa[12], stanno i grandi templi del feticismo popolare[13], l'accumulo grandioso delle merci e lo scambio rapidissimo dei prodotti nei *malls*[14] decentrati, nei super e ipermercati (veri luoghi di culto dell'adorazione postmoderna delle merci), e a loro volta a fare da pendant a questi luoghi topici dell'elencazione caotica[15] stanno i luoghi delle scorie e del rifiuto, i cumuli immensi della spazzatura, i relitti umani dei naufragi di una società degradata[16] che si raccolgono nelle metropolitane, attorno alle stazioni ferroviarie, nei centri urbani svuotati di abitazioni e popolati soltanto da palazzi per uffici e banche, di notte vuoti e spettrali. Un nomadismo inquieto[17] si è ormai impossessato di una umanità che ha mercificato anche i viaggi e trasformato ogni luogo della terra in spettacolino «naturale» da Club Méditerrané.

15

20

25

30

35

40

45

50

---

4. *camouflage*: camuffamento (francese).

5. **icona**: immagine caricata di valori simbolici, come le icone sacre della tradizione ortodossa.

6. **della memoria... intermittenze**: riferimento all'esplorazione della memoria condotta da Proust nel suo romanzo; le improvvise riapparizioni del passato alla coscienza sono definite da Proust «intermittenze del cuore» (Vol. G *T32.62*).

7. **l'aspirazione utopica**: l'aspirazione a un'utopia di rinnovamento totale nel futuro: un altro modo di vedere se stessi in una prospettiva temporale.

8. **storicismo... libidico**: qui *storicismo* è da intendere come un gusto per le rievocazioni storiche che dilaga dovunque (*onnipresente*), assorbe ogni altra tematica (*onnivoro*), e vale come semplice stimolo a un'eccitazione piacevole (*quasi libidico*), non come consapevolezza della propria collocazione nella storia.

9. **manopolarlo**: gioco di parole da *manopola*, per suggerire che il gioco con immagini del passato non avviene più attraverso attività manuali, ma per mezzo di strumenti elettronici, agendo sui loro comandi.

10. **caricati... ideologico**: valgono di più non per ciò che sono in sé, ma per ciò che significano per l'acquirente.

11. **pendant**: contrappeso (francese).

12. **l'intellettualità diffusa**: gli intellet-

tuali delle professioni, della scuola, della ricerca, dell'università, che costituiscono ormai un ceto numeroso.

13. **feticismo popolare**: l'adorazione per gli oggetti di consu-

mo, che ne fa dei feticci.

14. *malls*: termine che negli Stati Uniti ha sostituito *shopping centers* (centri commerciali).

15. **luoghi... caotica**: metaforicamente,

l'ammasso delle merci è una figura retorica di *elencazione*, e i supermercati sono i suoi *luoghi topici* (nella retorica antica, i "luoghi" mentali da cui potevano trarre argomenti, o "luoghi co-

muni").

16. **i relitti... degradata**: gli emarginati: tossicodipendenti, barboni ecc.

17. **Un nomadismo inquieto**: un irrequieto bisogno di viaggiare.

dialogo con il testo

I temi

Il discorso dell'autore muove dall'immagine che le arti contemporanee danno dell'uomo di oggi, attraverso aspetti ricorrenti di tematica e di stile; ma inevitabilmente il discorso slitta dalle rappresentazioni artistiche ad aspetti dell'ambiente materiale e umano in cui viviamo. I due aspetti sono inscindibili in un tentativo di delineare i caratteri della cultura che è nostra (sia nel senso tradizionale di *cultura*, sia in quello antropologico).

2 Sotto ciascuna delle tre voci in cui raggruppa il suo "elenco", l'autore allinea situazioni ed esperienze svariate; provate a identificarle una per una, distinguendo quelle che vi richiamano immediatamente alla mente esperienze comuni e quelle che vi risultano più difficili da interpretare.

Duane Hanson
Turisti II (1988, Londra, The Saatchi Gallery)

Estetiche e poetiche

Nel dibattito sulla letteratura e l'arte, nei primi anni del dopoguerra, prevalgono posizioni che si ispirano al marxismo e propongono l'"impegno" politico degli intellettuali; in questa atmosfera si colloca la poetica del neorealismo italiano. Dagli anni sessanta l'egemonia marxista è contrastata dagli orientamenti strutturalisti e semiotici, che portano un notevole arricchimento metodologico nel campo della critica e teoria della letteratura. Negli stessi anni, mentre tramonta il neorealismo, il centro degli interessi dei letterati italiani si sposta sulla sperimentazione di nuove tecniche espressive, adeguate alle radicali trasformazioni in corso nella società e nella cultura; la nuova avanguardia è il tentativo più deciso di creare una letteratura all'altezza di queste trasformazioni. Anche le discussioni sulla lingua, che hanno un nuovo animato episodio in quegli anni, muovono dalla questione degli effetti culturali dell'industrializzazione.

Marxismo, "impegno", neorealismo

La letteratura italiana dei primi anni del dopoguerra è caratterizzata da una forte tensione morale e civile, dalla volontà di contribuire alla ricostruzione spirituale del paese e allo sviluppo della democrazia. A creare questo clima contribuiscono le riflessioni di Gramsci (pubblicate allora) sulla tradizionale separazione degli intellettuali italiani dal popolo (*T37.19*), l'esempio francese dell'appello di Sartre all'"impegno" degli scrittori (*T37.20*), le suggestioni dell'estetica marxista di Lukács centrata sulla nozione di "realismo" (*T37.21*); resta invece più in ombra, in un primo tempo, un altro approccio marxista alla letteratura, proveniente dagli studiosi dalla scuola di Francoforte (Marcuse, *T37.22*). Le spinte al rinnovamento animano il generoso tentativo del "Politecnico" di Vittorini, col suo appello a una nuova cultura (*T37.23*), e sono alla base della fioritura della narrativa neorealista, della quale Italo Calvino, a distanza di pochi anni, ci offre un lucido resoconto (*T37.24*).

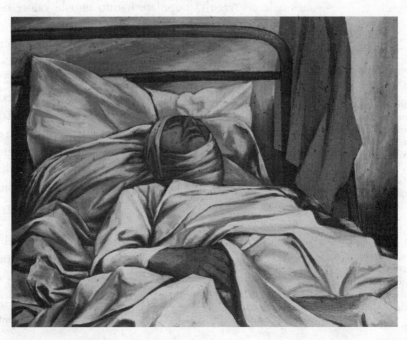

Renato Guttuso
Un eroe del nostro tempo (scioperante ferito) (1953, Londra, Collezione Estorik)

Antonio Gramsci

Antonio Gramsci (1891-1937), sardo, si laureò a Torino, dove si diede a un'intensa attività politica nel Partito socialista. Nel 1919 fondò con Palmiro Togliatti e Umberto Terracini il settimanale "L'ordine nuovo", che sosteneva una linea politica ispirata alla rivoluzione sovietica; in esso si formò il gruppo dirigente che nel 1921, con la scissione di Livorno, diede vita al Partito comunista d'Italia. Fu eletto deputato nel 1924 ma due anni dopo, col definitivo consolidarsi della dittatura fascista, fu arrestato e condannato a vent'anni di reclusione. Negli anni del carcere approfondì con uno studio intenso la sua concezione del materialismo storico, in cui l'egemonia culturale e il ruolo degli intellettuali acquistano un rilievo almeno pari a quello delle condizioni materiali. Il suo fisico fragile non resse alla prigionia: scarcerato per le condizioni di salute, morì dopo pochi mesi. Le sue riflessioni consegnate ai *Quaderni del carcere*, pubblicati dopo la seconda guerra mondiale, costituiscono il contributo più originale al pensiero marxista del Novecento.

▶ T37.19

T37.19

Carattere non nazionale-popolare della letteratura italiana

Negli appunti scritti durante la sua lunga detenzione, Gramsci dedica molto spazio alla letteratura e ai suoi rapporti con la coscienza civile di una nazione. I due brani che riproduciamo si trovano in due diversi quaderni, risalenti agli anni 1932-1935. Pubblicate nel 1950 nel volume Letteratura e vita nazionale, *queste riflessioni ebbero molta influenza sul dibattito letterario nel dopoguerra.*

Antonio Gramsci
QUADERNI DEL
CARCERE
(Einaudi, Torino,
1975, vol. III)

È da osservare il fatto che in molte lingue, «nazionale» e «popolare» sono   1
sinonimi o quasi (così in russo, così in tedesco in cui «volkisch» ha un significato ancora più intimo, di razza, così nelle lingue slave in genere; in francese «nazionale» ha un significato in cui il termine «popolare» è già più elaborato politicamente, perché legato al concetto di «sovranità», sovranità   5
nazionale e sovranità popolare hanno uguale valore o l'hanno avuto). In Italia il termine «nazionale» ha un significato molto ristretto ideologicamente e in ogni caso non coincide con «popolare», perché in Italia gli intellettuali sono lontani dal popolo, cioè dalla «nazione» e sono invece legati a una tradizione di casta, che non è mai stata rotta da un forte movimento politico popolare o nazionale dal basso: la tradizione è «libresca» e   10
astratta e l'intellettuale tipico moderno si sente più legato ad Annibal Caro o Ippolito Pindemonte[1] che a un contadino pugliese o siciliano. Il termine corrente «nazionale» è in Italia legato a questa tradizione intellettuale e libresca, quindi la facilità sciocca e in fondo pericolosa di chiamare «antinazionale» chiunque non abbia questa concezione archeologica e tarmata[2]   15
degli interessi del paese.
[...]
Cosa significa il fatto che il popolo italiano legge di preferenza gli scrittori stranieri[3]? Significa che esso *subisce* l'egemonia intellettuale e morale   20

1. Annibal Caro... Pindemonte: Annibal Caro (1507-1566) è famoso soprattutto per la sua traduzione dell'*Eneide*; Ippolito Pindemonte (1753-1828), letterato arcade e neoclassico, fu autore di una traduzione dell'*Odissea*. Sono qui citati come esponenti tipici di una letteratura disimpegnata e lontana dalle esigenze popolari.

2. tarmata: invecchiata, consunta, come un vestito rovinato dalle tarme.
3. il popolo... stranieri: Gramsci si riferisce alla letteratura di consumo popolare, nella quale trionfavano in Italia i romanzi d'appendice tradotti dal francese.

degli intellettuali stranieri, che esso si sente legato più agli intellettuali stranieri che a quelli «paesani», cioè che non esiste nel paese un blocco nazionale intellettuale e morale, né gerarchico e tanto meno egualitario. Gli intellettuali non escono dal popolo, anche se accidentalmente qualcuno di essi è d'origine popolana, non si sentono legati ad esso (a parte la retorica), non ne conoscono e non ne sentono i bisogni, le aspirazioni, i sentimenti diffusi, ma, nei confronti del popolo, sono qualcosa di staccato, di campato in aria, una casta, cioè, e non un'articolazione, con funzioni organiche, del popolo stesso[4]. La questione deve essere estesa a tutta la cultura nazionale-popolare e non ristretta alla sola letteratura narrativa: le stesse cose si devono dire del teatro, della letteratura scientifica in generale (scienze della natura, storia ecc.). Perché non sorgono in Italia degli scrittori come il Flammarion[5]? perché non è nata una letteratura di divulgazione scientifica come in Francia e negli altri paesi? Questi libri stranieri, tradotti, sono letti e ricercati e conoscono spesso grandi successi. Tutto ciò significa che tutta la «classe colta», con la sua attività intellettuale, è staccata dal popolo-nazione, non perché il popolo-nazione non abbia dimostrato e non dimostri di interessarsi a questa attività in tutti i suoi gradi, dai più infimi (romanzacci d'appendice) ai più elevati, tanto è vero che ricerca i libri stranieri in proposito, ma perché l'elemento intellettuale indigeno è più straniero degli stranieri di fronte al popolo-nazione.

line markers: 25, 30, 35, 40

4. un'articolazione... stesso: secondo Gramsci l'"intellettuale organico" è l'espressione della visione del mondo di una certa classe sociale.
5. Flammarion: Camille Flammarion (1842-1925), astronomo francese, fu autore di opere divulgative della scienza positivista, molto popolari anche in Italia, dove uscirono tradotte a dispense.

dialogo con il testo

I temi

Gramsci si pone il problema di una letteratura che contribuisca a creare una coscienza civile, dei valori diffusi anche a livello popolare, facendo dell'Italia una "nazione" nel senso culturale e morale.

L'Italia non è mai esistita come nazione, a livello popolare, perché i suoi letterati sono stati staccati dal popolo: hanno elaborato una letteratura raffinata e "cosmopolita" (come scrive altrove Gramsci), capace di imporsi in Europa, ma non sono mai stati "organici" al popolo-nazione. Pensando alla letteratura come fattore di cultura popolare, Gramsci mostra un'attenzione anche alla letteratura di consumo e alla divulgazione scientifica che è originale per il suo tempo e sarà ripresa a decenni di distanza dalla sociologia della letteratura.

Confronti

Queste riflessioni, elaborate nella solitudine del carcere, divennero di grande attualità per la cultura del dopoguerra, impegnata a darsi un ruolo progressista. Il "Politecnico" di Vittorini (*T37.23*) fece proprio il programma di creare una cultura popolare, mescolando letteratura, indagine sociale e divulgazione; il neorealismo volle essere una letteratura «nazionale-popolare» (Calvino, *T37.24*).

Jean-Paul Sartre

T37.20

Notizie sull'autore **T31.7**

La responsabilità dello scrittore

Presentiamo alcuni brani dell'articolo di presentazione della rivista "Les Temps Modernes" ("Tempi moderni"), fondata   *da Sartre nel 1945, pochi mesi dopo la conclusione della seconda guerra mondiale.*

Jean-Paul Sartre
CHE COS'È LA
LETTERATURA?
(A cura di F. Brioschi,
Il Saggiatore, Milano,
1976)

Tutti gli scrittori d'origine borghese hanno conosciuto la tentazione dell'irresponsabilità[1] che, da un secolo a questa parte, è divenuta tradizionale nella carriera delle lettere. Raramente l'autore stabilisce un nesso tra le sue opere e la loro rimunerazione in contanti. Da un lato lui scrive, canta, sospira; dall'altro gli si dà del denaro. Sono due fatti senza relazione apparente; al massimo, può dire a se stesso che lo sovvenzionano perché sospiri. Tanto che, generalmente, si considera piuttosto simile a uno studente premiato con una borsa di studio che a un lavoratore al quale si paga il prezzo della sua fatica. A siffatta opinione lo hanno ancorato i teorici dell'Arte per l'Arte[2] e del Realismo. Si è fatto caso che hanno tutti gli stessi obiettivi e la medesima origine? L'autore che segue l'insegnamento dei primi si pone come principale obiettivo di scrivere opere che non servono a niente: purché siano completamente gratuite[3], assolutamente prive di radici, non sarà difficile che gli sembrino belle. E così si colloca ai margini della società; o piuttosto non consente di figurarvi se non a titolo di puro consumatore: precisamente come chi ha vinto una borsa di studio. Anche il Realista consuma volentieri. Quanto a produrre, è un'altra cosa: gli hanno detto che la scienza non mira all'utile, e così lui tende all'imparzialità infeconda dello scienziato. Ci hanno ripetuto a sazietà che lui «si chinava» sugli ambienti che voleva descrivere. Si chinava! E dove stava dunque? Per aria? La verità è che, incerto circa la propria posizione sociale, troppo timorato per levarsi contro la borghesia che lo paga, troppo lucido per accettarla senza riserve, ha scelto di giudicare il proprio secolo e si è così convinto di restarne fuori, come lo sperimentatore è esterno al sistema sperimentale. Il disinteresse della scienza pura raggiunge dunque la gratuità dell'Arte per l'Arte. Non a caso Flaubert è, a un tempo, stilista puro, puro amante della forma e padre del naturalismo; non a caso i Goncourt[4] si vantano di saper osservare e di possedere insieme la scrittura artistica.

Questo legato[5] d'irresponsabilità ha gettato lo scompiglio in molte anime. Poiché soffrono di cattiva coscienza letteraria non sanno più se scrivere sia cosa ammirevole o grottesca. Un tempo il poeta si credeva un profeta, ed era un fatto onorevole; in seguito, divenne paria[6] e maledetto; il che poteva ancora andare. Ma oggi è caduto al rango degli specialisti, e quando deve indicare accanto al suo nome, nei registri d'albergo, il suo mestiere di «letterato», avverte un certo disagio. Letterato: è una parola tale, da provocare il disgusto di scrivere; si pensa a un Ariele, a una Vestale, a un *enfant terrible*[7], e anche a un maniaco inoffensivo apparentato con i sollevatori di

1

5

10

15

20

25

30

35

1. **dell'irresponsabilità**: di considerarsi non responsabili della propria opera di fronte alla società.
2. **Arte per l'Arte**: la formula dell'arte fine a se stessa, opera di pura bellezza senza altre responsabilità; fu lanciata dal poeta francese Théophile Gautier (1811-1872) e ripresa dai parnassiani.
3. **gratuite**: immotivate, prive di scopi seri.
4. **Flaubert... Goncourt**: Gustave Flaubert (vedi Vol. F *T26.1*) e i fratelli Émile e Jules Goncourt (vedi Vol. F *T25.12*) sono citati come maestri di una narrativa realista artisticamente impeccabile, ma che non si pone compiti sociali.
5. **legato**: lascito testamentario.
6. **paria**: emarginato, sottoproletario (dal nome della più bassa tra le caste indiane).

pesi o con i numismatici. Il tutto è piuttosto ridicolo. Mentre si combatte, il letterato scrive; un giorno ne è fiero, si sente chierico[8] e guardiano dei valori ideali; il giorno dopo, se ne vergogna, pensa che la letteratura assomiglia assai a un modo d'affettazione particolare. Con i borghesi che lo leggono, ha coscienza della propria dignità; ma in faccia agli operai, che non lo leggono, soffre d'un complesso d'inferiorità, [...] Non è correndo dietro all'immortalità che si diventa eterni: né diventeremo assoluti per aver riflesso nelle nostre opere qualche principio scarnificato, abbastanza vuoto e abbastanza nullo per passare da un secolo all'altro; ma perché avremo combattuto appassionatamente nella nostra epoca, perché l'avremo amata appassionatamente e avremo accettato di seguirne fino in fondo la sorte.

In conclusione, è nostra intenzione concorrere a produrre certi mutamenti nella Società che ci circonda. E con questo non intendiamo un mutamento d'anime: lasciamo ben volentieri la direzione delle anime agli autori che hanno una clientela specializzata. Noi che, senza essere materialisti non abbiamo mai distinto l'anima dal corpo e non conosciamo che una sola, indecomponibile realtà, quella umana, noi ci schieriamo al fianco di chi vuole mutare insieme la condizione sociale dell'uomo e la concezione che egli ha di se stesso. Pertanto, a proposito degli avvenimenti politici e sociali che verranno, la nostra rivista prenderà posizione in ogni caso. Non *politicamente*, cioè non servirà alcun partito, ma si sforzerà di porre in luce la concezione dell'uomo, a cui si ispireranno le tesi in contrasto, e darà il proprio parere conformemente alla concezione che verrà sostenendo. Se potremo mantenere quanto ci siamo ripromessi, se potremo far condividere i nostri punti di vista a qualche lettore, non ne trarremo un orgoglio esagerato; ci feliciteremo semplicemente d'aver ritrovato una buona coscienza professionale, e del fatto che, almeno per noi, la letteratura sia tornata a essere quella che non avrebbe mai dovuto cessare d'essere: una funzione sociale.

40

45

50

55

60

65

7. Ariele... *terrible*: *Ariele*, spiritello dell'aria nella *Tempesta* di Shakespeare, la *Vestale*, sacerdotessa custode del fuoco sacro a Vesta nell'antica Roma, l'*enfant terrible* ("bambino terribile", insofferente di regole) sono tre immagini del letterato come personaggio irregolare, ma anche innocuo.

8. chierico: custode di valori sacri. È l'espressione introdotta da Julien Benda nel suo saggio *Il tradimento dei chierici* (1927; vedi nel Vol. G l'introduzione a Nizan, *T31.11*).

dialogo con il testo

I temi

Conclusa la seconda guerra mondiale con la sconfitta del nazismo, in tutta l'Europa si poneva il compito di una ricostruzione materiale e ideale; in Francia e in Italia, dove erano presenti forti partiti comunisti, si prospettava una trasformazione rivoluzionaria della società, e molti intellettuali ritenevano loro dovere schierarsi al fianco delle forze politiche e sociali che lottavano per questo cambiamento. Sartre è stato la figura emblematica di questo "impegno" (*engagement*): la sua rivista vuol «concorrere a produrre certi mutamenti nella Società» (righe 49-50).

Il brano è un appello appassionato alla responsabilità sociale dello scrittore. Cresciuto in seno alla borghesia, letto da un pubblico borghese, lo scrittore deve sapere che ogni parola che scrive o è contro le ingiustizie del mondo presente, o contribuisce a mantenerle; il rifugio nell'arte "pura" non giustifica nessuno, perché il silenzio è già un'approvazione. In altro passo dell'articolo Sartre scrive: «Qualcuno potrebbe consacrare la vita a scrivere romanzi sugli Ittiti; ma la sua astensione sarebbe di per sé una presa di posizione. Lo scrittore è "in situazione" nella sua epoca: ogni parola ha i suoi echi. Ogni silenzio anche».

❓ L'autore delinea criticamente, con rapidi cenni, diverse definizioni del ruolo sociale dello scrittore succedutesi dall'Ottocento in poi, particolarmente in Francia. Individuate queste concezioni e indicate gli autori che ne furono protagonisti.

György Lukács

György Lukács (1885-1971), ungherese, studiò filosofia in Germania ed esordì come studioso di estetica con *La teoria del romanzo* (1920). Accostatosi al marxismo, iscritto al Partito comunista ungherese, dopo la sconfitta di un tentativo rivoluzionario nel suo paese si rifugiò a Vienna, a Berlino, e a Mosca dal 1933 alla fine della seconda guerra mondiale. Il suo maggiore contributo alla filosofia marxista è *Storia e coscienza di classe* (1923); in *La distru-* *zione della ragione* (1955) svolse una critica sistematica del pensiero europeo decadente e reazionario, da Nietzsche ai teorici del nazismo. Ma il suo impegno maggiore fu l'elaborazione di un'estetica marxista, fondata sul concetto della letteratura come rispecchiamento della società, accompagnata da studi critici sul grande realismo ottocentesco (*Saggi sul realismo*, 1946; *Il romanzo storico*, 1947; *Prolegomeni a un'estetica marxista*, 1956). Durante il soggiorno a Mosca fu oggetto di attacchi e censure ad opera del regime staliniano; rientrato in patria, ebbe importanti incarichi di politica culturale nel regime comunista ungherese, ma fu ancora aspramente criticato perché non sufficientemente "allineato". Durante la rivoluzione ungherese del 1956 contro il regime filosovietico, accettò di far parte del governo, e in seguito alla repressione fu ridotto all'isolamento.

▶ **T37.21**

T37.21

Il vero realismo

Il brano che presentiamo è tratto dalla prefazione ai Saggi sul realismo, *scritta nel 1945, e riassume alcuni temi fondamentali della concezione estetica di Lukács, che ebbero ampia circolazione in Italia.*

György Lukács
SAGGI SUL
REALISMO
(Trad. dall'ungherese di A. e M. Brelich, Einaudi, Torino, 1950)

La categoria[1] centrale, il criterio fondamentale della concezione letteraria realistica è il tipo[2], ossia quella particolare sintesi che, tanto nel campo dei caratteri, che in quello delle situazioni, unisce organicamente il generico e l'individuale. Il tipo diventa tipo non per il suo carattere medio, e nemmeno soltanto per il suo carattere individuale, per quanto anche approfondito, bensì per il fatto che in esso confluiscono e si fondono tutti i momenti[3] determinanti, umanamente e socialmente essenziali, d'un periodo storico; per il fatto che esso presenta questi momenti nel loro massimo sviluppo, nella piena realizzazione delle loro possibilità immanenti[4], in un'estrema raffigurazione di estremi[5] che concreta sia i vertici che i limiti della completezza dell'uomo e dell'epoca. [...]

Il problema estetico centrale del realismo è l'adeguata riproduzione artistica dell'«uomo totale»[6]. Ma come in ogni profonda filosofia dell'arte, il punto di vista estetico, coerentemente pensato fino in fondo, porta al superamento dell'estetica pura: il principio artistico, proprio nella sua più profonda purezza, è saturo di momenti sociali, morali, umanistici[7]. Le esigenze della creazione realistica del tipo si oppongono tanto a quelle correnti, in cui prende un rilievo eccessivo il lato fisiologico dell'esistenza umana

1

5

10

15

1. categoria: nel senso filosofico di concetto generale che organizza il pensiero.
2. il tipo: il personaggio o la situazione narrativa che riassume in una figura individuale i caratteri essenziali di una realtà storica.
3. i momenti: gli aspetti.
4. delle loro possibilità immanenti: di ciò che racchiudono potenzialmente.
5. in un'estrema... estremi: il *tipo* creato da un'opera letteraria non rappresenta la media di una situazione storica, ma porta all'estremo le sue caratteristiche, e così le raffigura artisticamente. Ad esempio, un personaggio di Balzac non corrisponde al tipo umano che si poteva incontrare mediamente nella società francese del primo Ottocento, ma estremizza le tendenze presenti in quella situazione storica.
6. uomo totale: l'uomo visto nella totalità delle relazioni sociali che lo determinano. Secondo Lukács per il marxismo è essenziale la "categoria della totalità": il vedere tutti gli aspetti della realtà sociale nei loro nessi inscindibili, senza separare l'individuale dal sociale.
7. umanistici: rivolti allo sviluppo integrale dell'uomo.

e dell'amore (come in Zola e nella sua scuola)[8], quanto a quelle che sublimano l'uomo in processi puramente psichici[9]. Una tale posizione, sul piano della valutazione estetica formale, sarebbe indubbiamente arbitraria, perché – unicamente dal punto di vista del «bello scrivere» – non si potrebbe comprendere perché il conflitto erotico, con gli inerenti conflitti morali e sociali, dovesse essere d'ordine superiore in confronto alla spontaneità elementare della pura sessualità[10]. Soltanto quando noi consideriamo il concetto dell'uomo completo[11] come compito sociale e storico assegnato all'umanità; soltanto quando ravvisiamo la funzione dell'arte nel fissare le tappe più importanti sulla via di quel compito, in tutta la ricchezza dei fattori in esse operanti; soltanto quando l'estetica prefigge all'arte il compito di illuminare e guidare l'umanità, soltanto in questo caso il contenuto della vita potrà disporsi su piani più essenziali e meno essenziali, su piani che mettono in luce il tipo e indichino la via, e altri che necessariamente li lasciano al buio. [...]

Con il crollo del fascismo e con l'estirpazione delle sue radici una nuova vita s'inizia per tutti i popoli liberati. Nell'assolvimento dei nuovi compiti della nuova vita una grande funzione spetta in tutti i paesi alla letteratura. Ma la letteratura non può assolvere a questa funzione affidatale perentoriamente dalla storia prima che si realizzi una premessa naturale: la rinascita degli scrittori quanto alla loro concezione del mondo e alla loro politica. Questo è un presupposto inderogabile, ma non ancora sufficiente. Non soltanto le nazioni devono trasformarsi, ma anche tutto il mondo sentimentale degli uomini; ma nulla più della letteratura può propugnare i nuovi sentimenti democratici che portano alla liberazione e provengono da radici popolari. Il grande insegnamento della storia russa sta precisamente nell'azione trasformatrice ed educatrice della vera letteratura realista[12]. Solo il vero realismo grande, profondo e totale, può portare a simili risultati. Perciò la letteratura, se vuole diventare un fattore reale della rinascita nazionale, deve rinnovarsi anche dal punto di vista puramente letterario, formale ed estetico. Essa deve staccarsi dai legami delle false tradizioni reazionario-conservatrici e nello stesso tempo deve opporsi alla decadenza che conduce la letteratura in un vicolo cieco[13].

20

25

30

35

40

45

50

8. come in Zola... scuola: Lukács considera il naturalismo una forma inferiore di realismo, perché si sarebbe concentrato sui condizionamenti puramente fisiologici dell'individuo, trascurando le più essenziali influenze sociali.

9. quelle che... psichici: le tendenze psicologistiche e idealistiche della narrativa decadente, che *sublimano* l'uomo (ignorano la materialità dell'esistenza), come se la sua realtà fosse puramente psicologica.

10. il conflitto erotico... sessualità: l'autore contrappone il grande realismo, capace di vedere un tema amoroso (*conflitto erotico*) nei suoi aspetti morali e sociali, a un'arte inferiore (il naturalismo), che si limiterebbe a rappresentarlo come *pura sessualità*.

11. uomo completo: secondo la concezione marxista, nella società divisa in classi l'uomo non può realizzare integralmente la propria umanità; l'*uomo completo* è una meta ideale della lotta per il progresso sociale.

12. Il grande insegnamento... realista: nell'Unione Sovietica (guida e modello del movimento comunista dell'epoca) era stata imposto il "realismo socialista", una letteratura che doveva rappresentare la realtà sociale allo scopo di educare le masse nella costruzione del socialismo.

13. decadenza... cieco: per Lukács è "decadente" e "reazionaria" quasi tutta la letteratura posteriore al realismo romantico: il naturalismo, il simbolismo, e a maggior ragione il nuovo romanzo e la nuova poesia del Novecento.

dialogo con il testo

I temi

Per Lukács la vera arte si identifica nel realismo (pur parlando di "arte" in generale, il filosofo ungherese si occupò principalmente del romanzo). L'arte è infatti una forma di conoscenza, di "rispecchiamento" della realtà oggettiva attraverso il *tipo*, che riassume in sé i caratteri determinanti di una situazione storica e so-

ciale. I modelli a cui fa riferimento sono i grandi narratori ottocenteschi, Balzac e Tolstoj, mentre è intransigente la sua condanna del naturalismo e di tutta la narrativa sperimentale e di avanguardia del Novecento, considerata una forma di irrazionalismo, espressione della decadenza borghese.

? Analizzate e descrivete il modo in cui in questo brano l'estetica sconfina esplicitamente nella precettistica: come si attua cioè il passaggio fra la teoria di ciò che l'arte è e l'indicazione di ciò che gli scrittori devono fare.

Per Lukács infatti la vera arte implica la comprensione del movimento storico reale, e questo va nella direzione del progresso sociale; su queste basi, nel momento in cui con la sconfitta del fascismo si aprono grandi speranze ai paesi europei, egli chiede alla letteratura di rinnovarsi per contribuire a creare «i sentimenti democratici che portano alla liberazione e provengono da radici popolari».

Negli anni cinquanta in Italia Lukács fu un punto di riferimento importante per i teorici del neorealismo: il suo pensiero offriva una solida base teorica a chi aspirava a una letteratura che rappresentasse le lotte e i sentimenti popolari, rompendo con l'intimismo individuale e con le ricerche formali che avevano caratterizzato la letteratura ermetica.

Herbert Marcuse

T37.22

Notizie sull'autore **T37.3**

Il pensiero dialettico e l'avanguardia letteraria

In questo passo di una Nota sulla dialettica *scritta nel 1960, il filosofo della scuola di Francoforte stabilisce un rapporto fra l'arte di avanguardia e il "pensiero dialettico", cioè il pensiero capace di cogliere le contraddizioni che costituiscono l'essenza profonda della realtà. Si tratta di un approccio marxista all'arte nettamente opposto a quello di Lukács.*

Herbert Marcuse
NOTA SULLA
DIALETTICA
(In *Ragione e rivoluzione*, trad. dall'inglese di A. Izzo, Il Mulino, Bologna, 1966)

La realtà è qualcosa di diverso da ciò che è codificato nella logica e nel linguaggio dei fatti[1]; essa trascende questi limiti. È questo l'intimo legame tra pensiero dialettico[2] e il tentativo della letteratura d'avanguardia: lo sforzo di superare il potere dei fatti sul mondo, di parlare un linguaggio che non sia il linguaggio di coloro che stabiliscono i fatti[3], impongono l'obbedienza a essi e ne traggono profitto. Quando il potere dei dati di fatto tende a divenire totalitario, a negare ogni opposizione e a definire l'intero universo con cui ha che fare, lo sforzo di parlare in termini di contraddizione[4] appare sempre più irrazionale, oscuro, artificiale. Il problema non è se esista o non esista una diretta o indiretta influenza di Hegel sulla vera avanguardia, sebbene ciò sia evidente in Mallarmé e Villiers de l'Isle-Adam, nel surrealismo, e in Brecht[5]. La dialettica e il linguaggio poetico, piuttosto, si trovano sullo stesso piano.

5

10

1. **nella logica... fatti**: nel modo di pensare e nel linguaggio che si fermano ai dati di fatto così come appaiono in superficie, cioè che accettano come un fatto definitivo la realtà sociale così come è attualmente.
2. **pensiero dialettico**: la tradizione che risale a Hegel e fu rinnovata da Marx, secondo la quale il pensiero procede per negazioni: ogni concetto si definisce per opposizione al suo contrario. Per Marcuse il pensiero dialettico implica la capacità di pensare, al di là della realtà sociale data (società divisa in classi, oppressione, negazione dell'uomo), una società diversa, liberata, in cui l'uomo si realizzi integralmente.
3. **coloro... fatti**: le classi dominanti, che impongono al mondo il loro ordine.
4. **parlare... contraddizione**: negare che la situazione esistente sia l'unica pensabile.
5. **Mallarmé... Brecht**: per Mallarmé vedi Vol. F *T25.23*; Villiers de l'Isle-Adam: scrittore francese (1838-1889) precursore del simbolismo; per il surrealismo vedi Vol. G *T31.17*; per Brecht vedi Vol. G *T31.20*.

L'elemento comune consiste nella ricerca di un «linguaggio autentico»; il linguaggio della negazione come il Grande Rifiuto di accettare le regole del gioco in cui i dati sono falsati. L'assente deve essere presente in quanto la maggior parte della verità risiede nell'assente[6]. Ecco la classica affermazione di Mallarmé: 15

Io dico: un fiore! e dall'oblio nel quale la mia voce esilia ogni forma, in quanto diversa dalle corolle note, sorge musicalmente, idea pura e soave, il fiore che manca a ogni mazzo[7]. 20

La poesia è dunque il potere «de nier les choses» (*di negare le cose*): il potere che Hegel attribuisce, paradossalmente, a ogni pensiero autentico. Valéry[8] afferma:

Il pensiero è, insomma, il travaglio che fa vivere in noi ciò che non esiste. 25

Egli si pone questa retorica domanda: *Che cosa siamo dunque noi senza l'aiuto di ciò che non esiste?*

Questo non è «esistenzialismo». È qualcosa di più vitale e di più assoluto: il tentativo di contraddire una realtà in cui ogni logica e ogni espressione sono false in quanto sono parte di una totalità mutilata[9]. 30

6. la maggior parte... assente: la verità consiste in buona parte in ciò che attualmente non esiste: la società libera, l'uomo realizzato; solo da questo punto di vista si può comprendere la realtà come è attualmente.
7. Io dico... mazzo: questa famosa affermazione di Mallarmé si trova nel brano *T25.23*.
8. Valéry: poeta e saggista francese del Novecento (Vol. G *T32.7*), il maggior continuatore della poetica di Mallarmé.

9. una totalità mutilata: la totalità della | società e della cultura attuale, *mutilata* in | quanto in essa l'uomo non può realizzare | liberamente tutte le proprie possibilità.

dialogo con il testo

I temi

Il «pensiero dialettico», così come è inteso da Marcuse, è essenzialmente pensiero negativo: si comprende la realtà vera solo se si rifiuta di accettare «il linguaggio dei fatti» della cultura dominante, che vuole imporre la realtà attuale come l'unica pensabile; si comprende ciò che esiste solo a partire da ciò che non c'è, dall'aspirazione dell'uomo alla libertà e alla piena realizzazione di sé che è negata dalla società attuale («totalità mutilata»). Il filosofo nota una convergenza tra questo modo di pensiero e lo sforzo della letteratura d'avanguardia (termine che intende in senso lato, includendovi la linea della poesia moderna che nasce col simbolismo, il surrealismo, Kafka, Brecht); questa letteratura parla un linguaggio che «appare sempre più irrazionale, oscuro, artificiale» proprio perché rifiuta di sottomettersi alla logica dei dati di fatto precostituiti, tenta di parlare di ciò che è "assente", secondo la lezione di Mallarmé.

Confronti

In questo modo Marcuse e i pensatori della scuola di Francoforte delineano un approccio marxista alla letteratura opposto a quello di Lukács. Questi vede nella letteratura moderna e d'avanguardia un'espressione della corruzione borghese, e punta al "grande realismo", perché crede che lo sviluppo della realtà sociale sia sostanzialmente progressivo, e lo scrittore abbia il compito di rispecchiarlo. Gli altri apprezzano l'avanguardia perché pongono in primo piano il «Grande Rifiuto» della realtà esistente: non credono a un suo sviluppo progressivo, e vedono l'alternativa al mondo presente solo come utopia, una negazione radicale che è più un'aspirazione che una prospettiva storica concreta.

Elio Vittorini

T37.23

Notizie sull'autore **T38.26**

Una nuova cultura

Nel 1945, a pochi mesi dalla fine della guerra, Elio Vittorini fonda a Milano "Il Politecnico", il settimanale che intende contribuire alla costruzione di una nuova Italia democratica creando una cultura aperta ai problemi sociali, aprendo un dialogo tra gli intellettuali e le masse popolari. Vittorini, reduce dalla lotta nella Resistenza, è iscritto al P.C.I., ma alla rivista collaborano scrittori comunisti e non, marxisti e cattolici. La rivista, che alterna testi letterari e critici ad articoli divulgativi e inchieste sociali, raggiunge un pubblico abbastanza vasto; ma quando Vittorini entra in polemica con il P.C.I., che cerca di imporgli la propria direzione culturale, al "Politecnico" viene a mancare il suo principale sostegno e terreno di diffusione, e nel 1947 la rivista deve chiudere. Il testo che segue è (con poche riduzioni) l'articolo con cui Vittorini presentava il primo numero della rivista.

Per un pezzo sarà difficile dire se qualcuno o qualcosa abbia vinto in questa guerra. Ma certo vi è tanto che ha perduto, e che si vede come abbia perduto. I morti, se li contiamo, sono più di bambini che di soldati; le macerie sono di città che avevano venticinque secoli di vita; di case e di biblioteche, di monumenti, di cattedrali, di tutte le forme per le quali è passato il progresso civile dell'uomo; e i campi su cui si è sparso più sangue si chiamano Mathausen, Maidaneck, Buchenwald, Dakau[1].   1

     Di chi è la sconfitta più grave in tutto questo che è accaduto? Vi era bene qualcosa che, attraverso i secoli, ci aveva insegnato a considerare sacra l'esistenza dei bambini. Anche di ogni conquista civile dell'uomo ci aveva insegnato ch'era sacra; lo stesso del pane; lo stesso del lavoro. E se ora milioni di bambini sono stati uccisi, se tanto che era sacro è stato lo stesso colpito e distrutto, la sconfitta è anzitutto di questa «cosa» che c'insegnava la inviolabilità loro. Non è anzitutto di questa «cosa» che c'insegnava l'inviolabilità loro?   10   15

     Questa «cosa», voglio subito dirlo, non è altro che la cultura: lei che è stata pensiero greco, ellenismo, romanesimo, cristianesimo latino, cristianesimo medioevale, umanesimo, riforma, illuminismo, liberalismo, ecc., e che oggi fa massa intorno ai nomi di Thomas Mann e Benedetto Croce, Benda, Huitzinga, Dewey, Maritain, Bernanos e Unamuno, Lin Yutang e Santayana, Valéry, Gide e Berdiaev[2].   20

     Non vi è delitto commesso dal fascismo che questa cultura non avesse insegnato ad esecrare già da tempo. E se il fascismo ha avuto modo di commettere tutti i delitti che questa cultura aveva insegnato ad esecrare già

---

1. **Mathausen...**
Dakau: nomi di alcuni dei maggiori campi di concentramento in cui si consumò lo sterminio di milioni di ebrei e di altri gruppi di minoranza. (La grafia dell'autore è approssimativa: *Mathausen* per *Mauthausen*, *Dakau* per *Dachau*).

2. **Thomas Mann...**
Berdiaev: scrittori e pensatori illustri dei primi decenni del Novecento; tra essi lo storico olandese Johann Huitzinga, il filosofo americano John Dewey esponente del pragmatismo, il filosofo cattolico francese Jacques Maritain, Georges Bernanos scrittore cattolico francese di sentimenti democratici, lo scrittore e pensatore spagnolo Miguel de Unamuno, Lin Yutang, saggista cinese trasferito negli Stati Uniti, George Santayana, filosofo spagnolo di espressione inglese, Nikolaj Berdjaev, pensatore religioso russo in esilio dall'U.R.S.S. Vittorini cita nomi un po' alla rinfusa, con la preoccupazione di allineare esponenti di correnti ideali diverse, accomunati dallo spirito democratico e umanitario. Forse non per caso, ma per dimostrare l'apertura della rivista, non cita nessun esponente della cultura marxista e del mondo comunista.

da tempo, non dobbiamo chiedere proprio a questa cultura come e perché 25
il fascismo ha potuto commetterli?

Dubito che un paladino di questa cultura, alla quale anche noi apparteniamo, possa darci una risposta diversa da quella che possiamo darci noi
stessi: e non riconoscere con noi che l'insegnamento di questa cultura non
ha avuto che scarsa, forse nessuna, influenza civile sugli uomini. 30

Pure, ripetiamo, c'è Platone in questa cultura. E c'è Cristo. Dico: c'è
Cristo. Non ha avuto che scarsa influenza Gesù Cristo? Tutt'altro. Egli
molta ne ha avuta. Ma è stata influenza, la sua, e di tutta la cultura fino ad
oggi, che ha generato mutamenti quasi solo nell'intelletto degli uomini,
che ha generato e rigenerato dunque se stessa, e mai, o quasi mai, rigenera- 35
to, dentro alle possibilità di fare, anche l'uomo. Pensiero greco, pensiero latino, pensiero cristiano di ogni tempo, sembra non abbiano dato agli uomini che il modo di travestire e giustificare, o addirittura di render tecnica,
la barbarie dei fatti loro. È qualità naturale della cultura di non poter influire sui fatti degli uomini? 40

Io lo nego. Se quasi mai (salvo in periodi isolati e oggi nell'U.R.S.S.[3]) la
cultura ha potuto influire sui fatti degli uomini dipende solo dal modo in
cui la cultura si è manifestata. Essa ha predicato, ha insegnato, ha elaborato principii e valori, ha scoperto continenti e costruito macchine, *ma non
si è identificata con la società, non ha governato con la società, non ha condotto* 45
eserciti per la società. Da che cosa la cultura trae motivo per elaborare i suoi
principii e i suoi valori? Dallo spettacolo di ciò che l'uomo soffre nella società. L'uomo ha sofferto nella società, l'uomo soffre. E che cosa fa la cultura per l'uomo che soffre? Cerca di consolarlo.

Per questo suo modo di consolatrice in cui si è manifestata fino ad oggi, 50
la cultura non ha potuto impedire gli orrori del fascismo. [...]

Potremo mai avere una cultura che sappia proteggere l'uomo dalle sofferenze invece di limitarsi a consolarlo? Una cultura che le impedisca, che
le scongiuri, che aiuti a eliminare lo sfruttamento e la schiavitù, e a vincere
il bisogno, questa è la cultura in cui occorre che si trasformi tutta la vecchia 55
cultura.

3. oggi nell'U.R.S.S.:
Vittorini condivideva
l'illusione che l'Unio-
ne Sovietica rappre-
sentasse una società
liberata, in cui l'abo-
lizione del capitalismo
avesse reso possibile il
dialogo tra la cultura
e il potere.

dialogo con il testo

I temi

L'Italia del 1945 è un paese semidistrutto e immise-
rito dalla guerra, ma pieno di fervore, di progetti e di
speranze; sul piano politico, non è ancora intervenu-
ta la guerra fredda a spaccare in due il paese, e cattolici, comunisti, socialisti, democratici liberali collaborano ancora al governo, come sono stati uniti nella lotta antifascista. In questo clima, Vittorini col
"Politecnico" lancia un appello agli intellettuali perché rinnovino la cultura, ne facciano uno strumento
di progresso e di liberazione; il compito di questa
nuova cultura è definito in modo ambizioso e con

una certa generosa approssimazione: non dovrebbe
chiudersi nell'ambito del puro pensiero (che al massimo può "consolare" le vittime dell'ingiustizia), ma
assumere un ruolo attivo di guida della società.

? La nozione di "cultura" in questo articolo è piuttosto vaga, e suscitò un vivace dibattito nei numeri
successivi del "Politecnico"; provate a chiarire che
cosa Vittorini intendesse con questa parola, osservando i nomi a cui fa riferimento, la funzione passata e il compito nuovo che assegna alla cultura.

L'articolo esprime una tensione morale e umanitaria,

una volontà di porsi al servizio della società che costituirono il terreno su cui nasceva in quegli anni la narrativa neorealista, di cui Vittorini fu tra i maggiori esponenti.

Confronti

? Vittorini manifesta il suo intento di rendere popolare la cultura introducendo in un testo saggistico alcune movenze della lingua parlata (interrogazioni retoriche, ripetizioni); indicate gli aspetti di affinità di questi passi con lo stile dei suoi romanzi (*T38.26*, *T38.27*).

? "Il Politecnico" di Vittorini nasce quasi contemporaneamente a "*Les Temps modernes*" di Sartre (*T37.20*); confrontando i due testi, descrivete le somiglianze di problemi e intenzioni e le differenze di tono e linguaggio.

Italo Calvino

T37.24

Notizie sull'autore **T40.1**

Che cosa è stato il neorealismo

Nel 1964 Italo Calvino pubblicò una nuova edizione del suo primo romanzo, Il sentiero dei nidi di ragno *(1947, T40.6), che aveva per tema la Resistenza e si inseriva nella corrente neorealista dell'e-* *poca; vi aggiunse una prefazione da cui estraiamo alcuni passi, in cui ripensava le ragioni di quell'esperienza letteraria ormai conclusa.*

Italo Calvino
IL SENTIERO DEI
NIDI DI RAGNO
(Prefazione, Garzanti,
Milano, 1987)

L'esplosione letteraria di quegli anni in Italia fu, prima che un fatto d'arte, un fatto fisiologico, esistenziale, collettivo. Avevamo vissuto la guerra, e noi più giovani – che avevamo fatto in tempo a fare il partigiano – non ce ne sentivamo schiacciati, vinti, «bruciati», ma vincitori, spinti dalla carica propulsiva della battaglia appena conclusa, depositari esclusivi d'una sua eredità. [...]   5

L'essere usciti da un'esperienza – guerra, guerra civile – che non aveva risparmiato nessuno, stabiliva un'immediatezza di comunicazione tra lo scrittore e il suo pubblico: si era faccia a faccia, alla pari, carichi di storie da raccontare, ognuno aveva avuto la sua, ognuno aveva vissuto vite irregolari   10
drammatiche avventurose, ci si strappava la parola di bocca. [...]

Chi cominciò a scrivere allora si trovò così a trattare la medesima materia dell'anonimo narratore orale: alle storie che avevamo vissuto di persona o di cui eravamo stati spettatori s'aggiungevano quelle che ci erano arrivate già come racconti, con una voce, una cadenza, un'espressione mimica. [...]   15

Eppure, eppure, il segreto di come si scriveva allora non era soltanto in questa elementare universalità dei contenuti, non era lì la molla [...]; al contrario, mai fu tanto chiaro che le storie che si raccontavano erano materiale grezzo: la carica esplosiva di libertà che animava il giovane scrittore non era tanto nella sua volontà di documentare o informare, quanto in   20
quella di *esprimere*. Esprimere che cosa? Noi stessi, il sapore aspro della vita che avevamo appreso allora allora, tante cose che si credeva di sapere o di essere, e forse veramente in quel momento sapevamo ed eravamo. Perso-

La morte del partigiano nel film *Paisà* di Roberto Rossellini (1946)

naggi, paesaggi, spari, didascalie politiche, voci gergali, parolacce, lirismi, armi ed amplessi non erano che colori della tavolozza, note del pentagramma, sapevamo fin troppo bene che quel che contava era la musica e non il libretto[1], mai si videro formalisti così accaniti come quei contenutisti che eravamo, mai lirici così effusivi[2] come quegli oggettivi che passavamo per essere. 25

Il «neorealismo» per noi che cominciammo di lì, fu quello; e delle sue qualità e difetti questo libro costituisce un catalogo rappresentativo, nato com'è da quella acerba volontà di far letteratura che era proprio della «scuola». Perché chi oggi ricorda il «neorealismo» soprattutto come una contaminazione o coartazione subita dalla letteratura da parte di ragioni extraletterarie[3], sposta i termini della questione: in realtà gli elementi extraletterari stavano lì tanto massicci e indiscutibili che parevano un dato di natura; tutto il problema ci sembrava fosse di poetica, come trasformare in opera letteraria quel mondo che era per noi *il* mondo. 30 35

[...]

Cominciava appena allora il tentativo d'una «direzione politica» dell'attività letteraria: si chiedeva allo scrittore di creare l'«eroe positivo»[4], di dare immagini normative, pedagogiche di condotta sociale, di milizia rivoluzio- 40

1. **la musica e non il libretto**: la forma espressiva e non il contenuto grezzo, la storia raccontata.
2. **effusivi**: scrittori che effondono i loro sentimenti.
3. **una contaminazione... extraletterarie**: una letteratura nata da ragioni estrinseche (*contaminazione*) e imposte dall'esterno (*coartazione*), di natura politica (*extraletterarie*).

4. l'«eroe positivo»: l'eroe che costituisca per il lettore un esem-pio da seguire; era uno dei canoni del "realismo socialista" imposto in Unione Sovietica, che i critici più ligi alle direttive politiche comuniste cercavano di intro-durre in Italia.

naria. Cominciava appena, ho detto: e devo aggiungere che neppure in seguito, qui in Italia, simili pressioni ebbero molto peso e molto seguito. Eppure, il pericolo che alla nuova letteratura fosse assegnata una funzione celebrativa e didascalica, era nell'aria: quando scrissi questo libro l'avevo appena avvertito, e già stavo a pelo ritto, a unghie sfoderate contro l'incombere d'una nuova retorica. [...] La mia reazione d'allora potrebbe essere enunciata così: «Ah, sì, volete "l'eroe socialista"? Volete il "romanticismo rivoluzionario[5]"? E io vi scrivo una storia di partigiani in cui nessuno è eroe, nessuno ha coscienza di classe. Il mondo delle "lingère", vi rappresento il lumpenproletariat![6]» [...]

Le letture e l'esperienza di vita non sono due universi ma uno. Ogni esperienza di vita per essere interpretata chiama certe letture e si fonde con esse. Che i libri nascano sempre da altri libri è una verità solo apparentemente in contraddizione con l'altra: che i libri nascano dalla vita pratica e dai rapporti tra gli uomini. Appena finito di fare il partigiano trovammo (prima in pezzi sparsi su riviste, poi tutto intero) un romanzo sulla guerra di Spagna che Hemingway aveva scritto sei o sette anni prima: *Per chi suona la campana*. Fu il primo libro in cui ci riconoscemmo; fu di lì che cominciammo a trasformare in motivi narrativi e frasi quello che avevamo visto sentito e vissuto, [...]

La letteratura che ci interessava era quella che portava questo senso d'umanità ribollente e di spietatezza e di natura: anche i russi del tempo della Guerra civile – cioè di prima che la letteratura sovietica diventasse castigata e oleografica[7] – li sentivamo come nostri contemporanei.

5. il "romanticismo rivoluzionario": altra formula del "realismo socialista".

6. "lingère".... lumpenproletariat: *lingera* è un termine gergale milanese che indica il mondo degli emarginati, dei miserabili, della piccola malavita; *lumpenproletariat* (tedesco, "proletariato straccione") si riferisce allo stesso ambiente sociale (in italiano "sottoproletariato").

7. castigata e oleografica: piena di scrupoli moralistici e politici (*castigata*), falsa e propagandistica come certe stampe popolari (*oleografie*).

---

dialogo con il testo

I temi

La rievocazione di Calvino delinea nitidamente il clima culturale, le scelte di poetica e alcune questioni che caratterizzarono la narrativa neorealista:
– il riferimento diretto a un'esperienza recente vissuta collettivamente;
– il legame con la narrazione orale e la sua influenza sulle scelte stilistiche;

– la tendenza all'espressione lirica e soggettiva;
– gli esempi letterari più influenti per gli scrittori del gruppo;
– la questione delle direttive politiche che si tentavano di imporre alla letteratura.

❓ Precisate questi punti riferendoli ai passi relativi del brano.

Strutturalismo, semiotica, estetica della ricezione

In coincidenza col tramonto delle poetiche dell'"impegno" e del neorealismo, nella critica e nella teoria letteraria prende piede la tendenza strutturalista, che non guarda in primo luogo ai rapporti fra letteratura e società, ma alla letteratura come fenomeno specifico, dotato di proprie leggi da studiare scientificamente. Lo sfondo è l'idea – sviluppata dallo strutturalismo anche in altri campi (linguistica, antropologia: vedi Lévi-Strauss, *T37.14*) – dell'esistenza di strutture profonde, universali e permanenti che regolano lo spirito umano (Barthes, *T37.25*). Questo approccio porta in un primo tempo a guardare con diffidenza alla storia letteraria; ma quando lo strutturalismo si evolve in semiotica della letteratura, riprende l'interesse per la dinamica storica della letteratura, e si discute sulla possibilità di una storia letteraria nuova, centrata sull'evoluzione delle strutture formali (Genette, *T37.26*). Dopo una ventina d'anni di egemonia, lo strutturalismo e la semiotica letteraria vedono la propria compattezza teorica indebolita, o apertamente messa in crisi, da nuove tendenze che sottolineano gli aspetti più soggettivi e variabili della letteratura, intesa come processo comunicativo; tra queste ha particolare rilievo teorico l'estetica della ricezione (Iser, *T37.27*).

Roland Barthes

Roland Barthes (1915-1980), professore all'*École des hautes études* e al *Collège de France* di Parigi, brillante saggista e critico letterario, fu una figura di punta dello strutturalismo francese. Pubblicò un gran numero di saggi di critica e teoria letteraria (*Saggi critici*, 1963; *Il piacere del testo*, 1973) e si occupò anche dell'analisi semiologica di fenomeni della cultura di massa (*Miti d'oggi*, 1957; *Sistema della moda*, 1967).

▶ **T37.25**

T37.25

La scienza della letteratura

La teoria strutturalista della letteratura è una continuazione delle idee elaborate dai formalisti russi nei primi due decenni del secolo e sviluppate a Praga negli anni venti e trenta, grazie all'incontro tra formalismo letterario e strutturalismo linguistico. Negli anni sessanta, quando lo strutturalismo, sulla base dei successi della linguistica, si *afferma come modello trasferibile in diverse scienze umane (Lévi-Strauss, T37.14), la teoria letteraria è uno dei suoi campi naturali di affermazione. Questo brano di Barthes, tratto da un saggio del 1966, rispecchia una fase iniziale del movimento, in cui esso si presenta come ipotesi e programma di ricerca.*

Roland Barthes
CRITICA E VERITÀ
(Trad. dal francese di C. Lusignoli e A. Bonomi, Einaudi, Torino, 1969)

Abbiamo una storia della letteratura, ma non una scienza della letteratura, e questo perché non abbiamo ancora potuto riconoscere pienamente la natura dell'*oggetto* letterario, che è un oggetto scritto[1]. A partire dal momento   1

---

1. **un oggetto scritto**: o, come dicono altri strutturalisti, un *oggetto linguistico*, fatto di parole, di segni tracciati sulla carta, prima che di idee, sentimenti ecc. Ciò

in cui si è disposti ad ammettere che l'opera è fatta di scrittura (e a trarne le conseguenze), una *certa* scienza della letteratura è possibile. Il suo fine (se essa esisterà mai) non sarà di imporre all'opera un senso, in nome del quale questa scienza si arrogherebbe il diritto di respingere gli altri sensi[2]: essa rimarrebbe compromessa[3] (come ha fatto finora). Non si tratterà di una scienza dei contenuti (sui quali solo la scienza storica più rigorosa può aver presa[4]), ma di una scienza delle *condizioni* del contenuto, ossia delle forme[5]: [...] Il suo modello sarà evidentemente linguistico. Posto di fronte all'impossibilità di padroneggiare tutte le frasi di una lingua, il linguista accetta di stabilire un *modello ipotetico di descrizione*, a partire dal quale egli possa spiegare come vengono generate le infinite frasi di una lingua[6]. Quali che siano le correzioni alle quali si è indotti, non c'è motivo per non tentare di applicare un metodo simile alle opere della letteratura: anche queste ultime somigliano a immense «frasi», derivate dalla lingua generale dei simboli[7], attraverso un certo numero di trasformazioni regolate[8], o, più in generale, attraverso una certa logica significante che va descritta. In altri termini, la linguistica può dare alla letteratura questo modello generativo che è il principio di ogni scienza, poiché si tratta sempre di disporre di certe regole per spiegare certi risultati. [...] Corrispondentemente alla *facoltà di linguaggio* postulata da Humboldt e da Chomsky[9], nell'uomo c'è forse una *facoltà di letteratura*, una energia di parola, che non ha niente a che vedere con il «genio», in quanto è fatta di regole sedimentate molto al di là dell'autore[10], anziché di ispirazioni o di volontà personali. La voce mitica della Musa non infonde allo scrittore immagini, idee o versi, ma la grande logica dei simboli, le grandi forme vuote[11] che permettono di parlare e di operare.

Non ci sfuggono i sacrifici che una tale scienza potrebbe imporre a ciò che prediligiamo o crediamo di prediligere nella letteratura quando ne parliamo, e che spesso è *l'autore*. Ma, d'altra parte, come può la scienza parlare di *un* autore[12]? La scienza della letteratura può solo accostare l'opera letteraria, quantunque essa sia firmata, al mito, che invece non lo è[13]. [...]

5

10

15

20

25

30

---

che distingue un testo letterario da un altro testo sono le proprietà della sua *scrittura*.

2. imporre... sensi: non si tratta di accertare il "vero" senso di un'opera letteraria e respingere altre interpretazioni.

3. rimarrebbe compromessa: cercando la "vera" interpretazione, la scienza letteraria si compromette ideologicamente, perde la sua purezza scientifica.

4. contenuti... aver presa: l'analisi dei testi letterari dal punto di vista dei contenuti (idee e valori che rappresentano) interessa la storia della cultura, non la scienza della letteratura.

5. una scienza... delle forme: la scienza della letteratura si interessa delle *forme* letterarie, che sono le *condizioni* perché i contenuti possano essere espressi in forma letteraria. Si tratta dunque di proprietà generali dei testi.

6. un *modello*... lingua: la linguistica cerca dei modelli generali della struttura delle frasi, che restano invariati sotto l'infinita varietà delle frasi possibili. Il riferimento implicito è alla sintassi generativista iniziata dal linguista americano Noam Chomsky; secondo quel modello di ricerca, la teoria della sintassi consiste in un insieme di regole che permettono di *generare* (in senso matematico: "enumerare") le infinite frasi possibili in una lingua.

7. immense «frasi»... simboli: come le frasi della lingua risultano dalla combinazione di fonemi e parole, così le opere letterarie sono una combinazione di *simboli* (elementi dell'immaginario collettivo), che costituiscono una specie di lessico di base, una *lingua generale*.

8. trasformazioni regolate: nella sintassi generativa, le *trasformazioni* sono regole che consentono di commutare una sequenza di elementi in un'altra (ad esempio, la trasformazione attivo/passivo); qualcosa di simile si dovrebbe trovare nella *lingua* dei simboli.

9. *facoltà*... Chomsky: il filosofo tedesco Wilhelm von Humboldt (1767-1835) aveva messo l'accento sul linguaggio non come prodotto, ma come attività dello spirito, *facoltà* produttiva; qualcosa di simile si incontra (secondo Barthes) nelle teorie di Noam Chomsky, che definisce la lingua come un meccanismo innato capace di produrre un numero infinito di frasi a partire da un numero finito di regole e di elementi di base.

10. regole... dell'autore: regole (relative ai simboli della letteratura) che la storia ha sedimentato nella mente umana universale, e sono quindi anteriori al lavoro creativo del singolo autore.

11. forme vuote: princìpi generali che danno forma a qualsiasi contenuto. Nella terminologia di altri studiosi, sono le *strutture* universali della mente umana.

12. come può... un autore: è implicito che la scienza si occupa di leggi generali, non di ciò che è individuale.

13. accostare l'opera... non lo è: i miti, anonimi e collettivi, manifestano le strutture di pensiero di un popolo; è questo l'aspetto che una scienza della letteratura dovrebbe cercare nei testi letterari, sebbene questi siano opera individuale (*firmata*).

Dovremo quindi accettare di ridistribuire gli oggetti della scienza lette- [35]
raria. L'autore, l'opera non sono se non il punto di partenza di una analisi
il cui orizzonte è un linguaggio[14]: non può esserci una scienza di Dante, di
Shakespeare o di Racine, ma solo una scienza del discorso. Questa scienza
avrà due grandi territori, secondo i segni di cui tratterà; il primo comprenderà i segni inferiori alla frase, quali le antiche figure, i fenomeni di conno- [40]
tazione, le «anomalie semantiche»[15], ecc.: in breve tutti i tratti del linguaggio letterario nel suo insieme; il secondo comprenderà invece i segni superiori alla frase, le parti del discorso da cui si può indurre una struttura del
racconto, del messaggio poetico, del testo discorsivo[16] ecc. Grandi e piccole unità del discorso si trovano evidentemente in un rapporto di integra- [45]
zione (come i fonemi rispetto alle parole e le parole rispetto alla frase), ma
esse si costituiscono in livelli indipendenti di descrizione. Considerato in
questo modo, il testo letterario si presterà ad analisi *sicure*, ma è evidente
che queste analisi lasceranno in disparte un enorme residuo. Questo residuo corrisponderà sostanzialmente a ciò che oggi giudichiamo essenziale [50]
nell'opera (il genio personale, l'arte, l'umanità), a meno che riprendiamo
interesse e amore per la verità dei miti[17].

14. orizzonte è un linguaggio: il riferimento ideale (*orizzonte*) della scienza letteraria è un insieme di simboli e delle loro possibili combinazioni (un *linguaggio*), non le singole personalità artistiche.
15. i segni inferiori... semantiche: gli elementi letterariamente significativi più piccoli, come le figure retoriche (studiate fin dall'antichità), gli effetti di significato sovrapposti a quello letterale (*fenomeni di connotazione*), l'attribuzione alle parole di significati inconsueti (*anomalie semantiche*).
16. i segni superio-

ri... discorsivo: le porzioni più grandi di un testo (*parti del discorso*) che vanno a costituire la sua struttura formale, come

l'organizzazione dei temi, gli elementi di una *fabula* narrativa ecc.
17. a meno che... miti: continueremo a

considerare essenziali alla letteratura nozioni vaghe come *genio personale, umanità*, se non riscopriamo il valore universale (*ve-*

rità) *dei miti*, le strutture più generali di pensiero che sono incarnate nelle forme letterarie.

dialogo con il testo

I temi

L'interesse per la letteratura è stato tradizionalmente di tipo storico, e puntato su ciò che è individuale: il "genio" creativo di un autore, la singolarità di un'opera, la sua rappresentatività sul piano dei contenuti culturali. Barthes propone di costruire invece una *scienza* della letteratura, che miri a fissare le leggi generali del fatto letterario: si tratterebbe di «forme vuote», condizioni a priori di tutti i testi letterari possibili, strutture dell'immaginario sedimentate nella mente umana. È qui evidente l'influsso dell'antropologia strutturalista di Lévi-Strauss (*T37.14*), che indaga tra l'altro i miti dei diversi popoli, cercando in essi strutture universali, di tipo formale, che regolano inconsciamente l'immaginazione mitologica. Come Lévi-Strauss, Barthes insegue qui l'ideale di istituire una scienza rigorosa e formale in un campo che finora è stato oggetto di discorsi soggettivi e

spuri (storici, psicologici, morali ecc.); e come Lévi-Strauss, vede nella linguistica strutturale il modello a cui ispirarsi.

La linguistica scompone il proprio oggetto di studio in livelli (fonemi, parole, frasi), e indaga gli elementi costitutivi e le regole proprie di ciascun livello; allo stesso modo la scienza della letteratura svolgerà le proprie analisi sui diversi livelli del testo letterario. Indipendentemente dal progetto più ambizioso che Barthes accenna in questo saggio, l'analisi per livelli è l'aspetto che è stato più generalmente messo in pratica dalla critica strutturalista, che "smonta" un testo e lo analizza sui livelli fonico-ritmico, retorico, sintattico, delle strutture narrative ecc., per poi stabilire la coerenza generale tra le strutture individuate a ciascun livello.

Gérard Genette

Gérard Genette, nato nel 1930, critico francese, è una figura di punta della teoria della letteratura di impianto semiotico. I suoi saggi più importanti sono apparsi nei tre volumi intitolati *Figure* (1966, 1969, 1972: il titolo rinvia a una rivalutazione della retorica antica). Particolarmente notevole il saggio *Discorso del racconto*, che organizza in modo sistematico i metodi di analisi delle opere narrative.

▶ **T37.26**

T37.26

Quale storia della letteratura?

Il primo strutturalismo, interessato a scoprire strutture permanenti del pensiero umano, aveva avuto un certo atteggiamento antistorico; in campo letterario, l'interesse si era concentrato sull'analisi formale del singolo testo. Questi orientamenti avevano respinto in secondo piano la storia letteraria, nei confronti di una teoria generale della letteratura. A un certo punto però il tema di un approccio storico si è riproposto anche nel quadro della semiotica letteraria. Uno dei teorici più brillanti di tale corrente in queste pagine si pone il problema se possa esistere una storia letteraria compatibile con la nozione di letteratura come insieme specifico di procedimenti formali.

Gérard Genette
POETICA E STORIA
(In *Figure III. Discorso del racconto*, trad. dal francese di L. Zecchi, Einaudi, Torino, 1976)

In primo luogo, occorre operare una distinzione fra varie discipline, reali o ipotetiche, troppo spesso confuse sotto il comune denominatore di storia letteraria o di storia della letteratura. Lasciamo da parte (per non tornarci più) la «storia della letteratura» praticata nei manuali a livello d'insegnamento secondario: si tratta in realtà di una serie di monografie[1] disposte in ordine cronologico. Che poi queste monografie siano, in se stesse, buone o cattive, non ha affatto importanza nel nostro caso: è lampante che neppure la migliore serie di monografie sarebbe in grado di costituire una storia. [...]

Seconda specie da distinguere. Si tratta di quella che Lanson[2] voleva e proponeva – con ragione – di non chiamare storia della letteratura, bensì *storia letteraria*: «[...] il quadro della vita letteraria nella nazione, la storia della cultura e dell'attività della folla oscura che leggeva, quanto quella degli illustri individui che scrivevano». Si tratta chiaramente, in questo caso, di una storia delle circostanze, delle condizioni e delle ripercussioni sociali del fatto letterario. Una simile «storia letteraria» è in realtà un settore della storia sociale: in quanto tale, ha un'evidente giustificazione. Unico difetto, ma grave: dopo che Lanson ne ha tracciato il programma, essa non è riuscita a costituirsi su quelle basi. Quella chiamata oggi storia letteraria è rimasta ancorata, con alcune eccezioni, alla cronaca individuale, alla biografia degli autori, della loro famiglia, dei loro amici e conoscenti, per farla breve: a un livello di storia aneddotica, cronachistica, che la storia generale ha ripudiato e superato da oltre trent'anni. [...]

Terza specie da distinguere. Non riguarda più la storia delle circostanze, individuali o sociali, della produzione e della «consumazione» letteraria,

1. **monografie**: saggi su singoli autori o correnti letterarie.
2. **Lanson**: Gustave Lanson, autore di una fondamentale *Storia della letteratura francese* (1894).

1
5
10
15
20
25

ma lo studio delle opere stesse, considerate come documenti storici, che riflettono o esprimono l'ideologia e la sensibilità particolari di un'epoca. Questo genere di storia – per motivi che occorrerebbe determinare – si è realizzato molto meglio dei precedenti, con cui si dovrebbe evitare di confonderlo. [...] Un simile tipo di storia ha, per lo meno, il merito di esistere. Mi sembra però che sollevi un certo numero di obiezioni, o meglio che provochi una certa insoddisfazione.

La provoca in primo luogo per motivi attinenti alle difficoltà di una simile interpretazione dei testi letterari, difficoltà a loro volta inerenti alla natura di tali testi. La nozione classica di «riflesso»[3], in questo campo, non è soddisfacente. Nel presunto «riflesso» letterario vi sono fenomeni di rifrazione e distorsione[4] difficilissimi da controllare. [...]

Seconda obiezione: ammesso per un attimo che gli ostacoli precedenti siano superati, questo genere di storia sarà fatalmente esterno alla letteratura stessa. Esteriorità che non coincide affatto con quella della storia letteraria concepita da Lanson: si tratta certo di prendere in considerazione la letteratura, però limitandosi ad attraversarla, per cercare, al di là di essa, strutture mentali che la superano e, ipoteticamente, la condizionano. Jacques Roger[5] diceva apertamente a questo proposito: «La storia delle idee non ha come oggetto principale la letteratura».

Rimane un'ultima specie. Il suo principale (e ultimo) oggetto sarebbe la letteratura. Una storia della letteratura in sé (non nelle sue circostanze esterne) e per sé (non come documento storico): cioè considerata, per riprendere i termini proposti da Michel Foucault in *Archéologie du savoir*, non più come documento ma come *monumento*[6]. A questo punto si pone immediatamente una domanda: quale potrebbe essere l'oggetto di una simile storia? Non mi pare che possa coincidere con le opere letterarie stesse, per il seguente motivo: un'opera (intendendo con ciò l'insieme della «produzione» di un autore, o, a fortiori[7], un'opera isolata, libro o poema) è un oggetto troppo particolare, troppo puntuale per essere veramente oggetto di storia. [...]

Se poi consideriamo le opere letterarie nel loro testo (e non nella loro genesi o nella loro diffusione[8]), dal punto di vista diacronico[9] possiamo solo dire che si succedono. A mio parere la storia – nella misura in cui supera il livello della cronaca – non è una scienza delle successioni, ma delle trasformazioni: può avere per unico oggetto delle realtà rispondenti alla duplice esigenza di permanenza e variazione. L'opera stessa non risponde a questa duplice esigenza: ecco senz'altro perché essa deve, in quanto tale, restare l'oggetto della *critica*. La critica [...] fondamentalmente non è, né può esserlo, storica: infatti essa consiste sempre in un rapporto diretto d'interpretazione, direi meglio d'imposizione del senso[10], fra il critico e l'opera. Il rapporto è essenzialmente *anacronico*[11], nel senso forte (e, per lo storico, redibitorio[12]) del termine. Mi pare quindi che in letteratura l'oggetto stori-

30

35

40

45

50

55

60

65

---

3. «riflesso»: nel linguaggio marxista, indica il fatto che le idee di un'epoca riflettono (rispecchiano) le condizioni materiali della società da cui nascono.

4. fenomeni di rifrazione e distorsione: continuando la metafora ottica, si riferisce al fatto che le opere letterarie "riflettono" le ideologie di un'epoca in modi propri, influenzati dalle convenzioni specifiche dell'espressione letteraria.

5. Jacques Roger: citazione da un volume del 1967, *Les chemins actuels de la critique* ("Le vie attuali della critica").

6. per riprendere... monumento: in *L'archeologia del sapere* (1969) il pensatore francese Michel Foucault (1926-1984) parla di una tendenza della storiografia contemporanea a trattare i testi antichi non tanto come *documenti* da cui ricavare informazioni, quanto come *monumenti*, oggetti da descrivere in sé.

7. a fortiori: a maggior ragione (locuzione latina).

8. e non... diffusione: la storia della *genesi* di un'opera (le diverse redazioni, i precedenti nella vita di un autore) appartiene alla storia letteraria biografica; la storia della sua diffusione (di come è stata accolta dal pubblico) alla storia letteraria sociologica definita sopra. Entrambe eludono il problema di una storia della letteratura in sé.

9. diacronico: della successione nel tempo.

10. imposizione del senso: con la propria interpretazione, il critico impone un senso all'opera.

11. *anacronico*: estraneo al tempo (in quanto rapporto diretto fra il critico e l'opera singola).

12. redibitorio: che annulla il valore (ter-

co (cioè contemporaneamente permanente e variabile) non sia l'opera, bensì gli elementi che la trascendono[13] e costituiscono il gioco letterario: per comodità, chiamiamoli le *forme*. Esempi: i codici retorici, le tecniche narrative, le strutture poetiche, ecc. Esiste una storia delle forme letterarie, come di tutte le forme estetiche e come di tutte le tecniche, per il semplice fatto che tali forme permangono e si modificano attraverso i secoli. Sfortunatamente una simile storia resta ancora una volta, per la maggior parte, da scrivere. Mi sembra che la sua fondazione sarebbe uno dei compiti più urgenti oggi. È sbalorditivo che non esista – almeno in campo francese – qualcosa come una storia della rima, o della metafora, o della descrizione: e scelgo volutamente oggetti letterari triviali[14] e tradizionali.

70

75

mine del diritto).
13. che la trascendono: che vanno al di là della singola opera.
14. triviali: banali, molto semplici.

dialogo con il testo

I temi

La storia della letteratura, come è stata praticata in passato, non si è occupata della letteratura in sé, ma di qualcosa d'altro (le condizioni sociali degli autori e del pubblico, lo sfondo ideologico delle opere); oppure si è limitata a registrare una successione cronologica di opere e di autori, e in questo non è stata vera storia: come insegna la storiografia francese del Novecento, la storia non si occupa di «successioni» di eventi isolati, ma di ciò che dura e ciò che cambia attraverso il tempo («permanenza e variazione»). Da qui la proposta di una storia della letteratura come storia delle forme: essa sarebbe vera «storia», perché si occuperebbe di fenomeni generali e non di singole opere, e sarebbe veramente «della letteratura», perché si occuperebbe di ciò che è specifico di essa.

? Lungo il brano, l'autore prospetta quattro modelli di storia della letteratura proposti o praticati in passato; riassumeteli schematicamente, dando per ciascuno una definizione, alcune caratteristiche, e le ragioni per cui l'autore lo critica.

? Al termine di un triennio di storia letteraria, il brano di Genette costituisce un'occasione per ripensare il tipo di studio che si è compiuto. Provate a confrontare la vostra esperienza coi modelli delineati dall'autore, per definire quale o quali vi si accostano di più.

Renato Guttuso
Libri, lampada (a via Pompeo Magno)
(1966, particolare, dalla serie
Autobiografia, Milano, Galleria Toninelli)

Wolfgang Iser

Wolfgang Iser, nato nel 1926, ha insegnato Letteratura inglese all'università di Costanza ed è insieme ad Hans Robert Jauss, professore nella stessa università, il promotore dell'"estetica della ricezione". Oltre a studi di letteratura inglese, ha scritto opere di teoria estetica, tra cui *Il lettore implicito* (1972) e *L'atto della lettura* (1976).

▶ **T37.27**

T37.27

L'atto della lettura

Uno dei problemi più discussi dalla recente teoria della letteratura è quello dell'interpretazione, cioè dell'atto con cui un critico (o un lettore comune) assegna un certo significato a un'opera letteraria. Si è discusso se esista una sola interpretazione valida, quella voluta dall'autore e iscritta una volta per tutte nel testo, o se al contrario, poiché ogni interpretazione è soggettiva, tutte siano ugualmente valide, o se esista una terza soluzione intermedia. Con tali questioni tornano in campo quegli elementi soggettivi, relativi, storici, che il primo strutturalismo tentava di rimuovere dallo studio della letteratura.

Nel quadro di questi dibattiti, la novità più significativa è l'"estetica della ricezio-
ne" elaborata dalla "scuola di Costanza" sotto la guida di due studiosi che insegnano in quell'università, Hans Robert Jauss e Wolfgang Iser. Il primo ha proposto una storia della letteratura come storia della ricezione, cioè del modo in cui le opere sono state accolte e interpretate nelle diverse epoche, e ha sostenuto che il valore estetico di un'opera dipende dalla sua capacità di innovare rispetto alle attese del pubblico, cioè alle convenzioni ormai irrigidite di un'epoca. Wolfgang Iser ha invece puntato la sua attenzione sul rapporto che ogni singolo lettore istituisce con un'opera; riportiamo un passo da uno dei suoi studi più importanti, pubblicato in tedesco nel 1976 e in inglese nel 1978.

Wolfgang Iser
L'ATTO DELLA LETTURA. UNA TEORIA DELLA RISPOSTA ESTETICA
(Trad. dall'inglese di R. Granafei, Il Mulino, Bologna, 1987)

L'interpretazione comincia oggi a scoprire la propria storia, non solo i limiti delle sue norme relative[1] ma anche quei fattori che non sono stati chiariti fino a quando le norme tradizionali mantenevano il loro predominio. Il più importante di questi fattori è senza dubbio il lettore stesso, il destinatario del testo. Fino a quando il punto focale dell'interesse era l'intenzione dell'autore, o il significato contemporaneo[2], psicologico, sociale o storico del testo, oppure il modo in cui era costruito[3], non venne in mente ai critici che il testo potesse avere un significato solo quando esso era letto. Ovviamente, si trattava di qualcosa che tutti davano per scontato (e ancor oggi noi sappiamo sorprendentemente poco di *che cosa* diamo per scontato). È chiaro, però, che la lettura è la condizione preliminare indispensabile di qualsiasi processo di interpretazione letteraria. Come Walter Slatoff ha notato nel suo libro *With Respect to Readers*[4]:

1

5

10

---

1. i limiti... relative: ogni interpretazione si basa su regole, *norme*; ma esse sono *relative*, storicamente variabili, e perciò hanno dei limiti.

2. il significato contemporaneo: il significato che un testo ha avuto per i suoi contemporanei.

3. il modo in cui era costruito: l'analisi delle strutture "oggettive" del testo, come è condotta dalla critica strutturalista.

4. *With Respect to Readers*: "Rispetto ai lettori"; l'espressione ha in inglese la stessa ambiguità, voluta, che conserva in italiano: "nei confronti dei lettori"; l'espressione ha in inglese la stessa ambiguità, voluta, che conserva in italiano: "nei confronti dei lettori", oppure "bisogna rispettare i lettori". Il libro citato è stato pubblicato negli Stati Uniti nel 1970.

Edward Hopper
Hotel Lobby (1943,
particolare,
Indianapolis,
Indianapolis Museum
of Art, William Ray
Adams Memorial
Collection)

5. **risposte**: in senso
psicologico, "reazio-
ni".
6. **la teoria fenome-
nologica dell'arte**:
l'estetica elaborata nel
quadro della filosofia
fenomenologica fon-
data da Edmund
Husserl (1859-1938).
7. **«aspetti... prodot-
to**: schemi attraverso i
quali il lettore "pro-
duce" dentro di sé il
contenuto (*soggetto*)
dell'opera.
8. **l'artistico e l'estetico**: qui *artistico* si
riferisce ai procedi-
menti artistici dell'au-
tore, che diventano
proprietà del testo
come oggetto in sé;
estetico si riferisce in-

Si ha un'impressione un po' folle dovendo cominciare con l'insistere
che le opere letterarie esistono, in parte, almeno, allo scopo di essere lette, che noi in effetti le leggiamo, e che vale la pena di riflettere su cosa
accade quando noi lo facciamo. Prese così vistosamente queste affermazioni sembrano troppo ovvie perché sia il caso di farle, poiché dopotutto nessuno nega apertamente che lettori e lettura esistono realmente;
anche quelli che più hanno insistito sull'autonomia delle opere letterarie e sull'irrilevanza delle risposte[5] dei lettori, essi stessi leggono libri e
reagiscono ad essi. Egualmente ovvia è l'osservazione che le opere letterarie sono importanti e degne di essere studiate essenzialmente perché
possono essere lette e possono generare reazioni negli esseri umani.

Nella lettura di un'opera letteraria è centrale l'interazione tra le sue strutture e i suoi destinatari. Questo è il motivo per cui la teoria fenomenologica
dell'arte[6] ha enfaticamente attirato l'attenzione sul fatto che lo studio del-
l'opera letteraria dovrebbe riguardare non solo il testo reale ma anche, e in
egual misura, le azioni implicate nella reazione a quel testo. Il testo stesso
offre semplicemente «aspetti schematizzati» mediante i quali il soggetto
dell'opera può essere prodotto[7], mentre la produzione effettiva ha luogo
mediante un atto di concretizzazione.

Da ciò possiamo concludere che l'opera letteraria ha due poli, che possiamo chiamare l'artistico e l'estetico[8]: il polo artistico è il testo dell'autore

15

20

25

30

e l'estetico è la realizzazione compiuta dal lettore. In vista di tale polarità, è chiaro che l'opera non può essere identica al testo o alla concretizzazione[9], ma può essere situata approssimativamente fra i due. Dev'essere inevitabilmente di carattere virtuale[10], poiché non può essere ridotta alla realtà del testo o alla soggettività del lettore, ed è da tale virtualità che deriva il suo dinamismo. Poiché il lettore passa attraverso le varie prospettive aperte dal testo e riferisce i diversi punti di vista e modelli l'uno all'altro[11], egli mette in azione l'opera e anche se stesso.

Se la posizione virtuale dell'opera è tra testo e lettore, la sua attualizzazione è chiaramente il risultato di un'intesa tra i due, e un'esclusiva concentrazione o sulle tecniche dell'autore o sulla psicologia del lettore ci dirà poco sul processo di lettura stesso.

35

40

45

vece all'esperienza che ha del testo il lettore (la radice di *estetico* è un verbo greco che significa "percepire").
9. **l'opera non può... concretizzazione**: ciò che un'opera letteraria veramente è non coincide né col testo come oggetto in sé, né con la *concretizzazione* che ne dà il lettore nella propria mente.

10. **di carattere virtuale**: nel senso che l'opera è una possibilità di senso, che aspetta di essere realizzata dai lettori.
11. **il lettore... all'altro**: il testo apre diverse prospettive al lettore, che costruisce mentalmente diversi possibili "modelli" del suo significato, da diversi punti di vista, e li mette in relazione. La lettura è dunque un'attività complessa, che mette in gioco diverse ipotesi interpretative.

dialogo con il testo

I temi

La critica e la teoria letteraria – sostiene Iser – hanno a lungo considerato i testi letterari come oggetti che avevano in sé tutto il proprio significato: se ne ricostruivano le dimensioni storiche, ideologiche, psicologiche, oppure se ne analizzavano le strutture formali; ma non ci si ricordava che un testo è un atto di comunicazione che si realizza concretamente solo nel momento in cui un destinatario lo legge e vi scopre qualcosa di significativo per sé. In questa nuova prospettiva, il testo letterario appare come il termine di un dialogo sempre aperto, il suo significato è qualcosa di «virtuale» che diventa reale solo nell'esperienza del lettore.

2 Una possibile conseguenza di questa impostazione è che si finisca per pensare che ogni interpretazione di un testo, anche la più arbitraria, è ugualmente valida. L'autore non vuole cadere in questo eccesso, e più avanti scrive che «la lettura è un'attività guidata dal testo»; indicate come, fin da questa pagina iniziale, Iser prenda le distanze da posizioni totalmente soggettivistiche.

La considerazione dell'atto della lettura come intrinseco al fenomeno letterario porta con sé notevoli conseguenze:

– si ridimensiona l'idea strutturalista di una "scienza della letteratura" che vada alla scoperta di strutture oggettive e universali, aspirando all'"esattezza" attribuita alle scienze della natura, poiché l'oggetto di tale scienza, le opere, sono qualcosa di fluido e il loro significato muta a seconda dei diversi lettori in diverse epoche;

– se il testo non possiede in se stesso tutto il proprio significato, diventa centrale il problema dell'interpretazione, cioè dell'atto con cui il lettore attribuisce al testo un significato mettendolo in relazione con le proprie attese e la propria cultura. Di fronte a un testo del passato, non si tratta di mettersi nei panni dei suoi contemporanei per stabilire il suo "vero" valore storico, ma soprattutto di vedere che cosa quel testo significa ancora per noi; è qui evidente il rapporto dell'estetica della ricezione con la filosofia ermeneutica di Gadamer (*T37.16*);

– cambia anche la prospettiva dell'educazione letteraria praticata nelle scuole: il suo scopo è formare dei lettori capaci di reagire ai testi, di scoprirvi qualcosa di significativo per sé, e non semplicemente di addestrare a un'analisi "scientifica" dei testi.

I teorici dello sperimentalismo

Il tramonto della poetica neorealista (vedi Calvino, *T37.24*) coincise con gli anni del *boom* economico, che rapidamente sconvolse il paesaggio e l'umanità rappresentati in quella narrativa: alla letteratura si pose il problema di fare i conti con la nuova realtà industriale e con il suo impatto sulla mentalità collettiva. Il dibattito che ne nacque mise in luce il bisogno di sperimentare nuove forme letterarie; tra gli interventi più significativi quello di Umberto Eco (*T37.28*), che con la teoria dell'"opera aperta" offriva un supporto teorico alle sperimentazioni dell'avanguardia artistica. Questa, raccoltasi poco dopo nel Gruppo 63, intendeva con le proprie ricerche stilistiche rinnovare un linguaggio logorato dalla standardizzazione industriale (Guglielmi, *T37.29*).

Umberto Eco

Umberto Eco, nato ad Alessandria nel 1932, è professore all'Università di Bologna di semiotica, la scienza dei segni di cui è stato uno dei pionieri in Italia (*Trattato di semiotica generale*, 1975). È stato uno dei teorici dell'arte d'avanguardia (*Opera aperta*, 1962), e promotore del dibattito sulle comunicazioni di massa (*Diario minimo*, 1963, divertente raccolta di commenti ironici; *Apocalittici e integrati*, 1964, presa di distanza dalle posizioni estreme in materia); ha dato contributi alla teoria della letteratura (*Lector in fabula*, 1979; *I limiti dell'interpretazione*, 1990) ed è autore di brillanti saggi di critica di costume, di cui ha pubblicato varie raccolte. Nel 1980 ha esordito nella narrativa con *Il nome della rosa*, accolto da un grande successo (*T38.56*), a cui hanno fatto seguito altri quattro romanzi.

▶ **T37.28**   **T38.56**

T37.28

L'arte contemporanea e l'uomo d'oggi

Nella discussione su letteratura e industria aperta nel 1961 da Vittorini, Umberto Eco intervenne con un lungo saggio intitolato Del modo di formare come impegno sulla realtà, *incluso poi nella seconda edizione di* Opera aperta, *il suo più importante contributo di teoria estetica in quegli anni. L'autore prende le mosse dal concetto marxista di alienazione, molto in voga in quel periodo, che indica l'estra-neità in cui si trova l'uomo di fronte ai prodotti del proprio lavoro, l'impossibilità di comprenderli e dominarli, in quanto il lavoratore non controlla la struttura sociale e produttiva. Il rapporto fra l'arte e la realtà industriale va posto da questo punto di vista: si tratta di vedere come l'arte aiuta l'uomo a prendere coscienza della propria alienazione.*

Umberto Eco
OPERA APERTA
(Bompiani, Milano,
1993)

1. **pedale... semafori**: esempi tipici di oggetti del mondo creato dall'industria che ci condizionano in ogni momento della nostra vita, fino nei sentimenti.
2. **Claudio Villa**: grande interprete, in quegli anni, della canzone sentimentale e melodica italiana.

La constatazione a cui non possiamo sottrarci è che non possiamo vivere – né sarebbe opportuno farlo – senza pedale dell'acceleratore, e forse siamo incapaci di amare senza pensare ai semafori[1]. C'è qualcuno che pensa che si possa ancora parlare di amore evitando l'accenno ai semafori: è l'autore di canzonette melodiche per Claudio Villa[2]. Costui sembra sfuggire alla

1

5

realtà inumana della macchina: il suo universo è definito dai concetti uma-
nissimi di "cuore", "amore" e "mamma". Ma il moralista avvertito[3] oggi sa
che cosa si nasconda dietro a questi *flatus vocis*[4]: un mondo di valori pietri-
ficati usati in funzione mistificatoria[5]. Il paroliere, accettando certe espressioni linguistiche, si è alienato e aliena il suo pubblico a qualcosa che si ri-   10
flette nelle forme consumate del linguaggio[6].

[...]

A questo punto potrebbe apparire chiara la situazione dell'arte contemporanea che esercita a livello delle strutture formali una rimessa in gioco
continua del linguaggio stabilizzato e acquisito e dei moduli d'ordine con-   15
sacrati dalla tradizione. Se nella pittura informale[7] come nella poesia, nel
cinema come nel teatro osserviamo l'affermarsi di *opere aperte*, dalla struttura ambigua, sottoposta a una indeterminazione degli esiti[8], questo avviene perché le forme, in questo modo, adeguano tutta una visione dell'universo fisico e dei rapporti psicologici proposta dalle discipline scientifiche   20
contemporanee[9], e avverte[10] di non potere parlare di questo mondo nei
termini formali coi quali si poteva definire il Cosmo Ordinato che non è
più nostro[11]. A questo punto il critico delle poetiche contemporanee può
sospettare che, così facendo, spostando la propria attenzione a problemi di
struttura[12], l'arte contemporanea rinunci a fare un discorso sull'uomo e si   25
perda in un discorso astratto a livello delle forme. L'equivoco, facilmente
smascherabile, è stato indicato sopra: quello che potrebbe apparirci un discorso sull'uomo dovrebbe oggi atteggiarsi secondo i moduli di ordine for-
mativo che servivano a parlare di un uomo di ieri[13]. Rompendo questi moduli d'ordine l'arte parla, attraverso il suo modo di strutturarsi, dell'uomo   30
di oggi. [...]

Iniziare un racconto descrivendo l'ambiente naturale della vicenda (il
lago di Como), quindi la figura esteriore e il carattere dei protagonisti[14],
presuppone già che io creda in un determinato ordine dei fatti: nell'oggettività di un ambiente naturale in cui i personaggi umani si muovono quale   35
sfondo, nella determinabilità dei dati caratteriologici e nella loro definizione secondo una psicologia e un'etica, e infine nell'esistenza di precisi rapporti causali che mi permettano di dedurre dalla natura dall'ambiente e dal
carattere, nonché da una serie di eventi concomitanti facilmente indivi-
duabili, la sequenza degli eventi successivi, che dovrà essere descritta come   40
un decorso univoco di fatti. Ecco quindi come l'accettazione di una data
struttura narrativa presuppone l'accettazione di una certa persuasione del-
l'ordine del mondo rispecchiato dal linguaggio che uso, dai modi in cui lo
coordino, dai rapporti temporali stessi che in esso si esprimono[15].

---

3. il moralista avvertito: uno studioso di questioni morali che abbia riflettuto.
4. *flatus vocis*: espressioni vocali; il termine, latino, viene dalla filosofia medievale, in cui indicava un'espressione priva di contenuto effettivo.
5. un mondo... mistificatoria: un insieme di valori irrigiditi dalle ripetizioni, che mascherano la realtà dell'esperienza (*funzione mistificatoria*).
6. si è alienato... linguaggio: si è estraniato, non può comprendere e non fa comprendere al suo pubblico la condizione umana di oggi, cosa che si riflette nel suo linguaggio stereotipato.
7. pittura informale: la pittura d'avanguardia di quegli anni, che presentava superfici prive di forme (anche astratte) riconoscibili (*T37.34*).
8. opere aperte... esiti: l'arte moderna, secondo la tesi del libro *Opera aperta* che l'autore aveva appena pubblicato, crea opere che non predeterminano la reazione dei fruitori, ma presentano forme "aperte", indeterminate, che promuovono volutamente la possibilità di interpretazioni diverse.
9. adeguano... contemporanee: riflettono la visione che ha la scienza moderna dell'universo fisico (soggetta al principio di indeterminazione, vedi Heisenberg, Vol. G *T31.5*), e la visione che ha la psicologia moderna dell'uomo come realtà composi-

ta, stratificata, sfuggente.
10. avverte: soggetto è *l'affermarsi di opere aperte*.
11. il Cosmo... nostro: la vecchia visione di un mondo perfettamente ordinato e intelligibile.
12. spostando... struttura: mettendo in primo piano non le cose di cui parla, ma le forme, i modi di strutturare l'opera.
13. quello che... di ieri: per condurre un discorso sull'uomo immediatamente ri-

conoscibile come tale, bisognerebbe usare strutture formali vecchie, adatte a parlare solo della realtà umana del passato.
14. Iniziare... protagonisti: è evidente il riferimento all'inizio dei *Promessi sposi*; non

è una critica al romanzo di Manzoni, ma a chi pretendesse, oggi, di usare gli stessi moduli.
15. ordine del mondo... si esprimono: il linguaggio, l'ordine della narrazione, la rappresentazione di

Nel momento in cui l'artista si accorge che il sistema comunicativo è 45
estraneo alla situazione storica di cui vuole parlare, deve decidere che non
sarà attraverso l'esemplificazione di un soggetto storico[16] che egli potrà
esprimere la situazione, ma solo attraverso l'assunzione, l'invenzione, di
strutture formali che si facciano il *modello* di questa situazione[17].

Il vero *contenuto* dell'opera diventa il suo *modo di vedere il mondo* e di 50
giudicarlo, risolto in *modo di formare*, e a questo livello andrà condotto il
discorso sui rapporti tra l'arte e il proprio mondo.

L'arte conosce il mondo attraverso le proprie strutture formative[18] (che
quindi non sono il suo momento formalistico ma il suo vero momento di
contenuto): la letteratura organizza parole che significano aspetti del mon- 55
do, ma l'opera letteraria significa in proprio il mondo attraverso il modo in
cui queste parole sono disposte, anche se esse, prese una per una, significano cose prive di senso, oppure eventi e rapporti tra eventi che paiono non
avere nulla a che vedere col mondo[19].

una sequenza tempo-
rale ben chiara, riflet-
tono l'idea di un so-
stanziale *ordine del
mondo*.
**16. l'esemplificazio-
ne di un soggetto
storico**: la scelta di
un argomento che
rappresenti esemplar-
mente la situazione
storica che si vuole
esprimere.
**17. strutture forma-
li... situazione**: for-
me dell'opera che ab-
biano in sé, nelle loro
strutture, qualcosa
della situazione rap-

presentata, ne siano il
modello (ad esempio:
un disordine delle
forme linguistiche
può essere *modello* del
disordine esistenziale

dell'uomo contempo-
raneo).
**18. strutture forma-
tive**: le forme ricono-
scibili ai diversi livelli
di analisi, e le loro

relazioni, che costitui-
scono la forma dell'o-
pera.
**19. anche se esse...
mondo**: si riferisce
all'impressione di in-

sensatezza che posso-
no dare molti testi di
avanguardia, o al loro
presentare situazioni
totalmente fantasti-
che.

dialogo con il testo

I temi

Una canzonetta che parla di "cuore" e di "mamma"
mistifica la realtà non solo perché non parla dei «semafori» (del mondo tecnico in mezzo al quale oggi
viviamo anche i sentimenti), ma perché presenta un
mondo di valori semplici e immobili, che non è più
quello dell'uomo di oggi. L'industria e l'"alienazione" industriale hanno trasformato alle radici la nostra esperienza del mondo, mentre gli sviluppi delle
scienze hanno mostrato che la conoscenza della
realtà naturale e umana non si dà in forme ordinate e
pacifiche, ma è mutevole e complessa. L'uomo di oggi vive un rapporto ambiguo e sfuggente col mondo,
che non è più il «Cosmo Ordinato» di un tempo.

Di conseguenza, per parlare dell'uomo d'oggi,
l'arte deve adottare un linguaggio che sia il *modello*
della situazione dell'uomo: il significato, il vero contenuto di un'opera d'arte sta nelle sue forme. L'opera
"aperta", intrinsecamente ambigua, pensata per esse-

re disponibile a letture e interpretazioni plurime, è la
più adatta a costituire un modello del rapporto del-
l'uomo contemporaneo col mondo.

❓ Spiegate la funzione che ha in questo contesto l'e-
sempio riferito all'inizio dei *Promessi sposi* (righe 32-
41).

Confronti

Con queste considerazioni Eco forniva un articolato
sfondo teorico agli esperimenti formali della nuova
avanguardia (*T38.49-T38.51*, *T38.74-T38.77*), respingendo le critiche di formalismo vuoto e di allon-
tanamento dalla realtà dell'uomo.

❓ Il testo con cui Calvino intervenne nello stesso
dibattito (*T40.2*) imposta una problematica molto
simile, anche se si conclude con una proposta abbastanza diversa. Individuate le analogie e le differenze.

Angelo Guglielmi

Angelo Guglielmi, critico letterario (*La letteratura del risparmio*, 1973), è nato nel 1929. Negli anni sessanta fu uno dei protagonisti del movimento della nuova avanguardia. Per molti anni è stato un alto dirigente della RAI.

▶ **T37.29**

T37.29

Il nuovo sperimentalismo

Il tentativo più radicale di adeguare la letteratura alla nuova realtà tecnologica fu, negli anni sessanta, la nuova avanguardia. Essa assunse per un periodo la forma di un vero e proprio movimento, il Gruppo 63, sorto in un convegno tenuto a Palermo in quell'anno. Il volume Gruppo 63, *pubblicato nel 1964, presenta brani di 34 scrittori aderenti al movimento e riproduce le relazioni tenute al convegno di Palermo; presentiamo un brano di quella del critico Angelo Guglielmi, intitolata* Avanguardia e sperimentalismo.

Angelo Guglielmi
AVANGUARDIA E SPERIMENTALISMO
(In *Gruppo 63*, a cura di N. Balestrini e A. Giuliani, Feltrinelli, Milano, 1964)

1. una partenza contenutistico-emozionale: la ribellione delle avanguardie, anche se intacca le forme letterarie, è cominciata da una rivolta emotiva contro la situazione culturale esistente, cioè esprimendo un contenuto. L'autore ha citato sopra come esempi i futuristi, i *beatniks* americani (*T38.19, T38.20*), i "giovani arrabbiati" che rinnovarono il teatro inglese negli anni cinquanta.
2. Entrato... linguistico: secondo una tesi della nuova avanguardia, la lingua dell'uso comune ha perso ogni potere comunicativo, è diventata impraticabile a scopi letterari, perché stan-

La rivolta degli scrittori di avanguardia ha in genere una partenza contenutistico-emozionale[1]. Gli interessi formali occupano, nonostante ogni apparenza contraria, un posto secondario.

Il nuovo sperimentalismo è di tutt'altro tipo. Entrato definitivamente in crisi l'istituto linguistico[2] si pone il problema di tentarne il recupero. Naturalmente il recupero riguarda la funzione e non lo strumento[3]. Lo strumento è sempre logoro. Ogni ponte tra parola e cosa è crollato. La lingua in quanto rappresentazione della realtà è ormai un congegno matto[4]. Tuttavia il riconoscimento della realtà rimane lo scopo dello scrivere. Ma come potrà effettuarsi? La lingua che ha fin qui istituito rapporti di rappresentazione con la realtà, ponendosi nei confronti di questa in posizione frontale, di specchio in cui essa direttamente si rifletteva, dovrà cambiare punto di vista. E cioè o trasferirsi nel cuore della realtà, trasformandosi da specchio riflettente in accurato registratore dei processi, anche i più irrazionali, del formarsi del reale[5]; oppure, continuando a rimanere all'esterno della realtà, porre tra se stessa e questa un filtro attraverso il quale le cose, allargandosi in immagini surreali o allungandosi in forme allucinate, tornino a svelarsi[6]. Questa è l'operazione essenziale del nuovo sperimentalismo.

1

5

10

15

dardizzata, impoverita, asservita a scopi puramente commerciali. Si può vedere in proposito l'intervento di Calvino, *T37.31*.
3. il recupero... strumento: si tratta di recuperare la funzione di rappresentare la realtà, non la lingua

dell'uso (*lo strumento*), che è definitivamente inservibile.
4. un congegno matto: una macchina guasta.
5. accurato registratore... reale: sembra che l'autore abbia in mente qualcosa come il flusso di coscienza

inaugurato da Joyce (Vol. G *T32.64*): la lingua registra direttamente i processi, anche irrazionali, con cui la realtà prende forma nel pensiero.
6. porre tra se stessa... svelarsi: guardare la realtà come attraverso un filtro, in

modo da ottenere effetti di deformazione surreale, allucinata, che svelerebbero aspetti delle cose che la lingua comune non riesce più a cogliere. Qui *lingua* sembra significare il punto di vista dello scrittore e i suoi procedimenti

E su questa strada i migliori risultati sono stati, per ora, raggiunti, in Italia, da Carlo Emilio Gadda. [...]

Comunque, per tornare al nostro discorso, questa dei nuovi sperimentali si configura come una operazione non polemica, che chiede la fatica della consapevolezza piuttosto che la prepotenza del fervore[7]. È un intervento di pazienza, volto alla ricerca di nuove strutture espressive, alla scoperta di nuovi impasti stilistici, in cui rifluiscono i "materiali" più imprevisti, e aperti alle contaminazioni lessicali più ardite[8]. È un intervento da effettuarsi in laboratorio con decisione e insieme cautela. Il suo successo è legato al grado di "organizzazione" del laboratorio stesso. Questo dovrà contare sulla massima disponibilità dei materiali intellettuali, facendoli affluire con estrema libertà, dalle tradizioni culturali più lontane e diverse. [...]

Dunque rispetto all'avanguardia così come si è configurata storicamente[9] che in genere tende a creare una nuova retorica dei contenuti, il nuovo sperimentalismo è dominato da un interesse essenzialmente formale, in quanto interesse unico e primario tuttavia non opposto alla sfera degli interessi ideologici e di contenuto, essendo ormai accertato che ogni ricerca di contenuto non può essere che una ricerca di livelli espressivi.

stilistici; una certa disinvoltura nell'uso di termini presi a prestito dalla linguistica era comune tra i letterati dell'epoca.
7. che chiede... fervore: l'autore tiene a distinguere l'atteggiamento dei *nuovi sperimentali* del Gruppo 63 da quello delle avanguardie del primo Novecento: non un impeto prepotente di rivolta, ma un lavoro consapevole e paziente di sperimentazione.
8. in cui rifluiscono... ardite: nei nuovi *impasti stilistici* sperimentali confluiscono idee prelevate dai settori più diversi e tradizionalmente lontani dalla letteratura (*i "materiali" più imprevisti*), con un urto di parole di origine eterogenea (*contaminazioni lessicali*).
9. avanguardia... storicamente: le avanguardie dei primi decenni del Novecento.

dialogo con il testo

I temi

La nuova avanguardia concepiva l'attività letteraria e poetica come un'"operazione sul linguaggio". Gli scrittori legati a forme espressive tradizionali (i più bersagliati erano Moravia, Pasolini, Bassani) erano accusati di servirsi di una lingua comune consumata dall'uso quotidiano, che poteva cogliere solo la superficie ovvia delle cose, non poteva rappresentare la realtà più vera dell'uomo contemporaneo. Guglielmi accenna nel brano a due soluzioni stilistiche che i nuovi scrittori stavano tentando per recuperare efficacia espressiva: la trascrizione diretta dei processi mentali più irrazionali, la deformazione grottesca che rivela aspetti inediti della realtà. Questo richiedeva di attivare una sorta di laboratorio sul linguaggio: bisognava stravolgere le forme linguistiche, prelevare idee e parole dai campi più eterogenei e farle cozzare nel testo. Gadda, il più grande autore di «contaminazioni lessicali» del secolo, era additato come maestro.

L'immagine di scrittore che traspare da questa pagina non ha nulla del tradizionale maestro di valori, ispirata guida spirituale: si presenta piuttosto come quella di un tecnico di laboratorio che manipola «materiali» di idee e parole. In questa idea di sé che i nuovi scrittori offrivano sta il loro sforzo di adeguarsi alla realtà di un mondo dominato dalla tecnologia industriale.

? Guglielmi usa per sé e i suoi amici il termine "nuovi sperimentali", riservando "avanguardia" ai movimenti ormai storici del primo Novecento, dal futurismo in poi. Riprendendo gli accenni sparsi nel brano, riepilogate le differenze che l'autore tiene a sottolineare tra le avanguardie storiche e il nuovo sperimentalismo.

Confronti

Potete trovare testi della nuova avanguardia in *T38.49-T38.51* (narrativa) e *T38.74-T38.77* (poesia).

La nuova questione della lingua

Nei decenni successivi alla seconda guerra mondiale, la situazione linguistica italiana subisce una trasformazione di portata storica: per la prima volta gli italiani cominciano in maggioranza a parlare italiano. Il significato e i motivi di questo cambiamento sono illustrati dal più attento osservatore del fenomeno, il linguista Tullio De Mauro (*T37.30*). Negli anni sessanta la novità era stata percepita anche dai letterati, e Pier Paolo Pasolini vi aveva visto un segno dell'avvento di una nuova classe egemonica, una borghesia settentrionale tecnocratica. Le idee di Pasolini diedero origine a un animato dibattito, che è stato definito "la nuova questione della lingua"; l'intervento più brillante fu quello di Italo Calvino (*T37.31*), che segnalava la pericolosa diffusione di un gergo di stampo burocratico.

Tullio De Mauro

Tullio De Mauro, nato nel 1932, è autore della *Storia linguistica dell'Italia unita* (1963), che descrive e documenta il lento processo di diffusione dell'italiano come lingua d'uso nel primo secolo di unità nazionale. In lui l'interesse teorico si è sempre unito a quello per la lingua come fatto sociale, fattore di eguaglianza o di discriminazione, e per il rinnovamento dell'insegnamento scolastico; con le *Dieci tesi per l'educazione linguistica democratica* (1975) ha impostato i temi essenziali di una battaglia educativa che ha avuto ampie ripercussioni nel mondo della scuola. Tra il 2000 e il 2001 è stato ministro dell'Istruzione nel governo di centrosinistra presieduto da Giuliano Amato.

▶ **T37.30**

T37.30

La conquista della lingua italiana

Con la Storia linguistica dell'Italia unita *(1963), Tullio De Mauro ha fornito la prima analisi sistematica e documentata di come la lingua italiana, che al momento dell'unificazione era padroneggiata da un'infima minoranza della popolazione, si sia estesa gradualmente nell'uso corrente.*

In questi passi di una conferenza tenuta nel 1974, il linguista riassume rapidamente i principali fattori di questo cambiamento e indica quanto resta da fare perché l'accesso a un lingua comune diventi un fatto realmente democratico.

Tullio De Mauro
SCUOLA E LINGUAGGIO
(Editori Riuniti, Roma, 1981)

1. **soltanto... l'italiano**: è la percentuale di coloro che intorno al 1860 accedevano a un'istruzione più che elementare, la sola che assicurasse un possesso reale della lingua scritta e dell'italiano, che la scuola elementare non ga-

Se noi sottolineiamo il fatto che al momento della unificazione politica soltanto lo 0,8% della popolazione italiana conosceva l'italiano[1], non è per dire che i dialetti erano zizzania, erano malerba[2], ma per fare tutt'altro discorso. Che cosa era male? Era male l'uso obbligatorio ed esclusivo del dialetto. Dov'era il drammatico? Non nella capacità del calabrese di parlare calabrese o del piemontese di parlare piemontese, ma nel fatto che il parlare calabrese per il calabrese e piemontese per il piemontese era una specie di steccato e di ghetto. Il male era nel fatto che il calabrese non sapeva parlare altro che calabrese e il piemontese non sapeva parlare nient'altro che

1

5

rantiva; a questa percentuale, come l'autore accenna più avanti,

si possono aggiungere gli abitanti della Toscana e di Roma.

2. **zizzania... malerba**: l'idea dei dialetti come "erbaccia" da

sradicare fu a lungo diffusa tra gli studiosi e nella scuola.

piemontese. [...] Quella che poteva essere (ed è, come vedremo) una ric- 10
chezza di mezzi espressivi (il possesso di questo idioma familiare e locale)
diventava una pesante palla al piede, una gabbia.

La situazione era da questo punto di vista drammatica, perché, al di
fuori del nucleo toscano di circa mezzo milione di persone e al di fuori di
un piccolo nucleo romano di circa settantamila persone, per il resto, su 15
una popolazione di circa 20 milioni di abitanti quelli che parlavano italiano erano circa 160.000 o, meglio, quelli che avrebbero potuto parlare italiano erano 160.000. Perché, ovviamente, con un dislivello percentuale di
questo tipo, voi capite che Alessandro Manzoni, uscendo di casa a Milano,
non aveva senso che abbordasse in italiano la persona che incontrava, per- 20
ché al 99% non sarebbe stato capito.

Dimodoché, come Manzoni stesso ci racconta, parlava dialetto lui, il
più grande prosatore italiano, abitualmente; e lui stesso scriveva al ministro
Broglio (ministro della pubblica istruzione dal nome singolare, quasi profetico[3], diciamo) che l'italiano, nel 1868, era ancora una «lingua morta»[4]. 25
[...]

Se voi andate a vedere i momenti di sviluppo del processo di acquisizione dell'istruzione da parte delle classi popolari, vi accorgerete che la spinta
di questo processo non è in una decisione delle classi dirigenti, ma è largamente nelle spinte e nelle necessità maturate in quelle che la *Civiltà cattoli-* 30
ca chiamava «classi infime[5]». Perché diciamo questo? Perché sulla carta
l'obbligo dell'istruzione in Italia esisteva dal 1859, ma è rimasto inoperan-
te finché non è stato conquistato e realizzato dalle classi popolari, anzitutto
con la grande emigrazione[6].

[...] Se voi andate a guardare statisticamente come vanno le cose, vedre- 35
te che nelle zone di maggiore emigrazione si verificano i più alti incremen-
ti di frequenza contadina e operaia nelle scuole.

La seconda grande spinta all'appropriazione di quei beni culturali che
dovevano essere preclusi alle classi infime è rappresentata dalla costituzione
di organizzazioni sindacali e operaie, tra il 1892 (costituzione del partito 40
socialista) e il 1911-1912 (guerra di Libia).
[...]

Altri momenti di questo lungo processo di conquista della capacità di
usare la lingua italiana sono le massicce migrazioni interne che hanno
sconvolto completamente la demografia del sud, del centro e del nord del- 45
l'Italia, o la diffusione dell'ascolto televisivo, a partire dal '53, che, come risulta dai dati, ha inciso più della scuola. Vale a dire: se uno ha fatto cinque
anni di scuola elementare e non ascolta mai la televisione e uno ascolta abitualmente la televisione e non ha fatto la scuola elementare, capisce e parla
meglio l'italiano chi ascolta abitualmente la televisione e non ha fatto la 50
scuola elementare, specie in area meridionale.

C'è dunque un influsso positivo che viene anche dalla «malfamatissima»
televisione italiana; ma ciò si spiega per il fatto che in Italia la scuola funzio-
na così male che persino Carosello[7] riesce ad avere una funzione utile.

Terzo fatto importante è la diffusione dell'obbligo scolastico che ha 55
portato agli inizi degli anni sessanta il limite dell'obbligo dalla quinta ele-

3. quasi profetico: battuta scherzosa sul significato di *broglio* come "imbroglio" (in particolare elettorale).
4. «lingua morta»: in quanto limitata all'uso scritto, come il latino nel Medioevo e nel Rinascimento.
5. la *Civiltà cattoli-ca... infime*: la «Civiltà cattolica», la rivista dei Gesuiti, nei decenni dopo l'unità aveva posizioni reazionarie, riflesse dall'uso sprezzante dell'aggettivo *infime* per le classi popolari; la rivista si schierò contro l'istruzione elementare obbligatoria.
6. la grande emigrazione: l'emigrazione che portò milioni di Italiani all'estero, soprattutto nelle Americhe, tra il 1880 e il 1914, contribuì a far sentire il bisogno di istruzione, per poter corrispondere coi familiari rimasti in patria, e per le nuove aperture mentali degli emigrati che rimpatriavano.
7. Carosello: la rubrica che conteneva gli *spot* pubblicitari quando esisteva un unico canale televisivo, con scenette e cartoni animati che erano molto graditi al pubblico.

mentare alla terza media, che ha determinato una enorme crescita della scolarità, soprattutto giovanile. Altri fatti nuovi sono provocati dalle iniziative di quelle classi «infime», come le definiva cento anni fa la *Civiltà cattolica*: pensiamo alla crescita della scolarità adulta attraverso la conquista delle 150 ore di studio pagate[8]. 60

In questa situazione, voi capite che le cose, dal punto di vista della lingua, si sono profondamente modificate. Sapete che i dialetti si sono modificati, assorbendo parole ed espressioni italiane, addolcendo la loro fisionomia aspramente autonoma, e che è cresciuto enormemente il numero delle 65 persone che parlano abitualmente l'italiano. Attualmente una valutazione globale è difficile; probabilmente siamo sul 50% della popolazione[9]: cioè, entrando in un negozio un italiano su due parla abitualmente in italiano, ma un italiano su due parla abitualmente in dialetto.

Ci troviamo dunque di fronte ad una situazione cambiata, ma, pur- 70 troppo, ancora piena di dislivelli drammatici; e di questa stratificazione sociale, che ancora esiste, dobbiamo renderci conto per capire quello che la scuola può e deve fare. Si tratta di dislivelli, anzitutto tra regioni della penisola, nel possesso di beni e nella capacità di accesso alle istituzioni culturali di base[10]. 75

8. 150 ore... pagate: con un'innovazione introdotta dal contratto di lavoro dei metalmeccanici nel 1972, e in seguito estesa ad altre categorie, un lavoratore ha diritto a 150 ore di assenza dal lavoro pagate in un anno per seguire corsi di istruzione.

9. probabilmente... popolazione: la situazione si è ulteriormente evoluta nei decenni successivi: secondo un'indagine Istat del 2000, quasi il 73% degli italiani usa abitualmente la lingua nazionale per parlare con estranei, e meno del 7% usa regolarmente un dialetto in questa situazione; gli altri alternano lingua e dialetto. Le percentuali di uso del dialetto salgono ovviamente quando si chiede quale lingua è parlata in famiglia o con gli amici.

10. dislivelli... di base: come esistono forti squilibri tra le regioni italiane nei livelli di benessere, così esistono nei livelli di scolarità che consentono di servirsi delle *istituzioni culturali di base*, come le biblioteche.

dialogo con il testo

I temi

La progressiva acquisizione dell'italiano da parte di strati della popolazione che ne erano esclusi è vista dall'autore come un grande fatto democratico: conoscere solo un dialetto significava essere esclusi dai circuiti della comunicazione sociale, tagliati fuori dalla partecipazione alla vita nazionale.

? Nei passi qui riportati ci sono accenni molto rapidi alle cause dell'estensione dell'italiano, che l'autore ha trattato analiticamente in altre opere; ripercorrete questi accenni esplicitando quanto in essi resti eventualmente implicito.

? In vari punti l'autore precisa che il suo discorso non comporta una svalutazione dei dialetti, e ne accenna i motivi. Evidenziate questi passaggi.

Nelle ultime righe emerge la preoccupazione di fondo che De Mauro porta nei suoi interventi su questa materia: è sottinteso che la riduzione nell'uso dei dialetti non comporta di per sé una padronanza dell'italiano sufficiente alla partecipazione democratica alla vita sociale. Da qui la grande responsabilità della scuola nel combattere i dislivelli di cultura e padronanza linguistica.

Italo Calvino

T37.31

Notizie
sull'autore **T40.1**

L'antilingua

Intervenendo nel dibattito suscitato dalle tesi di Pasolini sul "nuovo italiano", Italo Calvino scrisse sul quotidiano "Il Giorno", *nel febbraio 1965, un articolo che è rimasto famoso. Ne riproduciamo la prima parte.*

Italo Calvino
L'ANTILINGUA
(In "Il Giorno",
3.2.1965, poi in *Una pietra sopra*, Einaudi,
Torino, 1980)

Il brigadiere è davanti alla macchina da scrivere. L'interrogato, seduto davanti a lui, risponde alle domande un po' balbettando, ma attento a dire tutto quel che ha da dire nel modo più preciso e senza una parola di troppo: «Stamattina presto andavo in cantina ad accendere la stufa e ho trovato tutti quei fiaschi di vino dietro la cassa del carbone. Ne ho preso uno per bermelo a cena. Non ne sapevo niente che la bottiglieria di sopra era stata scassinata». Impassibile, il brigadiere batte veloce sui tasti la sua fedele trascrizione: «Il sottoscritto essendosi recato nelle prime ore antimeridiane nei locali dello scantinato per eseguire l'avviamento dell'impianto termico, dichiara d'essere casualmente incorso nel rinvenimento di un quantitativo di prodotti vinicoli, situati in posizione retrostante al recipiente adibito al contenimento del combustibile, e di aver effettuato l'asportazione di uno dei detti articoli nell'intento di consumarlo durante il pasto pomeridiano, non essendo a conoscenza dell'avvenuta effrazione dell'esercizio soprastante». 1

5

10

15

Ogni giorno, soprattutto da cent'anni a questa parte, per un processo ormai automatico, centinaia di migliaia di nostri concittadini traducono mentalmente con la velocità di macchine elettroniche la lingua italiana in un'antilingua inesistente. Avvocati e funzionari, gabinetti ministeriali e consigli d'amministrazione, redazioni di giornali e di telegiornali scrivono parlano pensano nell'antilingua. Caratteristica principale dell'antilingua è quello che definirei il «terrore semantico», cioè la fuga di fronte a ogni vocabolo che abbia di per se stesso un significato, come se «fiasco» «stufa» «carbone» fossero parole oscene, come se «andare» «trovare» «sapere» indicassero azioni turpi. Nell'antilingua i significati sono costantemente allontanati, relegati in fondo a una prospettiva di vocaboli che di per se stessi non vogliono dire niente o vogliono dire qualcosa di vago e sfuggente. «Abbiamo una linea esilissima, composta da nomi legati da preposizioni, da una copula o da pochi verbi svuotati della loro forza» come ben dice Pietro Citati[1] che di questo fenomeno ha dato su queste colonne un'efficace descrizione.

20

25

30

Chi parla l'antilingua ha sempre paura di mostrare familiarità e interesse per le cose di cui parla, crede di dover sottintendere: «io parlo di queste cose per caso, ma la mia funzione è ben più in alto delle cose che dico e che faccio, la mia funzione è più in alto di tutto, anche di me stesso». La motivazione psicologica dell'antilingua è la mancanza di un vero rapporto con la vita, ossia in fondo l'odio per se stessi. La lingua invece vive solo d'un

35

1. **Pietro Citati**: critico letterario intervenuto pochi giorni prima nella discussione linguistica.

rapporto con la vita che diventa comunicazione, d'una pienezza esistenziale che diventa espressione. Perciò dove trionfa l'antilingua – l'italiano di
chi non sa dire «ho fatto» ma deve dire «ho effettuato» – la lingua viene uccisa.

Se il linguaggio «tecnologico» di cui ha scritto Pasolini (cioè pienamente comunicativo, strumentale, omologatore[2] degli usi diversi) si innesta
sulla lingua non potrà che arricchirla, eliminarne irrazionalità e pesantezze,
darle nuove possibilità (dapprincipio solo comunicative, ma che creeran-
no, come è sempre successo, una propria area di espressività[3]); se si innesta
sull'antilingua ne subirà immediatamente il contagio mortale, e anche i
termini «tecnologici» si tingeranno del colore del nulla.

L'italiano finalmente è nato, – ha detto in sostanza Pasolini, – ma io
non lo amo perché è «tecnologico».

L'italiano da un pezzo sta morendo, – dico io, – e sopravvivrà soltanto
se riuscirà a diventare una lingua strumentalmente moderna[4]; ma non è affatto detto che, al punto in cui è, riesca ancora a farcela.

Il problema non si pone in modo diverso per il linguaggio della cultura
e per quello del lavoro pratico. Nella cultura, se lingua «tecnologica» è
quella che aderisce a un sistema rigoroso, – di una disciplina scientifica o
d'una scuola di ricerca – se cioè è conquista di nuove categorie lessicali[5],
ordine più preciso in quelle già esistenti, strutturazione più funzionale del
pensiero attraverso la frase, ben venga, e ci liberi di tanta nostra fraseologia
generica. Ma se è una nuova provvista di sostantivi astratti da gettare in pasto all'antilingua, il fenomeno non è positivo né nuovo, e la strumentalità
tecnologica vi entra solo per finta.

40

45

50

55

60

2. **omologatore**: che
unifica, livella.
3. **dapprincipio...
espressività**: le nuove
possibilità offerte dal
linguaggio tecnologi-
co all'inizio serviran-
no solo ad usi funzio-
nali, pratici; ma col
tempo, entrate nel
repertorio linguistico
italiano, potranno
anche essere usate co-
me risorse espressive a
scopi artistici.
4. **strumentalmente
moderna**: capace di
servire a scopi pratici
nella realtà attuale.
5. **categorie lessicali**:
famiglie di parole ri-
ferite ad ambiti speci-
fici.

dialogo con il testo

I temi

Pasolini aveva impostato il suo discorso sulla polarità
tra una lingua "espressiva" e una lingua "tecnologica"; la seconda, «brutalmente funzionale», avrebbe
drasticamente eliminato le varietà locali dell'italiano
e ridotto le possibilità espressive, la manifestazione
nella lingua di ciò che è soggettivo. Calvino gli
obietta che in pericolo non è tanto l'espressività,
quanto proprio la funzionalità della lingua, la sua capacità di comunicare in modo semplice ed efficace:
nell'amministrazione, nella politica, nei giornali, si è
diffuso uno stile inutilmente complicato, artificioso
e astratto, incapace di nominare le cose direttamente, che lui definisce l'*antilingua*. Se la diffusione di
termini tecnici si innesta su questa base, non farà che
peggiorare ulteriormente la capacità comunicativa
dell'italiano.

❓ L'autore accenna un'analisi dei motivi psicologici
che spingono all'*antilingua*; ripercorrendo il testo,

provate a chiarire che cosa intenda quando parla di
«terrore semantico» (riga 22).

Nel primo paragrafo Calvino dà un brillante saggio
di trascrizione di un discorso elementare ma efficace
in un gergo burocratico, imitando alla perfezione
abitudini linguistiche purtroppo ancora assai diffuse.
Alcuni procedimenti di trascrizione sono:
– introduzione di inutili tecnicismi («stufa» → «impianto termico»);
– scelta dei termini più generici e astratti («bottiglieria» → «esercizio»);
– sostituzione di un verbo concreto con un verbo
  "vuoto" più un nome astratto («ho preso» → «aver
  effettuato l'asportazione»).

❓ Confrontando analiticamente il discorso dell'interrogato e la trascrizione del brigadiere, individuate
altri esempi dei procedimenti indicati e scoprite anche altri procedimenti.

DA LEGGERE | Il mio secolo, di Günter Grass

Solo un cervello vulcanico come quello di Günter Grass poteva concepire l'idea di racchiudere in un libro un intero secolo, attraverso una collana di cento brevi, vivacissimi racconti, uno per anno dal 1900 al 1999. Nel libro parlano decine di testimoni che presentano, di scorcio, dal punto di vista dell'uomo comune e della vita quotidiana, le trasformazioni tumultuose e gli eventi drammatici di cento anni di storia: lo sviluppo della grande industria e le lotte operaie agli inizi del secolo, l'avvento dello sport spettacolo, le guerre e il nazismo, la ricostruzione dopo il 1945, la spaccatura della Germania tra l'Ovest capitalista e l'Est comunista, le agitazioni del Sessantotto studentesco, e infine la caduta del Muro che divideva in due Berlino e la nuova realtà della Germania riunificata.

Ecco come Grass rappresenta un momento culminante della storia tedesca, anzi mondiale: il giorno in cui crollò il regime comunista della Germania Est e il muro di Berlino fu abbattuto.

1989

Stavamo viaggiando verso il Lauenburg[1], di ritorno da Berlino, quando la notizia ci arrivò all'orecchio in ritardo, dalla radio della macchina, perché eravamo abbonati al Terzo programma, al che io, come migliaia d'altri, ho probabilmente gridato «pazzesco!», per la gioia e lo spavento, «ma è pazzesco!», e poi, come Ute che era al volante, mi sono perso in pensieri che correvano in avanti e all'indietro. [...]

Mentre noi ci avvicinavamo a Behlendorf con la lieta novella ormai nel petto, nella cosiddetta «stanza berlinese» del conoscente del mio conoscente[2] il televisore era acceso a volume bassissimo. E mentre i due, tra una birra e un'acquavite, stavano ancora parlando del problema dei pneumatici[3] e il proprietario del parquet diceva che le gomme nuove, in linea di massima, si potevano ottenere solo coi «soldi giusti»[4], però si offriva di procurare ugelli del carburatore per la Wartburg, ma quanto al resto non intendeva alimentare ulteriori speranze, il mio conoscente, lanciando una breve occhiata in direzione dello schermo afono, si accorse che evidentemente trasmettevano un film secondo l'intreccio del quale dei ragazzi si stavano arrampicando sul Muro, sedevano a cavalcioni sul rigonfiamento superiore e la polizia di confine osservava quel divertimento senza intervenire. Fattogli notare un tale spregio del baluardo pro-

tettivo, il conoscente del mio conoscente disse: – Proprio roba da Ovest! – Poi commentarono entrambi quella cosa di cattivo gusto che scorreva sullo schermo – «Sicuramente un film sulla guerra fredda» – e ben presto tornarono ai consunti pneumatici estivi e ai mancanti pneumatici invernali. [...].

Mentre noi già vivevamo nella consapevolezza dell'epoca che si apriva, del tempo-senza-Muro, e – appena arrivati a casa – accendemmo il televisore, dall'altra parte del Muro ci volle ancora un po' prima che il conoscente del mio conoscente facesse qualche passo sul parquet appena posato e alzasse al massimo il volume dell'apparecchio. Da quel momento, più nessun accenno ai pneumatici invernali. Un problema che avrebbero risolto la nuova cronologia[5] e i «soldi giusti». Solo un'ultima sorsata di acquavite, e poi via verso l'Invalidenstraße, dove già le macchine – più Trabant[6] che Wartburg – si ingorgavano, perché tutti volevano dirigersi al punto di attraversamento del confine che era miracolosamente aperto. E a chi stava in ascolto con attenzione giungeva all'orecchio che tutti, quasi tutti coloro che a piedi o in Trabi volevano passare all'Ovest gridavano o mormoravano «pazzesco!», come io aveva esclamato «pazzesco!» poco prima di Behlendorf, ma poi mi ero lasciato andare a pensieri sconnessi.

Altri consigli di lettura e visione in *Scegli il tuo libro, scegli il tuo film*, pag. 523

1. **Lauenburg:** regione vicina ad Amburgo (fino al 1990, Germania Ovest); vi si trova la cittadina di Behlendorf, nominata più avanti.
2. **nella cosiddetta... conoscente:** si tratta di una conversazione che avveniva «dall'altra parte del Muro», a Berlino Est, capitale della Germania comunista.
3. **problema dei pneumatici:** il «conoscente del conoscente» era una persona influente, al quale l'altro si era rivolto per trovare uno dei prodotti quasi introvabili nel paese comunista: dei pneumatici da neve; il parquet era un altro segno di privilegio.
4. **coi «soldi giusti»:** corrompendo qualcuno.
5. **la nuova cronologia:** la nuova era che si apriva; per anni in Germania si sono contati gli anni da "dopo il Cambiamento".
6. **Trabant:** la vetturetta popolare costruita nella Germania Est, famosa per la sua tecnica approssimativa; la Wartburg era una vettura di categoria superiore.

Le arti

IL CONTESTO
Secondo Novecento

L'arte tra dissoluzione e mercato

In sintonia con la crisi che investe la cultura dopo gli orrori della seconda guerra mondiale, tra gli anni quaranta e cinquanta le arti visive esprimono una visione problematica dell'uomo e della società: se Moore e Calder, collegandosi in modi diversi alle avanguardie storiche, ripropongono l'idea dell'arte come fonte di valori alternativi a quelli della civiltà e delle sue patologie (*T37.32*), Bacon e Giacometti danno forma a una concezione tragicamente negativa della condizione umana (*T37.33*); l'espressione estrema di questa crisi morale è l'"informale", una tendenza artistica presente in tutto il mondo industrializzato che dà voce a una totale sfiducia nella ragione e nel progresso (*T37.34*, *T37.35*). Una svolta radicale si ha negli anni sessanta con la *pop art*, in bilico tra esaltazione e dissacrazione dei miti della società consumistica (*T37.36*), e con l'arte concettuale, che, per sottrarre l'attività artistica a ogni rischio di mercificazione, rompe ogni residuo legame con la definizione tradizionale dell'arte (*T37.37*). A partire dagli anni settanta si delinea un ritorno alla pittura e alla figurazione, legato al clima culturale "postmoderno"(*T37.38*). Questo rapido accavallarsi di tendenze artistiche viene provocato e assorbito dal mercato artistico, bisognoso di stimolare gli acquisti attraverso il lancio di mode sempre nuove: ne scaturisce una continua ricerca di forme inedite, che accentua sempre più il carattere elitario dell'arte colta, mentre la domanda di immagini del pubblico più vasto trova risposta nella cultura di massa, dai fumetti alla televisione ai *video-games*.

Jeff Koons
Hair (1999, New York, Sonnabend Gallery)

Henry Moore, Alexander Calder

T37.32 | ## La natura e il gioco

L'inglese Henry Moore (1898-1986) fece studi artistici a Leeds e a Londra; nel 1925 visitò la Spagna, la Francia e l'Italia, entrando in contatto sia con l'arte rinascimentale sia con le avanguardie contemporanee; negli anni trenta si avvicinò al surrealismo e all'astrattismo, combinandone le diverse anime in un linguaggio

scultoreo originale. Della stessa generazione di Moore, l'americano Alexander Calder (1898-1976) prima di dedicarsi alla scultura si laureò in ingegneria; negli anni venti si trasferì a Parigi, dove conobbe Miró e Mondrian; degli anni trenta sono le sue prime sculture in movimento.

dialogo con l'opera

I temi, le forme

I temi ricorrenti delle sculture di Moore sono quelli della famiglia e della maternità, a volte figurativamente riconoscibili, a volte evocati attraverso forme astratte. A queste scelte tematiche corrispondono caratteristiche stilistiche ben definite: la morbida modulazione dei volumi nello spazio, la prevalenza di linee curve e superfici levigate, il gioco di equivalenze tra i pieni e i vuoti, la ricerca di forme organiche, che sembrano emergere lentamente e spontaneamente dalla materia. È come se lo scultore volesse plasmare figure umane in via di definizione, amalgamate tra di loro e non ancora separate dal grembo della natura generatrice. Questa idea di armoniosa compenetrazione è particolarmente significativa se si pensa che l'opera di Moore si è definita dal punto di vista tematico e stilistico nel corso della seconda guerra mondiale: di fronte alla catastrofe storica che travolgeva l'umanità, lo scultore ha voluto recuperare il contatto con le origini più remote dell'umanità, prima della separazione dalla natura, quando ancora non si era sviluppata la civiltà con le sue mostruose patologie. Specie negli anni del dopoguerra questa evocazione di una condizione originaria e innocente dell'umanità è suonata come un messaggio positivo, fiducioso nella possibile ricostruzione di rapporti armoniosi tra gli esseri umani e con la natura.

All'utopia di una riconquistata sintonia con la natura corrisponde la riproposta di un'idea antica e artigianale del lavoro dell'artista. Nel creare le sue sculture, Moore ha bisogno di un contatto fisico con la materia, per poterla plasmare secondo la sua logica interna: «Moore non comincia la sua opera guardando il modello: – ha scritto lo storico dell'arte Ernst Gombrich – comincia guardando la pietra. Vuole ricavarne qualcosa non frantumandola, ma avanzando circospetto, tentando di scoprire che cosa la pietra "vuole"». Per questo, come aveva fatto quattro secoli prima Michelangelo, va personalmente alle cave di Carrara a scegliere il marmo sul quale lavorare.

Tutta diversa è l'idea dell'arte e del mestiere dell'artista che emerge dall'opera di Alexander Calder. I suoi *Mobiles* sono composti da materiali metallici forniti dall'industria, dipinti con comuni vernici a smalto e combinati in modo da dar vita a un esile e leggerissimo gioco di forme variopinte in movimento: basta che soffi un alito di vento, o che uno spettatore sfiori un punto qualunque della scultura, e subito nasce un moto ritmico, che si trasmette gradualmente a tutti gli elementi del marchingegno. Difficile attribuire a queste opere significati profondi, o messaggi epocali sulle sorti dell'umanità: Calder risponde alle tragedie e all'alienazione della società riproponendo l'idea di arte come attività libera, infantile, gratuita, basata su una logica alternativa a quella del profitto e del potere.

Confronti

L'opera di Moore si può leggere come un'originale compenetrazione tra due tendenze apparentemente opposte: da un lato l'aspirazione a risalire agli elementi originari e irrazionali dell'inconscio affermata dal surrealismo (*T31.48*); dall'altra la ricerca di un dosato equilibrio formale tipica dell'astrattismo più rigoroso (*T31.39*).

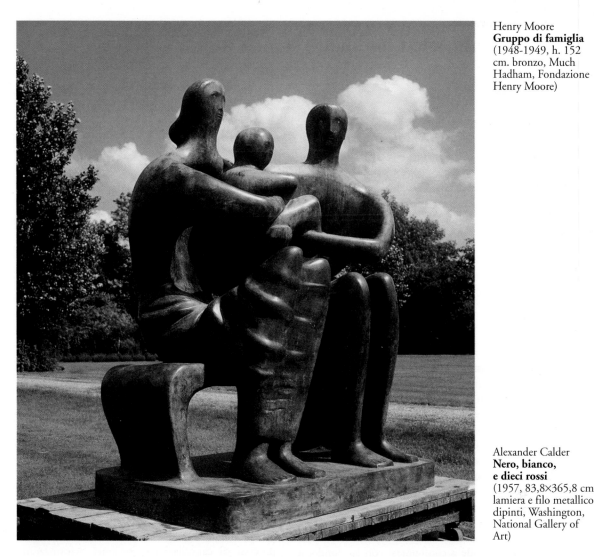

Henry Moore
Gruppo di famiglia
(1948-1949, h. 152
cm. bronzo, Much
Hadham, Fondazione
Henry Moore)

Alexander Calder
**Nero, bianco,
e dieci rossi**
(1957, 83,8×365,8 cm.
lamiera e filo metallico
dipinti, Washington,
National Gallery of
Art)

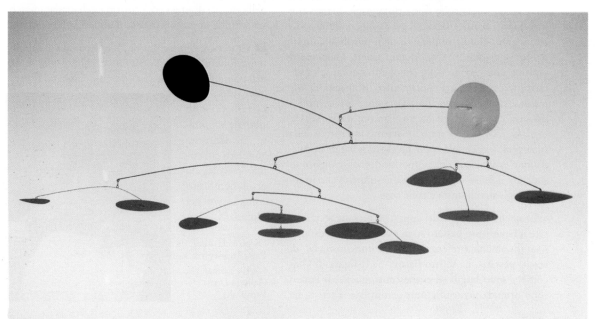

Alberto Giacometti, Francis Bacon

T37.33 # Figure

Lo svizzero Alberto Giacometti (1901-1966) si formò artisticamente a Parigi, a contatto con le esperienze cubiste e surrealiste; attivo inizialmente solo come scultore, elaborò definitivamente il suo stile pittorico a partire dal dopoguerra. Francis Bacon (1909-1992), nato a Dublino, ebbe la sua formazione artistica a Londra e a Parigi, e cominciò a dipingere con continuità solo dal 1944, passando dagli influssi surrealisti e picassiani a una figurazione di stampo espressionistico.

La scultura e il dipinto di Giacometti sono stati eseguiti rispettivamente nel 1947 e nel 1957. Quello di Bacon, del 1953, è una delle sei rielaborazioni eseguite dall'artista irlandese a partire dal ritratto di papa Innocenzo X, del pittore spagnolo seicentesco Velázquez.

dialogo con l'opera

I temi, le forme

La scultura di Giacometti può considerarsi l'opposto di quelle di Moore (*T37.32*): quanto quelle sono piene, lisce, curvilinee, tanto questa è esile, scarnificata, spigolosa. Anziché modellare una figura umana, sembra che Giacometti l'abbia voluta scarnificare, riducendola a un povero residuo filiforme, crivellato da segni e solchi devastanti, i cui contorni incerti sono divorati dallo spazio circostante. Questa impressione è ancora più forte nel dipinto, dove la figura, inespressiva, immobile e impalata come quella della scultura, è martoriata dall'accavallarsi delle pennellate, e tende a confondersi con lo sfondo, a cui è accomunata dalla stessa tinta grigio-biancastra; una doppia cornice separa il personaggio dal mondo circostante, quasi a impedirgli ogni possibile contatto coi suoi simili. Con queste opere Giacometti esprime una visione della condizione umana, caratterizzata da precarietà, isolamento, incapacità di comunicare, che lo avvicina all'esistenzialismo: non è un caso che Jean-Paul Sartre, l'autore della *Nausea* (Vol. G *T32.71*), sia stato un attento interprete della sua opera, leggendola come un'espressione della condizione esistenziale dell'uomo moderno, incapace di superare il senso di distanza e di estraneità che lo separa dagli altri uomini e dalle cose.

«Vorrei che i miei quadri apparissero come se un essere umano fosse passato su di essi [...] lasciando una scia di umana presenza e tracce mnemoniche di eventi passati», ha scritto Bacon. Se le figure di Giacometti sono fragili ed evanescenti, quelle di Bacon sono orrendamente sfigurate e mutilate: l'artista ha una concezione disperatamente negativa del mondo e dell'umanità, e si accanisce con rabbia sulle sembianze umane come se volesse svelarne brutture e degradazioni nascoste, portare alla luce l'essenza miserabile e ripugnante della loro condizione. L'aggressione alla figura umana è condotta spesso attraverso lo studio di immagini preesistenti (fotografie o dipinti), rielaborate in modo da farne emergere significati reconditi: nel nostro caso si tratta di un dipinto di Velázquez, di cui Bacon elabora sei versioni diverse, ripercorrendo con grande forza espressiva i motivi pittorici dell'originale e modificandoli attraverso processi di cancellazione, torsione, deformazione, nella ricerca di una verità corrotta e degradata nascosta sotto le apparenze nobili e dignitose del dipinto.

? L'intervento forse più radicale riguarda la rappresentazione dello spazio che fa da sfondo alla figura del pontefice. Spiegate in che cosa consiste il cambiamento dell'impostazione spaziale e cercate di definirne gli effetti sul clima psicologico e sul significato complessivo del dipinto.

Diego Velázquez
Papa Innocenzo X
(1649, Roma,
Galleria Doria
Pamphili)

Alberto Giacometti
Testa di donna
(1957, 73×60 cm.
Zurigo, Kunsthaus)

Francis Bacon
**Studio dal ritratto
di papa Innocenzo X
di Velázquez**
(1953, 153×118,1 cm.
olio su tela,
Des Moins Art
Center)

Alberto Giacometti
Uomo che cammina
(1947, 170×23×53 cm.
bronzo, Zurigo,
Fondazione
Alberto Giacometti)

Confronti

☑ Sia Giacometti che Bacon possono dirsi pittori "espressionisti". Confrontate le loro opere con quelle degli espressionisti "storici" (Vol. G *T31.35*), individuando affinità e differenze.

☑ Come Bacon anche Duchamp nella *Gioconda coi baffi* (Vol. G *T31.42*) è intervenuto su un celebre dipinto del passato. Provate a confrontare le due operazioni, i loro diversi significati e risultati artistici.

Una concezione degradata dell'umanità simile a quella di Bacon è presente nelle opere del suo conterraneo Samuel Beckett (*T38.9*).

Wols, Alberto Burri

T37.34 # I tormenti della materia

La tendenza artistica che esprime più di ogni altra la crisi morale del dopoguerra è l'informale, presente in diverse forme in tutto il mondo industrializzato. Uno degli iniziatori di questo tipo di pittura è Alfred Otto Wolfgang Schülze detto Wols (1913-1951): nato a Berlino e formatosi a contatto col Bauhaus, si dedicò inizialmente all'acquerello; nel 1947 tenne a Parigi una mostra di dipinti ad olio che sono una del-

le prime manifestazioni dell'informale. In direzione analoga si svolse negli stessi anni la ricerca del marchigiano Alberto Burri (1915-1995), che nel 1944 aveva rinunciato alla professione medica per dedicarsi alla pittura, e realizzò opere con materiali poveri di varia natura: dai sacchi di iuta al cellophane, ai legni bruciati, alle lamiere.

Il dipinto di Wols è stato eseguito nel 1945; il Sacco *di Burri è del 1953.*

dialogo con l'opera

I temi, le forme

Sullo sfondo della crisi morale che percorre l'Europa del dopoguerra, la pittura informale dà voce alla radicale sfiducia nella ragione e nel progresso attraverso il rifiuto di ogni schema formale, tanto astratto quanto figurativo: i suoi protagonisti, vicini alla filosofia esistenzialistica (Vol. G *T31.7, T32.71, T32.72*), concepiscono la pittura come una caotica esplosione di segni, materia e colore, non riconducibili a un ordine o a un significato. Si compenetrano così le istanze di diverse avanguardie storiche: la violenza irrazionale dell'espressionismo (Vol. G *T31.85*), la negazione della cultura e della civiltà del dadaismo (Vol. G *T31.42*), la valorizzazione delle spinte dell'inconscio del surrealismo (Vol. G *T31.47, T31.48*). Il dipinto di Wols ne è un esempio particolarmente evidente: non si propone di rappresentare nulla di riconoscibile, non mostra traccia di alcuna ricerca di struttura o di forma, e si risolve totalmente nella materia densa e grumosa, che l'artista ha impastato e picchiettato di fori e macchie di colore, imprimendo su di essa pulsioni istintive e incontrollate.

Con Burri il rifiuto degli schemi formali precostituiti si spinge fino a mettere in discussione la materia stessa della pittura: ai colori e ai pennelli l'artista sostituisce vecchi sacchi sdruciti e sporchi, a volte bruciacchiati. Questi brandelli di materia di scarto vengono incollati a un supporto, e su di essi l'artista in-

terviene con rammendi, abrasioni, strappi, stesure di zone di colore: si determinano così increspature, tensioni, cedimenti che derivano in parte dalla consapevole azione dell'artista, in parte dalla casuale risposta della materia. Ne risulta una superficie martoriata, le cui ferite e lacerazioni alludono a un'esperienza di dolore e di logoramento. Non si tratta però di un riferimento ai sentimenti personali di Burri, o di una rappresentazione simbolica della condizione umana: è la materia stessa che sembra soffrire, come se fosse diventata sensibile sotto le mani dell'artista. Nell'utilizzare materiali così poveri per dar vita a un'opera d'arte, Burri ribalta una gerarchia di valori, suggerisce che ogni aspetto della realtà, anche il più rifiutato, può avere una sua nobiltà: questa intenzione traspare dalla cura con la quale l'artista si sforza di armonizzare gli accostamenti tra le diverse tonalità dei brandelli di sacco e le zone di colore, costruendo un gioco di calcolati equilibri.

? Confrontate il *Sacco* di Burri col dipinto di Wols, individuando affinità e differenze.

Confronti
? Anche Duchamp (Vol. G *T31.42*), come Burri, utilizza materiali non artistici per realizzare le sue opere. Confrontando *Sacco B* con *Fontana*, mettete in luce la profonda differenza di intenzioni e di risultati tra le operazioni dei due artisti.

Wols
Pittura
(1945-1946, 79,7×80 cm.
New York, Museum
of Modern Art)

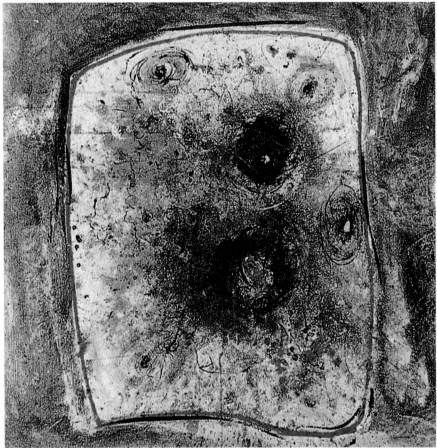

Alberto Burri
Sacco B
(1953, 47×67 cm. Tela di
sacco, acrilici e vinavil,
proprietà dell'artista)

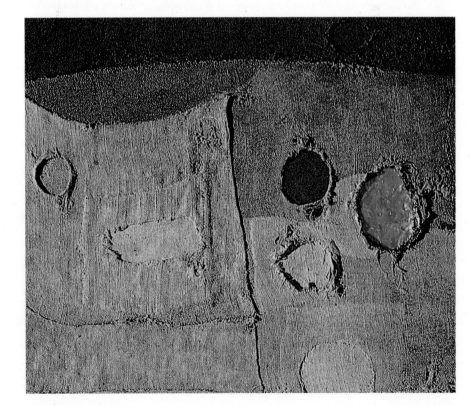

Willem De Kooning, Jackson Pollock

T37.35 # La distruzione della forma

L'action painting è la versione americana dell'informale: i suoi iniziatori e protagonisti sono Willem De Kooning e Jackson Pollock. De Kooning (1904-1997), nato a Rotterdam, seguì studi artistici in Olanda e fu influenzato dalla pittura espressionista; negli anni venti si trasferì a New York, approdando nel 1946 a uno stile originale, che caratterizzò in seguito tutta la sua opera. Pollock (1912-1956), nato nel Wyo-ming, si trasferì a New York, dove completò la sua formazione artistica; nel 1946 inventò la tecnica del dripping, consistente nello sgocciolare il colore sulla tela distesa a terra; condusse una vita sregolata e "maledetta", tormentata dall'alcolismo e stroncata prematuramente da un incidente d'auto.

Donna I è stato dipinto da De Kooning nel 1952; Pali blu, di Pollock, è del 1953.

dialogo con l'opera

I temi, le forme

Action painting significa "pittura d'azione", cioè un genere di pittura che vuole essere una trasposizione fisica immediata dell'azione, del gesto dell'artista. Nel dipinto di De Kooning questa caratteristica si manifesta attraverso la violenza delle ampie e caotiche pennellate, che si incrociano, si accavallano, si sovrappongono, imprimendo sulla tela una traccia diretta della furiosa energia della mano del pittore. Il corpo della donna a cui allude il titolo si indovina soltanto a tratti, come se gli incontrollati e aggressivi movimenti del pennello si fossero combinati casualmente a comporre i frammenti della figura: il volto da mostruoso insetto e le membra orribilmente contorte sono fatte della stessa materia magmatica dello sfondo, coinvolte nello stesso caotico movimento, la cui violenza è accentuata dalle stridenti dissonanze dei colori.

? Il dipinto di De Kooning è in bilico tra figurazione e non figurazione: confrontalo con le opere di Giacometti e Bacon (*T37.33*), individuando affinità e differenze.

Con l'opera di Pollock, l'*action painting* tocca il punto estremo della tragicità e della violenza: se si escludono gli otto segmenti scuri che corrispondono ai "pali blu" del titolo, sulla tela non compaiono né figure riconoscibili, né forme astratte riconducibili a un qualsiasi disegno compositivo, ma solo un caotico groviglio di segni, macchie, spruzzi di colore mossi da un dinamismo incessante. Per ottenere questo risultato, Pollock ha usato gli strumenti del mestiere di pittore contravvenendo a tutte le sue regole: non ha fatto nessun abbozzo o progetto iniziale, ma ha deposto la tela per terra e vi ha girato intorno, schizzando su di essa i colori con gesti via via più veloci e violenti, affidandosi alla reazione istintiva stimolata di momento in momento dal groviglio di segni e di colori che stava prendendo corpo. Questo radicale rifiuto di ogni tecnica pittorica era un modo per dare sfogo a una ribellione anarchica e disperata contro la massificazione della società americana del dopoguerra: affidandosi all'improvvisazione, Pollock si ribellava contro un mondo in cui tutto era programmato; dando via libera all'istintualità dei gesti, protestava contro i ritmi artificiali della vita sociale; facendo esplodere le forme e i colori sulla tela, esprimeva la sua totale incompatibilità coi gusti dominanti, plasmati dalla pubblicità e dal consumismo. Il labirinto di segni e di gesti del suo dipinto può far pensare alle luci balenanti e al traffico convulso di una grande città, o allo scatenarsi di qualche travolgente fenomeno naturale; ma forse la chiave di lettura più penetrante è quella offerta dallo stesso Pollock: «Ogni buon artista dipinge solo ciò che è».

Pollock esegue il *dripping*

Willem De Kooning
Donna I
(1952, 193×147 cm.
New York,
The Museum
of Modern Art)

Jackson Pollock
Pali blu
(1953, 210,8×488,9 cm. New
York, Collezione Ben Heller)

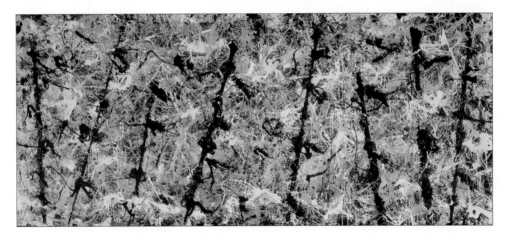

Confronti

Il sentimento di ribellione a cui danno voce De Kooning e Pollock può essere accostato alla poetica dell'"urlo" della *beat generation* (*T38.19*).

? Per l'opera di De Kooning e Pollock si è parlato di "espressionismo astratto". Accostando i loro dipinti a quelli degli espressionisti del primo Novecento (Vol. G *T31.35*), provate a individuare le affinità e le differenze.

? La tecnica del *dripping* trae spunto dalla "scrittura automatica" surrealista: confrontatela con la tecnica del *frottage* praticata da Max Ernst (Vol. G *T31.47*), mettendo in luce le finalità e i risultati delle due diverse strategie espressive.

? L'opera di Pollock è stata avvicinata al *jazz*; chi di voi conosce questo tipo di musica può provare a confermare o smentire in modo motivato la validità di questo accostamento.

Claes Oldenburg, Roy Lichtenstein, Andy Warhol

T37.36   # Pop art

La pop art *si sviluppa negli anni sessanta in Inghilterra e negli Stati Uniti, centri del mercato artistico e dello stile di vita consumistico: gli americani Claes Olden-* burg (1929), Roy Lichtenstein (1923-1997) e Andy Warhol (1930-1987) sono i suoi esponenti più significativi.

dialogo con l'opera

I temi, le forme

Nell'esperienza informale (*T37.34, T37.35*) si manifesta una contraddizione tipica dell'arte contemporanea: da un lato gli artisti si pongono in contrasto con la società e le abitudini estetiche del pubblico; dall'altro il mercato dell'arte, sempre più ramificato e potente, tende a riassorbire ogni trasgressione, riducendo a merce anche le provocazioni più estreme; può avvenire, ad esempio, che le opere di un artista ribelle e profondamente ostile alla mercificazione dell'arte come Pollock siano comprate e vendute a prezzi elevati, in evidente conflitto con le intenzioni originarie dell'autore. Si susseguono così, a ritmo sempre più accelerato, tendenze artistiche nuove, che si possono interpretare sia come tentativi di sperimentare livelli più elevati di ricerca e di trasgressione sia come mode di cui il mercato ha bisogno per stimolare gli acquisti. Nella *pop art*, che contrappone alla precedente ondata informale un ritorno alla figurazione, questa ambiguità della funzione sociale dell'arte nella società contemporanea è particolarmente evidente.

Oldenburg produce "Sculture morbide", che prendono spunto dagli oggetti più banali della quotidianità e li mettono in caricatura, ricreandoli con materiali incongrui e alterandone le forme: *Toilette molle* rappresenta un WC di materiale candido e morbido, che, afflosciandosi su se stesso, sembra inchinarsi davanti all'osservatore. In questa operazione c'è indubbiamente un intento ironico, ma sarebbe esagerato parlare di ribellione o di critica sociale: lo sguardo dell'artista sembra avere persino qualcosa di affettuoso, e *Toilette molle* si rivela un oggetto inoffensivo, simpatico, amichevole, che esorcizza la sgradevolezza del soggetto, e si presta a essere introdotto senza difficoltà nel circuito del mercato.

Nel caso di Roy Lichtenstein gli oggetti presi di mira sono i fumetti, un genere di larghissimo successo nell'America degli anni sessanta: l'artista ne isola una vignetta e la riporta, enormemente ingrandita, su una tela. È il caso di *M-Maybe (A Girl's Picture)*, cioè "F-Forse (Ritratto di una ragazza)", la cui protagonista – evidentemente un'eroina dei fumetti – pensa: «F-forse si è ammalato e non ha potuto lasciare lo studio». L'isolamento della vignetta dal resto della storia impedisce allo spettatore di dare un significato alla scena, e l'ingrandimento gli mostra dei particolari – come il retino tipografico che rende roseo il volto della ragazza – che nell'originale sono invisibili. Si può notare inoltre che, nel percorso dal fumetto al quadro, un'immagine fatta per essere riprodotta in migliaia di copie viene trasformata in un oggetto unico, dipinto a mano, con tutti i crismi dell'opera d'arte.

? Ci si può chiedere quale sia il significato di un'operazione di questo tipo: è una nobilitazione del fumetto, una smitizzazione dell'arte, o nessuna di queste cose? Si propone di criticare le immagini dei fumetti, o ne corteggia i consumatori per conquistare una facile popolarità?

Il più famoso tra i protagonisti della *pop art* è Andy Warhol. Un motivo ricorrente della sua opera è la riproduzione dello stesso soggetto in lunghe serie di immagini tutte uguali (o ripetute con minime variazioni); si tratta sempre di feticci o di idoli della società consumistica: bottiglie di Coca Cola, divi del cinema, personaggi politici divenuti protagonisti dei *mass media*. Questa operazione si può leggere come una critica alla ripetitività della società di massa, che, bombardandoci ossessivamente con immagini sempre uguali, finisce per svuotarle di significato; ma ci si può anche chiedere se, limitandosi a riprodurre un processo che intende criticare, l'artista non finisca per rafforzarne l'effetto. Tra le numerose battute provocatorie di Warhol ce n'è una che dà il senso complessivo della sua opera: «La cosa più bella di Tokyo è

Claes Oldenburg
Toilette molle
(1966, New York,
Whitney Museum
of American Art)

Roy Lichtenstein
**M-Maybe (A Girl's
Picture)**
(1965, Colonia,
Wallraf-Richartz
Museum)

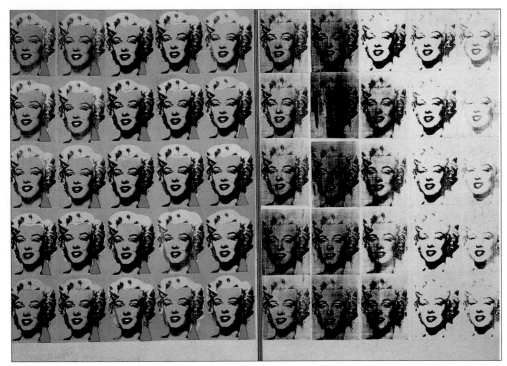

Andy Warhol
Dittico Marilyn Monroe
(1962, 250×330 cm.
Londra, Tate Gallery)

McDonald's. La cosa più bella di Stoccolma è McDonald's. La cosa più bella di Firenze è McDonald's. Pechino e Mosca non hanno ancora nulla di bello». Come i suoi dipinti, questa frase è sospesa tra dissacrazione ironica e celebrazione acritica del mondo consumistico, e si presta a essere integrata senza eccessiva difficoltà nel sistema di valori che (forse) vuole denunciare.

Confronti

La promozione di oggetti banali e quotidiani al rango di opere d'arte ha un precedente fondamentale in Duchamp (Vol. G *T31.42*).

❓ In letteratura il tema degli effetti del consumismo sulla percezione della realtà è presente in Don DeLillo (*T38.22*). Provate a confrontare l'atteggiamento dello scrittore con quello degli artisti della *pop art*.

Joseph Kosuth, Christo, Ay-O

T37.37   # Il rifiuto dell'oggetto artistico

L'arte concettuale nasce in America intorno alla metà degli anni sessanta, in connessione con la rivolta generazionale del Sessantotto: un suo rappresentante di spicco è l'americano Joseph Kosuth (1945). Il bulgaro Christo (1935) e il giapponese Ay-O sono esponenti rispettivamente della land art *e della* body art, *forme artistiche nate in connessione con l'arte concettuale.*

dialogo con l'opera

I temi, le forme

Gli artisti concettuali oppongono all'invadente figurazione della *pop art* (*T37.36*) una rinuncia totale non solo alle intenzioni rappresentative ma anche alla produzione stessa di oggetti artistici: Sol Lewitt, uno dei suoi esponenti di punta, dichiara che «l'idea in se stessa, anche se non realizzata visualmente, è un'opera d'arte», e che l'esecuzione «è solo una faccenda meccanica»; i puri «concetti mentali» creati dall'artista non devono tradursi in oggetti manufatti come dipinti o sculture, ma devono essere suggeriti al pubblico attraverso progetti teorici, installazioni, dichiarazioni, o anche immagini e scritte, purché prive di ogni componente artigianale e di ogni suggestione emotiva e irrazionale.

Nell'opera di Kosuth questa idea disincarnata e mentale dell'arte si traduce in una riflessione sul linguaggio: l'artista accosta una sedia vera, una foto della stessa sedia e un pannello con l'ingrandimento della definizione della parola "sedia" tratta da un vocabolario. L'installazione non vuole evidentemente stimolare una reazione emotiva, e neppure si propone di suscitare un apprezzamento estetico: ciò che l'artista si aspetta dall'osservatore è un processo di pensiero che metta a confronto la concretezza dell'oggetto-sedia con la convenzionalità della sua riproduzione fotografica e della sua definizione verbale; a maggior ragione – sembra suggerire Kosuth – sarebbe inutile dipingere manualmente una sedia, perché il risultato si tradurrebbe soltanto in un ulteriore maldestro tentativo di rappresentare un oggetto irrappresentabile. L'arte si trasforma così in un *discorso sull'arte*, o meglio sull'impossibilità dell'arte.

Il rifiuto dell'opera come oggetto porta gli artisti a rivolgersi ad altri strumenti comunicativi. Nel caso di Christo si tratta di giganteschi "impacchettamenti" nel cellophane di monumenti celebri o di grandi spazi urbani, realizzati con ingente spesa e coinvolgimento di strumenti tecnologici. Anche in questo caso lo scopo è di indurre gli osservatori a cambiare il proprio atteggiamento nei confronti della realtà, guardandola con occhi nuovi: un luogo consueto, una volta impacchettato, cambia aspetto, obbliga chi vi transita a usufruirne in modo diverso. Difficile dire se, con questo esempio di *land art* ("Arte del territorio"), Christo si proponga di smitizzare gli oggetti impacchettati o di valorizzarli, o di fare entrambe le cose.

Un esempio di *body art* ("arte del corpo") è quello offerto da Ay-O: l'artista spruzza di vernice rossiccia grandi fogli di carta, sui quali poi si accanisce, strappandoli, rotolandocisi sopra e sporcandosi a sua volta di vernice; il titolo (*Uccidete la carta, non la gente*) spiega il significato della *performance*: gli spettatori che assistono allo scempio della carta, toccati dalla singolarità e dalla violenza del comportamento del-

Ay-O
**Uccidete la carta,
non la gente**
(1967, azione scenica al Fluxus Paper
Concert, New York.
Fotografia di Peter Moore)

Joseph Kosuth
Una e tre sedie
(1965)

Christo
**Impacchettamento
del Pont Neuf**
(1968, Parigi)

l'artista, dovrebbero volgere il pensiero alle guerre che in quel momento si stanno svolgendo nel mondo, dove si versa sangue vero, e non vernice rossa.

Nell'arte concettuale l'altalena fra trasgressione e commercializzazione che caratterizza l'arte contemporanea raggiunge un vertice paradossale. La sostituzione dell'opera con installazioni o comportamenti che ovviamente non sono vendibili sembrerebbe mettere fuori gioco ogni meccanismo commerciale, segnando una definitiva vittoria dell'arte contro la sua mercificazione; ma il mercato riesce a impadronirsi anche di queste esperienze, mettendo in commercio scritti di artisti, fotografie di *performances*, progetti di installazioni, offerti a un pubblico ristret-

to, che continua a visitare le mostre e a contemplare ciò che vi è esposto come se si trattasse di oggetti estetici nel senso tradizionale del termine.

Confronti

❓ L'installazione di Kosuth ha una stretta parentela con il dipinto di Magritte riportato in Vol. G *T31.48*: spiegate in che cosa consiste, confrontando le due opere.

❓ Nelle operazioni di Christo e di Ay-O si possono trovare motivazioni che rimandano al dadaismo e al surrealismo (Vol. G *T31.42*, *T31.47*, *T31.48*). Mettetele in luce, aiutandovi con i DIALOGHI CON L'OPERA.

Mimmo Paladino, Carlo Maria Mariani, Keith Haring

T37.38 # Figurazione postmoderna

Sul finire degli anni settanta si diffonde tra gli artisti e gli intellettuali la convinzione che il processo da cui è scaturita la cultura del Novecento si sia esaurito, e che si stia aprendo una nuova situazione storica che viene "dopo" la modernità: l'ideologia del progresso, della ragione e della scienza, caposaldo del pensiero occidentale degli ultimi secoli, entra in crisi; la società post-industriale, caratterizzata dallo sviluppo dell'informatica e della comunicazione di massa, è percorsa da un intreccio continuo di immagini, parole, forme, che rende impossibile ogni visione globale e onnicomprensiva della realtà; si apre così la strada a un atteggiamento disincantato, critico nei confronti dei valori "forti", aperto all'invenzione di discorsi provvisori, incompleti, volutamente parziali. Su questo sfondo culturale definito post-moderno (T37.17, T37.18) si collocano alcune recenti tendenze della pittura, di cui vi presentiamo tre esempi attraverso le opere degli italiani Mimmo Paladino (1948) e Carlo Maria Mariani (1931), e dello statunitense Keith Haring (1950-1990).

dialogo con l'opera

I temi, le forme

In campo artistico il concetto di postmoderno si traduce in una messa in discussione della logica dell'avanguardia, basata sulla ricerca della novità e della trasgressione programmatica, in nome di un atteggiamento eclettico e disponibile, che guarda all'arte del passato come a un immenso repertorio di immagini e di forme da combinare tra loro indipendentemente da ogni prospettiva storica e gerarchia qualitativa. La pittura ritorna alla figurazione, mescolando immagini del presente e del passato, dell'arte "colta" e dell'arte "di massa", e recuperando, sia pure in modo ironico e giocoso, le pratiche pittoriche tradizionali: si assecondano così anche le esigenze del mercato, bisognoso di manufatti più attraenti e vendibili di quelli prodotti dalle avanguardie degli anni sessanta e settanta (*T37.37*).

«L'arte è come un castello con molte stanze sconosciute colme di quadri, sculture, mosaici e affreschi, che tu scopri con meraviglia nel corso del tempo – scrive Mimmo Paladino – [...]. L'artista, come un acrobata sulla fune, si muove verso più direzioni non perché pieno di destrezza, ma perché non sa quale scegliere». In *Senza titolo* questo atteggiamento incerto, sospeso e meravigliato si esprime attraverso la combinazione di forme gracili e bidimensionali ispirate all'arte primitiva, e di colori elementari e accostamenti stridenti che rinviano all'espressionismo tedesco (Vol. G *T31.35*), nel quadro di un'impostazione spaziale volutamente sgrammaticata e "ingenua".

A una tecnica pittorica tradizionale e accademica si appoggia invece Carlo Maria Mariani, che rivisita, con un disegno minuzioso e impersonale, le forme della tradizione artistica. In *Aprile* il soggetto mitologico e la perfetta levigatezza dei contorni e dei volumi fanno pensare al neoclassicimo settecentesco (Vol. D *T15.47*), ma alcuni particolari e accostamenti anacronistici o incongrui creano un effetto di ironico spiazzamento: potete notare in particolare l'indefinitezza dello spazio che contiene le figure, il *Mobile* di Calder (*T37.32*) impugnato dal protagonista del dipinto, i colori brillanti che si riverberano incongruamente su alcune parti del suo corpo. Questi segnali di "modernità" stanno a indicare che l'artista non ritiene di poter davvero ripristinare un'idea classica della bellezza, ma la ripropone in forma di semplice citazione e gioco intellettuale.

In forte contrapposizione al carattere sofisticato ed elitario di questi orientamenti della ricerca nasce la pratica dei graffiti, fioriti spontaneamente sui muri, i sottopassaggi, le carrozze delle metropolitane nei quartieri più degradati delle grandi città americane: una forma d'arte "selvaggia", multicolore, fantasiosa, scaturita dall'emarginazione dei ragazzi di strada del Bronx e di Brooklyn, e rapidamente fagocitata (e snaturata) dal mercato. Keith Haring, giovane emarginato trasformato in una star internazionale e morto prematuramente di AIDS, è un tipico esponente di questa tendenza: i suoi grandi dipinti, popolati di

Mimmo Paladino
Senza titolo
(1982, 200×300 cm.
Berlino,
Nationalgalerie)

Carlo Maria Mariani
Aprile
(1988, 230×190 cm.
Collezione privata)

**Keith Haring a Pisa, davanti al murale
da lui dipinto su una parete
della chiesa di Sant'Antonio**
(1989)

omuncoli multicolori che si incrociano, intrecciando
frenetici rapporti o subendo bizzarre metamorfosi in
animali o in macchine, esprimono i ritmi convulsi e
il bisogno d'evasione della vita contemporanea con
un'immediatezza che fa pensare ai graffiti della pittura preistorica.

Confronti

❓ Fatte le debite proporzioni, il dipinto di Mariani
può essere accostato alla pittura metafisica di De
Chirico (Vol. G *T31.43*). Quali caratteri comuni si
possono individuare?

Esercizi di riepilogo

Le arti

T37.32-T37.38

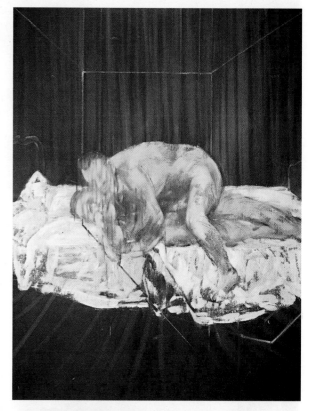

Attribuire

1. Il dipinto a destra appartiene a uno degli artisti che abbiamo presentato in questa sezione. Fatene una breve descrizione, individuando i caratteri che vi consentono di attribuirlo al suo autore.

Contestualizzare

2. Il dipinto riportato qui sotto fa parte di un ciclo realizzato dal veneziano Emilio Vedova (1919). In quale corrente della pittura contemporanea si può inquadrare? A quale o quali degli artisti che abbiamo presentato vi sembra vicino?

Emilio Vedova,
da **Ciclo della protesta**
(1953, n. 3, Torino,
Galleria Civica
d'Arte
Moderna)

Linee di pensiero

T37.1-T37.18

Comprendere

3. I brani della sezione *La critica della società di massa* (*T37.1-T37.4*) discutono da diversi punti di vista la questione del consumismo nelle società moderne. Confrontateli sotto questo aspetto, mettendo in luce analogie di atteggiamenti e diversità di prospettive.

Comprendere

4. Fromm (*T37.2*), Marcuse (*T37.3*), Adorno (*T37.5*) appartennero tutti e tre alla "scuola di Francoforte"; cercate nei rispettivi brani gli elementi che possono far riconoscere la comune origine culturale.

Comprendere

5. I brani della sezione *I nuovi media* (*T37.5-T37.8*) esprimono o descrivono una serie di reazioni di persone di cultura elevata di fronte ai nuovi *media* e alla cultura di massa. Confrontateli da questo punto di vista.

Comprendere

6. È vivo attualmente il dibattito intorno al "relativismo culturale", cioè l'atteggiamento che rifiuta di riconoscere una superiorità di principio della cultura europea rispetto alle altre, ma pone sullo stesso piano diverse culture sorte in diverse parti del mondo. I testi di Todorov (*T37.10*) e Irigaray (*T37.11*) possono essere utilizzati come documentazione per un "saggio breve" su questo argomento.

Comprendere

7. Confrontate i brani di Popper (*T37.12*), Morin (*T37.13*), Lévi-Strauss (*T37.14*), Perelman (*T37.15*) dal punto di vista degli atteggiamenti e delle valutazioni nei riguardi delle scienze della natura, dei loro procedimenti e delle verità che possono raggiungere.

(Ri)scrivere

8. Il brano di Ceserani sul "postmoderno", nonostante il tono distaccato, non nasconde un atteggiamento sostanzialmente pessimistico sui caratteri della civiltà odierna. Se non condividete questo atteggiamento, provate a scrivere una confutazione, mettendo in luce punto per punto gli aspetti positivi dei fenomeni che l'autore descrive.

Estetiche e poetiche

T37.19-T37.31

Comprendere

9. Nei primi decenni del secondo Novecento, un tema centrale del dibattito letterario è stato la funzione sociale della letteratura: in che modo la letteratura può essere all'altezza degli sviluppi storici e contribuire al rinnovamento della società? Ripercorrendo i brani delle sezioni *Marxismo, "impegno", neorealismo* (*T37.19-T37.24*) e *I teorici dello sperimentalismo* (*T37.28, T37.29*), delineate le diverse diagnosi e soluzioni del problema che sono state proposte.

Comprendere

10. Nell'ambito del tema indicato nell'esercizio precedente, un punto specifico è stata la valutazione della letteratura d'avanguardia (intendendo tutto l'insieme delle nuove forme espressive novecentesche). Confrontate le diverse argomentazioni proposte in proposito da Lukács (*T37.21*), Marcuse (*T37.22*), Eco (*T37.28*) e Angelo Guglielmi (*T37.29*).

Contestualizzare

11. (esercizio guidato) I brani di Sartre *T37.20*, Lukács *T37.21* e Vittorini *T37.23* sono stati scritti tutti nel 1945. Indicate quali elementi dei tre brani riflettono l'appartenenza a uno stesso momento storico.

In primo luogo cercate di identificare i temi comuni ai tre brani e per ciascuno di essi riassumete le posizioni dei diversi autori. Vi diamo alcune indicazioni:

– il rapporto fra cultura e società: sono rivolte critiche alla vecchia cultura? in che cosa deve consistere la funzione sociale della nuova letteratura? tale funzione sociale comporta l'assunzione di una specifica poetica?

– la figura dell'intellettuale: come si debbono interpretare termini come "impegno" e "responsabilità"? lo scrittore impegnato sente affinità con determinate posizioni politiche? viene posto il problema dell'autonomia dell'intellettuale rispetto alle grandi organizzazioni politiche?

Mettete in rapporto i temi comuni individuati con l'esigenza di riflettere sulle condizioni che avevano reso possibile l'orrore del nazi-fascismo e con le speranze di rinnovamento della società al termine della seconda guerra mondiale. Approfondite l'analisi in particolare per l'Italia.

(Ri)scrivere

12. La vita quotidiana può offrire abbondanti esempi dell'*antilingua* denunciata ed esemplificata da Calvino (*T37.31*); cercatene alcuni e provate a riscriverli in lingua "normale"; i luoghi in cui trovarli sono gli avvisi di aziende ed enti pubblici, i giornali, le circolari delle varie amministrazioni ecc.

38 I GENERI

Secondo Novecento

Letterature dal mondo

Nella seconda metà del ventesimo secolo le letterature dei diversi paesi circolano e comunicano ormai a livello planetario; si assiste tra l'altro (da un punto di osservazione europeo) all'ingresso sulla scena delle nuove letterature dei paesi africani e asiatici. Le tradizionali gerarchie di prestigio tra i paesi e i centri di cultura tendono ad appiattirsi; diventa sempre più difficile stabilire un canone di autori e opere di importanza universale, tanto più che è impossibile per un singolo lettore padroneggiare la vastità del panorama mondiale. È possibile tuttavia indicare almeno alcune correnti, autori e opere di rilievo indiscutibile, o per l'importanza storica, o per l'influenza che hanno avuto in Italia, o per la capacità di rappresentare artisticamente temi essenziali della vita e della cultura di questi cinquant'anni. È quanto faremo in questo capitolo, senza nessuna pretesa di sistematicità: ci limiteremo ad alcuni *flash* su autori e opere che a noi sono parsi significativi.

Le informazioni di cui disponiamo riguardano soprattutto la narrativa, che indubbiamente è il genere che attira più l'interesse dei lettori italiani di oggi. Perciò in questo capitolo aboliremo la solita tripartizione in generi (narrativa, poesia, teatro) e inseriremo testi o sezioni di poesia e teatro accanto ai brani narrativi.

I grandi affabulatori

Intendiamo per "affabulatore" un narratore ricco d'inventiva, mai sazio di imbastire storie su storie. È questo un carattere comune ad alcuni grandi scrittori della seconda metà del secolo scorso. Provenienti da paesi diversi e lontani, vissuti o viventi in periodi in parte diversi, essi hanno in comune una certa "aria di famiglia", che permette di intravedere un filone importante, a livello mondiale, nella narrativa di questo mezzo secolo: la loro invenzione sconfina spesso nell'inverosimile, ma non per gioco gratuito, piuttosto per accentuare iperbolicamente aspetti della realtà, in funzione critica e satirica; l'iperbole è appunto il tratto dominante di un modo di raccontare che sembra cercare per principio l'anormale e l'eccessivo. Ma in queste forme stralunate e grottesche i loro romanzi, di solito lunghi, fitti di personaggi e di eventi, mirano a rispecchiare una ricca varietà di aspetti della vita contemporanea.

Questa ambizione di fare le cose in grande, unita al talento, dà a questi autori un rilievo tale che forse un futuro canone mondiale dei grandi del secondo Novecento comincerà coi loro nomi. Quello del russo Michail Bulgakov in primo luogo, scrittore semiclandestino sotto il regime sovietico, giunto a notorietà mondiale molti anni dopo la morte (*T38.1*); poi il tedesco Günter Grass, inventore di mirabolanti parabole sulla sua nazione disorientata e divisa nel dopoguerra (*T38.2*); il colombiano García Márquez, personaggio esemplare della narrativa sudamericana in un periodo di straordinaria vitalità (*T38.3*); infine l'angloindiano Salman Rushdie, che con fantasia non meno accesa mette in scena il contatto e l'ibridazione di stirpi e culture nella civiltà "globalizzata" (*T38.4*).

Scena da *Roger Blin* di Samuel Beckett (1981)

Michail Bulgakov

Michail Bulgakov (1891-1940) esordì nella Russia postrivoluzionaria come romanziere (*La guardia bianca*, 1925) e autore di teatro. Le sue opere furono soggette ad attacchi feroci da parte della critica di regime, e spesso non poterono essere pubblicate o rappresentate, per la vena satirica e le tenden-ze religiose; Bulgakov poté sopravvivere come regista teatrale.

▶ **T38.1**

T38.1

Non parlare mai con sconosciuti

Fino al 1991 il regime sovietico, nato dalla rivoluzione comunista del 1917, ha imposto alla società russa una cappa di conformismo asfissiante. La grande letteratura russa in questi decenni è stata tutta o quasi letteratura del dissenso, e per questo è stata oggetto di censure e spesso ha dovuto esprimersi in forme clandestine, o essere pubblicata all'estero. Il capolavoro di Michail Bulgakov, Il Maestro e Margherita, *scritto fra il 1928 e il 1940, ha potuto essere stampato solo nel 1966; inoltre la prima versione pubblicata in Russia era falcidiata dai tagli di censura, e la versione integrale vide la luce prima in traduzione italiana che in originale. Lo consideriamo un'opera della seconda metà del secolo, quando ha potuto essere letta, anche se è stata scritta nella prima.*

Il Maestro e Margherita si svolge a Mosca negli anni venti del Novecento: una banda di diavoli piomba nella capitale sovietica e vi combina ogni sorta di scherzi, che smascherano comicamente le meschinità della classe dirigente comunista. Parallelamente, a capitoli alterni, si svolge un originale, poetico racconto della passione di Gesù, che rappresenta l'antitesi di quel mondo corrotto e programmaticamente materialista. Alcuni capitoli di quel racconto sono attribuiti a un romanzo che scrive uno dei personaggi, «il Maestro», proiezione dell'autore, perseguitato dal regime. Egli finisce in un manicomio, da dove lo libera la sua donna, Margherita, con l'aiuto dei diavoli che la trasformano in strega; infine i due evaderanno in una dimensione soprannaturale. Riportiamo le pagine iniziali del romanzo.

Michail Bulgakov
IL MAESTRO E
MARGHERITA
(Libro I, cap. I, trad.
dal russo di V.
Dridso, Einaudi,
Torino, 1967)

Nell'ora di un caldo tramonto primaverile apparvero presso gli stagni Patriàrsie[1] due cittadini. Il primo – sulla quarantina, con un completo grigio estivo – era di bassa statura, scuro di capelli, ben nutrito, calvo; teneva in mano una dignitosa lobbietta[2], e il suo volto, rasato con cura, era adorno di un paio di occhiali smisurati con una montatura nera di corno. Il secondo – un giovanotto dalle spalle larghe, coi capelli rossicci a ciuffi disordinati e un berretto a quadri buttato sulla nuca – indossava una camicia scozzese, pantaloni bianchi spiegazzati e un paio di mocassini neri.

Il primo altri non era che Michail Aleksandrovič Berlioz, direttore di una rivista letteraria e presidente della direzione di una delle più importanti associazioni letterarie di Mosca, chiamata con l'abbreviazione MASSOLIT[3]; il suo giovane accompagnatore era il poeta Ivan Nikolaevič Ponyrëv, che scriveva sotto lo pseudonimo Bezdomnyj[4].

Giunti all'ombra dei tigli che cominciavano allora a verdeggiare, gli scrittori si precipitarono per prima cosa verso un chiosco dipinto a colori vivaci, che portava la scritta «Birre e bibite».

1

5

10

15

1. gli stagni Patriàrsie: gli stagni del Patriarca, un laghetto nella periferia di Mosca.
2. lobbietta: tipo di cappello.
3. MASSOLIT: sigla di "letteratura di massa".
4. Bezdomnyj: "senza casa".

Ma conviene rilevare la prima stranezza di quella spaventosa serata di maggio. Non solo presso il chiosco, ma in tutto il viale, parallelo alla via Malaja Bronnaja, non c'era anima viva. In un'ora in cui sembrava che non si avesse più la forza di respirare, quando il sole, che aveva arroventato Mosca, sprofondava oltre il viale Sadovoe in una secca bruma, nessuno era venuto sotto l'ombra dei tigli, nessuno sedeva su una panchina, deserto era il viale.

– Mi dia dell'acqua minerale, – disse Berlioz.

– Non ce n'è, – rispose la donna del chiosco e, chi sa perché, prese un'aria offesa.

– Ha della birra? – chiese con voce rauca Bezdomnyj.

– La devono portare stasera, – rispose la donna.

– Che cos'ha? – chiese Berlioz.

– Succo d'albicocca, ma non è fresco, – disse la donna.

– Ce lo dia lo stesso!...

Il succo formò un'abbondante schiuma gialla, e nell'aria si diffuse un odore di bottega di barbiere. Toltasi la sete, i letterati, presi da un improvviso singhiozzo, pagarono e si sedettero su una panchina facendo fronte allo stagno e voltando le spalle alla Bronnaja.

Qui successe una seconda stranezza, che riguardava il solo Berlioz. A un tratto egli smise di singhiozzare, il suo cuore diede un forte battito, per un attimo non si sentì più, poi riprese, ma trafitto da un ago spuntato. Inoltre, Berlioz fu preso da un terrore immotivato, ma così potente che gli venne voglia di correre via senza voltarsi dagli stagni Patriaršie.

Si guardò in giro angosciato, non comprendendo che cosa avesse potuto spaventarlo tanto. Impallidì, si asciugò la fronte col fazzoletto, pensò: «Che cos'ho? Non mi era mai successo! Il cuore mi fa degli scherzi... Mi sono affaticato troppo... Forse è il momento di mandare al diavolo tutto quanto e di andarmi a riposare a Kislovodsk[5]...»

A questo punto l'aria torrida gli si infittì davanti, e da essa si formò un diafano personaggio dall'aspetto assai strano. Un berretto da fantino sulla piccola testa, una giacca a quadretti striminzita, anch'essa fatta d'aria... Un personaggio alto più di due metri, ma stretto di spalle, magro fino all'inverosimile, e dalla faccia – prego notarlo – schernevole.

La vita di Berlioz era così fatta che agli avvenimenti straordinari egli non era abituato a credere. Impallidendo ancora di più, spalancò gli occhi e pensò sconcertato: «Non è possibile!...»

Ma, ahimè, era possibile, e lo spilungone, attraverso il quale passava lo sguardo, oscillava davanti a lui senza toccare la terra.

Allora il terrore s'impadronì a tal punto di Berlioz che egli chiuse gli occhi. Quando li riaprì, vide che tutto era finito, il miraggio si era dissolto, l'uomo a quadretti era sparito, e insieme l'ago spuntato gli era uscito dal cuore.

– Accidenti, che diavolo! – esclamò il direttore. – Lo sai, Ivan, c'è mancato poco che mi venisse un colpo per il caldo! Ho avuto perfino una specie di allucinazione... – tentò di ridacchiare, ma negli occhi gli ballava ancora l'inquietudine e le mani tremavano. Però a poco a poco si calmò, si

20

25

30

35

40

45

50

55

60

5. **Kislovodsk**: località termale nel Caucaso.

sventagliò col fazzoletto, e proferendo con una certa baldanza: – Be', allora... – riprese il discorso che era stato interrotto dal succo di albicocca. | 65

Questo discorso, come si seppe in seguito, riguardava Gesù Cristo. Infatti, il direttore aveva commissionato al poeta, per il prossimo numero della rivista, un grande poema antireligioso. Poema che Ivan Nikolaevič aveva composto, e in brevissimo tempo, ma purtroppo senza minimamente soddisfare il direttore. Bezdomnyj aveva tratteggiato il personaggio principale del suo poema, cioè Gesù, a tinte molto fosche, eppure tutto il poema, secondo il direttore, andava rifatto di sana pianta. Ed ecco che il direttore stava tenendo una specie di conferenza su Gesù, allo scopo di sottolineare il principale errore del poeta. | 70

È difficile dire che cosa avesse sviato Ivan Nikolaevič – se la potenza figurativa del suo ingegno o l'ignoranza totale del problema trattato; fatto sta che il suo era un Gesù del tutto vivo, un Gesù che un tempo aveva avuto una sua esistenza, anche se, a dire il vero, era un Gesù fornito di tutta una serie di attributi negativi. | 75

Berlioz invece voleva dimostrare al poeta che l'importante non era la bontà o meno di Gesù, ma il fatto che Gesù in quanto persona non era mai esistito, e che tutti i racconti su di lui erano pure invenzioni e banalissimi miti. | 80

Occorre notare che il direttore era un uomo di vaste letture, e con gran perizia nel suo discorso si rifaceva agli storici antichi, al celebre Filone d'Alessandria ad esempio, e a Giuseppe Flavio[6], uomo d'una cultura smagliante, che non avevano mai fatto la menoma menzione dell'esistenza di Gesù. Dando prova d'una robusta erudizione, Michail Aleksandrovič comunicò tra l'altro al poeta che quel passo del libro decimoquinto, nel capitolo 44, dei celebri *Annali* di Tacito[7], dove si parla della morte di Gesù, era un'interpolazione apocrifa[8] molto posteriore. | 85 | 90

Il poeta, per il quale tutto ciò che gli veniva comunicato era una novità assoluta, ascoltava il direttore con attenzione, fissandolo coi suoi vivaci occhi verdi e solo a tratti emetteva un singhiozzo, imprecando sommessamente contro il succo di albicocca. | 95

– Non esiste una sola religione orientale, – diceva Berlioz, – in cui manchi, di regola, una vergine immacolata che metta al mondo un dio. E i cristiani, senza inventare nulla di nuovo, crearono così il loro Gesù, che in realtà non è mai esistito. È questo il punto sul quale devi insistere.

L'alta voce tenorile di Berlioz si diffondeva nel viale deserto, e a mano a mano che Michail Aleksandrovič penetrava in un labirinto in cui solo una persona coltissima può penetrare senza correre il rischio di rompersi il collo, il poeta veniva a scoprire un numero sempre maggiore di cose interessanti e utili su Osiride, dio benevoluto e figlio del Cielo e della Terra, su Tammuz, dio fenicio, su Marduk, e perfino su un dio meno noto, ma terribile, Huitzilopochtli, un tempo molto venerato dagli aztechi del Messico. Ma proprio nel momento in cui Michail Aleksandrovič raccontava al poeta che gli aztechi foggiavano con pasta lievitata una figurina di Huitzilopochtli, nel viale apparve la prima persona. | 100 | 105

In seguito – quando, a dire il vero, era ormai troppo tardi – vari uffici | 110

6. Filone d'Alessandria... Giuseppe Flavio: due autori ebrei del I secolo d.C. che scrissero in greco, il primo filosofo, il secondo storico.
7. quel passo... Tacito: lo storico latino Tacito nel passo citato narra come Nerone incolpasse i Cristiani dell'incendio di Roma e riferisce che essi prendevano il nome da Cristo, «che sotto l'impero di Tiberio era stato suppliziato ad opera del procuratore Ponzio Pilato»; è la più antica testimonianza su Cristo di parte pagana.
8. un'interpolazione apocrifa: un passo introdotto successivamente da una mano diversa da quella dell'autore.

fecero i loro rapporti con la descrizione di quella persona. Il loro confronto non può non provocare stupore. Infatti, il primo rapporto affermava che l'uomo era di bassa statura, aveva denti d'oro e zoppicava dalla gamba destra. Il secondo, che l'uomo era di enorme statura, aveva ai denti capsule di platino e zoppicava dalla gamba sinistra. Il terzo comunicava laconicamente[9] che l'uomo non presentava alcun contrassegno particolare. Bisogna confessare che nessuno dei rapporti aveva il minimo valore.

Anzitutto: il personaggio descritto non zoppicava da nessuna gamba, e la sua statura non era né bassa, né enorme, ma solo alta. Quanto ai denti, a sinistra aveva capsule di platino, a destra d'oro. Indossava un vestito grigio di gran prezzo, e scarpe straniere del colore del vestito. Portava un berretto grigio sulle ventitre[10], sotto l'ascella aveva una canna nera con un pomo nero a forma di testa di can barbone. Dimostrava una quarantina d'anni. La bocca storta. Ben rasato. Bruno. L'occhio destro nero, quello sinistro, stranamente verde. Sopracciglia nere, ma una più alta dell'altra. In poche parole, un forestiero.

Passando vicino alla panchina su cui sedevano il direttore e il poeta, il forestiero lanciò loro un'occhiata, si fermò, e all'improvviso si sedette sulla panchina accanto, a due passi dagli amici.

«Un tedesco...», pensò Berlioz. «Un inglese... – pensò Bezdomnyj, – guarda, non ha caldo con quei guanti!»

Il forestiero intanto gettò uno sguardo alle alte case che formavano un quadrato attorno allo stagno, e diventò manifesto che vedeva quel luogo per la prima volta e ne era interessato. Soffermò lo sguardo sui piani superiori, i cui vetri riflettevano, abbaglianti, il sole frantumato che abbandonava per sempre Michail Aleksandrovič[11], poi guardò in giù, dove i vetri cominciavano a coprirsi del primo buio della sera, ridacchiò con condiscendenza, socchiuse gli occhi, pose le mani sul pomo della canna, e il mento sulle mani.

– Tu, Ivan, – diceva Berlioz, – hai dato un bel quadro satirico, ad esempio, della nascita di Gesù, il figlio di dio. Ma il fatto è che prima di Gesù era nata tutta una serie di figli di dio, come, diciamo, l'Adone fenicio, l'Atti frigio, il Mitra persiano. Insomma, nessuno di loro è mai nato né esistito, neppure Gesù, ed è necessario che tu, invece di raffigurare la nascita oppure, diciamo, l'arrivo dei re magi, metta in evidenza le assurde dicerie su questo evento. Se no, da quello che hai scritto, sembra che sia nato per davvero!...

In quel mentre Bezdomnyj, trattenendo il respiro, tentò di far cessare il singhiozzo che lo tormentava, perciò gli venne un singulto ancora più tormentoso e forte, e nello stesso istante Berlioz interruppe il suo discorso perché il forestiero si era alzato all'improvviso e si era diretto verso i due scrittori. Questi lo guardarono sorpresi.

– Vogliano scusarmi, – disse egli con accento straniero ma senza storpiare le parole, – se io, pur non conoscendoli, mi permetto... ma l'argomento della loro dotta conversazione è talmente interessante che...

Qui si tolse urbanamente il berretto, e agli amici non rimase altro da fare che alzarsi e salutare.

115
120
125
130
135
140
145
150
155

9. **laconicamente**: in poche parole.
10. **sulle ventitre**: leggermente inclinato (come la lancetta di un orologio che segni le undici).
11. **che abbandonava... Aleksandrovič**: anticipazione della morte del personaggio, che avverrà dopo pochi minuti e sarà raccontata in un capitolo successivo.

«No, è piuttosto francese...», pensò Berlioz.

«Un polacco...», pensò Bezdomnyj.

Si deve aggiungere che sin dalle prime parole il forestiero aveva prodot-   160
to una pessima impressione sul poeta, mentre a Berlioz era andato piuttosto a genio, cioè, non che gli fosse andato a genio, ma, come dire... lo aveva incuriosito.

– Posso sedermi? – chiese con urbanità; gli amici si scostarono meccanicamente, il forestiero si sedette svelto tra loro ed entrò subito nella conver-   165
sazione. – Se non ho sentito male, lei stava dicendo che Gesù non era mai
esistito, – disse rivolgendo verso Berlioz il suo occhio sinistro verde.

– No, ha sentito benissimo, – rispose con cortesia Berlioz, – stavo proprio dicendo quello.

– Oh, com'è interessante! – esclamò il forestiero.   170

«Che diavolo vuole costui?», pensò Bezdomnyj e aggrottò la fronte.

– E lei era d'accordo col suo interlocutore? – s'informò lo sconosciuto
voltandosi a destra verso Bezdomnyj.

– Al cento per cento! – confermò questi, che amava esprimersi in modo
metaforico e ricercato.   175

– Stupefacente! – esclamò l'inatteso interlocutore, e, gettata intorno
un'occhiata furtiva, e smorzando la voce già bassa, disse: – Vogliano scusare la mia insistenza, ma mi sembrerebbe di aver capito che, oltre tutto, loro
non credono in dio –. I suoi occhi presero un'espressione spaventata, ed
egli aggiunse: – Giuro che non lo dirò a nessuno!   180

– Infatti, non crediamo in dio, – rispose Berlioz, sorridendo lievemente
del timore del turista straniero, – ma di questo si può parlare con la massima libertà.

Il forestiero si appoggiò allo schienale della panchina, e chiese, dopo
aver gettato persino un gridolino di curiosità: 185

– Loro sono atei?

– Sì, siamo atei, – rispose Berlioz, sorridendo, mentre Bezdomnyj pensava arrabbiato: «Che rompiscatole, questo straniero!»

– Ma che bellezza! – esclamò il sorprendente forestiero e cominciò a girare la testa in qua e in là guardando ora l'uno ora l'altro letterato.   190

– Nel nostro paese, l'ateismo non stupisce nessuno, – disse Berlioz con
diplomatica cortesia. – Da tempo la maggior parte della nostra popolazione ha consapevolmente smesso di credere alle fandonie su dio.

A questo punto lo straniero ebbe questa uscita: si alzò e strinse la mano
allo stupito direttore, proferendo queste parole: 195

– Mi permetta di ringraziarla di tutto cuore!

– Perché lo ringrazia? – chiese Bezdomnyj sbattendo le palpebre.

– Per un'importantissima informazione che per me, viaggiatore, è del
massimo interesse, – spiegò lo strambo forestiero alzando un dito con fare
significativo.   200

L'importante informazione doveva aver impressionato molto il viaggiatore, perché lanciò un'occhiata spaurita alle case come se temesse di vedere
un ateo ad ogni finestra.

«No, non è inglese», pensò Berlioz, mentre Bezdomnyj pensava: «Dove avrà imparato il russo così bene, lo vorrei proprio sapere», e aggrottò di nuovo la fronte. 205

– Mi permetta di domandarle, – riprese l'ospite dopo una preoccupata riflessione, – che ne fa delle prove dell'esistenza di dio, le quali, come è noto, sono esattamente cinque[12]?

– Ohimè, – rispose Berlioz con commiserazione, – nessuna di queste 210 dimostrazioni vale un soldo, e da tempo l'umanità le ha messe in archivio. Deve convenire che nella sfera della ragione non ci può essere alcuna prova dell'esistenza di dio.

– Bravo! – esclamò lo straniero, – bravo! Lei ha ripetuto per intero il pensiero del vecchio irrequieto Immanuel[13]. Ma guardi la stranezza: egli 215 distrusse fino in fondo le cinque prove, ma poi, come per dar la baia a se stesso, ne ha costruito proprio lui una sesta.

– Anche la prova di Kant, – replicò con un fine sorriso il colto direttore, – non è convincente. Non per nulla Schiller[14] diceva che le disquisizioni kantiane su questo argomento possono soddisfare solo degli schiavi, 220 mentre Strauss[15] si limitava a deriderla.

Berlioz parlava, ma nello stesso tempo pensava: «Ma chi può essere questo tipo? E come fa a parlare così bene il russo?»

– Bisognerebbe prendere questo Kant e spedirlo per un paio di annetti a Solovki[16]! – sparò Ivan Nikolaevič in modo del tutto inaspettato. 225

– Ivan! – sussurrò Berlioz pieno di confusione.

Però la proposta di deportare Kant a Solovki non solo non sorprese il forestiero, ma anzi lo entusiasmò.

– Giusto, giusto, – gridò, e il suo occhio sinistro verde, volto verso Berlioz, cominciò a brillare. – È proprio il posto che farebbe per lui! Glielo di- 230 cevo quella volta a colazione: «Lei, professore, mi scusi tanto, ha escogitato qualcosa d'incoerente. Magari sarà una cosa acuta, ma non si capisce proprio nulla. La prenderanno in giro».

Berlioz spalancò gli occhi. «A colazione... con Kant?... Che assurdità sta dicendo?», pensò. 235

– Però, – continuava lo straniero, per nulla turbato dallo stupore di Berlioz, e rivolgendosi al poeta, – non è possibile spedirlo a Solovki per il semplice motivo che da oltre cento anni egli si trova in luoghi assai più remoti, e trarlo di là è assolutamente impossibile, glielo assicuro.

– Peccato! – replicò il poeta attaccabrighe. 240

---

12. le prove... cinque: l'enumerazione di cinque prove dell'esistenza di Dio risale al teologo medievale San Tommaso d'Aquino (vedi Vol. A *T1.6*).

13. Immanuel: Immanuel Kant, il grande filosofo tedesco del Settecento (vedi Vol. D *T15.2*) affermava l'esistenza di Dio a partire da considerazioni morali, ritenendo le tradizionali dimostrazioni non fossero valide.

14. Schiller: il poeta e tragediografo tedesco (vedi Vol. E *T20.23*).

15. Strauss: David Friedrich Strauss, filosofo della sinistra hegeliana (1808-1874), autore di una *Vita di Gesù*, in cui sostiene il carattere mitico dei Vangeli.

16. Solovki: isola del mar Bianco, luogo di deportazione.

---

dialogo con il testo

I temi

Il misterioso personaggio che è stato a colazione con Kant continuerà affermando che Gesù Cristo è esistito, e comincerà la narrazione della sua passione (continuata con vari pretesti nel corso del libro), asserendo di avervi assistito personalmente. Si tratta di un diavolo, al quale è affidato nel romanzo il compito di avvalorare l'esistenza di Dio e del mondo soprannaturale; la figura che appare come un'allucinazione a Berlioz è uno dei diavoli minori al suo seguito.

Berlioz e il poeta rappresentano una classe dirigente chiusa nelle piccole certezze del suo materialismo, che crede di avere chiuso i conti con la religione; nella sua tranquilla *routine* quotidiana irrompe qualcosa di soprannaturale, che sconvolgerà progressivamente la vita della Mosca sovietica, creando situazioni comiche in funzione satirica, in cui la meschinità e la corruzione di quel sistema sociale saranno messe impietosamente a nudo. Parallelamente a questo piano comico si svolgerà, su un registro tragico, la storia della passione di Cristo, espressione dell'esigenza insopprimibile di una fede religiosa, che il regime si sforza vanamente di cancellare.

? L'elemento comico-satirico è già in evidenza in queste pagine:
– analizzate gli aspetti che sottolineano la meschinità intellettuale e morale dei due personaggi legati al regime attraverso i loro discorsi o brevi commenti ironici;
– individuate un passo in cui sono messe in evidenza le ristrettezze in cui dovevano vivere i russi all'epoca.

Günter Grass

Günter Grass, nato a Danzica nel 1927, fece parte del Gruppo 47, che promosse un rinnovamento letterario e ideale nella Germania del dopoguerra. Si è affermato col capolavoro *Il tamburo di latta* (1959), che rappresenta in chiave grottesca e satirica momenti e situazioni della Germania dal nazismo alla guerra. Ha fatto seguito una serie di romanzi che, attraverso inesauribili invenzioni e uno stile multiforme e brillante, hanno affrontato i grandi temi di questo mezzo secolo: la divisione delle due Germanie (*Anni da cani*, 1963), il ruolo della donna nella storia dell'umanità (*Il rombo*, 1977), la catastrofe ecologica (*La ratta*, 1986). Protagonista della vita culturale e politica del suo paese, Grass è stato vicino al Partito socialdemocratico tedesco, verso il quale ha avuto però anche posizioni critiche. Nel 1999 ha ricevuto il premio Nobel per la letteratura.

▶ **T38.2**

T38.2

Il terzo seno

Lo sfondo dell'opera di Günter Grass è la Germania uscita dall'esperienza del nazismo e della guerra in condizioni di spaventosa distruzione materiale e morale, e divisa fino al 1990 in due stati. Nella parte occidentale, la rapida ripresa economica creava però condizioni di benessere diffuso, di consumismo e di conformismo, che tendevano ad addormentare la coscienza storica del paese e il sentimento delle sue terribili, recenti responsabilità. In queste condizioni, i maggiori scrittori di quei decenni si sono assunti un ruolo di coscienza critica della società. In Grass questa funzione etico-civile si esprime attraverso un'inventiva sbrigliata, un gusto per la narrazione vivace e grottesca che lascia trasparire un atteggiamento di fondo positivo e aperto verso la vita.

In Il rombo (1977), uno dei suoi grandi romanzi, succede di tutto. Ilsebill, moglie del personaggio narrante, è incinta, e i nove mesi della gravidanza scandiscono i capitoli del libro. Il rombo, il pesce magico di una fiaba popolare, che qui incarna lo spirito maschile del progresso nella storia, viene catturato e processato da un gruppo di femministe; le sue arringhe difensive ricostruiscono le tappe del cammino storico dell'umanità. Compaiono undici figure di cuoche, distribuite in nove epoche dalla preistoria alla contemporaneità, che incarnano il principio femminile, l'attenzione al corpo e ai suoi bisogni elementari. Si ha così una carrellata sulla storia della regione di Danzica, dalla preistoria alla rivolta degli operai dei cantieri navali contro il regime comunista polacco nel 1970; una riflessione sui ruoli maschile e femminile nella storia; e, non ultima, una storia della gastronomia, scandita dalla accurata presentazione delle succose ricette usate dalle eroine del libro. Il tutto fra continue invenzioni narrative, in uno stile scintillante che alterna la prosa e i versi.

Riportiamo la pagina iniziale del libro, *in cui compaiono il narratore e la moglie Ilsebill e si prepara il primo salto temporale all'indietro, verso la preistoria.*

Günther Grass
IL ROMBO
(Trad. dal tedesco di
B. Bianchi, Einaudi,
Torino, 1979)

Ilsebill ha aggiustato di sale. Prima della procreazione[1] abbiamo mangiato spalla di montone con contorno di fagiolini e pere, dato il principio d'ottobre. Ha fatto, ancor a tavola e a bocca piena: – Adesso andiamo a letto poi subito o prima vuoi raccontarmi com'è iniziata la nostra storia, quando dove?   5

Io: sono io in ogni tempo. E anche Ilsebill c'è stata dall'inizio. Verso la fine del Neolitico rammento il nostro primo litigio: duemila anni in cifra tonda prima che il Signore si facesse carne, allorché il crudo e il cotto si scissero in miti distinti[2]. E se oggi, prima del montone con fagiolini e pere, s'è discusso di figli, suoi e miei, con parole sempre più corte, così attaccammo   10 briga tra le paludi della foce della Vistola, avvalendoci di un lessico neolitico, a cagione delle mie pretese su almeno tre dei suoi nove marmocchi. Ma perdetti io. Malgrado l'ardore con cui la mia lingua faceva ginnastica e allineava suoni primitivi, non fui mica capace di mettere insieme la bella parola padre; soltanto madre era possibile[3]. In quel periodo lì Ilsebill   15 si chiamava Aua. Anch'io mi chiamavo con un altro nome. Ma Ilsebill non ammette di essere stata Aua.

Avevo lardellato la spalla di montone con dei mezzi spicchi d'aglio e accomodato le pere stufate nel burro tra i fagiolini verdi bolliti. Anche se, a bocca ancora piena, Ilsebill ha detto che poteva prender piede[4] o funziona-   20 re al primo colpo, dal momento che lei, come le aveva consigliato il medico, aveva sbattuto le pillole nel cesso, io ho capito che il letto doveva aver ragione per il primo e la cuoca neolitica per dopo[5].

Così ci siamo stesi, abbracciati aggambati come in ogni tempo. Una volta io di sopra, una volta lei. In parità di diritti, benché Ilsebill sostenga   25 che il privilegio maschile della penetrazione non è certo compensato dallo scadente diritto femminile di negare l'accesso. Comunque, siccome abbiamo procreato nell'amore, i nostri sentimenti si sono talmente dilatati da riuscire a produrre in uno spazio più ampio, al di fuori del tempo e del suo tic-tac e perciò al netto di ogni terrestre giacenza[6], un'eterea procreazione   30 parallela[7]; quasi a conguaglio, il suo sentimento è penetrato a stantuffo nel mio sentimento: siamo stati bravi del doppio.

Senz'altro – prima del montone con fagiolini e pere – sarà stata la zuppa di pesce di Ilsebill, ricavata da un brodo di teste di merluzzo bollite fino al disfacimento, a esprimere quella forza promozionale con cui le cuoche   35 che ho dentro, comunque periodassero[8], solevano invitare al puerperio; infatti ha funzionato, ha preso piede; per caso, con intenzione e senz'altri ingredienti. A malapena – come espulso – ero di nuovo fuori che Ilsebill, senza dubbio sostanziale, ha detto: – Vabbe', stavolta sarà un maschio.

Non dimenticare la santoreggia[9]. Con le patate lesse o storicamente col   40

1. **Prima della procreazione**: prima di far l'amore, mirando a una fecondazione.
2. **allorché... distinti**: allusione all'opera *Il crudo e il cotto* dell'antropologo Claude Lévi-Strauss (notizie in *T37.14*), in cui il cibo crudo e cotto sono posti alla radice di due categorie di fondo delle culture umane.
3. **soltanto... possibile**: affaccia l'idea che la società preistorica fosse matriarcale e non avesse un'idea chiara del ruolo maschile nella procreazione.
4. **prender piede**: annidarsi nell'utero, l'uovo fecondato, dando inizio all'embrione.
5. **il letto... dopo**: bisognava fare l'amore prima di rievocare le loro vite precedenti nella preistoria.
6. **al netto... giacenza**: al di là (*al netto*, espressione commerciale) del materiale atto sessuale.
7. **un'eterea... parallela**: la generazione delle figure maschili e femminili disseminate nel corso della storia, che i due prota-

gonisti sentono dentro di sé.
8. **comunque periodassero**: in qualunque fase fossero del ciclo mestruale.
9. **la santoreggia**: erba aromatica.

10. **o storicamente col miglio**: allude al fatto che prima del Seicento la patata era sconosciuta in Europa.

11. **sego**: grasso animale.

12. **Aua... tre seni**: Aua è la prima cuoca rievocata: una mitica figura preistorica, dotata di tre seni in segno di forza femminile e fecondità.

miglio[10]. Come sempre per la carne di montone, è consigliabile mangiare in piatti riscaldati. Tuttavia il nostro bacio, se mi si consente di rivelare anche questo, era patinato di sego[11]. Nella zuppa di pesce, resa verde da Ilsebill mediante aneto e capperi, gli occhi di merluzzo nuotavano bianchi, significando fortuna.   45

Dopo che aveva forse preso piede abbiamo fumato a letto, sotto una sola coperta, ciascuno la sua idea di sigaretta. (Io me la sono svignata, giù per le scale del tempo). Ilsebill ha detto: – A proposito, abbiamo finalmente bisogno di una lavastoviglie.

Prima che riuscisse a mettere in moto ulteriori speculazioni sulla distribuzione invertita dei ruoli – Mi gusterebbe una volta conoscerti incinto! – le ho raccontato di Aua e dei suoi tre seni[12].   50

dialogo con il testo

I temi

La pagina iniziale mette in risalto i temi che nel libro qualificano il principio femminile nella storia umana: la fecondità, l'amore fisico, l'attenzione ai bisogni elementari incarnati nella cucina e nel cibo (e, di passaggio, nella lavastoviglie). Ne scaturisce una celebrazione gioiosa del corpo, degli aspetti materiali della vita.

Le forme

Grass è uno scrittore ideologico: i suoi libri esaltano il materialismo contro l'idealismo e invocano una politica che sappia finalmente prendersi cura dell'essere umano nella sua fisicità. Si deve al suo straordinario talento fantastico se queste idee non restano proclamazioni astratte, ma si materializzano in storie sempre nuove, in scene delineate con taglio nitido e concreto, in uno stile che ha la vivacità del parlato e insieme la ricchezza e l'inventiva linguistica della grande letteratura.

Gabriel García Márquez

Gabriel García Márquez, nato nel 1928, colombiano, ha svolto attività di giornalista, viaggiando per molti paesi americani ed europei. Dopo le prime prove narrative, ha ottenuto un successo mondiale con *Cent'anni di solitudine* (1967); tra i romanzi successivi, *Cronaca di una morte annunciata* (1981), *L'amore ai tempi del colera* (1985). Nel 1982 ha avuto il premio Nobel per la letteratura. Le sue opere più recenti sono un intreccio di invenzione narrativa e inchiesta su fatti reali.

▶ **T38.3**

T38.3

«Come sonnambuli in un universo di afflizione»

Uno dei fatti di maggior rilievo nella letteratura del secondo Novecento è l'esplosione sulla scena mondiale della narrativa sudamericana. Essa è stata un po' la sede di elezione del gusto per l'affabulazione, per la narrazione lunga e fitta, che sconfina di continuo dal piano della rappresentazione verosimile a quello dell'invenzione fantastica. García Márquez è l'esponente più famoso, e forse il più grande, di questa tendenza.

Cent'anni di solitudine (1967) segue per cinque generazioni le vicende della famiglia Buendía, fondatrice di Macondo, un immaginario villaggio della Colombia settentrionale non lontano dal mare dei Caraibi, ma separato da esso da un'altissima sierra. La cronologia non è precisata, ma sembra che la storia cominci nella prima metà dell'Ottocento e si concluda in anni vicini a quelli della stesura del romanzo. Riportiamo alcune pagine del capitolo iniziale.

Gabriel García Márquez
CENT'ANNI DI SOLITUDINE
(Trad. dallo spagnolo di E. Cicogna, Mondadori, Milano, 1995)

1. Ursula: moglie di José Arcadio Buendía.
2. la tribù di Melquíades: una tribù di zingari che visitavano Macondo e vi portavano le nuove invenzioni; per anni costituiscono l'unico legame tra Macondo e il resto del mondo.
3. dalla febbre... trasmutazione: gli zingari avevano portato a Macondo la calamita, e José Arcadio aveva creduto di potere con quella cercare l'oro; poi gli avevano dato mappe e strumenti di

José Arcadio Buendía, che era l'uomo più intraprendente che si fosse mai visto nel villaggio, aveva disposto in modo tale la posizione delle case, che da ognuna si poteva raggiungere il fiume e far rifornimento di acqua con uguale sforzo, e tracciate le strade con tanto buonsenso che nessuna casa riceveva più sole delle altre nell'ora della calura. In pochi anni, Macondo fu un villaggio più ordinato e laborioso di quanti ne avessero conosciuto fin lì i suoi trecento abitanti. Era veramente un paese felice, dove nessuno aveva più di trent'anni e dove non era morto nessuno.

Fin dai primi tempi della fondazione, José Arcadio Buendía aveva costruito trappole e gabbie. In breve riempì di trupiali, canarini, turchinetti e pettirossi non soltanto la sua ma anche tutte le case del villaggio. Il concerto di tanti uccelli diversi diventò così assordante che Ursula[1] finì per tapparsi le orecchie con la cera per non perdere il senso della realtà. La prima volta che arrivò la tribù di Melquíades[2], venuta a vendere palle di vetro contro il mal di testa, tutti si meravigliarono che avesse potuto trovare quel villaggio perduto nel sopore della palude, e gli zingari confessarono di essersi guidati col canto degli uccelli.

Quello spirito di iniziativa sociale sparì in poco tempo, travolto dalla febbre della calamita, dai calcoli astronomici, dai sogni di trasmutazione[3] e dalle ansie di conoscere le meraviglie del mondo. Da intraprendente e pulito, José Arcadio Buendía si trasformò in un uomo dall'aspetto ciondolo-

1

5

10

15

20

ne, trascurato nel vestire, con una barba selvatica che Ursula riusciva a regolare solo a grande fatica con un coltello da cucina. Non mancò chi lo considerasse vittima di qualche strano sortilegio. Ma perfino i più convinti della sua pazzia abbandonarono lavoro e famiglia quando egli si buttò in spalla i suoi utensili per disboscare e chiese il concorso di tutti per aprire una via che mettesse Macondo in contatto con le grandi invenzioni.

José Arcadio Buendía ignorava completamente la geografia della regione. Sapeva che verso oriente c'era la sierra impenetrabile e al di là della sierra l'antica città di Riohacha[4], dove in epoche remote – come gli aveva raccontato il primo Aureliano Buendía, suo nonno – Sir Francis Drake[5] si dava allo sport di cacciare i caimani a cannonate; poi li faceva rammendare e riempire di paglia per portarli alla regina Isabella. Nella sua gioventù, lui e i suoi uomini, con donne e bambini e animali e ogni sorta di utensili domestici, avevano attraversato la sierra in cerca di uno sbocco sul mare, e dopo ventisei mesi avevano abbandonato l'impresa e fondato Macondo per non dover intraprendere il cammino di ritorno. Era, quindi, una via che non gli interessava, perché poteva condurlo soltanto al passato. Verso sud c'erano i pantani, coperti da una eterna crema vegetale, e il vasto universo della palude grande, che secondo la testimonianza degli zingari non aveva confini. La palude grande si confondeva a occidente con una distesa acquatica senza orizzonti, dove c'erano cetacei dalla pelle delicata con testa e busto di donna, che perdevano i naviganti con la malìa delle loro tette madornali. Gli zingari navigavano per sei mesi su quella rotta prima di raggiungere il nastro di terraferma sul quale passavano le mule della posta. In base ai calcoli di José Arcadio Buendía, l'unica possibilità di contatto con la civiltà era il cammino del nord. Perciò munì di utensili per disboscare e di armi da caccia gli stessi uomini che lo avevano accompagnato nella fondazione di Macondo: buttò in uno zaino i suoi strumenti di orientamento e le sue mappe, e intraprese la temeraria avventura.

Durante i primi giorni non incontrarono seri ostacoli. Scesero lungo la pietrosa sponda del fiume fino al luogo in cui anni prima avevano trovato l'armatura del guerriero[6], e lì penetrarono nel bosco per un sentiero di aranci silvestri. Alla fine della prima settimana, uccisero e arrostirono un cervo, ma si accontentarono di mangiarne la metà e di salare il resto per i prossimi giorni. Con questa precauzione cercavano di rimandare la necessità di continuare a nutrirsi di pappagalli, la cui carne bluastra aveva un aspro odore di muschio. Poi, per più di dieci giorni, non rividero il sole. La terra diventò molle e umida, come cenere vulcanica, e la vegetazione fu sempre più insidiosa e si fecero sempre più lontani i trilli degli uccelli e lo schiamazzo delle scimmie, e il mondo diventò triste per sempre. Gli uomini della spedizione si sentirono oppressi dai loro ricordi più antichi in quel paradiso di umidità e di silenzio, anteriore al peccato originale, dove gli stivali affondavano in pozze di oli fumanti e i machetes facevano a pezzi gigli sanguinosi e salamandre dorate. Per una settimana, quasi senza parlare, avanzarono come sonnambuli in un universo di afflizione, appena illuminati dal tenue riverbero di insetti luminosi e coi polmoni oppressi da un soffocante odore di sangue. Non potevano ritornare, perché il sentiero che

25

30

35

40

45

50

55

60

65

navigazione, e José Arcadio era giunto alla conclusione (incredibile per i suoi compaesani) che «la terra è rotonda come un'arancia». Infine gli avevano venduto un laboratorio di alchimia, col quale si era dato a esperimenti di trasmutazione delle sostanze chimiche.
4. **Riohacha**: porto sul mare dei Caraibi.
5. **Francis Drake**: navigatore inglese (1540-1596) che combatté una lunga guerra corsara contro gli Spagnoli su tutte le coste dell'America meridionale, al servizio della regina Elisabetta I che lo fece baronetto (*Sir*); nel resoconto qui riportato Elisabetta è confusa con Isabella di Castiglia, regina di Spagna di un'epoca precedente, protettrice di Cristoforo Colombo.
6. **avevano trovato... guerriero**: cercando l'oro con la calamita, José Arcadio e i suoi avevano dissotterrato un'armatura del quindicesimo secolo, contenente ancora lo scheletro di un guerriero spagnolo.

andavano aprendo al loro passaggio tornava a chiudersi in poco tempo, con una vegetazione nuova che vedevano crescere quasi sotto i loro occhi. «Non importa» diceva José Arcadio Buendía. «L'essenziale è non perdere l'orientamento.» Affidandosi sempre alla bussola, continuò a guidare i suoi uomini verso il nord invisibile, finché pervennero a uscire dalla regione incantata. Era una notte fonda, senza stelle, ma l'oscurità era impregnata di un'aria nuova e pulita. Sfiniti per la lunga traversata, appesero le amache e dormirono profondamente per la prima volta dopo due settimane. Quando si svegliarono, già col sole alto, rimasero stupefatti. Davanti a loro, circondato da felci e palme, bianco e polveroso nella silenziosa luce del mattino, c'era un enorme galeone spagnolo. Leggermente piegato a tribordo, dalla sua alberatura intatta pendevano i brandelli squallidi della velatura, tra sartie adorne di orchidee. Lo scafo, coperto da una nitida corazza di remora[7] pietrificata e di musco tenero, era fermamente inchiavardato in un pavimento di pietre. Tutta la struttura sembrava occupare un ambito proprio, uno spazio di solitudine e di dimenticanza, vietato ai vizi del tempo e alle abitudini degli uccelli. Nell'interno, che la spedizione esplorò con un prudente fervore, non c'era altro che un fitto bosco di fiori.

Il ritrovamento del galeone, indizio della vicinanza del mare, frantumò l'impeto di José Arcadio Buendía. Riteneva una burla del suo avverso destino l'aver cercato il mare senza trovarlo, a costo di sacrifici e patimenti incalcolabili, e trovarlo adesso che non l'aveva cercato, messo lì sulla loro strada come un ostacolo inevitabile. Molti anni dopo, il colonnello Aureliano Buendía[8] percorse di nuovo la regione, quando era ormai un regolare tragitto di posta, e l'unica cosa che trovò della nave fu l'ossatura carbonizzata in mezzo a un prato di papaveri. Finalmente convinto che quella storia non era stata un prodotto dell'immaginazione di suo padre, si chiese come mai quel galeone avesse potuto addentrarsi fino a quel punto in terraferma. Ma José Arcadio Buendía non si prospettò quella preoccupazione quando trovò il mare, al termine di altri quattro giorni di viaggio, a dodici chilometri di distanza dal galeone. I suoi sogni terminarono davanti a quel mare color cenere, schiumoso e sudicio, che non meritava i rischi e i sacrifici della sua avventura.

«Diamine!» gridò. «Macondo è circondata dall'acqua da ogni parte.»

L'idea di una Macondo peninsulare prevalse per molto tempo, ispirata dalla mappa arbitraria che disegnò José Arcadio Buendía al ritorno dalla sua spedizione. La schizzò con rabbia, esagerando di malafede le difficoltà di comunicazione, quasi per castigare se stesso per l'assoluta mancanza di buon senso con la quale aveva scelto il luogo. «Non arriveremo mai da nessuna parte» si lamentava con Ursula. «Dovremo marcire qui per tutta la vita senza ricevere i benefici della scienza.» Quella certezza, ruminata per vari mesi nello stanzino del laboratorio[9], lo portò a concepire il progetto di trasferire Macondo in un luogo più propizio. Ma questa volta, Ursula prevenne i progetti febbrili del marito. Con un segreto e implacabile lavoro da formichina mise su le donne del paese contro la velleità dei loro uomini, che cominciavano già a prepararsi al trasloco. José Arcadio Buendía non seppe in che momento, o in virtù di quali forze avverse, i suoi progetti si

70
75
80
85
90
95
100
105
110
115

7. **remora**: pesce munito di una ventosa adesiva, con cui si attacca a pesci più grossi o allo scafo delle navi.

8. **il colonnello Aureliano Buendía**: figlio di José Arcadio, diventerà un comandante di innumerevoli guerre civili rivoluzionarie contro il governo conservatore della Colombia.

9. **laboratorio**: il laboratorio di alchimia avuto dagli zingari.

andarono irretendo in un intrico di pretesti, di contrattempi ed elusioni, fino a trasformarsi in illusione pura e semplice. Ursula lo osservò con innocente attenzione, e provò perfino un po' di pietà per lui, il mattino in cui lo trovò nel suo stanzino appartato intento a parlottare a denti stretti dei suoi sogni di trasloco, mentre collocava i pezzi del laboratorio nelle loro casse originali. Lo lasciò finire. Lo lasciò inchiodare le casse e apporvi le sue iniziali con uno stecco inchiostrato, senza fargli alcun rimprovero, ma sapendo già che lui sapeva (perché glielo aveva sentito dire nei suoi sordi monologhi) che gli uomini del villaggio non lo avrebbero assecondato nella sua impresa. Solo quando cominciò a smontare la porta dello stanzino, Ursula si arrischiò a chiedergli perché lo faceva, e lui le rispose con una certa amarezza: «Dato che nessuno vuole andarsene, ce ne andremo da soli». Ursula non si turbò.

120

125

«Non ce ne andremo» disse. «Restiamo qui, perché qui abbiamo avuto un figlio.»

130

«Non abbiamo ancora un morto» disse lui. «Non si è di nessuna parte finché non si ha un morto sotto terra.»

Ursula ribatté, con dolce fermezza:

«Se è necessario che io muoia perché gli altri restino qui, io morirò.»

dialogo con il testo

I temi

La «solitudine» che dà il titolo al romanzo è l'isolamento di Macondo, sperduto ai confini del mondo abitato, ma è anche la solitudine individuale dei personaggi, quasi tutti affetti da strane manie che li rendono incapaci di comunicare; nel loro agitarsi a vuoto si intravede una metafora della società colombiana (o sudamericana, o umana?), che attraverso le sue continue convulsioni non riesce a realizzare progresso e democrazia.

Il progresso, la storia e la politica irrompono nella solitudine di Macondo dapprima attraverso le invenzioni portate dagli zingari; in seguito, nel corso del romanzo, il villaggio sarà coinvolto in interminabili guerre civili, poi arriverà una compagnia bananiera nordamericana, che impianterà uno sfruttamento intensivo e abbandonerà poi il paese dopo aver inaridito la sua terra, e nel finale Macondo sarà in rovina, invaso di nuovo dalla vegetazione tropicale. Così il tempo pare muoversi in circolo, in un succedersi di lotte e speranze vane.

Le forme

García Márquez è un maestro nel creare un mondo favoloso, sempre sospeso al limite tra il verosimile e l'inverosimile; la forza prorompente della natura tropicale, in cui sono immerse le sue storie, si confonde con la forza prorompente della sua fantasia narrativa, trascinata dalla propria foga verso l'iperbolico e l'eccessivo. Per lui e per altri narratori sudamericani si è usata la formula del "realismo magico".

Il fascino di questa narrazione è accresciuto dal suo andamento disteso, in cui gli eventi più straordinari sono narrati col tono calmo delle cose ovvie, creando un effetto epico: il lettore è riportato alla condizione dell'ascoltatore di miti antichi, a un'epoca primordiale in cui non si distinguevano ancora realtà e immaginazione.

Salman Rushdie

Salman Rushdie, nato a Bombay nel 1947, si è stabilito in Inghilterra a quattordici anni e scrive in inglese. Il suo primo romanzo di grande successo è stato *I figli della mezzanotte* (1980), che rievoca la storia recente indiana attraverso le vicende fantastiche di una miriade di personaggi nati come l'autore nel 1947, anno dell'indipendenza. Tra i romanzi seguenti, un capolavoro è *I versi satanici* (1988), che rappresenta in chiave comica e grottesca il dramma dell'emigrazione indiana verso l'Europa; un tribunale islamico iraniano ha condannato a morte lo scrittore a causa di una rappresentazione di Maometto contenuta nel romanzo, considerata blasfema, e da allora Rushdie è stato a lungo costretto a vivere nascosto e sotto scorta. Ancora alle vicende storiche indiane, trasposte in chiave fantastica, è dedicato *L'ultimo sospiro del moro* (1995).

▶ **T38.4**

T38.4

Mutazione

Oggi la letteratura ha un orizzonte planetario, nel senso che autori e opere circolano fra i continenti. Questo non è che un riflesso della circolazione mondiale delle persone, delle merci e delle culture: le migrazioni intercontinentali creano nuove ibridazioni di culture, milioni di individui sono ormai asiatici o africani ed europei nello stesso tempo. Salman Rushdie, indiano di nascita, emigrato da ragazzo in Inghilterra e più tardi negli U.S.A., scrittore in inglese, rappresenta bene questa nuova realtà; la sua opera, straordinariamente ricca di inventiva fantastica e verbale, rintraccia nelle vicende storiche della sua patria d'origine l'intreccio di radici autoctone ed europee e mette in scena personaggi che hanno un piede in Asia e uno in Europa.

I versi satanici (1988) è un romanzo pirotecnico; in una successione proliferante di invenzioni narrative, assistiamo a episodi della vita degli indiani in patria e in Inghilterra, al dirottamento terroristico di un aereo, a esplosioni di fanatismo religioso, alla rivoluzione in un paese asiatico guidata da un santone che ricorda l'imam Khomeini, leader *della rivoluzione iraniana del 1980, agli inizi della predicazione di Maometto (e questa parte è costata all'autore la condanna a morte da parte di un tribunale islamico iraniano, per il suo preteso carattere blasfemo). I temi della fede e dell'incredulità, gli aggrovigliati problemi religiosi e sociali della nazione indiana e dei suoi emigrati sono toccati attraverso allegorie fantastiche e bizzarre. Riportiamo le pagine iniziali del libro: un aereo dirottato da un gruppo di terroristi è esploso nel cielo sopra Londra, e due passeggeri – due attori indiani in viaggio da Bombay in Inghilterra – precipitano dal cielo, incredibilmente vivi.*

Salman Rushdie
I VERSI SATANICI
(I, 1, trad. dall'inglese di E. Capriolo, Mondadori, Milano, 1989)

«Per rinascere» cantò Gibreel Farishta, precipitando dai cieli, «devi prima morire. Ho-ji! Ho ji! Per scendere sulla terra rotonda, bisogna prima volare. Tat-taa! Taka-thun! Come puoi ancora sorridere, se prima non avrai pianto? Come conquisti il cuore del tuo amore, signore, senza un sospiro? *Baba*[1], se tu vuoi rinascere...» Poco prima dell'alba di una mattina d'inverno, il giorno di Capodanno o pressappoco, due uomini, reali, adulti e vivi, cadevano da grande altezza, seimila metri, verso la Manica, senza l'ausilio di paracadute o di ali, da un cielo limpido. 1

«Ti dico che devi morire, ti dico, ti dico» e così per un pezzo, sotto una luna d'alabastro, finché un grido penetrante non attraversò la notte. «Al 5

10

1. *Baba*: "signorino" in lingua urdu, la lingua materna di Rushdie.

diavolo i tuoi motivi» e le parole pendevano cristalline nella gelida notte bianca, «nei film ti limitavi a mimare quelli che cantavano in playback, e quindi adesso risparmiami questi rumori infernali.»

Gibreel, il solista stonato, stava facendo capriole al chiaro di luna, mentre cantava il suo improvvisato *gazal*[2], e nuotava nell'aria, a farfalla, a rana, e si raggomitolava come una palla, e di nuovo apriva gambe e braccia sullo sfondo quasi infinito della quasi alba, e adottava posizioni araldiche, rampanti[3], coricate, opponendo leggerezza alla gravità. Adesso rotolò felice verso la voce sardonica[4]. «Ohé, Salad[5] *baba*, sei tu, che bellezza. Come va, vecchio Chumch?» Al che l'altro, un'ombra schizzinosa che stava cadendo a testa in giù in un vestito grigio con tutti i bottoni della giacca allacciati e le braccia lungo i fianchi, e dava per scontata l'improbabilità della bombetta che portava in testa, fece una smorfia da vera carogna. «Ehi, Spoono[6]!» gridò Gibreel, provocando un altro sussulto nella direzione opposta, «è proprio Londra, *bhai*[7]! Ci siamo finalmente! Quei bastardi laggiù non sapranno mai cosa gli è piombato addosso. Meteora o fulmine o vendetta di Dio? Usciamo da quest'aria rarefatta, piccolo. *Dharrraaammm*! Bello, *na*? Che ingresso, *yaaar*. Parola mia: *splat*.»

Dall'aria rarefatta: una grande esplosione, seguita da una pioggia di stelle, un'eco in miniatura della nascita del tempo[8]... il jumbo jet *Bostan*, volo AI-420 si disintegrò senza preavviso, ad alta quota sopra la città grande, putrida, bella, nevosa e illuminata, Mahagonny, Babilonia, Alphaville[9]. Ma Gibreel le ha già dato un nome. Io non devo interferire: era proprio Londra, capitale di Vilayet[10], che ammiccava, batteva le palpebre, annuiva nella notte. Mentre ad altezze da Himalaya un sole breve e prematuro esplodeva nell'aria polverosa di gennaio e un blip spariva dagli schermi radar e l'aria rarefatta si riempiva di corpi che ruzzolavano dall'Everest della catastrofe al pallore lattiginoso del mare.

Chi sono io?

Chi altro c'è lì?

L'aereo si spaccò a metà, un baccello che libera i suoi semi, un uovo che svela il suo mistero. Due attori, l'acrobatico Gibreel e l'abbottonato corrucciato Mr Saladin Chamcha, caddero come briciole di tabacco da un vecchio sigaro rotto. Sopra, dietro e sotto di loro penzolavano in quel vuoto sedili reclinabili, cuffie stereofoniche, carrelli per bibite, ricettacoli per le conseguenze del mal d'aria[11], carte di sbarco, video games esenti da dazio, copricapi intrecciati, bicchieri di carta, coperte, maschere d'ossigeno. Inoltre – poiché a bordo non erano certo pochi i migratori, ma sì, una quantità di mogli interrogate a fondo da funzionari ragionevoli e coscienziosi sulla lunghezza dei genitali dei mariti, e i loro eventuali segni caratteristici[12], un'abbondanza di bambini sulla cui legittimità il governo britannico aveva sollevato i propri dubbi sempre ragionevoli – mescolati ai resti dell'apparecchio, egualmente frantumati, egualmente assurdi, fluttuavano i detriti

15

20

25

30

35

40

45

50

2. gazal: più comunemente trascritto *ghazal*, è una forma di canto popolare urbano diffuso nell'India settentrionale.

3. posizioni araldiche, rampanti: quelle raffigurate negli stemmi araldici, tra cui gli animali *rampanti* (ritti su una zampa posteriore, con le altre protese, in atto di arrampicarsi).

4. sardonica: beffarda.

5. Salad: il personaggio si chiama Saladin Chamcha, i suoi nomi sono abbreviati e storpiati dall'altro.

6. Spoono: altro soprannome dato allo stesso personaggio; il suo cognome Chamcha significa in urdu "cucchiaio", da qui il gioco con l'inglese *spoon*.

7. bhai: "signore", in urdu.

8. un'eco... tempo: l'esplosione dell'aereo è paragonata al *big bang* da cui sarebbe nato l'universo, alle origini del tempo, secondo una teoria attuale.

9. Mahagonny... Alphaville: metropoli fastose e corrotte nell'immaginario letterario e cinematografico: *Mahagonny*, città dell'omonimo dramma musicale di Brecht (vedi Vol. G *T32.96*); *Babilonia*, città del demonio nei testi biblici; *Alphaville*, luogo di missioni dell'agente FBI Lemmy Caution creato dal giallista americano Peter Cheyney, riprese in film di successo.

10. Vilayet: nome indiano dell'Inghilterra.

11. ricettacoli... aria: i sacchetti distribuiti ai passeggeri per il caso che abbiamo attacchi di vomito.

12. mogli... caratteristici: le mogli che cercano di ottenere il visto d'immigrazione in quanto il marito è già stabilito in Inghilterra vengono interrogate sui particolari più intimi dei mariti, per accertare che il matrimonio non sia un pretesto inventato.

dell'anima, ricordi infranti, ego scartati[13], lingue madri tagliate[14], intimità
violate, battute di spirito intraducibili, amori perduti e il senso dimenticato di parole vuote e sonanti, *terra, proprietà, focolare*. Un po' intontiti dal-
l'esplosione, Gibreel e Saladin precipitavano come fagotti lasciati cadere da
qualche sbadata cicogna col becco aperto, e Chamcha, poiché stava scendendo con la testa in avanti, nella posizione raccomandata ai bambini per
entrare nel canale del parto, cominciò a sentire una sorda irritazione per il
rifiuto dell'altro di precipitare in maniera normale. Mentre Saladin scendeva in picchiata, Farishta abbracciava l'aria, stringendola a sé con braccia e
gambe: un attore troppo esteriore e gesticolante, senza tecniche di controllo. Sotto, coperte da nubi, aspettavano il loro ingresso le lente e gelate correnti della Manica inglese, zona prescelta per la loro reincarnazione acquatica.

«Oh, le mie scarpe sono giapponesi» cantò Gibreel, traducendo la vecchia canzone in inglese in omaggio semiconsapevole alla nazione ospite
che si avvicinava a loro, «questi calzoni sono inglesi, pensate. Sulla mia testa c'è un rosso cappello russo; ma nonostante questo, il mio cuore è indiano.» Le nubi salivano gorgogliando nella loro direzione, e forse fu a causa
di quella grande mistificazione di cumuli e cumulonembi, che scorrevano
possenti spiccando nell'alba come martelli, o del cantare (l'uno affaccenda-
to a esibirsi, l'altro a fischiare l'esibizione), o della loro esplosione-delirio
che risparmiò una reale preveggenza dell'imminente... fatto sta che, qualunque fosse la ragione, i due uomini, Gibreelsaladin Farishtachamcha,
condannati a questa interminabile, ma anche quasi terminata, caduta an-
gelicodiabolica, non si resero conto del momento in cui iniziarono i processi della loro trasmutazione.

Mutazione?

Sissignori, ma non casuale. Lassù nello spazio aereo, in quel molle impercettibile campo che era stato reso possibile dal secolo e che, da allora,
aveva reso il secolo possibile[15], diventando uno dei luoghi che lo definiva-
no, la sede del movimento e della guerra, il rimpicciolitore del pianeta e
del vuoto di potere, la più malsicura e precaria delle zone, illusoria, discontinua, metamorfica[16] – perché se tu getti qualcosa su in aria tutto diventa
possibile – lassuinalto, comunque, attori deliranti subirono cambiamenti
che avrebbero rallegrato il cuore del vecchio Mr Lamarck[17]; in condizioni
di estreme pressioni ambientali, si acquisirono caratteristiche.

Quali caratteristiche e chi le acquisì? Calma, pensate che la Creazione
avvenga in un baleno? E allora neanche la rivelazione... Date un'occhiata a
quei due. Non notate niente d'insolito? Sono soltanto due uomini dalla
pelle scura, che cadono precipitosamente, non c'è niente di nuovo in questo, penserete; sono saliti troppo in alto, si sono spinti oltre le proprie forze, hanno volato troppo vicino al sole[18], è così?

Non è così. Ascoltate.

Mr Saladin Chamcha, inorridito dai rumori che emanavano dalla bocca
di Gibreel Farishta, contrattaccò con altri versi. Quella che Farishta, all'improvviso, udì diffondersi nel cielo era anch'essa una vecchia canzone, parole di Mr James Thomson, millesettecento-millesettecentoquarantotto.

13. **ego scartati**: personalità di cui i titola-
ri avevano cercato di
disfarsi.

14. **lingue madri ta-
gliate**: lingue native
dimenticate, cancella-
te da una lingua di
maggiore uso
(*tagliate*, con doppio
senso di *lingue*); come
può accadere alle lin-
gue native degli emi-
granti.

15. **quel molle...
possibile**: lo spazio
aereo, reso praticabile
dall'aviazione, inven-
zione caratterizzante
del Novecento (*secolo*)
e che ha dato al seco-
lo i suoi caratteri.

16. **metamorfica**: in
continua trasforma-
zione.

17. **Lamarck**: lo
scienziato francese
(1744-1829) che for-
mulò una teoria del-
l'evoluzione delle spe-
cie sotto la pressione
dei fattori ambientali,
poi corretta da
Darwin.

18. **hanno volato...
sole**: allusione al mito
di Icaro, che volò in
cielo con ali attaccate
con la cera, ma quan-
do si avvicinò troppo
al sole, il calore fuse
la cera e lui precipitò.

55

60

65

70

75

80

85

90

95

100

«...per ordine del Cielo» cantò Chamcha attraverso le labbra che il freddo stava sciovinisticamente[19] colorando di rossobiancoblu, «si leeevò dalla terra aaaazzurra.» Farishta, orripilato, cantò sempre più forte di scarpe giapponesi, cappelli russi e cuori inviolabilmente subcontinentali[20], ma non riuscì a soffocare l'appassionato recital di Saladin: «E gli aaaangeli custodi cantavano la melodia». 105

Guardiamo la verità in faccia: per loro era impossibile udirsi, tanto meno conversare, e anche gareggiare nei canti. Accelerando verso il pianeta, con le atmosfere che rombavano tutt'intorno, come avrebbero potuto? Ma guardiamo in faccia anche questa verità: lo fecero. 110

19. sciovinisticamente: con orgoglio nazionalistico; in cielo appaiono i colori della bandiera inglese.
20. subcontinentali: del subcontinente indiano.

dialogo con il testo

I temi

In forme scherzose e grottesche è rappresentata la mutazione che deve subire un essere umano nel momento in cui dalla civiltà del suo paese natale "precipita" improvvisamente in quella tanto diversa di una grande metropoli occidentale; e la metafora del "precipitare" si materializza nell'inverosimile volo dei due protagonisti. Nonostante il tono ironicamente festoso, l'autore sembra suggerire che la mutazione è dolorosa: è morte di una vecchia personalità e nascita di una nuova.

▨ Individuate le immagini di morte e rinascita che ricorrono più volte nel brano.

▨ La descrizione dei frantumi dell'aereo esploso si presta a una immediata interpretazione simbolica: provate a formularla.

I due personaggi rappresentano due possibili atteggiamenti dell'indiano che emigra: l'uno resta legato al proprio inviolabile «cuore indiano», l'altro è impegnato ad assimilarsi completamente al paese ospite, diventando più inglese degli inglesi.

▨ Indicate i particolari che definiscono questi due atteggiamenti.

Le forme

A sottolineare il carattere allegorico e fantastico dell'invenzione, compare una voce narrante che apostrofa i lettori, gioca sull'inverosimiglianza di ciò che narra, pone se stessa in una luce sfuggente («Chi sono io?», riga 39); così il lettore sa dal primo momento di essere trasportato in un mondo fantasmagorico e simbolico.

Anche attraverso la traduzione, possiamo farci un'idea della scatenata inventiva verbale di Rushdie, che associa e deforma parole, mescola all'inglese parole urdu e onomatopee, come a sottolineare il carattere ibrido, meticcio, della sua cultura e della sua opera.

La narrazione come enigma

Al polo opposto della narrativa che abbiamo definito "affabulatoria" si colloca un'altra tendenza rintracciabile nella seconda metà del Novecento. Se gli affabulatori procedono per accumulo, questi altri scrittori si direbbe che lavorano per sottrazione: storie ridotte all'essenziale, linguaggio asciutto e distaccato, fino alla più gelida impassibilità. Anche le loro storie sconfinano volentieri dal verosimile all'inverosimile, e viceversa; ma il loro intento non è tanto quello di accentuare con la deformazione aspetti della realtà, quanto piuttosto di denunciare il fatto che la realtà stessa si è fatta inafferrabile: una storia può essere raccontata in diversi modi, forse perché non esiste nessuna storia raccontabile.

Anche in questa sezione mettiamo insieme autori distanti nel tempo, nello spazio, per la cultura. Il primo e più celebre è l'argentino Borges, che in molte variazioni ha riproposto l'immagine del mondo come enigma e labirinto (*T38.5*); negli anni cinquanta-sessanta, in Francia il movimento del *nouveau roman* ha fatto ricorso a tecniche narrative di avanguardia per negare la possibilità stessa di dare un senso a una narrazione (*T38.6*); in anni più recenti una scrittrice ungherese di lingua francese, Agota Kristof, unisce originalmente il tema dell'inafferrabilità delle vicende umane a una visione lucidamente crudele e disperata della vita (*T38.7*).

Jorge Luis Borges

Jorge Luis Borges (1899-1986), nato a Buenos Aires, trascorse parte della gioventù in Svizzera e in Spagna, dove entrò in contatto con gli ambienti letterari. Tornato in patria, fu professore e bibliotecario, e partecipò a movimenti letterari d'avanguardia. È autore di racconti di taglio fantastico e filosofico (*Finzioni*, 1944, *L'Aleph*, 1949), che a partire dagli anni sessanta gli hanno dato una fama mondiale; lo stesso gusto per un'indagine inquieta e sottilmente cerebrale sulla condizione umana caratterizza i suoi versi e i saggi, nei quali spesso è difficile distinguere tra la riflessione e l'invenzione fantastica.

▶ **T38.5**

T38.5

La casa di Asterione

Per questo racconto, incluso in L'Aleph *(1949), Borges si è ispirato al mito del Minotauro, così come è stato tramandato in una compilazione mitologica antica, la* Biblioteca *di un ignoto Apollodoro (vissuto nel I o II secolo d.C.), citata dall'autore in epigrafe. Asterione è il Minotauro, un essere mostruoso col corpo umano e la testa taurina, nato da Pasifae sposa di Minosse re di Creta; per punire il re di un'offesa, il dio Poseidone aveva infuso nella sua sposa una passione insana per un toro sacro, e dal loro accoppiamento era nato il Mino-*

tauro. Minosse lo fece rinchiudere nel Labirinto, un edificio così intricato che era impossibile uscirne. Più tardi, sconfitti gli ateniesi in guerra, Minosse impose loro come tributo di inviare ogni anno sette ragazzi e sette fanciulle da dare in pasto al Minotauro. Al terzo tributo l'eroe Teseo, incluso tra i quattordici giovani, riuscì a penetrare nel Labirinto con l'aiuto di Arianna, figlia di Minosse, che si era innamorata di lui, e a uccidere il Minotauro. Nel racconto di Borges, Asterione il Minotauro parla in prima persona.

Jorge Luis Borges
L'ALEPH
(Trad. dallo spagnolo
di F. Tentori
Montalto, Feltrinelli,
Milano, 1977)

T38.5

So che mi accusano di superbia, e forse di misantropia[1], o di pazzia. Tali   1
accuse (che punirò al momento giusto) sono ridicole. È vero che non esco
di casa, ma è anche vero che le porte (il cui numero è infinito)[2] restano
aperte giorno e notte agli uomini e agli animali. Entri chi vuole. Non troverà qui lussi donneschi né la splendida pompa[3] dei palazzi, ma la quiete e   5
la solitudine. E troverà una casa come non ce n'è altre sulla faccia della terra. (Mente chi afferma che in Egitto ce n'è una simile.) Perfino i miei ca-
lunniatori ammettono che nella casa non c'è *un solo mobile.* Un'altra menzogna ridicola è che io, Asterione, sia un prigioniero. Dovrò ripetere che
non c'è una porta chiusa, e aggiungere che non c'è una sola serratura? D'al-   10
tronde, una volta al calare del sole percorsi le strade; e se prima di notte
tornai, fu per il timore che m'infondevano i volti della folla, volti scoloriti e
spianati, come una mano aperta. Il sole era già tramontato, ma il pianto
accorato d'un bambino e le rozze preghiere del gregge[4] dissero che mi avevano riconosciuto. La gente pregava, fuggiva, si prosternava; alcuni si ar-   15
rampicavano sullo stilobate[5] del tempio delle Fiaccole, altri ammucchiavano pietre[6]. Qualcuno, credo, cercò rifugio nel mare. Non per nulla mia
madre fu una regina; non posso confondermi col volgo, anche se la mia
modestia lo vuole.

La verità è che sono unico. Non m'interessa ciò che un uomo può tra-   20
smettere ad altri uomini; come il filosofo, penso che nulla può essere co-
municato attraverso l'arte della scrittura[7]. Le fastidiose e volgari minuzie
non hanno ricetto nel mio spirito, che è atto solo al grande; non ho mai
potuto ricordare la differenza che distingue una lettera dall'altra. Un'impazienza generosa non ha consentito che imparassi a leggere. A volte me ne   25
dolgo, perché le notti e i giorni sono lunghi.

Certo, non mi mancano distrazioni. Come il montone che s'avventa,
corro pei corridoi di pietra fino a cadere al suolo in preda alla vertigine. Mi
acquatto all'ombra di una cisterna e all'angolo d'un corridoio e giuoco a
rimpiattino. Ci sono terrazze dalle quali mi lascio cadere, finché resto in-   30
sanguinato. In qualunque momento posso giocare a fare l'addormentato,
con gli occhi chiusi e il respiro pesante (a volte m'addormento davvero; a
volte, quando riapro gli occhi, il colore del giorno è cambiato). Ma, fra
tanti giuochi, preferisco quello di un altro Asterione. Immagino ch'egli
venga a farmi visita e che io gli mostri la casa. Con grandi inchini, gli dico: 35
"Adesso torniamo all'angolo di prima," o: "Adesso sbocchiamo in un altro
cortile," o: "Lo dicevo io che ti sarebbe piaciuto il canale dell'acqua," oppure: "Ora ti faccio vedere una cisterna che s'è riempita di sabbia," o anche: "Vedrai come si biforca la cantina." A volte mi sbaglio, e ci mettiamo
a ridere entrambi.   40

Ma non ho soltanto immaginato giuochi; ho anche meditato sulla casa.
Tutte le parti della casa si ripetono, qualunque luogo di essa è un altro luogo. Non ci sono una cisterna, un cortile, una fontana, una stalla; sono infinite le stalle, le fontane, i cortili, le cisterne. La casa è grande come il mondo. Tuttavia, a forza di percorrere cortili con una cisterna e polverosi corri-   45
doi di pietra grigia, raggiunsi la strada e vidi il tempio delle Fiaccole e il
mare. Non compresi, finché una visione notturna mi rivelò che anche i

1. **misantropia**: odio
degli uomini.
2. **infinito**: Nota del-
l'autore: «L'originale
dice *quattordici*, ma
non mancano motivi
per inferire che, in
bocca ad Asterione,
questo aggettivo nu-
merale vale *infiniti*».
Essendo semiumano,
il Minotauro non sa
contare oltre una cer-
ta cifra.
3. **pompa**: lusso, fa-
sto.
4. **gregge**: la folla,
designata spregiativa-
mente come un bran-
co di pecore.
5. **stilobate**:
basamento delle co-
lonne (dal greco).
6. **ammucchiavano
pietre**: per difendersi.
7. **come il filosofo...
scrittura**: allusione a
un passo del *Fedro*,
dialogo di Platone, in
cui viene criticata
l'invenzione della
scrittura.

mari e i templi sono infiniti. Tutto esiste molte volte, infinite volte; soltanto due cose al mondo sembrano esistere una sola volta: in alto, l'intricato sole; in basso, Asterione. Forse fui io a creare le stelle e il sole e questa enorme casa, ma non me ne ricordo.   50

Ogni nove anni entrano nella casa nove uomini, perché io li liberi da ogni male[8]. Odo i loro passi o la loro voce in fondo ai corridoi di pietra e corro lietamente incontro ad essi. La cerimonia dura pochi minuti. Cadono uno dopo l'altro, senza che io mi macchi le mani di sangue. Dove sono   55 caduti restano, e i cadaveri aiutano a distinguere un corridoio dagli altri. Ignoro chi siano, ma so che uno di essi profetizzò, sul punto di morire, che un giorno sarebbe giunto il mio redentore[9]. Da allora la solitudine non mi duole, perché so che il mio redentore vive e un giorno sorgerà dalla polvere. Se il mio udito potesse percepire tutti i rumori del mondo, io sentirei i   60 suoi passi. Mi portasse a un luogo con meno corridoi e meno porte! Come sarà il mio redentore? Sarà forse un toro con volto d'uomo? O sarà come me?

Il sole della mattina brillò sulla spada di bronzo. Non restava più traccia di sangue.   65

"Lo crederesti, Arianna?" disse Teseo. "Il Minotauro non s'è quasi difeso."

8. li liberi... male: li uccida. È il mito del tributo di giovani vite umane inviato al Minotauro, che Borges ha modificato rispetto alla fonte antica.
9. il mio redentore: colui che mi avrebbe liberato dal male di vivere.

---

dialogo con il testo

I temi

Il labirinto è una delle metafore predilette da Borges per parlare dell'impossibilità di una conoscenza che dia ordine e senso al reale. La realtà è un inestricabile labirinto in cui «tutto esiste molte volte, infinite volte», la conoscenza è un gioco di specchi in cui il soggetto ritrova sempre e solo se stesso, fino ad avanzare l'ipotesi scettica suprema (detta "solipsismo" in filosofia), che tutto il mondo sia solo una proiezione di sé, di essere l'unico che esiste: «Forse fui io a creare le stelle e il sole».

Questa riflessione non resta un'astrazione filosofica, ma diventa immagine ed esperienza esistenziale attraverso l'allucinato monologo del Minotauro, essere mostruosamente semiumano che si aggira nel suo ambiente labirintico.

Si possono osservare le immagini e le situazioni che

fanno del Minotauro un simbolo della condizione umana:

- l'impossibilità di distinguere tra interno ed esterno del Labirinto, che crea strane contraddizioni e prospettive allucinate;
- l'unicità, la solitudine, l'impossibilità di comunicare con gli uomini, simbolo della solitudine umana;
- l'alternanza tra espressioni di orgoglio ferino e la consapevolezza che la vita nel Labirinto è un male, la morte una liberazione.

▢ Individuate nel testo questi motivi.

Le forme

▢ Nelle ultime righe improvvisamente si sposta il punto di vista narrativo e cambia l'intonazione del racconto; quale effetto ritenete che l'autore abbia ottenuto in questo modo?

Alain Robbe-Grillet

Alain Robbe-Grillet (1922), nato a Brest, è stato il caposcuola riconosciuto del *nouveau roman* francese, di cui ha teorizzato le linee in *Una via per il romanzo futuro* (1956): il romanzo inteso come impassibile tra-scrizione di oggetti ed eventi, liberati da qualunque interpretazione che vi sovrapponga un senso predeterminato. Tra i suoi romanzi, *Le gomme* (1953), *La gelosia* (1957), *Nel labirinto* (1959). Si è dedicato anche a un cinema altrettanto innovativo, a partire dalla sceneggiatura di *L'anno scorso a Marienbad* (1961), seguito da diversi film di cui è stato direttamente regista.

▶ T38.6

T38.6

Il millepiedi

Negli anni cinquanta Parigi è ancora (e forse per l'ultima volta) un centro mondiale di irradiazione di nuove idee letterarie e artistiche. Un'esperienza di avanguardia che ha larga risonanza in Italia è il nouveau roman *("nuovo romanzo"), che abolisce o sovverte tutte le tradizionali categorie della narrativa (personaggio, azione, tempo e spazio): Alain Robbe-Grillet ne è il principale teorico e autore.*

La gelosia (1957) è il suo terzo romanzo. Il titolo gioca sul duplice significato di gelosia: *un tipo di persiana a stecche, che permettono di osservare l'esterno dall'interno senza essere visti, e una pas-sione che spinge a osservare ossessivamente i comportamenti della persona sospettata di tradimento. Il romanzo ha tre personaggi: una voce narrante che non dice mai "io", la moglie di questo narratore innominato (chiamata "A.") e un comune amico che frequenta la loro casa, Franck. La scena è un bungalow signorile situato in un paese coloniale, al centro di una piantagione di banani. La voce narrante registra minutamente ogni particolare visivo, tra cui quelli che denunciano il tradimento della moglie con l'amico. Riportiamo in parte un capitolo centrale del romanzo.*

Alain Robbe-Grillet
LA GELOSIA
(Trad. dal francese di
F. Lucentini, Einaudi,
Torino, 1958)

Ora la casa è vuota. 1

A. è scesa in città con Franck, per fare alcune spese urgenti. Non ha precisato quali.

Sono partiti di buonissima ora, per disporre del tempo necessario alle loro faccende e tornare tuttavia la sera stessa nella piantagione. 5

Avendo lasciato la casa alle sei e mezzo del mattino, contano d'essere di ritorno poco dopo mezzanotte, il che rappresenta diciotto ore d'assenza, di cui otto al minimo di viaggio, se tutto va bene.

Ma i ritardi sono sempre da temere, con queste cattive piste. Anche ri-partendo all'ora prevista, subito dopo un pranzo sbrigativo, i viaggiatori 10 potranno benissimo non ritrovarsi a casa che verso un'ora del mattino, o anche sensibilmente più tardi.

Intanto la casa è vuota. Tutte le finestre della camera sono aperte, come pure le due porte che danno sul corridoio e sul bagno, la porta tra quest'ul-timo e il corridoio, e la porta-finestra che dal corridoio s'apre sulla parte 15 centrale della terrazza.

Anche la terrazza è vuota; nessuna delle poltrone è stata messa fuori questa mattina, e neppure la piccola tavola che serve per l'aperitivo e per il

David Hockney
Balcone a Marmounia
(Marrakech, 1971, matite colorate su carta)

caffè. Ma, sotto la finestra aperta dello studio, i mattoni conservano la traccia degli otto piedi di poltrona: otto punti più lisci della superficie circostante, più lucidi, disposti in due quadrati. I due angoli sinistri del quadrato di destra sono a dieci centimetri appena dai due angoli destri del quadrato di sinistra. 20

25

30

Questi punti più brillanti non sono nettamente visibili che dalla balaustrata. Si cancellano quando l'osservatore s'avvicina. Alla verticale, dalla finestra situata giusto al di sopra, sono poi del tutto indistinguibili. 35

Il mobilio di questa stanza è molto semplice: scaffali e casellari contro le pareti, due sedie, la massiccia scrivania a cassetti. Su un angolo di questa, una piccola cornice incrostata di madreperla contiene una fotografia presa al mare, in Europa. A. è seduta sulla terrazza d'un grande caffè. La sedia è disposta obliquamente rispetto al tavolino ove ella sta per posare il bicchiere. 40

Il piano del tavolino è un disco di metallo alleggerito da fori innumerevoli, i più grossi dei quali disegnano un rosone complicato: delle S che partono tutte dal centro, come i raggi due volte ritorti d'una ruota, e all'altro capo, sulla periferia del disco, s'arrotolano a spirale su se stesse. 45

Il piede è costituito da un sistema di tre sbarre sottili che, scostandosi a un certo punto, convergono poi di nuovo grazie a un cambiamento della concavità, e s'arrotolano infine a loro volta (nei tre piani verticali che passano per l'asse del sistema) in tre volute che poggiano a terra e sono riunite, un po' più in alto, da un anello. 50

La sedia è costituita anch'essa di placche perforate e di sottili sbarre di metallo, ma le sue circonvoluzioni sono più difficili da seguire a causa della persona seduta, che le maschera in gran parte. 55

Posata sul tavolo accanto al secondo bicchiere, sull'orlo destro dell'immagine, una mano d'uomo si connette soltanto a una manica di giacca, subito interrotta dal bianco verticale del margine.

Tutti gli altri frammenti di sedie e di tavoli, discernibili sulla fotografia, sembrano appartenere a sedie e tavoli vuoti. Non c'è nessuno su questa terrazza, come in tutto il resto della casa. 60

Nella sala, la tavola è già stata apparecchiata per la colazione; ma c'è un solo coperto, sul lato corrispondente alla porta dell'anticucina e al lungo buffet che va da questa porta alla prima finestra. 65

La finestra è chiusa. Il cortile è vuoto. Il secondo autista deve aver portato la camionetta davanti alle rimesse, per lavarla. Al posto che il veicolo occupa d'abitudine non resta che una larga macchia nera, contrastante con la superficie polverosa del suolo. È un po' d'olio colato dal motore, goccia a goccia, sempre allo stesso posto.

È facile far scomparire questa macchia, grazie ai difetti dei vetri molto grossolani della finestra[1]: basta portare la superficie annerita, per approssimazioni successive, in un punto cieco della lastra[2].

La macchia comincia con l'allargarsi. Uno dei suoi lati, gonfiandosi, forma una protuberanza tondeggiante: più grossa, da sola, dell'oggetto iniziale. Ma, qualche millimetro più in là, questo ventre si trasforma in una serie di sottili mezzelune concentriche, che s'assottigliano ancora, si riducono a fili, mentre l'orlo opposto della macchia si ritrae, non lasciando dietro di sé che un'appendice peduncolata[3]. Questa s'ingrossa a sua volta, un istante; poi tutto si cancella d'un colpo.

Dietro il vetro, nell'angolo determinato dall'asse centrale e dalla piccola traversa, non c'è più che il colore grigiastro dello strato di polvere che ricopre il suolo sassoso del cortile.

Sul muro di fronte il millepiedi è al suo posto, nel bel mezzo della parete.

S'è fermato – trattino obliquo d'una decina di centimetri – giusto all'altezza dello sguardo, a mezza strada tra lo spigolo dello zoccolo (alla soglia del corridoio) e l'angolo del soffitto. Resta immobile. Solo le antenne s'abbassano e si rialzano alternatamente, con modo lento ma continuo.

Alla sua estremità posteriore, lo sviluppo considerevole delle zampe – dell'ultimo paio, soprattutto, che supera per lunghezza le antenne – permette di riconoscere con sicurezza la scutigera[4], detta «millepiedi-ragno», o anche «millepiedi-minuto», per via d'una credenza indigena circa la rapidità d'azione della sua puntura, ritenuta mortale. Questa specie è in realtà poco velenosa; molto meno, comunque, di diverse scolopendre[5] frequenti nella regione.

D'improvviso la parte anteriore del corpo si mette in moto, eseguendo sul posto una rotazione che incurva il tratto scuro verso il basso. E subito dopo l'animale cade sul pavimento, torcendosi ancora a metà e contraendo progressivamente le sue lunghe zampe, mentre le mandibole s'aprono e si chiudono a tutta velocità, a vuoto, in un tremito riflesso.

Due secondi più tardi, tutto non è più che una poltiglia rossastra, mista a frammenti irriconoscibili di articoli[6].

70

75

80

85

90

95

100

---

1. **grazie ai... finestra**: comprendiamo adesso che l'osservatore sta guardando l'esterno da dentro la casa, attraverso i vetri di una finestra, e (forse) attraverso le gelosie.
2. **portare... lastra**: si intende che l'osservatore sposta leggermente la testa.
3. **un'appendice peduncolata**: una scia di filamenti.
4. **la scutigera**: una specie della classe dei Miriapodi, appartenente a quelli che sono detti popolarmente "millepiedi".
5. **scolopendre**: genere che raggruppa varie specie di millepiedi.
6. **articoli**: piccoli arti, zampe.

dialogo con il testo

I temi

La narrativa di Robbe-Grillet vuole risalire al livello elementare della percezione, in cui gli oggetti del mondo incontrano uno sguardo (la tendenza inaugurata dall'autore fu detta anche *école du regard*, "scuola dello sguardo"). È un momento originario, anteriore alle interpretazioni concettuali con cui diamo abitualmente un senso al mondo. Scrive l'autore nel testo programmatico *Una via per il romanzo futuro*: «aprendo gli occhi all'improvviso, abbiamo provato, una volta di troppo, lo choc di quella realtà testarda di cui facevamo finta di essere venuti a capo. Attorno a noi, sfidando la muta dei nostri aggettivi animisti o sistematori, le cose *sono là*». L'idea è dunque di rappresentare una materialità dell'esistenza che precede i concetti, le spiegazioni, le storie che ci raccontiamo per dare un senso alle cose. Per questo il protagonista è ridotto a una voce anonima che registra impassibilmente pensieri e percezioni, e la trama è ridotta a una serie di stati di coscienza slegati. Il tempo è un presente immobile (ogni capitolo comincia con la parola *Ora*), e non scorre in una sola direzione: il millepiedi che in questo brano sembra schiacciato dal protagonista, in pagine precedenti è già una macchia sul muro, in pagine successive è ancora vivo.

? Oltre al tempo, anche lo spazio è ambiguo e mutevole: l'immagine fotografata si sovrappone e quasi si confonde con la scena reale. Indicate il punto e il modo in cui questo avviene.

In teoria, dunque, Robbe-Grillet abolisce i cardini tradizionali della narrazione, il personaggio e la trama; in realtà, fornisce al lettore tutti i dati per ricostruire una situazione (se non proprio una storia) e una psicologia.

? La gelosia che dà il titolo al libro è evidente nei pensieri registrati all'inizio del brano, anche se l'atteggiamento resta ambiguo: l'innominato protagonista vuole convincere se stesso? o fa dell'ironia sulle giustificazioni che gli altri due accamperanno?

Inoltre la registrazione di ogni minima percezione suggerisce un certo tipo psicologico: un individuo debole, incapace di azione, smarrito in un'ossessiva contemplazione delle cose intorno a sé.

Le forme

? L'autore conclude *Una via per il romanzo futuro* affermando che «l'aggettivo ottico, descrittivo, quello che si accontenta di misurare, di situare, di limitare, di definire, mostra probabilmente il cammino difficile di una nuova arte del romanzo». Indicate come è attuato nel brano questo proposito.

Confronti

? Paragonando la tecnica narrativa dello "sguardo" a quella del "flusso di coscienza" di Joyce (Vol. G *T32.63*, *T32.64*), individuate punti comuni e differenze.

? Un altro paragone significativo può essere fatto con la tecnica narrativa di Camus in *Lo straniero* (Vol. G *T32.72*). Individuate analogie e differenze.

DA VEDERE

Hiroshima mon amour, (1959, 91')
L'anno scorso a Marienbad, di Alain Resnais (1961, 94')

La sperimentazione stilistica che alla fine degli anni cinquanta investe il romanzo trova una corrispondenza anche nel cinema, e dal momento che il *nouveau roman* nasce in Francia, è il cinema francese a recepirne per primo le innovazioni.

Il regista Alain Resnais più di altri si è trovato in sintonia con le proposte dell'avanguardia, e ha trasportato sullo schermo le tecniche letterarie del "flusso di coscienza" e dell'*école du regard*, avvalendosi della collaborazione dei due più importanti scrittori dell'avanguardia letteraria francese: Marguerite Duras e Alain Robbe-Grillet.

La prima è l'autrice della sceneggiatura di *Hiroshima mon amour*, che sconcertò il pubblico per la costruzione acronologica, in cui passato e presente si fondono impercettibilmente. Hiroshima, la città simbolo dell'estremo orrore, diventa lo sfondo di una breve storia d'amore tra un'attrice francese e un giapponese. Su di loro l'ossessione del ricordo dei "diecimila soli" che annientarono la città e i suoi abitanti. Ma anche i ricordi della donna, che durante la guerra si era innamorata di un soldato tedesco, poi ucciso davanti a lei, vengono rivissuti in una serie di *flash-back*. L'atmosfera in cui lo spettatore si trova avviluppato è una mescolanza di dolore e dolcezza, di amore e morte, in un fragile equilibrio tra memoria e oblio.

Alain Robbe-Grillet è lo sceneggiatore de *L'anno scorso a Marienbad*, che porta nel cinema alcune caratteristiche della sua produzione letteraria. L'intenzione è quella di raccontare una storia dall'interno della coscienza, abolendo ogni riferimento temporale e trasferendo tutto in un presente continuo. L'azione si svolge in un lussuoso albergo, dove un uomo cerca di convincere una donna a ricordare e mantenere la promessa, che gli avrebbe fatta l'anno precedente, di partire con lui, lasciando il marito. Ma lei prima nega di averlo mai conosciuto, poi sembra quasi disposta ad ammettere di aver vissuto quel passato che lo straniero si ostina a rievocare nei dettagli.

Anche in questo film presente, passato e futuro si fondono e confondono e il tempo psicologico ha la supremazia su quello cronologico; lo spettatore rimane disorientato e non è in grado di sapere chi dei due menta, mentre è trascinato all'interno delle atmosfere oniriche che esplorano i recessi oscuri della coscienza.

Altri consigli di lettura e visione in *Scegli il tuo libro, scegli il tuo film*, pag. 523

Immagine del film
Hiroshima mon amour
(1959) **e** (a destra) **una foto
di scena del film** *L'anno
scorso a Marienbad* (1961)

Agota Kristof

Agota Kristof (1935) è nata in Ungheria, paese da cui è fuggita nel 1956 dopo l'insurrezione contro il regime comunista sanguinosamente repressa dalle truppe sovietiche (così come fecero 100.000 suoi compatrioti su una popolazione di dieci milioni). Da allora vive in Svizzera a Neuchâtel, ed è divenuta scrittrice di lingua francese. Dopo alcuni testi teatrali, ha ottenuto una certa notorietà con *Il grande quaderno* (1987), primo romanzo breve di una trilogia. Tra le sue opere più recenti il romanzo breve *Ieri* (1995), conosciuto attraverso una riduzione cinematografica italiana, e *L'analfabeta* (2004), racconto autobiografico.

▶ **T38.7**

T38.7

«Il cibo non è gratis»

I tre romanzi brevi pubblicati in italiano col titolo Trilogia della città di K. *sono usciti in francese separatamente:* Il grande quaderno *(1987),* La prova *(1988),* La terza menzogna *(1991). Essi ruotano intorno a una stessa storia, in parte proseguendola nel tempo, in parte ripetendone alcune vicende con versioni diverse di cui non si riesce a capire quale sia più vera; e questo spiega il titolo del terzo, in cui il personaggio narrante dice a un certo punto: «cerco di scrivere delle storie vere, ma, a un certo punto, la storia diventa insopportabile proprio per la sua verità e allora sono costretto a cambiarla. [...] cerco di raccontare la mia storia, ma non ci riesco, non ne ho il coraggio, mi fa troppo male».*

La vicenda si svolge in Ungheria nell'arco di mezzo secolo: comincia durante la seconda guerra mondiale e l'occupazione nazista, poi sullo sfondo appaiono di scorcio l'arrivo delle truppe sovietiche, il regime comunista che si instaura grazie a loro, la rivolta popolare del 1956 e infine il crollo del regime nel 1990 e l'inizio di una società capitalista e consumista.

Protagonisti sono due gemelli che durante la guerra, ancora bambini, sono portati dalla madre presso la nonna che vive in campagna, per salvarli dai bombardamenti e dalla fame; trattati con durezza, imparano le spietate leggi della sopravvivenza in un mondo spietato. Alla fine del primo romanzo uno dei due, Klaus, ormai più o meno diciottenne, riesce a passare clandestinamente il vicino confine (la "cortina di ferro" che separava i paesi comunisti da quelli occidentali). Nei due romanzi successivi Klaus, che ha vissuto per decenni in un paese straniero riconoscibile come la Svizzera, torna dopo la fine del regime comunista a cercare il fratello; in una versione si consuma nella piccola città dove è cresciuto, ormai vicino alla morte per alcolismo e mal di cuore, tra persone che negano che abbia mai avuto un gemello e altre che lo dicono nascosto nei boschi vicini. In un'altra versione è l'altro fratello, Lucas, che cerca Klaus, lo trova a Budapest, divenuto scrittore, ma quello non lo vuole riconoscere e nega di aver mai avuto un fratello. Anche dell'infanzia dei gemelli (o dell'unico che si è inventato un gemello?) vengono date versioni diverse.

Siamo dunque in un labirinto di storie inestricabile. Eppure queste storie sono nutrite di amara verità storica e di una visione lucidamente disperata dell'esistenza. Riportiamo l'inizio del primo dei tre romanzi, in cui questi temi cominciano a delinearsi.

L'arrivo da Nonna

Agota Kristof
IL GRANDE
QUADERNO, in
Trilogia della città di K.
(Trad. dal francese di
A. Marchi, Torino,
Einaudi, 1998

Arriviamo dalla Grande Città[1]. Abbiamo viaggiato tutta la notte. Nostra
Madre ha gli occhi arrossati. Porta una grossa scatola di cartone, e noi due
una piccola valigia a testa con i nostri vestiti, piú il grosso dizionario di nostro Padre, che ci passiamo quando abbiamo le braccia stanche.

Camminiamo a lungo. La casa di Nonna è lontana dalla stazione, all'altro capo della Piccola Città[2]. Qui non ci sono tram, né autobus, né macchine. Circolano solo alcuni camion militari.

I passanti sono pochi, la città è silenziosa. Si può udire il rumore dei
nostri passi; camminiamo senza parlare, nostra Madre tra noi due.

Davanti alla porta del giardino di Nonna nostra Madre dice:

– Aspettatemi qui.

Aspettiamo un po', poi entriamo in giardino, giriamo intorno alla casa,
ci accovacciamo sotto una finestra da cui giungono delle voci. La voce di
nostra Madre:

– Non c'è più niente da mangiare in casa nostra, niente pane, carne,
verdura, latte. Niente. Non posso piú sfamarli.

Un'altra voce dice:

– E allora ti sei ricordata di me. Per dieci anni non ti eri mai ricordata.
Non sei venuta, non hai scritto.

Nostra Madre dice:

– Sapete bene perché. A mio padre volevo bene, io[3].

L'altra voce dice:

– Sì, e adesso ti ricordi che hai anche una madre. Arrivi qua e mi chiedi
di aiutarti.

Nostra Madre dice:

– Non domando niente per me. Vorrei solamente che i miei bambini
sopravvivessero a questa guerra. La Grande Città è bombardata giorno e
notte, e non c'è più da mangiare. I bambini sfollano in campagna, da parenti o estranei, dove capita.

L'altra voce dice:

– Allora non avevi che da mandarli da qualche estraneo, dove capitava.

Nostra Madre dice:

– Sono i vostri nipotini.

– I miei nipotini? Non li conosco nemmeno. Quanti sono?

– Due. Due bambini. Gemelli.

L'altra voce chiede:

– E degli altri cosa ne hai fatto?

Nostra Madre chiede:

– Quali altri?

– Le cagne mollano lì quattro o cinque piccoli per volta. Se ne tengono
uno o due, gli altri li annegano.

L'altra voce ride molto forte. Nostra Madre non dice niente e l'altra voce chiede:

– Hanno un padre almeno? Non sei sposata, che io sappia. Non sono
stata invitata al tuo matrimonio.

– Sono sposata. Il Padre è al fronte. Non ho sue notizie da sei mesi.

1

5

10

15

20

25

30

35

40

45

1. **Grande Città**: pro-
babilmente bisogna
intendere Budapest.
Nessun luogo nei tre
romanzi è nominato
esplicitamente.
2. **Piccola Città**: co-
me si capirà in segui-
to, è una cittadina
ungherese situata a
pochi chilometri dal
confine con l'Austria.
3. **A mio padre... io**:
vari indizi sparsi nei
tre romanzi fanno
supporre che Nonna
abbia ucciso il pro-
prio marito.

– Allora puoi farci una croce sopra.

L'altra voce ride ancora, nostra Madre piange. Ritorniamo davanti alla porta del giardino.

Nostra Madre esce dalla casa con una vecchia.   50

Nostra Madre ci dice:

– Ecco vostra Nonna. Resterete con lei per un po', fino alla fine della guerra.

Nostra Nonna dice:

– La guerra può durare ancora molto. Ma li farò lavorare, stai tranquil-   55
la. Il cibo non è gratis nemmeno qui.

Nostra Madre dice:

– Vi manderò dei soldi. Nelle valigie ci sono i loro vestiti. E nello scato-lone lenzuola e coperte. Siate buoni, piccoli miei. Vi scriverò.

Ci bacia e se ne va piangendo.   60

Nonna ride molto forte e ci dice:

– Lenzuola, coperte! Camicie bianche e scarpe di vernice! Vi insegnerò io a vivere!

Facciamo la lingua a nostra Nonna. Lei ride ancora più forte battendo-si sulle cosce.   65

La casa di Nonna

La casa di Nonna è a cinque minuti di cammino dalle ultime case della   1
Piccola Città. Più avanti c'è solo la strada polverosa, subito interrotta da
una sbarra. È proibito andare oltre, un soldato monta la guardia. Ha un
mitra, un binocolo e quando piove si ripara sotto una garitta. Sappiamo
che al di là della sbarra, nascosta dagli alberi, c'è una base militare segreta e,   5
dietro la base, la frontiera e un altro paese.

La casa è circondata da un giardino in fondo al quale scorre un ruscello,
poi è la foresta.

Il giardino è coltivato con ogni sorta di verdure e alberi da frutto. In un
angolo ci sono una conigliera, un pollaio, un porcile e un capanno per le   10
capre. Abbiamo provato a salire in groppa al più grosso dei maiali, ma è
impossibile restarci sopra.

La verdura, la frutta, i conigli, le anatre, i polli sono venduti al mercato
da Nonna, e anche le uova delle galline e delle anatre e i formaggi di capra.
I maiali vengono venduti al macellaio che paga con i soldi, ma anche con   15
dei prosciutti e delle salsicce affumicate.

C'è pure un cane per cacciare i ladri e un gatto per cacciare ratti e topi
di fogna. Non bisogna dargli da mangiare, in modo che abbia sempre fa-me.

Nonna possiede anche una vigna, dall'altra parte della strada.   20

Si entra in casa dalla cucina che è grande e calda. Il fuoco brucia tutto il
giorno nel forno a legna. Vicino alla finestra c'è un tavolo immenso e una
panca ad angolo. È su questa panca che dormiamo.

Dalla cucina una porta conduce alla camera di Nonna, ma è sempre
chiusa a chiave. Solo Nonna ci va la sera per dormire.   25

C'è un'altra camera in cui si può entrare senza passare dalla cucina, direttamente dal giardino. Questa camera è occupata da un ufficiale straniero[4]. La sua porta è ugualmente chiusa a chiave.

Sotto la casa c'è una cantina piena di cose da mangiare e sotto il tetto una soffitta in cui Nonna non sale più da quando abbiamo segato la scala e lei si è fatta male cadendo. L'ingresso della soffitta è proprio sopra la porta dell'ufficiale e noi ci saliamo con l'aiuto di una corda. È lassù che nascondiamo il quaderno dei compiti, il dizionario di nostro Padre e gli altri oggetti che siamo costretti a tenere segreti.

In poco tempo fabbrichiamo una chiave che apre tutte le porte e pratichiamo dei fori nel pavimento della soffitta. Grazie alla chiave possiamo circolare liberamente nella casa quando non c'è nessuno, e grazie ai fori possiamo osservare Nonna e l'ufficiale nelle loro camere senza che se ne accorgano.

30

35

4. **un ufficiale straniero**: siamo nel 1944, il paese è sotto l'occupazione tedesca.

dialogo con il testo

I temi

Nel mondo della «città di K.» non c'è posto per i sentimenti di amore e di solidarietà; anche i rapporti familiari sono fatti di odio e di disprezzo. La dura necessità economica, la scarsità del cibo sono le uniche leggi che regolano i rapporti umani, fatti di sopraffazione;

❓ indicate i momenti della narrazione che mettono in rilievo questo ultimo aspetto.

I due gemelli protagonisti – che in questo primo romanzo della trilogia raccontano in prima persona plurale – fin da queste prime pagine appaiono decisi a non lasciarsi sopraffare;

❓ rintracciate nel testo i modi con cui reagiscono agli atteggiamenti tirannici della Nonna.

Il loro comportamento non è dunque un adattamento passivo alle regole di una realtà spietata. Ci sono altri aspetti che mostrano la loro capacità di reagire, di essere almeno in parte diversi da ciò che li circonda:
– la solidarietà che li lega, che non verrà mai meno almeno in questo romanzo, fino a che saranno ragazzi e fino a che il lettore sarà sicuro che siano veramente due;
– la cultura (il dizionario e i quaderni portati da casa): i due impareranno da soli a leggere, scrivere e far di conto, e questo sarà un punto di forza nella lotta per la sopravvivenza;

– la stessa decisione con cui lottano per sopravvivere: in altri capitoletti iniziali i due si percuotono a sangue reciprocamente, per allenarsi a resistere a qualsiasi sofferenza.

Questi elementi ne fanno figure almeno in parte positive, introducono qualche spiraglio di umanità nel mondo totalmente disumano che l'autrice ci presenta.

Le forme

La dizione secca, priva del minimo elemento decorativo, la sintassi assolutamente piatta, l'atteggiamento di gelido distacco del narratore sono i procedimenti usati dalla Kristof per adeguare il suo stile alla visione del mondo che propone.

Confronti

❓ Alcuni aspetti della narrativa della Kristof possono far pensare che la scrittrice abbia assimilato la lezione del *nouveau roman*, di Robbe-Grillet in particolare (*T38.6*); ci sono però diversità di atteggiamenti e intenti narrativi non meno evidenti. Provate a sintetizzare analogie e differenze, tenendo conto sia dei brani presentati, sia delle sintesi fornite dei rispettivi romanzi.

Il teatro dell'assurdo

Nella seconda metà del Novecento il teatro tende a rendersi sempre più autonomo dalla letteratura, mettendo in primo piano non la parola, ma l'espressione corporea, la figurazione scenica, il rapporto diretto col pubblico. Con questo si accentua una tendenza già affermatasi nella prima metà del secolo, a partire da autori-attori-registi come Anonin Artaud (vedi Vol. G *T32.95*). Non mancano però alcuni momenti in cui ha rilievo anche il testo, il "teatro di parola"; essi si collocano soprattutto nei primi anni del cinquantennio. Tra essi il "teatro dell'assurdo" parigino ha una priorità non solo cronologica.

Il "teatro dell'assurdo" compare a Parigi, nei locali d'avanguardia, nei primi anni dopo la seconda guerra mondiale. Il tema dell'assurdità della condizione umana era già al centro della riflessione filosofica esistenzialista (Sartre, Vol. G *T31.7*) e delle opere letterarie dei protagonisti francesi del movimento, Sartre e Camus (Vol. G *T32.71*, *T32.72*). Nell'Europa uscita da una guerra spaventosa, in cui sembrano crollati tutti i valori, l'esistenzialismo diventa, oltre che un fatto filosofico e letterario, uno stile di vita, una moda. Sulle scene d'avanguardia, il sentimento dell'assurdo non si traduce in dibattiti di idee (come accade nei testi teatrali di Sartre e Camus), ma assume forme bizzarre, dissacranti, che sconvolgono le tradizionali convenzioni teatrali: dialoghi sconnessi, situazioni inverosimili, personaggi privi di un'identità definita. I testi di Ionesco deformano comicamente la banalità della conversazione quotidiana riducendola a un balbettio insensato (*T38.8*); in quelli di Beckett il comico e il tragico si fondono nella presentazione di situazioni in cui azioni, idee, parole sono totalmente consumate, precipitano nel nulla (*T38.9*).

Eugène Ionesco

Eugène Ionesco (1912-1994), nato presso Bucarest da padre rumeno e madre francese, trascorse l'infanzia in Francia e studiò in entrambi i paesi dei genitori; dal 1946 visse a Parigi e scrisse in francese. Esordì nel teatro con *La Cantatrice calva* (1950), che ottenne l'attenzione della critica internazionale per il modo grottesco e comico con cui rappresentava l'assurdità delle convenzioni sociali; seguirono altri testi nel genere del "teatro dell'assurdo" (*La lezione*, 1951; *Le sedie*, 1952; *Jacques o la sottomissione*, 1955). In seguito nel suo linguaggio grottesco inserì elementi di più esplicita critica sociale (*Il rinoceronte*, 1959, satira della massificazione ideologica), o di più angosciosa meditazione sulla sorte umana (*Il re muore*, 1962). Assunse posizioni di destra, denunciando l'impossibilità di salvare l'autonomia dell'individuo nel generale livellamento sociale.

▶ **T38.8**

T38.8   La Cantatrice calva

La prima scena dell'atto unico La Cantatrice calva *– che riproduciamo in parte – rappresenta bene la sconclusionata assurdità di tutto il testo: nel seguito la scena resterà fissa, ed interverranno due ospiti inattesi che sono marito e moglie ma non lo sanno, un pompiere venuto a spegnere un incendio che non c'è, la cameriera che si permette di commentare la conversazione dei signori con interventi altrettanto incongrui.*

Eugène Ionesco
LA CANTATRICE
CALVA
(Atto unico, scena I, a
cura di G.R. Morteo,
Einaudi, Torino,
1958)

Interno borghese inglese, con poltrone inglesi. Serata inglese. Il signor Smith, 1
inglese, nella sua poltrona e nelle sue pantofole inglesi, fuma la sua pipa ingle-
se e legge un giornale inglese accanto a un fuoco inglese. Porta occhiali inglesi;
ha baffetti grigi, inglesi. Vicino a lui, in un'altra poltrona inglese, la signora
Smith, inglese, rammenda un paio di calze inglesi. Lungo silenzio inglese. La 5
pendola inglese batte diciassette colpi inglesi.

SIGNORA SMITH Già le nove. Abbiamo mangiato minestra, pesce, patate al
lardo, insalata inglese. I ragazzi hanno bevuto acqua inglese. Abbiamo
mangiato bene, questa sera. La ragione si è che abitiamo nei dintorni di
Londra e che il nostro nome è Smith. 10

SIGNOR SMITH (*continuando a leggere, fa schioccare la lingua*).

SIGNORA SMITH Le patate sono molto buone col lardo, l'olio dell'insalata
non era rancido. L'olio del droghiere dell'angolo è di qualità assai migliore dell'olio del droghiere di fronte, ed è persino migliore dell'olio del
droghiere ai piedi della salita[1]. Non voglio dire però che l'olio di costoro 15
sia cattivo.

SIGNOR SMITH (*continuando a leggere, fa schioccare la lingua*).

SIGNORA SMITH Ad ogni modo l'olio del droghiere dell'angolo resta il migliore...

SIGNOR SMITH (*continuando a leggere, fa schioccare la lingua*). 20

SIGNORA SMITH Questa volta Mary ha cotto le patate proprio a dovere.
L'ultima volta non le aveva fatte cuocere bene. A me piacciono solo
quando sono ben cotte.

SIGNOR SMITH (*continuando a leggere, fa schioccare la lingua*).

SIGNORA SMITH Il pesce era fresco. Mi sono persino leccata i baffi. Ne ho 25
preso due volte. Anzi, tre. Mi farà andar di corpo. Anche tu ne hai preso
tre volte. Però la terza volta ne hai preso meno delle due volte precedenti,
mentre io ne ho preso molto di più. Ho mangiato meglio di te, questa
sera. Come si spiega? Di solito, tu mangi più di me. Non è certo l'appetito che ti manca. 30

SIGNOR SMITH (*fa schioccare la lingua*).

SIGNORA SMITH Tutto sommato però la minestra era forse un po' troppo
salata. Aveva più sale in zucca di te. Ah, ah, ah. Aveva pure troppi porri e
troppo poca zucca e cipolla. Mi spiace di non aver suggerito a Mary di
aggiungere un po' di anice stellato[2]. La prossima volta saprò come rego- 35
larmi.

SIGNOR SMITH (*continuando a leggere, fa schioccare la lingua*).

SIGNORA SMITH Il nostro bambino avrebbe voluto bere della birra, un giorno o l'altro non lo terrà più nessuno. Ti rassomiglia. Hai visto, a tavola,
come fissava la bottiglia? Ma io gli ho riempito il bicchiere con l'acqua 40
della caraffa. Aveva sete e l'ha bevuta. Elena invece rassomiglia a me: brava donna di casa, economa, suona il piano. Non chiede mai di bere birra
inglese. È come la più piccola, che beve solo latte e non mangia che pap-
pa. Da ciò si può capire che ha appena due anni. Si chiama Peggy.

La crostata di cotogne e fagiuoli era formidabile. Alla frutta avremmo 45
forse potuto concederci un bicchierino di Borgogna australiano, ma

1. **L'olio del
droghiere... salita**:
frasi tipiche dei vec-
chi manuali di con-
versazione per lo stu-
dio delle lingue stra-
niere, pieni di bana-
lità. Si direbbe che
siamo al capitolo de-
dicato ai comparativi.
2. **anice stellato**: erba
aromatica.

non ho voluto mettere in tavola il vino per non dare ai ragazzi un cattivo esempio di golosità. Bisogna insegnar loro ad essere parchi e misurati nella vita.

SIGNOR SMITH (*continuando a leggere, fa schioccare la lingua*).   50

SIGNORA SMITH La signora Parker conosce un droghiere rumeno, chiamato Popesco Rosenfeld, che è appena arrivato da Costantinopoli. È un gran specialista in yoghurt. È diplomato alla scuola dei fabbricanti di yoghurt di Adrianopoli. Domani andrò da lui a comprare una grossa pentola di yoghurt rumeno folkloristico[3]. Non si trovano sovente cose così nei dintorni di Londra.   55

SIGNOR SMITH (*continuando a leggere, fa schioccare la lingua*).

SIGNORA SMITH Lo yoghurt è quel che ci vuole per lo stomaco, le reni, l'appendicite e l'apoteosi[4]. Me l'ha detto il dottor Mackenzie-King, che cura i bambini dei nostri vicini, i Johns. È un bravo medico. Si può aver fiducia in lui. Non ordina mai dei rimedi senza averli prima esperimentati su di sé. Prima di far operare Parker, ha voluto farsi operare lui al fegato, pur non essendo assolutamente malato.   60

SIGNOR SMITH Come si spiega allora che il dottore se l'è cavata, mentre Parker è morto?   65

SIGNORA SMITH Evidentemente perché sul dottore l'operazione è riuscita, mentre su Parker no.

SIGNOR SMITH Quindi Mackenzie non è un bravo medico. L'operazione avrebbe dovuto riuscire su tutti e due, oppure tutti e due avrebbero dovuto soccombere.   70

SIGNORA SMITH Perché?

SIGNOR SMITH Un medico coscienzioso dovrebbe morire insieme col malato, se non possono guarire assieme. Il comandante di una nave perisce con la nave, nei flutti. Non sopravvive mica.

SIGNORA SMITH Non si può paragonare un malato a una nave.   75

SIGNOR SMITH E perché no? Anche la nave ha le sue malattie; d'altronde il tuo medico è sano come un pesce; ragione di più, dunque, per perire insieme al malato come il dottore con la sua nave.

SIGNORA SMITH Ah! Non ci avevo pensato... Forse hai ragione... E allora che cosa si deve concludere?   80

SIGNOR SMITH Che tutti i medici sono ciarlatani. E anche tutti i malati. Solo la marina è sana, in Inghilterra.

SIGNORA SMITH Ma non i marinai.

SIGNOR SMITH Beninteso. (*Pausa. Sempre col giornale in mano*) C'è una cosa che non capisco. Perché nella rubrica dello stato civile è sempre indicata l'età dei morti e mai quella dei nati? È un controsenso.   85

SIGNORA SMITH Non me lo sono mai domandato!

Altro silenzio. La pendola suona sette volte. Silenzio.
La pendola suona tre volte. Silenzio. La pendola non suona affatto.

---

3. **rumeno folkloristico**: può voler dire "tipico della tradizione popolare rumena", ma l'associazione dei termini è quanto meno insolita.

4. **apoteosi**: propriamente, "divinizzazione di eroi defunti", o "trionfo solenne"; qui viene scambiata per una malattia, con un uso del linguaggio basato più su un'assonanza fonica che non sul significato.

dialogo con il testo

I temi

La situazione iniziale, nell'interno domestico, è all'insegna della più scontata normalità borghese; ma è proprio questa normalità che, forzata caricaturalmente, sconfina nell'insensatezza più totale. Ionesco ricorda che l'idea di questa commedia gli venne mentre studiava l'inglese su un manuale di conversazione, pieno di luoghi comuni: uno di quei manuali in cui gli inglesi si chiamano obbligatoriamente Smith, consumano cibi tipicamente inglesi, hanno abitudini tipiche inglesi ecc.

? Individuate i punti del testo che si alimentano di frasi fatte da manuale.

La banalità di questi stereotipi serve a creare effetti comici, ma la comicità non è fine a se stessa. Attraverso la frantumazione del linguaggio, ridotto a uno sconnesso balbettio, l'autore denuncia il vuoto dei rapporti umani, la solitudine degli individui che non sono più in grado di comunicare.

Le forme

Il testo può essere letto anche come una parodia del dramma borghese col suo impianto realistico, con la sua trama prevedibile e con il suo stile convenzionale.

Un critico francese individuò circa trentasei "ricette comiche" che caratterizzano il nuovo linguaggio teatrale di Ionesco: dall'associazione astrusa dei termini alle parole deformate, dalla coesistenza di spiegazioni opposte per la medesima cosa ad accostamenti basati su affinità foniche dei vocaboli.

? In questo brano è in evidenza l'uso di una logica in apparenza stringente, che porta a conclusioni assurde; individuate in particolare:
– espressioni tipiche di un ragionamento deduttivo, completamente immotivate nel loro contesto;
– l'uso incongruo del procedimento retorico dell'analogia, con cui un giudizio accettato su una situazione viene trasferito su un'altra.

Samuel Beckett

Samuel Beckett (1906-1989) nacque in Irlanda vicino a Dublino, dove compì gli studi universitari. Fu lettore all'*École Normale Supérieure* di Parigi e insegnante di letterature romanze a Dublino; intanto entrava in contatto con l'avanguardia letteraria, e stringeva amicizia col suo conterraneo Joyce. Scrisse in inglese i suoi primi testi, ma dagli anni trenta, trasferitosi definitivamente a Parigi, divenne scrittore in francese. Durante la seconda guerra mondiale partecipò alla resistenza antinazista. Nel dopoguerra pubblicò una trilogia di romanzi (*Molloy*, 1951; *Malone muore*, 1952; *L'innominabile*, 1953), in cui personaggi ridotti a inerti manichini si producono in un delirante monologo sulla totale vacuità dell'esistenza. Ottenne la popolarità col testo teatrale *Aspettando Godot* (1953), che ne fece, accanto a Ionesco, uno dei padri del "teatro dell'assurdo"; seguirono altri testi che portano in scena esseri deformi in un mondo immobile e senza tempo: *Finale di partita* (1957), *L'ultimo nastro di Krapp* (1958), *Giorni felici* (1963). Si dedicò a varie forme di spettacolo, dalla pantomima a radiodrammi, teledrammi, sceneggiature cinematografiche (*Film*, 1965, interpretato da Buster Keaton). Nel 1969 gli venne conferito il premio Nobel per la letteratura.

▶ **T38.9**

T38.9 Aspettando Godot

Fin dalla sua prima rappresentazione, nel 1953, Aspettando Godot *divenne un simbolo della condizione umana di un'epoca, tanto che il titolo è diventato una frase proverbiale. Due vagabondi, Vladimiro ed Estragone, attendono un misterioso Godot, la cui identità rimane indefinita (anche se il nome potrebbe alludere all'inglese* God, *"Dio"); non conoscono né l'ora né il luogo dell'appuntamento e non sanno che fare nell'attesa. In seguito arriva un'altra strana coppia di personaggi,*

Pozzo e Lucky: il primo tiene al guinzaglio il secondo che è sovraccarico di bagagli come una bestia da soma. Alla fine di ciascuno dei due atti compare un ragazzo che annuncia che Godot non verrà in giornata, ma certamente l'indomani; si intuisce che l'attesa è senza fine. Riportiamo l'inizio della commedia.

Samuel Beckett
ASPETTANDO
GODOT
(Atto I, in *Teatro*, a cura di C. Fruttero, Einaudi, Torino, 1968)

Strada di campagna, con albero. 1
È sera.

Estragone, seduto per terra, sta cercando di togliersi una scarpa. Vi si accanisce con ambo le mani, sbuffando. Si ferma stremato, riprende fiato, ricomincia daccapo. 5
Entra Vladimiro.

ESTRAGONE (*dandosi per vinto*) Niente da fare.

VLADIMIRO (*avvicinandosi a passettini rigidi e gambe divaricate*[1]) Comincio a crederlo anch'io. (*Si ferma*) Ho resistito a lungo a questo pensiero; mi dicevo: Vladimiro, sii ragionevole, non hai ancora tentato tutto. E ri- 10 prendevo la lotta. (*Prende un'aria assorta, pensando alla lotta. A Estragone*) Dunque, sei di nuovi qui, tu?

ESTRAGONE Credi?

VLADIMIRO Sono contento di rivederti. Credevo fossi partito per sempre.

ESTRAGONE Anch'io. 15

VLADIMIRO Che si può fare per festeggiare questa riunione? (*S'interrompe per riflettere*) Alzati che t'abbracci. (*Tende la mano a Estragone*).

ESTRAGONE (*irritato*) Dopo, dopo. (*Silenzio*).

VLADIMIRO (*offeso, con freddezza*) Si può sapere dove il signore ha passato la notte? 20

ESTRAGONE In un fosso.

VLADIMIRO (*sbalordito*) Un fosso! E dove!

ESTRAGONE (*senza fare il gesto*) Laggiù.

VLADIMIRO E non ti hanno picchiato?

ESTRAGONE Sì... Ma non tanto. 25

VLADIMIRO Sempre gli stessi?

ESTRAGONE Gli stessi? Non so. (*Silenzio*).

VLADIMIRO Quando ci penso... mi domando... come saresti finito... senza di me... in tutto questo tempo... (*Recisamente*) Non saresti altro che un mucchietto d'ossa, oggi come oggi; ci scommetterei. 30

ESTRAGONE (*punto sul vivo*) E con questo?

VLADIMIRO (*stancamente*) È troppo per un uomo solo[2]. (*Pausa. Vivacemente*) D'altra parte, a che serve scoraggiarsi adesso, dico io. Bisognava pensarci secoli fa, verso il 1900[3].

ESTRAGONE Piantala. Aiutami a togliere questa schifezza. 35

VLADIMIRO Tenendoci per mano, saremmo stati tra i primi a buttarci giù dalla Torre Eiffel. Eravamo in gamba, allora. Adesso è troppo tardi. Non ci lascerebbero nemmeno salire. (*Estragone si accanisce sulla scarpa*). Ma cosa fai?

ESTRAGONE Mi tolgo le scarpe. Non t'è mai capitato, a te?

VLADIMIRO Quante volte t'ho detto che bisogna levarsele tutti i giorni! Do- 40 vresti darmi retta.

---

1. *passettini... divaricate*: movimenti clowneschi che ricordano gli atteggiamenti tipici dei comici del cinema muto americano.

2. **È troppo... solo**: il soggetto sottinteso potrebbe essere "quello che ho fatto per te", o "quello che sto sopportando"; ma la frase può anche essere considerata totalmente incongrua.

3. **secoli fa... 1900**: si può supporre che Vladimiro ed Estragone siano due sopravvissuti, in un futuro imprecisato; oppure che le loro parole siano del tutto prive di senso.

ESTRAGONE (*debolmente*) Aiutami!

VLADIMIRO Hai male?

ESTRAGONE Male! E viene a chiedermi se ho male!

VLADIMIRO (*arrabbiandosi*) Sei sempre solo tu a soffrire! Io non conto nien-   45
te. Ma vorrei vederti, al mio posto! Sapresti cosa vuol dire.

ESTRAGONE Hai avuto male?

VLADIMIRO Se ho avuto male! Mi viene a chiedere se ho avuto male!

ESTRAGONE (*con l'indice puntato*) Non è una buona ragione per non abbot-
tonarsi.   50

VLADIMIRO (*chinandosi*) Già è vero. (*Si riabbottona*) Il vero signore si vede
dalle piccole cose[4].

ESTRAGONE Che vuoi che ti dica, tu aspetti sempre l'ultimo momento.

VLADIMIRO (*meditabondo*) L'ultimo momento... (*Riflettendo*) Campa cavallo mio che l'erba cresce. Chi è più che lo diceva?   55

ESTRAGONE Allora non vuoi aiutarmi?

VLADIMIRO Certe volte mi sembra proprio che ci siamo. Allora mi sento
tutto strano. (*Si toglie il cappello, ci guarda dentro, ci fa scorrer la mano, lo
scuote, lo rimette in testa*) Come dire? Sollevato, ma al tempo stesso...
(*cercando la parola*) ... spaventato. (*Con enfasi*) Spa-ven-ta-to. (*Si toglie di*   60
nuovo il cappello e ci guarda dentro) Questa poi! (*Batte sulla cupola come se*
volesse far cadere qualcosa, torna a guardarci dentro, lo rimette in testa) Insomma... (*Con uno sforzo supremo, Estragone riesce a togliersi la scarpa. Ci*
guarda dentro, fruga con la mano, la rivolta, la scuote, guarda in terra se per
caso non sia caduto qualcosa, fa di nuovo scorrere la mano nell'interno della   65
scarpa, lo sguardo assente) Allora?

ESTRAGONE Niente.

VLADIMIRO Fa' vedere.

ESTRAGONE Non c'è niente da vedere.

VLADIMIRO Cerca di rimetterla.   70

ESTRAGONE (*dopo avere esaminato il piede*) Voglio lasciarlo respirare un
po'.

VLADIMIRO Ecco gli uomini! Se la prendono con la scarpa quando la colpa
è del piede. (*Per la terza volta, si toglie il cappello, ci guarda dentro, ci fa*
scorrere la mano, lo scuote, ci picchia sopra, ci soffia dentro e lo rimette in te-   75
sta) La cosa comincia a preoccuparmi. (*Pausa. Estragone agita il piede di-*
menando le dita per far circolare l'aria). Uno dei ladroni si salvò[5]. (*Pausa*).
È una percentuale onesta. (*Pausa*). Gogo...

ESTRAGONE Cosa?

VLADIMIRO E se ci pentissimo?   80

ESTRAGONE Di cosa?

VLADIMIRO Be'... (*Cerca*) Non sarebbe proprio indispensabile scendere ai
particolari.

ESTRAGONE Di esser nati?

VLADIMIRO (*scoppia in una gran risata, che subito soffoca, portandosi la mano*   85
al pube, col volto contratto) Proibito anche il riso.

ESTRAGONE Bel sacrificio.

VLADIMIRO Si può solo sorridere. (*Il suo viso si fende in un sorriso esagerato,*

4. Il vero... cose:
massima comicamen-
te sproporzionata al
problema di ricordar-
si di abbottonare i
pantaloni.

5. Uno... salvò: se-
condo il Vangelo di
Luca (23, 43), Cristo
fu crocifisso tra due
ladroni; a uno dei
due, che dava segni di
pentimento, disse
«Oggi sarai con me in
paradiso».

che si cristallizza, dura qualche istante, poi di colpo si spegne) Non è la stessa cosa. Comunque... [...][6]

VLADIMIRO Puah! (*Sputa per terra*).

ESTRAGONE (*ritorna al centro della scena e guarda verso il fondo*) Un luogo incantevole. (*Si volta, avanza fino alla ribalta, guarda verso il pubblico*) Panorami ridenti. (*Si volta verso Vladimiro*) Andiamocene.

VLADIMIRO Non si può.

ESTRAGONE Perché?

VLADIMIRO Aspettiamo Godot.

ESTRAGONE Già, è vero. (*Pausa*). Sei sicuro che sia qui?

VLADIMIRO Cosa?

ESTRAGONE Che lo dobbiamo aspettare.

VLADIMIRO Ha detto davanti all'albero. (*Guardano l'albero*). Ne vedi altri?

ESTRAGONE Che albero è?

VLADIMIRO Un salice, direi.

ESTRAGONE E le foglie dove sono?

VLADIMIRO Dev'essere morto.

ESTRAGONE Finito di piangere[7].

VLADIMIRO A meno che non sia la stagione giusta.

ESTRAGONE Ma non sarà poi mica un arboscello?

VLADIMIRO Un arbusto.

ESTRAGONE Un arboscello.

VLADIMIRO Un... (*S'interrompe*) Cosa vorresti insinuare? Che ci siamo sbagliati di posto?

ESTRAGONE Dovrebbe già essere qui.

VLADIMIRO Non ha detto che verrà di sicuro.

ESTRAGONE E se non viene?

VLADIMIRO Torneremo domani.

ESTRAGONE E magari dopodomani.

VLADIMIRO Forse.

ESTRAGONE E così di seguito.

VLADIMIRO Insomma...

ESTRAGONE Fino a quando non verrà.

VLADIMIRO Sei spietato.

ESTRAGONE Siamo già venuti ieri.

VLADIMIRO Ah no! Non esagerare, adesso.

ESTRAGONE Cosa abbiamo fatto ieri?

VLADIMIRO Cosa abbiamo fatto ieri?

ESTRAGONE Sì.

VLADIMIRO Be'... (*arrabbiandosi*) Per seminare il dubbio sei un campione.

ESTRAGONE Io dico che eravamo qui.

VLADIMIRO (*con un'occhiata circolare*) Forse che il posto ti sembra familiare?

ESTRAGONE Non dico questo.

VLADIMIRO E allora?

ESTRAGONE Ma non vuol dire.

VLADIMIRO Però, però... Quell'albero... (*voltandosi verso il pubblico*) ...quella torbiera[8].

90

95

100

105

110

115

120

125

130

135

6. Nel brano che abbiamo omesso i due personaggi si impegnano in una discussione sul significato dell'episodio del Vangelo, e sul perché uno solo dei quattro Evangelisti lo riferisca in quel modo; il tema è serio, anche se la discussione è disseminata di battute comiche e grottesche.

7. **Finito di piangere**: una varietà di salice è detta *piangente*, per la forma dei suoi rami ricurvi fino a terra.

8. **torbiera**: depressione acquitrinosa dove si depositano strati di torba (vegetali carbonizzati).

ESTRAGONE Sei sicuro che era stasera?

VLADIMIRO Cosa?

ESTRAGONE Che bisognava aspettarlo?

VLADIMIRO Ha detto sabato. (*Pausa*). Mi pare.

ESTRAGONE Dopo il lavoro. 140

VLADIMIRO Devo aver preso nota. (*Si fruga in tutte le tasche, strapiene di ogni sorta di cianfrusaglie*).

ESTRAGONE Ma quale sabato? E poi, è sabato oggi? Non sarà poi domenica? O lunedì? O venerdì?

VLADIMIRO (*guardandosi intorno, affannatissimo come se la data fosse scritta 145 sul paesaggio*) Non è possibile.

ESTRAGONE O giovedì.

VLADIMIRO Come si fa?

ESTRAGONE Se si è scomodato per niente ieri sera, puoi star sicuro che oggi non verrà. 150

VLADIMIRO Ma tu dici che noi siamo venuti, ieri sera.

ESTRAGONE Potrei sbagliarmi. (*Pausa*). Stiamo un po' zitti, se ti va.

VLADIMIRO (*fiocamente*) Mi va. (*Estragone torna a sedersi per terra. Vladimiro agitatissimo percorre la scena avanti e indietro, si ferma di tanto in tanto a scrutare l'orizzonte. Estragone si addormenta. Vladimiro si ferma davanti 155 a Estragone*) Gogo... (*Silenzio*). Gogo... (*Silenzio*). Gogo!

dialogo con il testo

I temi

Il teatro di Beckett fonde i toni del comico grottesco (spettacolo di clowns, comica del cinema muto) con quelli del tragico sublime: meditazione desolata sulla condizione umana.

❓ Individuate nel testo gli elementi comici:
– gesti e movimenti dei personaggi;
– allusioni a una condizione degradata, di barboni;
– l'assurdo affaccendarsi intorno a oggetti meschini, il vaniloquio intorno al valore di parole inutili.

Contemporaneamente, lo spazio e il tempo indefiniti, la mancanza di caratterizzazione dei personaggi, danno alla situazione un valore di simbolo metafisico, assoluto, della condizione umana. Vari elementi del brano possono essere ricondotti a questa interpretazione:
– l'incertezza di tutti i punti di riferimento, il dubbio sui dati anche più elementari;
– il senso oscuro di una condanna, di una indefinibile colpa da espiare;
– l'attesa di un'imprecisata redenzione.

❓ Localizzate nel testo le battute che si possono riferire a questi aspetti.

Il testo si presta a essere interpretato in chiave religiosa: vanno in questa direzione l'allusivo nome «Go-

dot», i riferimenti biblici. Del resto lo stesso Beckett, a chi lo interrogava sul significato di *Aspettando Godot*, rispondeva citando un passo di Sant'Agostino: «Non disperare mai: uno dei ladroni fu salvato. Non presumere niente: uno dei ladroni fu dannato».

❓ Considerando però che l'attesa di Godot è destinata a essere delusa, ci si può chiedere di quale genere di religiosità si tratti. Provate a formulare e argomentare un'opinione in proposito.

❓ L'autore è comunque attento a mantenere un ambiguo equilibrio tra il messaggio esistenziale e religioso e la comicità dell'assurdo: individuate i luoghi in cui un commento banale ridicolizza una meditazione seria, o in cui la stessa frase può essere intesa come carica di significati profondi o come del tutto insensata.

Le forme

Nel teatro di Beckett le categorie della drammaturgia tradizionale vengono capovolte: non esiste azione ma una situazione di totale immobilità; i personaggi non hanno carattere, ma si riducono a una sorta di marionette; il dialogo non serve a metterli in comunicazione, ma sovrappone due monologhi incomunicanti.

DA VEDERE **Film**, di Alan Schneider su sceneggiatura di Samuel Beckett (1965, 22')

Samuel Beckett deve la notorietà ai suoi testi teatrali e ai suoi romanzi, mentre meno conosciuta è la sua attività di sceneggiatore per il cinema, per la radio e per la televisione. Pur utilizzando forme di espressione diverse, questi testi confermano la tematica della solitudine e disgregazione dell'uomo contemporaneo. Analogamente a quanto fa in teatro, Beckett riduce all'essenziale il linguaggio cinematografico, rifiutando qualsiasi forma di spettacolarità.

Film è un cortometraggio girato da Alan Schneider su una sceneggiatura di Beckett, che avrebbe dovuto far parte di una trilogia di sceneggiature scritte anche da altri due drammaturghi legati al teatro dell'assurdo, Ionesco e Pinter, ma alla fine fu l'unica realizzata. Alla base di questo breve film c'è un assunto filosofico: «*esse est percipi*», cioè l'esistere consiste nell'essere percepiti, frase del filosofo inglese del Seicento Berkeley. Lo stesso Beckett ha riassunto così il film: «Il tentativo di non essere, nella fuga da ogni percezione estranea, si vanifica di fronte all'ineluttabilità della percezione di sé».

Og, un uomo che a lungo intravediamo di spalle, cerca di nascondersi ogni volta che si accorge di essere osservato da un invisibile occhio,

che Beckett chiama Oc e che coincide con la macchina da presa: finché essa rimane quasi di spalle e non supera un certo angolo di visione, Og non si accorge che qualcuno lo guarda; quando quest'angolo viene inavvertitamente superato dall'osservatore, Og fugge. Lo seguiamo, senza mai vederne inquadrato il volto, fin dentro il suo appartamento, dove copre qualsiasi cosa ricordi un occhio, compreso lo specchio, per evitare di incrociare il suo stesso sguardo. Poi si appisola su una sedia, e Oc avanza oltre l'angolo "di immunità": finalmente vediamo il volto di Og, il quale si sveglia di soprassalto con un'espressione smarrita: inquadrato di fronte a lui c'è Oc che lo guarda; ma Oc è lui stesso.

Un film enigmatico, attraversato da una disperazione insopportabile ma anche da una sorta di compassione per la condizione di fragilità dell'uomo. *Film* deve il suo fascino anche alla presenza di un attore d'eccezione, Buster Keaton, autentica icona del cinema comico muto,

soprannominato "faccia di pietra" per la sua imperturbabile espressione: qui il suo volto invecchiato rafforza il senso di sconforto del film, regalando al contempo una comicità leggermente stilizzata a questo personaggio dello straziante universo beckettiano.

Altri consigli di lettura e visione in *Scegli il tuo libro, scegli il tuo film*, pag. 523

Immagini di *Film*
(1965)

Letteratura critica

Un filone importante della produzione letteraria del secondo Novecento continua quella che da tre secoli è stata una delle funzioni vitali della letteratura: presentare una visione critica delle diverse società, delle loro ingiustizie, storture o orrori. Questo aspetto era presente già negli autori della sezione *I grandi affabulatori* (*T38.1-T38.4*), nei modi della deformazione iperbolica e grottesca. I narratori che presentiamo qui sono fedeli alla verosimiglianza. Non a caso essi appartengono a tre grandi paesi che più degli altri hanno sofferto di una condizione difficile dopo la seconda guerra mondiale: la Germania divisa e travagliata dal problema delle sue responsabilità storiche (Böll, *T38.10*), la Russia oppressa dalla dittatura comunista (Solženicyn, *T38.11*), la Cina sconvolta dalla "rivoluzione culturale" del presidente Mao (Acheng, *T38.13*). Anche tra i poeti la tendenza critica è presente, sulla scia della lezione di Brecht (Vol. G *T32.12*), soprattutto in Germania (Enzensberger, *T38.12*).

Heinrich Böll

Heinrich Böll (1917-1985), nato a Colonia, fu soldato per sei anni durante la seconda guerra mondiale, e fu ferito gravemente per due volte. Al ritorno, nella Germania distrutta, sopravvisse con modesti impieghi; intanto pubblicava i suoi primi racconti, poi raccolti in *Il treno* *era in orario* (1949), in cui esprimeva il disorientamento e l'amarezza dei giovani tedeschi durante e dopo la guerra. Seguì una produzione fitta di racconti e romanzi, accolti con crescente successo; tra i romanzi più noti *Opinioni di un clown* (1963), *Foto di gruppo con signora* (1971), *L'onore perduto di Katharina Blum* (1974). Nel 1972 ottenne il premio Nobel. Assunse posizioni politiche anticonformiste e critiche verso i governi della Germania occidentale.

▶ **T38.10**

T38.10 La morte di Henriette

In Opinioni di un clown *(1963) il protagonista Hans Schnier, che narra in prima persona, è figlio di un ricchissimo industriale renano; rifiutando i valori della propria famiglia, ha scelto di vivere del mestiere di attore comico e si esibisce in spettacoli di genere cabarettistico. Dopo essere stato abbandonato dalla donna con cui conviveva, presa da scrupoli religiosi (siamo nella cattolica Renania), Hans si è dato al bere, e questo ha peggiorato la qualità delle sue esibizioni e il livello degli ingaggi; infine, durante uno spettacolo è caduto a terra e non è riuscito a rialzarsi. Il romanzo si svolge tutto nelle ventiquattro ore seguenti questo incidente: Hans rientra a casa, a Bonn, spendendo i suoi ultimi spiccioli, cerca di ottenere qualche soccorso telefonando a parenti e conoscenti, riceve una visita del padre, ma non si intende con lui, e va infine a esibirsi come mendicante all'ingresso della stazione. A questa esile trama di eventi è intercalata, nel monologo del protagonista, la rievocazione della sua vita precedente, condotta per flash non in ordine cronologico, ma sul filo delle associazioni di idee, degli improvvisi scatti della memoria: ne nasce il ritratto satirico di una società ricca, ipocrita e conformista. Nel capitolo che riportiamo Hans rievoca un momento dell'adolescenza, negli ultimi mesi della guerra voluta dal nazismo.*

Heinrich Böll
OPINIONI DI UN
CLOWN
(Cap. IV, trad. dal
tedesco di A.
Pandolfi, Mondadori,
Milano, 1984)

Sono nato a Bonn e vi conosco molta gente: parenti, conoscenti, ex com- 1
pagni di scuola. Qui abitano i miei genitori, e mio fratello Leo – che si è
convertito sotto l'egida spirituale di Züpfner[1] – studia qui teologia cattolica. I miei genitori li dovrò vedere per forza, almeno una volta, non fos-
s'altro per regolare con loro la questione finanziaria[2]. Forse affiderò anche 5
questo incarico a un avvocato. Su questo punto sono ancora indeciso. Da
quando è morta mia sorella Henriette, per me i miei genitori non esistono
più come tali. Henriette è morta già da diciassette anni. Ne aveva sedici
quando la guerra stava per finire: una bella ragazza, bionda, la miglior
giocatrice di tennis fra Bonn e Remagen. Allora la parola d'ordine era che 10
le ragazze si arruolassero volontarie nella Flak[3] e Henriette si arruolò, nel
febbraio 1945. Tutto si svolse così in fretta e senza incidenti che io non
me ne resi nemmeno conto. Tornavo dalla scuola e traversavo la Kölner
Strasse, quando vidi Henriette seduta nel tram che partiva proprio in quel
momento, diretto in città. Mi fece un cenno di saluto e rise e anch'io risi. 15
Aveva sulle spalle un piccolo sacco da montagna, in testa un bel cappellino blu e indossava il cappotto invernale pesante, con il collo di pelliccia.
Non l'avevo mai vista con il cappello in testa, si era sempre rifiutata di
metterlo. Il cappello la cambiava molto, le conferiva l'aspetto di una vera
signorina. Pensai che andasse a fare una gita, sebbene fosse un momento 20
abbastanza strano per fare delle gite. Ma dalle scuole di allora c'era da
aspettarsi di tutto. Tentavano persino di insegnarci la regola del tre nel rifugio antiaereo, malgrado si sentissero già le artiglierie[4]. Il nostro insegnante Brühl cantava con noi inni "sacri e nazionali", come diceva lui, e
con questo intendeva tanto *Ein Haus voll Glorie schauet*, quanto *Siehst du* 25
im Osten das Morgenrot[5].

Di notte, quando finalmente si stava tranquilli per una mezz'ora, si udi-
vano sempre piedi in marcia: prigionieri di guerra italiani (a scuola ci era
stato spiegato perché adesso gli italiani non erano più alleati e lavoravano
invece da noi come prigionieri, ma fino ad oggi non sono riuscito a capire 30
come mai), prigionieri russi, donne prigioniere, soldati tedeschi. Piedi in
marcia, tutta la notte. Nessuno sapeva esattamente che cosa succedesse.

Henriette aveva realmente l'aria di andare a fare una gita scolastica.
Quelli erano capaci di tutto. Talvolta, quando sedevamo in classe fra un allarme e l'altro, udivamo attraverso le finestre aperte autentiche fucilate, e 35
quando voltavamo gli occhi spaventati verso la finestra, il maestro Brühl ci
domandava se sapevamo che cosa significasse. Nel frattempo lo avevamo
imparato: era di nuovo un disertore che veniva fucilato su nel bosco. «Così
accadrà a tutti quelli che si rifiutano di difendere la sacra terra tedesca dagli
yankees ebrei[6]» diceva Brühl. (Poco tempo fa l'ho incontrato di nuovo. 40
Adesso è vecchio, con i capelli bianchi; insegna in un'accademia di pedagogia[7] ed è considerato un uomo con un "coraggioso passato politico" perché
non fu mai iscritto al partito[8].)

Feci ancora un ultimo cenno di saluto in direzione del tram nel quale
partiva Henriette, e attraverso il parco della villa andai a casa, dove i miei 45
genitori e Leo erano già seduti a tavola. C'era zuppa di pane tostato, come
piatto forte patate con la salsa e come dessert una mela. Soltanto al dessert

1. **si è convertito...**
Züpfner: è passato
dal protestantesimo al
cattolicesimo, sotto
l'influenza di Züpf-
ner, un cattolico be-
nestante che ha poi
sposato la donna che
prima stava con
Hans.
2. **per regolare... fi-**
nanziaria: ottenere
da loro, ricchissimi,
un sussidio, o la pro-
pria parte di eredità.
3. **Flak**: l'arma anti-
aerea che presidiava le
città tedesche.
4. **si sentissero già le**
artiglierie: gli anglo-
americani erano or-
mai a pochi chilome-
tri dalla città.
5. *Ein Haus... Mor-*
genrot: "Guardate
una casa piena di glo-
ria" (inno religioso),
"Vedi all'Est il rosso
dell'alba" (inno nazi-
sta).
6. **yankees ebrei**:
yankee è un termine
che designa popolar-
mente gli Americani
degli Stati Uniti, qui
usato in senso spre-
giativo; gli Americani
sono associati agli
Ebrei, che nella pro-
paganda nazista rap-
presentavano il nemi-
co, il male assoluto.
7. **accademia di pe-**
dagogia: scuola di
formazione degli in-
segnanti.
8. **partito**: il Partito
nazionalsocialista,
partito unico del regi-
me.

domandai a mia madre dove andava Henriette con la gita scolastica. Ebbe una breve risata e poi disse: «Gita! Che sciocchezza. È andata a Bonn per arruolarsi nella Flak. Non lasciare mezza mela attaccata alla buccia, figliolo, guarda un po' qui». E prese proprio le bucce dal mio piatto, vi passò con cura il coltello e infine si mise in bocca il risultato di quell'economia: diafane fettine di mela. Guardai mio padre. Lui guardò nel suo piatto e non disse nulla. Anche Leo tacque, ma quando alzai di nuovo gli occhi su mia madre, ella disse con la sua voce dolce: «Capirai anche tu che ciascuno deve fare la sua parte, per ricacciare gli yankees ebrei dalla nostra sacra terra tedesca». Mi gettò un'occhiata che mi fece sentire a disagio, poi guardò Leo nello stesso modo e mi fece pensare che fosse in procinto di far scendere anche noi due in campo contro gli yankees ebrei. «La nostra sacra terra tedesca» ripeté. «E sono già avanzati fino all'Eifel[9].» Mi pareva di avere una gran voglia di ridere; invece scoppiai in pianto, gettai il coltello da frutta e scappai in camera mia. Avevo paura, e sapevo persino di che cosa; però non avrei saputo esprimerlo a parole e divenni furioso pensando a quelle maledette bucce di mela. Diedi un'occhiata alla sacra terra tedesca del nostro giardino, coperta di neve sporca, fino al Reno, oltre il salice piangente fino alle Siebengebirge[10], e tutto quello scenario mi sembrò una completa idiozia. Ne avevo visto un paio, di quegli "yankees ebrei": su un camion che li portava giù dal Venusberg[11] verso Bonn, dove andavano a un centro di raccolta. Avevano l'aria congelata, impaurita e giovane; se mai per ebrei riuscivo a figurarmi qualcuno, allora erano piuttosto gli italiani, che avevano l'aria ancor più congelata degli americani, troppo stanchi per avere ancora paura. Mi buttai contro la sedia posata davanti al mio letto, e siccome non cadde per terra, mi ci buttai contro una seconda volta. Finalmente si rovesciò e mandò in pezzi la lastra di vetro sul comodino. Henriette con il cappellino blu e il sacco in spalla. Non ritornò più e non sappiamo neppure oggi dove sia sepolta. Qualcuno venne da noi dopo la fine della guerra e annunciò che era "caduta presso Leverkusen".

Questa preoccupazione per la sacra terra tedesca è comica e in un certo senso interessante, se si pensa che un bel pacchetto delle azioni del carbone è da due generazioni nelle mani della nostra famiglia. Da settant'anni gli Schnier fanno quattrini con il lavoro che la nostra sacra terra tedesca deve sopportare: villaggi, foreste, castelli cadono davanti alle loro scavatrici come le mura di Gerico[12].

Soltanto un paio di giorni più tardi venni a sapere chi avrebbe potuto vantare una paternità sull'espressione «yankees ebrei»: Herbert Kalick, allora quattordicenne, comandante del mio gruppo dei giovani, al quale mia madre aveva generosamente concesso l'uso del parco, perché noi tutti venissimo istruiti a maneggiare il *Panzerfaust*[13]. Mio fratello Leo, che aveva otto anni, partecipava a queste esercitazioni; lo vidi marciare lungo il campo di tennis con un *Panzerfaust* sulla spalla, la faccia seria come la può avere soltanto un bambino. Lo fermai e gli domandai: «Che cosa fai con quel coso?». E lui, con la faccia di una mortale serietà: «Divento un *Werwolf*[14]; e tu no forse?». «Certo» dissi io, e andai con lui oltre il campo di tennis, fino al campo di tiro, dove Herbert Kalick stava appunto raccontando la

50

55

60

65

70

75

80

85

90

9. Eifel: regione montagnosa a sud di Bonn.
10. Siebengebirge: le "Sette montagne", nome di un gruppo montuoso.
11. Venusberg: altro monte ("monte Venere").
12. come le mura di Gerico: secondo il racconto biblico (*Giosuè*, 6), le mura di Gerico, città nemica assediata dagli Ebrei, crollarono di colpo miracolosamente, dopo che gli assedianti vi avevano girato intorno in processione per sette giorni.
13. *Panzerfaust*: "pugno corazzato", un'arma anticarro individuale.
14. *Werwolf*: "lupo mannaro"; è il nome dell'organizzazione militare in cui vennero inquadrati i giovanissimi nell'ultimo periodo della guerra nazista.

storia del ragazzo che a dieci anni aveva già guadagnato la croce di ferro di
prima classe[15], in qualche parte della lontana Slesia, facendo saltare per aria
con il suo *Panzerfaust* tre carri armati russi. Quando uno dei ragazzi domandò come si chiamava questo eroe, io risposi: «*Rübezahl*[16]». Herbert
Kalick diventò giallo in viso e gridò: «Sporco disfattista[17]!». Mi chinai e gli
gettai in faccia una manciata di cenere. Tutti si lanciarono su me; soltanto
Leo restò neutrale, si mise a piangere ma non venne in mio aiuto e allora,
preso dalla paura, gridai in faccia a Herbert: «Porco nazista!». Avevo letto
quella parola da qualche parte, sulle sbarre di un passaggio a livello. Non
sapevo esattamente che cosa volesse dire, ma avevo l'impressione che in
quel momento fosse l'espressione giusta. Herbert Kalick interruppe immediatamente la mischia e assunse il tono ufficiale: mi arrestò, venni rinchiu-
so nel casotto del campo di tiro, fra bersagli e bastoni indicatori, fino a che
Herbert non ebbe riunito i miei genitori, il maestro Brühl e un tale, gerarca[18] del partito. Io piangevo di rabbia; calpestai tutti i bersagli e continuavo a gridare ai ragazzi che stavano fuori di guardia: «Porci nazi! Porci nazi!».
Dopo un'ora venni trascinato nel nostro salotto per un interrogatorio. Il
maestro Brühl era fuori di sé. Continuava a ripetere: «Estirpare radicalmente, estirpare radicalmente», e ancora oggi non so con precisione se intendeva fisicamente o, per così dire, spiritualmente. Quanto prima gli scriverò indirizzando alla facoltà di pedagogia, pregandolo di una spiegazione,
per amore della verità storica. L'uomo del partito, un certo Lövenich, rappresentante del comandante di zona, era molto ragionevole. Continuava a
ripetere: «Ma pensate, riflettete, il ragazzo non ha ancora undici anni», e
poiché produceva in me un effetto quasi rassicurante, risposi persino alla
sua domanda: dove cioè avessi imparato l'espressione incriminata. «L'ho
letta sulle barre del passaggio a livello della Annabergstrasse.» «Non te l'ha
mai detta nessuno» domandò; «voglio dire, non l'hai mai udita, a voce?»
«No» risposi. «Il ragazzo non sa davvero quello che dice» esclamò mio padre e mi posò una mano sulla spalla. Brühl gli gettò un'occhiata velenosa e
poi guardò intimorito Herbert Kalick. Evidentemente il gesto di mio padre veniva interpretato come un segno troppo manifesto di simpatia. Piangendo mia madre disse con la sua voce dolce e stupida: «Non sa quello che
fa, non lo sa, altrimenti dovrei ritirare da lui la mia mano». «Ritirala pure»
dissi io. Tutto questo accadeva nel nostro immenso salone, con i pomposi[19]
mobili scuri, i boccali e i trofei di caccia del nonno posati in alto sull'ampio zoccolo di quercia e i grandi armadi della biblioteca con i vetri a riqua-
dri piombati. Sentivo gli spari dell'artiglieria, su nei boschi dell'Eifel, a non
più di venti chilometri, di tanto in tanto si udiva persino il martellare di
una mitragliatrice. Herbert Kalick, pallido, biondo, con la sua faccia da fa-
natico, fungeva da pubblico ministero, batteva le nocche nervosamente sul
piano della credenza e pretendeva: «Durezza, durezza, inflessibile durezza».
Venni condannato a scavare una trincea anticarro in giardino e al pomeriggio ero ancora lì a scavare. Secondo la tradizione degli Schnier scavavo la
terra tedesca, anche se, contrariamente alla tradizione medesima, scavavo
di mia propria mano. Scavai la trincea attraverso l'aiuola di rose prediletta
dal nonno, precisamente in direzione della copia dell'Apollo del Belvede-

95

100

105

110

115

120

125

130

135

140

15. **la croce... classe**:
un'onorificenza mili-
tare.
16. *Rübezahl*: "Ra-
peronzolo", personag-
gio di fiabe popolari.
17. **disfattista**: chi
desidera la disfatta
della propria patria;
sabotatore, traditore.
18. **gerarca**: alto funzionario.
19. **pomposi**: lussuo-
si e solenni.

re[20], e già pregustavo il momento in cui la statua di marmo sarebbe caduta, vittima della mia attività. Ma mi rallegravo troppo presto: la statua cadde per mano di un piccolo lentigginoso ragazzo che si chiamava Georg. Georg saltò in aria insieme alla statua a causa di un *Panzerfaust* che aveva fatto esplodere per sbaglio. Il commento di Herbert Kalick su questa disgrazia fu molto laconico: «Fortunatamente Georg era orfano».

145

20. **copia... Belvedere**: la copia in marmo di una scultura antica, decorazione di un parco signorile.

dialogo con il testo

I temi

Scegliendo la professione di clown, il protagonista si è volontariamente emarginato da una società che rifiuta; il suo fallimento sentimentale, e poi professionale, sintetizza la distruzione di valori umani che quella società opera, con la sua grettezza morale. Scavando nel proprio passato, Hans ritrova le ragioni del proprio rifiuto nella follia nazista che ha segnato la sua generazione: un fanatismo ottuso e violento che si è radicato anche nei giovanissimi, che ha deformato perfino due tra le figure di riferimento più importanti per un bambino, la madre e il maestro. La morte della sorella amata e ammirata, continuamente rievocata nelle pagine del romanzo, racchiude in sé la violenza spietata e disperata di un regime che continuò a distruggere vite fino all'ultimo istante.

La Germania del dopoguerra, rapidamente tornata alla prosperità, immersa nel benessere, ha avuto la tendenza a rimuovere dalla coscienza il proprio passato recente; gli scrittori più sensibili e critici, come Böll, si sono assunti il compito di richiamarlo alla

memoria, di denunciare la dimenticanza, di invitare a un esame di coscienza senza il quale la società tedesca non poteva dirsi veramente cambiata.

? Alcuni accenni alla vita successiva di uno dei personaggi mostrano l'intenzione di denunciare la dimenticanza delle responsabilità del passato, il passaggio troppo disinvolto alla nuova società. Individuateli nel testo.

Le forme

? La prosa di Böll ha un tono freddo e compassato, anche quando tocca temi tragici o descrive emozioni violente; provate a descrivere, ad esempio, il modo in cui è espresso il dolore del protagonista quando si rende conto che la sorella può essere morta.

? In questo stile, molto è affidato a ciò che è suggerito e non detto; analizzate da questo punto di vista la scena che si svolge a tavola (righe 44-64).

? Questa programmatica freddezza serve a volte a raggiungere effetti di ironia amara e sarcastica; se ne possono indicare alcuni esempi nel brano.

Seconda guerra mondiale: contadini tedeschi abbandonano le loro case in fiamme (marzo 1945, foto di Robert Capa)

Aleksandr Solženicyn

Aleksandr Solženicyn, nato nel 1918, russo, combatté nella seconda guerra mondiale; subito dopo, a causa di un'allusione a Stalin contenuta in una sua lettera, fu internato in un campo di lavori forzati per undici anni. Nel 1956, all'inizio della "destalinizzazione", fu rilasciato e riabilitato, e fece il professore di matematica a Rjazan'. Si fece conoscere come scrittore col raccon-to lungo *Una giornata di Ivan Denisovic*, pubblicato in rivista nel 1962, cruda rappresentazione delle sofferenze degli internati nei lager staliniani. I due romanzi seguenti, *Reparto C* (1967) e *Il primo cerchio* (1969) poterono essere pubblicati solo in Occidente. Nel 1970 gli venne assegnato il premio Nobel per la letteratura, ma non si recò a ritirarlo perché non aveva garanzie che gli sarebbe stato concesso di rientrare in patria. Dopo la pubblicazione (sempre all'estero) di *Arcipelago Gulag* (1974), raccolta di dati sui lager staliniani, Solženicyn fu espulso dall'Unione Sovietica e andò a vivere negli Stati Uniti. Nel 1994 è rientrato nella patria non più comunista.

▶ **T38.11**

T38.11

Ingresso al reparto cancro

Reparto C si svolge nel 1955, nel reparto destinato ai malati di cancro di una cittadina dell'Uzbekistan, stato dell'Asia centrale che all'epoca faceva parte dell'Unione Sovietica. Nella corsia si incontra un vario campionario di personaggi del mondo sovietico, alle prese coi problemi supremi dell'esistenza, di fronte alla malattia e alla morte. Nel primo capitolo, che riproduciamo in parte, si assiste all'ingresso in ospedale di Pavel Rusanov, un importante personaggio di regime che un improvviso tumore al collo ha costretto a ricoverarsi.

Aleksandr Solženicyn
REPARTO C
(Parte I, cap. I, trad. dal russo di G. Dacosta, Einaudi, Torino, 1974)

Il reparto cancro portava proprio il numero tredici! Pavel Nikolaevič Rusa-nov non era mai stato superstizioso, né avrebbe potuto esserlo[1], ma qualco-sa in lui si afflosciò, quando nel foglio d'accompagnamento gli scrissero: «reparto numero tredici». Ecco, non avrebbero potuto con un briciolo di buon senso, assegnare il numero tredici al reparto ortopedico o a quello di medicina interna?

Comunque, in tutta la repubblica[2] in quel momento non vi era alcun altro posto, all'infuori di quella clinica, in cui gli avrebbero potuto fare qualcosa.

– Ma io non ho un cancro, è vero, dottoressa? Io non ho un cancro, vero? – domandava con un filo di speranza Pavel Nikolaevič, toccandosi lievemente sulla parte destra del collo quel brutto tumore, che cresceva quasi di ora in ora, mentre però all'esterno era ricoperto sempre dalla stessa pelle, bianca e innocente.

– Ma no, no, naturalmente, – lo tranquillizzò per la decima volta la dottoressa Doncova, riempiendo con la sua grafia tutta svolazzi le cartelle sul curriculum della sua malattia. Quando scriveva s'infilava gli occhiali, rettangolari e un po' arrotondati, ma appena terminava di scrivere, se li toglieva. Aveva già una certa età, e un aspetto pallido e molto stanco.

Questo avveniva ancora durante la visita d'ambulatorio, alcuni giorni addietro. I malati che venivano indirizzati al reparto cancro, anche solo per una visita d'ambulatorio, non dormivano più la notte. A Pavel Nikolaevič

1. né avrebbe potuto esserlo: un funzionario di partito doveva avere una visione scientifica del mondo.
2. la repubblica: l'Uzbekistan, repubblica federata nell'U.R.S.S. Rusanov, come la maggior parte della classe dirigente, non è uzbeco ma russo.

1

5

10

15

20

la Doncova aveva prescritto di farsi ricoverare, e al più presto possibile.

Non era tanto la malattia in se stessa, imprevista, inattesa, che nel termine di due settimane si era abbattuta come una raffica addosso ad un uomo felice e spensierato, ad angosciare Pavel Nikolaevič, quanto soprattutto il fatto che gli sarebbe toccato di essere ricoverato in quella clinica al pari di tutti gli altri, come ormai egli non si curava da tempo immemorabile[3]. Cominciarono a telefonare: a Evgenij Semënovič, a Šendjapin, a Ul'masbaev[4], e questi a loro volta telefonarono per accertarsi delle varie possibilità: se ci fosse in quella clinica una corsia riservata, o se si potesse adibire almeno una piccola stanzetta a tale scopo. Tuttavia, dato il poco spazio disponibile, non si ottenne nulla.

L'unica cosa che si riuscì ad ottenere dal primario fu di poter evitare la sala accettazione, col bagno comune e lo spogliatoio.

Sulla loro piccola *moskvič*[5] celestina, Jura portò il padre e la madre sino agli scalini del reparto numero tredici.

Nonostante il gelo, due donne con delle vestaglie di fustagno stinte erano sul terrazzino di pietra, si stringevano l'una all'altra, ma rimanevano lì.

A cominciare da quelle vestaglie trascurate, tutto lì a Pavel Nikolaevič riusciva sgradevole: il pavimento di cemento del terrazzino, troppo consumato dai passi; le maniglie opache della porta, con le impronte delle mani dei malati; la sala di attesa, con il pavimento scrostato, e un altissimo zoccolo olivastro (il color olivastro gli dava l'impressione di sporcizia), e con le alte panche di legno a liste sulle quali non c'era posto per tutti, cosicché alcuni malati giunti da lontano stavano seduti sul pavimento (uzbechi con le vestaglie trapuntate, vecchie uzbeche coi fazzolettoni bianchi, mentre quelli delle giovani erano color lilla o rossi e verdi), tutti con gli stivali e le galosce. Un giovanotto russo stava sdraiato, occupando tutta una panca, con indosso un cappotto sbottonato che spenzolava sul pavimento, magro da far paura, ma col ventre gonfio, e gridava ininterrottamente dal dolore.

Quegli urli assordirono Pavel Nikolaevič, e lo colpirono come se il giovanotto gridasse non per se stesso, ma per lui.

A Pavel Nikolaevič impallidirono persino le labbra, si fermò e sussurrò:
– Kapa[6]! Io qui ci muoio. Lasciamo stare. Torniamo indietro.

Kapitolina Matveevna lo prese per un braccio energicamente, e lo strinse:
– Pašen´ka[7]! Ma dove vuoi tornare?... E che farai poi?
– Chissà, forse ci si potrà ancora accordare per Mosca[8]...

Kapitolina Matveevna volse verso il marito tutta la sua grande testa, resa ancor più grande dai suoi gonfi e corti boccoli color rame.

– Pašen´ka! Per Mosca, chissà, forse ci vorranno ancora un paio di settimane, può darsi che non ci riusciremo. Come si fa ad aspettare? Ogni mattina si fa più grande!

La moglie lo stringeva per il polso, trasmettendogli un po' di coraggio. Nelle questioni politiche o di lavoro, Pavel Nikolaevič dimostrava fermezza, senza aver bisogno di nessuno, ma appunto per questo gli faceva più piacere, e gli procurava maggiore tranquillità, nelle faccende familiari, rimettersi in tutto alla moglie: lei decideva ogni cosa importante alla svelta e

3. **come ormai... immemorabile**: un modo di curarsi a cui non era più abituato (la traduzione di questa frase non è felice). Gli alti funzionari dell'Unione Sovietica godevano in genere di servizi pubblici riservati a loro.
4. **Evgeni... Ul'masbaev**: amici altolocati.
5. *moskvič*: vettura economica costruita all'epoca in Russia.
6. **Kapa**: diminutivo di Kapitolina, la moglie.
7. **Pašen´ka**: diminutivo affettuoso di Pavel.
8. **per Mosca**: per farsi ricoverare a Mosca, in un ospedale migliore.

25

30

35

40

45

50

55

60

65

nel modo giusto.   70

Ma quel giovanotto sulla panca si straziava, urlava!

– Forse i medici acconsentiranno a curarmi a casa... Li pagheremo[9]... –
insisteva, ma con scarsa convinzione, Pavel Nikolaevič.

– Pasik[10]! – cercava di persuaderlo la moglie, soffrendo insieme con lui,
– tu lo sai, io sono sempre la prima per una cosa del genere: chiamare e pa-   75
gare. Ma ormai lo sappiamo: questi medici non vengono a casa e non accettano denaro. E poi qui hanno i loro apparecchi. Non si può...

Pavel Nikolaevič capiva da solo che non si poteva. Parlava così, ad ogni
buon conto...

In seguito ad un accordo col primario del dispensario oncologico, li   80
avrebbe dovuti attendere la capoinfermiera, alle due del pomeriggio, all'i-
nizio della scala, per la quale stava ora scendendo un malato con le stampelle. Ma, naturalmente la capoinfermiera non c'era, e il suo stanzino, nel
sottoscala, era chiuso col lucchetto.

– Non ci si può fidare di nessuno! – scoppiò Kapitolina Matveevna. –   85
Chissà perché gli dànno lo stipendio!

Così come si trovava, avvolta in un enorme collo, fatto di due volpi argentate, entrò nel corridoio, dov'era scritto: «Vietato entrare in soprabito».

Pavel Nikolaevič era rimasto nel vestibolo. Timorosamente, piegando
leggermente il collo, palpava il suo tumore tra la mandibola e la clavicola.   90
Aveva l'impressione che in mezz'ora, da quando se l'era guardato per l'ultima
volta allo specchio, avvolgendosi la sciarpa, gli fosse ancora cresciuto. Pavel
Nikolaevič si sentiva fiacco, avrebbe voluto sedersi. Ma le panche gli parvero sporche, e per di più avrebbe dovuto pregare una donna col fazzolettone e
con un sacco lurido sul pavimento, tra le gambe, di spostarsi un po' in là.   95
Anche da lontano era impossibile sfuggire al puzzo che veniva da quel sacco.

Ma quando mai imparerà la nostra popolazione a viaggiare con delle
valige pulite, come si deve! (Del resto, adesso con quel tumore tutto ciò gli
era indifferente).

Soffrendo per le urla di quel giovane, e per tutto ciò che vedevano i suoi   100
occhi, e che arrivava al suo naso, Rusanov stava in piedi appoggiandosi ad
una sporgenza della parete. Dall'esterno entrò un omaccione portando davanti a sé un recipiente da mezzo litro con un'etichetta, pieno quasi sino al-
l'orlo di un liquido giallastro. Portava quel recipiente non davanti a sé, ma
sollevandolo con orgoglio, come un boccale di birra conquistato dopo una   105
lunga fila. Si fermò davanti a Pavel Nikolaevič, quasi tendendogli il recipiente. Voleva chiedergli qualcosa, ma poi, notato il suo berretto di lontra, si volse, sempre guardando diritto davanti a sé, verso il malato con le stampelle.

– Caro! Dove lo devo portare?

Lo sciancato gli indicò la porta del laboratorio.   110

Pavel Nikolaevič aveva la nausea.

Si aprì ancora una volta la porta d'ingresso, e in camice bianco, senza
nient'altro sopra, entrò un'infermiera dall'aspetto poco attraente, con un
viso troppo lungo. Ella notò subito Pavel Nikolaevič, e intuito chi fosse, gli
si avvicinò.   115

– Scusi, – disse tutta trafelata, rossa come il colore delle sue labbra di-

9. **Li pagheremo**: pa-
gare privatamente un
servizio era illegale
nell'U.R.S.S., dove
tutti erano dipenden-
ti dello stato, ma era
pratica frequente.

10. **Pasik**: altro diminutivo; l'abbondanza
di diminutivi affet-
tuosi è tipica del rus-
so.

pinte, tanto si era affrettata. – Scusi! È molto che aspetta? Hanno portato dei medicinali, ed io sto all'accettazione.

Pavel Nikolaevič avrebbe voluto dare una risposta pungente, ma si trattenne. Era comunque contento che l'attesa fosse terminata. Arrivò Jura, portando la valigia e la borsa con i generi alimentari, calmo calmo, con l'alto ciuffo biondo dondolante, e con indosso il solo vestito, senza il berretto, così come guidava la macchina.

– Andiamo! – li guidò la capoinfermiera verso il suo ripostiglio nel sottoscala. – So, me lo ha detto Nizamudtin Bachramovič[11], che si è portato biancheria propria, e un pigiama ancora mai messo, non è vero?

– Appena comperato in negozio.

– Così dev'essere, altrimenti sarebbe necessaria la disinfezione. Capisce? Ecco, qui si cambierà.

Aprì una porta di compensato, e accese la luce. Nello sgabuzzino, dal soffitto obliquo, non c'erano finestre, ma alle pareti erano appesi molti grafici colorati.

Jura in silenzio portò lì la valigia, uscì, e Pavel Nikolaevič andò a cambiarsi. La capoinfermiera stava per scappare in un altro posto, quando arrivò Kapitolina Matveevna.

– Signorina, ha fretta?

– Sì, un p-pochino...

– Come si chiama?

– Mita.

– Che nome strano! Non è russa?

– Tedesca[12]...

– Lei ci ha fatto aspettare.

– Vi chiedo scusa. Sono lì all'accettazione...

– Allora, stia a sentire, Mita, io voglio che sappia. Mio marito è una persona importante, un funzionario molto quotato. Si chiama Pavel Nikolaevič[13].

– Pavel Nikolaevič, va bene, me lo ricorderò.

– Capisce, lui è abituato a essere trattato con premura, adesso poi ha una malattia così seria... Non si potrebbe lasciare sempre al suo capezzale un'infermiera?

Il volto preoccupato e indaffarato di Mita si fece ancor più preoccupato. Scosse la testa.

– Oltre a quelle della sala operatoria, abbiamo tre infermiere di turno per sessanta persone. E di notte due.

– Ecco, vede? Qui si può anche morire, gridare, che tanto non accorre nessuno.

– Perché pensa così? Si accorre da tutti.

«Da tutti»... Se lei diceva «da tutti», a che pro starle a spiegare...? – Per di più le vostre infermiere fanno i turni?

– Sì, ogni dodici ore.

– Ma è terribile questa assistenza anonima!... Verrei io a turno con mia figlia! O potrei trovare un'infermiera a mie spese, ma mi dicono che non è permesso, non è vero?

120

125

130

135

140

145

150

155

160

11. **Nizamudtin Bachramovič**: un dirigente dell'ospedale, contattato prima del ricovero.
12. **Tedesca**: molti russi sono di origine tedesca.
13. **Si chiama... Nikolaevič**: chiamare una persona per nome e patronimico (invece che col solo nome o cognome) è un segno di rispetto.

– Penso di no. Ancora non l'ha fatto nessuno. E poi là nella corsia non c'è posto neppure per una sedia.   165

– Dio mio, mi figuro che razza di corsia sarà! Bisogna ancora vederla, questa corsia! Quanti letti vi sono?

– Nove. Ma è già molto che venga ammesso subito nella corsia. Da noi i nuovi arrivati stanno sulle scale o nei corridoi.

– Signorina, io comunque voglio rivolgerle una preghiera: lei conosce il   170
suo personale, e per lei è più facile sistemare questa faccenda. Si metta d'accordo con un'infermiera o con una portantina, perché Pavel Nikolaevič riceva un'assistenza speciale... – Ella aveva già fatto scattare la sua grande borsetta nera, e ne aveva estratto tre biglietti da cinquanta.

Il figlio, che se ne stava taciturno lì a due passi, si voltò[14].   175

Mita ritrasse le braccia dietro la schiena.

– No, no! Questi incarichi...

– Ma io non li do mica a lei! – disse Kapitolina Matveevna, spingendo-le sul petto i biglietti stirati. – Dato che non si può per via legale... Io pago il lavoro! La prego solamente di essere così cortese da passarli!   180

– No, no, – s'irrigidì l'infermiera. – Da noi queste cose non si fanno.

14. **si voltò**: per non vedere il gesto illegale, equivalente a un tentativo di corruzione.

dialogo con il testo

I temi

Nella vita di un uomo «felice e spensierato», che si identifica pienamente nel regime che serve, la malattia porta una crisi improvvisa delle sue certezze: si scopre superstizioso, contro i princìpi che coltiva e inculca negli altri, si rivolge in tono supplichevole al medico, lui abituato a comandare. Il confronto con la malattia e la morte, che porta a riscoprire i valori religiosi, sarà uno dei temi portanti del romanzo.

Accanto a questo si svolge la critica sociale: Pavel Nikolaevič è un privilegiato del regime, abituato a un tenore di vita elevato (si vedano le volpi argentate della moglie e la macchina privata, che era un lusso nell'Unione Sovietica del tempo), abituato a contare sulle sue relazioni importanti. Una serie di circostanze sfortunate lo porta a contatto con la misera umanità comune, a essere trattato come tutti gli altri: negando l'ideologia egualitaria a cui aderisce in teoria, lotta disperatamente per conservare i suoi privilegi usando la forza del denaro. L'autore mette così in luce duramente il contrasto fra l'ideologia ufficiale e i comportamenti pratici consueti.

❓ La critica sociale di Solženicyn non è indiscriminata e distruttiva; individuate i punti in cui compaiono comportamenti onesti e di dedizione al servizio sociale.

Hans Magnus Enzensberger

Hans Magnus Enzensberger (1929), poeta, saggista e critico letterario, professore universitario, è stato una figura di punta della Repubblica Federale Tedesca e lo è ancora nella Germania riunificata. È stato vicino al movimento comunista internazionale e anche dopo il crollo del comunismo ha mantenuto posizioni di critica sociale. Tra le sue opere tradotte in italiano, *Poesie per chi non legge poesia* (1964), *Considerazioni politiche* (1974).

▶ T38.12

T38.12

La fine del Titanic

La fine del Titanic, sottotitolato dall'autore "commedia", è in realtà un poema in trentatré canti più alcuni intermezzi, che rievoca la tragedia del grande transatlantico affondato, per l'urto di un iceberg nel 1912, durante il viaggio inaugurale. Per la prima volta nella storia fu usata la richiesta di soccorso via radio, ma i soccorsi giunsero in ritardo e le scialuppe di salvataggio erano insufficienti: nonostante l'affondamento durasse qualche ora, 1595 persone morirono e solo 745 furono salvate.

L'opera fu scritta a Cuba, dove Enzensberger era ospite del regime castrista, nel 1969, ma il manoscritto andò perduto nella spedizione in Europa. L'autore la riscrisse e la terminò a Berlino nel 1977. Presentiamo il Canto secondo, *che rievoca i primi momenti della tragedia.*

Hans Magnus
Enzensberger
LA FINE DEL
TITANIC
(Trad. dal tedesco di
V. Alliata, Einaudi,
Torino, 1990)

L'urto fu lievissimo. Il primo radiogramma:
*Ore 00.15. Mayday. A tutte le navi. Posizione 41° 46' Nord
50° 14' Ovest.* Favoloso quel Marconi!
Un ticchettio nel cranio, nel padiglione auricolare, senza fili
5   e da lontano, da tanto lontano – più lontano di mezzo secolo!
Niente sirene, niente campanelli d'allarme, solo
un discreto battito alla porta della cabina,
un tossicchiare in salotto. Mentre sotto
l'acqua sale, lo steward aiuta
10   un anziano signore dolorante, settore macchine utensili
e metallurgia, ad allacciarsi le stringhe sul ponte D.
Coraggio! Bando alla fatica, signore mie,
al galop! grida il maestro di ginnastica, Mr. McCawley,
impeccabile come sempre nel suo completo di flanella beige,
15   da un'estremità della palestra in boiserie. Silenziosi dondolano

METRO: versi liberi.
1. **radiogramma**: telegramma trasmesso via radio, col "telegrafo senza fili" inventato da Guglielmo Marconi, che solo undici anni prima era riuscito a usarlo per la prima volta a distanze oceaniche.
2. *Mayday*: formula equivalente a "S.O.S." in uso all'epoca (il rapporto col significato usuale dell'espressione, "primo di maggio", non è noto).
4. **Un ticchettio nel cranio**: il telegrafo senza fili appare ai primi utenti come se mettesse in comunicazione direttamente i cervelli.
5. **più lontano di mezzo secolo!**: la distanza spaziale della comunicazione telegrafica trapassa nella distanza temporale tra l'evento e il poeta che lo ricorda.
8. **un tossicchiare in salotto**: un modo discreto per segnalare che qualcosa che non va, come si richiedeva tra persone beneducate di alta condizione.
10-11. **settore... metallurgia**: il ramo di attività industriale dell'anziano signore. Il *Titanic* imbarcava in gran numero esponenti dell'alta società.
13. **galop**: propriamente è un tipo di danza animata, qui indica un esercizio ginnico da eseguire con velocità ed energia.
15. **boiserie**: rivestimento in legno (francese).

i dromedari meccanici avanti e indietro.
Nessuno sospetta che l'indefesso ha mal di pancia,
che non ce la fa a nuotare, che è spaventato.
John Jacob Astor invece squarcia con la limetta

20   un salvagente e fa vedere alla moglie,
che nasce Connaught, quel che c'è dentro
(presumibilmente del sughero), mentre avanti
nella stiva sgorga un fiotto spesso come un braccio,
e glaciale gorgoglia sotto i sacchi postali e nelle cucine

25   s'infiltra. *Wigl wagl wak*, suona l'orchestra
in uniforme nivea *my monkey*:
un potpourri da "The dollar princess".
Via! Tutti al Metropol! Berlino, com'è viva e vegeta!
Solo in basso, là dove, come sempre, si capisce per primi,

30   in fretta e furia. La terza classe
non conosce l'inglese né il tedesco, una sola cosa
non gliela deve spiegare nessuno:
che tocca prima alla prima classe,

35   che non c'è mai abbastanza latte e mai abbastanza scarpe
e mai abbastanza spazio nei battelli per tutti.

16 i dromedari meccanici: macchine per esercizi ginnici.
17. l'indefesso: l'instancabile. È il maestro di ginnastica, che evidentemente ha saputo della falla apertasi nella nave prima delle sue clienti.
19. la limetta: da unghie.
21. nasce Connaught: modo di indicare il cognome da ragazza di una signora in uso nell'alta società.
25-26. *Wigl wagl wak... my monkey*: le parole di un'aria in voga, da un *musical* di successo nel 1909, *The Dollar Princess*.
27. potpourri: mescolanza, fantasia di motivi. Propriamente il termine, francese, significa "pietanza mista di verdure e carni".
28. Metropol: celebre teatro berlinese (oggi una discoteca).
29. in basso: nelle cabine meno costose, occupate da persone di bassa condizione.

dialogo con il testo

I temi

Enzensberger non narra veramente l'affondamento del *Titanic*, ma coglie qua e là particolari e scene significativi per la riflessione politica e morale che vi intesse sopra. È evidente che per lui la fine del transatlantico è un'allegoria della fine che minaccia di travolgere tutta una civiltà (probabilmente, dato che il testo è stato scritto quando il mondo era diviso in un "campo capitalista" e un "campo socialista", l'autore aveva in mente soprattutto la fine del primo).

☑ Provate a elencare alcuni dei particolari a cui il testo dà risalto, riguardanti il modo in cui l'affondamento inizia e le reazioni di vari tipi di passeggeri.

☑ Provate ora a interpretare questi particolari come metafore di situazioni e comportamenti sociali.

La catastrofe del *Titanic*, di poco precedente lo scoppio della prima guerra mondiale, segnò la fine della cosiddetta *belle époque*, un'epoca di pace europea, di fiducia nel progresso, di vita facile e godereccia per le classi agiate. L'autore indirizza alcune frecciate ironiche a quella grande illusione.

☑ Individuate i luoghi e i modi in cui si manifesta questa ironia.

Le forme

Dal punto di vista stilistico, il testo si regge sulla fusione tra espressioni di tono basso, prosastico, parlato e modi espressivi che a tratti rialzano il tono del discorso, ricordando il carattere tragico del tema.

☑ Individuate espressioni del primo tipo (particolari banali, richiami alla cronaca mondana, frammenti di parlato ecc.).

☑ Individuate i modi espressivi che conservano al discorso una certa solennità: metafore, spezzature che rallentano la dizione, inversioni (che la traduzione rispecchia fedelmente).

Zhong Acheng

Zhong Acheng, nato a Pechino nel 1949, nel 1968 è stato mandato, come milioni di altri studenti coinvolti nella "rivoluzione culturale", a rieducarsi tramite il lavoro agricolo: prima nella regione dello Shanxi, poi nella Mongolia interna, e infine nello Yunnan, presso il confine con la Birmania. Tornato a Pechino nel 1979, ha avviato la sua carriera di pittore e scrittore, dando vita insieme ad altri giovani intellettuali alla "letteratura delle radici", un movimento teso al recupero delle tradizioni culturali cinesi, soffocate dalla cultura ufficiale. Tra il 1984 e il 1985 ha pubblicato una trilogia di romanzi brevi (*Il re degli scacchi*, *Il re degli alberi*, *Il re dei bambini*), centrata sull'opera di indottrinamento attuata negli anni sessanta dal regime nei confronti delle giovani generazioni, che lo ha reso famoso nel mondo. Dal 1987 vive negli Stati Uniti, dove, oltre a proseguire la sua attività letteraria, lavora come sceneggiatore cinematografico.

▶ **T38.13**

T38.13

Il re degli alberi

Il re degli alberi (1985) si svolge sullo sfondo della "rivoluzione culturale", promossa nel 1966 dal presidente Mao Zedong con l'intento dichiarato di «eliminare l'ideologia borghese, radicare l'ideologia proletaria, rimodellare l'anima del popolo, estirpare le radici del revisionismo, consolidare e sviluppare il socialismo». Il protagonista del romanzo – che racconta in prima persona – fa parte di un gruppo di studenti inviati nelle campagne per farsi "rieducare" dai contadini poveri e dal lavoro manuale, attuando un grande piano di disboscamento delle foreste deciso dal partito. Durante un giro di ricognizione, il capo della brigata contadina spiega agli studenti che un grande albero rimasto intatto in cima alla montagna non è stato abbattuto dai boscaioli perché si dice che in esso risieda uno spirito. Nei giorni seguenti i ragazzi fanno conoscenza con Lao Xiao, detto «il Grumo», un boscaiolo taciturno, dalla forza prodigiosa, costretto alla semplice mansione di giardiniere e di cuoco perché inviso ai burocrati, ma dotato di una singolare autorevolezza. Quando la missione volge al termine, Li Li, lo studente più entusiasticamente fedele alle direttive del partito, convinto che anche il grande albero risparmiato dai boscaioli vada abbattuto per portare a termine il compito affidato alla squadra e specialmente per combattere le superstizioni "controrivoluzionarie" dei contadini, raduna i suoi compagni, il segretario e il capo della brigata contadina, e si reca sulla montagna...

Zhong Acheng
IL RE DEGLI ALBERI
(Trad. dal cinese di
M. R. Masci,
Theoria, Napoli,
1990, cap. VII

Il sole scottava come sempre. L'aria calda che fluttuava sulla montagna diffondeva un odore di erba cotta. A metà strada il segretario si fermò e gridò rivolto alla gente ai piedi della montagna: – Andate a lavorare! Andate a lavorare! -. Guardando giù vedemmo la gente in piedi sotto il sole che ci osservava. Alle parole del segretario cominciarono a muoversi. 5

Poco dopo scorgemmo il re degli alberi. Sotto i raggi cocenti il suo fogliame appariva un po' avvizzito, ma ondeggiava ancora lievemente facendo brillare i raggi di sole che lo attraversavano. Da lontano si avvicinò uno stormo di uccelli, entrò come un dardo nella sua chioma e spari alla vista. Un attimo dopo un altro stormo ne uscì all'improvviso e si mise a girare attorno 10 all'albero mandando richiami brevi e secchi come se fossero attutiti dai raggi del sole. L'ombra dell'albero che si estendeva per circa un acro faceva nascere una fresca brezza, creando un mondo a parte che teneva a distanza la calura estiva. Esitante il capo della brigata si arrestò di botto, anche il segretario si fermò incerto, noi li sorpassammo diretti verso l'albero. Quando gli fummo vicino ci accorgemmo che in mezzo alle sue enormi radici sedeva un omino. Sollevò lentamente la testa e io ebbi un tuffo al cuore: era il Grumo.

Il Grumo non si mosse, con i gomiti sulle ginocchia ci guardava fisso, il suo viso era tirato. Osservando l'albero Li Li disse con noncuranza: – Lao Xiao, sei salito! –. Dando un'altra occhiata all'albero disse: – Lao Xiao, secondo te da dove è meglio cominciare per abbattere quest'albero? –. Il Grumo fissò Li Li senza parlare, le sue labbra tirate formavano una linea sottile. Facendoci cenno Li Li disse: – Venite –. Aggirato il Grumo andò dall'altro lato del re degli alberi e dopo averlo misurato con gli occhi alzò la roncola.

Improvvisamente il Grumo parlò con una voce strana e rauca: – Quello non è un buon punto –. Li Li girò il capo verso il Grumo e abbassando la roncola gli chiese sorpreso: – E qual è un buon punto allora? –. Sempre seduto, il Grumo sollevò leggermente la mano sinistra e si batté la spalla destra: – Questo –. Li Li, non capendo, allungò il collo per guardare meglio, allora il Grumo allargò le braccia e alzandosi in piedi si indicò il petto con la mano sinistra: – Anche questo è un buon punto –. Allora capimmo cosa voleva dire.

Li Li sbiancò e io sentii il mio cuore battere più forte. Eravamo inebetiti e cominciammo a pensare che probabilmente al sole faceva più caldo.

Li Li spalancò la bocca ma non ne uscì alcun suono. Dopo un po' deglutì e disse: – Non scherzare, Lao Xiao –. Il Grumo abbassò la mano: – Io non sono capace di scherzare. – E allora dov'è che dobbiamo tagliare? –. Il Grumo tornò a indicarsi il petto: – Te l'ho detto, qui.

Li Li cominciò a irritarsi, ma poi, dopo aver riflettuto un attimo, chiese calmo: – Quest'albero non si può abbattere? –. Sempre indicandosi il petto il Grumo rispose: – Tagliando qui lo puoi abbattere –. Spazientito Li Li sbottò: – Quest'albero dev'essere abbattuto! Occupa molto spazio che potrebbe essere usato per piantarvi alberi utili! – Quest'albero non è utile? – chiese il Grumo. – Certo che no. A che serve? Ci si possono fare ciocchi per il fuoco? O mobili? O case? Non ha un gran valore economico –. Il Grumo rispose: – Secondo me è utile. Io sono un uomo semplice, non so spiegare a cosa serve, ma esser cresciuto fino a diventare così grande non è una cosa da poco. Se fosse un bambino, colui che l'ha nutrito non l'abbatterebbe –. Li Li scuoteva la testa esasperato: – Nessuno ha piantato quest'albero e di alberi selvatici come questo ce ne sono fin troppi. Se non ci fossero, avremmo da tempo portato a termine la grande impresa di messa a coltura delle terre. Per dipingere i quadri più nuovi e più belli ci vuole un foglio di carta bianca. Questi alberi sono un ostacolo, vanno abbattuti. Noi stiamo facendo la rivoluzione, non stiamo crescendo un bambino!

Il Grumo ebbe un tremito lungo tutto il corpo, e abbassando lo sguardo disse: – Avete tanti alberi da abbattere per i quali io non posso intromettermi. – Appunto, tu non puoi intrometterti! – disse Li Li. Sempre a occhi bassi il Grumo continuò: – Ma quest'albero deve rimanere, anche se gli alberi di tutta la Terra dovessero venire abbattuti, uno deve restare, come testimonianza. – Testimonianza di che? – chiese Li Li. – Di quello che ha fatto il Padre celeste –. Li Li scoppiò a ridere: – L'uomo trionfa sulla natura. È stato il

Padre celeste a coltivare i campi? No, sono stati gli uomini, per nutrirsi. È stato il Padre celeste a forgiare il ferro? No, sono stati gli uomini, per farne degli utensili con cui trasformare la natura, compreso il tuo Padre celeste.

Il Grumo, sempre in piedi in mezzo alle radici, rimase in silenzio. Sorridendo Li Li ci fece cenno. Noi mandammo un sospiro di sollievo e riprendendo le roncole ci avvicinammo al grande albero. Li Li sollevò la sua roncola e disse: – Lao Xiao, aiutaci ad abbattere il re degli alberi[1] –. Sul viso del Grumo si dipinse un'espressione stupefatta, guardò Li Li con aria interrogativa, ma poi riacquistò la calma.

Torcendo il corpo, Li Li sollevò la roncola oltre la spalla, ci fu un bagliore, poi, come in un sogno, non si udì il colpo. Sgranando gli occhi vedemmo che il Grumo aveva fermato con entrambe le mani la roncola di Li Li a quindici centimetri dal re degli alberi. Li Li cercò di liberarsi, ma sapevo che non sarebbe riuscito a spostare la roncola nemmeno di un millimetro.

– Che fai! – gridò furioso contorcendosi. Sempre tenendo saldamente in mano la roncola, il Grumo serrò le labbra, sul suo viso livido i muscoli delle guance si contraevano. Noialtri indietreggiammo con un grido, poi tornò il silenzio.

All'improvviso si udì la voce del segretario: – Grumo! Sei impazzito? –. Ci voltammo e lo vedemmo avanzare, mentre il capo della brigata rimaneva fermo dov'era, col mento basso e lo sguardo desolato. Indicando la roncola il segretario disse: – Lasciala! –. Li Li la lasciò e fece mezzo passo indietro. Il Grumo continuava a tenerla in mano, senza dire una parola e senza fare il minimo movimento. – Basta così, Grumo! – disse il segretario –. Vuoi che ti sottoponga a una riunione di critica? Non ti ricordi più chi sei?[2] Cerchi guai seri? –. Quindi tese la mano: – Mi dai la roncola? –. Il Grumo non lo guardò. Il suo viso sembrò dilatarsi e rimpicciolirsi, alternativamente. Sulla fronte brillò una luce fredda che scese lenta lungo il naso, le sopracciglia si aggrottarono con un guizzo e agli angoli tremanti degli occhi comparve piano piano una goccia lucente.

Il segretario si allontanò, poi si girò di nuovo e disse lentamente: – Lao Xiao, tu non sei uno stupido. Hai commesso un errore, ma di questo me ne occupo io. Tu pensa a coltivare le tue verdure e lascia perdere gli alberi. Pensi forse di poterti occupare degli affari dell'azienda, o di quelli dello Stato? Un funzionario come me, grande come un buco di culo, non ha voce in capitolo e tu, che sei nel mio buco di culo, cosa ti sei messo in testa? Gli studenti ribellandosi hanno disarcionato l'imperatore[3]; hanno talmente in spregio la morte che dicono che aver la testa mozzata non è altro che avere una ferita grande come una tazza. Anche la tua testa mozzata lascerebbe una ferita grande come una tazza? E anche se fosse, quanti soldi varrebbe la tua ferita? Stupido! Lo so che tu sei il miglior boscaiolo dell'azienda, altrimenti perché saresti soprannominato "re degli alberi"? So anche che è stata dura per te. Ma io sono il segretario del Partito e ho il mio lavoro da svolgere. Perché vuoi rendermi tutto più difficile? Gli studenti vogliono la rivoluzione, il comunismo, tu vuoi impedirglielo?

Il Grumo cominciò lentamente a distendersi, sul suo viso scese una traccia brillante, mentre il pomo d'Adamo gli salì in gola e per molto tem-

1. **il re degli alberi**: quando gli studenti avevano scoperto l'albero non abbattuto, il capo della brigata contadina aveva detto loro che nemmeno «il re degli alberi» aveva osato tagliarlo, ma non aveva voluto rivelare a chi corrispondesse questo soprannome; alla riga 102 di questo brano si scoprirà che «il re degli alberi» è in realtà il Grumo. Ma nel frattempo gli studenti avevano preso a denominare così l'albero stesso. Da qui lo stupore del Grumo nel sentirsi identificare con l'albero che Li Li vuole abbattere.
2. **Vuoi… sei**: il Grumo era caduto in disgrazia presso i dirigenti del partito perché aveva espresso dei dubbi sull'abbattimento delle foreste. Per questo era stato condannato a fare il giardiniere e il cuoco, e gli era stato proibito di interferire nella politica di disboscamento. Il segretario lo minaccia indirettamente di sanzioni più gravi.
3. **Gli studenti… imperatore**: riferimento a Liu Shaoqi, presidente della Repubblica popolare cinese, deposto nel 1966 a seguito delle rivolte giovanili promosse da Mao Zedong nel quadro della "rivoluzione culturale".

po non ridiscese. Noi lo fissammo sbalorditi con gli occhi sbarrati. Così, quest'omino che proteggeva le radici era il "re degli alberi". Fu come se una pietra ci fosse piombata sul cuore, eravamo scombussolati e sentimmo la parte posteriore del cervello diventarci dura.

Sempre in piedi e immobile, il vero re degli alberi aprì a poco a poco la mano. La roncola cadde sulle radici producendo un suono metallico che salì lungo il tronco, e proprio quando stava per estinguersi una decina di uccelli saettarono fuori dall'albero lanciando un verso simile a un pianto. Volando obliquamente scivolarono attorno alla montagna, e poi risalirono lentamente verso l'alto. Le loro ali facevano pensare a punti neri sparpagliati che diventavano sempre più piccoli man mano che si allontanavano.

Li Li ci guardava inebetito, e le sue energie sembravano spente. Anche noi ci scambiavamo occhiate. Senza una parola il segretario andò a raccogliere la roncola e la porse a Li Li. Lui la fissò senza espressione, e non si mosse.

Il Grumo si staccò piano piano dalle radici dell'albero, e giunto a circa tre metri di distanza si fermò. Nessuno di noi aveva capito come avesse fatto ad allontanarsi.

– Tagliate – disse il segretario – dopo tutto l'albero va tagliato, gli studenti hanno ragione, se non si distrugge non si edifica. Tagliate –. Poi fece cenno al capo della brigata dì avvicinarsi, ma questi rimanendo dov'era disse: – Tagliatelo voi, che lo taglino gli studenti – e non si avvicinò.

Li Li alzò la testa, senza guardare nessuno sollevò con grande calma la roncola e vibrò il colpo.

110

115

120

125

130

dialogo con il testo

I temi e le forme

Si delinea con evidenza in questo brano il conflitto tra due diverse mentalità: da un lato la totale fedeltà alla linea del partito, incarnata dallo studente Li Li, dall'altro il pensiero tradizionale cinese incarnato dal Grumo.

❓ Analizzate la discussione che si svolge tra i due personaggi, mettendo in luce i diversi atteggiamenti nei confronti della natura, e le motivazioni che li determinano.

❓ Posizioni diverse sono tenute dal segretario e dal capo della brigata contadina: come si possono interpretare secondo voi i loro comportamenti?

Nel seguito del romanzo il Grumo, dopo aver assistito in silenzio all'abbattimento dell'albero, si ammalerà e si lascerà morire, come se la sua vita avesse perso di significato. Questa conclusione è anticipata in questo brano dall'insista identificazione tra il personaggio e l'albero.

❓ Da quali punti del testo emerge questa identificazione?

Il narratore non prende esplicitamente posizione sui fatti narrati, ma il lettore non ha dubbi sul fatto che l'autore sia più vicino alla sapienza antica del Grumo che alla visione utilitaristica dello studente Li Li.

❓ Analizzate i punti del testo dal quale traspare indirettamente questo giudizio, facendo riferimento in particolare:

– al modo in cui all'inizio e alla fine del brano sono descritti l'albero e la natura che lo circonda;

– al modo in cui sono descritti le caratteristiche fisiche, i gesti e le emozioni dei diversi personaggi.

❓ Il conflitto tra la difesa della natura e la sua subordinazione a concetti come utile/inutile (righe 41-63) pone un problema che non riguarda solo la situazione cinese ma tutto il mondo contemporaneo. Indicate una situazione attuale a cui si possa applicare questa contrapposizione, e spiegate in quali termini si pone a vostro parere.

Il romanzo storico

Il romanzo storico è tornato di gran moda in Italia e altrove, a partire dal successo internazionale de *Il nome della rosa* di Umberto Eco (1980; *T38.56*). Ma nei decenni precedenti esso era stato ridotto a un genere minore di letteratura di consumo. L'ampiezza della rappresentazione, il realismo psicologico e sociale propri di quel genere apparivano antiquati, contrastanti con le innovazioni del romanzo novecentesco, da Joyce e Proust fino all'avanguardia del *nouveau roman* (*T38.6*). Così una scrittrice come Marguerite Yourcenar, narratrice di impostazione tradizionale, seguace di Stendhal e Flaubert più che di Proust, autrice di splendidi romanzi storici, ha avuto riconoscimenti tardivi. Ma oggi possiamo riconoscere in lei uno dei grandi di questo mezzo secolo.

Marguerite Yourcenar

Marguerite Yourcenar (1903-1987), nata a Bruxelles, viaggiò molto in Europa e insegnò letteratura negli Stati Uniti. La sua prima opera narrativa di rilievo è *Alexis* (1929), in cui affronta il tema dell'omosessualità maschile. Ha creato un nuovo genere di romanzo storico «immerso in un tempo ritrovato, presa di possesso d'un mondo interiore»: fondandosi su una documentazione rigorosa, mira a ricostruire il clima morale di un'epoca e dei suoi personaggi, in cui coglie temi umani di portata universale. I suoi capolavori sono *Le memorie di Adriano* (1951), immaginaria autobiografia di un imperatore-filosofo, e *L'opera al nero*, ampio quadro della vita europea nel Cinquecento. Fu anche autrice di poesie e testi teatrali. Fu la prima donna ammessa all'*Académie Française*.

▶ **T38.14**

T38.14

Münster

L'opera al nero (1968) è un romanzo storico ambientato nel Cinquecento. Il protagonista, Zenone, è un medico, alchimista e filosofo (opera al nero è il nome di un'operazione alchemica); partendo dalle Fiandre, dove è nato illegittimo, viaggia per l'Europa sconvolta dalle guerre, divisa tra cattolicesimo e Riforma, attraversata dalla peste, segnata dal nascente capitalismo. Soggiorna anche in Oriente (come era di prammatica per gli studiosi di scienze occulte) per ritornare infine a Bruges, dove sarà processato per empietà, condannato, e si darà la morte per evitare il rogo. Irrequieto, trasgressivo e perseguitato, il personaggio riassume in sé tratti di grandi scienziati e filosofi del tempo: Leonardo, Paracelso, Michele Serveto, Copernico, Tommaso Campanella. In questa figura, fedele a princìpi di ragione e tolle- *ranza in un mondo dominato dalla «demenza universale» del fanatismo religioso, l'autrice incarna un suo illuminismo scettico e disilluso.*

Attorno al protagonista si muove un animato insieme di figure, ambienti ed episodi ricostruiti con fedeltà storica. Il brano che riproduciamo rappresenta l'assedio di Münster in Westfalia, dove nel 1534 gli anabattisti si impadronirono del potere, cacciandone il vescovo; l'anno seguente le truppe del vescovo e del principe luterano d'Assia entrarono nella città: ne seguì una repressione feroce. Gli anabattisti ("ribattezzatori", così detti dall'uso di battezzare i propri adepti, non considerando valido il battesimo impartito ai neonati) sono una corrente estrema protestante, sorta in Svizzera fin dai primi tempi della Riforma e diffusasi soprattutto in Olanda e nella regione del Reno, in particolare fra i ceti più poveri. Predicavano un ritorno integrale alla purezza evangelica primitiva, fino a sostenere la messa in comune dei beni; per loro la Chiesa doveva essere una società volontaria costituita esclusivamente dagli eletti di Dio, per cui si attribuivano le denominazioni di "Santi", "Puri", "Buoni", che ricorrono in questo brano.

Nel romanzo, Simone Adriansen, un vecchio e ricco commerciante olandese, che da tempo aderiva nascostamente all'anabattismo, decide di recarsi a Münster per soccorrere i suoi confratelli, e parte insieme alla moglie Hilzonde e alla figlioletta avuta da lei.

Marguerite Yourcenar
L'OPERA AL NERO
(Parte I, trad. dal francese di M. Mongardo, Feltrinelli, Milano, 1990)

La vendita della casa e dei mobili fu l'ultimo buon affare di Simone. Come sempre, la sua indifferenza per il denaro si ripercoteva favorevolmente sulla sua fortuna, evitandogli allo stesso tempo gli errori dovuti al timore di rimetterci, e quelli che risultano dalla fretta di guadagnare troppo. Gli esuli volontari lasciarono Amsterdam circondati dal rispetto di cui malgrado tutto godono i ricchi, anche se prendono scandalosamente il partito dei poveri. Un battello di servizio li portò a Daventer, da dove procedettero su un carro attraverso le colline della Gheldria rivestite di foglie novelle. Si fermarono alle locande di Vestfalia per far merenda con prosciutto affumicato; il viaggio a Münster prendeva per quella gente di città l'aspetto di una scampagnata. Una serva di nome Johanna, che Simone venerava poiché aveva subìto la tortura per la fede anabattista, accompagnava Hilzonde e la sua bambina.

Bernardo Rottmann[1] li ricevette alle porte di Münster in un ingorgo di carriaggi, di sacchi e di barili. I preparativi dell'assedio ricordavano l'attività disordinata di certe vigilie di festa. Mentre le due donne tiravano giù la culla e gli indumenti, Simone ascoltava le spiegazioni del Gran Restitutore[2]: Rottmann era calmo; al pari della folla da lui indottrinata che trascinava per le strade le verdure e la legna della vicina campagna, contava sull'aiuto di Dio. Nondimeno, Münster aveva bisogno di denaro. E maggior bisogno aveva del sostegno dei piccoli, degli scontenti, degli indignati disseminati per il mondo, che per scuotere il giogo di tutte le idolatrie attendevano la prima vittoria del nuovo Cristo. Simone era tuttora ricco; aveva crediti recuperabili a Lubecca, a Elbing, e fino nello Jutland e nella lontana Norvegia; aveva il dovere d'incassare quelle somme che appartenevano al Signore. Lungo il cammino avrebbe saputo trasmettere ai cuori devoti il messaggio dei Santi in rivolta. La fama di uomo sensato e facoltoso, i suoi abiti di stoffa fine e di morbido cuoio avrebbero fatto sì che fosse ascoltato proprio là dove un predicatore cencioso non avrebbe avuto accesso. Quel ricco convertito era il migliore emissario del Consiglio dei Poveri.

Simone condivise queste considerazioni. Bisognava far presto per sottrarsi alle insidie dei principi e dei preti. Abbracciate in fretta la moglie e la figlia, ripartì immediatamente, portato dalla più fresca delle mule che l'avevano appena condotto alle porte dell'arca. Pochi giorni dopo, le picche di ferro dei lanzichenecchi[3] apparvero all'orizzonte; le truppe del vescovo-principe si disposero intorno alla città senza tentarne l'assalto, ma intenzionate a restarvi il tempo necessario per ridurre quei pezzenti alla fame.

Bernardo Rottmann aveva sistemato Hilzonde colla figlia nella casa del

1
5
10
15
20
25
30
35

1. Bernardo Rottmann: uno dei predicatori anabattisti olandesi conosciuti e protetti da Simone ad Amsterdam. È un personaggio citato dalle cronache del tempo, come gli altri predicatori nominati più avanti.
2. Gran Restitutore: un titolo assegnato a Rottmann nella "repubblica dei Santi" di Münster; la "restituzione", o restaurazione del cristianesimo primitivo, era una delle idee-chiave dell'anabattismo.
3. lanzichenecchi: soldati mercenari tedeschi (dal tedesco *landsknechten*, "garzoni di campagna").

borgomastro[4] Knipperdolling che a Münster era stato il primo protettore
dei Puri. Quell'omone cordiale e placido la trattava da sorella. Sotto l'influenza di Jan Matthyjs[5], intento a formare ora un mondo nuovo come
prima impastava pane nella sua cantina di Haarlem, tutte le cose della vita
diventavano differenti, facili, semplificate. I frutti della terra appartenevo-
no a tutti come l'aria e la luce di Dio; chi aveva biancheria, vasellame o
mobili li portava in istrada perché fossero spartiti. Tutti, amandosi con
amore vigoroso, si aiutavano, si riprendevano, si spiavano gli uni cogli altri
per avvertirsi dei loro peccati; le leggi civili erano abolite, aboliti i sacra-
menti; la corda[6] puniva le bestemmie e i peccati della carne; le donne vela-
te sgusciavano qua e là come grandi angeli inquieti, e sulle piazze si udiva-
no i singhiozzi delle confessioni pubbliche.

La piccola cittadella dei Buoni, accerchiata dalle truppe cattoliche, viveva nella febbre di Dio. Sermoni all'aria aperta rianimavano ogni sera i cuori; Bockhold[7], il Santo preferito, piaceva perché condiva le cruenti immagini dell'Apocalisse[8] colle sue facezie d'attore. I malati e i primi feriti del-
l'assedio, distesi sotto i portici della piazza nella tiepida notte estiva, univa-
no i loro gemiti alle voci acute delle donne imploranti l'aiuto del Padre.
Hilzonde era una delle più ferventi. In piedi, alta, slanciata come una fiamma, la madre di Zenone[9] denunciava le ignominie romane. Orrende visioni le riempivano gli occhi offuscati dalle lacrime; piegata improvvisamente
su se stessa come s'incurva un cero lungo e troppo sottile, Hilzonde contri-
ta e intenerita piangeva colla speranza di morire.

Il primo lutto pubblico fu la morte di Jan Matthyjs, ucciso durante una
sortita tentata contro l'esercito del vescovo alla testa di trenta uomini e di
uno stuolo di angeli. Hans Bockhold, cingendo in capo una corona regale,
in groppa a un cavallo rivestito di una pianeta[10] fu senza indugi proclamato Profeta Re sul sagrato della chiesa; fu eretto un palco su cui il nuovo David troneggiava ogni mattina, decidendo senza appello gli affari della terra
e del cielo. In seguito ad alcune fortunate sortite che, travolgendo le cucine
del vescovo, avevano fruttato un bottino di porcellini e di galline, si fece festa sul palco al suono dei pifferi; Hilzonde rise come gli altri quando gli
sguatteri del nemico, fatti prigionieri, furono costretti a preparare le pie-
tanze prima di essere linciati dalla folla.

A poco a poco avveniva una trasformazione nelle anime, come quando
di notte un sogno si muta in incubo. L'estasi dava ai santi un'andatura bar-
collante da ubriachi. Il nuovo Cristo-Re ordinava un digiuno dopo l'altro
per risparmiare i viveri ammassati nelle cantine e nelle soffitte della città;
ma talvolta, se un barile di aringhe puzzava più del normale, o se appariva
qualche macchia sul magro di un prosciutto, la gente ne approfittava per
rimpinzarsi. Bernardo Rottmann, sfinito, ammalato, chiuso in camera, si
addossava senza dir parola le decisioni del nuovo Re, accontentandosi di
predicare al popolo raccolto sotto le sue finestre l'amore che consuma tutte
le scorie terrestri e l'attesa del Regno di Dio. Knipperdolling era stato solennemente promosso dal grado abolito di borgomastro a quello di boia;
quell'uomo grasso dal collo rosso si trovava perfettamente a suo agio nell'e-
sercizio delle nuove funzioni, come se avesse sempre segretamente sognato

40

45

50

55

60

65

70

75

80

85

4. **borgomastro**: go-
vernatore civile della
città ai tempi del go-
verno vescovile (il ter-
mine oggi equivale a
"sindaco").
5. **Jan Matthyjs**: al-
tro predicatore ana-
battista olandese, un
tempo fornaio ad
Haarlem, divenuto
capo della "repubblica
dei Santi".
6. **la corda**: una for-
ma di tortura leggera.
7. **Bockhold**: Hans
Bockhold, saltimban-
co ambulante divenu-
to predicatore; fu
proclamato re del "re-
gno di Dio" creato a
Münster.
8. **Apocalisse**: l'ultimo libro del Nuovo
Testamento, attribui-
to a San Giovanni
Evangelista e inter-
pretato come profezia
della fine del mondo;
contiene visioni di
calamità e stragi san-
guinose (*cruenti*). L'i-
dea dell'imminente
fine dei tempi circola-
va tra gli anabattisti.
9. **la madre di Zeno-
ne**: Hilzonde da gio-
vane aveva avuto una
relazione con un pre-
lato italiano da cui
era nato Zenone, pro-
tagonista del roman-
zo; in seguito era stata
sposata da Simone
Adriansen.
10. **pianeta**:
paramento sacro usa-
to nel culto cattolico.

quel mestiere di macellaio. Molti erano i giustiziati; il Re faceva sparire i vili e i tiepidi prima che contagiassero gli altri; ogni morto, del resto rappresentava una razione in meno. Nella casa dove era alloggiata Hilzonde si parlava di supplizi come un tempo a Bruges del prezzo delle lane.

Hans Bockhold nelle assemblee terrestri acconsentiva per umiltà a farsi chiamare Giovanni da Leida, dal nome della sua città natale, ma davanti ai suoi fedeli prendeva anche un altro nome, ineffabile, sentendosi addosso una forza e un ardore più che umani. Diciassette spose[11] testimoniavano il vigore inesauribile di Dio. La paura o la vanagloria spinse alcuni borghesi a consegnare al Cristo vivente le proprie mogli come se gli avessero donato le loro monete d'oro; donne dissolute d'infimo bordello brigarono l'onore di servire ai piaceri coniugali del Re. Questi venne da Knipperdolling a intrattenersi con Hilzonde. Ella impallidì al contatto di quell'ometto dagli occhi vispi, le cui mani curiose come quelle di un sarto le allargarono la scollatura: ricordò suo malgrado che ai tempi di Amsterdam, quando non era che un guitto affamato, costui aveva approfittato, per accarezzarle la coscia, del momento in cui si chinava su di lui con un piatto in mano. Cedette con disgusto ai baci di quella bocca umidiccia, ma il suo disgusto si tramutava in estasi; gli ultimi pudori della vita cadevano come brandelli o come pelle morta nei bagni di vapore; bagnata da quell'alito insipido e caldo, Hilzonde cessava di esistere e con lei sparivano i timori, gli scrupoli, le amarezze di Hilzonde. Il Re, stretto contro di lei, ne ammirava il corpo fragile la cui magrezza, le diceva, metteva in maggior rilievo le forme benedette della donna, i lunghi seni cadenti e il ventre convesso. Quell'uomo abituato alle meretrici o alle matrone sgraziate si meravigliava dei modi squisiti d'Hilzonde: le mani delicate appoggiate sul tenero vello del monte di Venere[12] gli ricordavano quelle di una dama distrattamente posate sul manicotto o sul carlino[13] dal mantello ricciuto. Le parlava di sé: a sedici anni aveva capito di esser Dio. Aveva avuto un attacco d'epilessia nella bottega del sarto presso cui era apprendista e lo avevano cacciato; tra le grida e la bava, era entrato in cielo. Aveva provato di nuovo quel tremito divino dietro le quinte del teatro ambulante dove recitava la parte di un buffone bastonato; in un fienile, dove aveva posseduto la prima ragazza, aveva compreso che Dio era quella carne che si muove, quei corpi nudi per i quali non esiste più né povertà né ricchezza, quella grande onda di vita che travolge anche la morte e scorre come sangue d'angelo. Si esprimeva in un presuntuoso gergo d'attore, costellato d'errori di grammatica da figlio di contadino.

Per diverse sere consecutive la condusse a prender posto accanto alle Spose del Cristo alla tavola del banchetto. La folla si accalcava tanto contro le tavole da farle scricchiolare; gli affamati ghermivano il collo e le zampe dei polli che il Re si degnava di gettar loro e lo imploravano di benedirli. Il pugno dei giovani profeti che servivano da guardie del corpo del Re teneva a debita distanza quella calca. Divara, la regina in auge, uscita da un triste sito di Amsterdam, masticava placidamente scoprendo a ogni boccone i denti e la lingua; aveva tutta l'aria d'una mucca indolente e sana. Di tanto in tanto, il Re tendeva in alto le mani e si metteva a pregare mentre un pal-

11. **Diciassette spose**: gli anabattisti a Münster restaurarono la poligamia, sull'esempio dei patriarchi dell'Antico Testamento, e il "Re" ne approfittava.
12. **monte di Venere**: regione del pube femminile.
13. **carlino**: una razza di cani da compagnia.

T38.14

lore teatrale gli abbelliva il volto dagli zigomi truccati, oppure soffiava in volto a un invitato per infondergli lo Spirito Santo. Una notte fece entrare Hilzonde nella saletta interna e le sollevò le sottane per mostrare ai giovani Profeti la bianca nudità della Chiesa. Scoppiò una rissa tra la nuova regina e Divara che, forte dei suoi vent'anni, la trattò da vecchia: le due donne rotolarono sulle lastre del pavimento strappandosi manciate di capelli; il Re le riconciliò riscaldandole quella sera tutt'e due sul suo cuore.

135

I GENERI *Secondo Novecento*

dialogo con il testo

I temi

In questo brano si manifesta uno dei temi centrali del romanzo, l'ambiguo intreccio di purezza e di bassezza che si mescolano in ogni impresa umana. La purezza è incarnata da Simone, il vecchio mercante che sacrifica i propri beni e una vita agiata per la causa dei suoi confratelli e intraprende un difficile viaggio per raccogliere soccorsi (al ritorno troverà la città distrutta e la moglie sgozzata). Intenzioni pure traspaiono anche nella folla dei "Santi" e nel loro fervore religioso collettivo; ma questo fervore è intriso di elementi di furore isterico e feroce. L'ambiguità diventa massima nel personaggio del "Re", in cui il misticismo si confonde con l'erotismo e questo si riduce a un appetito da bordello.

❓ Analizzate i comportamenti del personaggio di Hilzonde, mostrando come in lei si riassumano le contraddizioni descritte sopra.

Le forme

Negli anni in cui la Yourcenar concludeva la lunga gestazione di questo romanzo, la scena letteraria europea era dominata dalle esperienze d'avanguardia, dal *nouveau roman* francese alla "nuova avanguardia" italiana; i loro teorici sostenevano che una narrazione tradizionale era inevitabilmente veicolo di una visione del mondo chiusa, univoca, conservatrice (Eco, *T37.28*). Una scrittrice isolata proponeva invece una forma tradizionale di romanzo storico, con

una costruzione chiara e definita e un narratore che domina la vicenda dall'esterno, in forme ottocentesche, e dimostrava come anche in queste forme potesse manifestarsi una visione della realtà complessa e ricca di ambiguità.

La narrazione della Yourcenar ha un andamento pacato, per nulla scenografico, che preferisce il sommario alla scena, il discorso indiretto libero al discorso diretto; ma con questi mezzi discreti ottiene un quadro estremamente animato e movimentato. Il narratore non commenta e non giudica, eppure l'interesse umano dell'autrice traspare da ogni parola.

Dirk Barendsz
La persecuzione degli anabattisti a Münster (XVI sec.)

Due poeti: l'ineffabile e il quotidiano

Nella lirica del secondo Novecento si possono individuare due linee di sviluppo che hanno caratterizzato la prima parte del secolo: da un lato l'astrazione lirica, la ricerca di un linguaggio rarefatto e concentrato, lontano dalla conversazione comune, sulla linea di Eliot, Valéry e Rilke (notizie in Vol. G *T31.18, T31.19, T32.6*); dall'altro la vicinanza al parlato quotidiano, interpretata in chiave politica (Brecht, Hikmet, notizie in Vol. G *T31.20, T32.13*) o di adesione ai minimi eventi della vita individuale e collettiva (Kavafis, notizie in Vol. G *T32.14*). Nell'ambito della prima tendenza si può inscrivere, sia pure in una posizione tragicamente solitaria, il tedesco Paul Celan, cantore della problematicità della condizione umana dopo Auschwitz (*T38.15*); nella seconda la polacca Wislawa Szymborska (*T38.16*), che dipinge i drammi e le inquietudini del presente attraverso la rappresentazione di situazioni concrete, in versi semplici, sospesi tra compassione e ironia.

Paul Celan

Paul Celan (pseudonimo di Paul Antschel, 1920-1970), è nato a Czernovitz, in Romania, da genitori ebrei tedeschi. Nel 1942, durante la persecuzione nazista contro gli ebrei, i suoi genitori sono deportati in un lager, dove il padre muore di tifo e la madre viene uccisa perché "inabile al lavoro". Nel 1945 Celan si trasferisce a Bucarest, dove pubblica le sue prime opere. Tre anni dopo si stabilisce a Parigi, dove scrive, traduce, lavora per varie istituzioni, frequenta i maggiori intellettuali europei. Nel 1970 si toglie la vita gettandosi nella Senna. La sua opera poetica (*Papavero e memoria*, 1952; *La rosa di nessuno*, 1963, *Luce coatta*, 1970), scaturita dall'esperienza della tragedia ebraica, è centrata sul tema del dolore e del male che pervadono la storia e l'esistenza umana.

▶ **T38.15**

T38.15

Salmo

Questa poesia è tratta dalla raccolta La rosa di nessuno *(1963), opera della piena maturità di Celan, nella quale il ricordo del dolore patito dal poeta e dal suo popolo si coniuga con un tormentato percorso di ricerca religiosa.*

Paul Celan
da DIE
NIEMANDSROSE
(S. Fischer, Frankfurt
am Main, 1963; trad.
dal tedesco di G.
Armellini)

Nessuno ci impasta di nuovo da terra e fango,
nessuno pronuncia parole sacre sulla nostra polvere.
Nessuno.

Lodato sii tu, Nessuno.
5 Per amor tuo vogliamo
fiorire.
Incontro a te.

Un Nulla

METRO: versi liberi.
1-2. Nessuno... polvere: riferimento al racconto biblico della creazione di Adamo: «Dio il Signore plasmò l'uomo dalla polvere della terra, gli soffiò nelle narici un alito vitale e l'uomo divenne un'anima vivente» (*Gen.* 2, 7). Nessun Dio può dare nuovamente la vita (*ci impasta di nuovo*) agli esseri umani ridotti a terra, fango e polvere. **4. Nessuno:** il *nessuno* che nella prima strofa era un pronome, ora diventa un nome, con la lettera maiuscola.

14-16. Con... cielodeserto: *stilo* e *stame* sono termini botanici che si riferiscono alle parti interne del fiore. Il "noi" che fa da soggetto alla poesia, simboleggiato dalla *rosa* del v. 12, è animato da nitidezza e sincerità di pensiero (*animachiara*) e da lucida consapevolezza dell'assenza di Dio (*cielodeserto*).
17. la corona rossa: i petali della rosa. L'espressione allude probabilmente alla corona di spine che secondo il racconto evangelico fu posta sul capo di Cristo, simbolo di sofferenza e di martirio.
18. parola porpora che cantammo: potrebbe essere un riferi-

```
10   eravamo, siamo, ancora
     saremo, fiorendo:
     la rosa di Nulla, di
     Nessuno.

     Con
15   lo stilo animachiara,
     lo stame cielodeserto,
     la corona rossa
     della parola porpora, che cantammo
     sopra, oh sopra
20   la spina.
```

mento alla poesia (*parola... che cantammo*), di cui è sottolineato il carattere nobile ed elevato (la *porpora* dei mantelli regali) e in-

sieme - o in alternativa - l'essere intrisa di sofferenza (il colore purpureo del sangue).
18-11. sopra... spina: potrebbe signi-

ficare che la poesia si eleva al di sopra della sofferenza (*spina*), o che la poesia ha la sofferenza stessa per oggetto (*sopra* come in-

troduzione a un complemento di argomento). Ma quest'ultima interpretazione ci sembra improbabile.

dialogo con il testo

I temi e le forme

All'indomani della seconda guerra mondiale il filosofo tedesco Adorno (*T37.5*) aveva posto la domanda: «È possibile scrivere poesia dopo Auschwitz?». Celan risponde a questo interrogativo puntando su un linguaggio scarnificato, metaforico, paradossale, che cerca di dar voce a un'esperienza umana e storica così tragica da essere quasi indicibile. Come avviene per tutta l'opera di Celan, anche questo testo, per l'ellitticità e l'allusività del linguaggio, si offre a una pluralità di interpretazioni: qui vi proponiamo una possibile chiave di lettura.

– Fin dal primo verso («Nessuno ci impasta di nuovo da terra e fango») appare un tema centrale in Celan e ricorrente nel pensiero ebraico contemporaneo: l'assenza di Dio, il suo silenzio - o la sua impotenza - di fronte agli orrori della storia, di cui il genocidio nazista è stato l'esempio estremo. Senza Dio, gli esseri umani non possono confidare in nessuno che li possa salvare dal loro destino di morte: essi sono condannati a essere «un Nulla» (v. 9).

– Questo «Nulla» però è animato da un profondo bisogno di dialogo col trascendente, da un desiderio di appartenenza a qualcuno che dia senso all'esperienza umana: ne scaturisce un atto paradossale di invocazione e di donazione di sé a questo Dio inesistente o assente («Lodato sii tu, Nessuno. / Per amor tuo vogliamo fiorire…», vv.4-8).

– Prende forma così la figura della «rosa di Nessuno» (v. 13), fiore che evoca suggestioni di regalità e di

martirio («la corona rossa», v. 17), a sottolineare il carattere prezioso della sofferenza patita: con un altro scatto paradossale, al "nulla" dell'esistenza umana viene attribuito un valore inestimabile.

– Il canto corale che negli ultimi versi si protende oltre l'esperienza del dolore («sopra, oh sopra / la spina», vv. 19-21) si può interpretare come un'ultima espressione del disperato desiderio di trascendenza e di senso che ispira tutta la lirica.

❓ Può essere interessante discutere sul significato complessivo di questa interpretazione della poesia: facendo riferimento al testo, dite se a vostro parere ne emerge una visione radicalmente negativa dell'esperienza umana, o se si delinea qualche spiraglio di positività e di speranza.

Il critico italiano Giuseppe Bevilacqua, studioso della poesia di Celan, propone, per l'alternanza tra le parole «nessuno» / «Nessuno» delle prime due strofe, un'interpretazione diversa dalla nostra: «Un Nessuno per la cui gloria il soggetto intende fiorire prende il posto di un dio creatore che si è rivelato inesistente […]: *niemand* ("nessuno" in tedesco) è il calco del vuoto divino; *Niemand* per contro designa colui, o meglio, collettivamente, coloro cui fu negata la possibilità di essere ri-creati: in una parola i morti ignoti, cancellati totalmente dalla dimensione dell'essere perché privati anche della sopravvivenza o reviviscenza nella memoria e nella pietà dei viventi».

? Provate a ridefinire in base a questa interpretazione le altre parti del testo: a chi si può riferire il "noi" che fa da soggetto collettivo alla poesia? Che significato possono assumere la rosa e il canto?

? La ricerca di parole essenziali, dense di significati non detti scavati nel profondo dell'interiorità del poeta, è sottolineata dalle scelte metriche e sintattiche: analizzate il testo da questi punti di vista.

Confronti

? Per i caratteri propri del linguaggio di Celan, una traduzione totalmente "letterale" è ancora meno proponibile che per altri poeti. Se conoscete il tedesco, provate a confrontare il testo originale con la nostra traduzione e con quella di Giuseppe Bevilacqua (Celan, *Poesie*, a c. di G. Bevilacqua, Arnoldo Mondadori Editore, Milano, 1998), individuando e valutando le diverse soluzioni proposte.

Pslam	*Salmo*
Niemand knetet uns wieder aus Erde und Lehm, *niemand bespricht unseren Staub.* *Niemand.*	Nessuno c'impasta di nuovo, da terra e fango, nessuno insuffla la vita alla nostra polvere. Nessuno.
Gelobt seist du, Niemand. *Dir zulieb wollen* *wir blühn.* *Dir* *entgegen.*	Che tu sia lodato, Nessuno. È per amor tuo che vogliamo fiorire. Incontro a te.
Ein Nichts *waren wir, sind wir, werden* *wir bleiben, blühend:* *die Nichts-, die* *Niemandsrose.*	Noi un Nulla fummo, siamo reste- remo, fiorendo: la rosa del Nulla, la rosa di Nessuno.
Mit *dem Griffel seelenhell,* *dem Staubfaden himmelswüst,* *der Krone rot* *vom Purpurwort, das wir sangen* *über, o über* *dem Dorn.*	Con lo stimma anima-chiara, lo stame ciel-deserto, la corona rossa per la parola di porpora che noi cantammo al di sopra, ben al di sopra della spina.

Wislawa Szymborska

Wislawa Szymborska, nata nel 1923 a Kórnik, in Polonia, nel 1931 si è trasferita con la famiglia a Cracovia, dove ha studiato letteratura e sociologia e ha collaborato con recensioni e articoli a riviste letterarie. Nel 1952 si è iscritta al Partito comunista, dal quale si è dimessa nel 1966, avvicinandosi agli ambienti dell'opposizione democratica e prendendo posizioni di aperto dissenso nei confronti del regime. Le sue raccolte (*Uno spasso*, 1967; *Ogni caso*, 1972; *Gente sul ponte*, 1986) sono state tradotte e apprezzate in tutto il mondo. Nel 1996 ha ricevuto il premio Nobel per la letteratura.

► T38.16

T38.16   # La passeggiata del risuscitato

Questa poesia è tratta da Ogni caso, *la sesta raccolta poetica di Wislawa Szymborska, pubblicata nel 1972.*

Wislawa Szymborska
da OGNI CASO
(Trad. dal polacco di
P. Marchesani,
Scheiwiller, Milano,
2003)

Il professore è già morto tre volte.
Dopo la prima gli hanno fatto muovere la testa.
Dopo la seconda lo hanno fatto sedere.
Dopo la terza l'hanno perfino rimesso in piedi,
5   sorretto da una robusta sana tata:
E ora andiamo a farci una bella passeggiata.

Il cervello gravemente leso dopo l'incidente
ed ecco, da non crederci, quante difficoltà ha superato:
sinistra destra, luce buio, erba fiore, male mangiare.

10   Professore, due più due?
Due – dice il professore.
È una risposta migliore delle precedenti.

Male, fiore, panchina, seduto.
E in fondo al viale rieccola, vecchia come il mondo,
15   dal viso non gioviale, non rubicondo,
tre volte da qui scacciata,
quella tata vera, a quanto pare.

Ci sfugge un'altra volta il professore.
È da lei che vuole andare.

METRO: versi liberi
5. una robusta… tata: un'infermiera dell'ospedale nel quale è ricoverato il professore.
9. sinistra… mangiare: le parole e i concetti che il professore ha dovuto recuperare dopo aver subito la lesione cerebrale.

dialogo con il testo

I temi e le forme

Nel concludere il discorso tenuto in occasione del conferimento del premio Nobel, Wislawa Szymborska ha definito così il compito della poesia: «D'accordo, nel parlare comune, che non riflette su ogni parola, tutti usiamo i termini: "mondo normale", "vita normale" e "normale corso delle cose"… Tuttavia nel linguaggio della poesia, in cui ogni parola ha un peso, non c'è nulla di ordinario e di normale. Nessuna pietra e nessuna nuvola su di essa. Nessun giorno e nessuna notte che lo segue. E soprattutto nessuna esistenza di nessuno in questo mondo. A quanto pare i poeti avranno sempre molto da fare». Tutta la sua opera si muove in questa prospettiva: guardare alle cose "normali" con uno sguardo che ne scopra l'unicità, l'eccezionalità, la complessità.

Questa poesia fa riferimento a un caso molto frequente ai nostri giorni: un anziano colpito da una lesione cerebrale che deve apprendere da capo le cose più elementari: muovere la testa, camminare, pronunciare qualche parola. Nel rappresentare questa situazione, Szymborska conferisce al suo testo un carattere narrativo, imperniato su tre personaggi (il professore, la «robusta e sana tata» del v. 5, e la «tata vera» del v. 17).

❓ La storia a cui allude la poesia non è raccontata per filo e per segno ma evocata attraverso pochi tratti essenziali, che invitano il lettore a cooperare nella costruzione del significato: provate a riempire gli spazi vuoti lasciati dal testo, in riferimento:
– ai rapporti fra i personaggi;
– alla voce narrante (chi racconta la storia? chi commenta i fatti narrati nei vv. 8 e 12? a chi si riferisce il pronome "ci" del v. 18?);
– alla «tata vera»: chi è secondo voi?

Attraverso la rappresentazione di una concreta esperienza individuale, dipinta nei suoi aspetti più prosaici e quotidiani con un tono apparentemente leggero e svagato, Szymborska affronta alcuni problemi gravi del nostro presente:
– la qualità della vita di chi, grazie alla medicina, riesce a sopravvivere a eventi che un tempo avrebbero condotto alla morte (non a caso a non saper più fare due più due è un "professore");
– il tipo di relazioni che si istituisce tra le persone sane e i pazienti regrediti a uno stadio infantile;
– il rapporto tra le cure istituzionali e i desideri individuali.

❓ Qual è a vostro parere l'atteggiamento dell'autrice nei confronti di questi temi? Da quali punti del testo emerge?

Letteratura ebraica: la diaspora e Israele

Della letteratura ebraica contemporanea vi proponiamo due voci molto diverse, provenienti rispettivamente dall'ebraismo della diaspora e dallo stato di Israele. Isaac Singer (*T38.17*) scrive in yiddish, la lingua degli ebrei dell'Europa orientale, ormai scomparsa da quelle regioni dopo lo sterminio nazista, e la sua opera è una lunga rievocazione di una civiltà ormai distrutta. I suoi romanzi, volutamente "inattuali", trovano proprio nell'inattualità il proprio valore: il mondo perduto dell'ebraismo dell'est, rappresentato nella sua compattezza originaria o nel suo inesorabile disgregarsi a contatto con la società attuale, disegna un'alternativa ideale alla civiltà massificata e livellatrice che si è imposta in questi decenni. Tutto diverso il mondo di Amos Oz (*T38.18*), appartenente a una generazione successiva e nato e cresciuto in Israele, che scrive in ebraico moderno, la lingua nazionale del giovane stato: i suoi romanzi sono immersi nei drammatici conflitti della società israeliana contemporanea, di cui lo scrittore traccia un ritratto lucido e problematico, intrecciando le storie individuali dei suoi protagonisti con le vicende collettive delle popolazioni che abitano quella terra contesa.

Isaac Singer

Isaac Singer (1904-1991) nacque nei pressi di Varsavia, figlio di un rabbino; crebbe a Varsavia, dove cominciò a pubblicare i suoi primi racconti in yiddish, la lingua simile al tedesco parlata dagli ebrei dell'Europa centro-orientale. Dopo aver pubblicato il primo romanzo, *Satana a Goray* (1935), si trasferì a New York, dove visse fino alla morte e dove pubblicò la maggior parte delle sue opere, scritte in yiddish e tradotte in inglese americano con la collaborazione dell'autore. Divenne popolare col romanzo *La famiglia Moskat* (1950), a cui seguirono numerosi altri; la critica apprezza soprattutto i suoi racconti, raccolti in numerosi volumi (*Gimpel l'idiota*, 1957; *Breve venerdì*, 1964; *Un amico di Kafka*, 1970; *Passioni*, 1975). Nel 1978 fu insignito del premio Nobel per la letteratura.

▶ **T38.17**

T38.17

Il figlio d'America

Questo racconto appartiene alla raccolta Una corona di piume, *risalente agli anni 1970-1973. L'ambiente è uno di quei villaggi ebraici della Polonia a cui la memoria dello scrittore è rimasta legata, dopo* *che lo sterminio nazista li ha cancellati dalla terra. Gli accenni allo zar e al dottor Herzl permettono di collocare la storia negli ultimi anni dell'Ottocento.*

Isaac Singer
UNA CORONA DI PIUME
(Trad. dall'inglese americano di M. Biondi, TEA, Milano, 1998)

Il villaggio di Lentshin era minuscolo, uno spiazzo sabbioso, dove i contadini della zona si incontravano una volta alla settimana per il mercato. Era circondato da piccole capanne dai tetti di paglia o di assi rese verdi dal muschio. I comignoli sembravano vasi. Tra le capanne c'erano i campi, dove i proprietari seminavano verdure o portavano al pascolo le capre. 5

Nella più piccola di tali capanne viveva il vecchio Berl, un uomo di più

1

di ottant'anni, con la moglie, che veniva chiamata Berlcha, ovvero «moglie di Berl». Il vecchio Berl era uno di quegli ebrei che si erano stanziati in Polonia dopo essere stati scacciati dai loro villaggi in Russia. A Lentshin gli rifacevano il verso per gli errori che commetteva pregando ad alta voce. Aveva la erre moscia. Era di bassa statura, aveva spalle larghe e barbetta bianca, e indossava estate e inverno un berretto di pecora, una giacca di cotone imbottita e stivali robusti. Camminava lentamente, strascicando i piedi. Possedeva un mezzo acro di terra, una vacca, una capra e qualche pollo.

La coppia aveva un figlio, Samuel, che se n'era andato in America da quarant'anni. A Lentshin si diceva che fosse diventato milionario. Ogni mese il postino portava al vecchio Berl un vaglia e una lettera, che nessuno era in grado di leggere perché molte parole erano in inglese. Quanti soldi mandasse Samuel ai genitori, rimase un segreto. Tre volte all'anno Berl e sua moglie andavano a piedi a Zakroczym, per incassare i vaglia. Soldi che sembravano non utilizzare mai. Per che farne? L'orto, la vacca e la capra bastavano a soddisfare la maggior parte dei loro bisogni. E poi Berlcha vendeva polli e uova, traendone quanto bastava per comperare la farina per il pane.

Nessuno si preoccupava di sapere dove Berl tenesse i soldi mandatigli dal figlio. A Lentshin non c'erano ladri. La capanna consisteva di un solo locale, in cui era contenuto tutto ciò che essi possedevano: il tavolo, la dispensa per la carne, quella per gli alimenti a base di latte, i due letti e la stufa di terracotta. A volte le galline stavano appollaiate nella legnaia e a volte, quando faceva freddo, in una stia vicino alla stufa. Quand'era brutto tempo, anche la capra trovava riparo in casa. Gli abitanti più benestanti del villaggio disponevano di lampade a cherosene, ma Berl e sua moglie non avevano fiducia in simili marchingegni moderni. Che cosa gli mancava, a uno stoppino in un piatto d'olio? Soltanto per lo shabbath[1] Berlcha comperava alla bottega tre candele di sego[2]. D'estate i due si alzavano all'alba e andavano a letto con le galline. Nelle lunghe sere d'inverno Berlcha filava il lino al filarello e Berl le stava seduto accanto, entrambi nel silenzio di chi si gode il riposo.

Ogni tanto Berl, tornando a casa dalla sinagoga[3] dopo le preghiere della sera, portava qualche notizia alla moglie. A Varsavia c'erano degli scioperanti che manifestavano chiedendo l'abdicazione dello zar. Un eretico chiamato dottor Herzl[4] aveva tirato fuori l'idea che gli ebrei dovevano tornare a stanziarsi in Palestina. Berlcha ascoltava e scuoteva la testa coperta dalla cuffia. Il suo viso era giallastro e raggrinzito come una foglia di cavolo. Era mezzo sorda. Berl doveva ripeterle tutto parola per parola. E lei replicava: «Cose che capitano nelle grandi città».

Lì a Lentshin non succedeva niente di più che i soliti fatti: una vacca che partoriva un vitello, una giovane coppia che faceva una festa di circoncisione[5], oppure nasceva una bambina e allora niente festa. Di quando in quando moriva qualcuno. A Lentshin non c'era cimitero e i cadaveri bisognava portarli a Zacroczym. In effetti era diventato un villaggio con poca gioventù. I giovanotti se ne andavano a Zacroczym, a Nowy Dwór, a Varsavia a volte persino negli Stati Uniti. Come quelle di Samuel, anche le lo-

10

15

20

25

30

35

40

45

50

1. **shabbath**: il Sabato, giorno di culto per gli ebrei.
2. **sego**: grasso animale.
3. **sinagoga**: luogo di culto degli ebrei.
4. **dottor Herzl**: Theodor Herzl (1860-1904), ebreo di Budapest, fu promotore del movimento sionista, che propugnava il ritorno degli ebrei in Palestina, e organizzò i primi stanziamenti di coloni.
5. **circoncisione**: nella religione ebraica viene praticata ai neonati maschi.

ro lettere erano illeggibili, essendosi il loro yiddish[6] mischiato alle lingue dei paesi dove erano andati a vivere. Mandavano fotografie in cui gli uomini portavano il cappello a cilindro e le donne erano vestite lussuosamente come gentildonne.

Di fotografie simili ne ricevevano anche Berl e Berlcha. Ma i loro occhi non erano più quelli di una volta e nessuno dei due possedeva occhiali. Non riuscivano a distinguere bene che cosa ci fosse raffigurato. Samuel aveva figli e figlie dai nomi gentili[7]... persino nipoti, che a loro volta si erano sposati e avevano una propria prole. I loro nomi erano talmente strani che Berl e Berlcha non riuscivano mai a ricordarseli. Ma che differenza fanno i nomi? L'America era lontana, dall'altra parte dell'Oceano, ai margini estremi del mondo. Un maestro di Talmùd[8], venuto a Lentshin, aveva detto che gli americani camminavano con la testa in giù e le gambe per aria. Ma era una cosa che Berl e Berlcha non riuscivano a capire. Com'era possibile? Tuttavia se lo diceva il maestro, doveva essere vero. Berlcha ci aveva pensato su per qualche tempo e poi aveva detto: «Ci si abitua a tutto».

E la cosa era rimasta a quel punto. A pensare troppo – Dio ne scampi – si perde la testa.

Un venerdì mattina, mentre Berlcha stava impastando il pane dello shabbath, la porta si aprì ed entrò un gentiluomo. Era talmente alto che per passare aveva dovuto chinarsi. Indossava un capello di castoro e un mantello bordato di pelliccia. Era seguito da Chazkel, il vetturino di Zacroczym, che portava due valigie di cuoio dalle serrature in ottone. Stupefatta, Berlcha sollevò lo sguardo.

Il gentiluomo si guardò attorno e, in yiddish, disse al vetturino: «È qui». Poi tirò fuori un rublo d'argento e lo pagò. Il vetturino fece il gesto di dargli il resto, ma costui replicò: «Puoi andare».

Quando il vetturino ebbe chiuso la porta, il gentiluomo disse: «Mamma, sono io, tuo figlio Samuel... Sam».

A queste parole, Berlcha sentì le gambe diventare molli. Le mani, a cui erano attaccati dei pezzetti di pasta, persero ogni forza. Il gentiluomo l'abbracciò, le baciò la fronte ed entrambe le guance. Berlcha prese a chiocciare come una gallina: «Mio figlio!» In quel momento dalla legnaia arrivò Berl, con le braccia cariche di ciocchi. Era seguito dalla capra. Quando vide un gentiluomo che baciava sua moglie, lasciò cadere la legna ed esclamò: «Che cosa succede?»

Il gentiluomo si staccò da Berlcha e lo abbracciò. «Padre!»

Per un bel po' Berl non riuscì a spiccicare parola. Avrebbe voluto recitare le parole sacre che aveva letto nella Bibbia in yiddish, ma non si ricordava più niente. Infine chiese: «Sei Samuel?»

«Sì, padre, sono Samuel».

«Allora la pace sia con te», concluse Berl, afferrando la mano del figlio. Non era ancora del tutto certo che non lo si stesse prendendo in giro. Samuel non era alto e grosso come quest'uomo, ma poi gli venne in mente che il ragazzo aveva soltanto quindici anni quando se n'era andato da casa. Gli chiese: «Perché non ci hai fatto sapere che venivi?»

55

60

65

70

75

80

85

90

95

6. **yiddish**: la lingua, simile al tedesco, parlata dagli Ebrei dell'Europa centro-orientale.
7. **gentili**: non ebraici; per gli ebrei, "gentili" sono tutti gli altri popoli ("le genti").
8. **Talmùd**: il complesso delle dottrine e dei libri antichi che contengono i commenti alla Bibbia e alla Legge mosaica.

«Non avete ricevuto il mio cablo⁹?» 100

Berl non sapeva nemmeno che cosa fosse un cablo.

Berlcha si era grattata via la pasta dalle mani e le usò per abbracciare il figlio. Lui tornò a baciarla e le chiese: «Mamma, non hai ricevuto un cablo?»

«Che cosa? Se sono vissuta tanto da vedere una cosa simile, sono contenta di morire», rispose Berlcha, lei stessa sbalordita delle proprie parole. 105 Anche Berl era sbalordito. Esattamente le parole che avrebbe detto lui, prima, se fosse stato capace di ricordarsele. Ma dopo un po' riprese il controllo di se stesso e disse: «Pescha, oltre allo stufato dovrai fare un doppio dolce dello shabbath». 110

Erano anni che non chiamava Berlcha con il suo vero nome. Di solito, quando voleva rivolgersi a lei, diceva: «Senti», oppure: «Di'». Sono i giovani, o quelli che stanno nelle città grandi, a chiamare la moglie per nome. Soltanto a quel punto Berlcha si mise a piangere. Dagli occhi le scorsero lacrime gialle e ogni cosa divenne confusa. Poi gridò: «È venerdì... devo pre- 115 parare per lo shabbath». Sì, doveva impastare e intrecciare le forme di pane. Con un ospite simile, doveva preparare uno stufato dello shabbath più abbondante. Le giornate invernali sono corte e doveva fare in fretta.

Il figlio capì ciò che la preoccupava, infatti disse: «Ti aiuto io, mamma».

Berlcha avrebbe voluto mettersi a ridere, ma dalla gola le uscì un sin- 120 ghiozzo strozzato. «Che cosa dici? Dio ne scampi!»

Il gentiluomo si tolse il mantello e rimase con il panciotto, sul quale pendeva una catena d'orologio in oro massiccio. Si rimboccò le maniche e si avvicinò alla madia. «A New York ho fatto il panettiere per molti anni, mamma», disse, mettendosi a impastare. 125

«Che cosa! Tu sei il mio adorato figlio, colui che dirà il kaddish¹⁰ per me», ribatté la madre con voce rauca. Poi sentì le forze che l'abbandonavano e piombò sul letto.

Berl disse: «Le donne non cambieranno mai». E andò alla legnaia per prendere dell'altra legna. La capra si accosciò vicino alla stufa; osservava 130 con sorpresa quello strano uomo, la sua statura e i suoi singolari vestiti.

I vicini avevano sentito la notizia che era arrivato dall'America il figlio di Berl, per cui accorsero a porgergli il loro saluto. Le donne presero ad aiutare Berlcha nei preparativi per lo shabbath. Alcune ridevano, altre piangevano. La stanza era piena di gente, come per un matrimonio. Chie- 135 sero al figlio di Berl: «Come va in America?» E lui rispose: «È un bellissimo paese».

«Gli ebrei guadagnano abbastanza per vivere?»

«Si mangia pane bianco anche nei giorni lavorativi.»

«Rimangono ebrei?» 140

«Io non sono un gentile.»

Una volta che Berlcha ebbe benedetto le candele, padre e figlio attraversarono la strada per andare nella piccola sinagoga. Era caduta un po' di neve fresca. Il figlio procedeva a grandi passi, ma Berl lo ammonì: «Rallenta».

Nella sinagoga gli ebrei recitarono l'«Esultiamo» e il «Vieni, mio 145 sposo»¹¹. Intanto la neve non cessava di cadere. Dopo le preghiere, quando

9. **cablo**: cablogramma, telegramma.
10. **kaddish**: preghiera per i defunti.
11. l'«**Esultiamo... sposo**»: un salmo e un passo del *Cantico dei cantici*.

Berl e Samuel lasciarono il Tempio, il villaggio era irriconoscibile. Ogni cosa era coperta dalla neve. Si vedevano soltanto i profili dei tetti e le candele alle finestre. Samuel disse: «Niente è cambiato, qui».

Berlcha aveva preparato pesce gefilte[12], brodo di pollo con riso, carne,   150
stufato con carote. Berl recitò la benedizione su un bicchiere di vino rituale. Mangiarono e bevvero, e quando per un attimo stavano in silenzio si sentiva lo stridio del grillo di casa. Il figlio parlava moltissimo, ma Berl e Berlcha capivano poco. Il suo yiddish era diverso e conteneva delle parole straniere.   155

Dopo la benedizione finale Samuel chiese: «Padre, che cosa ne hai fatto, del denaro che ti ho mandato?»

Berl sollevò le sopracciglie bianche. «È qui.»

«Non lo hai messo in banca?»

«Non c'è banca a Lentshin.»   160

«Dove lo tieni?»

Berl esitò. «Non è permesso toccare denaro di shabbath[13], ma te lo mostrerò.» Si accosciò accanto al letto e prese a spostare qualcosa di pesante. Comparve uno stivale, la cui apertura era chiusa con paglia. Berl la tirò via e il figlio vide che era pieno di monete d'oro. Lo sollevò.   165

«Padre, ma è un tesoro!» gridò.

«Insomma.»

«Perché non l'hai speso?»

«Per fare? Grazie a Dio non ci manca niente.»

«Perché non hai fatto qualche viaggio?»   170

«Dove? Casa nostra è qui.»

Il figlio faceva una domanda dopo l'altra, ma la risposta era sempre la stessa: non avevano bisogno di niente. L'orto, la vacca, la capra e le galline fornivano loro tutto ciò che occorreva. Il figlio replicò: «Se venissero a saperlo i ladri, la vostra vita sarebbe in pericolo.»   175

«Qui, di ladri, non ce ne sono.»

«Che cosa ne sarà, di questo denaro?»

«Prenditelo tu.»

A poco a poco Berl e Berlcha si abituarono al loro figlio e al suo yiddish americano. Adesso Berlcha lo sentiva meglio. Riconobbe persino la sua vo-   180
ce. Stava dicendo: «Forse dovremmo costruire una sinagoga più grande».

«È già abbastanza grande», replicò Berl.

«Allora, magari, un ospizio per i vecchi.»

«Nessuno dorme per strada.»

Il giorno seguente, dopo il pranzo dello shabbath, un gentile di Za-   185
croczym portò una carta: era il cablogramma. Berl e Berlcha si stesero per fare un pisolino. Nel giro di poco tempo presero a russare. Anche la capra si appisolò. Il figlio si mise il mantello e cappello e uscì a fare una passeggiata. Attraversò con le sue lunghe gambe il mercato. Tese una mano a toccare un tetto. Avrebbe voluto fumare un sigaro, ma ricordò che di shab-   190
bath era proibito. Aveva voglia di parlare con qualcuno, ma pareva che tutta Lentshin fosse immersa nel sonno. Entrò nella sinagoga. C'era seduto un vecchio, intento a recitare i salmi. Samuel gli chiese: «Stai pregando?»

12. **gefilte**: ripieno, in yiddish.
13. **Non è permesso... shabbath**: la legge ebraica ha prescrizioni molto rigorose per il rispetto del riposo nel giorno del Signore.

«Che cos'altro resta da fare, quando si diventa vecchi?»

«Guadagni abbastanza per vivere?»   195

Il vecchio non capì il significato di tali parole. Sorrise, mettendo in mostra le gengive vuote, e poi rispose: «Finché Dio dà la salute, si continua a vivere».

Samuel tornò a casa. Era caduto il crepuscolo. Berl andò alla sinagoga per le preghiere della sera e il figlio rimase con la madre. La stanza era piena di   200 ombre.

Berlcha si mise a recitare con voce solennemente cantilenante: «Dio di Abramo, Isacco e Giacobbe, proteggi il povero popolo di Israele e il Tuo nome. Il Santo Shabbath sta per concludersi, giunge benvenuta la settimana nuova. Concedi che ci porti salute, benessere e buone azioni».   205

«Non hai bisogno di invocare la salute, mamma», disse Samuel. «Ce l'hai già.»

Berlcha non sentì... o finse di non sentire. Il suo viso si era convertito in un intrico di ombre.

Nel crepuscolo Samuel portò la mano alla tasca della giacca e tastò il   210 portafogli, il libretto degli assegni e le lettere di credito. Era arrivato lì con grandi progetti. Aveva una valigia piena di regali per i genitori. Avrebbe voluto coprire di doni il villaggio. Non aveva portato soltanto denaro, ma anche i fondi affidatigli dall'Associazione di Lentshin, di New York, che aveva organizzato un ballo di beneficenza per il villaggio. Ma in quel paesi-   215 no remoto non c'era bisogno di niente. Dalla sinagoga si sentiva arrivare un cantare rauco. Il grillo, che era rimasto zitto tutto il giorno, riprese il suo canto. Berlcha si mise a dondolare[14] e a pronunciare versi sacri ricevuti in retaggio[15] da madri e nonne:

Il santo gregge   220
in misericordia conserva,
nella Torah[16] e in azioni buone;
concedigli ciò di cui abbisogna:
scarpe, abiti e pane.
E l'orma del Messia[17].   225

14. **a dondolare**: è usanza ebraica accompagnare la preghiera con un'oscillazione ritmica del corpo.
15. **retaggio**: eredità.
16. *Torah*: la legge data da Dio a Mosè.
17. *l'orma del Messia*: la venuta del Messia, l'Unto del Signore che dovrà riscattare il popolo d'Israele, secondo l'annuncio contenuto in diversi luoghi della Bibbia.

dialogo con il testo

I temi

Il villaggio sperduto nella Polonia di cento anni fa rappresenta in forme idealizzate un mondo perfetto nella sua immobilità, nella completa armonia della comunità col suo Dio; un mondo chiuso alle idee e alle realtà nuove, che ancora quasi ignora l'uso del denaro. Tra questo mondo e quello moderno, rappresentato dal figlio emigrato, americanizzato e ricco, la comunicazione è quasi impossibile; ma il confronto non è uno scontro, perché il figlio riconosce

che il mondo dei genitori è intoccabile e rinuncia alle proprie iniziative.

❓ Rintracciate i passi che mettono in evidenza l'impermeabilità degli abitanti di Lentshin alle idee più ovvie per la mentalità moderna: denaro, guadagno, miglioramento.

In un articolo pubblicato negli anni sessanta su un giornale americano, Singer diceva di scrivere «in una lingua morta»; l'affermazione va riferita non tanto alla scomparsa dello yiddish (sradicato in Europa dallo sterminio nazista, ma sopravvissuto tra gli ebrei negli Stati Uniti e in Israele), quanto alla scomparsa del mondo ebraico europeo a cui è dedicata tutta la sua opera. Essa è l'elegia di un mondo perduto, e il suo valore, anche per i non ebrei, è nel conservare la memoria di una realtà alternativa rispetto a quella omologata e massificata in cui viviamo: un luogo ideale che assume il valore di un'utopia.

Amos Oz

Amos Oz, nato a Gerusalemme nel 1939, ha scritto saggi (*La terra d'Israele*, 1982; *Contro il fanatismo*, 2002), romanzi (*Conoscere una donna*, 1989; *Fima*, 1991; *Una storia d'amore e di tenebra*, 2002) e racconti per bambini, che sono stati tradotti in molte lingue e gli hanno dato una fama internazionale, coronata da numerosi premi. Attivamente impegnato per la pace, è tra i fondatori del movimento pacifista israeliano *Peace now*.

▶ T38.18

T38.18

Una storia d'amore e di tenebra

Il romanzo autobiografico Una storia d'amore e di tenebra *è un grande affresco storico che abbraccia eventi individuali e collettivi di oltre un secolo. La storia dell'infanzia e della giovinezza di Amos, le vicende dei suoi genitori e dei suoi nonni, emigrati in Palestina dall'Europa orientale prima della seconda guerra mondiale, si intrecciano con quelle dello stato di Israele, dalla sua nascita alle diverse fasi del conflitto arabo-israeliano. La narrazione si muove avanti e indietro nel tempo, disegnando una vasta galleria di ambienti, di personaggi, di situazioni, di volta in volta umoristici, melanconici, tragici. Lo scavo nella memoria culmina con la lucida e dolorosa rievocazione del suicidio della madre del protagonista, il più profondo trauma della vita dell'autore, che ne parla qui per la prima volta: «Di mia madre non ho parlato quasi mai, per tutta la mia vita fino ad ora, che scrivo queste pagine. Né con mio padre né con mia moglie né con i miei figli né con nessun altro. Dopo la morte di mio padre, nemmeno di lui ho quasi mai parlato. Come se fossi stato un trovatello».*

Il brano che riportiamo fa riferimento alla fase storica immediatamente precedente la proclamazione dello stato di Israele. Amos è un bambino timido e sognatore di otto anni, figlio di genitori intellettuali e poveri. Si è recato con i suoi zii Mala e Stashek in visita presso gli Al Siluani, una ricca famiglia araba di Gerusalemme che ha un debito di gratitudine con lo zio, ed è stato invitato dagli adulti a uscire in cortile per fare conoscenza con i bambini presenti al ricevimento.

Amos Oz
UNA STORIA
D'AMORE E DI
TENEBRA
(Cap. 42, trad.
dall'ebraico di E. Loewenthal, Feltrinelli, Milano, 2003, cap. 42)

Lì, sotto il pergolato, c'era un gruppetto di ragazze intorno ai quindici anni. Le aggirai. Poi mi passarono davanti, sfrecciando chiassosamente, alcuni maschi. Fra gli alberi del giardino passeggiava una giovane coppia, i due bisbigliavano animatamente, ma senza toccarsi. In un punto in fondo, non lontano dal muro, tutt'intorno al tronco nodoso di un grande gelso, qual-

1

5

cuno aveva allestito un posto di riunione: una specie di panca di assi senza gambe sopra la quale sedeva a gambe incrociate una bambina pallida, nera di capelli e ciglia, dal collo sottile e le spalle cascanti, una frangetta che copriva la fronte. Sembrava illuminata dentro da una curiosità allegra. Portava una blusa color panna e sopra uno scamiciato blu scuro, liscio e lungo, con due larghe spalline. Sul risvolto della blusa aveva un monile, una specie di spilla in avorio che mi ricordava la fibbia sulla scollatura di mia nonna Shlomit.

A ben guardare, quella bambina sembrava mia coetanea, ma a giudicare dal leggero gonfiore che s'intravedeva nel vestito e anche dallo sguardo non così infantile, uno sguardo curioso ma anche di sfida quando incontrò il mio (fu un baleno appena, i miei occhi scapparono subito altrove), poteva anche essere decisamente più grande di me, almeno di due o tre anni: undici o dodici, forse. A ogni modo, riuscii a notare che le sue sopracciglia erano un po' spesse, unite fra loro, il che era in contraddizione con i tratti delicati del viso. Ai piedi di questa bambina c'era un marmocchio a quattro zampe, avrà avuto tre anni, un bimbo ricciuto, immerso in un'impresa che pareva una questione vitale: andava raccogliendo per terra con impegno le foglie cadute, e le disponeva in cerchio.

Mi feci coraggio e d'un solo fiato offrii alla bambina praticamente un quarto del mio repertorio lessicale in lingua straniera, captato in giro: non proprio come un leone che si avvicina a dei leoni, piuttosto come quei pappagalli a modo dentro le gabbie in salotto, porgendole inavvertitamente un leggero inchino, ansioso di attaccare discorso e con ciò dissipare i pregiudizi, accelerando in qualche modo la riconciliazione fra i due popoli[1]:

"Sabach al chiar, miss. Ama ismi Amos. Uinti, ya bint? Votre nom, s'il vous plait mademoiselle? Please your name kindly?"[2].

Mi fissò senza sorridere, Le sopracciglia unite le conferivano un'aria seria, in contrasto con l'età. Scosse il capo più d'una volta, su e giù, quasi stesse per formulare un'ipotesi, concordare con se stessa e approvare l'esito ottenuto. La gonna scura del vestito le copriva le gambe, ma nel tratto fra il tessuto e le scarpe con il farfallino scorsi per un istante la pelle, scura e liscia, femminile, già adulta: arrossii e gli occhi di nuovo scapparono verso il suo fratellino, il quale ricambiò con uno sguardo sereno, privo di timore ma anche di sorriso. D'un tratto, le assomigliò molto, con quella calma bruna in viso.

Tutto quello che avevo udito dai miei genitori e dai vicini e dallo zio Yosef e dalle insegnanti e dagli zii e per sentito dire, mi si risvegliò in quell'istante. Tutto quel che era stato detto intorno a una tazza di tè nel nostro cortile tanti sabati e tante sere d'estate, sulla tensione crescente fra arabi ed ebrei, sulla diffidenza e l'ostilità, frutti acerbi delle istigazioni inglesi e dei fanatici nell'Islam[3], che ci raffiguravano in modo spaventoso per instillare negli animi arabi un odio mortale contro di noi: Il nostro dovere, così aveva detto una volta il signor Rosendorf, è quello di sventare la diffidenza e spiegare loro che noi siamo persone positive, financo simpatiche. In breve,

10

15

20

25

30

35

40

45

50

1. **Fra i due popoli**: gli arabi e gli ebrei abitanti in Palestina.
2. **"Sabach… kindly?"**: "Buongiorno, miss. Io mi chiamo Amos. Di dove sei, bambina? (in arabo). Il suo nome, per piacere, signorina? (in francese). Per favore il suo nome gentilmente? (in inglese)".
3. **frutti… Islam**: prima del 1947 la Palestina era amministrata dall'Inghilterra, ostile all'immigrazione ebraica e alla nascita dello stato di Israele, come ostili erano gli estremisti arabi (*fanatici dell'Islam*).

fu un autentico spirito di missione che mi aveva dato il coraggio di rivolgermi così a quella bambina sconosciuta e tentare di conversare con lei:
avevo in mente di spiegarle, con poche eppur convincenti parole, quanto
fossero pure le mie intenzioni, e quanto invece fosse aberrante il complotto
teso a suscitare contrasti fra le due parti, e quanto invece sarebbe stato me-   55
glio per l'opinione pubblica araba – qui impersonata da questa bambina
con le sue labbra sottili – conoscere più da vicino la natura gentile e amabi-
le degli ebrei, qui rappresentati da me, disinvolto emissario di otto anni e
mezzo. Quasi.   60

Però non avevo minimamente pensato a quello che avrei fatto dopo essermi giocato in prima battuta tutto il mio repertorio in lingua straniera...
Come avrei indiscutibilmente spiegato a questa ignara bambina la legittimità del ritorno ebraico a Sion[4]? Ricorrendo alla mimica? Con passi di
danza? Come instillarle, senza ricorrere alle parole, la consapevolezza dei   65
nostri diritti in questa terra? Come tradurre per lei, senza una lingua comune, *Terra, mia patria?,* o "Lì c'è abbondanza e felicità / figlio d'Arabia,
figlio di Nazareth e figlio mio / la mia bandiera è pura e retta / pure ren-
derà le rive del Giordano"[5]? In breve, ero lo scemo che chissà come ha imparato a spostare di due caselle l'alfiere davanti al re, si lancia con una mos-   70
sa affrettata, ma di lì in poi non ha più un'ombra di idea: non sa nemmeno
come si chiamano le pedine, né come vanno mosse, né perché né dove.

Ero perduto.

E invece la bambina mi rispose, in ebraico persino, e senza guardarmi,
le mani tenute aperte contro la panca, ai due lati del vestito, gli occhi fissi   75
sul fratello che con estremo puntiglio stava adagiando un sassolino sopra
ognuna delle foglie disposte in cerchio:

"Mi chiamo Aisha. E questo piccolo – mio fratello – Auad".

E disse anche:

"Sei il figlio degli ospiti della posta?"[6].   80

Così, le spiegai che io non ero assolutamente il figlio degli ospiti della
posta, bensì il figlio di certi loro amici, e che mio padre era uno studioso
piuttosto rinomato, *oustaz*[7], mentre lo zio di mio padre lo era molto più di
lui, era uno di fama mondiale, e che il suo onorevole padre in persona, il
signor Siluani, mi aveva invitato a uscire un po' in giardino e conversare   85
con i bambini di casa.

Aisha mi corresse, precisando che l'*oustaz* Najb non era suo padre, bensì zio di sua madre: lei e la sua famiglia abitavano non qui a Sheikh Jarakh,
bensì nel quartiere di Talbiyeh[8], e lei studiava da tre anni pianoforte da una
maestra che stava a Rechavia[9], così dalla maestra e dalle sue compagne di   90
musica aveva imparato un po' di ebraico. La trovava bella, la lingua ebraica, molto bella, così come il quartiere di Rechavia. Ordinato. Tranquillo.

Anche il quartiere di Talbiyeh è tranquillo e ordinato, notai prontamente, sì da ricambiare il complimento. È d'accordo se conversiamo un
pochino?   95

Lo stiamo già facendo, no? (Un'ombra di sorriso aleggia per una frazione di secondo sulle sue labbra. Si aggiusta con entrambe le mani i bordi del
vestito e inverte le gambe incrociate. Per un brevissimo istante le sue gam-

4. **Sion**: è il nome di
una collina di Geru-
salemme che, fin dal-
l'epoca biblica, è stato
utilizzato per indicare
l'intera città, e, in
senso più ampio, la
terra d'Israele.
5. *Terra...Giordano*:
il titolo e alcuni versi
di inni patriottici
ebraici.
6. **ospiti della posta**:
lo zio di Amos è un
impiegato delle poste.
In quella veste ha reso
un importante favore
al padrone di casa.
7. *oustaz*: professore,
maestro (in arabo).
8. **Sheikh Jarack...
Talbiyeh**: quartieri
arabi di Gerusalem-
me.
9. **Rechavia**: quartie-
re residenziale di Ge-
rusalemme, allora
abitato principalmen-
te da inglesi ed ebrei.

be, già da donna, poi subito sotto la gonna. Ora sta guardando alla mia sinistra, là dove il muro del giardino occhieggia appena, fra gli alberi da frutta.) 100

Assumo un'espressione per così dire rappresentativa, ed esprimo l'opinione che in terra d'Israele c'è posto per tutti e due i popoli, se solo si riuscirà a vivere l'uno a fianco dell'altro in pace e nel reciproco rispetto. Chissà come, per l'imbarazzo e la spocchia, uso con lei non il mio ebraico, bensì quello di papà e dei suoi amici: solenne. Limato. Come un asino mascherato con un abito da ballo e le scarpe col tacco. Per qualche ragione m'ero convinto che solo così fosse accettabile parlare agli arabi e alle ragazze (del resto non mi era quasi mai capitato di rivolgermi né a delle ragazze né a degli arabi, ma immaginavo che entrambi i casi richiedessero un tatto particolare, che bisognasse parlare come in punta di piedi). 105 110

Fu presto chiaro che non aveva una gran dimestichezza con l'ebraico, o forse piuttosto aveva opinioni diverse dalle mie. Invece di rispondere alla sfida da me posta, decise di cambiare leggermente discorso: suo fratello maggiore, disse, studiava a Londra per diventare *solicitor* e anche *barrister*[10], che in ebraico è più o meno "abbocato", no? 115

Avvocato, la correggo, e domando, ancora tutto gonfio nel mio ruolo paradigmatico[11], che cosa pensa lei di studiare da grande? Cioè, in che ambito? O professione?

Mi guarda un istante dritto negli occhi e allora, invece di arrossire, impallidisco. Distolgo subito il mio, di sguardo, e lo rivolgo distrattamente verso il basso, verso il fratellino, il serioso Auad che nel frattempo ha disposto ai piedi del tronco quattro cerchi precisi di foglie. 120

E tu?

Be', guarda, rispondo ancora in piedi davanti a lei, strofinando le mani sudacchiate contro i pantaloni, be', guarda, dunque per me è così... 125

Anche tu diventerai abbocato. Lo vedo da come parli.

Che cosa l'ha dunque indotta a pensare così?

Io, dice invece di rispondere alla mia domanda, io scriverò un libro.

Tu? Che genere di libro scriverai? 130

Poesie.

Poesie?

In francese e inglese.

Scrivi poesie?

E anche in arabo scrive poesie, ma non le fa vedere a nessuno. L'ebraico è anche una lingua molto bella. La gente in ebraico scrive poesie? 135

Scosso dalla profondità di tale questione, ribollo per l'orgoglio mio ferito, e più che mai sento di dover compiere la missione: lì per lì mi metto a recitare con trasporto alcuni brani di poesie: Cernichovskij, Levin Kipnis, Rachel, Zeev Jabotinsky[12]. E anche una mia. Tutto quel che mi viene in mente, con impeto, ampi gesti, voce stentorea e passione e smorfie e addirittura ogni tanto a occhi chiusi. Persino il fratellino Auad volta verso di me la sua testa ricciuta e mi pianta addosso un paio d'occhi di capretta scuri e sgranati, pieni di curiosità e di un leggero timore, poi improvvisamen- 140

10. *sollicitor... barrister*: procuratore legale, avvocato (in inglese).
11. **ruolo paradigmatico**: funzione rappresentativa: il piccolo Amos attribuisce a se stesso il compito di rappresentare esemplarmente il popolo ebraico agli occhi della bambina araba.
12. *Cernichovskij... Jabotinsky*: Sha'ûl Cernichovskij (1875 - 1843), Levin Kipnis (1894 - 1990), Rachel Bluwstein (1890 - 1931), Zeev Jabotinsky (1880 - 1940), poeti ebrei originari dell'Europa orientale.

te si mette a recitare in un ebraico ineccepibile: Dammi un momento! Am-   145
mi un momento! Mentre Aisha invece di dirmi, eddai piantala, mi domanda d'un tratto se so anche arrampicarmi sugli alberi. No?

Tutto sconvolto e fors'anche già un po' innamorato di lei e tuttavia fre-
mente nella mia parte di rappresentante nazionale, smanioso di compiere
ogni sua volontà, al suo cospetto mi tramuto immantinente da Zeev Jabo-   150
tinsky in Tarzan: via le scarpe che lo zio Stashek aveva lucidato per me questa mattina tanto da far luccicare il cuoio come un nero diamante, bando
agli abiti da festa appena stirati che ho addosso, mi appendo con un balzo
a un ramo basso, mi aggrappo con i piedi scalzi al tronco scabro, e senza la
benché minima esitazione m'arrampico verso la cima del gelso, dalla prima   155
diramazione sino a quella successiva e di lì verso l'alto, su fino ai rami più
lontani, mi graffio ma che m'importa, mi riempio di escoriazioni e di macchie di more ma supero tutte queste sfide, arrivo più in alto del muro e delle fronde, sin fuori dall'ombra, in cima al gelso. E mi ritrovo con la pancia
appiccicata distesa contro un ramo obliquo, piuttosto cedevole, che si pie-   160
ga sotto di me e dondola come un elastico e proprio si incurva quand'ecco
che a tentoni trovo una specie di catenella di ferro arrugginita con una pallina di metallo a un'estremità, una pallina di ferro piuttosto pesante, anch'essa arrugginita, solo il demonio sa che cosa fosse quell'aggeggio e come
fosse arrivato fin lassù in cima al gelso. Il bambino, Auad, mi lanciò un'oc-   165
chiata pensierosa, scettica, e strillò di nuovo: Dammi un momento! Ammi
un momento!

Erano evidentemente le uniche parole ebraiche che aveva captato in vita sua. E non le aveva più dimenticate.

Con una mano mi tenni dunque ben stretto al mio ramo sospirante e   170
con l'altra, lanciando intanto uno strillo gutturale di battaglia, brandii la catena imprimendo dei giri vorticosi alla pallina, quasi stessi offrendo alla giovane donna ai miei piedi una rara primizia: da sessanta generazioni, così ci
avevano insegnato a scuola, tutti erano ormai abituati a vedere in noi un
popolo misero, un popolo cagionevole e gobbo, un popolo pauroso persino   175
della propria ombra, *iuakd-al-maut*, "figli della morte", mentre ecco che
adesso finalmente rinasceva un ebraismo nerboruto, ecco una nuova gioventù ebraica piena di vigore, il cui ruggito tutti faceva tremare: un leone!

Ma il leone degli alberi, vigoroso e tremendo che stavo interpretando
con entusiasmo a beneficio di Aisha e di suo fratello, il leoncello accuccia-   180
to, non poteva certo immaginare donde sarebbero arrivati i guai, e che
guai: che leone cieco e sordo e smarrito. Un leone dagli occhi che non vedono. Dalle orecchie che non sentono. Su, fa' girare la catenella disteso sul
ramo che dondola, spezza l'aria con quei giri sempre più grandi della mela
di ferro proprio come hai visto al cinema nei film di cow-boy con il loro la-   185
zo che rotea nell'aria mentre galoppano...

Non vide non sentì non immaginò non ci pensò, quel leone compreso nella
sua parte, anche se tutto ormai lasciava immaginare il fattaccio, tutto era ormai predisposto per la catastrofe: la biglia di ferro arrugginita all'estremità
della catenella arrugginita, a forza di girare e di tendersi, minacciava sempre   190

più di staccarsi. Che pretesa, la sua. Che arroganza e stupidità. Prodezza intossicante. Vertigine nazionalistica compiaciuta. Il ramo dal quale dava la sua esibizione, quel ramo cedevole, era ormai tutto storto sotto il carico. La bambina delicata e avveduta, con quel paio di folte sopracciglia, la bambina poetessa lo guardava da laggiù e sul suo volto s'andava disegnando una risa- 195 tina indulgente, non certo di ammirazione né di stima per quel nuovo ebreo della terra d'Israele, piuttosto una specie di scherno sottile, un sorriso fra il compassionevole e il divertito come a dire, non valgono nulla tutti questi tuoi sforzi, proprio nulla, abbiamo già visto ben di meglio, è cosa di troppo poco conto per sorprendermi, e se vuoi proprio stupirmi, allora caro 200 mio dovrai faticare settanta volte di più, e chissà poi se basterà.

(Dagli abissi di un pozzo torbido, forse in quel preciso istante per una infinitesima frazione di secondo balenò, e nello stesso scarto di tempo an- che si dileguò, il riflesso di un ricordo: bosco selvaggio dentro un negozio di abiti da donna, impenetrabile giungla primitiva là dove nel buio fitto un 205 giorno aveva inseguito una bambina e quando alla fine era riuscito a rag- giungerla ai piedi di cupi alberi perenni, aveva visto l'orrore.)[13]

Anche il fratellino stava lì, ai piedi del tronco del gelso, ora che ormai aveva finito di disporre in precisi e misteriosi cerchi le sue foglie e adesso, riccio serio preoccupato e dolce, un marmocchio in pantaloni corti e un 210 farfallino bianco sulle scarpe rosse. Poi d'improvviso dall'alto del gelso il suo nome tuonò insieme a un grido spaventoso: Auad Auad scappa, e lui forse riuscì ancora a levare i suoi occhioni verso le fronde e fors'anche a scorgere il globo di ferro arrugginito che nello slancio si staccava di colpo dalla catenella e sfrecciava verso di lui come un missile, proprio dritto ver- 215 so di lui, via via sempre più scuro e più grande dritto verso gli occhi del bambino. Gli avrebbe certamente spaccato la testa se non l'avesse mancato per non più di due, tre centimetri: passò invece davanti al naso e atterrò in- fine, pesante e ottuso, maciullandogli il piedino oltre la scarpetta rossa, scarpa di bambola che d'un tratto si riempì di sangue, e il sangue colò fuo- 220 ri dai lacci e dalle cuciture delle suole e dalla tomaia. In quel momento si levò fin su in cima all'albero uno strillo di dolore sottile e penetrante, lun- go, straziante, e subito dopo ti sei sentito tutto tremare trafitto da aghi di ghiaccio e tutto che di colpo tace intorno a te come se ti avessero imprigio- nato dentro il ghiaccio. 225

Non ricordo la faccia del bambino svenuto che sua sorella prese in braccio non ricordo se anche lei abbia urlato o chiamato aiuto se mi abbia detto qualcosa né ricordo quando e come scesi dall'albero o non scesi piuttosto cascai insieme al ramo che cedette sotto di me non ricordo chi mi abbia fa- sciato il graffio sul mento da dove un rivolo spesso di sangue colava dentro 230 la mia camicia della festa (ho ancora il segno, sul mento), e quasi nulla ri- cordo di quel che avvenne fra l'unico strillo del bimbo ferito e le lenzuola candide la sera ancora tutto tremante e rannicchiato in posizione fetale con dei punti al mento dentro il letto matrimoniale di zio Stashek e zia Mala.

Ma ricordo ancora, due carboncini accesi, gli occhi di lei sotto la nera 235 cornice a lutto delle sopracciglia unite sulla fronte: ribrezzo e sconforto e

13. bosco... orrore: riferimento a un ri- cordo d'infanzia di Amos: mentre aspet- tava una conoscente che provava un vesti- to in un negozio di abbigliamento, era stato attratto dall'a- spetto seducente di una bambina vista di spalle; l'aveva seguita infilandosi tra i vestiti appesi (*impenetrabile giungla primitiva*); da lì, vedendola in viso, aveva scoperto che era una donna adulta af- fetta da nanismo, e ne era rimasto sconvolto.

orrore e odio crepitante mi trafissero nel suo sguardo, e sotto il ribrezzo e l'odio c'era nei suoi occhi anche una specie di malinconico scuotimento del capo, come a dire a se stessa avrei dovuto saperlo, sin dal primo momento avrei dovuto saperlo, ancora prima che tu aprissi quella bocca avrei dovuto capirlo, avrei dovuto stare in guardia da te. Perché la si sente lontano un miglio. La tua specie di puzza.   240

E ricordo, vagamente, qualcuno, un signore peloso, basso, con dei baffi folti e un orologio d'oro al polso con una catena molto spessa, forse era un ospite, forse uno dei figli del padrone di casa, che mi trascinava via di lì   245 brutalmente tirandomi per la camicia ormai lacera, quasi di corsa. E per strada riuscii ancora a vedere di lontano, presso il pozzo in mezzo al giardino lastricato, che qualcuno stava riempiendo di botte Aisha. Non a pugni né a schiaffi, ma dei colpi di mano ampi, pesanti e decisi, uno crudele, lento, profondo, uno sulla testa uno sulla schiena uno sulle spalle e lungo la   250 faccia, non come si punisce un bambino, piuttosto come castigando un cavallo. O un cammello recalcitrante.

Certamente i miei genitori e anche Stashek e Mala avrebbero voluto chiamare per sapere come stava il piccolo Auad e quanto grave fosse la sua lesione. Certamente avranno cercato il modo per esprimere il loro dispiacere   255 e la vergogna. Presumibilmente avranno preso in considerazione l'eventualità di offrire un congruo risarcimento. Doveva essere per loro molto importante dimostrare ai padroni di casa che anche la nostra parte non ne era uscita indenne, con una ferita al mento che aveva richiesto svariati punti. Può darsi che i miei genitori, consultatisi con i Rodintzky, abbiano proget-   260 tato una seconda visita, di rappacificazione, alla villa dell'*oustaz* Al Siluani, comprensiva di doni e regali per il piccolo mentre io, umiliato e tormentato dal rimorso, avrei dovuto prostrarmi sulla soglia o cospargermi il capo di cenere per mostrare a tutta la famiglia Al Siluani in particolare, e al popolo arabo in generale, quanto eravamo dispiaciuti e mortificati e rincre-   265 sciuti, ma al tempo stesso troppo nobili per cercare scuse e azzardare spiegazioni, oltre che sufficientemente onesti per sobbarcarci tutto il peso della vergogna, del rimorso e della colpa.

Se non che fra un consulto e l'altro, a forza di discutere in merito al momento e ai modi giusti, fors'anche incaricando zio Stashek di chiedere   270 al suo superiore, il signor Nochs-Gilford[14], di tastare il terreno in via informale presso la famiglia Al Siluani e verificare per noi la disposizione d'animo di quel fronte, e sapere quanto rancore avesse ancora in corpo e come eventualmente placarlo, se avesse insomma senso o potesse servire una visita di scuse, e con che spirito avrebbero caso mai accolto la nostra proposta   275 di risarcimento del danno, mentre ancora si soppesavano intenzioni e mosse, arrivarono le grandi feste. E ancora prima di quelle, alla fine di agosto del 1947, il comitato d'inchiesta nominato dall'Onu affidò le sue mozioni al tavolo dell'Assemblea generale[15].

E a Gerusalemme, benché non fosse scoppiata ancora nessuna violenza,   280 fu come se di colpo si fosse teso un muscolo nascosto. Non era più ammissibile, per noi, recarsi in quelle zone della città.[16]

14. il signor Nochs-Gilford: il capoufficio inglese dello zio Stashek avrebbe potuto fare da mediatore presso la ricca famiglia Al Siluani grazie al prestigio della sua posizione sociale.
15. il comitato… generale: nel 1947 l'assemblea generale dell'Onu propose che il territorio della Palestina, fino a quel momento amministrato dalla Gran Bretagna, fosse diviso in due stati, uno arabo e uno ebraico. La maggioranza degli ebrei accettò la risoluzione, ma gli stati arabi la rifiutarono: scoppiarono immediatamente violenze tra le due comunità.
16. in quelle… città: nei quartieri arabi di Gerusalemme.

dialogo con il testo

I temi

A differenza di Singer (*T38.17*), Amos Oz, scrittore di trent'anni più giovane, nato e cresciuto in un paese giovane e percorso da violente contraddizioni come Israele, scrive in ebraico moderno, e immerge le trame dei suoi romanzi nelle tensioni e nei conflitti della contemporaneità. Questa caratteristica - che lo accomuna agli altri grandi narratori israeliani della sua generazione - è ben presente in questo brano: gli approcci insieme timidi e spacconi del bambino ebreo nei confronti della bambina araba non sono vissuti dal protagonista come una semplice vicenda privata, ma come un'occasione esemplare di incontro tra i due popoli. Questa interferenza tra i grandi fatti della storia e le vicende individuali ricorre nelle diverse fasi della narrazione: le prime battute di dialogo tra i due bambini (righe 25-147), l'esibizione di Amos conclusasi catastroficamente (righe 148-252), l'impossibilità da parte della famiglia ebrea di chiedere scusa alla famiglia araba (253-282).

? Indicate i punti del testo in cui il nesso tra l'episodio narrato e le grandi vicende politiche è esplicitamente richiamato dall'autore.

? Questa caratteristica non impedisce a Oz di registrare con finezza le sfumature più segrete della psicologia dei suoi personaggi: oltre alla funzione politico-diplomatica di cui il protagonista si sente investito, sono presenti le inquietudini e i trasalimenti di un bambino nei primi approcci con l'altro sesso: in quali punti del testo?

Le forme

Oz gioca con maestria sulla prospettiva temporale del racconto: da un lato rievoca con forte coinvolgimento i pensieri e le emozioni di se stesso bambino (io narrato);

dall'altro le filtra attraverso la sua mentalità attuale di adulto (io narrante). Ne scaturisce un misto di sentimenti che conferiscono concretezza e complessità all'episodio.

? Provate a definire quale sia l'atteggiamento psicologico dell'io narrante rispetto all'io narrato, motivando la vostra definizione con riferimenti al testo.

Nell'intessere questo contrappunto tra l'Amos giovane e l'Amos adulto, il narratore utilizza con maestria una gamma variata di tecniche narrative:
- l'improvviso inserimento di apostrofi rivolte dal narratore a se stesso bambino;
- la brusca alternanza di diversi tempi verbali;
- l'accostamento di frasi brevissime, a volte nominali, a periodi lunghi e elaborati;
- l'inserzione di frammenti di "flusso di coscienza", in cui le forzature sintattiche o l'uso anomalo della punteggiatura si modellano sul fluire libero del pensiero.

? Per ciascuno di questi procedimenti narrativi indicate nel testo un esempio che vi pare particolarmente efficace.

Bambino israeliano a Gerusalemme
(1961, foto di Erich Hartmann/Magnum)

Stati Uniti: la *beat generation*, la narrativa postmoderna

La letteratura nordamericana è stata nel secondo Novecento tra le più vitali, oltre che tra le più note nel mondo, per evidenti ragioni di supremazia economica, politica e culturale. È stata una letteratura vivacemente critica nei confronti dei comportamenti e del valori del "modo di vivere americano". Rappresentiamo qui due momenti di questa letteratura, due "scuole" di scrittori.

La prima, apparsa negli anni cinquanta, è la *beat generation* ("generazione *beat*": il termine, difficilmente traducibile, significa "battuto, sconfitto", ma allude anche ai ritmi della musica jazz e poi rock). Di fronte a una società del benessere, che esalta i valori del successo e del denaro, questi autori di avanguardia si pongono in una posizione volutamente emarginata, ripercorrendo le vie dei "maledetti" del secondo Ottocento: conducono esistenze irregolari e trasgressive, si danno a esperienze mistiche; le loro opere esprimono in uno stile immediato, apparentemente spontaneo, una protesta viscerale e globale (Ginsberg, *T38.19*), o il mito di una vitalità giovanile che sfugge a ogni vincolo di convenzione sociale (J.D. Salinger, *Il giovane Holden*, 1951; J. Kerouac, *Sulla strada*, 1957: *T38.20*).

La seconda "scuola" che presentiamo è stata definita "postmoderna", adottando in letteratura un termine che ha ambiti di applicazione molteplici (vedi *T37.17*, *T37.18*). Si tratta di un gruppo di narratori che si sono affermati dagli anni sessanta in poi; non sono narratori d'avanguardia: raccontano storie che attraggono il lettore con la trama e la *suspense*, spesso adottando i modi dei generi d'intrattenimento. Ma sotto questa superficie rassicurante le loro opere presentano un mondo enigmatico, in cui sono scomparsi i punti di riferimento conoscitivi e morali: sono immagini della realtà americana stralunate, satiriche, dense di significati ambigui. Il lettore è attirato e insieme spaesato dal loro stile scintillante, ricco di inventiva e di ironia, carico di riferimenti culturali. I maestri riconosciuti del gruppo sono Thomas Pynchon (*T38.21*) e Don DeLillo (*T38.22*).

Allen Ginsberg

Allen Ginsberg (1926-1997), nato nel New Jersey, fu negli anni cinquanta tra i protagonisti della *beat generation*, che espresse un rifiuto radicale del "modo di vita americano", conformista e consumista; l'uso di droghe allucinogene per "allargare la coscienza" e il misticismo ispirato a religioni orientali erano vie alla ricerca di un'alternativa di vita. Dopo aver ottenuto grande popolarità, soprattutto tra i giovani, col poema *Urlo* (1956), Ginsberg viaggiò molto, soggiornò a lungo in India, e aderì al buddismo zen. In patria si impegnò nelle campagne pacifiste contro la guerra in Vietnam.

▶ **T38.19**

T38.19 | # Urlo

Il poema Urlo *(1956) fu un po' il manifesto della* beat generation. *Riportiamo l'i-*   *nizio della prima sequenza.*

T38.19

Allen Ginsberg
URLO
(I, in *Jukebox
all'idrogeno*, trad.
dall'inglese americano
di F. Pivano,
Mondadori, Milano,
1971)

Ho visto le menti migliori della mia generazione distrutte dalla pazzia, affamate nude isteriche,

trascinarsi per strade di negri all'alba in cerca di droga rabbiosa,

hipsters[1] dal capo d'angelo brucianti per l'antico contatto[2] celeste con la dinamo stellata nel macchinario della notte, 5

che in miseria e stracci e occhi infossati stavano su imbottiti a fumare nel buio soprannaturale di soffitte a acqua fredda[3] galleggiando sulle cime delle città contemplando jazz,

che si squarciavano cervelli al Cielo sotto la Elevated[4] e vedevano angeli Maomettani illuminati barcollanti su tetti di casermette[5], 10

che passavano per le università con occhi freddi radiosi allucinati di Arkansas e tragedia alla luce di Blake[6] fra gli eruditi della guerra[7],

che venivano espulsi dalle accademie come pazzi e per aver pubblicato odi oscene sulle finestre del teschio[8],

che si accucciavano in mutande in stanze non sbarbate, bruciando denaro nella spazzatura e ascoltando il Terrore attraverso il muro, 15

che erano arrestati nelle loro barbe pubiche[9] ritornando da Laredo[10] con una cintura di marijuana per New York,

che mangiavano fuoco[11] in alberghi vernice[12] o bevevano trementina nella Paradise Alley, morte, o notte dopo notte si purgatorizzavano il torso 20

con sogni, droghe, incubi di risveglio, alcool e c...[13] e sbronze a non finire, incomparabili strade cieche di nebbia tremante e folgore mentale in balzi verso i poli di Canada e Paterson[14], illuminando tutto il mondo immobile del Tempo in mezzo,

solidità Peyote[15] di corridoi, albe cimiteri alberi verdi retro cortili, sbronze 25 di vino sopra i tetti, rioni di botteghe in gioiose corse drogate neon balenio di semafori, vibrazioni di sole e luna e alberi nei ruggenti crepuscoli invernali di Brooklyn, urli fra pattumiere e dolce regale luce della mente,

che si incatenavano ai subways[16] in corse interminabili dal Battery al Santo Bronx[17] pieni di simpamina finché lo strepitio di ruote e bambini li face- 30 va scendere tremanti a bocca pesta e scassati stremati nella mente svuotata di ogni fantasia nella luce desolata dello Zoo,

che affondavano tutta la notte nella luce sottomarina di Bickford[18] galleggiavano fuori e passavano un pomeriggio di birra svanita nel desolato Fugazzi[19] ascoltando lo spacco del destino al jukebox all'idrogeno[20], 35

METRO: versi liberi, o meglio lunghe frasi ritmiche corrispondenti a un'unità di respiro.

1. **hipsters**: «Nel linguaggio *beat*, *hipster* significa "intenditore", "uno che sa", che appartiene al gruppo» (F. Pivano).

2. **contatto**: metaforicamente, il "contatto" elettrico con la *dinamo* del cielo; ma ci può essere anche un riferimento a un altro significato della parola: "chi procura droga".

3. **soffitte a acqua fredda**: miseri appartamenti privi di riscaldamento.

4. **la Elevated**: la metropolitana sopraelevata che c'era un tempo a New York.

5. **vedevano... casermette**: «Si allude a una visione del poeta Ph. Lamantia, intento in quei giorni alla lettura del Corano» (F. Pivano).

6. **Blake**: William Blake (1757-1827), poeta inglese di tendenze mistiche e magiche.

7. **gli eruditi della guerra**: professori e ricercatori al servizio dell'industria militare.

8. **per aver pubblicato... teschio**: «quando studiava alla Columbia University, (Ginsberg) venne punito per aver scritto sui vetri di un'aula una frase anticonformista» (F. Pivano). L'aula è detta *teschio* nel senso di "morto contenitore di cervelli".

9. **nelle loro barbe pubiche**: mentre esibivano il pube, nudi.

10. **Laredo**: città ai confini del Messico.

11. **mangiavano fuoco**: «Allusione al suicidio di un poeta che inghiottì trementina accesa» (F. Pivano).

12. **vernice**: più volte riverniciati.

13. **c...**: nell'originale inglese *cock*, "cazzo" (allusione a pratiche omosessuali); la traduttrice non ha osato scrivere la parola per esteso.

14. **Paterson**: città del New Jersey dove era cresciuto Ginsberg.

15. **Peyote**: droga ricavata da una varietà di cactus, usata un tempo dagli Indiani del Messico in cerimonie religiose; *solidità Peyote* si riferisce probabilmente all'intensità di una visione allucinata.

16. **subways**: la metropolitana sotterranea.

17. **Battery... Bronx**: quartieri di New York; *Santo* è un'aggiunta (ironica?) del poeta.

18. **Bickford**: catena di ristoranti e bar.

19. **Fugazzi**: bar del Greenwich Village, il quartiere degli artisti di New York.

20. **all'idrogeno**: violento come un'esplosione nucleare all'idrogeno.

che parlavano settanta ore di seguito dal parco alla stanza al bar a Bellevue[21] al museo al ponte di Brooklyn,

schiera perduta di conversatori platonici[22] balzanti dai gradini d'ingresso
   dalle scale di sicurezza dai davanzali dell'Empire State[23] precipiti giù dalla luna,   40

farfugliando strillando vomitando sussurrando fatti e ricordi e aneddoti e
   sensazioni ottiche e shocks di ospedali[24] e galere e guerre,

intieri intelletti rigurgitati in un richiamo totale per sette giorni e notti con
   occhi brillanti, carne da Sinagoga[25] sbattuta sulla strada,

che svanivano nel nulla Zen New Jersey lasciando una scia di ambigue car-   45
   toline del Municipio di Atlantic City[26],

straziati da sudori Orientali e scricchiolamenti di ossa Tangerini[27] e emi-
   cranie Cinesi nel rientro dalla streppa in una squallida stanza mobiliata
   di Newark[28],

che giravano a mezzanotte tra i binari morti chiedendosi dove si va, e an-   50
   davano, senza lasciare cuori spezzati,

che accendevano sigarette in carri merci carri merci carri merci stridenti
   nella neve verso fattorie solitarie nella notte dei nonni,

che studiavano Plotino Poe Sangiovanni della Croce[29] telepatia e cabala del
   bop[30] perché il cosmo vibrava istintivamente ai loro piedi nel Kansas,   55

soli per le strade dello Idaho in cerca di visionari angeli indiani che erano
   visionari angeli indiani,

che credevano di essere soltanto matti quando Baltimore luccicava in un'e-
   stasi soprannaturale,

che sobbalzavano in limousine[31] col Cinese dell'Oklahoma sotto un im-   60
   pulso di inverno mezzanotte luce stradale provincia pioggia,

che indugiavano affamati e soli a Houston in cerca di jazz o sesso o minestra, e seguivano il brillante Spagnolo per chiacchierare sull'America e
   l'Eternità, causa persa, e così si imbarcavano per l'Africa,

che scomparivano nei vulcani del Messico[32] non lasciando che l'ombra dei   65
   bluejeans e la lava e ceneri di poesia sparse nella Chicago caminetto,

[...]

21. Bellevue: grande ospedale di New York, con una vasta sezione per malati di mente. Molti poeti della *beat generation* furono ricoverati per disturbi mentali.

22. platonici: impegnati in discussioni di filosofia come i personaggi dei dialoghi di Platone.

23. Empire State: l'Empire State Building, all'epoca il più alto grattacielo di New York.

24. shocks di ospedali: cure di elettroshock, terapia violenta usata per le malattie mentali.

25. carne da Sinagoga: la Sinagoga è il luogo di culto degli Ebrei (Ginsberg era di famiglia ebraica); l'espressione si riferisce a una condizione emarginata e perseguitata. Ginsberg ha scritto: «Essere tossicomane in America è come essere stati ebrei nella Germania nazista».

26. svanivano... Atlantic City: sembra alluda alla scomparsa di qualche amico. Lo *Zen* è una forma di buddismo seguita da Ginsberg e da altri del suo gruppo; il *New Jersey* è uno stato confinante con New York, dove sorge Atlantic City.

27. Tangerini: Tangeri, in Marocco, era una delle mete dei vagabondaggi dei *beat*.

28. Newark: città del New Jersey, di fronte a New York.

29. Plotino... Croce: Plotino è un filosofo greco neoplatonico; Poe uno scrittore americano dell'Ottocento (Vol. E *T21.12*); *Sangiovanni della Croce* è Juan de la Cruz, mistico spagnolo del tardo Cinquecento (Vol. C *T13.13*).

30. cabala del bop: le regole dell'improvvisazione jazzistica; il *bebop* è il jazz d'avanguardia negli anni cinquanta; la *cabala* è propriamente una dottrina mistica ebraica.

31. limousine: tipo di automobile.

32. scomparivano... Messico: un giovane poeta amico di Ginsberg si uccise gettandosi in un vulcano.

dialogo con il testo

I temi

Lawrence Ferlinghetti, un poeta amico di Ginsberg, fu arrestato nel 1957 per aver pubblicato *Urlo* presso la sua piccola casa editrice; questo può dare un'idea dell'impatto che ebbe questa poesia violentemente trasgressiva con il suo turpiloquio, col riferimento aperto alle droghe e all'omosessualità, con le posizioni anarchiche e pacifiste. Era il rifiuto radicale del "modo di vita americano", di «un'America impazzita di materialismo, un'America poliziesca, un'America senza sesso e senz'anima», come scrisse Ginsberg in un articolo del 1959. La rivolta non era politica, ma era un'esplosione viscerale di vitalità che si risolveva in autodistruzione: essa si manifestava attraverso la scelta volontaria della miseria e dell'emarginazione, le scorribande attraverso gli *States* e il mondo, le droghe, il suicidio di alcuni più volte evocato in questi versi.

▨ Lo sbocco della rivolta *beat* è di tipo religioso, con la ricerca di esperienze mistiche; trovatene i molti indizi presenti in questi versi.

Le forme

La poesia di Ginsberg e di altri *beat* è concepita per l'esecuzione orale: poesia, più che da leggere, da ascoltare nei grandi raduni di poesia. Il metro è in funzione della declamazione: «Idealmente ogni verso di *Urlo* è un'unica unità di respiro», ha scritto l'autore. Spesso questi poeti componevano non alla macchina da scrivere, ma al registratore, in una sorta di improvvisazione jazzistica.

C'è dunque una poetica della spontaneità, ma questo non significa che si tratti di una poesia "selvaggia", priva di radici culturali: nel metro e nello stile si richiama al grande poeta americano dell'Ottocento Walt Whitman (Vol. F *T26.38*), nei groppi allucinati di immagini e metafore si riallaccia all'esperienza del surrealismo (Vol. G *T31.17*).

Confronti

▨ Stabilendo un confronto col brano di Whitman (*T26.38*) mettete in luce alcune somiglianze nell'ispirazione e nei procedimenti espressivi.

▨ L'immagine che dà di sé il poeta *beat* conserva qualche aspetto di quella del "poeta maledetto" del secondo Ottocento francese; da un confronto con alcuni testi "maledetti" (Vol. F *T25.14-T25.17*) ricavate gli elementi comuni.

▨ In alcuni autori della canzone *rock* si possono incontrare consonanze con la poesia *beat*; cercate, fra i testi che conoscete, quelli che presentano affinità tematiche o formali con questi versi di Ginsberg.

Allen Ginsberg e Lawrence Ferlinghetti
(1982, particolare, foto di Maria Mulas)

DA VEDERE # Gioventù bruciata, di Nicholas Ray (1955, 110')
Shadows, di John Cassavetes (1959, 79')

Durante gli anni cinquanta negli Stati Uniti la società, che si avvia a livelli di consumo e di benessere mai conosciuti prima, si trova a essere contestata dagli intellettuali più radicali, mentre si registrano anche il disagio e le difficoltà dei giovani che non si riconoscono nei valori proposti dal "modo di vita americano".

Il cinema propone nuovi eroi, o meglio, antieroi, «ribelli senza causa», come recita il titolo originale di uno dei film più rappresentativi di quel periodo, *Gioventù bruciata*, di Nicholas Ray. Con quella pellicola un giovane attore, James Dean, dall'aria fragile e dai modi nervosi, diventa un mito per i giovani occidentali. Egli interpreta il disadattamento di tutta una generazione (espresso in musica dal rock allora agli albori con Elvis Presley), in contrasto con padri troppo duri o troppo molli e madri nevrotiche. Dean, insieme a qualche altro attore (vale la pena di ricordare almeno Marlon Brando e Montgomery Cliff), esprimeva, attraverso una recitazione caratterizzata da una serie di tic e di smorfie le insicurezze e le tensioni di una gioventù aggressiva nella sua ricerca di tenerezza, umorale e autodistruttiva, il cui disagio sarebbe sboccato in seguito nelle rivolte studentesche di Berkeley.

Di pochi anni successivo, *Shadows* di John Cassavetes registra "dal vivo" quella che era l'atmosfera newyorkese della *beat generation*, anche nel modo di girare il film e di produrlo: era infatti un film a basso costo, in cui gli attori avevano recitato improvvisando su un "canovaccio". Era come portare al cinema le pratiche di improvvisazione della musica jazz. E proprio nel mondo del jazz è ambientata la vicenda dei tre protagonisti, due fratelli e una sorella di colore: il più anziano è un cantante in difficoltà, il secondo (che, come la sorella, ha una pelle tanto chiara da sembrare un bianco) è uno sbandato che aspira a suonare la tromba, mentre la sorella sogna di diventare scrittrice.

Ragazzi bianchi e neri si ammassano in cantine fumose, ascoltano musica, bevono, si lasciano andare a discussioni che non portano a nulla: *Shadows* descrive lo smarrimento esistenziale di un'intera generazione alla deriva, seguendo da vicino gli amori, le delusioni, i litigi che coinvolgono i tre fratelli, in un intrecciarsi di fatti quotidiani, fra episodi di razzismo e le diverse tensioni – di riscatto, di autodistruzione, di promozione sociale – che agitano i protagonisti.

Altri consigli di lettura e visione in *Scegli il tuo libro, scegli il tuo film*, pag. 523

Immagini dei film
Gioventù bruciata (1955)
e *Shadows* (1959)

Jack Kerouac

Jack Kerouac (1922-1969), nato nel Massachusetts, abbandonò gli studi e si diede a una vita errabonda, viaggiando per gli Stati Uniti e vivendo di lavori saltuari. Da queste esperienze nacque il suo primo e più famoso romanzo, *Sulla strada* (1957), una delle opere fondanti della letteratura della *beat generation*; seguirono altre opere in prosa e in versi ispirate alla vita disordinata di una gioventù irrequieta e al misticismo orientale, a cui è dedicato *I vagabondi del Dharma* (1958). Dal 1961 Kerouac si ritirò a vivere in una capanna isolata presso l'Oceano Pacifico, in California.

▶ T38.20

T38.20

«Lungo le strade leggeri come piume»

Sulla strada (1957) narra, su basi autobiografiche, gli irrequieti vagabondaggi per gli Stati Uniti di giovani che rifiutano di adattarsi a una vita "normale". Riportiamo una parte del primo capitolo. Siamo negli anni immediatamente seguenti la seconda guerra mondiale; il protagonista che narra in prima persona è un giovane scrittore principiante, reduce di guerra che vive presso una zia a Paterson (New Jersey), vicino a New York. Il romanzo inizia con l'incontro con Dean, un giovane appena uscito dal riformatorio dove è stato per furto d'auto: sarà lui l'eroe delle scorribande che stanno per cominciare.

Jack Kerouac
SULLA STRADA
(Parte prima, 1, trad. dall'inglese americano di M. de Cristofaro, Mondadori, Milano, 1967)

Era l'inverno del 1947.   1

Una sera che Dean cenò a casa mia – aveva già ottenuto il lavoro nel parcheggio a New York – si chinò sulla mia spalla mentre stavo battendo rapidamente a macchina e disse: «Andiamo, amico, quelle ragazze si stuferanno di aspettare, sbrìgati».   5

Risposi: «Fermati un minuto solo, sarò con te appena ho finito questo capitolo», ed era uno dei migliori capitoli del libro. Poi mi vestii e via filammo verso New York per incontrare certe ragazze. Mentre viaggiavamo nell'autobus, dentro l'arcano[1] vuoto fosforescente del Lincoln Tunnel[2], ci sostenevamo l'uno con l'altro agitando le dita e gridavamo e chiacchieravamo eccitati, e io stavo cominciando a montarmi come Dean. Questi era   10 semplicemente un ragazzo tremendamente eccitato di vita, e quantunque fosse un imbroglione, lo era solo perché così intensamente voleva vivere ed entrare in rapporto con persone che altrimenti non gli avrebbero assolutamente dato retta. Mi imbrogliava e io lo sapevo (per il vitto e l'alloggio e il   15 "come imparare a scrivere[3]", ecc.) e lui sapeva che io sapevo (questa è stata la base dei nostri rapporti), ma me ne infischiavo e andavamo ottimamente d'accordo: niente dispetti, niente smancerie; ci giravamo intorno in punta di piedi come nuovi patetici amici. Cominciai ad imparare da lui almeno quanto probabilmente lui imparava da me. Per quel che riguardava   20 il mio lavoro diceva: "Va' avanti, tutto quel che fai è grande". Stava a guardare sopra la mia spalla mentre scrivevo i miei racconti, urlando: "Sì! Così va bene! Uh! Che uomo!" e "Puah!" e si asciugava la faccia col fazzoletto. "Caro mio, uh, ci sono tante di quelle cose da fare, tante di quelle cose da scrivere! Come si fa solo a *cominciare* a metterle giù tutte e senza modifica-   25

1. **arcano**: pieno di mistero.
2. **Lincoln Tunnel**: uno dei tunnel sotto il fiume Hudson che collegano New York al New Jersey.
3. **come imparare a scrivere**: Dean aveva preso contatto col protagonista chiedendo che, come scrittore, gli insegnasse a scrivere.

Richard Diebenkorn
Paesaggio cittadino I
(1963, 153×129,7 cm.
olio su tela,
San Francisco,
Museum
of Modern Art)

te restrizioni e tutte costrette come da inibizioni letterarie e terrori grammaticali...4".

«Proprio così, amico, adesso sì che parli bene.» E vedevo lampeggiare una specie di sacra luce dalla sua eccitazione e dalle sue visioni, ch'egli descriveva in modo talmente torrenziale che la gente negli autobus si girava per vedere quel "cretino sovreccitato". Nel West aveva passato un terzo del suo tempo in una sala da biliardo, un terzo in carcere, e un terzo nella biblioteca pubblica. L'avevano visto correre di furia lungo le strade, d'inverno, a capo scoperto, portandosi i libri nella sala da biliardo, o arrampicarsi sugli alberi per raggiungere la soffitta di un compagno dove passava giornate intere a leggere o a nascondersi alla polizia.

Andammo a New York – non ricordo com'eravamo combinati, due ragazze di colore5 – ma lì non c'era nessuna ragazza; avevano appuntamento con lui in un ristorante, ma non si fecero vedere. Andammo al parcheggio ove lui aveva alcune cose da fare: cambiarsi d'abito nella baracca sul retro e agghindarsi un tantino davanti a uno specchio rotto e così via, e poi partimmo. E fu quella sera che Dean incontrò Carlo Marx6. Quando Dean conobbe Carlo Marx successe qualcosa di formidabile. Due menti acute come quelle, si attaccarono l'una all'altra in un batter d'occhio. Due pupille penetranti guardarono dentro a due penetranti pupille: il serafico7 imbroglione dalla mente brillante, e il dolente imbroglione poetico dalla mente oscurata che è Carlo Marx. Da quel momento in poi vidi Dean assai di rado, e mi dispiacque anche un po'. Le loro energie si incontrarono a testa bassa, io al confronto ero un pagliaccio, non potevo tener loro dietro. Tutto quel pazzo sconvolgimento di ogni cosa che stava per verificarsi ebbe inizio allora; avrebbe travolto tutti i miei amici e tutto quel che m'era rimasto della mia famiglia in una grossa nube di polvere sopra la Notte d'America. Carlo gli raccontò del vecchio Bull Lee, di Elmer Hassel, di Jane: Lee che coltivava tabacco nel Texas, Hassel nell'isola di Riker, Jane che vagava per Time Square8 in preda ad allucinazioni da benzedrina9, con la sua piccola in braccio, e andava a finire al Bellevue10. E Dean raccontò a Carlo di gente sconosciuta nel West come Tommy Snark, lo storpio stranamente angelico, campione di biliardo e giocatore di carte di mestiere. Gli raccontò di Roy Johnson, di Ed Dunkel il Grosso, dei suoi compagni d'infan-

30

35

40

45

50

55

60

65

4. tutte costrette... grammaticali: nonostante si sentano le costrizioni della tradizione letteraria, che inibiscono, e il terrore degli errori di grammatica.
5. non ricordo... colore: non ricordo come avessimo combinato l'incontro, si trattava di due ragazze di colore.
6. Carlo Marx: soprannome di un amico dalle ambizioni intellettuali.
7. serafico: angelicamente sereno, con una sfumatura ironica. I serafini sono una delle gerarchie angeliche secondo la teologia medievale.
8. Time Square: una piazza nel centro di New York.
9. benzedrina: sinonimo di amfetamina, farmaco stimolante.
10. Bellevue: grande ospedale pubblico di New York.

zia, dei suoi compagni di strada, delle innumerevoli ragazze e orge e film 70
pornografici, dei suoi eroi, eroine, avventure. Correvano insieme per le
strade, assorbendo tutto in quella primitiva maniera che avevano, e che più
tardi diventò tanto più triste e ricettiva e vuota. Ma allora danzavano lungo
le strade leggeri come piume, e io arrancavo loro appresso come ho fatto
tutta la mia vita con la gente che m'interessa, perché per me l'unica gente 75
possibile sono i pazzi, quelli che sono pazzi di vita, pazzi per parlare, pazzi
per essere salvati, vogliosi di ogni cosa allo stesso tempo, quelli che mai
sbadigliano o dicono un luogo comune, ma bruciano, bruciano, bruciano
come favolosi fuochi artificiali color giallo che esplodono come ragni traverso le stelle e nel mezzo si vede la luce azzurra dello scoppio centrale e 80
tutti fanno «Ooohhh!». Come chiamavano i giovani di questo genere nella
Germania di Goethe[11]? Intensamente desideroso d'imparare a scrivere come Carlo, fin dal primo momento Dean l'aveva investito con una grande
anima amorosa quale solo un truffatore di professione può avere. "Su Carlo, lascia*mi* parlare... ecco cosa *intendo* dire..." Non li vidi per circa due set- 85
timane, durante le quali essi rinsaldarono i loro rapporti che raggiunsero
diaboliche proporzioni di chiacchierate che duravano tutto il giorno e tutta la notte.

**11. Come chiamava-
no... Goethe?**: proba-
bilmente si riferisce
all'espressione *Sturm
und Drang* ("tempesta
e impeto") con cui
furono qualificati,
alla fine del Settecen-
to, i giovani scrittori
raccolti intorno a
Goethe, animati da
spirito di ribellione
anticonformista.

dialogo con il testo

I temi

Nel romanzo più famoso di Kerouac lo spirito della
beat generation si esprime non tanto come ribellione
quanto come impeto di vitalità, desiderio di esperienze e sensazioni, smania di "bruciare". Ingredienti di questo atteggiamento sono il mito dell'amicizia
maschile come continua, reciproca eccitazione intellettuale, l'entusiasmo per le situazioni sociali irregolari – il ladruncolo appena uscito dal riformatorio, il
giocatore di professione – i viaggi in autostop attraverso il continente americano che occupano gran
parte del libro, sulle orme degli *hobos*, i mitici vaga-

bondi che attraversavano l'America sui carri merci. Il
vitalismo degli eroi di Kerouac è una manifestazione
estrema, irregolare, di un dinamismo ben radicato
nella tradizione americana.

Le forme

[?] Provate a riconoscere, per quanto lo consente una
traduzione, l'accostamento della prosa di Kerouac ai
modi della lingua parlata grazie a una sintassi che
procede per aggiunzioni, accumuli, ripetizioni.

GUIDA ALL'ASCOLTO **Koko**, di Charlie Parker
CD: Charlie "The Bird" Parker, *Now's the time*, PAST PERFECT, 204130-202

Gli scrittori della *beat generation* amavano la musica jazz, in particolare il *bebop*, per la sua straordinaria freschezza e la forte natura eversiva. Il *bebop* aveva fatto la sua apparizione nel 1944 a New York ad opera di alcuni musicisti neri. Il nuovo stile voleva essere una musica "da ascoltare" e non soltanto di intrattenimento come la musica da ballo delle grandi orchestre *swing*, allora in voga: ai musicisti *bebop* non interessava fare un prodotto che fosse commerciabile e piacesse ai bianchi, il loro era un repertorio impegnativo, destinato a pochi. Essi usavano armonie dissonanti, melodie poco orecchiabili e bizzarre, animate da un sottofondo ritmico capriccioso in cui variava continuamente l'accentazione: veniva abbandonata la scansione uniforme e costante dei batteristi *swing* per una ritmica imprevedibile e fantasiosa che interagiva con il solista stimolandone la creatività.

Il maestro indiscusso del *bebop*, e forse il più grande musicista della storia del jazz, fu il sassofonista Charlie Parker (1920-1955). Originario di Kansas City, fin da giovanissimo imparò a suonare il sassofono contralto e cominciò a incidere dischi. Nel 1945, col trombettista Dizzy Gillespie, registrò i primi brani di *bebop*. Incontrò grande successo tra il 1944 e il 1948 e in quegli anni incise i suoi pezzi migliori. La carriera artistica di Parker, nonostante l'eccezionale talento, fu ostacolata dal suo carattere difficile e dall'abuso di alcol e di altre droghe pesanti che lo condusse a morte ancora giovane. Nessun caporchestra poteva infatti fare affidamento su un musicista così lunatico e soggetto a repentini sbalzi d'umore.

Koko fu registrato il 26 novembre del 1945 da un quintetto formato da Charlie Parker (sassofono contralto), con alla tromba il giovanissimo Miles Davies, destinato a un grande avvenire, e alla batteria Max Roach, grande innovatore nella pratica del suo strumento, oltre a Curly Russel (contrabbasso) e Argonne Thornton (pianoforte). Il brano porta la firma di Parker, ma la tradizione jazzistica prevedeva che il compositore si limitasse a scrivere il tema, di poche battute, che veniva esposto all'inizio e ripetuto alla fine del brano: in mezzo stavano gli assoli che i musicisti improvvisavano, attenendosi al giro armonico degli accordi su cui si basava il tema. Il tutto doveva essere contenuto entro circa tre minuti, la durata consentita da un disco del tempo: il jazz, musica essenzialmente improvvisata, non poteva conservarsi al di fuori della registrazione.

Il pezzo, di ritmo velocissimo, ha un tema vivace e aggrovigliato, decisamente non cantabile. Secondo le convenzioni proprie del *bebop*, il tema è esposto dai due fiati all'unisono; ma l'unisono è interrotto da un intermezzo in cui ciascuno dei due si esibisce da solo, in forma obbligata; la sequenza unisono – assolo di sassofono – assolo di tromba – unisono si ripete identica alla fine. Notate, durante il passaggio del sassofono solo, gli interventi della batteria in *offbeat*: secchi colpi battuti "fuori" dagli accenti fondamentali creano un controcanto ritmico di effetto affannoso. Segue la lunga improvvisazione di Parker, che dà ragione del soprannome di *bird* ("uccello") di cui si fregiava, quando il sassofono alto si produce in velocissimi ghirigori di note sul registro acuto. La struttura armonica di base è rispettata, ma singole note escono dai limiti previsti e danno ad alcune frasi l'aspetto di singhiozzi, o sghignazzi (due toni emotivi spesso compresenti in Parker). È notevole anche la ricchezza di sfumature timbriche diverse che il musicista riesce a ottenere dal suo strumento. Il fraseggio è franto in frasi staccate, come prevedeva la tradizione jazzistica, anche perché l'esecutore aveva bisogno di riprendere fiato. A conclusione dell'improvvisazione del sassofono c'è quella più breve della batteria: lo stile secco e duro di Max Roach si adatta perfettamente al clima del brano, e la sua grandezza di musicista si apprezza osservando che ottiene tutto il suo effetto senza toccare mai altro che un solo tamburo e la grancassa a pedale.

I riferimenti al mondo del jazz sono numerosi nell'opera di Jack Kerouac. Il suo modo di scrivere voleva imitare il caldo improvvisare dei musicisti neri: «Un sassofonista cosa fa? Fa un bel respiro e poi soffia nel suo strumento fino a costruire una frase unica con il suo fiato. Così io separo le mie frasi come se fossero respiri diversi della mente».

Thomas Pynchon

Thomas Pynchon, nato nel 1937 nello stato di New York, si è formato come narratore coi racconti poi raccolti in *Un lento apprendistato* (1984), che segnano il suo distacco dai modi della grande narrativa americana del Novecento e della *beat generation*. Sono seguiti romanzi che ne hanno fatto il caposcuola riconosciuto della tendenza postmoderna, per la rappresentazione di realtà labirintiche e sfuggenti, la narrazione frammentaria e discontinua, piena di richiami culturali e letterari cifrati: *V* (1963), *L'incanto del lotto 49* (1966), *Arcobaleno della gravità* (1973). Nonostante il successo, Pynchon vive ritirato, non concede interviste e non lascia trapelare nulla della sua personalità privata.

▶ T38.21

T38.21 Oedipa, l'analista e l'avvocato

L'incanto del lotto 49 (1966) è un romanzo enigmatico, che attira il lettore in un vortice di situazioni incredibili e indizi indecifrabili; ma è anche pieno di immagini umoristiche e stravolte dell'America di oggi. La protagonista si chiama Oedipa, un inaudito femminile di Edipo, l'eroe greco impegnato nella ricerca di una verità dolorosa su di sé. Alla morte di un uomo con cui ha avuto una relazione anni prima, Oedipa si trova nominata esecutrice testamentaria di un'immensa fortuna, e si trasferisce in una cittadina californiana che era il centro degli affari del defunto, per adempiere alle sue funzioni. Qui conosce persone, assiste a episodi e trova misteriose tracce che alludono all'esistenza di un'associazione segreta dedita a un servizio postale alternativo al monopolio statale. Altri indizi fanno pensare che l'associazione esista da secoli, sia stata al centro dei principali eventi della storia europea e americana, si sia macchiata di atroci assassinii. Il "lotto 49" è una parte della collezione filatelica del defunto nell'asta che la metterà in vendita, costituita da misteriosi francobolli falsi che sarebbero stati usati dalla setta. Alla fine, non si sa se il mistero è svelato, oppure non esiste: la realtà resta ambigua, ogni sforzo di restituirle un ordine si perde nel vuoto. «Dietro le strade geroglifiche ci doveva essere o un significato trascendente o solo la terra. [...] O dietro l'ovvio un altro modo di significare, o nessuno».

Riportiamo una delle pagine iniziali del romanzo. Oedipa, che ha appena ricevuto la notizia di essere stata nominata esecutrice testamentaria, e non sa nulla di affari e di diritto, va dal suo avvocato, Roseman, per avere qualche spiegazione.

Thomas Pynchon
L'INCANTO DEL
LOTTO 49
(Cap. 1, trad.
dall'inglese americano
di L. Burgess,
Mondadori, Milano,
1988)

E il giorno seguente, cosa fece Oedipa, andò a trovare Roseman. Dopo mezz'ora passata allo specchio a disegnare e ridisegnare sulle palpebre linee nere che ogni volta si sfrangiavano o vacillavano violentemente prima che lei staccasse la spazzola dalle ciglia. Era stata sveglia quasi tutta la notte, dopo un'altra telefonata alle tre di mattina, nunzia[1], chiara come una campana, di terrori cardiaci, squillata com'era dal niente, l'apparecchio un secondo inerte, e un secondo dopo un ululo. Li aveva svegliati di colpo tutti e due[2]. Durante i primi squilli erano rimasti così, immobili, districando il groviglio delle braccia e delle gambe senza avere il coraggio di guardarsi in faccia. Oedipa alla fine, non avendo, a pensarci, niente da perdere, aveva staccato il ricevitore. Era il Prof.

1

5

10

1. **nunzia**: annunciatrice.
2. **tutti e due**: lei e il suo attuale marito.

Hilarius, l'analista[3]. Ma aveva la voce di Pierce quando faceva l'ufficiale della Gestapo[4].

«Non l'ho per caso svegliata, vero?» fu l'esordio, il timbro impersonale. «Mi sembra spaventata. Come vanno le pillole, non fanno effetto?»

«Non le prendo» rispose Oedipa.

«Se ne sente minacciata?»

«Non so che roba è.»

«Allora non crede che siano solo dei tranquillanti.»

«Perché, lei m'ispira fiducia?» Non gliela ispirava, e quello che le disse immediatamente dopo spiegava il perché.

«Il nostro ponte ha sempre bisogno del centoquattresimo[5].» Secca risatina. Il ponte, die Brücke, era il vezzeggiativo dell'esperimento promosso dall'ospedale della comunità con l'appoggio del prof. Hilarius per studiare gli effetti di LSD-25, mescalina, psilocibina e altri allucinogeni, su un vasto campione di madri di famiglia delle zone residenziali. Il ponte interiore. «Quando ci può far sapere l'orario che le riesce più comodo?»

«No» disse Oedipa. «Ce n'è un altro mezzo milione, peschi tra quelle. Sono le tre di mattina.»

«Abbiamo bisogno di lei.» Sospesa in aria sopra il letto Oedipa ora mirava la nota effigie di Zio Sam[6] che si ritrovava su tutte le facciate degli uffici postali: occhi accesi di uno scintillio malsano, guance affossate, gialle, sotto il belletto rosso violento, le puntava l'indice in mezzo agli occhi. I want you. Non ne aveva mai chiesto al Prof. Hilarius il perché, dalla paura di chissà che cosa non le avrebbe risposto.

«Ho un'allucinazione proprio in questo momento, anche senza droghe.»

«Non me la descriva» s'affrettò a dire lui. «Be'. Non aveva nient'altro?»

«Che, l'ho chiamata io?»

«Ma mi era parso» fece. «Avevo questa sensazione. Non proprio telepatia. Ma il rapporto con un paziente qualche volta è una cosa curiosa.»

«Non questa volta.» Oedipa riattaccò. E poi, non riuscì più a riaddormentarsi. Meglio all'inferno piuttosto che prendere le capsule che le aveva dato. Letteralmente all'inferno. Non voleva farsi agganciare in nessun modo, e gliel'aveva detto.

«Sicché» con una stretta di spalle «io non sono un aggancio? Se ne vada, allora. È guarita.»

Oedipa non se n'era andata. Non che lo psicoterapeuta esercitasse su lei oscuri poteri. Ma era una sistemazione più comoda. Chi sapeva il giorno che sarebbe guarita? Lui no, lo ammetteva lui stesso. «Le pillole, è un altro paio di maniche» protestò lei. Hilarius si limitò a farle una boccaccia, una che le aveva già fatto un'altra volta. Hilarius era pieno di

15

20

25

30

35

40

45

50

55

3. l'analista: lo psicanalista di Oedipa; personaggio immancabile nella narrativa americana di quegli anni.
4. Pierce... Gestapo: l'ex amante defunto, quando faceva l'imitazione di un ufficiale tedesco. Gestapo era la sigla della polizia segreta nazista.
5. centoquattresimo: un altro paziente che si sottoponga a un esperimento medico, spiegato subito dopo.
6. Zio Sam: personaggio della propaganda ufficiale del governo statunitense. Immagine di un vecchio cordiale, che dai manifesti punta un dito verso lo spettatore e dice I want you, "Ho bisogno di te".

deliziose apostasie[7] come questa, basata sulla teoria che una faccia è simmetrica come una macchia Rorschach, racconta una storia come una vignetta TAT[8], stimola una risposta come una parola implicita, dunque perché no. Si vantava di esser riuscito a guarire un caso di cecità isterica unicamente con il suo numero 37, la "Fu-Manchu" (come le sinfonie tedesche molte delle sue boccacce erano catalogate per numero e appellativo) che consisteva nello stirarsi gli occhi sulle tempie con l'indice, allargarsi le narici col medio, slargarsi la bocca col mignolo e cacciar fuori la lingua. Vista su Hilarius era una facciaccia allarmante. E difatti non appena dileguata l'allucinazione Zio Sam fu Fu-Manchu a sovrapporglisi per dissolvenza e a rimanere le ore che ci vollero prima dello spuntar dell'alba. Non si può dire che Oedipa quella mattina si sentisse in forma quando andò a trovare Roseman. 60 65

Ma anche Roseman aveva passato una notte bianca a rimuginare sul programma di Perry Mason[9] che aveva visto alla televisione la sera prima e che a sua moglie piaceva tanto, ma verso il quale Roseman nutriva una ambivalenza[10] feroce, volendo al contempo essere un brillante patrocinatore in cassazione, come Perry Mason e, data l'impossibilità della cosa, annientare Perry Mason scalzandolo alla base. Entrata più o meno di sorpresa Oedipa colse il fido legale di famiglia che con aria di furtiva colpevolezza stava facendo frettolosamente sparire dentro il cassetto della scrivania un mucchio di scartoffie di colore e formato differente. Era la prima stesura di *La Professione contro Perry Mason, Una requisitoria Non tanto Ipotetica* e Roseman ci lavorava dal giorno che il programma era andato in onda. 70 75 80

«Un tempo non si sentiva in colpa, se ricordo bene» esclamò Oedipa. Andavano spesso insieme alle stesse sedute di terapia di gruppo nella macchina di un fotografo di Palo Alto[11] che credeva di essere una pallaovale. «Buon segno, no?»

«Avrebbe potuto essere una spia di Perry Mason» le spiegò Roseman. Dopo un momento di riflessione soggiunse: «Ha, ha». 85

«Ha, ha» disse Oedipa. Si guardarono in faccia. «Sono esecutrice testamentaria» dichiarò Oedipa.

«Buon lavoro» disse Roseman «non vorrei farle perdere tempo.»

«No» disse Oedipa, e gli raccontò tutto. 90

«E perché poi avrà fatto una cosa simile» si chiese Roseman, perplesso, quand'ebbe finito di leggere la lettera.

«Morire?» s'informò Oedipa.

«No» disse Roseman «nominarla esecutrice.»

«Era un essere imprevedibile.» Andarono a pranzo insieme. Roseman cercò di farle piedino, Oedipa aveva gli stivali e non riusciva a sentire gran che; disconnessa da quell'isolante, decise di non far scene. 95

«Fuggiamo insieme» disse Roseman arrivati al dolce.

«Dove» s'informò Oedipa. E gli tappò la bocca.

7. **apostasie**: letteralmente, "abbandoni della fede professata"; ma qui sembra significare più genericamente "incongruità, gesti inconsulti".
8. **macchia Rorschach... vignetta TAT**: immagini usate per test psicologici proiettivi: il paziente deve dire a che cosa lo fanno pensare. Le macchie Rorschach sono fatte piegando un foglio su uno spruzzo di inchiostro, in modo da ottenere un insieme di macchie simmetriche; le vignette TAT rappresentano situazioni di vita.
9. **Perry Mason**: avvocato-detective protagonista dei romanzi gialli di E.S. Gardner, e poi di fortunate serie televisive.
10. **ambivalenza**: compresenza di sentimenti opposti di amore e odio.
11. **Palo Alto**: città californiana presso San Francisco.

dialogo con il testo

I temi

L'America del romanzo di Pynchon è un mondo di personaggi stralunati, che fanno gesti e discorsi sconnessi: uno psicanalista mezzo matto (impazzirà del tutto in una scena successiva), un avvocato preoccupato solo di fare il seduttore con la sua cliente (come fanno quasi tutti i personaggi maschili del romanzo). Le scene si succedono veloci, con ritmo di commedia, per un attimo fanno balenare alla mente del lettore un possibile significato, e subito lo dissolvono. In questa pagina vediamo affiorare alcuni temi tipici della narrativa americana postmoderna:

– l'incerta identità delle persone: lo psicanalista parla con la voce che un altro faceva per gioco, e le due figure si sovrappongono, rendendo impossibile capire quale sia la voce vera di una persona vera;
– la mancanza di comunicazione: nei dialoghi ciascuno sembra seguire le proprie fissazioni, le battute sono a volte insensate o prive di relazione con quelle dell'interlocutore;
– l'ossessione delle droghe allucinogene, qui rappresentata da un incredibile esperimento che non si sa se considerare ricerca scientifica, complotto criminale o follia pura.

2 Ci sono poi gli accenni alla presenza dilagante dell'immaginario televisivo, che sembra sostituire la realtà, o costituire la realtà più vera. Individuatene alcuni.

Le forme

La narrazione procede a scatti e per svolte improvvise: i temi del racconto vengono introdotti da allusioni a prima vista incomprensibili («Il nostro ponte ha sempre bisogno del centoquattresimo», riga 23; «Un tempo non si sentiva in colpa, se ricordo bene», riga 81) e spiegati (più o meno) in seguito.

Don DeLillo

Don DeLillo è nato nel 1936 a New York, da genitori abruzzesi immigrati. È autore di una serie di romanzi che rappresentano in forme non realistiche, ma frammentarie e stravolte, ambienti, miti e drammi della società americana: il mondo del football (*Meta*, 1972), quello delle *rock stars* (*Great Jones Street*, 1973), il terrorismo (*Giocatori*, 1977), l'incubo degli incidenti ecologici e l'ossessione delle droghe (*Rumore bianco*, 1985). Con *Libra* (1988), considerato da alcuni il suo capolavoro, ha dato una sua ricostruzione, tra documentaria e fantastica, dell'assassinio del presidente John F. Kennedy; nello sterminato *Underworld* (1997) ha avuto l'ambizione di dare immagini di quarant'anni di vita americana attraverso una successione di ampie scene che ripercorrono la storia all'indietro, tenute insieme dalle vicende dei possessori di una "storica" palla da baseball, conservata come un cimelio perché fu decisiva in una famosa partita nel 1951. È un maestro della narrativa postmoderna per l'inventiva linguistica e l'andamento frammentario della narrazione, in cui commedia e tragedia si fondono, in un clima di inerzia della coscienza stordita dai *media*.

▶ **T38.22**

T38.22

La stalla più fotografata d'America

Rumore bianco (1984) è ambientato in una tranquilla famiglia americana (marito, moglie e i rispettivi figli nati da un numero imprecisato di matrimoni precedenti), in una tranquilla cittadina universitaria di provincia. La vita quotidiana fatta di tv e supermarket è turbata dapprima da un incidente ecologico: una nube tossica si sprigiona da una fabbrica vicina, e tutti gli abitanti sono costretti a sgomberare e rifugiarsi in alcuni camping. In seguito si scopre che la madre è dedita a una misteriosa droga medicinale, che assopisce la paura della morte. La produzione e diffusione della droga è circondata di mistero; per chiarirlo, e per vendicarsi del produttore-spacciatore, che ha approfittato della situazione per sedurre la moglie, il marito (che narra in prima persona) si imbarca in avventure sempre più stravolte e incoerenti. Il significato generale (se ce n'è uno) potrebbe essere in queste riflessioni del protagonista mentre visita un cimitero di campagna: «Possano i giorni essere senza meta. Le stagioni scorrano. Non si prosegua l'azione secondo un piano». Riportiamo un breve episodio della prima parte, concluso in sé.

Don DeLillo
RUMORE BIANCO
(1, 3, trad. dall'inglese americano di M. Biondi, Pironti, Napoli, 1987)

Diversi giorni più tardi Murray[1] mi chiese notizie di un'attrazione turistica nota come la stalla più fotografata d'America. Quindi facemmo in auto ventidue miglia nella campagna che circonda Farmington. C'erano prati e orti di mele. Bianche staccionate fiancheggiavano i campi che scorrevano ai nostri fianchi. Presto cominciarono ad apparire i cartelli stradali. LA STALLA PIÙ FOTOGRAFATA D'AMERICA. Ne contammo cinque prima di arrivare al sito. Nell'improvvisato parcheggio c'erano quaranta auto e un autobus turistico. Procedemmo a piedi lungo un tratturo[2] per vacche fino a un lieve sopralzo isolato, creato apposta per guardare e fotografare. Tutti erano muniti di macchina fotografica, alcuni persino di treppiede, teleobiettivi, filtri. Un uomo in un'edicola vendeva cartoline e diapositive, fotografie della medesima stalla prese da quello stesso sopralzo. Ci mettemmo in piedi accanto a una macchia di alberi a osservare i fotografi. Murray mantenne un silenzio prolungato, scribacchiando di quando in quando qualche appunto in un quadernetto. 1

5

10

15

«La stalla non la vede nessuno», disse finalmente.

Seguì un lungo silenzio.

«Una volta visti i cartelli stradali, diventa impossibile vedere la stalla in sé.»

Quindi tornò a immergersi nel silenzio. La gente armata di macchina fotografica se ne andava dal sopralzo, immediatamente sostituita da altra. 20

«Noi non siamo qui per cogliere un'immagine, ma per perpetuarla. Ogni foto rinforza l'aura[3]. Lo capisci, Jack? Un'accumulazione di energie ignote.»

Quindi ci fu un lungo silenzio. L'uomo nell'edicola continuava a vendere cartoline e diapositive. 25

«Trovarsi qui è una sorta di resa spirituale. Vediamo solamente quello che vedono gli altri. Le migliaia di persone che sono state qui in passato, quelle che verranno in futuro. Abbiamo acconsentito a partecipare di una percezione collettiva. Ciò dà letteralmente colore alla nostra visione. Un'esperienza religiosa, in un certo senso, come ogni forma di turismo.» 30

Seguì un ulteriore silenzio.

«Fotografano il fotografare», riprese.

Poi non parlò per un po'. Ascoltammo l'incessante scattare dei pulsanti degli otturatori, il fruscio delle leve di avanzamento delle pellicole. 35

«Come sarà stata questa stalla prima di venire fotografata?», chiese

1. **Murray:** un amico del protagonista che narra in prima persona.
2. **tratturo:** largo sentiero tracciato dagli spostamenti di greggi o mandrie.
3. **l'aura:** l'alone di emozioni che circonda un'opera d'arte famosa; il termine richiama un celebre saggio di Walter Benjamin, *L'opera d'arte nell'epoca della sua riproducibilità tecnica* (1936), in cui si sostiene che l'"aura" è legata all'unicità dell'oggetto artistico, per cui è distrutta dalla diffusione delle riproduzioni. Qui c'è un rovesciamento ironico: sono proprio le riproduzioni fotografiche a creare l'"aura".

Murray. «Che aspetto avrà avuto, in che cosa sarà differita dalle altre e in che cosa sarà stata simile? Domande a cui non sappiamo rispondere perché abbiamo letto i cartelli stradali, visto la gente che faceva le sue istantanee. Non possiamo uscire dall'aura. Ne facciamo parte. Siamo qui, siamo ora.»

40

Ne parve immensamente compiaciuto.

dialogo con il testo

I temi

L'episodio è una parabola sulla dissoluzione del senso della realtà in un'epoca dominata dai *media* e dalla pubblicità; noi non vediamo più le cose, ma le immagini delle cose create dai *media*. L'autore forza il fenomeno fino a un paradosso comico: un oggetto banale, uguale a migliaia di altri, si circonda di "aura" e diventa oggetto di culto, solo perché si dice che è molto fotografato, così che di conseguenza *è* veramente molto fotografato. L'esperienza diretta delle cose diventa inaccessibile: non sapremo mai «come sarà stata questa stalla prima di venire fotografata».

Il problema è evidenziato crudamente, ma il tono non è di critica o denuncia, è piuttosto quello svagato di un'ambigua «resa spirituale» (riga 27).

☑ Alla fine uno dei personaggi pare «immensamente compiaciuto»; al lettore resta da chiedersi se considerare l'espressione seria o ironica.

☑ Nonostante l'assenza di giudizi critici espliciti, dal modo in cui sono descritte certe stupidità collettive si può desumere che l'autore intenda marcare la propria distanza. Individuate e valutate gli indizi che possono portare a questa interpretazione.

Charles Sheeler
Bucks County Barn (1932, New York, The Museum of Modern Art)

Dall'Africa nera

Il secondo Novecento è caratterizzato dall'emergere delle letterature provenienti dai paesi ex coloniali, tra le quali un posto di particolare rilievo qualitativo e quantitativo occupa la letteratura anglo-indiana (Rushdie, *T38.4*). Opere di grande interesse vengono anche dalle letterature africane, nate dall'incontro fra le tradizioni autoctone e gli influssi europei. I romanzi che vi proponiamo sono rappresentativi di due diversi momenti di questa ancor breve storia. *Il crollo* (*T38.23*) del nigeriano Chinua Achebe, scritto in inglese nel 1958, affronta il tema dello scontro tra il colonialismo occidentale e la società tribale avvenuto a cavallo tra la fine dell'Ottocento e i primi decenni del Novecento: l'intenzione del romanzo – come ha scritto l'autore stesso – è di rappresentare «l'occulta zona di instabilità dove muoiono i costumi e nascono le culture». *Allah non è mica obbligato* (*T38.24*) dell'ivoriano Ahmadou Kourouma, pubblicato una quarantina d'anni dopo, dipinge un quadro grottesco e amaro dell'Africa contemporanea, uscita dalla disgregazione del regime coloniale: le vicende del bambino-soldato protagonista del romanzo, raccontate in un francese magmatico e meticcio, sono una denuncia del disordine e della violenza della società africana, dilaniata dalle guerre regionali e asservita agli interessi economici del mondo ricco.

Chinua Achebe

Chinua Achebe è nato a Ogidi, in Nigeria, da genitori dell'etnia Ibo, nel 1930; il padre era insegnante e catechista della chiesa locale. Ha studiato alle università di Ibadan e di Londra, e ha insegnato in università nigeriane, statunitensi e canadesi. È stato uno dei fondatori della nuova narrativa africana, scaturita dall'incontro fra l'antica tradizione orale nera e i temi e le forme del romanzo contemporaneo. I suoi libri sono tradotti e letti in tutto il mondo. Oltre alla trilogia di romanzi *Il crollo* (1958), *Ormai a disagio* (1960), *La freccia di Dio* (1964), ha scritto il romanzo *Viandanti della storia* (1987), che descrive la dittatura militare in uno stato africano, racconti, poesie, saggi e libri per bambini. Nel 2002 è stato insignito del Premio per la Pace nel corso della Fiera del Libro di Francoforte.

▶ T38.23

T38.23 Il crollo

Il crollo (1958) è il primo romanzo di una trilogia dedicata da Achebe al tema dell'impatto distruttivo della colonizzazione bianca sulla società nigeriana. La vicenda si svolge a cavallo tra l'Ottocento e il Novecento, e inizialmente è ambientata nel villaggio di Umuofia, dove gli abitanti, appartenenti all'etnia Ibo, conducono una vita regolata dalle norme giuridiche e dalle credenze religiose degli antenati. Okonkwo, il protagonista, si identifica totalmente nei valori della tribù, e, pur avendo avuto un padre imbelle e socialmente insignificante, riesce a diventare il guerriero più forte e coraggioso del villaggio, temuto da tutti, ammesso al consesso degli anziani. Ma un giorno uccide accidentalmente un membro della tribù, e viene mandato in esilio per sette anni a Mbanta, il villaggio di sua madre. Nel frattempo l'arrivo dei missionari e dei rappresentanti dell'amministrazione coloniale britannica sconvolge le abitudini e le norme tradizionali su cui si basava la vita degli Ibo. Okonkwo cerca invano di incitare i suoi compagni a scacciare i bianchi e a ripristinare i valori della tradizione; viene incarcerato e umiliato dagli inglesi, e, do-

po il rilascio, uccide un messo dell'autorità britannica. Lasciato solo dagli altri membri della tribù, si uccide impiccandosi a un albero. Gli altri romanzi della trilogia (*Ormai a disagio, 1960;* La freccia di Dio, *1964) sviluppano il tema delle con-*

seguenze della colonizzazione sulla società africana seguendo le vicende delle due generazioni successive a quella di Okonkwo.

Il brano del Crollo *che riportiamo si riferisce al primo contatto degli Ibo di Mbanta con i missionari cristiani.*

Chinua Achebe
IL CROLLO
(Capp. 16-17, trad.
dall'inglese di S.
Antonioli Cameroli,
Editoriale Jaca Book -
Edizioni e/o, Roma,
2002)

L'arrivo dei missionari aveva provocato un grande subbuglio nel villaggio di Mbanta. Erano in sei, e uno era un bianco. Tutti gli uomini e le donne uscirono a vedere l'uomo bianco. Circolavano molte storie su questi strani uomini, da quando uno di loro era stato ucciso ad Abame e il suo cavallo di ferro legato all'albero sacro del cotone-seta[1]. E così tutti andarono a vedere l'uomo bianco. Era il periodo dell'anno in cui tutti erano a casa. Il raccolto era finito. 5

Quando si furono tutti radunati, l'uomo bianco cominciò a parlare. Si serviva di un interprete ibo, sebbene il suo dialetto fosse diverso e aspro per le orecchie di Mbanta. Molti ridevano del suo dialetto e dello strano modo in cui usava le parole. Invece di dire "io" diceva sempre "le mie natiche". Ma era un uomo dall'aspetto imponente, e gli uomini del clan lo ascoltarono. Disse di essere uno di loro, come potevano capire dal colore della sua pelle e dalla sua lingua. Anche gli altri quattro uomini neri erano suoi fratelli, benché uno di loro non parlasse ibo. Anche l'uomo bianco era suo fratello, perché erano tutti figli di dio. E parlò loro di questo nuovo dio, il creatore del mondo intero e di tutti gli uomini e le donne. Disse loro che essi adoravano falsi dèi, dèi di legno e di pietra. Quando disse così, un profondo mormorio serpeggiò tra la folla. Disse loro che il vero dio viveva nei cieli e che tutti gli uomini, quando morivano, andavano di fronte a lui per essere giudicati. Gli uomini cattivi e tutti gli infedeli che, nella loro cecità, si inchinavano di fronte al legno e alla pietra, venivano gettati in un fuoco che bruciava come olio di palma. Ma gli uomini buoni che adoravano il dio vero vivevano in eterno nel Suo regno felice. "Noi siamo stati mandati da questo grande dio per chiedervi di abbandonare le vostre vie malvagie e i vostri falsi dèi e di andare a Lui perché possiate essere salvati quando morirete" disse. 10

15

20

25

"Le tue natiche capiscono la nostra lingua" disse qualcuno con aria di scherno e la folla rise.

"Cos'ha detto?" chiese l'uomo bianco al suo interprete. Ma prima che questi potesse rispondere, un altro uomo fece una domanda: "Dov'è il cavallo dell'uomo bianco?" chiese. I predicatori ibo si consultarono tra di loro e decisero che probabilmente l'uomo si riferiva alla bicicletta. Lo dissero all'uomo bianco, ed egli sorrise con benevolenza. 30

"Di' loro" disse, "che porterò molti cavalli di ferro quando ci saremo stabiliti qui. Persino qualcuno di loro cavalcherà il cavallo di ferro". Questo fu tradotto agli uomini, ma pochissimi ascoltarono. Parlavano animatamente tra loro del fatto che l'uomo bianco aveva detto che sarebbe andato a vivere in mezzo a loro. A quello non avevano pensato. 35

A questo punto un vecchio disse che doveva fare una domanda. "Qual è 40

1. **da quando... seta:** durante la stagione della semina in un villaggio chiamato Abame era giunto un uomo bianco in bicicletta (*cavallo di ferro*). Gli anziani del villaggio avevano consultato il loro oracolo, che aveva profetizzato che l'uomo bianco sarebbe stato seguito da altri, che avrebbero distrutto il villaggio. I membri della tribù allora avevano ucciso l'uomo, e legato il "cavallo di ferro" al loro albero sacro, per impedirgli di andare ad avvertire gli amici dell'uomo bianco. Alcune settimane dopo, un gruppo di inglesi, appresa la notizia dell'uccisione, aveva circondato Abame e fatto strage dei suoi abitanti.

il vostro dio?" chiese, "la dea della terra, il dio del cielo, Amadìora del fulmine, o quale altro?". L'interprete parlò all'uomo bianco ed egli diede immediatamente la risposta. "Tutti gli dèi che tu hai nominato non sono affatto dèi. Sono falsi dèi, che vi dicono di uccidere i vostri compagni e di
eliminare dei bambini innocenti[2]. C'è un solo vero dio, ed è padrone della   45
terra, del cielo, di voi e di me e di tutti noi".

"Se noi lasciamo i nostri dèi e seguiamo il vostro dio" chiese un altro
uomo, "chi ci proteggerà dall'ira dei nostri dèi e dei nostri antenati tra-
diti?".

"I vostri dèi non esistono e non possono farvi nessun male" rispose   50
l'uomo bianco. "Sono pezzi di legno e di pietra".

Quando la frase fu tradotta agli uomini di Mbanta, questi scoppiarono
a ridere con aria di scherno. Si dissero che quegli uomini dovevano essere
pazzi. Altrimenti come avrebbe potuto dire che Ani e Amadìora erano in-
nocui? E Idemili e Ogwugwu? E alcuni cominciarono ad andarsene.   55

Poi i missionari si misero a cantare. Era uno di quegli allegri e vivaci
motivi evangelici che avevano il potere di tendere corde mute e polverose
nel cuore di un ibo. L'interprete spiegava ogni verso agli spettatori, alcuni
dei quali adesso erano incantati. Era una storia di fratelli che vivevano nelle tenebre e nella paura, ignari dell'amore di Dio. Parlava di una pecora   60
sperduta sui colli, lontano dalla casa di Dio e dalla cura del dolce pastore.

Dopo il canto, l'interprete parlò del Figlio di Dio, che si chiamava Jesu
Kristi. Allora Okonkwo, che era rimasto soltanto nella speranza che si de-
cidesse di cacciare gli uomini dal villaggio, o di frustrarli, disse:

"Ci hai detto con la tua stessa bocca che c'è un solo dio. Adesso ci parli   65
di suo figlio. Allora deve avere una moglie". La folla approvò.

"Io non ho detto che ha una moglie" disse l'interprete un po' esitante.

"Le tue natiche hanno detto che ha un figlio" disse il burlone. "Perciò
deve avere una moglie e tutti quanti devono avere le natiche".

Il missionario lo ignorò e continuò a parlare della Santa Trinità. Alla fi-   70
ne del discorso Okonkwo era pienamente convinto che l'uomo fosse pazzo. Alzò le spalle e se ne andò a incidere la sua palma per il vino della sera.

Ma c'era un giovane che era stato conquistato. Si chiamava Nwoye, il
primo figlio di Okonkwo. Non era la folle logica della Trinità ad attirarlo.
Non la capiva. Era la poesia della nuova religione, qualcosa che sentiva nel   75
profondo. L'inno sui fratelli che vivevano nelle tenebre e nella paura sembrava rispondere a un pensiero vago persistente che tormentava il suo giovane animo: il pensiero dei gemelli che piangevano nel bosco[3] e il pensiero
di Ikemefuna che era stato ucciso[4]. Egli sentì un sollievo nel suo intimo
mentre l'inno si riversava nel suo animo assetato. Le parole dell'inno erano   80
come le gocce e pioggia ghiacciata che si scioglieva sull'arido palato della
terra ansimante. La mente inesperta di Nwoye era profondamente confusa.

[...]

Un mattino, il cugino di Okonkwo, Amikwu, passò vicino alla chiesa
di ritorno dal villaggio vicino, e vide Nwoye tra i cristiani. Ne fu molto   85

2. **eliminare... inno-
centi**: presso gli Ibo,
quando nascevano dei
gemelli, li si abban-
donava nel bosco vi-
cino al villaggio, per-
ché si riteneva che
portassero disgrazia.
3. **i gemelli... bosco**:
Nwoye, di indole dol-
ce e riflessiva, aveva
provato un senso di
smarrimento e di ri-
volta di fronte all'ab-
bandono da parte
della tribù di una
coppia di gemelli
neonati (vedi n. 2).
4. **Ikemefuna**: un ra-
gazzo di un villaggio
vicino consegnato co-
me ostaggio alla fami-
glia di Okonkwo, cre-
sciuto insieme a
Nwoye, che ne aveva
fatto il suo amico più
caro e il suo modello
ideale. Anche
Okonkwo ne apprez-
zava la forza e il co-
raggio e gli si era affe-
zionato. Ma l'oracolo
della tribù aveva de-
cretato che Ikemefu-
na doveva essere sacri-
ficato, e Okonkwo,
sia pure a malincuore,
aveva ucciso il ra-
gazzo.

sorpreso e, giunto a casa, si recò subito nella capanna di Okonkwo e gli disse quello che aveva visto. Le donne cominciarono a parlare animatamente, ma Okonkwo rimase impassibile.

Era tardo pomeriggio quando Nwoye tornò. Entrò nell'*obi*[5] e salutò suo padre, ma Okonkwo non rispose. Nwoye si voltò per entrare nel recinto quando suo padre, improvvisamente preso dall'ira, balzò in piedi e lo afferrò per il collo.   90

"Dove sei stato?" balbettò.

Nwoye lottò per svincolarsi dalla soffocante presa.

"Rispondimi" urlò Okonkwo, "prima che ti uccida!". Afferrò un pesante bastone appoggiato al muretto e lo colpì selvaggiamente due o tre volte.   95

"Rispondimi!" urlò ancora. Nwoye rimase a guardarlo senza dire una sola parola. Le donne gridavano da fuori, timorose di entrare.

"Lascia subito quel ragazzo!" disse una voce da fuori il recinto. Era lo zio di Okonkwo, Uchendu. "Sei pazzo?".   100

Okonkwo non rispose. Ma lasciò Nwoye, che se ne andò e non tornò mai più.

Rientrò nella chiesa e disse a Mr. Kiaga[6] che aveva deciso di andare a Umuofia, dove il missionario bianco aveva costituito una scuola per insegnare a leggere e a scrivere ai giovani cristiani.   105

La gioia di Mr. Kiaga fu molto grande. "Sia benedetto colui che abbandona suo padre e sua madre per amor mio" intonò. "Coloro che ascoltano le mie parole sono mio padre e mia madre"[7].

Nwoye non capì del tutto. Ma era felice di avere lasciato suo padre. Più avanti sarebbe tornato da sua madre, dai suoi fratelli e dalle sue sorelle e li avrebbe convertiti tutti.   110

Quella notte, seduto nella sua capanna con gli occhi fissi sui ceppi ardenti, Okonkwo ripensò a quello che era successo. Una collera improvvisa lo assalì, e sentì forte l'impulso di prendere il suo pugnale, di andare nella chiesa e sterminare tutti quei vili miscredenti. Ma ripensandoci, si disse   115 che non valeva la pena di combattere per Nwoye. Perché, gridava dentro di sé, proprio a lui, a Okonkwo, doveva toccare, fra tanta gente, la disgrazia di avere un figlio del genere? C'era certamente di mezzo il suo *chi*, il dio personale. Come potevano spiegare altrimenti la sua grande sfortuna e il suo esilio, e ora lo spregevole comportamento di suo figlio? Ora che aveva   120 tempo di pensarci, il crimine del figlio gli appariva in tutta la sua enormità. Lasciare gli dèi del padre e andare in giro con degli uomini effeminati che chiocciavano come vecchie galline era il massimo della vergogna. E se quando lui fosse morto tutti i suoi figli maschi avessero deciso di seguire le orme di Nwoye e di abbandonare i loro antenati? Okonkwo sentì un brivi-   125 do freddo percorrergli la schiena a questa terribile prospettiva, una prospettiva di annientamento. Vide se stesso e i suoi padri affollarsi nel tempio ancestrale[8] nell'inutile attesa di venerazione e sacrificio, e trovare solo le ceneri dei giorni andati, mentre i suoi figli pregavano il dio dell'uomo bianco. Se mai dovesse accadere una cosa del genere, lui, Okonkwo, li avrebbe   130 tolti dalla faccia della terra.

Okonkwo era soprannominato "fiamma ardente". Fissando il fuoco dei

5. *obi*: capanna.
6. mr. Kiaga: l'aiutante e interprete africano del missionario bianco.
7. "Sia benedetto... mia madre": è la combinazione approssimativa di due citazioni dal vangelo di Luca: «Se uno viene a me e non odia suo padre, sua madre, e la moglie, i fratelli, le sorelle e persino la sua propria vita, non può essere mio discepolo» (14,26); «Mia madre e i miei fratelli sono quelli che ascoltano la parola di Dio e la mettono in pratica» (8,21).
8. ancestrale: degli antenati.

ceppi, si ricordò di questo nome. Egli era un fuoco ardente. E allora come
poteva avere generato un figlio come Nwoye, degenere ed effeminato? Forse non era figlio suo. No! Non poteva esserlo. Sua moglie l'aveva tradito.   135
Le avrebbe fatto vedere lui! Però Nwoye somigliava a suo nonno, Unoka,
che era il padre di Okonkwo. Scacciò il pensiero dalla mente. Lui,
Okonkwo, era chiamato fuoco ardente. Come poteva aver generato una
femmina al posto di un figlio? All'età di Nwoye, Okonkwo era già famoso
in tutta Umuofia per la sua abilità nella lotta e per il suo coraggio. Sospirò   140
forte e, come per simpatia, anche i ceppi ardenti sospirarono. E subito gli
occhi di Okonkwo si aprirono e tutto gli fu chiaro. Il fuoco ardente genera
cenere fredda e impotente. Sospirò ancora, profondamente.

dialogo con il testo

I temi e le forme

Nei suoi romanzi Achebe si propone di raccontare
«la storia africana da un punto di vista africano».
Coerentemente con questa intenzione, l'arrivo dei
missionari - primo contatto col mondo occidentale
dal quale scaturirà, per passi successivi, la disgregazione della società Ibo - è filtrato attraverso le reazioni degli abitanti del villaggio di Mbanta. Nel primo
brano il missionario si presenta dichiarando false le
divinità degli Ibo e minacciando la dannazione eterna a chi persevererà nelle credenze tradizionali (righe
19-23, 43-51); nel secondo, Mr. Kiaga giunge a
mettere in discussione i legami familiari, su cui si
fonda tutta la vita della tribù (righe 106-108). Di
fronte a un approccio così arrogante, l'insieme della
popolazione non reagisce violentemente, dando prova di un atteggiamento tollerante e pacifico. Tuttavia
Achebe non propone una visione schematica e unilaterale dell'incontro-scontro tra le due culture: il giudizio sulla nuova religione non è totalmente negativo, e gli usi e i costumi tradizionali della società africana non sono acriticamente idealizzati.

Questo atteggiamento problematico è sottolineato dalla posizione impersonale della voce narrante,
che non commenta direttamente i fatti, ma si limita
a riportare le reazioni e i pensieri contrastanti dei diversi personaggi, senza sposare nessuno dei punti di
vista. Tocca dunque al lettore colmare gli "spazi
bianchi" del testo, assumendo una propria posizione, o cercando di ricostruire indirettamente quella
dell'autore.

? Le reazioni della folla che dialoga con i missionari oscillano tra curiosità, stupore, ilarità e attrazione.
Individuate nel testo i diversi aspetti della predicazione che suscitano questi atteggiamenti, e cercate di
definire i movimenti che determinano di volta in volta
le reazioni degli ascoltatori.

? Nwoye è attirato dalla «poesia della nuova religione»: questo lo spinge a lasciare la famiglia per andare a studiare nella scuola dei missionari. Spiegate
il significato di questa scelta, facendo riferimento
agli aspetti della cultura Ibo che lo lasciano insoddisfatto.

? Okonkwo, dopo lo scontro col figlio, si rende
conto con lucidità che la nuova religione è destinata
a sconvolgere il mondo tradizionale nel quale si è
completamente identificato. La sua reazione di violento rifiuto però è accompagnata da atteggiamenti
che suscitano perplessità nei lettori di oggi, ai quali
Achebe si rivolge con il suo romanzo. Di quali atteggiamenti si tratta?

Ahmadou Kourouma

Ahmadou Kourouma, nato nel 1927 a Togobale in Costa d'Avorio da una famiglia di cacciatori impegnati nella resistenza alla colonizzazione, ha svolto il servizio militare nell'esercito francese durante la guerra d'Indocina. Qui ha lavorato come interprete e giornalista, realizzando trasmissioni radio e giornali per i soldati africani. Dopo aver trascorso alcuni anni in Francia, è rientrato in Costa D'Avorio, dove la delusione per la gestione dell'indipendenza ottenuta dal suo paese lo ha portato ad assumere posizioni critiche, a seguito delle quali è stato incarcerato e perseguitato. Da questa esperienza ha preso avvio la sua produzione letteraria con *I soli delle indipendenze* (1970). I suoi capolavori sono *Aspettando il voto delle bestie selvagge* (1998) e *Allah non è mica obbligato* (2000), amara e penetrante satira della società africana contemporanea. È morto a Lione nel 2003.

▶ **T38.24**

T38.24

Allah non è mica obbligato

Birahima, il dodicenne africano protagonista di Allah non è mica obbligato *(2000), rimasto orfano di padre e di madre, si mette in viaggio in cerca della zia attraverso la Liberia e la Sierra Leone dilaniate dai conflitti tribali fomentati dagli interessi occidentali. Lo accompagna Yacuba, ex uomo d'affari e bandito, che offre al miglior offerente i suoi servigi di stregone e fabbricante di amuleti. Durante il viaggio i due vengono rapiti da un manipolo di uomini armati, e Birahima, per salvare la pelle e procurarsi di che vivere, si arruola come mercenario, divenendo uno dei bambini-soldato che fanno da carne da cannone nelle moderne guerre per bande. Inizia così una vertiginosa sequenza di avventure che trascina i due protagonisti in un mondo caotico e feroce, dominato dalla corruzione e dalla sete di potere e di denaro, tra bizzarri riti magico-religiosi, terribili carneficine, continui rivolgimenti politici e militari. Birahima, che passa di guerra in guerra e di banda in banda senza perdere mai il suo tenace attaccamento alla vita, racconta le sue avventure in prima persona: il suo sguardo, insieme ingenuo, disincantato e cinico, dipinge un quadro tragico e grottesco dell'Africa di oggi.*

Riportiamo l'inizio del romanzo.

Ahmadou Kourouma
ALLAH NON È MICA OBBLIGATO
(Cap. I, trad. dal francese a cura degli allievi della Scuola Europea di Traduzione Letteraria, Edizioni e/o, Roma, 2002)

Ho deciso che il titolo definitivo e completo del mio blablà è *Allah*[1] *non è mica obbligato a essere giusto in tutte le sue cose di quaggiù*. E adesso inizio il mio sproloquio.   1

E per cominciare... e uno!... Mi chiamo Birahima e sono *p'tit nègre*[2]. Non perché sono nero e bambino. No! Sono *p'tit nègre* perché parlo male il francese. Proprio così, davvero. Se si parla male il francese, si dice che si parla *p'tit nègre*, anche se si è adulti, anche vecchi, anche arabi, cinesi, bianchi, russi, anche americani, si è sempre e comunque *p'tit nègre*. Così vuole la legge del francese quotidiano.   5

...E due !... Con la scuola non sono andato molto avanti; ho piantato lì in terza elementare. Ho lasciato il banco perché tutti dicevano che la scuola non vale più niente, neppure il peto di una vecchia nonna. (È così che si   10

---

1. **Allah**: in Costa d'Avorio il 25% della popolazione è costituito da musulmani, il 15% da cristiani, il 60% da credenti nell'animismo tradizionale, ma la tendenza più diffusa è la mescolanza delle diverse religioni in chiave magica.

2. *p'tit nègre*: letteralmente "piccolo negro" (in francese). È il francese approssimativo e meticcio parlato nelle regioni africane colonizzate dalla Francia.

dice in negro nero africano indigeno quando una cosa non vale niente. Si dice che non vale il peto di una vecchietta, perché il peto della fottuta e rinsecchita nonnetta non fa rumore e non puzza proprio così tanto.) La scuola non vale il peto della vecchia perché in una qualunque delle corrotte repubbliche delle banane dell'Africa francofona (Repubblica delle banane indica una repubblica apparentemente democratica ma in realtà governata dagli interessi privati e dalla corruzione), anche se hai un diploma universitario non c'è verso di diventare infermiere o insegnante. Ma frequentare soltanto fino alla terza elementare non è per forza segno di autonomia e di grandezza d'animo. Si sa qualcosa ma non si sa abbastanza, si assomiglia a quello che i negri neri africani indigeni chiamano una focaccia bruciacchiata da tutte e due le parti. Non si è più contadini, selvaggi come gli altri negri neri africani indigeni: si riesce a capire e a comprendere i neri acculturati e i *tubab*[3], tranne quelli inglesi, come gli Americani neri della Liberia[4]. Ma in geografia, grammatica, coniugazioni, divisioni e composizione si è ignoranti; non si può far soldi con facilità come funzionario dello Stato in una repubblica fottuta e corrotta come la Guinea, la Costa d'Avorio, ecc.

...E tre!... Sono insolente, sgrammaticato come la barba di un caprone e parlo come una carogna. Non dico come i negri neri africani indigeni ben incravattati: Merda! Puttana! Stronzo! Io uso parole *malinké* come *faforò* (*Faforò!* significa cazzo di mio padre, o culo del padre in genere o in culo a tuo padre.) Come *gnamokodé!* (*Gnamokodé!* significa bastardo o puttana tua madre.) Come *Walahé!* (*Walahé!* significa in nome di Allah.) I *Malinké* sono la mia razza. È quella specie di negri neri africani indigeni che sono numerosi nel Nord della Costa d'Avorio, in Guinea o in altre repubbliche delle banane e fottute come Gambia, Sierra Leone e Senegal, laggiù, ecc.

...E quattro!... Mi voglio scusare del mio modo sfacciato di rivolgermi a voi. Perché sono solo un bambino. Ho dieci o dodici anni (due anni fa la nonna diceva otto e la mamma dieci) e parlo molto. Un bambino educato sta a sentire, non tiene banco... Non ciancia come una ghiandaia tra i rami di un fico. Questo spetta agli anziani dalle barbe folte e candide, così dice il proverbio: "il ginocchio non porta mai cappello quando la testa è sul collo". Così si usa al villaggio. Ma io me ne frego da tempo delle usanze del villaggio, dal momento che sono stato in Liberia, che ho ammazzato molta gente col kalashnikov e che mi sono fatto a dovere con il *kanif* e altre droghe pesanti.

...E cinque!... Per raccontare la mia vita di merda, il mio *"bordel de vie"*[5], per parlare in modo approssimativo un francese passabile. Per non confondermi con i paroloni, possiedo quattro dizionari.

Prima di tutto il dizionario Larousse e il Petit Robert[6], in secondo luogo l'Inventario delle particolarità lessicali del francese in Africa nera, e in terzo il dizionario Harrap's[7]. Questi dizionari mi servono per trovare i paroloni, per verificarli e soprattutto per spiegarli, i paroloni.

Occorre spiegare perché il mio blablà sarà letto da vari tipi di persone: dai *tubab* (*tubab* significa bianco) coloni, dai neri indigeni selvaggi d'Africa e dai francofoni di ogni calibro (calibro significa genere). Il Larousse e il

3. **i tubab**: i bianchi.
4. **tranne... Liberia**: tranne gli africani anglofoni, come i cittadini della Liberia, nazione creata a metà dell'Ottocento da schiavi neri statunitensi affrancati da organizzazioni umanitarie.
5. **bordel de vie**: letteralmente "bordello di vita" (in francese).
6. **Larousse... Petit Robert**: i più noti e diffusi dizionari della lingua francese.
7. **Harrap's**: vocabolario Inglese-Francese.

Petit Robert mi permettono di cercare, di verificare e di spiegare i paroloni   60
del francese di Francia ai neri negri indigeni d'Africa. L'Inventario delle
particolarità lessicali del francese d'Africa spiega i paroloni africani ai *tubab*
in francese di Francia. Il dizionario Harrap's spiega i paroloni *pidgin*[8] ai
francofoni che non capiscono nulla di nulla del *pidgin*.

Come ho avuto questi dizionari? Questa è una lunga storia che non ho   65
voglia di raccontare adesso. Ora non ho tempo, non ho voglia di perdermi
in chiacchiere. Ecco, tutto qua. A *faforò* (affanculo mio padre)!

...E sei!... È vero, non sono né simpatico, né carino, sono maledetto,
perché ho fatto del male a mia madre. Dai negri neri africani indigeni,
quando hai litigato con la mamma, e se lei muore con la rabbia nel cuore ti   70
maledice, ti prendi la maledizione. Non c'è più niente che possa andare bene, per te.

Non sono né simpatico, né carino, perché sono perseguitato dai *gnama*
di diverse persone (*gnama* è un parolone negro nero africano indigeno che
occorre spiegare ai bianchi. Significa, secondo l'Inventario delle partico-   75
larità lessicali del francese in Africa nera, l'ombra che rimane dopo il decesso di un individuo. Quell'ombra, che diventa una forza immanente, cattiva, che perseguita chi è colpevole di avere ucciso una persona innocente).

E io ne ho uccisi tanti di innocenti in Liberia e in Sierra Leone dove ho
fatto la guerra tribale, dove sono stato un bambino-soldato, dove mi sono   80
drogato davvero con le droghe pesanti. Sono perseguitato dagli *gnama*,
quindi con me, tutto va in malora. *Gnamokodé* (bastardata)!

Eccomi, presentato in sei punti e non uno di più, in carne e ossa con in
piuma il mio modo scorretto e insolente di parlare (non è "in piuma" che   85
bisogna dire, ma "in più"[9]. C'è da spiegare "in più" ai negri neri africani
indigeni che non capiscono nulla di nulla. Secondo il Larousse, "in più" significa "quello che si dice in più", in supplemento).

Ecco quello che sono; non è un quadro allegro.

Adesso, dopo essermi presentato, sto per raccontare davvero, davvero la   90
mia vita dannata di merda.

Sedetevi, ascoltatemi. E scrivete tutto di tutto.

Allah non è obbligato a essere giusto per tutte queste cose. Faforò (cazzo del
mio papà)!

8. *pidgin*: qui si rife-
risce all'inglese parla-
to dalle popolazioni
colonizzate dagli in-
glesi.
9. **in piuma... in
più**: gioco linguistico
intraducibile in italia-
no tra le parole fran-
cesi *plume* (="piuma",
ma anche "penna"
come strumento dello
scrittore) e *plus* (=
"più").

Violenze in Liberia:
giovanissimi ribelli
Krahn inseguono e
uccidono un presunto
membro della fazione
avversa, il fronte
patriottico NPFL
(1997, Corinne
Dufka, Reuters)

dialogo con il testo

I temi

Se Achebe (*T38.23*) narra la storia dell'impatto tra il mondo occidentale e la società africana, Kourouma dipinge un feroce ritratto dell'Africa post-coloniale, nella quale il processo di disgregazione del tessuto sociale tradizionale si è pienamente compiuto, e gli influssi dei colonizzatori si mescolano tra di loro e con i resti delle culture indigene, in un magma confuso e grottesco. Al caos culturale e linguistico fa riscontro la tragica e catastrofica situazione politica sul cui sfondo si svolgono le avventure del protagonista: un bambino che ha dovuto misurarsi fin dall'inizio della vita con la miseria più estrema e con la necessità di combattere ogni giorno per la sopravvivenza, acquistando uno sguardo spietato, lucido, cinico sulle brutture del mondo che lo circonda.

Il contrasto tra l'età del protagonista e l'efferatezza delle sue esperienze risuona in tutta la sua violenza grazie alla narrazione in prima persona: nell'autopresentazione del bambino-soldato non c'è nulla di lacrimevole o di edificante, nessun tratto di innocenza o di bontà infantile, nessun barlume di pentimento. Birahima aderisce totalmente alla realtà in cui vive, considera naturali gli atti più crudeli, e pronuncia le più terribili verità con spensierata disinvoltura.

? Ricostruite e sintetizzate le informazioni che il testo offre sulla storia del protagonista e sul contesto sociale e culturale in cui si svolge.

? Una nota ricorrente nel romanzo e presente già in queste prime pagine è l'intonazione incongruamente allegra, a tratti apertamente comica, che caratterizza la narrazione. Indicate nel testo alcuni punti in cui questo effetto è particolarmente evidente.

? Secondo voi quale atteggiamento vuole suscitare Kourouma nei confronti di Birahima (simpatia, antipatia, identificazione, riprovazione morale, compassione…)? Rispondete facendo riferimento al testo e alle vostre reazioni soggettive di lettori.

? Come si può interpretare a vostro parere il titolo che il protagonista ha deciso di dare al racconto della propria vita (righe 1-2)?

Le forme

Volendo riprodurre il linguaggio di un bambino africano non scolarizzato, Kourouma utilizza uno stile volutamente dissonante, fitto di ripetizioni, salti di registro, giochi di parole, inserzione di vocaboli *malinké*. La sintassi è spezzata, a volte scorretta rispetto alle regole della scrittura, modellata sul ritmo del parlato. A causa di questa complessità linguistica il romanzo è stato affidato, per l'edizione italiana, alla Scuola Europea di Traduzione letteraria, che ha saputo rendere nella nostra lingua il sapore del testo originale.

La trovata dei quattro vocabolari (righe 51-64) si traduce in un costante lavoro di traduzione da una lingua all'altra. È come se il protagonista-narratore, non sentendosi a suo agio col francese letterario, dovesse fare uno sforzo per cercare ogni volta le parole da usare. Ma il pirotecnico e grottesco magma linguistico si potrebbe interpretare anche come una ricerca di modi espressivi adeguati a una realtà tanto caotica e lacerata da non poter essere rappresentata con le parole di una lingua grammaticalmente codificata, per di più di origine europea.

? Provate a spiegare perché il narratore nel parlare dei neri usi come una sorta di epiteto «negri neri africani indigeni».

? Rintracciate nel testo le similitudini e i proverbi che, seppure rivisitati in chiave comica e grottesca, appartengono al patrimonio africano tradizionale.

Letteratura di consumo e qualità letteraria

Un fenomeno caratteristico del nostro tempo è quello dei *best seller* internazionali, romanzi quasi sempre di genere sentimentale, *thriller*, *horror*, confezionati in modo da riscuotere successo presso un pubblico vastissimo, uniformato nelle attese e nei gusti dalla massificazione della cultura su scala mondiale. La tendenza della critica a deprezzare questi prodotti, fino a considerarli estranei al concetto stesso di "letteratura", è stata messa in discussione dal fenomeno dei "*best seller* di qualità", testi narrativi che riescono a raggiungere altissimi livelli di vendite senza rinunciare a una tecnica letteraria avanzata o addirittura sperimentale. Un esempio particolarmente esteso e durevole di successo internazionale è costituito dai romanzi *horror* dello statunitense Stephen King (*T38.25*), letti da un pubblico in prevalenza giovanile e spesso tradotti in film di grande richiamo.

Stephen King

Stephen King, nato a Portland nel Maine nel 1947, è autore di romanzi e racconti dell'orrore di grande successo internazionale, tra cui *Carrie* (1973), *Shining* (1977), *La zona morta* (1979), *It* (1986), *Dolores Clayborne* (1992); da alcuni di essi sono stati tratti film diretti da registi famosi come Stanley Kubrick, Brian De Palma e Bob Reiner. È anche autore di *Danse macabre* (1981), ampio ed esauriente saggio sul genere *horror*.

▶ **T38.25**

T38.25

Misery

Il protagonista di Misery *(1987) è lo scrittore Paul Sheldon, autore di libri sentimentali di grande successo e di scarsa qualità letteraria. Nel suo ultimo romanzo ha fatto morire Misery, la protagonista della serie, per darsi finalmente alla letteratura "vera"; ma, rimasto gravemente ferito per un incidente stradale in una zona isolata del Colorado, viene soccorso e sequestrato*

da una fanatica e folle ammiratrice, che non gli perdona di aver eliminato l'eroina e gli impone, fra terribili sevizie, di resuscitarla in un nuovo romanzo scritto apposta per lei. Lo scrittore, immobilizzato a letto in balìa dell'aguzzina, non può che accondiscendere, e solo dopo aver subìto ogni sorta di torture riuscirà a liberarsi. Riportiamo le prime pagine del romanzo.

Stephen King
MISERY
(I, 1-2, trad.
dall'inglese di T.
Dobner, Sperling &
Kupfer, Milano,
1991)

1

umber whunnnn
yerrrnnn umber whunnnn
fayunnnn
Questi suoni: nonostante la nebbia.

1

5

2

Ogni tanto i suoni si affievolivano, come il dolore, e allora restava solo la nebbia. Prima della nebbia ricordava l'oscurità: oscurità totale. Doveva de-

durne che stava facendo progressi? Sia fatta la luce (anche se di tipo nebbioso), e la luce era cosa buona[1] e così via e così via? Erano esistiti quei 10
suoni nell'oscurità? Non era in grado di dare risposta ad alcuna di quelle
domande. Aveva senso porsele? No, non aveva risposta nemmeno a questa.

Il dolore restava poco sotto i suoni. Il dolore era a est del sole e a sud
delle sue orecchie. Qui si concludevano le sue certezze.

Per un lasso di tempo che sembrò molto lungo (e così era, poiché in es- 15
so esistevano solo il dolore e quella nebbia inquieta) quei rumori furono
l'unica realtà esterna. Non aveva idea di chi fosse o dove fosse e nemmeno
gli importava saperlo. Avrebbe voluto esser morto, ma nella nebbia intrisa
di dolore che gli riempiva la mente come una tempestosa nube estiva, non
sapeva di volerlo. 20

Con il passar del tempo, s'accorse che c'erano periodi di non-dolore e
che questi periodi avevano una cadenza ciclica. E per la prima volta da
quando era emerso dal buio totale che aveva anticipato la nebbia, formulò
un pensiero separato dall'incomprensibile situazione in cui si trovava. Era
il pensiero di un pilone spezzato che sporgeva dalla sabbia a Revere Beach. 25
Suo padre e sua madre lo avevano condotto spesso a Revere Beach da bambino e lui pretendeva sempre che stendessero la coperta in un punto da dove potesse tenere un occhio sul quel pilone, che a lui sembrava come l'unica zanna di un mostro sepolto. Gli piaceva sedersi a osservare l'acqua salire
fino a coprire lo spuntone. Poi, ore più tardi, dopo che erano stati consu- 30
mati i sandwich e le patate in insalata, dopo che erano state spillate anche
le ultime gocce di Kool-Aid[2] dal grosso thermos di suo padre, appena prima che mamma dichiarasse che era il momento di sbaraccare per tornare a
casa, la cima di quel pilone marcio faceva di nuovo capolino: un balenare
istantaneo dapprincipio, nel riflusso delle onde, poi sempre di più. Ora 35
che avanzi e rifiuti erano stati gettati nel grosso bidone con la scritta TENERE PULITA LA VOSTRA SPIAGGIA e i giocattoli di Paulie erano stati raccolti

(*Paulie è il mio nome è così che mi chiamo e questa sera la mamma mi
metterà il Baby Oil della Johnson sulle scottature* pensò dentro il cirrocumulo[3] in cui viveva ora) 40

e la coperta ripiegata, il pilone era quasi completamente ricomparso,
con il suo legno nerastro e viscido circondato da grappoli di schiuma. Era
la marea, aveva cercato di spiegargli suo padre, ma lui aveva sempre saputo
che era il pilone. La marea andava e veniva; il pilone restava. Solo che certe
volte non lo si vedeva. Senza pilone, non c'era nemmeno la marea. 45

Quel ricordo girava e girava, esacerbante[4], come una mosca pigra.
Brancolò alla ricerca di un significato, ma per un lungo momento fu interrotto dai suoni.

fayunnnn

tutto rrrrossssso 50

umberrrr whunnnn

Ogni tanto i suoni cessavano. Ogni tanto *lui* cessava.

Il primo ricordo veramente chiaro di quell'*adesso*, l'*adesso* all'esterno
della nebbia tempestosa, era di essersi interrotto, di essersi accorto all'improvviso di non poter più respirare, e non gli era dispiaciuto, andava bene 55

1. **Sia fatta... buona**: citazioni dal libro biblico della *Genesi*, che comincia col racconto della creazione.
2. **Kool-Aid**: nome di una bibita rinfrescante.
3. **cirrocumulo**: agglomerato di nuvole.
4. **esacerbante**: esasperante, che inasprisce il dolore.

così, anzi, era una meraviglia; era capace di sopportare una certa dose di
dolore, ma il troppo stroppia ed era stato felice di poter abbandonare la
partita.

Poi c'era stata una bocca che si era schiacciata sulla sua, una bocca che
era indubitabilmente di donna nonostante l'arida durezza delle labbra, e il
fiato di quella bocca di donna gli era stato soffiato nella sua, giù per la gola, a gonfiargli i polmoni, e quando le labbra estranee si erano staccate,
aveva odorato la sua carceriera per la prima volta, l'aveva fiutata nel deflus-
so dell'aria che lei gli aveva forzato nel corpo come un uomo potrebbe entrare di forza in una donna che gli si oppone: un tanfo nauseante di biscotti alla vaniglia e gelato al cioccolato e sugo di pollo e fondenti al burro d'a-
rachide.

Aveva sentito uno strillo: «Respira, dannazione! Respira, Paul!»

Le labbra gli si erano stampate di nuovo sulla bocca. Di nuovo gli era
stato soffiato alito in gola. Soffiato giù come il risucchio di vento umido e
oscuro sulla scia di un convoglio di metropolitana in accelerazione, quel
vento che si trascina dietro fogli di giornale e carte di caramelle. E le labbra
si erano ritirate e lui aveva pensato: *Per l'amor di Dio non fartene venir fuori dal naso*; ma non aveva saputo impedirselo e ah quel *puzzo*, quel *puzzo*
quello *schifoso* PUZZO.

«Respira, maledetto!» aveva strillato la voce invisibile e lui aveva pensato: *Respiro, respiro, qualunque cosa, solo ti prego non farlo più, non mi infet-
tare più*, e aveva *tentato*, ma prima ancora che cominciasse le labbra si erano schiacciate nuovamente sulle sue, labbra asciutte e morte come strisce
di cuoio salato, e lei lo aveva violentato di nuovo riempiendolo con la sua
aria.

Quando aveva staccato le labbra quest'altra volta lui non aveva *esalato* il
fiato alieno, ma lo aveva *buttato fuori* e aveva preso una gigantesca boccata.
L'aveva lasciata uscire. Aveva aspettato che il suo petto invisibile si muovesse per proprio conto, come aveva fatto per tutta la sua vita, senza il suo aiuto. Quando non era accaduto, aveva risucchiato nuovamente aria a litri e
finalmente aveva ripreso a respirare, ma concitatamente, per ripulirsi del-
l'odore e del sapore di lei.

Mai l'aria gli era sembrata così buona.

Cominciò a scivolare nuovamente nella nebbia, ma prima che il mondo
svanisse del tutto, udì la voce di donna borbottare: «Caspita, se c'è mancato poco!»

Sempre troppo, pensò lui e si addormentò.

Sognò il pilone, così reale che gli pareva di poterne accarezzare la curva
superficie screpolata e ricoperta di chiazze verdi e nere, se solo avesse allungato il braccio.

Quando tornò al suo precedente stato di semincoscienza, riuscì a trovare il collegamento fra il pilone e la situazione attuale, fu come se gli cadesse in mano. Il dolore non era intermittente. Quella era la lezione del sogno
che era in realtà un ricordo. Era solo un'illusione che il dolore andasse e venisse. Il dolore era come il pilone, talvolta immerso e talvolta visibile, ma
sempre presente. Quando il dolore non lo torturava attraverso il denso gri-

giore di pietra della sua nuvola, ne era stolidamente[5] grato, ma non per questo si lasciava più ingannare: c'era ancora, aspettava di riprendersi. E non c'era solo *un* pilone. Ce n'erano *due*. Il dolore corrispondeva a quei   105
due piloni e qualcosa dentro di lui sapeva già molto tempo prima che la sua mente si rendesse conto di saperlo, che i piloni spezzati erano le sue gambe spezzate.

Ma passò un altro tempo molto lungo prima che riuscisse finalmente a strappare la schiuma di saliva rappresa che gli aveva incollato le labbra e   110
gracchiasse: «Dove sono?» alla donna che sedeva al suo capezzale con un libro fra le mani. Il nome dell'uomo che aveva scritto quel libro era Paul Sheldon. Lo riconobbe come suo senza stupore.

«A Sidewinder nel Colorado», rispose lei dopo che lui fu riuscito finalmente a esprimere la domanda. «Io mi chiamo Annie Wilkes. E sono...»   115
Lo «Lo so», la interruppe lui. «Sei la mia ammiratrice numero uno.»
«Già», fece lei e sorrise. «Proprio così.»

5. **stolidamente**: stupidamente.

dialogo con il testo

I temi

Il romanzo si apre con un monologo interiore, che registra gli stati d'animo e le sensazioni del personaggio in stato di incoscienza: brandelli di frasi e di immagini dell'infanzia si mescolano al lancinante dolore causato dall'incidente. Poi, man mano che il protagonista si risveglia, il racconto si fa più lineare, descrivendo la respirazione bocca a bocca praticata su di lui da una donna molto sgradevole, che si rivelerà l'«ammiratrice numero uno» dello scrittore. È tipico dei romanzi di King coniugare una perfetta orchestrazione delle strategie del genere *horror* (suspense, colpi di scena, enigmi) con le forme proprie della letteratura colta, come la manipolazione dei tempi del racconto, l'alternanza di diverse voci narranti, la mescolanza di registri stilistici diversi: in questo caso l'autore dimostra di saper maneggiare con piena padronanza la tecnica del "flusso di coscienza", inaugurata nel primo Novecento da romanzieri d'avanguardia come Joyce (Vol. G *T32.63*, *T32.64*) o Virginia Woolf (Vol. G *T32.65*).

Nelle pagine successive di *Misery*, oltre ad avvincere il lettore con tutti gli ingredienti del racconto dell'orrore, l'autore toccherà indirettamente temi d'attualità, come il contrasto tra la letteratura alta e la letteratura di consumo (simboleggiato dalla scelta del protagonista di abbandonare la serie di Misery per scrivere un romanzo "serio"), o il rapporto tra il pubblico e la cultura di massa (rappresentato dall'odio-amore di Annie per lo scrittore). Giungerà anche ad alternare due storie diverse, scritte con diversi stili e caratteri tipografici: quella dello scrittore prigioniero, e quella della rediviva Misery, composta dallo stesso scrittore su richiesta della sua aguzzina.

Ma l'interesse dei romanzi di King non sta tanto in queste prove di abilità narrativa, quanto nei motivi del loro larghissimo successo: si tratta di prodotti "paraletterari" puramente commerciali, o di opere letterarie a tutti gli effetti, che testimoniano, con la loro straordinaria leggibilità, la vitalità della letteratura nell'epoca della televisione e del computer? La parte più consistente e autorevole degli studiosi di letteratura propende per la prima posizione; ma c'è anche chi fa notare che in fondo anche uno scrittore come Charles Dickens (Vol. E *T21.10*) ai suoi tempi era considerato un autore "di consumo", adatto alle masse incolte, e oggi è celebrato come uno dei massimi narratori dell'Ottocento.

☑ Se conoscete i romanzi di King, esprimete un parere argomentato su tale questione.

Confronti
Potete trovare altri esempi di "letteratura di massa" in Vol. G *T32.74-T32.76*.

DA VEDERE

Misery non deve morire, (1990, 107')
Stand by me - Ricordo di un'estate,
di Rob Rainer (1986, 87')
Shining, di Stanley Kubrick (1980, 142')

I film tratti dai romanzi di Stephen King sono almeno una trentina. Molti di essi sono destinati a un pubblico non particolarmente esigente, e puntano sugli ingredienti più superficiali del genere *horror*. Due registi che hanno saputo invece esplorare in profondità le trame di King, rivelandone implicazioni e risvolti non banali, sono Rob Rainer e Stanley Kubrick.

Il primo ha affrontato due volte i testi di King. *Stand by me - Ricordo di un'estate*, è tratto dalla novella *The body* (nella raccolta *Stagioni diverse* del 1982), storia di quattro ragazzini che vanno alla ricerca del corpo di un coetaneo, scomparso nei boschi intorno alla loro cittadina, Castle Rock, in Oregon. Lontano dai *cliché* del cinema *horror*, il film è un viaggio iniziatico che pone i giovani protagonisti di fronte al mistero della morte e li porta a confrontarsi con le loro paure. Le prove di coraggio, il ritrovamento del cadavere, lo scontro con una banda di teppisti, l'esperienza dell'amicizia e dell'aiuto reciproco conferiscono al viaggio le caratteristiche di un rito di passaggio: al loro ritorno, Castle Rock sembrerà diversa, perché lo sguardo dei ragazzi sarà più consapevole e maturo.

Il secondo incontro fra Reiner e King è *Misery non deve morire*. Il film segue le vicende narrate nel romanzo *Misery*, ovviamente tralasciando gran parte delle considerazioni sulla scrittura e concentrandosi sulla dimensione claustrofobica: ne nasce un *thriller* ad alta intensità, che indaga il rapporto inquietante che si crea tra la vittima e il carnefice.

Ma il vero capolavoro, tra i film tratti da King, è *Shining*, opera di uno dei più grandi registi del XX secolo, Stanley Kubrick. Protagonisti di *Shining* sono Jack, uno scrittore in crisi, che ha scelto di lavorare come custode in un hotel isolato durante l'inverno, la moglie e il figlio Danny, che possiede poteri extrasensoriali. Sotto l'influenza di malefiche presenze che infestano l'albergo, il padre sprofonda in una follia criminale che lo porta a tentare di uccidere i suoi cari. Il film è una riflessione sul Male che alligna dentro l'uomo, insinuandosi nelle pieghe più intime degli affetti familiari, con implicito riferimento al fondo oscuro delle fiabe e dei miti dell'antichità centrati sulle pulsioni omicide dei padri verso i figli. La scena finale, che si svolge in un labirinto, ripropone lo scontro tra la bestialità di un padre-minotauro e la razionalità di un piccolo Teseo. Apparentemente la vittoria sembra toccare al Bene, ma l'ultima sequenza mostra una fotografia del 1929 in cui si riconosce il volto di Jack, a suggerire l'idea di un eterno ritorno del Male.

Altri consigli di lettura e visione in *Scegli il tuo libro, scegli il tuo film*, pag. 523

Immagine del film
Stand by me (1986)

La narrativa in Italia: gli anni del neorealismo

Negli anni seguenti la caduta del fascismo e la fine della seconda guerra mondiale, gli intellettuali sentirono l'esigenza di una nuova cultura che partecipasse al rinnovamento della società; si discusse animatamente sulla responsabilità sociale dei letterati (Sartre, *T37.20*), sul rapporto tra creatività e impegno politico. La rivista fondata da Elio Vittorini, "Il Politecnico", fu il principale luogo di coagulo di queste aspirazioni (*T37.23*). In questa atmosfera nacque il neorealismo, un movimento che investì in particolare la narrativa e il cinema, e che ebbe lo sviluppo più intenso nel decennio 1945-1955. Il neorealismo reagì al clima rarefatto e intimista della letteratura degli anni precedenti la guerra (ermetismo, prosa d'arte, narrativa della memoria), contrapponendovi l'esigenza di rappresentare la vita e i sentimenti popolari, la proposta di un'arte "impegnata", capace di elaborare nuovi contenuti (la guerra, la Resistenza, la vita popolare ecc.) in forme espressive semplici, ispirate alla lingua parlata e ai dialetti. Queste aspirazioni si combinarono variamente, nei diversi scrittori, con l'eredità del gusto per la prosa lirica presente in molti di loro, con l'influsso dei modelli americani a cui alcuni guardavano, con la risposta alle richieste di un'arte pedagogica e propagandistica che venivano dagli ambienti politici di sinistra (vedi in proposito Calvino, *T37.24*).

Elio Vittorini

La figura di Vittorini riassume in sé molti temi essenziali dell'epoca del neorealismo; la fondazione e direzione del "Politecnico" (*T37.23*) lo pone al centro di un movimento di rinnovamento culturale e politico che fa da sfondo al movimento letterario. Tipico dell'epoca è l'intreccio nella sua opera di spinte contrastanti: la tendenza alla prosa lirica (*T38.26*), l'affermazione di generosi ideali umanitari e progressisti, il bisogno di rappresentare con crudezza i momenti più duri della Resistenza e della vita popolare (*T38.27*).

Scena da *La terra trema* di Luchino Visconti (1948)

Elio Vittorini

Elio Vittorini (1908-1966), nato a Siracusa da genitori di condizioni modeste, a sedici anni abbandonò la famiglia e gli studi. Nel 1930 si stabilì a Firenze, dove lavorò come correttore di bozze; in quegli anni si accostò al fascismo di sinistra, ma contemporaneamente collaborò a "Solaria", su cui pubblicò a puntate il primo romanzo (*Il garofano rosso*, 1933-34). Nel 1936 la guerra di Spagna lo indusse a prendere le distanze dal fascismo e gli ispirò lo spunto per il suo capolavoro, *Conversazione in Sicilia* (1939). Nel 1939 si trasferì a Milano e lavorò come traduttore, contribuendo insieme con Pavese alla diffusione della letteratura americana: nel 1941 pubblicò l'antologia *Americana*, che ebbe noie con la censura fascista. Avvicinatosi al Partito comunista clandestino, partecipò alla Resistenza; l'esperienza di quegli anni è riflessa in *Uomini e no* (1945). Nel dopoguerra fondò e diresse "Il Politecnico" (1945-47), la rivista che raccolse i più importanti intellettuali del tempo intorno a un progetto di rinnovamento culturale (*T37.23*) e che finì in seguito alla polemica con Togliatti, segretario del P.C.I., sul rapporto tra politica e cultura. Pubblicò ancora due romanzi, *Il Sempione strizza l'occhio al Frejus* (1947) e *Le donne di Messina* (1949), entrambi sui problemi della ricostruzione. Abbandonato definitivamente il P.C.I. nel 1951, continuò a dedicarsi all'attività di organizzatore di cultura, prima dirigendo presso Einaudi la collana dei "Gettoni" (1951-58), e poi fondando con Calvino "Il Menabò" (1959).

▶ **T37.23** **T38.26** **T38.27**

T38.26

Gli «astratti furori»

Vittorini scrisse Conversazione in Sicilia *nell'inverno 1936-37 e lo pubblicò in cinque puntate sulla rivista fiorentina "Letteratura" nel 1938-39; ristampato in volume nel 1941, il romanzo ebbe notevole successo, ma fu sequestrato dalla censura fascista. La vicenda si colloca nel 1936, all'inizio della guerra civile in Spagna; il protagonista che narra in prima persona, Silvestro, tipografo in una città dell'Italia settentrionale, intraprende un viaggio verso la sua terra d'origine, la Sicilia, alla ricerca delle proprie radici. Il romanzo è il resoconto delle sue conversazioni con i personaggi che incontra durante il viaggio e poi nel paese d'origine: con la madre, che gli fa riscoprire la propria infanzia; con tre personaggi del paese (l'arrotino, il sellaio e il commerciante di stoffe), che gli rivelano la condizione del genere umano "perduto", "offeso"; infine con un soldato morto, in cui riconosce il proprio fratello. Nell'epilogo Silvestro, dopo aver rivisto anche il padre, ritorna verso il Nord. Presentiamo il primo capitolo.*

Elio Vittorini
CONVERSAZIONE
IN SICILIA
(Cap. I, Rizzoli,
Milano, 1988)

1. **astratti furori**: un inquieto desiderio di azione che non trova sbocchi nella realtà.
2. **manifesti... squillanti**: manifesti di giornali che riportavano notizie clamorose (*squillanti*): quelle della guerra di Spagna.

Io ero, quell'inverno, in preda ad astratti furori[1]. Non dirò quali, non di questo mi son messo a raccontare. Ma bisogna dica ch'erano astratti, non eroici, non vivi; furori, in qualche modo, per il genere umano perduto. Da molto tempo questo, ed ero col capo chino. Vedevo manifesti di giornali squillanti[2] e chinavo il capo; vedevo amici, per un'ora, due ore, e stavo con loro senza dire una parola, chinavo il capo; e avevo una ragazza o moglie che mi aspettava ma neanche con lei dicevo una parola, anche con lei chinavo il capo. Pioveva intanto e passavano i giorni, i mesi, e io avevo le scarpe rotte, l'acqua che mi entrava nelle scarpe, e non vi era più altro che questo: pioggia, massacri sui manifesti dei giornali, e acqua nelle mie scarpe rotte, muti amici, la vita in me come un sordo sogno, e non speranza, quiete.

Questo era il terribile: la quiete nella non speranza. Credere il genere umano perduto e non aver febbre di fare qualcosa in contrario, voglia di perdermi, ad esempio, con lui. Ero agitato da astratti furori, non nel sangue, ed ero quieto, non avevo voglia di nulla. Non mi importava che la mia ragazza mi aspettasse; raggiungerla o no, o sfogliare un dizionario era per me lo stesso; e uscire a vedere gli amici, gli altri, o restare in casa era per me lo stesso. Ero quieto; ero come se non avessi mai avuto un giorno di vita, né mai saputo che cosa significa esser felici, come se non avessi nulla da dire, da affermare, da negare, nulla di mio da mettere in gioco, e nulla da ascoltare, da dare e nessuna disposizione a ricevere[3], e come se mai in tutti i miei anni di esistenza avessi mangiato pane, bevuto vino, o bevuto caffè, mai stato a letto con una ragazza, mai avuto dei figli, mai preso a pugni qualcuno, o non credessi tutto questo possibile, come se mai avessi avuto un'infanzia in Sicilia tra i fichidindia e lo zolfo, nelle montagne; ma mi agitavo entro di me per astratti furori, e pensavo il genere umano perduto, chinavo il capo, e pioveva, non dicevo una parola agli amici, e l'acqua mi entrava nelle scarpe.

15

20

25

3. **nulla da ascoltare... ricevere**: incapacità di ascoltare gli altri, di dare o ricevere sostegno morale.

dialogo con il testo

I temi

Il capitoletto presenta lo stato d'animo di prostrazione da cui prenderà le mosse il viaggio del protagonista alla ricerca delle proprie origini, di qualcosa che ridia senso all'esistenza.

Disseminati in un testo che vuole avere l'apparenza casuale del discorso orale, si possono rintracciare i temi che sono il punto di partenza del romanzo:
– l'incombere di una tragedia storica che fa disperare dell'umanità;
– il senso di ribellione impotente, di doloroso distacco dalla realtà e di incapacità a modificarla;
– il conseguente stato di inerzia, che spegne ogni impulso vitale;
– la miseria materiale che fa da sfondo a quella spirituale.
? Individuate nel testo questi temi.

Anche se Vittorini, in una nota alla fine del libro, dichiara che nel romanzo non c'è nulla di personale, è possibile vederci un motivo autobiografico: la crisi di Silvestro allude alla crisi della generazione dell'autore, che di fronte alla guerra di Spagna e all'intervento fascista perde le certezze e la fiducia nella società.

Le forme

Il lavoro stilistico di Vittorini muove in una duplice direzione: da un lato imitare le cadenze della lingua parlata, dall'altro caricare questa lingua di effetti musicali, di risonanze indefinite, fino a ottenere un nuovo genere di prosa lirica. Alcuni procedimenti adottati per ottenere questo effetto sono:
– il predominio della paratassi;
– le ripetizioni e i parallelismi, tipici del parlato, sono utilizzati come riprese ritmiche, che danno al discorso un tono solenne e commosso («Vedevo... e chinavo...; vedevo... e stavo...»);
– molte espressioni, volutamente generiche e indeterminate, si circondano di un alone favoloso («un'infanzia in Sicilia tra i fichidindia e lo zolfo»);
– altre espressioni, usuali e concrete, sono caricate di valori simbolici («io avevo le scarpe rotte, l'acqua che mi entrava nelle scarpe»).
? Individuate altri esempi dei procedimenti indicati.

L'intento dichiarato dell'autore era di portare nel romanzo un linguaggio lirico e musicale, in sintonia con la poetica dell'ermetismo e con la narrativa della memoria, dominanti in quegli anni a Firenze (vedi Vol. G *T32.79*). Il procedere per coordinazione, per accostamento di immagini, crea un ritmo rallentato e cadenzato che suggerisce l'idea di una situazione statica, quasi sognata, non collocata in un preciso spazio e tempo.

? In base a queste considerazioni, ci si può chiedere se per questo testo si possa parlare di "realismo", o entro quali limiti se ne possa parlare. Dopo aver discusso la questione, scrivete un breve testo in proposito.

Elio Vittorini

T38.27

Notizie
sull'autore T38.26

L'uomo e il cane

Il romanzo Uomini e no, *composto durante la Resistenza, fu pubblicato nel giugno del 1945, subito dopo la Liberazione, con grande successo di pubblico, e in seguito più volte rimaneggiato; tra le opere di Vittorini è quella che più risponde all'esigenza di realismo e di impegno politico propria di quegli anni.*

La vicenda è ambientata a Milano nell'inverno del 1944; il protagonista Enne 2 (un nome di battaglia) è un intellettuale che partecipa alla Resistenza. La narrazione intreccia le azioni di sabotaggio e le rappresaglie, l'analisi del contrasto fra un intellettuale immerso nelle sue contraddizioni e gli uomini del popolo più semplici e spontanei, la storia dell'amore del protagonista per una donna sposata, amata in passato, che ritrova per caso in quell'inverno; il romanzo si conclude con la morte di Enne 2. Nel testo, alla narrazione in terza

persona si alterna la voce dell'autore che dialoga direttamente con Enne 2, commentando gli eventi ed evocando momenti della sua infanzia, in una continua sovrapposizione di passato e presente. Queste parti, evidenziate dal carattere corsivo, costituiscono pause liriche nella narrazione e contribuiscono a immergere la realtà storica in un'atmosfera mitica.

Il brano che presentiamo è una delle pagine più drammatiche del romanzo. I nazi-fascisti hanno ucciso per rappresaglia cittadini inermi e hanno esposto i loro corpi nella piazza; Giulaj, un venditore ambulante, mentre cerca di coprire il cadavere di un vecchio, viene assalito da alcuni soldati e azzannato da un cane, che uccide con una lama. Trasferito in carcere, è vittima di una terribile esecuzione, voluta dall'ufficiale nazista proprietario del cane ucciso.

Elio Vittorini
UOMINI E NO
(Capp. CI-CIV,
Mondadori, Milano,
1974)

CI. Egli[1] guardò i militi che facevano cerchio, Giulaj in mutandine, e si   1
chinò a liberare i cani, di nuovo, dal guinzaglio. Restò, tra i due cani, chino, grattando loro nel pelo della nuca.

«Perché non ti sei spogliato?» chiese a Giulaj.

«Capitano!» Giulaj rispose. «Sono nudo!»   5

Col frustino dall'orecchia di cuoio Clemm indicò le mutande. «Hai ancora questo!»

«Debbo togliermi,» disse Giulaj, «anche le mutande?»

Quando l'uomo fu nudo del tutto, con solo le calze e le pantofole ai piedi, il capitano gli chiese: «Quanti anni hai?»   10

«Ventisette,» Giulaj rispose.

«Ah!» il capitano disse. Lo interrogava, da chino, tra i due cani fermi sotto le sue dita. «Ventisette?» E andò avanti a interrogare. «Abiti a Milano?»

«Abito a Milano.»   15

«Ma sei di Milano?»

«Sono di Monza.»

«Ah! Di Monza! Sei nato a Monza?»

«Sono nato a Monza.»

«Monza! Monza! E hai il padre? Hai la madre?»   20

1. **Egli**: l'ufficiale nazista Clemm.

«Ho la madre. A Monza.»

«Una vecchia madre?»

«Una vecchia madre.»

«Non abiti con lei?»

«No, capitano. La mia vecchia madre abita a Monza. Io invece abito qui 25
a Milano.»

«Dove abiti qui a Milano?»

«Fuori Porta Garibaldi.»

«Capisco,» il capitano disse. «In una vecchia casa?»

«In una vecchia casa.» 30

«In una sola vecchia stanza?»

«In una sola vecchia stanza.»

«E come vi abiti? Vi abiti solo?»

«Mi sono sposato l'anno scorso, capitano.»

«Ah! Sei sposato?» 35

Egli voleva conoscere che cos'era quello che stava distruggendo; il vecchio e il vivo, e dal basso, tra i cani, guardava l'uomo nudo davanti a sé.

«È una giovane moglie che hai?»

«È giovane. Due anni meno di me.»

«Ah, così? Carina anche?» 40

«Per me è carina, capitano.»

«E un figlio non l'hai già?»

«Non l'ho, capitano.»

«Non lo aspetti nemmeno?»

«Nemmeno.» 45

Sembrava che volesse tutto di quell'uomo sotto i suoi colpi. Non che
per lui fosse uno sconosciuto. Che fosse davvero una vita. O voleva soltanto una ripresa, e riscaldar l'aria di nuovo[2].

«E il mestiere che fai? Qual è il mestiere che fai?»

«Venditore ambulante.» 50

«Come? Venditore ambulante? Giri e vendi?»

«Giro e vendo.»

«Ma guadagni poco o niente.»

Qui il capitano parlò ai cani. «*Zu!*[3]» disse loro. «*Zu!*»

Li lasciò e i due cani si avvicinarono a Giulaj. 55

«*Fange ihn!*[4]» egli gridò.

I cani si fermarono ai piedi dell'uomo, gli annusavano le pantofole, ma
Gudrun[5] ringhiava anche.

«Vuol farti paura,» Manera[6] disse. «Non aver paura.»

Giulaj indietreggiava, e si trovò contro il muro. Gudrun gli addentò 60
una pantofola.

«Lasciale la pantofola,» Manera disse.

Gudrun si accovacciò con la pantofola tra le zanne, lacerandola nel suo
ringhiare.

«*Fange ihn!*» ordinò a Blut[7] il capitano. 65

Ma Blut tornò al mucchio di stracci in terra.

«*Zu! Zu!*» ripeté il capitano. «*Fange ihn!*»

---

2. **una ripresa... di
nuovo**: ricreare una
tensione, il disagio e
la paura dell'uomo.
3. *Zu!*: in tedesco è
una preposizione di
moto; in questo caso
significa "addosso!".
4. *Fange ihn!*: "pren-
dilo!"
5. **Gudrun**: nome
femminile tedesco di
una cagna dell'ufficia-
le nazista.
6. **Manera**: uno dei
militi fascisti che col-
laboravano coi tede-
schi, che già conosce-
va Giulaj.
7. **Blut**: l'altro cane
dell'ufficiale ("San-
gue", in tedesco).

CII. Quello dal grande cappello e dallo scudiscio[8] scosse allora il capo. Egli aveva capito. Fece indietreggiare i militi fino a metà del cortile, e raccolse uno straccio dal mucchio, lo gettò su Giulaj.

«Zu! Zu! Piglialo!» disse al cane. E al capitano disse: «Non devono pigliarlo?»

Il cane Blut si era lanciato dietro lo straccio, e ai piedi di Giulaj lo prese da terra dov'era caduto, lo riportò nel mucchio.

«Mica vorranno farglielo mangiare,» Manera disse.

I militi ora non ridevano, da qualche minuto.

«Ti pare?» disse il Primo[9].

«Se volevano toglierlo di mezzo,» il Quarto disse, «lo mandavano con gli altri all'Arena[10].»

«Perché dovrebbero farlo mangiare dai cani?» disse il Quinto.

«Vogliono solo fargli paura,» disse il Primo.

Il capitano aveva strappato a Gudrun la pantofola, e la mise sulla testa dell'uomo.

«Zu! Zu!» disse a Gudrun.

Gudrun si gettò sull'uomo, ma la pantofola cadde, l'uomo gridò, e Gudrun riprese in bocca, ringhiando, la pantofola.

«Oh!» risero i militi.

Risero tutti, e quello dal grande cappello disse: «Non sentono il sangue». Parlò al capitano più da vicino. «No?» gli disse.

Gli stracci, allora, furono portati via dai ragazzi biondi[11] per un ordine del capitano, e quello dal grande cappello agitò nel buio il suo scudiscio, lo fece due o tre volte fischiare.

«Fscì» fischiò lo scudiscio.

Fischiò sull'uomo nudo, sulle sue braccia intrecciate intorno al capo e tutto lui che si abbassava, poi colpì dentro a lui.

L'uomo nudo si tolse le braccia dal capo.

Era caduto e guardava. Guardò chi lo colpiva, sangue gli scorreva sulla faccia, e la cagna Gudrun sentì il sangue.

«Fange ihn! Beisse ihn!»[12] disse il capitano.

Gudrun addentò l'uomo, strappando dalla spalla.

«An die Gurgel[13],» disse il capitano.

CIII. Era buio, i militi si ritirarono dal cortile, e nel corpo di guardia Manera disse: «Credevo che volesse fargli solo paura».

Si sedettero.

«Perché poi?» disse il Primo. «Strano!»

«Non potevano mandarlo con gli altri all'Arena?» disse il Terzo.

«Forse è uno di quelli di stanotte[14],» il Quarto disse.

«E non potevano mandarlo con gli altri all'Arena?»

«Oh!» Manera disse. «Verrebbe voglia di piantare tutto.»

«Ci rimetteresti tremila e tanti al mese.»

«Non potrei andare nella Todt[15]? Anche nella Todt pagano bene.»

«Mica tremila e tanti.»

«E poi è lavorare.»

70

75

80

85

90

95

100

105

110

8. **Quello... scudiscio**: il feroce capo di una banda di militi fascisti, detto "Cane nero", principale avversario del protagonista del romanzo Enne 2.
9. **il Primo**: in questo modo vengono designati anonimi militi fascisti che assistono alla scena.
10. **all'Arena**: il luogo dove venivano eseguite le fucilazioni.
11. **ragazzi biondi**: i soldati tedeschi.
12. *Beisse ihn!*: "azzannalo!".
13. *An die Gurgel*: "alla gola".
14. **uno... stanotte**: durante la notte una squadra partigiana aveva fatto irruzione nel tribunale militare e ucciso alcuni soldati tedeschi e fascisti.
15. **Todt**: un'organizzazione che eseguiva lavori di supporto alle forze armate tedesche, reclutando lavoratori nei paesi occupati; così detta dal nome del suo fondatore.

«È lavorare molto?»

Sedevano; un po' in disparte dagli altri militi che erano nel corpo di guardia, riuniti in quattro da quello che avevano veduto, e parlavano senza continuità, con pause lunghe; e pur seguivano il loro filo, lo lasciavano, lo riprendevano.

[...]

CIV. *L'uomo, si dice. E noi pensiamo a chi cade, a chi è perduto, a chi piange e ha fame, a chi ha freddo, a chi è malato, e a chi è perseguitato, a chi viene ucciso. Pensiamo all'offesa che gli è fatta, e la dignità di lui. Anche a tutto quello che in lui è offeso, e ch'era, in lui, per renderlo felice. Questo è l'uomo.*

Ma l'offesa che cos'è? È fatta all'uomo e al mondo. Da chi è fatta? E il sangue che è sparso? La persecuzione? L'oppressione?

Chi è caduto anche si alza. Offeso, oppresso, anche prende su le catene dai suoi piedi e si arma di esse: è perché vuol liberarsi, non per vendicarsi. Questo anche è l'uomo. Il Gap[16] anche? Perdio se lo è! Il Gap anche, come qui da noi si chiama ora, e comunque altrove si è chiamato. Il Gap anche. Qualunque cosa lo è anche, che venga su dal mondo offeso e combatta per l'uomo. Anch'essa è l'uomo.

Ma l'offesa in se stessa? È altro dall'uomo? È fuori dall'uomo?

Noi abbiamo Hitler oggi. E che cos'è? Non è uomo? Abbiamo i tedeschi suoi. Abbiamo i fascisti. E che cos'è tutto questo? Possiamo dire che non è, questo anche, nell'uomo? Che non appartenga all'uomo?

Abbiamo Gudrun, la cagna. Che cos'è questa cagna? Abbiamo il cane Kaptän Blut. Che cosa sono questi due cani? E il capitano Clemm, che cos'è? E il colonnello Giuseppe-e-Maria? E il prefetto Pipino? E Manera Milite? E i militi? Noi li vediamo. Sappiamo che cosa possono dire e che cosa possono fare. Ma che cosa sono? Non dell'uomo? Non appartengono all'uomo?

115

120

125

130

135

16. **Gap**: Gruppi di Azione Patriottica, squadre di partigiani che operavano nelle città.

dialogo con il testo

I temi

Il titolo *Uomini e no* rimanda a un'opposizione netta, senza sfumature, tra il bene e il male, identificati con la lotta partigiana e l'occupazione nazista. Da una parte abbiamo una vittima innocente, commovente nella sua mitezza disarmata, dall'altra la crudeltà disumana dei suoi persecutori.

❓ Tra i due estremi si collocano i militi fascisti, personaggi in cui l'autore ha riassunto atteggiamenti frequenti in chi si trova coinvolto in tragedie più grandi di lui. Su di loro l'autore non formula giudizi espliciti. A vostro parere un giudizio morale è sottinteso, e se sì, quale? Basate la vostra risposta su riferimenti al testo.

Appare evidente il tentativo di Vittorini di conciliare il realismo con modi allegorici e simbolici: nella parte in cui è descritta l'esecuzione di Giulaj prevale una narrazione oggettiva, nella parte in corsivo il dato reale viene trasferito sul piano di una riflessione generale sull'uomo, che sfocia in un interrogativo che non ha risposta: "l'essere fascisti", ovvero la disumanità, la malvagità sono anch'essi elementi costitutivi dell'uomo?

Le forme

Come in altre pagine di Vittorini, prevale il dialogo costruito con brevi e rapide battute, che conferisce al testo un carattere quasi teatrale.

❓ L'opposizione tra la parte narrativa e la parte lirica in corsivo è attenuata, a nostro parere, da una sostanziale omogeneità di procedimenti stilistici. Confrontando i due brani da questo punto di vista, dite se condividete questa valutazione e perché.

❓ Nella parte narrativa è introdotta una forte ellissi, che risparmia al lettore i particolari più orrendi dell'episodio; a vostro parere quali motivi artistici possono avere spinto l'autore a questa scelta?

Cesare Pavese

L'opera di Pavese si colloca nel clima del neorealismo per l'interesse verso il mondo popolare, ma con l'intento consapevole di trasfigurare la realtà in "mito"; così gli aspetti realistici si fondono con elementi soggettivi e lirici. Nelle opere più mature i protagonisti sono intellettuali inquieti, psicologicamente complessi, e la narrazione è condotta come rievocazione della memoria; nasce così un'arte finemente elaborata nell'intreccio dei piani temporali, nella sottigliezza psicologica, nell'impasto linguistico.

Cesare Pavese (1908-1950) nacque a Santo Stefano Belbo, nelle Langhe, e trascorse la maggior parte della vita a Torino. Si laureò nel 1930 con una tesi su Walt Whitman; restò centrale nella sua cultura l'interesse per la letteratura americana, che fece conoscere in Italia con traduzioni e saggi. Dopo la laurea iniziò la collaborazione con la casa editrice Einaudi, che continuò per tutta la vita. Al liceo si era legato a un gruppo di giovani intellettuali antifascisti; nel 1935-36, coinvolto nel processo ad alcuni di loro, scontò un periodo di confino a Brancaleone Calabro; qui iniziò a scrivere il suo diario, pubblicato postumo con il titolo *Il mestiere di vivere*. Intanto usciva per le edizioni di "Solaria" la sua raccolta di poesie *Lavorare stanca* (Vol. G *T32.54*). Durante la guerra e la Resistenza Pavese stette nascosto in casa della sorella. Dopo la liberazione si iscrisse al P.C.I. e divenne una figura di punta della cultura italiana. Intanto aveva crescente successo la sua opera narrativa, che include i romanzi *Paesi tuoi* (1941), *Il compagno* (1947), *La casa in collina* (1948) *La luna e i falò* (1950), le raccolte di racconti *Feria d'agosto* (1946) e *La bella estate* (1949), le prose filosofiche dei *Dialoghi con Leucò* (1947). Una serie di vicende d'amore infelici, tra cui la passione per un'attrice americana che gli ispirò l'ultima raccolta poetica *Verrà la morte e avrà i tuoi occhi* (Vol. G *T32.55*), e le sue irrisolte inquietudini interiori, lo spinsero, il 27 agosto del 1950, al suicidio.

▶Vol. G **T32.54** **T32.55**
T38.28-T38.30

T38.28

La collina

Il romanzo breve La casa in collina *fu pubblicato nel 1948 insieme con il racconto* Il carcere, *sotto il titolo* Prima che il gallo canti *(che allude all'episodio del Vangelo in cui Pietro tradisce Gesù, e implicitamente ai sensi di colpa dell'autore). La storia è ambientata nel 1943-1944, durante la fase cruciale della guerra e l'inizio della Resistenza; Corrado, il protagonista, è un professore di scienze, che tutte le sere, per sfuggire ai bombardamenti, lascia Torino e si rifugia sulle colline. Qui incontra, in mezzo a un gruppo di sfollati, Cate, una ragazza con la quale in precedenza aveva avuto una relazione, accompagnata dal figlio Dino, che per la sua età potrebbe essere nato dal loro rapporto.*

Corrado si affeziona al ragazzo, ma Cate non afferma né nega mai esplicitamente la paternità di Corrado. Intanto incalzano gli avvenimenti: Cate e i suoi amici, impegnati in attività partigiane, vengono arrestati, Corrado e Dino si rifugiano in un convento. Mentre il ragazzo va a raggiungere i partigiani in montagna, Corrado ritorna a piedi, di collina in collina, al paese natale, nelle Langhe, da dove narra la storia. Il romanzo si chiude con le riflessioni di Corrado, che avverte un profondo senso di colpa per non avere partecipato agli eventi, e di impotenza di fronte alla violenza della storia. Il brano che segue è la pagina iniziale.

T38.28

I GENERI: *Secondo Novecento*

Cesare Pavese
LA CASA IN
COLLINA
(Cap. I, in *Prima che
il gallo canti*, Einaudi,
Torino, 1964)

Già in altri tempi si diceva la collina come avremmo detto il mare o la boscaglia[1]. Ci tornavo la sera, dalla città che si oscurava[2], e per me non era un
luogo tra gli altri, ma un aspetto delle cose, un modo di vivere. Per esempio, non vedevo differenza tra quelle colline e queste antiche dove giocai
bambino e adesso vivo[3]: sempre un terreno accidentato e serpeggiante, coltivato e selvatico, sempre strade, cascine e burroni. Ci salivo la sera come se
anch'io fuggissi il soprassalto notturno degli allarmi[4], e le strade formicola-
vano di gente, povera gente che sfollava a dormire magari nei prati, portandosi il materasso sulla bicicletta o sulle spalle, vociando e discutendo,
indocile, credula e divertita.

Si prendeva la salita, e ciascuno parlava della città condannata, della
notte e dei terrori imminenti. Io che vivevo da tempo lassù, li vedevo a poco a poco svoltare e diradarsi, e veniva il momento che salivo ormai solo,
tra le siepi e il muretto. Allora camminavo tendendo l'orecchio, levando gli
occhi agli alberi familiari, fiutando le cose e la terra. Non avevo tristezze,
sapevo che nella notte la città poteva andare tutta in fiamme e la gente morire. I burroni, le ville e i sentieri si sarebbero svegliati al mattino calmi e
uguali. Dalla finestra sul frutteto avrei ancora veduto il mattino. Avrei dormito dentro un letto, questo sì. Gli sfollati dei prati e dei boschi sarebbero
ridiscesi in città come me, solamente più sfiancati e intirizziti di me. Era
estate, e ricordavo altre sere quando vivevo e abitavo in città, sere che anch'io ero disceso a notte alta cantando o ridendo, e mille luci punteggiava-
no la collina e la città in fondo alla strada. La città era come un lago di luce. Allora la notte si passava in città. Non si sapeva ch'era un tempo così
breve[5]. Si prodigavano amicizia e giornate negli incontri più futili. Si viveva, o così si credeva, con gli altri e per gli altri.

Devo dire – cominciando questa storia di una lunga illusione[6] – che la
colpa di quel che mi accadde non va data alla guerra. Anzi la guerra, ne sono certo, potrebbe ancora salvarmi. Quando venne la guerra, io da un pezzo vivevo nella villa lassù dove affittavo quelle stanze, ma se non fosse che il
lavoro mi tratteneva a Torino, sarei già allora tornato nella casa dei miei
vecchi, tra queste altre colline. La guerra mi tolse soltanto l'estremo scrupolo di starmene solo, di mangiarmi da solo gli anni e il cuore, e un bel
giorno mi accorsi che Belbo, il grosso cane, era l'ultimo confidente sincero
che mi restava. Con la guerra divenne legittimo chiudersi in sé, vivere alla
giornata, non rimpiangere più le occasioni perdute. Ma si direbbe che la
guerra io l'attendessi da tempo e ci contassi, una guerra così insolita e vasta
che, con poca fatica, si poteva accucciarsi e lasciarla infuriare, sul cielo delle città, rincasando in collina. Adesso accadevano cose che il semplice vivere senza lagnarsi, senza quasi parlarne, mi pareva un contegno[7]. Quella
specie di sordo rancore in cui s'era conchiusa la mia gioventù, trovò con la
guerra una tana e un orizzonte.

1

5

10

15

20

25

30

35

40

**1. Già in altri... la
boscaglia**: "la colli-
na", al singolare, non
è un luogo specifico,
ma un ambiente.
2. che si oscurava:
durante la guerra era
obbligatorio l'oscura-
mento per non forni-
re punti di riferimen-
to ai bombardieri.
**3. tra quelle
colline... e adesso
vivo**: Corrado, men-
tre narra, si trova sul-
le colline delle Lan-
ghe (*queste*), mentre
le colline che rievoca
sono quelle di Torino
(*quelle*); il momento
in cui il protagonista
narra è incluso nel
racconto, creando in-
trecci tra passato e

presente.
**4. come se anch'io...
degli allarmi**: gli al-
larmi avvertivano la
popolazione delle in-
cursioni aeree, col

suono di sirene; il
narratore sottolinea la
propria diversità dagli
altri (*come se
anch'io...*).
5. ch'era un tempo

così breve: che quella
vita spensierata sareb-
be stata presto tronca-
ta dalla guerra.
**6. una lunga illusio-
ne**: l'illusione di po-

tersi isolare dagli altri
e astrarre dagli avve-
nimenti della storia.
7. un contegno: un
comportamento di-
gnitoso.

dialogo con il testo

I temi

L'inizio del romanzo intreccia narrazione e riflessione, rispecchiando il carattere tortuoso del protagonista che narra in prima persona: un intellettuale incapace di vivere la vita semplice degli altri, impigliato in una continua analisi della propria estraneità alla vita.

❓ Rintracciate nel brano le varie manifestazioni degli atteggiamenti fondamentali del protagonista:
– il senso della propria diversità dalla gente comune;
– l'indifferenza (vera, o assunta come posa?) per la tragedia della guerra;
– la guerra ridotta a pretesto per garantire le proprie scelte esistenziali;
– il mito della collina come luogo di una natura intatta, non coinvolta nelle vicende della storia.

Le forme

❓ In modo complicato eppure condotto con naturalezza, tra svolte improvvise della memoria, il narratore intreccia tre piani temporali: un passato più re-moto, un passato più recente, e il presente del momento in cui narra. Analizzate le alternanze e i passaggi fra i tre tempi.

Pavese usa una sintassi semplice, che predilige le frasi brevi e coordinate, come se mimasse il parlato spontaneo. Questa prosa è però estremamente curata nelle sue scansioni ritmiche: si osservino le anafore e i parallelismi («ci tornavo la sera... ci salivo la sera», righe 2, 6; «sempre... sempre», righe 5, 6), le serie ternarie («camminavo tendendo l'orecchio, levando gli occhi... fiutando le cose», righe 15-16; «indocile, credula, divertita», riga 10; «i burroni, le ville, i sentieri», riga 17).

❓ Il lessico è in buona parte usuale; ma dalle parole di sapore familiare scaturiscono di tanto in tanto metafore di forte potere evocativo: individuatene alcuni esempi.

Per la scrittura di Pavese si è parlato di "realismo lirico": un singolare impasto di aderenza alla realtà quotidiana e di lirismo soggettivo.

Cesare Pavese

T38.29

Notizie sull'autore T38.28

L'arresto di Cate

Siamo a una svolta cruciale de La casa in collina. *Ci troviamo ancora tra gli sfollati delle Langhe; Cate (la ragazza con cui Corrado, che narra in prima persona, ha* avuto una relazione in passato) e i suoi amici svolgono attività antifascista. Un giorno Corrado, andando verso la loro casa, ha un brutta sorpresa.*

Cesare Pavese
LA CASA IN COLLINA
(Cap. XVI, in *Prima che il gallo canti*, Einaudi, Torino, 1964)

Seguì una notte di tiepida di pioggia che liberò la primavera. L'indomani   1
nel sereno stillante[1] si respirava un odore di terra. Passai metà della mattina
nei boschi, nella conca sul sentiero del Pino[2] ritrovando i muschi e i vecchi
tronchi. Mi parve ieri che c'ero salito con Dino[3], mi chiesi per quanto
tempo ancora sarebbe stato il mio solo orizzonte, e guardavo il cielo fresco   5
come una vetrata di chiesa. Belbo[4] correva al mio fianco.
    Tornando passai per una cresta da cui si dominava il versante delle Fontane[5]. Molte volte con Dino avevamo cercato di lassù lo stradone e la casa.

1. **nel sereno stillante**: nella giornata serena, ma ancora umida di pioggia.
2. **Pino**: località della collina torinese.
3. **Dino**: il figlio di Cate, di nove anni, forse nato dalla relazione che Corrado ha avuto con lei.
4. **Belbo**: il cane dei padrone di casa di Corrado; il nome ricorda il fiume delle Langhe.
5. **Fontane**: il casolare e osteria dove dormivano Cate e i suoi amici.

dialogo con il testo

I temi

Nel rapporto con Cate e i suoi amici si condensano le contraddizioni del protagonista, i suoi sentimenti di impotenza e di colpa. Loro sono operai, gente semplice e schietta, che non esita a schierarsi nella lotta antifascista e assumersene i rischi; lui li ammira, ma quando è invitato a unirsi a loro trova mille giustificazioni per sottrarsi nei suoi dubbi, nelle sue ironie, nelle sue complicazioni di intellettuale. L'arresto di Cate e degli altri lo fa precipitare in un sentimento di inutilità e in un'aperta autoaccusa di vigliaccheria.

☑ L'episodio si apre con notazioni paesistiche, che sottolineano la serena luminosità della natura, a contrasto con la drammaticità degli eventi che seguiranno; a vostro parere, quale significato l'autore attribuisce a questo contrasto? Tenete presente il mito della collina che si delinea nella prima pagina del romanzo (*T38.28*).

☑ La narrativa neorealista della Resistenza aveva di solito intenti educativi e celebrativi; provate a valutare se Pavese ha voluto rifiutare questa tendenza, o la ha svolta in modo complesso e originale.

Le forme

La scena dell'arresto è descritta in modo rapido ed essenziale, senza indugi emotivi; immedesimato nel punto di vista del narratore, il lettore ripercorre con lui passo passo la presa di coscienza di ciò che sta accadendo, l'accumularsi delle notizie inquietanti.

☑ La paura del protagonista è rappresentata prevalentemente in modo indiretto, attraverso sensazioni fisiche. Indicate i passi relativi.

☑ Un'invenzione narrativa efficace è il far assistere Corrado alla scena dell'arresto da lontano; quale valore simbolico attribuireste a questa lontananza?

Cesare Pavese

T38.30

Notizie sull'autore **T38.28**

Il ritorno

La luna e i falò, l'ultimo romanzo di Pavese, fu scritto nel 1949 e pubblicato nel 1950. Protagonista e narratore del racconto è un emigrante che dopo aver fatto fortuna in America torna al suo paese, nelle Langhe, da cui manca da vent'anni. Qui ritrova un amico di gioventù, che lo accompagna a visitare i luoghi del suo passato e lo informa su quel che è accaduto durante la guerra, che ha spazzato via diverse persone a lui note. Durante la sua permanenza al paese accade poi una disgrazia: un contadino, colto da follia, brucia la ca- *scina dove il personaggio narrante era cresciuto, uccide i suoi familiari e si impicca. Al protagonista pare che quel rogo cancelli tutto il suo passato; i falò della sua giovinezza non sono più quelli che, secondo la tradizione contadina, servivano a risvegliare la natura perché riprendesse il suo ciclo come la luna, ma sono simbolo di morte e distruzione. Il ritorno al paese per ritrovare le proprie radici si rivela dunque un fallimento: il mondo dell'infanzia non è recuperabile. Riproduciamo il capitolo introduttivo del romanzo.*

C'è una ragione perché sono tornato in questo paese, qui e non invece a Canelli, a Barbaresco o in Alba[1]. Qui non ci sono nato, è quasi certo; dove son nato non lo so; non c'è da queste parti una casa né un pezzo di terra né

1

1. **Canelli... Alba:** paesi e cittadine delle Langhe.

delle ossa ch'io possa dire «Ecco cos'ero prima di nascere»[2]. Non so se vengo dalla collina o dalla valle, dai boschi o da una casa di balconi. La ragazza che mi ha lasciato sugli scalini del duomo di Alba, magari non veniva neanche dalla campagna, magari era la figlia dei padroni di un palazzo, oppure mi ci hanno portato in un cavagno[3] da vendemmia due povere donne da Monticello, da Neive o perché no da Cravanzana. Chi può dire di che carne sono fatto? Ho girato abbastanza il mondo da sapere che tutte le carni sono buone e si equivalgono, ma è per questo che uno si stanca e cerca di mettere radici, di farsi terra e paese, perché la sua carne valga e duri qualcosa di più che un comune giro di stagione.

Se sono cresciuto in questo paese, devo dir grazie alla Virgilia, a Padrino, tutta gente che non c'è più, anche se loro mi hanno preso e allevato soltanto perché l'ospedale di Alessandria gli passava la mesata[4]. Su queste colline quarant'anni fa c'erano dei dannati che per vedere uno scudo d'argento si caricavano un bastardo dell'ospedale, oltre ai figli che avevano già. C'era chi prendeva una bambina per averci poi la servetta e comandarla meglio; la Virgilia volle me perché di figlie ne aveva già due, e quando fossi un po' cresciuto speravano di aggiustarsi in una grossa cascina[5] e lavorare tutti quanti e star bene. Padrino aveva allora il casotto di Gaminella – due stanze e una stalla – la capra e quella riva dei noccioli[6]. Io venni su con le ragazze, ci rubavamo la polenta, dormivamo sullo stesso saccone, Angiolina la maggiore aveva un anno più di me; e soltanto a dieci anni, nell'inverno quando morì la Virgilia, seppi per caso che non ero suo fratello. Da quell'inverno Angiolina giudiziosa dovette smettere di girare con noi per la riva e per i boschi; accudiva alla casa, faceva il pane e le robiole[7], andava lei a ritirare in municipio il mio scudo; io mi vantavo con Giulia[8] di valere cinque lire, le dicevo che lei non fruttava niente e chiedevo a Padrino perché non prendevamo altri bastardi.

Adesso sapevo ch'eravamo dei miserabili, perché soltanto i miserabili allevano i bastardi dell'ospedale. Prima, quando correndo a scuola gli altri mi dicevano bastardo, io credevo che fosse un nome[9] come vigliacco o vagabondo e rispondevo per le rime. Ma ero già un ragazzo fatto e il municipio non ci pagava più lo scudo, che io ancora non avevo ben capito che non essere figlio di Padrino e della Virgilia voleva dire non essere nato in Gaminella, non essere sbucato da sotto i noccioli o dall'orecchio della nostra capra come le ragazze.

L'altr'anno, quando tornai la prima volta in paese[10], venni quasi di nascosto a rivedere i noccioli. La collina di Gaminella, un versante lungo e ininterrotto di vigne e di rive, un pendìo così insensibile che alzando la testa non se ne vede la cima – e in cima, chi sa dove, ci sono altre vigne, altri boschi, altri sentieri – era come scorticata dall'inverno, mostrava il nudo della terra e dei tronchi. La vedevo bene, nella luce asciutta, digradare gigantesca verso Canelli dove la nostra valle finisce. Dalla straduccia che segue il Belbo[11] arrivai alla spalliera del piccolo ponte e al canneto. Vidi sul ciglione la parete del casotto di grosse pietre annerite, il fico storto, la finestretta vuota, e pensavo a quegli inverni terribili. Ma intorno gli alberi e la terra erano cambiati; la macchia dei noccioli sparita, ridotta una stoppia di

2. **cos'ero... nascere**: l'ambiente in cui sono nato. Il protagonista che narra è un trovatello.

3. **cavagno**: paniere; è un termine dialettale.

4. **gli passava la mesata**: gli dava un assegno mensile per il mantenimento di un trovatello (*bastardo*).

5. **aggiustarsi... cascina**: sistemarsi in un podere grande, come affittuari o mezzadri; per questo occorrevano braccia da lavoro.

6. **riva dei noccioli**: un terreno lasciato a macchia, coperto degli arbusti che producono le nocciole.

7. **robiole**: un tipo di formaggio lombardo e piemontese.

8. **Giulia**: l'altra figlia della coppia che lo allevava.

9. **un nome**: un insulto.

10. **L'altr'anno... in paese**: il protagonista narrante è ritornato da un anno dall'America e si è stabilito a Genova, dove conduce un'attività commerciale; al paese ritorna nelle vacanze.

11. **Belbo**: un torrente delle Langhe.

meliga[12]. Dalla stalla muggì un bue, e nel freddo della sera sentii l'odore del letame. Chi adesso stava nel casotto non era dunque più così pezzente come noi. M'ero sempre aspettato qualcosa di simile, o magari che il casotto fosse crollato; tante volte m'ero immaginato sulla spalletta del ponte a chiedermi com'era stato possibile passare tanti anni in quel buco, su quei pochi sentieri, pascolando la capra e cercando le mele rotolate in fondo alla riva, convinto che il mondo finisse alla svolta dove la strada strapiombava sul Belbo. Ma non mi ero aspettato di non trovare più i noccioli. Voleva dire ch'era tutto finito. La novità mi scoraggiò al punto che non chiamai, non entrai sull'aia. Capii lì per lì che cosa vuol dire non essere nato in un posto, non averlo nel sangue, non starci già mezzo sepolto insieme ai vecchi, tanto che un cambiamento di colture non importi. Certamente, di macchie di noccioli ne restavano sulle colline, potevo ancora ritrovarmici; io stesso, se di quella riva fossi stato padrone, l'avrei magari roncata[13] e messa a grano, ma intanto adesso mi faceva l'effetto di quelle stanze di città dove si affitta, si vive un giorno o degli anni, e poi quando si trasloca restano gusci vuoti, disponibili, morti.

Meno male che quella sera voltando le spalle a Gaminella avevo di fronte la collina del Salto, oltre Belbo, con le creste, coi grandi prati che sparivano sulle cime. E più in basso anche questa era tutta vigne spoglie, tagliate da rive, e le macchie degli alberi, i sentieri, le cascine sparse erano come li avevo veduti giorno per giorno, anno per anno, seduto sul trave dietro il casotto o sulla spalletta del ponte. Poi, tutti quegli anni fino alla leva[14], ch'ero stato servitore alla cascina della Mora nella grassa piana oltre Belbo, e Padrino, venduto il casotto di Gaminella, se n'era andato con le figlie a Cossano, tutti quegli anni bastava che alzassi gli occhi dai campi per vedere sotto il cielo le vigne del Salto, e anche queste digradavano verso Canelli, nel senso della ferrata[15], del fischio del treno che sera e mattina correva lungo il Belbo facendomi pensare a meraviglie, alle stazioni e alle città.

Così questo paese, dove non sono nato, ho creduto per molto tempo che fosse tutto il mondo. Adesso che il mondo l'ho visto davvero e so che è fatto di tanti piccoli paesi, non so se da ragazzo mi sbagliavo poi di molto. Uno gira per mare e per terra, come i giovanotti dei miei tempi andavano sulle feste dei paesi intorno, e ballavano, bevevano, si picchiavano, portavano a casa la bandiera e i pugni rotti. Si fa l'uva e la si vende a Canelli; si raccolgono i tartufi e si portano in Alba. C'è Nuto, il mio amico del Salto, che provvede di bigonce e di torchi[16] tutta la valle fino a Camo. Che cosa vuol dire? Un paese ci vuole, non fosse che per il gusto di andarsene via. Un paese vuol dire non essere soli, sapere che nella gente, nelle piante, nella terra c'è qualcosa di tuo, che anche quando non ci sei resta ad aspettarti. Ma non è facile starci tranquillo. Da un anno che lo tengo d'occhio e quando posso ci scappo da Genova, mi sfugge di mano. Queste cose si capiscono col tempo e l'esperienza. Possibile che a quarant'anni, e con tutto il mondo che ho visto, non sappia ancora che cos'è il mio paese?

C'è qualcosa che non mi capacita. Qui tutti hanno in mente che sono tornato per comprarmi una casa, e mi chiamano l'Americano, mi fanno vedere le figlie[17]. Per uno che è partito senza nemmeno averci un nome,

55

60

65

70

75

80

85

90

95

12. **una stoppia di meliga**: residui della mietitura del mais (in piemontese *meliga*).
13. **roncata**: ripulita con la roncola dagli arbusti spontanei.
14. **alla leva**: al servizio militare.
15. **nel senso della ferrata**: nella direzione della ferrovia.
16. **bigonce... torchi**: recipienti per la raccolta dell'uva e macchine per la spremitura.
17. **mi fanno vedere le figlie**: pensano che sia tornato per sposarsi e sperano che scelga una loro figlia.

dovrebbe piacermi, e infatti mi piace. Ma non basta. Mi piace anche Genova, mi piace sapere che il mondo è rotondo e avere un piede sulle passerelle[18]. Da quando, ragazzo, al cancello della Mora mi appoggiavo al badile 100
e ascoltavo le chiacchiere dei perdigiorno di passaggio sullo stradone, per me le collinette di Canelli sono la porta del mondo. Nuto che, in confronto con me, non si è mai allontanato dal Salto, dice che per farcela a vivere in questa valle non bisogna mai uscirne. Proprio lui che da giovanotto è arrivato a suonare il clarino in banda oltre Canelli, fino a Spigno, fino a Ova- 105
da, dalla parte dove si leva il sole. Ne parliamo ogni tanto, e lui ride.

18. **avere... passerelle**: essere sempre pronto alla partenza, a salire sulle passerelle su cui si sale a bordo delle navi.

dialogo con il testo

I temi

❓ Lo sfondo della narrazione è realistico, nel senso che presenta ambienti e situazioni di una realtà sociale; individuate gli accenni sparsi nel brano che aiutano a ricostruire le dure condizioni di miseria dei contadini dell'epoca.

Ma, come è tipico di Pavese, su questi dati oggettivi si innesta una situazione esistenziale, una tematica psicologica individuale. Il protagonista torna ai paesi dell'infanzia alla ricerca di «radici», di qualcosa che restituisca un'identità a lui, trovatello e giramondo, e lo faccia uscire dalla solitudine: «Un paese vuol dire non essere soli», riga 89. In questo tema si intravede uno degli assilli che tormentarono la psiche dell'autore e lo condussero al suicidio.

❓ Al mito del «paese», luogo dell'identità, sembra contrapporsi quello del «mondo», luogo della varietà delle esperienze, prima sognato e poi conosciuto; ma attraverso accenni e associazioni d'idee il narratore finisce per ammettere che tra questi due poli non c'è un'alternativa reale. Individuateli nel testo.

❓ Nel corso del romanzo, la ricerca delle proprie radici è destinata a fallire; già in questo capitolo iniziale ci sono vari segni significativi del fallimento. Provate a identificarli.

Le forme

Il momento in cui il personaggio narra è incluso nella narrazione stessa: si ha una continua oscillazione tra il presente della narrazione e il passato rievocato. Il passato a sua volta non è ricostruito linearmente, ma emerge per frammenti, seguendo il filo della memoria e delle associazioni d'idee; si creano così effetti complessi di prospettiva temporale, che conferiscono al testo il suo sapore di discorso vissuto, di pensiero colto nel suo farsi.

❓ Anche le riflessioni del protagonista narratore non procedono in modo razionale, ma per accostamenti emotivi a volte tortuosi. Lo potete verificare provando a ricostruire lo sviluppo dei pensieri e dei sentimenti nel paragrafo che comincia «Così questo paese...» (righe 80-94).

Lo stile punta decisamente al tono parlato: sintassi e lessico semplici, modi di dire colloquiali (*venni su* per "crebbi"), espressioni connotate in senso locale (*cavagno*, *riva*, *casotto*). Ma l'effetto di concretezza realistica che ne deriva è controbilanciato dall'uso di significati sfumati, simbolici, che esprimono gli stati d'animo e le riflessioni del narratore per via di allusioni e suggestioni emotive.

❓ Indicatene qualche esempio.

Vasco Pratolini

Pratolini ha incarnato nella sua opera i tratti più tipici del neorealismo, le sue aspirazioni più generose e i suoi limiti. Partito da una narrativa della memoria individuale, negli anni quaranta passò a rappresentazioni della vita popolare intrise di ingenuo populismo; con *Metello* tentò di allargare i propri orizzonti a una visione più distaccata e storica delle lotte popolari.

Vasco Pratolini (1913-1991) nacque a Firenze da una famiglia modesta e crebbe nei quartieri popolari del centro cittadino; rimasto orfano, dovette abbandonare gli studi per fare diversi mestieri e studiò da autodidatta. Introdotto da Vittorini negli ambienti letterari fiorentini, cominciò a collaborare a riviste e fu redattore di "Campo di Marte", espressione del movimento ermetico (1938-39). Partito da una esperienza politica di fascismo di sinistra, come Vittorini, passò poi all'opposizione e durante la guerra partecipò

alla Resistenza a Roma, dove si era trasferito; a Roma visse dal 1951 fino alla morte, dedicandosi a un'intensa attività di scrittore e sceneggiatore per il cinema. La sua prima produzione narrativa è di carattere lirico e intimista. Nei romanzi della maturità l'affettuosa descrizione della vita popolare fiorentina si intreccia a temi di rilievo politico e morale: *Il quartiere* (1944), *Cronache di poveri amanti* (1947), *Cronaca familiare* (1947), *Un eroe del nostro tempo* (1949), *Le ragazze di San Frediano* (1953). *Metello*

(1955), ambientato tra le lotte socialiste di fine Ottocento, nasce come il primo volume di *Una storia italiana*, una trilogia sulla vita del popolo fiorentino; *Lo scialo* (1960) e *Allegoria e derisione* (1966) completano questo progetto, ma abbandonano l'impianto neorealista per tecniche narrative più sperimentali. Significativa è stata la sua partecipazione alla realizzazione di importanti film neorealisti, come *Paisà* di Rossellini, *Rocco e i suoi fratelli* di Visconti, *Le quattro giornate di Napoli* di Loy.
▶ **T38.31**

T38.31 ## Metello in carcere

Con Metello *(1955) Pratolini affronta il tema delle lotte operaie come grande fatto di maturazione collettiva, su uno sfondo storico. La vicenda narrata si colloca fra il 1875 e il 1902; il protagonista è un giovane che all'età di quindici anni giunge a Firenze, dove trova lavoro come manovale e poi come muratore. Ha inizio così la sua maturazione, sia attraverso esperienze sentimentali che, dopo varie vicissitudini, sfociano nel matrimonio con Ersilia, figlia di un compagno anarchico, sia attraverso le esperienze politiche: prima anarchico, poi socialista, partecipa alle lotte sindacali e alle manifestazioni politiche e subisce*

anche il carcere. Momento cruciale della vicenda è lo sciopero dei muratori fiorentini del 1902; Metello vi prende parte attivamente, poi ha uno sbandamento morale (la relazione con una vicina di casa lo allontana dalla moglie e dall'impegno politico), infine si riabilita, riprende il suo posto nella lotta e finisce di nuovo in carcere. Ersilia lo aspetterà e gli infonderà il coraggio necessario per riprendere la sua vita.

Il brano che presentiamo si colloca nel 1898, l'anno in cui la miseria provocò in tutta Italia tumulti popolari, duramente repressi.

Vasco Pratolini
METELLO
(Cap. VIII,
Mondadori, Milano,
1973)

Fu un brutto inverno, chiuso il cantiere del Romito[1], con nemmeno mezzo toscano[2] nel corso di una giornata; e una primavera in cui s'incominciò e si lasciò in tronco un lavoro in Villamagna. Quindi, erano accaduti i moti di quel maggio del '98 ai quali, sempre così, "pareva sempre tutto combinato"[3], Metello si trovò in mezzo e ne avrebbe fatto volentieri a meno. Ma uscire di casa, il martedì 6, e approvare chi gridava: "Pane!", fu spontaneo, come spicca l'acqua dalla sorgente e le labbra pronunciano le parole. Dopo tre mesi di disoccupazione, e ripugnandogli l'idea di mettersi un'altra volta a lavorare da facchino, non più soltanto mezzo sigaro gli mancava, ma giusto anche per lui era questione di pane, e di fitto arretrato, di debiti da pagare, di loggione per l'*Aida*[4] promesso alla fidanzata del momento, sempre che non lo animassero degli ideali[5]. Poi, trovarsi in prima fila negli scontri di piazza Vittorio, venne di conseguenza, sarebbe stato assurdo il contrario. Una colonna di dimostranti proveniente da San Frediano (c'era Gemignani in mezzo a loro, lo conosceva di vista, era un collega, si erano incontrati al funerale di Pallesi[6]) l'aveva come rimorchiato. Costoro non seguivano una bara, era gente scalmanata, carica d'odio e di fame. L'ipotesi di uno scontro, più che temerla, la ignorava. Il corteo sbucò da Via Strozzi, Metello c'era entrato in mezzo da qualche minuto appena, e i militari uscirono di dietro il monumento al re Galantuomo[7] e di sotto i Portici dove stavano acquartierati. Fu un parapiglia, egli non fece in tempo a roteare le braccia ché un calcio di fucile gli calò sulla testa e lo stordì. Soltanto giorni e mesi dopo seppe come erano andate le cose, a Milano[8] e nel resto d'Italia, e che a Firenze c'erano state decine di feriti, cinque morti a Sesto, uno a Ricorboli, tre alle Caldine, nove in tutto il giro dei colli che abbracciano la città. E come avevano preso lui, avevano preso Del Buono, avevano preso Turati. Pescetti[9], no: malgrado la sua gamba matta[10], tenuto un comizio e buttato olio santo sul fuoco di quella disperazione[11] era scappato fino a Roma, rifugiandosi in Parlamento, poi gli riuscì di espatriare. Intanto Metello si trovava ammanettato, e questa volta non se la sarebbe cavata con una notte di guardina. I più li avevano chiusi alla Fortezza da Basso; lui e altri alle Murate[12].

La sera successiva l'arresto, erano già stati condotti al carcere e ristretti nel camerone[13]; ci fu di certo come una tregua, un accordo tra le guardie e quelle donne che da ore vociavano dalla strada. Loro si arrampicavano a turno sulle sbarre del camerone. D'un tratto si fece silenzio e una delle donne gridò:

«Arrestati d'ieri, ascoltatemi. Abbiamo ottenuto di potervi salutare una per volta, ma voi non rispondete se no ci mandano via con la forza. Non possiamo darvi nemmeno notizie di casa, se no dicono che c'è dell'intesa[14].»

1

5

10

15

20

25

30

35

40

---

1. **Romito**: quartiere di Firenze.
2. **nemmeno mezzo toscano**: nemmeno i soldi per un mezzo sigaro.
3. **"pareva... combinato"**: le virgolette indicano che questo è il sentimento del protagonista: gli pareva che la sorte lo cacciasse sistematicamente nelle situazioni più conflittuali.
4. **loggione per l'*Aida***: un biglietto per i posti più popolari al teatro dell'opera.
5. **sempre che... ideali**: anche se non avesse avuto ideali di giustizia, bastavano le sue condizioni materiali a spingerlo a partecipare alla manifestazione.
6. **Pallesi**: un anarchico, padre di Ersilia, morto in un infortunio sul lavoro.
7. **re Galantuomo**: Vittorio Emanuele II, così designato dall'agiografia ufficiale.
8. **a Milano**: fu l'epicentro delle manifestazioni e della repressione: i cannoni spararono sulla folla e ci furono un centinaio di morti.
9. **Del Buono... Pescetti**: dirigenti socialisti; Del Buono era segretario della Camera del lavoro di Firenze; Turati era il *leader* nazionale del Partito socialista; Pescetti era un deputato socialista e sindaco di Sesto Fiorentino.
10. **gamba matta**: inferma, che lo faceva zoppicare.
11. **buttato... disperazione**: "gettare olio sul fuoco" significa esasperare uno stato di tensione; l'aggiunta di *santo* suggerisce ironicamente che le intenzioni potevano essere le più oneste.
12. **alle Murate**: il carcere di Firenze.
13. **camerone**: una grande cella collettiva.
14. **dell'intesa**: comunicazioni proibite dei carcerati con l'esterno.

I prigionieri avevano fatto gruppo sotto le sbarre, erano una trentina e la più parte, l'uno all'altro sconosciuto; si mordevano la lingua per trattenere il fiato e le parole. Incominciò, nel gran silenzio, la chiama.

«Io sono la moglie di Monsani Federigo» gridò la stessa voce. «Diteglielo se lui non ha sentito. Ghigo Monsani, sua moglie lo saluta.»

«Io sono la moglie di Baldinotti Armando. Baldinotti Armando, son la Gina» gridò la seconda.

E la terza: «Martini Pisacane, sono tua moglie Lidia».

«Gemignani Giannotto, sono Annita» gridò la quarta.

Nel camerone, a ogni nome, un agitarsi di teste; un improvviso vuoto nella calca perché l'uomo potesse arrampicarsi sulle sbarre, da dove tuttavia non si arrivava a vedere la strada, ma il tetto dirimpetto e le poche stelle in cielo.

«Qui c'è una vecchia che non ha abbastanza voce» tornò a gridare la moglie di Ghigo Monsani. «È la mamma di Pananti Sergio...» s'interruppe. «Pananti, Pananti Sergio, fa il fornaio.»

Metello si teneva da un lato, siccome nessuno l'avrebbe chiamato: non certo "la prussiana" ch'egli aveva sfuggito, non qualcuna delle sue belle, non Pia, non Garibalda, non Viola, nemmeno, non ci sperava[15].

«Sono la moglie di Fioravanti il tornitore. Fioravanti Giuseppe, il tornitore.»

«Giulio... Giulio Corradi» gridò una voce, si sentì il pianto che la strozzava.

«Sestilio! Sono Rosina!»

«Pantiferi Omero, sono la figliola di Pantiferi Omero. C'è anche la moglie che lo saluta.»

Ora, tra i carcerati, alla sorpresa, al primo impeto di gioia, era succeduta una tensione nervosa, resistevano sempre meno a lasciare senza risposta quei richiami, si capiva che prima o poi qualcuno avrebbe ceduto; già il grosso Monsani, rosso di pelo e con una taglia da Sansone, aveva dovuto intervenire di prepotenza, chiudendo la bocca di Corradi, il quale davvero non c'entrava con la "rivoluzione", e da due giorni piangeva, le lacrime scendevano a bagnare i suoi onesti baffi di impiegato della Prefettura. «Attraversavo piazza Goldoni per andare in ufficio e m'hanno preso. Non ho ancora trent'anni e la carriera rovinata. Il generale Sani mi conosce, ho uno zio capitano, nessuno mi crede» ripeteva, né si rendeva conto che coteste benemerenze poco lo aiutavano ad affiatarsi nella convivenza tra cui si trovava. Tante teste, ora, l'una accanto all'altra; voltati di fianco, per tendere l'orecchio, tanti visi, nella poca luce, visti di profilo, e attenti, pronti a scattare su per le alte sbarre del camerone.

«Sono ancora io, Antonietta Monsani. Parlo a nome della moglie di Lucarelli Egisto. Sta bene, ma per via degli anni non ce la fa coi polmoni.»

Quindi, come anticipando il proprio turno, fu questa l'impressione, precipitosa, si annunciò una giovane e chiara voce.

«Salani Metello, sono Ersilia[16]. Salani Metello, sono la figlia del Pallesi.»

E subito dopo, uno scalpitare di cavalli, ordini bruschi sulla strada, intimidazioni, urla, invettive, grida, sui quali, potente, carica di collera e di of-

15. **non certo... non ci sperava**: Metello sa che nessuna delle sue molte relazioni con donne è impegnativa; solo al mondo, non si aspetta nessuna chiamata.

16. **Ersilia**: la ragazza che si era segretamente innamorata di Metello, dopo averlo conosciuto al funerale del padre. Sarà questa chiamata a cambiare la vita di Metello.

fesa, dominò un attimo ancora la voce di Antonietta Monsani. «Carogne, sbirri... Uomini, hanno messo lo stato d'assedio[17]. Ghigo, mi portan via anche me.» E come un'eco sola, si innalzarono gli insulti, le bestemmie, le grida dal camerone, infine esploso con tutti i suoi uomini aggrappati alle sbarre.   90

«Antonietta.»

«Gina.»   95

«Lidia.»

«Rosina.»

«Annita.»

«Ersilia... Ersilia.»

Finché, tornato il silenzio, sopito anche l'uggiolìo[18] del Corradi, notte alta, nel tanfo già spesso del camerone, forse Metello fu il solo a vegliare.   100 Era l'alba, ed egli si diceva:

«Esco e la sposo.»

17. **lo stato d'assedio**: era la dichiarazione di uno stato di pericolo per l'ordine pubblico che sospendeva le garanzie costituzionali passando tutti i poteri alle autorità militari.
18. **l'uggiolìo**: il piagnucolare, assimilato a quello di un cane.

dialogo con il testo

I temi

In questa pagina si incontrano e si fondono, con un equilibrio maggiore che in altre parti del romanzo, i temi essenziali di *Metello*: l'intreccio tra vicenda individuale e storia collettiva, la maturazione del protagonista, che include simultaneamente la sua educazione sentimentale e la sua educazione politica.

❓ Siamo in una fase ancora iniziale di questo sviluppo: cercate, disseminati nel brano, i segni dell'immaturità sentimentale di Metello e del carattere ancora istintivo, poco consapevole, dei suoi gesti politici.

La scena della "chiama" introduce il tema delle sofferenze del popolo in lotta: la narrazione sobria, ma carica di tensione emotiva, fa appello all'adesione morale del lettore. Contemporaneamente vediamo nascere un amore che cambierà la vita del protagonista. Il personaggio di Ersilia è il più positivo del romanzo, per la sua coerenza, maturità, capacità di affrontare con coraggio le situazioni più difficili. Anche in questo brano il personaggio femminile rivela la sua forza: è lei che, nonostante il pudore e la timidezza, prende l'iniziativa e rivela i suoi sentimenti a Metello.

Le forme

Il racconto è condotto in terza persona da un narratore esterno, che commenta e giudica i personaggi e gli eventi, secondo un modulo di stampo ottocentesco; è evidente, in questa scelta, l'intenzione di passare dall'impostazione soggettiva di gran parte della narrativa neorealista (in prima persona, o comunque fortemente focalizzata su un punto di vista) a un realismo più oggettivo, di respiro epico.

Confronti

Metello condensa in modo esemplare la problematica estetica su cui si travagliava la cultura italiana di sinistra dell'epoca: la capacità del realismo di sintetizzare in una situazione particolare lo sviluppo sociale di un'epoca e la sua necessaria tendenziosità, teorizzate da Lukács (*T37.21*); la creazione di un "eroe positivo" pedagogicamente esemplare, richiesta dal "realismo socialista" della critica sovietica. Per questo il romanzo fu accolto da un appassionato dibattito; "Il Contemporaneo", la rivista di cultura del P.C.I., ne difendeva il valore letterario e politico, e Carlo Salinari ci vedeva «la fase di sviluppo del neorealismo in realismo»; per contro Geno Pampaloni affermava che «quando in un romanzo la tesi prevale sulla poesia, il romanzo è reazionario, anche se la tesi è progressiva». Alcuni critici marxisti criticarono il carattere troppo vitalistico e spontaneo del protagonista, espressione di natura più che di coscienza sociale, fino a mostrare un certo fastidio moralistico: Carlo Muscetta lamentava che fosse «rappresentato più in camera da letto che alla Camera del Lavoro». Lo stesso critico, però, apprezzava il romanzo come «una concreta, ulteriore smentita ai frettolosi becchini del neorealismo»; in realtà gli anni successivi confermarono l'esaurimento del movimento neorealista e della problematica letterario-politica che vi era connessa: entro breve tempo queste discussioni sarebbero sparite dalla scena, sostituite da altri problemi, come quello del rapporto letteratura-industria.

I GENERI *Secondo Novecento*

T38.32

Beppe Fenoglio

Più giovane degli altri neorealisti, ritirato in una sua solitudine provinciale, Beppe Fenoglio ottiene alcuni dei risultati più alti dell'epoca, superando il populismo sentimentale tipico del movimento con una rappresentazione lucida e disillusa della vita popolare (*T38.32*). In altri momenti della sua opera innesta sulla tematica resistenziale motivi di sapore romantico, e inventa una sua forma espressiva epica e mistilingue che lo accomuna alle sperimentazioni più innovative della narrativa dell'epoca (*T38.33*).

Beppe Fenoglio (1922-1963), nato ad Alba da una famiglia di modeste condizioni, non poté terminare gli studi universitari perché chiamato alle armi. Dopo l'armistizio del 1943, combatté nelle Langhe tra le file dei partigiani badogliani. Al termine della guerra trovò impiego presso un'azienda vinicola. Di carattere schivo, rimase estraneo al mondo letterario e visse in provincia fino alla morte, avvenuta in giovane età per tumore polmonare. Il suo esordio di scrittore risale al 1952, quando nella collana einaudiana dei "Gettoni" fu pubblicata da Vittorini una raccolta di racconti, *I ventitré giorni della città di Alba*, centrati sul mondo contadino delle Langhe e sulla Resistenza; nel 1954 fu pubblicato il racconto lungo *La malora* e nel 1963, subito dopo la morte dell'autore, apparvero il romanzo *Una questione privata* e i racconti *Un giorno di fuoco*. Nel 1959 era uscito *Primavera di bellezza*, un romanzo sulla Resistenza che l'autore aveva steso prima in inglese, e poi tradotto. Appassionato di lingua e letteratura inglese, Fenoglio lavorò per tutta la vita su una massa di appunti narrativi, parte in inglese parte in italiano; da essi è stato ricavato, postumo, *Il partigiano Johnny* (1968), scritto in un impasto delle due lingue.

▶ T38.32 T38.33

T38.32

Il contadino delle Langhe

Il racconto lungo La malora *fu pubblicato nel 1954. La storia è ambientata nelle Langhe, attorno agli anni trenta. Il protagonista, Agostino, figlio di contadini poverissimi, è stato mandato a servizio presso un'altra famiglia, e racconta in prima persona, a ritroso, la storia della propria. Il brano che presentiamo rievoca i primi tempi del lavoro a servizio alla cascina del Pavaglione.*

Beppe Fenoglio
LA MALORA
(In *I ventitré giorni della città di Alba*, Mondadori, Milano, 1967)

Quasi tre anni sono restato al Pavaglione, e adesso ci manco da cinque mesi, ma mi sembra ieri sera che ci arrivai la prima volta, e al bordello[1] del cane Tobia[2] mi si fece incontro sull'aia e nel salutarmi mi tastava spalle e braccia per sentire se in quella settimana[3] i miei non m'avevano lasciato deperire apposta.   5

Di chi proprio non posso lamentarmi è la donna di Tobia. Alla prima vista trovò che avevo l'aria brava e mi prese in stima e a benvolere. Mai una volta che abbia scorciato i capelli ai suoi figli senza farmi poi passar anche me sotto le forbici e la scodella[4], e tante sere d'inverno, dopo d'aver richia-

1. **al bordello**: al fracasso che fece abbaiando.
2. **Tobia**: il contadino che lo ha ingaggiato, affittuario del Pavaglione.
3. **in quella settimana**: da quando Tobia aveva contrattato il servizio del ragazzo.
4. **la scodella**: rovesciata sulla testa serviva per definire in modo rudimentale l'altezza del taglio dei capelli.

mato alla catena il cane alla larga[5] nel bosco, entrava col lume nella stalla a vedere se ero ben coperto. E m'accudì anche meglio quando seppe che avevo un fratello che studiava da prete. Io che Tobia lo chiamavo per nome, a lei diedi sempre della padrona.

Lei e Tobia hanno tre figli. La prima si chiamava Ginotta, io non l'ho conosciuta tanto perché andò via sposa che io ero a casa sua da solo sei mesi: quando ci arrivai, già due sensali[6] salivano per lei al Pavaglione. Non ho potuto conoscerla tanto Ginotta, ma è stato vivendo quel poco accanto a lei che mi son fatto un'idea di quel che avrebbe potuto valere in famiglia quella nostra sorella[7] se la sua vita fosse durata, e mi sono persuaso che non sarebbe cambiato niente.

I due maschi, uno è un po' più vecchio di me e l'altro un po' più giovane. Con loro ci facevo quattro parole a testa al giorno, ma nessuno dei due m'ha mai trattato con prepotenza, forse perché sapevano bene che bastava una tempesta un po' arrabbiata e un piccolo conto nella testa di loro padre per spedirli tutt'e due a far la mia medesima fine lontano da casa[8]. Tant'è vero che delle volte Tobia gli comandava qualche lavoro mentre c'ero io lì magari con le mani in mano e loro se lo facevano senza neanche sognarsi di passarlo a me.

Per venire a Tobia, lui m'ha sempre trattato alla pari dei suoi figli: mi faceva lavorare altrettanto e mi dava altrettanto da mangiare. A lavorare sotto Tobia c'era da lasciarci non solo la prima pelle ma anche un po' più sotto, bisognava stare al passo di loro tre e quelli tiravano come tre manzi sotto un solo giogo. Almeno dopo tutta quella fatica si fosse mangiato in proporzione, ma da Tobia si mangiava di regola come a casa mia nelle giornate più nere. A mezzogiorno come a cena passavano quasi sempre polenta, da insaporire strofinandola a turno contro un'acciuga che pendeva per un filo dalla travata[9]; l'acciuga non aveva già più nessuna figura d'acciuga e noi andavamo avanti a strofinare ancora qualche giorno, e chi strofinava più dell'onesto, fosse ben stata Ginotta che doveva sposarsi tra poco, Tobia lo picchiava attraverso la tavola, picchiava con una mano mentre con l'altra fermava l'acciuga che ballava al filo.

Dopo queste cene, Tobia pretendeva che dopo si cantasse; soffiava sul lume e diceva ai figli di cantare. Loro cantavano, e anche allo scuro s'indovinava che Tobia sorrideva come se gli si lisciasse il pelo[10]. Io non potevo aggiungermi perché non sapevo nessuna delle loro canzoni, ma poi le imparai tutte perché così volle Tobia, me lo disse come il comando d'un lavoro sulla terra.

Tante di quelle volte, nella stalla, sul mio paglione, aspettando che mi si addormentasse la pancia perché potesse addormentarsi anche la testa, mi sono domandato se alla fine della mia annata non c'era pericolo di non toccar quei sette marenghi[11]. E pensavo anche a come faceva Ginotta, che pativa la nostra stessa fame, ad avere quell'aspetto, che sembrava già una sposa del primo anno.

Venni presto in chiaro del perché lavoravano così da demoni e tiravano tanto la cinghia, da un discorso d'interesse che si fecero dietro la casa Tobia e suo figlio più vecchio. Io ero lì per mio conto, che guardavo il rittano[12] di

10

15

20

25

30

35

40

45

50

55

Sant'Elena e aspettavo che da dentro mi chiamassero a mangiare, quando girano la casa Tobia e suo figlio Jano. Si sedettero sui talloni, il vecchio sputò in terra, il figlio sputò sul bagnato del padre, di nuovo sputò Tobia e di nuovo Jano. 60

Poi Tobia disse: «Siamo a una buona mira[13], Jano».

«Ma se lo dicevi già quando m'hai messo al mondo!»

«Ti dico che adesso siamo a una buona mira.»

«E per quando sarebbe?»

«Tu adesso dovresti avere quasi diciannove anni. Be', per quel giorno 65 glorioso non sarai ancora un uomo.»

«Ma io sono un uomo già adesso!»

Tobia si mise a ridere: «Sì che sei già un uomo. Tu non sei mio figlio, sei il mio avvocato[14]. Senti qui cosa ho io nella mia mente». Ma proprio allora la padrona mise le mani all'inferriata della cucina e ci gridò d'entrare a 70 mangiare. Tobia le urlò: «Aspetta, bagascia[15]. Stiamo parlando tra noi uomini». E poi disse a Jano: «Ho in mente una dozzina di giornate, non di più, ma tutte a solatio[16], da tenere mezze a grano e mezze a viti. Con una riva da legna[17] e anche un pratolino da mantenerci due pecore e una mula. Per concimarlo basterà la cenere del forno». 75

«E dove sarebbe questa terra?»

Tobia si alzò sui ginocchi per tirare più comodo un peto e poi si riabbassò: «Mica qui, mica su questa langa porca che ti piglia la pelle a montarla prima che a lavorarla. Io me la sogno su una di quelle collinette chiare subito sopra Alba, dove la neve ha appena toccato che già se ne va». 80

Quindi io sapevo i piani dei Rabino, e questo mi fece solo star male. Non me ne sarebbe fatto niente se con quel mio lavoro da galera io li avessi aiutati solo a togliersi la fame e il freddo, ma che mi pigliassero la pelle per arrivare a farsi roba loro proprio mentre a casa noi perdevamo il nostro bene tavola a tavola[18], questo mi mise l'invidia e un veleno nella mia stan- 85 chezza.

13. Siamo... mira: abbiamo in vista qualcosa di buono, stiamo per farcela.
14. il mio avvocato: perché si permette di discutere quel che il padre dice.
15. bagascia: sgualdrina; brutale insulto alla moglie che si permette di interrompere.
16. una dozzina... solatio: un terreno da acquistare, misurato in *giornate* che occorrevano per lavorarlo, bene esposto al sole.
17. una riva da legna: un terreno lasciato incolto con alberi da legna.
18. tavola a tavola: pezzo a pezzo.

dialogo con il testo

I temi

Il mondo contadino de *La malora* è un mondo di miseria, dove tutti lottano al limite della sopravvivenza, sottoposti a una dura legge della necessità. Da questo punto di vista non c'è molta differenza tra il servo Agostino e i suoi padroni. Un altro aspetto del vecchio mondo contadino che appare nel brano è l'assoluto autoritarismo familiare, incarnato dal capofamiglia Tobia, violento e tirannico; sintomaticamente, il suo affetto per i figli appare solo nel progetto di «farsi roba»: la lotta per il benessere materiale è l'unica misura dei valori umani.

? Interpretate da questo punto di vista le poche frasi che il narratore dedica alla morte della propria sorella.

Ciò che distingue Fenoglio dagli altri neorealisti è la mancanza di qualunque idealizzazione del mondo popolare; i suoi personaggi non sono "poveri ma belli", come quelli di Pratolini, ma condizionati dalla durezza di una situazione di vita che plasma e deforma anche le idee e i sentimenti.

Le forme

La narrazione di Fenoglio è secca e distaccata; Agostino, la voce narrante, totalmente immerso nella mentalità dell'ambiente, registra i fatti e gli atteggiamenti dei personaggi come cose di natura, senza alcun sentimentalismo.

d

? Fenoglio adotta un linguaggio aderente al mondo rappresentato; notate tra l'altro:
– scelte lessicali di forte coloritura locale;

– giri di frase propri del parlato;
– similitudini e metafore proprie del mondo contadino.

Beppe Fenoglio

T38.33

Notizie sull'autore **T38.32**

«Due mesi dopo la guerra era finita»

Il partigiano Johnny è un romanzo a cui l'autore lavorò a lungo, lasciandolo incompiuto. Fu pubblicato postumo nel 1968 dal curatore Lorenzo Mondo, che unificò diverse redazioni; la successiva edizione critica del 1978 ha proposto due stesure, entrambe incompiute ed entrambe forse provenienti da una primitiva redazione in inglese. La data di composizione è controversa: secondo alcuni l'opera sarebbe stata scritta "a caldo", subito dopo la guerra, e rappresenterebbe come il serbatoio narrativo delle opere successive e più mature; secondo altri, invece, la composizione dovrebbe essere collocata dopo il 1956-57, e il romanzo rappresenterebbe il vertice della produzione di Fenoglio.

La storia, ambientata nella Resistenza sulle colline delle Langhe, ha qualche spunto autobiografico: il protagonista è detto Johnny per la sua perfetta conoscen-

za dell'inglese. Sorpreso a Roma dall'armistizio dell'8 settembre 1943, Johnny fa ritorno ad Alba; dopo essersi nascosto per qualche tempo, si unisce dapprima a una brigata comunista, poi a una formazione badogliana. Passa così per tutte le fasi della guerra di Resistenza: i lunghi e noiosi ozi forzati nei cascinali, le rapide imboscate, le esecuzioni, i difficili rapporti coi contadini, l'euforia per la presa di Alba e poi il terribile inverno del '44-45, con le bande partigiane disperse, senza più mezzi, in continua fuga. L'ultimo episodio del romanzo, di cui presentiamo la conclusione, è un attacco contro i fascisti, nella primavera del '45; la banda di Johnny, malridotta e male armata, si è posta all'inseguimento di un gruppo di fascisti, per riprendere l'azione e recuperare un po' di fiducia e di entusiasmo.

Beppe Fenoglio
IL PARTIGIANO
JOHNNY
(Cap. XXXVI, Einaudi,
Torino, 1968)

Dopo un'ultima curva apparve la sommità della collina, idilliaca anche sotto quel cielo severo e nella sua grigia brullità[1]. A sinistra stava un crocchio di vecchie case intemperiate[2] appoggiate l'una all'altra come per mutuo soccorso contro gli elementi della natura e la stregata solitudine dell'alta collina, a destra della strada, all'altezza delle case stava un povero camion a gasogeno[3], con barili da vino sul cassone. Johnny rallentò e sospirò, tutto parendogli sigillare la speranza e l'inseguimento[4], il segnale per il ritorno a mani vuote. Si voltò e vide serrar sotto mozziconi della colonna, tutti sfi-

1   5

---

1. **grigia brullità**: grigiore della collina brulla, spoglia.
2. **intemperiate**: battute dalle intemperie.

È uno dei tanti neologismi coniati dall'autore.
3. **a gasogeno**: alimentato col gas

prodotto da un apparecchio detto *gasogeno*; uno dei ripieghi con cui durante la guerra si rimediava alla scarsità di carburante.
4. **sigillare... l'inseguimento**: chiudere qualsiasi spazio alla

speranza con cui aveva condotto l'inseguimento. Il *povero camion* preannuncia un magro bottino.

sionomiati ed apneizzati dalla marcia[5]. Quando una grande, complessa scarica dalle case fulminò la strada e Johnny si tuffò nel fosso a sinistra, nel durare di quella interminabile salva[6]. Atterrò nel fango, illeso, e piantò la faccia nella mota viscosa. Si era appiattito al massimo, era il più vicino a loro, a non più di cinquanta passi, dalle case vomitanti fuoco. Gli arrivò un primo martellare di fucile semiautomatico ed egli urlò facendo bolle nel fango, poi tutt'un'altra serie ranging[7] ed egli scodava come un serpente, moribondo. Poi il semiautomatico ranged[8] altrove ed egli sollevò la faccia e si sdrumò il fango[9] dagli angoli. Set[10] giaceva stecchito sulla strada. Poi fuoco ed urla esplosero alle sue spalle, certo i compagni si erano disposti sulla groppa della collina alla sua sinistra, il bren frullava contro le finestre delle case[11] e l'intonaco saltava come lavoro d'artificio[12]. Tutto quel fuoco e quell'urlo lo ubriacò, mentre stranamente si apprestava all'azione ad occhi aperti. Si sterrò dal fango e tese le braccia alla proda erta e motosa[13], per inserirsi nella battaglia, nel mainstream[14] del fuoco. Fece qualche progresso, grazie a cespi d'erba che resistevano al peso e alla trazione, ma l'automatico rivenne su di lui[15], gli parve di vedere l'ultimo suo corpo insinuarsi nell'erba vischiosa come un serpe grigio[16], così lasciò la presa e ripiombò nel fosso. E allora vide il fascista segregato e furtivo, sorpreso dall'attacco in un prato oltre la strada, con una mano teneva il fucile e con l'altra reggeva i calzoni, e spiava il momento buono per ripararsi coi suoi nelle case. L'uomo spiava, poi si rannicchiò, si raddrizzò scuotendo la testa alla situazione. Johnny afferrò lo sten[17], ma appariva malfermo e inconsistente, una banderuola segnavento anziché una foggiata massa di acciaio. Poi l'uomo balzò oltre il fossato e Johnny sparò tutto il caricatore e l'uomo cadde di schianto sulla ghiaia e dietro Johnny altri partigiani gli spararono crocifiggendolo.

Johnny sospirò di stanchezza e pace. La raffica era stata così rapinosa che Johnny aveva sentito quasi l'arma involarsi dalle sue mani.

L'urlo più del fuoco massimo assordava, i fascisti asserragliati urlavano a loro «Porci inglesi!» con voci acutissime, ma quasi esauste e lacrimose, da fuori i partigiani urlavano: «Porci tedeschi! Arrendetevi!»

Poi Johnny riafferrò l'erba fredda, affilata. L'automatico tornò su di lui, ma con un colpo solo, quasi soltanto per interdizione[18], e Johnny stavolta non ricadde nel fosso, prese altre due pigliate d'erba e si appoggiò col ventre al bordo della ripa. Lì stavano i suoi compagni, a gruppi e in scacchiera, stesi o seduti, Pierre[19] nel centro, che miscelava economiche raffiche del suo Mas nel fuoco generale. Johnny sorrise, a Pierre e a tutti, gli stavano a venti passi ma sentiva che non li avrebbe raggiunti mai, come fossero a chilometri o un puro miraggio. Comunque superò tutto il risalto[20] e fu con tutto il corpo nel grosso della battaglia. Il fuoco del bren lo sorvolava di mezzo metro, il semiautomatico stava di nuovo ranging su di lui. Chiuse gli occhi e stette come un grumo, una piega del terreno, tenendo stretto a parte lo sten vuoto. Un urlo di resa gli scrosciò nelle orecchie, balzò a sede-

10

15

20

25

30

35

40

45

50

---

5. **mozziconi... dalla marcia**: la colonna spezzata in tronconi dei partigiani, tutti sfigurati dallo sforzo e senza più fiato per la lunga marcia.
6. **salva**: scarica di armi da fuoco.
7. **ranging**: susseguente (inglese).
8. **ranged**: vagò, diresse i suoi colpi. Gioca sui vari significati del verbo *to range*.
9. **si sdrumò il fango**: si ripulì dal fango.
10. **Set**: un compagno partigiano. Tutti i partigiani portavano nomi di battaglia.
11. **il bren... case**: la mitragliatrice batteva le finestre.
12. **come lavoro di artificio**: come sprizzano in aria i fuochi di artificio.
13. **proda erta e motosa**: riva ripida e fangosa.
14. **mainstream**: corrente centrale (inglese).
15. **l'automatico rivenne su di lui**: il tiro dell'arma automatica era diretto di nuovo contro di lui.
16. **gli parve... grigio**: si immaginò già cadavere (*l'ultimo suo corpo*) sprofondante nell'erba.
17. **lo sten**: una pistola mitragliatrice di fabbricazione inglese; quasi tutte le armi dei badogliani erano fornite dagli inglesi.

18. **per interdizione**: per impedirgli di muoversi ("tiro di interdizione" è del linguaggio tecnico militare).
19. **Pierre**: nome di battaglia del capo della formazione partigiana di Johnny.
20. **risalto**: sporgenza del terreno.

re alto nell'aria acciaiata[21], brandendo la pistola verso la strada. Ma erano due partigiani che correvano a ripararsi dietro il camion per di là prender d'infilata certe finestre ignivome[22] e correndo urlavano ai fascisti di arrendersi.

Il fuoco dei suoi compagni gli scottava la nuca e gli lacerava i timpani, come in sogno individuò la voce di Pierre, urlante e vicina all'afonia. Scoccò un'occhiata alle case ma non vide che una finestra a pianterreno, ed un fascista ripiegato sul davanzale, con le braccia già rigide tese come a raccattar qualcosa sull'aja. La voce di Pierre gli tempestava nelle orecchie, incomprensibile. Braced and called up himself[23]: questa era l'ultima, unica possibilità di inserirsi nella battaglia, di sfuggire a quell'incubo personale e inserirsi nella generale realtà. Sguisciando nel fango fece rotta su Pierre, mentre un mitragliatore dalle finestre apriva sulla loro linea e Franco ci incespicò netto, e cadde, con un maroso di sangue erompente dal suo fazzoletto azzurro[24], e giacque sulla strada di Johnny. Johnny scansò il cadavere, lentamente, faticosamente come una formica che debba scansare un macigno e arrivò stremato da Pierre. – Debbono arrendersi, – gridò Pierre con la bava alla bocca, – ora si arrendono. – E urlò alle case di arrendersi, con disperazione. Johnny urlò a Pierre che era senza munizioni e Pierre se ne inorridì e gli gridò di scappare, di scivolar lontano e via. Ma dov'era il fucile di Franco? Girò sul fango e strisciò a cercarlo.

Ora i fascisti non sparavano più sulla collina, ma rispondevano quasi tutti al fuoco repentino e maligno che i due partigiani avevano aperto da dietro il camion. I fusti vennero crivellati e il vino spillò come sangue sulla strada. Poi dalla casa l'ufficiale fascista barcollando si fece sulla porta, comprimendosi il petto con ambo le mani, ed ora le spostava vertiginosamente ovunque riceveva una nuova pallottola, gridando barcollò fino al termine dell'aja, in faccia ai partigiani, mentre da dentro gli uomini lo chiamavano angosciati. Poi cadde come un palo.

Ora la montagnola ridava e ririceveva il fuoco generale. Johnny smise di cercare il fucile di Franco e tornò carponi verso Pierre. Gridava ai fascisti di arrendersi e a Johnny di ritirarsi, mentre inseriva nel Mas l'ultimo caricatore. Ma Johnny non si ritirò, stava tutto stranito, inginocchiato nel fango, rivolto alle case, lo sten spallato[25], le mani guantate di fango con erba infissa. – Arrendetevi! – urlò Pierre con voce di pianto. – Non li avremo, Johnny, non li avremo –. Anche il bren diede l'ultimo frullo, soltanto il semiautomatico pareva inesauribile, it ranged preciso, meticoloso, letale[26]. Pierre si buttò a faccia nel fango e Tarzan lo ricevette in pieno petto[27], stette fermo per sempre. Johnny si calò tutto giù e sguisciò al suo fucile. Ma in quella scoppiò un fuoco di mortai, lontano e tentativo, solo inteso ad avvertire i fascisti del relief[28] e i partigiani della disfatta. Dalle case i fascisti urlarono in trionfo di vendetta, alla curva ultima del vertice apparve un primo camion, zeppo di fascisti urlanti e gesticolanti.

Pierre bestemmiò per la prima ed ultima volta in vita sua. Si alzò intero

---

21. **acciaiata**: percorsa dall'acciaio dei proiettili.
22. **ignivome**: che vomitavano fuoco; neologismo coniato sul latino.
23. **Braced... himself**: si fece forza e si riscosse (inglese).
24. **fazzoletto azzurro**: era il segno portato al collo dai partigiani badogliani.
25. **spallato**: tenuto sulla spalla.
26. **it ranged... letale**: puntava prec-

so, sistematico, mortale.
27. **Tarzan... petto**:

un altro partigiano prese il colpo in pieno petto; spesso i no-

mi di battaglia partigiani rievocavano eroi dei fumetti e del cine-

ma per ragazzi.
28. **relief**: soccorso in arrivo (inglese).

e diede il segno della ritirata. Altri camions apparivano in serie dalla curva, ancora qualche colpo sperso di mortaio, i partigiani evacuavano la montagnola lenti e come intontiti, sordi agli urli di Pierre. Dalle case non sparavano più, tanto erano contenti e soddisfatti della liberazione.

Johnny si alzò col fucile di Tarzan ed il semiautomatico[29]...

Due mesi dopo la guerra era finita.

100

29. **ed il semiautomatico...**: la frase interrotta è un segno dell'incompiutezza del testo.

dialogo con il testo

I temi

La descrizione della battaglia ha l'evidenza e la capacità di coinvolgimento di una scena di film, mentre il linguaggio ricco e frondoso le conferisce una solennità epica. In mezzo alla sparatoria, al movimento, alla lotta per sopravvivere e per uccidere, spicca il personaggio del protagonista, «stranito», che conduce una sua personale lotta per «sfuggire a quell'incubo personale e inserirsi nella generale realtà» (righe 63-64). Nell'epica guerresca si inserisce così un elemento soggettivo, che rimanda al grande tema romantico dell'isolamento dell'individuo e del suo problematico rapporto con la realtà. Uno dei motivi di fascino del romanzo è nella coesistenza di questi due motivi, che non si elidono, ma si esaltano reciprocamente: Johnny, che agisce «come in sogno», è contemporaneamente un combattente audace e risoluto.

Le forme

Il partigiano Johnny è un libro eccezionale per il suo aspetto linguistico (anche se non sappiamo se la forma in cui lo leggiamo fosse per l'autore definitiva). È fondamentalmente un italiano aulico e letterario, che ripudia la tendenza a una lingua semplice e di sapore parlato propria del neorealismo e dello stesso Fenoglio in opere precedenti; effetti di forte condensazione espressiva sono ottenuti dalle metafore («miscelava economiche raffiche del suo Mas», righe 45-46), «con un maroso di sangue erompente dal suo fazzoletto azzurro», righe 66-67), dalle similitudini («egli scodava come un serpente, moribondo», righe 15-16), e dalle parole di nuovo conio («case intemperiate», «finestre ignivome», righe 3, 55). L'impasto è poi arricchito dagli originali innesti di espressioni inglesi.

Confronti

Con la sua sperimentazione di impasti plurilingui in funzione espressiva *Il partigiano Johnny* si affianca in qualche modo alla ricerca stilistica condotta da Gadda; l'analogia è sorprendente, se si considera che riguarda due scrittori diversissimi per formazione, ambiente e orientamenti ideali.

Panorama delle Langhe: la foto è stata scattata da Felix (Felice de' Cavero), partigiano combattente con la 14ª brigata Garibaldi nel Cuneese (1943-1945, Torino, Archivio Felix de' Cavero)

DA VEDERE ## Il partigiano Johnny, di Guido Chiesa (2000, 128')

Non era facile, per il regista Guido Chiesa, tradurre in immagini lo spirito di avventura e di rivolta che anima *Il partigiano Johnny*. Non era facile, ma si può affermare che la sfida sia stata vinta: il film riesce a restituire le atmosfere del romanzo, quell'impasto di fango e sudore che caratterizza la vita errabonda dei partigiani di Fenoglio, la paura e l'angoscia dei rastrellamenti (bellissima e terribile la sequenza della fuga dall'accerchiamento e dell'inseguimento da parte dei fascisti), ma anche i momenti di gioia nella città di Alba liberata, per 23 giorni in mano ai partigiani.

Lo stile del film è asciutto e severo, come quello del libro: Johnny è un eroe quasi privo di psicologia, alla stregua degli eroi omerici: tutta la sua psicologia, mai dichiarata, passa attraverso lo sguardo. Lo sguardo di Johnny diventa quindi la bussola che orienta il film, e la macchina da presa vede quel che lui vede, si muove, corre, scappa con lui.

Figura tragica, nella sua personale resistenza all'interno della Resistenza, nel suo rimanere in collina come «l'ultimo passero su questi nostri rami», Johnny sale nell'«arcangelico regno» delle colline per sentire «com'è grande un uomo quand'è nella sua normale dimensione umana». Una religiosità laica pervade il film e dilata l'orizzonte interiore, facendo sentire Johnny dentro alla grande, invisibile corrente della vita. Insieme a lui, protagonisti sono i monti con la pioggia, la neve, il fango e il sangue, gli agguati e le fughe, le spie, il timore delle rappresaglie, la solitudine. Soprattutto la solitudine.

La fotografia, cioè le scelte di resa di colore della pellicola, sembra impastata col fango, fatta di colori smorti, grigi e pastelli.

La dimensione epica del racconto si incarna anche nelle figure dei partigiani "rossi" e "azzurri", nel comandante Nord, nei compagni morti, simili a eroi greci uccisi dai persiani più di due millenni avanti. Il film evita qualsiasi tentazione retorica: i partigiani si muovono, parlano e muoiono senza gesti clamorosi, senza enfasi.

Anche i fascisti sono espressione della medesima terra, e parlano con gli stessi accenti dei partigiani, senza per questo essere messi sullo stesso piano: la scelta da fare, in Fenoglio come in Chiesa, resta una sola.

Altri consigli di lettura e visione in *Scegli il tuo libro, scegli il tuo film*, pag. 523

Locandina del film
Il partigiano Johnny
(2000)

Altri narratori

Accanto ai protagonisti del movimento neorealista, altri scrittori dell'epoca manifestarono esigenze e intenzioni simili, pur mantenendo una propria autonomia di scelte ideologiche o stilistiche. Fu molto ricco il filone narrativo meridionalista, inaugurato da Francesco Jovine con romanzi di respiro ampio, in cui si avverte l'eredità di Verga. Alcuni scrittori napoletani (in particolare Domenico Rea) diedero una vivace rappresentazione della vita popolare della loro città, rischiando però di ridurla a un bozzettismo folclorico; a essi si contrappone la visione lucida e disincantata della realtà napoletana proposta da Anna Maria Ortese (*T38.34*). Uno scrittore già affermato, come Moravia, si accostò in quegli anni ai modi neorealistici, attingendo temi e linguaggio dalla vita popolare romana (*T38.35*).

Anna Maria Ortese

Anna Maria Ortese (1914-1998), nata a Roma, trascorse la giovinezza a Napoli; di famiglia povera, non poté frequentare studi regolari, e la sua formazione culturale avvenne da autodidatta attraverso letture numerose e disordinate. Dopo la seconda guerra mondiale visse per oltre dieci anni a Milano, senza grandi contatti con il mondo letterario, ma collaborando a quotidiani e riviste. Nel 1969 si trasferì a Roma e poi a Rapallo, dove condusse una vita ritirata. Il suo esordio narrativo (*Angelici dolori*, 1937) si richiama al "realismo magico" di Bontempelli, mentre i racconti e saggi raccolti nel volume *Il mare non bagna Napoli* (1953), ispirati a una disillusa osservazione della realtà delle città nel dopoguerra, possono essere accostati al clima neorealista. Le opere successive sono romanzi complessi, al limite fra il reale e il fantastico, ricchi di suggestioni simboliche; ha avuto grande successo *Il cardillo addolorato* (1993).

▶ T38.34

T38.34

Gli occhiali

Il racconto Un paio di occhiali, *incluso in* Il mare non bagna Napoli *(1953), è ambientato nei quartieri popolari della città negli anni successivi alla seconda guerra mondiale. Una bambina poverissima, Eugenia, vive con la numerosa famiglia in poche stanze umide e scrostate; molto miope («quasi cecata»), vede tutto sfocato e sbiadito, fino a quando una zia non le acquista un paio di occhiali, con un costo pesante per l'economia familiare. Riportiamo le pagine finali del racconto, in cui Eugenia può vedere finalmente l'ambiente che la circonda come è.*

Anna Maria Ortese
UN PAIO DI
OCCHIALI
(In *Il mare non bagna Napoli*, Adelphi, Milano, 1994)

Fu mentre scendeva l'ultimo gradino, e usciva nel cortile, che quell'ombra che le aveva oscurato la fronte da qualche momento scomparve[1], e la sua bocca s'aperse a un riso di gioia, perché Eugenia aveva visto arrivare sua madre. Non era difficile riconoscere la sua logora, familiare figura. Gettò il vestito[2] su una sedia, e le corse incontro.

«Mammà! Gli occhiali!».

1

5

---

1. quell'ombra... scomparve: Eugenia era stata in casa della proprietaria dello stabile, una marchesa, che le aveva rivolto parole che la avevano turbata: «Non sei bella, tutt'altro, e sembri già una vecchia. Iddio ti ha voluto prediligere, perché così non avrai occasioni di male...».

2. il vestito: Eugenia aveva ritirato dalla marchesa un vestito «vecchissimo e pieno di rammendi» che la padrona donava a sua zia Nunziata.

«Piano, figlia mia, mi buttavi a terra!».

Subito, si fece una piccola folla intorno. Donna Mariuccia, don Peppino, una delle Greborio[3], che si era fermata a riposarsi su una sedia prima di
cominciare le scale, la serva di Amodio che rientrava in quel momento e,   10
inutile dirlo, Pasqualino e Teresella[4], che volevano vedere anche loro, e
strillavano allungando le mani. Nunziata, dal canto suo, stava osservando
il vestito che aveva tolto dal giornale, con un viso deluso.

«Guardate, Mariuccia, mi sembra roba vecchia assai... è tutto consumato sotto le braccia!» disse accostandosi al gruppo. Ma chi le badava? In quel 15
momento, donna Rosa[5] si toglieva dal collo del vestito l'astuccio degli occhiali, e con cura infinita lo apriva. Una specie d'insetto lucentissimo, con
due occhi grandi grandi e due antenne ricurve, scintillò in un raggio smor-
to di sole, nella mano lunga e rossa di donna Rosa, in mezzo a quella povera gente ammirata.   20

«Ottomila lire... una cosa così!» fece donna Rosa guardando religiosamente, eppure con una specie di rimprovero, gli occhiali.

Poi, in silenzio, li posò sul viso di Eugenia, che estatica tendeva le mani,
e le sistemò con cura quelle due antenne dietro le orecchie. «Mo' ci vedi?»
domandò accorata.   25

Eugenia, reggendoli con le mani, come per paura che glieli portassero
via, con gli occhi mezzo chiusi e la bocca semiaperta in un sorriso rapito,
fece due passi indietro, così che andò a intoppare in una sedia.

«Auguri!» disse la serva di Amodio.

«Auguri!» disse la Greborio.   30

«Sembra una maestra, non è vero?» osservò compiaciuto don Peppino.

«Neppure ringrazia!» fece zi' Nunzia[6], guardando amareggiata il vestito.
«Con tutto questo, auguri!».

«Tiene paura, figlia mia!» mormorò Rosa, avviandosi verso la porta del
basso[7] per posare la roba. «Si è messi gli occhiali per la prima volta!» disse 35
alzando la testa al balcone del primo piano, dove si era affacciata l'altra sorella Greborio.

«Vedo tutto piccolo piccolo» disse con una voce strana, come se venisse
di sotto una sedia, Eugenia. «Nero nero».

«Si capisce; la lente è doppia. Ma vedi bene?» chiese don Peppino.   40
«Questo è l'importante. Si è messi gli occhiali per la prima volta» disse anche lui, rivolto al cavaliere Amodio che passava con un giornale aperto in
mano.

«Vi avverto» disse il cavaliere a Mariuccia, dopo aver fissato per un momento, come fosse stata solo un gatto, Eugenia «che la scala non è stata   45
spazzata... Ho trovato delle spine di pesce davanti alla porta!». E si allontanò curvo, quasi chiuso nel suo giornale, dove c'era notizia di un proget-
to-legge per le pensioni, che lo interessava.

Eugenia, sempre tenendosi gli occhiali con le mani, andò fino al portone, per guardare fuori, nel vicolo della Cupa. Le gambe le tremavano, le gi-   50

3. **Donna Mariuc-
cia... Greborio**: la
portinaia, il padre di
Eugenia, due sorelle
che abitano al primo
piano del caseggiato;
per tutti gli occhiali
di Eugenia rappresen-
tano un evento

straordinario a cui
assistere.
4. **Pasqualino e Tere-**

sella: i due fratellini
piccoli di Eugenia.
5. **donna Rosa**: la

mamma di Eugenia.
6. **Neppure... zi'
Nunzia**: la zia Nunzia

(o Nunziata) aveva
pagato gli occhiali per
la bambina.

rava la testa, e non provava più nessuna gioia. Con le labbra bianche voleva sorridere, ma quel sorriso si mutava in una smorfia ebete. Improvvisamente i balconi cominciarono a diventare tanti, duemila, centomila; i carretti con la verdura le precipitavano addosso; le voci che riempivano l'aria, i richiami, le frustate, le colpivano la testa come se fosse malata; si volse barcollando verso il cortile, e quella terribile impressione aumentò. Come un imbuto viscido il cortile, con la punta verso il cielo e i muri lebbrosi fitti di miserabili balconi; gli archi dei terranei[8], neri, coi lumi brillanti a cerchio intorno all'Addolorata[9]; il selciato bianco di acqua saponata, le foglie di cavolo, i pezzi di carta, i rifiuti, e, in mezzo al cortile, quel gruppo di cristiani cenciosi e deformi, coi visi butterati dalla miseria e dalla rassegnazione, che la guardavano amorosamente. Cominciarono a torcersi, a confondersi, a ingigantire. Le venivano tutti addosso, gridando, nei due cerchietti stregati degli occhiali. Fu Mariuccia per prima ad accorgersi che la bambina stava male, e a strapparle in fretta gli occhiali, perché Eugenia si era piegata in due e, lamentandosi, vomitava.

«Le hanno toccato lo stomaco!» gridava Mariuccia reggendole la fronte. «Portate un acino di caffè, Nunziata!».

«Ottomila lire, vive vive[10]!» gridava con gli occhi fuor della testa zi' Nunzia, correndo nel basso a pescare un chicco di caffè in un barattolo sulla credenza; e levava in alto gli occhiali nuovi, come per chiedere una spiegazione a Dio. «E ora sono anche sbagliati!».

«Fa sempre così, la prima volta» diceva tranquillamente la serva di Amodio a donna Rosa. «Non vi dovete impressionare; poi a poco a poco si abitua».

«È niente, figlia, è niente, non ti spaventare!». Ma donna Rosa si sentiva il cuore stretto al pensiero di quanto erano sfortunati.

Tornò zi' Nunzia col caffè, gridando ancora: «Ottomila lire, vive vive!» intanto che Eugenia, pallida come una morta, si sforzava inutilmente di rovesciare, perché non aveva più niente. I suoi occhi sporgenti erano quasi torti dalla sofferenza, e il suo viso di vecchia inondato di lacrime, come istupidito. Si appoggiava a sua madre e tremava.

«Mammà, dove stiamo?».

«Nel cortile stiamo, figlia mia» disse donna Rosa pazientemente; e il sorriso finissimo, tra compassionevole e meravigliato, che illuminò i suoi occhi, improvvisamente rischiarò le facce di tutta quella povera gente.

«È mezza cecata!».

«È mezza scema, è!».

«Lasciatela stare, povera creatura, è meravigliata» fece donna Mariuccia, e il suo viso era torvo di compassione, mentre rientrava nel basso che le pareva più scuro del solito.

Solo zi' Nunzia si torceva le mani:

«Ottomila lire, vive vive!».

---

7. **basso**: i bassi sono a Napoli abitazioni a piano terra di un solo vano, che prendono luce solo dalla porta di ingresso; la tipica abitazione del sotto-proletariato dei vicoli.
8. **terranei**: locali a pianterreno.
9. **lumi... Addolorata**: un'immagine della Madonna con lumini accesi per devozione.
10. **vive vive**: contanti.

dialogo con il testo

I temi

È normale che chi mette per la prima volta un paio di lenti forti provi un senso di disorientamento e di nausea; ma nel caso della bimba «mezza cecata», questa prova coincide con la scoperta improvvisa dello squallido spettacolo della miseria che la circonda. Non mancano gli ingredienti tradizionali in ogni rappresentazione di Napoli e dei suoi vicoli: la folla, il dialogo gesticolato e gridato, la pubblicità di ogni fatto privato; ma la rappresentazione è priva di ogni compiacimento, e la scena trova la sua verità attraverso lo sguardo di Eugenia che scopre «muri lebbrosi», «i pezzi di carta, i rifiuti», «cristiani cenciosi e deformi» (righe 57-61). La genialità del racconto è nel far passare la denuncia di una situazione sociale orribile attraverso lo sguardo di una creatura ingenua e mite, che vede per la prima volta, e dunque vede ciò che gli adulti, da sempre immersi in quella realtà e assuefatti, non sono più capaci di vedere.

Il titolo della raccolta in cui è incluso il racconto, *Il mare non bagna Napoli*, ha un intento polemico: Napoli senza mare è una città ben diversa dall'immagine solare e vitale che certi luoghi comuni hanno tramandato. A distanza di decenni, rievocando il suo ritorno a Napoli nel dopoguerra, l'autrice ha scritto: «Rivederla e compiangerla non bastava. Qualcuno aveva scritto che questa Napoli rifletteva una lacera condizione universale. Ero d'accordo, ma non sull'accettazione di questo male».

Le forme

Il racconto può essere accostato al clima del neorealismo per l'ambientazione, il dialogo, l'intento di denuncia sociale; ma le scelte stilistiche si pongono fuori dalla tendenza all'immedesimazione del narratore nell'ambiente, tipica del neorealismo.

? La narrazione è condotta da un punto di vista esterno e impersonale, tranne in un passo, in cui il punto di vista si identifica con lo sguardo di Eugenia; analizzate i momenti e le ragioni di questo spostamento.

? La stessa duplicità si può osservare nelle scelte linguistiche: il dialogo, ricco di napoletanismi, rispecchia l'ambiente, ma la voce che narra è esterna alla situazione; anche nella scena di Eugenia che guarda attraverso gli occhiali, lo sguardo è della bambina, ma la voce è dell'autrice: individuate e analizzate le espressioni proprie della narratrice.

Confronti

? Le tradizionali rappresentazioni del popolo napoletano, dalle quali l'autrice prende le distanze, possono essere rappresentate da un sonetto di Salvatore Di Giacomo (Vol. F *T26.55*) e da un brano di Matilde Serao (Vol. F *T26.22*); il confronto metterà in luce alcune affinità tematiche e stilistiche, e una netta diversità di atteggiamenti.

Alberto Moravia

T38.35

Notizie sull'autore T32.90

Un uomo sfortunato

Alcune opere di Alberto Moravia degli anni quaranta e cinquanta risentono del clima neorealista: ambienti popolari, punto di vista e linguaggio omogenei all'ambiente. L'autore sosteneva di essere stato influenzato dal neorealismo cinematografico più che da quello letterario, e di essersi ispirato alla rappresentazione del popolo romano del grande poeta romanesco dell'Ottocento, Giuseppe Gioacchino Belli. Questo gruppo di opere comprende i romanzi La romana *(1947) e* La ciociara *(1957), e i racconti pubblicati settimanalmente sul "Corriere della Sera", raccolti in* Racconti romani *(1954) e* Nuovi racconti romani *(1959). Presentiamo uno di questi racconti; come in tutta la serie, il protagonista parla in prima persona.*

Alberto Moravia
RACCONTI
ROMANI
(Bompiani, Milano,
1997)

T38.35

La sfortuna mi perseguita e sicuramente, il giorno della mia nascita, c'era 1
in cielo qualche cattiva stella o cometa o altro astro maligno. Ricordo di
aver conosciuto, qualche tempo fa, un meccanico che era stato a lavorare
in Francia e poi ne era tornato; e diceva anche lui di essere sfortunato.
Quel meccanico si mise insieme con certi giovanotti: andavano in giro la 5
notte con una macchina, attaccavano una catena alle saracinesche e poi
mettevano in moto la macchina e la saracinesca saltava fuori e si arrotola-
va e loro entravano nei negozi e rubavano. Bene, quel meccanico aveva
una ghigliottina tatuata sul petto e, sopra, la scritta: "Pas de chance", che
in francese, appunto vuol dire: niente fortuna. Muovendo lui i muscoli 10
del petto, sembrava che il coltello della ghigliottina cadesse giù e lui diceva che quella sarebbe stata la sua fine. A dire il vero non finì sulla ghigliottina, ma si buscò cinque anni di prigione. Ora, anch'io dovrei avere una
scritta simile sul petto o addirittura sulla fronte: niente fortuna. Tutti fanno quello che ho fatto ma agli altri va bene e a me no. Dunque sono sfor- 15
tunato e certamente qualcuno mi vuole male o addirittura il mondo intero ce l'ha con me.

Ho sempre cercato di lavorare onestamente, non più onestamente degli
altri, s'intende, perché, dopo tutto veniamo al mondo imperfetti e soltanto
Dio è perfetto. Cominciai, subito dopo essermi sposato, col mettere su, coi 20
soldi di mia moglie, una bottega di ciabattino. Mi ero scelto il quartiere
degli impiegati e feci bene: gli impiegati, poveretti, le scarpe se le tengono
da conto e, siccome sono impiegati e debbono far bella figura in ufficio,
non possono andare in giro, come noialtri del popolo, con le scarpe rotte.
La mia bottega si trovava proprio nel cuore del quartiere degli impiegati, 25
tra quei casoni che ne contengono ciascuno almeno un migliaio; nella stessa strada, proprio di fronte a me, c'era un altro ciabattino. Era un vecchio,
avrà avuto settant'anni, e mezzo cieco che quasi non ci vedeva. Il giorno
stesso che aprii bottega, venne a farmi una scenata: era proprio cattivo, con
certi occhi da gufo, tanto che mia moglie mi disse di stare attento al ma- 30
locchio. Io non le diedi retta e feci male. In principio tutto andò bene: ero
bravo, giovane, simpatico, lavorando cantavo, e per quelle serve che venivano a portarmi le scarpe dei padroni, avevo sempre qualche scherzo o
qualche buona parola. La mia bottega era diventata il salotto del quartiere,
e ben presto, a quel vecchiaccio, gli portai via tutta la clientela. Lui si arro- 35
vellava, ma non c'era niente da fare, anche perché io, per abbattere la concorrenza, facevo pagare di meno. Naturalmente avevo il mio piano: appena
mi sembrò di avere in mano la clientela, l'applicai. Cominciai ad alternare:
a uno gli mettevo la suola di cuoio e ad un altro gli mettevo la suola di pasta, imitazione cuoio. Uno sì e uno no. Poi, vedendo che non se ne accor- 40
gevano, mi feci coraggio e misi le suole di cartone a tutti. Non era, veramente, proprio cartone, ma un prodotto sintetico fabbricato durante la
guerra e giuro che era quasi meglio del cuoio. Così, lavorando con zelo,
sempre allegro, sempre gentile, sempre di buon umore, cominciai a guadagnare discretamente. Tutti mi volevano bene, salvo quel vecchio ciabattino, 45
s'intende; e in quel tempo mi nacque il primo figlio. Purtroppo, avvenne
non so come, forse per la pioggia, che una di quelle scarpe che avevo risuo-

lato si spaccasse. Il cliente venne a bottega a protestare; e per caso, proprio in quei giorni, tutte le mie scarpe cominciarono a scollarsi. Si sa come vanno queste cose: se lo dissero gli uni con gli altri, per tutto il quartiere, nessuno venne più da me, e tutti tornarono dal vecchio. Il quale adesso se la rideva, dietro il vetro della bottega, e non faceva che battere e tirare lo spago. Adesso io mi sgolavo a spiegare che il grossista mi aveva imbrogliato e che non era colpa mia, ma nessuno mi credeva. Finalmente trovai qualcuno che rilevò la bottega, presi quei pochi soldi e me ne andai.

Capii che non era il caso di insistere con le scarpe e decisi di cambiar mestiere. Da ragazzo avevo lavorato presso un idraulico e pensai di metter su una bottega di stagnaro[1]. Anche questa volta feci le cose con giudizio: scelsi un quartiere del centro, dove tutte le case sono antiche e hanno le tubature marce e gli impianti vecchi. Trovai un locale in una straduccia umida e senza sole, proprio un buco, tra la bottega di un carbonaio e quella di una stiratrice. Comprai i ferri, qualche tubo di piombo, qualche lavandino, qualche rubinetto e mi feci stampare un biglietto in cui c'era scritto: "Officina idraulico-meccanica. Lavori a domicilio. Preventivi a richiesta." Cominciò subito ad andar bene: quell'inverno ci fu un gran freddo e perfino nevicò e non si contano i tubi che scoppiarono in tutte quelle case vecchie e marce. D'altronde, di stagnari buoni ce ne sono sempre pochi, e quando c'è un guasto ad uno scaldabagno o ad una macchina da caffè, la gente si raccomanda allo stagnaro come a un dio. Non si ha idea della disperazione in cui cadono persone anche ricche allorché l'acqua non gli viene più o gli allaga il bagno: telefonano, supplicano, si raccomandano e, venuto il momento, pagano senza fiatare. Lo stagnaro è proprio indispensabile, e infatti tutti gli stagnari sono superbi, e guai a trattarli male. A me cominciò, come ho detto, ad andar subito bene. La bottega era buia e piccola e in vetrina non ci tenevo che una dozzina di rubinetti; ma molta gente mi chiamava e ben presto ebbi da fare tutto il giorno. E le cose sarebbero andate lisce, questa volta, se un altro stagnaro non fosse venuto ad aprir bottega proprio di fronte alla mia. Era un giovane biondo, piccolo, silenzioso, con una testa dura e incassata nel petto per via che quasi non aveva collo. Costui si mise in capo di portarmi via la clientela e siccome pareva deciso perfino a rimetterci, mi convinsi che se non provvedevo, ci sarebbe riuscito. Pensandoci, mi venne una buona idea per conservare i clienti e, magari, accrescere il lavoro. Mettiamo che avessi da applicare uno scaldabagno. Stringendo i dadi con la chiave inglese, davo una storta al tubo, ma appena, in modo che il tubo, vecchio e logoro com'era, si spaccasse dentro il muro. La notte la casa si allagava, il cliente mi chiamava, io rompevo il muro, cambiavo il tubo, avendo cura di non farlo là dove avevo eseguito la riparazione. Con questo sistema fronteggiai la concorrenza e persino migliorai la mia situazione. Intanto mi nacque il secondo figlio e respirai: questa volta ero davvero fuori dalla sfortuna. Ma non bisogna mai cantar vittoria. Uno di quei guasti provocati da me andò più in là di quanto non avessi preveduto. Saltò uno scaldabagno, e appiccò il fuoco ad un armadio e poi all'appartamento. Disgrazia volle che qualcuno mi aveva osservato, un ragazzo, appassionato, a quanto sembra, di meccanica. Non dico quello

1. **stagnaro**: idraulico, nella forma romanesca.

che passai, per poco non finivo in galera. Dovetti anche questa volta chiu- 95
dere bottega e andarmene dal quartiere.

Ostinato, volli aprir bottega una terza volta. Ormai di soldi ne rimanevano pochi e con due figli e un terzo per via, non c'era da sperar molto.
Andai in un quartiere proprio popolare, alla periferia, dalle parti del matta-
toio, e aprii un negozietto di materassaio. Questa volta l'idea era di mia 100
moglie, perché mio suocero era, appunto, materassaio. Comperai una
macchina da cucire, qualche rete metallica, qualche branda, qualche rotolo
di stoffa da materassi, qualche po' di lana e di crine. Mia moglie, poveretta,
con tutto che aspettasse un bambino, cuciva a macchina, e io facevo il lavoro più pesante, come, per esempio, cardare la lana[2]. Il quartiere era pove- 105
rissimo e le ordinazioni venivano raramente. Non si riusciva neppure a
mangiare e, come dissi a mia moglie, questa volta la sfortuna sarebbe stato
molto più difficile scarognarsela di dosso. Ma verso la primavera le cose cominciarono ad andar meglio. Anche i poveri vogliono essere puliti; e le famiglie povere fanno qualsiasi sacrificio pur di tenere in ordine la casa. A 110
primavera, dunque, molte donne del quartiere vennero da me per farsi rifare i materassi. Si sa come vanno queste cose: un mese prima non veniva
nessuno, un mese dopo non sapevo più dove metter le mani. Siccome da
solo non ce la facevo, presi un garzone. Era un ragazzaccio di diciassette
anni e lo chiamavano Negus per via che aveva la pelle scura e i capelli ricci, 115
proprio come il Negus dell'Abissinia[3]. Lui andava in giro a riportare o
prendere i materassi, e io restavo a bottega a lavorare. Questo Negus era la
disperazione di sua madre che faceva la lavandaia; e un giorno che l'avevo
mandato a farsi pagare una fattura, non tornò a bottega. Andò alla partita
di calcio e poi non so dove e, insomma, si mangiò i quattrini. Ma poi ebbe 120
la fronte[4] di venire a bottega e di dirmi che gli avevano rubato il portafogli.
Io gli dissi che era un ladro, lui mi rispose male, e io gli diedi uno schiaffo
e poi dovetti ricorrere alla forza per cacciarlo dalla bottega. Fu questa l'origine della mia nuova sfortuna. Quel mascalzone andò in giro per tutto il
quartiere raccontando che io, tempo addietro, nel rifare cinque materassi, 125
avevo trovato in uno le cimici, e allora non soltanto ce le avevo lasciate ma
ne avevo aggiunto un paio per ciascuno degli altri quattro materassi. Questo per ottenere che, alla prossima buona stagione, me li mandassero a rifare. Era vero, ma, si sa, bisogna ingegnarsi e tutti si ingegnano. In breve: ci
fu quasi una rivoluzione, le donne mi assediarono nella bottega, e volevano 130
bastonarmi. Venne perfino la questura e fui diffidato. Questa volta fu l'ultima volta. Vendetti la macchina da cucire e quella poca roba, e me ne andai alla chetichella, di notte, come un ladro.

Ora dico: si può essere più sfortunati di me? Volevo lavorare onestamente, tranquillamente, tutt'al più aiutando il lavoro con un po' di de- 135
strezza, ma non più di quanto facciano tanti altri. Volevo, insomma, diventare un buon lavoratore; e, invece, eccomi disoccupato. Almeno avessi
un po' di soldi, aprirei un'osteria e così, siccome è inteso che nel vino ci va
l'acqua, forse potrei sfangarla[5]. Ma non ho più soldi, e mi toccherà andare
garzone. E, come tutti sanno, chi vive di stipendio, muore di fame. Sono 140
proprio sfortunato, anzi iettato[6]. Mia moglie mi ha cucito un santino nel

2. **cardare la lana**: districare le fibre tessili, eliminando le impurità.

3. **il Negus dell'Abissinia**: il titolo che aveva l'imperatore d'Etiopia (deposto nel 1974); *negus* è parola amarica che significa "re", ma a orecchie italiane evoca "negro".

4. **la fronte**: la sfrontatezza.

5. **sfangarla**: cavarmela; espressione popolare.

6. **iettato**: perseguitato da un influsso malefico gettato da qualche incantatore.

portafogli, e io porto addosso non so quanti tra corni e portafortuna. Sull'uscio di casa, poi, ho appeso un ferro da cavallo con tutti i chiodi. Ma tant'è, sono sfortunato, ho vissuto da sfortunato, e morirò da sfortunato. La chiromante da cui sono andato per sapere chi mi vuol male, come ha veduto la mia mano, ha levato le braccia al cielo, e ha gridato: "Uh! che vedo! che vedo!" Io mi sono messo paura e le ho domandato che cosa vedeva. E lei ha risposto: "Figlio mio, una stella nera nera... tutti ti vogliono male." "E allora?", le ho domandato. "Allora fatti coraggio e fida in Dio." "Ma io," ho protestato "ho sempre fatto il mio dovere." E lei: "Figlio mio, troppa gente ti vuol male... che serve fare il proprio dovere quando la gente vuol male? Serve soltanto ad avere la coscienza tranquilla." Allora io ho risposto: "A me basta d'avere la coscienza tranquilla come ce l'ho. Tutto il resto non m'importa."   145

   150

dialogo con il testo

I temi

Come negli altri *Racconti romani*, la narrazione è tutta interna al limitato orizzonte di idee e sentimenti del protagonista narratore; ne emerge il ritratto di un campione dell'"arte di arrangiarsi", con una sua morale meschina fondata sul banale presupposto di "fare quello che tutti fanno". Affiora una visione pessimista e amara del popolo, che per Moravia non rappresenta la parte positiva della società in contrapposizione alla borghesia (secondo la visione populistica di molti neorealisti), ma si dimostra corrotto e immorale come la borghesia, e non offre alcuna speranza in una rigenerazione della società.

❓ Nonostante il punto di vista sia interno al personaggio narrante, dietro la sua voce si avverte la regia dell'autore, che affida ai fatti il compito di smentire le giustificazioni del personaggio; indicate i passi in cui è più evidente il contrasto fra i giudizi del protagonista e gli eventi che racconta.

❓ Questo contrasto ha un effetto comico, che è rafforzato dalla ripetitività delle vicende raccontate. La ripetizione meccanica di comportamenti ed eventi è uno dei più collaudati procedimenti comici: evidenziate come per tre volte si ripropongono lo stesso inizio, sviluppo e conclusione, commentati quasi con le stesse parole.

❓ L'effetto complessivo del racconto può essere considerato prevalentemente di pura comicità o di stimolo a un giudizio morale sulla società. Discutete la questione.

Le forme

Lo stile si caratterizza per una certa uniformità di tono, che riflette la povertà intellettuale del personaggio narrante, e mescola continuamente la narrazione a commenti e riflessioni, secondo un modulo proprio del racconto orale, tipico dei *Racconti romani*.

❓ Questa uniformità è però animata dal frequente ricorrere di espressioni popolari, gergali, dialettali; individuatene esempi nel testo.

La memorialistica

Dopo il 1945 fiorirono numerosi i libri di ricordi di coloro che avevano vissuto le esperienze del fascismo, della guerra e della Resistenza. Due libri sono rimasti più di tutti nella memoria collettiva per la qualità letteraria e la profondità dei temi: quello di Carlo Levi sul suo periodo di confino nel Sud (*T38.36*), quello di Primo Levi sui campi di sterminio nazisti (*T38.37*).

Carlo Levi

Carlo Levi (1902-1975), nato a Torino, si laureò in medicina, ma preferì dedicarsi alla pittura: fece parte del gruppo dei "Sei pittori di Torino", che reagiva alla maniera accademica dominante in quegli anni. Cresciuto politicamente sotto l'influenza di Piero Gobetti, fu più volte arrestato per il suo antifascismo; nel 1935 fu condannato al confino in Lucania e vi rimase per parecchi mesi; rilasciato, si rifugiò a Parigi, dove partecipò alla fondazione di "Giustizia e libertà" insieme ai fratelli Rosselli. Tornato in Italia, partecipò alla Resistenza. Dopo la Liberazione svolse l'attività di pittore e giornalista. Nel 1945 pubblicò *Cristo si è fermato a Eboli*, sulla sua esperienza del confino in Lucania, a cui è rimasta legata la sua fama letteraria; nel 1950 *L'orologio*, una rievocazione della crisi politica italiana del 1945, cui seguirono libri di viaggio, tra cui *Le parole sono pietre* (1955) sulla Sicilia, *Il futuro ha un cuore antico*, sulla Russia sovietica. Nel 1963 fu eletto senatore della sinistra indipendente, fiancheggiatrice del P.C.I.

▶ T38.36

T38.36

I contadini di Gagliano

Cristo si è fermato a Eboli (1945) è in parte un racconto autobiografico dell'esperienza di confino vissuta dallo scrittore in Basilicata nel 1935-36, in parte un saggio sociologico sulla condizione del Meridione. Il significato del titolo viene spiegato nella pagina iniziale: è la frase che ripetono i contadini per dire che la civiltà, la storia (il cristianesimo) non sono giunti in quei luoghi, ma si sono arrestati a Eboli, «dove la strada e il treno abbandonano la costa di Salerno e il mare, e si addentrano nelle desolate terre di Lucania». Il brano che presentiamo descrive il rapporto che avevano con la vita pubblica i contadini di Gagliano (con questo nome Levi designa il paese del confino, che si chiamava in realtà Aliano).

Carlo Levi
CRISTO SI È
FERMATO A EBOLI
(Mondadori, Milano,
1974)

Questa strana e scoscesa configurazione del terreno fa di Gagliano una specie di fortezza naturale, da cui non si esce che per vie obbligate. Di questo approfittava il podestà[1], in quei giorni di cosiddetta passione nazionale, per aver maggior folla alle adunate che gli piaceva di indire per sostenere, come egli diceva, il morale della popolazione, o per fare ascoltare, alla radio, i discorsi dei nostri governanti che preparavano la guerra d'Africa[2]. Quando don Luigino aveva deciso di fare un'adunata, mandava, la sera, per le vie del paese, il vecchio banditore e becchino con il tamburo e la tromba; e si sentiva quella voce antica[3] gridare cento volte, davanti a tutte

1

5

1. **il podestà**: durante il regime fascista svolgeva le funzioni del sindaco; non era eletto, ma nominato dall'autorità centrale.
2. **la guerra d'Africa**: l'invasione dell'Etiopia, iniziata nell'ottobre 1935.

3. **quella voce antica**: anche il banditore, è il becchino, che fa un vecchio di novanta anni; *antica* si riferisce sia all'età del vecchio, sia all'usanza del banditore che annun-

Ennio Morlotti
Rocce
(1982, 110×120 cm,
olio su tela, Parma,
Collezione Barilla)

ciava le novità nei
paesi meridionali.
4. **avanguardisti**: era
l'organizzazione para-
militare del regime
fascista, che raccoglie-
va i giovani tra i 14 e
i 17 anni.
5. **uterina**: viscerale,
irrazionale. L'aggetti-
vo tradisce un pregiu-
dizio antifemminile.
6. **Magalone**: don
Luigino Magalone, il
podestà.
7. **Partito**: il Partito
Nazionale Fascista,
partito unico del regi-
me.
8. **per avventura**:
eventualmente
(espressione arcaica).
9. **Ci fanno... casa**:
per pagare le tasse.
10. **più maligno**: il
cielo può portare
danni meteorologici,
ma non sempre, lo
stato invece è nemico
sempre e comunque.

le case, su una sola nota alta e 10
astratta: – Domattina alle
dieci, tutti nella piazza, davanti al municipio, per sentire la radio. Nessuno deve
mancare. – Domattina do- 15
vremo alzarci due ore prima
dell'alba, – dicevano i contadini, che non volevano perdere una giornata di lavoro, e
che sapevano che don Luigi- 20
no avrebbe messo, alle prime
luci del giorno, i suoi avanguardisti[4] e i carabinieri sulle
strade, agli sbocchi del paese,
con l'ordine di non lasciar 25
uscire nessuno. La maggior
parte riusciva a partire pei
campi, nel buio, prima che
arrivassero i sorveglianti; ma i
ritardatari dovevano rassegnarsi ad andare, con le donne e i ragazzi della 30
scuola, sulla piazza, sotto il balcone da cui scendeva l'eloquenza entusiasti-
ca ed uterina[5] di Magalone[6]. Stavano là, col cappello in capo, neri e diffidenti, e i discorsi passavano su di loro senza lasciar traccia.

I signori erano tutti iscritti al Partito[7], anche quei pochi, come il dottor
Milillo, che la pensavano diversamente, soltanto perché il Partito era il Go- 35
verno, era lo Stato, era il Potere, ed essi si sentivano naturalmente partecipi
di questo potere. Nessuno dei contadini, per la ragione opposta, era iscritto, come del resto non sarebbero stati iscritti a nessun altro partito politico
che potesse, per avventura[8], esistere. Non erano fascisti, come non sarebbero stati liberali o socialisti o che so io, perché queste faccende non li riguar- 40
davano, appartenevano a un altro mondo, e non avevano senso. Che cosa
avevano essi a che fare con il Governo, con il Potere, con lo Stato? Lo Stato, qualunque sia, sono «quelli di Roma», e quelli di Roma, si sa, non vogliono che noi si viva da cristiani. C'è la grandine, le frane, la siccità, la malaria, e c'è lo Stato. Sono dei mali inevitabili, ci sono sempre stati e ci sa- 45
ranno sempre. Ci fanno ammazzare le capre, ci portano via i mobili di casa[9], e adesso ci manderanno a fare la guerra. Pazienza!

Per i contadini, lo Stato è più lontano del cielo, e più maligno[10], perché
sta sempre dall'altra parte. Non importa quali siano le sue formule politiche, la sua struttura, i suoi programmi. I contadini non li capiscono, per- 50
ché è un altro linguaggio dal loro, e non c'è davvero nessuna ragione perché li vogliano capire. La sola possibile difesa, contro lo Stato e contro la
propaganda, è la rassegnazione, la stessa cupa rassegnazione, senza speranza
di paradiso, che curva le loro schiene sotto i mali della natura.

Perciò essi, com'è giusto, non si rendono affatto conto di che cosa sia la 55
lotta politica: è una questione personale di quelli di Roma. Non importa

ad essi di sapere quali siano le opinioni dei confinati, e perché siano venuti quaggiù: ma li guardano benigni, e li considerano come propri fratelli, perché sono anch'essi, per motivi misteriosi, vittime del loro stesso destino. Quando, nei primi giorni, mi capitava d'incontrare sul sentiero, fuori del paese, quel vecchio contadino che non mi conosceva ancora, egli si fermava sul suo asino, per salutarmi, e mi chiedeva. – Chi sei? *Addò vades?* (Chi sei? Dove vai?) – Passeggio, – rispondevo, – sono un confinato. – Un esiliato? (I contadini di qui non dicono confinato, ma esiliato.) – Un esiliato? Peccato! Qualcuno a Roma ti ha voluto male –. E non aggiungeva altro, ma rimetteva in moto la sua cavalcatura, guardandomi con un sorriso di compassione fraterna.

Questa fraternità passiva, questo patire insieme, questa rassegnata, solidale, secolare pazienza è il profondo sentimento comune dei contadini, legame non religioso, ma naturale. Essi non hanno, né possono avere, quella che si usa chiamare coscienza politica, perché sono, in tutti i sensi del termine, pagani[11], non cittadini: gli dèi dello Stato e della città non possono aver culto fra queste argille, dove regna il lupo e l'antico, nero cinghiale, né alcun muro separa il mondo degli uomini da quello degli animali e degli spiriti[12], né le fronde degli alberi visibili dalle oscure radici sotterranee. Non possono avere neppure una vera coscienza individuale, dove tutto è legato da influenze reciproche, dove ogni cosa è un potere che agisce insensibilmente, dove non esistono limiti che non siano rotti da un influsso magico. Essi vivono immersi in un mondo che si continua senza determinazioni[13], dove l'uomo non si distingue dal suo sole, dalla sua bestia, dalla sua malaria: dove non possono esistere la felicità, vagheggiata dai letterati paganeggianti, né la speranza, che sono pur sempre dei sentimenti individuali, ma la cupa passività di una natura dolorosa. Ma in essi è vivo il senso umano di un comune destino, e di una comune accettazione. È un senso, non un atto di coscienza[14]; non si esprime in discorsi o in parole, ma si porta con sé in tutti i momenti, in tutti i gesti della vita, in tutti i giorni uguali che si stendono su questi deserti.

– Peccato! Qualcuno ti ha voluto male –. Anche tu dunque sei soggetto al destino. Anche tu sei qui per il potere di una mala volontà, per un influsso malvagio, portato qua e là per opera ostile di magía. Anche tu dunque sei un uomo, anche tu sei dei nostri. Non importano i motivi che ti hanno spinto, né la politica, né le leggi, né le illusioni della ragione. Non c'è ragione né cause ed effetti, ma soltanto un cattivo Destino, una Volontà che vuole il male, che è il potere magico delle cose. Lo Stato è una delle forme di questo destino, come il vento che brucia i raccolti e la febbre che ci rode il sangue. La vita non può essere, verso la morte, che pazienza e silenzio. A che cosa valgono le parole? E che cosa si può fare? Niente.

Corazzati dunque di silenzio e di pazienza, taciturni e impenetrabili, quei pochi contadini che non erano riusciti a fuggire nei campi stavano sulla piazza, all'adunata; ed era come se non udissero le fanfare ottimistiche[15] della radio, che venivano di troppo lontano, da un paese di attiva facilità e di progresso, che aveva dimenticato la morte, al punto di evocarla per scherzo[16], con la leggerezza di chi non ci crede.

60

65

70

75

80

85

90

95

100

11. in tutti i sensi... pagani: *pagano* significa in origine "che vive in un villaggio" (latino *pagus*), in seguito "praticante culti non cristiani"; i contadini del Sud lo sono in quanto estranei alla civiltà cittadina e al cristianesimo.

12. né alcun muro... spiriti: come nelle civiltà animiste primitive, esseri umani, animali e spiriti appartengono a un'unica sfera di realtà.

13. si continua senza determinazioni: è una realtà continua, priva di distinzioni tra diverse categorie di esseri.

14. un senso, non un atto di coscienza: un sentimento istintivo, non una morale consapevole.

15. le fanfare ottimistiche: i discorsi ottimistici e retorici, o anche gli inni ufficiali.

16. evocarla per scherzo: la retorica fascista esaltava spesso la "bella morte" eroica.

dialogo con il testo

I temi

Esiliato in un mondo arcaico e immobile, estraneo alla sua cultura di intellettuale cittadino, l'autore si sforza di comprendere dall'interno quella realtà culturale così lontana, senza giudicarla; è questo uno dei motivi di fascino del libro.

Il brano delinea lucidamente due caratteri della cultura contadina meridionale:
– l'estraneità totale allo stato e alle sue istituzioni, alla politica di qualunque colore, che crea una solidarietà elementare tra i contadini e il confinato, ma è anche una realtà dura da ammettere per chiunque voglia coinvolgere i contadini in un progetto politico di riscatto (in questo Carlo Levi mostra di superare i pregiudizi politici anche della sua parte, la sinistra);
– la mentalità primitiva e magica, estranea al cristianesimo non solo in quanto religione, ma in quanto base della civiltà europea.

❓ Per comprendere meglio questo punto, cercate di esplicitare gli accenni rapidi ma densi dell'autore all'estraneità dei contadini a categorie fondamentali del pensiero occidentale.

Le forme

Il brano mostra come Carlo Levi ha saputo rendere interessante l'esposizione facendo scaturire le sue riflessioni dalla narrazione di episodi resi con evidenza, a volte con umorismo.

Confronti

❓ Il tema dell'estraneità allo stato dei contadini del Sud era stato affrontato da Ignazio Silone in *Fontamara* (Vol. G *T32.88*); confrontando i due brani si può però cogliere, accanto alle affinità, qualche differenza nella concezione della mentalità contadina. Individuate le une e le altre.

Un'immagine del film *Cristo si è fermato a Eboli*, di Francesco Rosi, tratto dal romanzo di Carlo Levi (1979)

Primo Levi

Primo Levi (1919-1987) nacque a Torino, da una agiata famiglia ebraica. Nel 1938 fu colpito dalle leggi razziali: poté laurearsi nel 1941 in chimica, ma poi fu costretto a lavorare semiclandestinamente. Dopo l'armistizio del 1943 si unì a un gruppo partigiano di Giustizia e Libertà, ma fu catturato quasi subito, nel 1944, e fu trasferito ad Auschwitz; sopravvissuto allo sterminio del Lager "per fortuna", come diceva lui stesso, dopo la guerra riprese il suo lavoro di chimico in una fabbrica di vernici, di cui divenne direttore. Parallelamente si dedicò alla scrittura, che divenne la sua attività primaria dopo il 1975. Morì suicida. Il suo primo libro, *Se questo è un uomo* (1947), rievocazione della disumana esperienza del Lager, non ebbe immediata risonanza, ma è poi diventato un classico; seguì *La tregua* (1963), che narra l'odissea del viaggio di ritorno da Auschwitz attraverso l'Europa sconvolta dalla guerra recente. A questi temi ritornò col romanzo *Se non ora, quando?* (1982), che narra l'avventura di una banda partigiana ebraica nell'Europa orientale, e col saggio *I sommersi e salvati* (1986). Intanto aveva allargato l'attività narrativa all'ambito dei suoi interessi professionali, coi racconti fantascientifici *Storie naturali* (1966) e *Vizio di forma* (1971; *T38.46*). Nel 1975 pubblicò *Il sistema periodico*, in cui i ricordi professionali sono associati alle qualità dei diversi elementi chimici; nel 1978 *La chiave a stella*, in cui dà voce alle esperienze di un operaio impegnato in grandi lavori all'estero (*T38.44*).

▶ **T38.37** **T38.44** **T38.46**

T38.37

«Eccomi dunque sul fondo»

Se questo è un uomo (1947) è una testimonianza della terribile esperienza della deportazione e del campo di concentramento, nata dal bisogno di far conoscere quell'orrenda realtà ed evitare la dimenticanza. Narra l'esperienza dello scrittore, dalla deportazione ad Auschwitz nel 1944 fino alla fuga dei tedeschi nel 1945, descrivendo minutamente gli aspetti di quel mondo infernale. Il brano che presentiamo è tratto dal secondo capitolo, in cui è descritta la fase iniziale della vita ad Auschwitz, dopo l'allucinante viaggio in un vagone merci piombato e le prime terrificanti formalità come la rasatura, il tatuaggio del numero di matricola, la spoliazione di tutti gli effetti personali.

Primo Levi
SE QUESTO È UN
UOMO
(Einaudi, Torino,
1973)

Abbiamo ben presto imparato che gli ospiti del Lager[1] sono distinti in tre categorie: i criminali, i politici e gli ebrei. Tutti sono vestiti a righe, sono tutti Häftlinge[2], ma i criminali portano accanto al numero, cucito sulla giacca, un triangolo verde; i politici un triangolo rosso; gli ebrei, che costituiscono la grande maggioranza, portano la stella ebraica, rossa e gialla. Le SS[3] ci sono sì, ma poche, e fuori del campo, e si vedono relativamente di rado: i nostri padroni effettivi sono i triangoli verdi, i quali hanno mano libera su di noi, e inoltre quelli fra le due altre categorie che si prestano ad assecondarli: i quali non sono pochi.

Ed altro ancora abbiamo imparato, più o meno rapidamente, a seconda del carattere di ciascuno; a rispondere «Jawohl»[4], a non fare mai domande, a fingere sempre di avere capito. Abbiamo appreso il valore degli alimenti; ora anche noi raschiamo diligentemente il fondo della gamella dopo il rancio[5], e la teniamo sotto il mento quando mangiamo il pane per non disperderne le briciole. Anche noi adesso sappiamo che non è la stessa cosa ricevere il mestolo di zuppa prelevato dalla superficie o dal fondo del mastello, e siamo già in grado di calcolare, in base alla capacità

1

5

10

15

---

1. **Lager**: in tedesco significa "accampamento"; il termine designava i campi di concentramento e di sterminio.
2. **Häftlinge**: prigionieri.
3. **SS**: abbreviazione di *Schutz Staffeln* ("squadre di difesa"); era un corpo speciale dell'esercito nazista.
4. **Jawohl**: "sissignore".
5. **il fondo... rancio**: il fondo del recipiente di latta dopo il pasto.

**Auschwitz,
alcuni sopravvissuti**
(1945, Foto Armata
Rossa)

dei vari mastelli, quale sia il posto più conveniente a cui aspirare quando ci si mette in coda.

Abbiamo imparato che tutto serve; il fil di ferro, per legarsi le scarpe; gli stracci, per ricavarne pezze da piedi; la carta, per imbottirsi (abusivamente) la giacca contro il freddo. Abbiamo imparato che d'altronde tutto può venire rubato, anzi, viene automaticamente rubato non appena l'attenzione si rilassa; e per evitarlo abbiamo dovuto apprendere l'arte di dormire col capo su un fagotto fatto con la giacca, e contenente tutto il nostro avere, dalla gamella alle scarpe.

Conosciamo già in buona parte il regolamento del campo, che è favolosamente complicato. Innumerevoli sono le proibizioni: avvicinarsi a meno di due metri dal filo spinato; dormire con la giacca, o senza mutande, o col cappello in testa; servirsi di particolari lavatoi e latrine che sono «nur für Kapos» o «nur für Reichsdeutsche»[6]; non andare alla doccia nei giorni prescritti, e andarvi nei giorni non prescritti; uscire di baracca con la giacca sbottonata, o col bavero rialzato; portare sotto gli abiti carta o paglia contro il freddo; lavarsi altrimenti che a torso nudo.

Infiniti e insensati sono i riti da compiersi: ogni giorno al mattino bisogna fare «il letto»[7], perfettamente piano e liscio; spalmarsi gli zoccoli fangosi e repellenti con l'apposito grasso da macchina, raschiare via dagli abiti le macchie di fango (le macchie di vernice, di grasso e di ruggine sono invece ammesse); alla sera, bisogna sottoporsi al controllo dei pidocchi e al controllo della lavatura dei piedi; al sabato farsi radere la barba e i capelli, rammendarsi o farsi rammendare gli stracci; alla domenica, sottoporsi al controllo generale della scabbia[8], e al controllo dei bottoni della giacca, che devono essere cinque.

Di più, ci sono innumerevoli circostanze, normalmente irrilevanti, che qui diventano problemi. Quando le unghie si allungano, bisogna accorciarle, il che non si può fare altrimenti che coi denti (per le unghie dei piedi basta l'attrito delle scarpe); se si perde un bottone bisogna saperselo riattaccare con un filo di ferro; se si va alla latrina o al lavatoio, bisogna portarsi dietro tutto, sempre e dovunque, e mentre ci si lavano gli occhi, tenere il fagotto degli abiti stretto fra le ginocchia: in qualunque altro modo, esso in

6. «**nur für Kapos...
Reichsdeutsche**»:
"solo per capi", "solo
per i tedeschi dell'Impero".
7. «**il letto**»: fra virgolette, perché in realtà si trattava di una cuccetta di legno con un giaciglio di paglia.
8. **scabbia**: malattia cutanea dovuta a un parassita.

quell'attimo verrebbe rubato. Se una scarpa fa male bisogna presentarsi al- 65
la sera alla cerimonia del cambio delle scarpe: qui si mette alla prova la perizia dell'individuo, in mezzo alla calca incredibile bisogna saper scegliere
con un colpo d'occhio una (non un paio: una) scarpa che si adatti, perché,
fatta la scelta, un secondo cambio non è concesso.

Né si creda che le scarpe, nella vita del Lager, costituiscano un fattore 70
d'importanza secondaria. La morte incomincia dalle scarpe: esse si sono
rivelate, per la maggior parte di noi, veri arnesi di tortura, che dopo poche
ore di marcia davano luogo a piaghe dolorose che fatalmente si infettava-
no. Chi ne è colpito, è costretto a camminare come se avesse una palla al
piede (ecco il perché della strana andatura dell'esercito di larve[9] che ogni 75
sera rientra in parata); arriva ultimo dappertutto, e dappertutto riceve
botte; non può scappare se lo inseguono; i suoi piedi si gonfiano, e più si
gonfiano, più l'attrito con il legno e la tela delle scarpe diventa insopportabile. Allora non resta che l'ospedale: ma entrare in ospedale con la diagnosi di «dicke Füsse» (piedi gonfi) è estremamente pericoloso, perché è 80
ben noto a tutti, ed alle SS in ispecie, che di questo male, qui, non si può
guarire[10].

E in tutto questo, non abbiamo ancora accennato al lavoro, il quale è a
sua volta un groviglio di leggi, di tabù e di problemi.

Tutti lavoriamo, tranne i malati (farsi riconoscere come malato com- 85
porta di per sé un imponente bagaglio di cognizioni e di esperienze). Tutte
le mattine usciamo inquadrati dal campo alla Buna[11]; tutte le sere, inquadrati, rientriamo. [...]

Tale sarà la nostra vita. Ogni giorno, secondo il ritmo prestabilito, Au-
srücken ed Einrücken, uscire e rientrare; lavorare, dormire e mangiare; am- 90
malarsi, guarire o morire.

...E fino a quando? Ma gli anziani ridono a questa domanda: a questa
domanda si riconoscono i nuovi arrivati. Ridono e non rispondono: per
loro, da mesi, da anni, il problema del futuro remoto è impallidito, ha perso ogni acutezza, di fronte ai ben più urgenti e concreti problemi del futu- 95
ro prossimo: quanto si mangerò oggi, se nevicherà, se ci sarà da scaricare
carbone.

Se fossimo ragionevoli, dovremmo rassegnarci a questa evidenza, che il
nostro destino è perfettamente inconoscibile, che ogni congettura è arbitraria ed esattamente priva di fondamento reale. Ma ragionevoli gli uomini 100
sono assai raramente, quando è in gioco il proprio destino: essi preferisco-
no in ogni caso le posizioni estreme; perciò, a seconda del loro carattere,
fra di noi gli uni si sono convinti immediatamente che tutto è perduto, che
qui non si può vivere e che la fine è certa e prossima; gli altri, che, per
quanto dura sia la vita che ci attende, la salvezza è probabile e non lontana, 105
e, se avremo fede e forza, rivedremo le nostre case e i nostri cari. Le due
classi, dei pessimisti e degli ottimisti, non sono peraltro così ben distinte:
non già perché gli agnostici[12] siano molti, ma perché i più, senza memoria
né coerenza, oscillano fra le due posizioni-limite, a seconda dell'interlocutore del momento. 110

9. **larve**: spettri; tali
appaiono i prigionieri
paurosamente smagri-
ti e squallidamente
conciati.
10. **non si può gua-
rire**: è sottinteso che
chi veniva giudicato
inguaribile veniva in-
viato alle camere a
gas.
11. **Buna**: una fabbri-
ca di gomma che im-
piegava il lavoro for-
zato dei prigionieri.
12. **gli agnostici**:
quelli che non hanno
una convinzione pre-
cisa.

Eccomi dunque sul fondo. A dare un colpo di spugna al passato e al futuro si impara assai presto, se il bisogno preme. Dopo quindici giorni dall'ingresso, già ho la fame regolamentare, la fame cronica sconosciuta agli uomini liberi, che fa sognare di notte e siede in tutte le membra dei nostri corpi; già ho imparato a non lasciarmi derubare, e se anzi trovo in giro un cucchiaio, uno spago, un bottone di cui mi possa appropriare senza pericolo di punizione, li intasco e li considero miei di pieno diritto. Già mi sono apparse, sul dorso dei piedi, le piaghe torpide che non guariranno. Spingo vagoni, lavoro di pala, mi fiacco alla pioggia, tremo al vento; già il mio stesso corpo non è più mio: ho il ventre gonfio e le membra stecchite, il viso tumido[13] al mattino e incavato a sera; qualcuno fra noi ha la pelle gialla, qualche altro grigia: quando non ci vediamo per tre o quattro giorni, stentiamo a riconoscerci l'un l'altro.

Avevamo deciso di trovarci, noi italiani, ogni domenica sera in un angolo del Lager; ma abbiamo subito smesso, perché era sempre troppo triste contarci, e trovarci ogni volta più pochi, e più deformi, e più squallidi. Ed era così faticoso fare quei pochi passi: e poi, a ritrovarsi, accadeva di ricordare e di pensare, ed era meglio non farlo.

115

120

125

13. **tumido**: gonfio.

dialogo con il testo

I temi

Levi descrive la realtà del Lager insistendo con minuzia sui particolari in apparenza più banali (le scarpe, le unghie): in questo modo ci fa intravedere che cosa volesse dire una sopravvivenza attaccata precariamente, giorno per giorno, a queste minime cose. Rispetto al tragico della tradizione letteraria, per sua natura sublime, la tragedia del Lager ha questo di più orribile, di consumarsi nella banalità.

Accanto alle vessazioni fisiche (la fame, il freddo, il lavoro durissimo), compaiono le torture mentali: il regolamento «favolosamente complicato», i «riti infiniti e insensati». Lo sterminio si compie con una meticolosità burocratica che può apparire stupida nella sua ferocia, ma è anche frutto di un progetto di sistematica distruzione morale dei prigionieri, premessa alla loro distruzione fisica.

? Alcuni accenni, nel brano, fanno capire come l'effetto più spaventoso del Lager sia la rinuncia forzata ai più elementari sentimenti e valori umani. Indicateli.

A questa perdita di umanità si riferisce il titolo del libro, che riprende alcuni versi di una poesia posta dall'autore in epigrafe:

Considerate se questo è un uomo
Che lavora nel fango
Che non conosce pace
Che lotta per mezzo pane
Che muore per un sì o per un no.

Le forme

Lo stile asciutto, sobrio, quasi privo di commenti, non solo dà una terribile evidenza ai fatti, ma fa sentire anche la disumana "normalità" quotidiana della condizione del prigioniero. Le frequenti riprese anaforiche («Abbiamo imparato...», righe 1, 10, 24-25, 34; «se si perde... se si va... se una scarpa fa male...», righe 61, 62, 65; «Se fossimo ragionevoli... Ma ragionevoli gli uomini...», righe 98, 100), le serie parallele («a rispondere... a non fare mai domande, a fingere sempre...», righe 11-12) scandiscono il discorso nella sua elementare evidenza, ma insieme gli danno qualcosa di cadenzato e solenne: proprio attraverso l'estrema semplicità del dettato Primo Levi riesce a dare alla sua testimonianza un tono a suo modo "alto", adeguato a una delle più immani tragedie della storia.

L'esaurimento del neorealismo coincide con l'esplosione del "miracolo economico" che trasforma l'Italia in paese industriale. Nel giro di pochi anni la realtà descritta dai romanzi neorealisti è sconvolta dall'industria, dalla grande migrazione dal Sud al Nord, dal nuovo benessere e da nuove forme di povertà. Contemporaneamente mutano i termini del dibattito culturale, non più egemonizzato dalle tendenze marxiste: ci si interroga secondo prospettive inedite sui rapporti fra letteratura e industria, si promuove la sperimentazione di nuovi modelli narrativi (Eco, *T37.28*). Il confronto con la realtà in trasformazione si apre in un ventaglio di esperienze divergenti. I grandi maestri di quegli anni, come Gadda, Calvino, la Morante, inclinano a una narrativa di impegno filosofico, che si ispira ai temi universali della condizione umana; e qualcosa di simile si può dire degli scrittori siciliani, alle prese coi fallimenti storici della ragione e del progresso. Altri affrontano direttamente la nuova realtà sociale con un realismo più aggressivo di quello degli anni precedenti, esasperando espressionisticamente la tematica e il linguaggio. La sperimentazione di nuove soluzioni narrative tocca il culmine nei romanzi della nuova avanguardia (Guglielmi, *T37.29*), che rovesciano tutti i canoni tradizionali per coinvolgere il lettore in una realtà magmatica, instabile, sfuggente.

Due grandi scrittori "inattuali"

Negli anni cinquanta si impongono due scrittori la cui opera si svolge appartata, estranea ai dibattiti di tendenza, lontana sia dal neorealismo sia dalle ricerche sperimentali, fedele per certi aspetti a una concezione ottocentesca della narrativa: l'opera di Elsa Morante ha infatti un'ispirazione di tipo romantico (*T38.38*), mentre l'unico romanzo, postumo, di Giuseppe Tomasi di Lampedusa continua in forme rinnovate la grande narrativa storico-sociale (*T38.39*).

Ron Herron
Instant City
(1969, collage, Londra, Archivi Archigram)

Elsa Morante

Elsa Morante (1912-1985) nacque e visse a Roma. Non frequentò scuole regolari, ma si formò una cultura con letture tumultuose, e cominciò a scrivere giovanissima. Nel 1941 sposò Alberto Moravia (da cui si separò nel 1962) e pubblicò la sua prima raccolta di racconti e una raccolta di fiabe. Giunse al successo col romanzo *Menzogna e sortilegio* (1948), che nel pieno del neorealismo ebbe il premio Viareggio nonostante rovesciasse tutti i canoni del movimento: è una storia di forti passioni in un ambiente aristocratico, in lingua sostenuta. Seguirono *L'isola di Arturo* (1957), storia di una mitica infanzia fuori della società, e i racconti *Lo scialle andaluso* (1963). Tra le opere in versi spicca il poema *Il mondo salvato dai ragazzini* (1968), che esprime in forme turgide e appassionate gli ideali anarchici e antisociali dell'autrice. Grande successo ebbe il romanzo *La Storia* (1974), il suo più scorrevole, che sullo sfondo della seconda guerra mondiale narra vicende di personaggi umili e sventurati, vittime della storia. Il suo ultimo romanzo è *Aracoeli* (1985), che torna alle forti passioni, allo stile barocco e sublime.

▶ **T38.38**

T38.38

Sere stellate

L'isola di Arturo (1957) rievoca in prima persona l'infanzia e l'adolescenza del protagonista, trascorse nell'isola di Procida, in una solitudine quasi totale. La madre di Arturo è morta dandolo alla luce, il padre, figlio di un emigrante e di una donna tedesca, passa lunghi periodi lontano dall'isola, abbandonando il bambino alle cure di un servitore e di un contadino. Arturo vive una vita selvatica nella «Casa dei guaglioni», un grande edificio in abbandono posto su un'altura dell'isola, che il padre aveva ereditato da un vecchio scorbutico e odiatore delle donne, legatosi a lui nei suoi ultimi tempi con un affetto viscerale. Dalla lettura di vecchi libri d'avventura, che trova nella casa, il ragazzo ricava una sua personale mitologia eroica, centrata sulla figura del padre, bello, indolente e dispotico, che gli appare come un dio. Quando ha quattordici anni, nella sua vita irrompe la nuova giovanissima sposa che il padre ha portato da Napoli, verso la quale il ragazzo prova dapprima ostilità e gelosia, perché gli sottrae l'attenzione del padre. Nel brano che presentiamo, il padre ha ripreso le sue assenze, lasciando Arturo solo con la matrigna, che è incinta. Nel seguito del romanzo l'antipatia si trasformerà in un amore impossibile, poi Arturo scoprirà le debolezze del padre (innamorato di un recluso nel penitenziario di Procida) e la meschinità della vita che conduce lontano dall'isola; la scoperta della verità costituirà la sua maturazione, e infine Arturo lascerà l'isola della sua infanzia.

Elsa Morante
L'ISOLA DI ARTURO
(Cap. IV, Einaudi, Torino, 1975)

Io intanto continuavo la mia vita sul mare (quell'anno la bella stagione si prolungò fino a novembre). Dall'alba al tramonto, ero occupato a divertirmi con la mia barca; e, adesso che mio padre non era più là a rammentarmele con la sua presenza, durante il giorno la matrigna, e la sua cucina lassù isolata, mi sfuggivano addirittura dalla memoria. Di nuovo ero tornato senza pensieri, come nelle estati antiche. Ma appena calato il sole, quando i colori della marina incominciavano a spegnersi, d'un tratto il mio umore cambiava. Era come se tutti gli spiriti festanti dell'isola, che m'avevano tenuto compagnia lungo il giorno, calassero, facendomi dei grandi segni d'addio, sotto l'orizzonte, nella raggera del sole. Lo sgomento del buio, che gli altri conoscono da bambini, e poi ne guariscono, io, invece, lo conosce-

1

5

10

vo soltanto adesso! Quella sconfinata marina, le strade e i luoghi aperti sembravano trasformarsi per me in una landa desolata. E un sentimento quasi d'esilio mi richiamava alla Casa dei guaglioni[1], dove a quell'ora s'accendeva il lume della cucina.

A volte, se il crepuscolo mi sorprendeva in qualche sito fuorimano, oppure sul mare, al largo fuori del porto, la Casa dei guaglioni, invisibile da quei luoghi, mi sembrava fuggita a una distanza fantastica, irraggiungibile. Tutto il restante paesaggio, con la sua indifferenza, m'offendeva, e mi sentivo sperso, finché quel punto illuminato sull'alto della frana non riappariva alla mia vista. Approdavo alla spiaggetta[2] con impazienza, e, se era notte, certe superstizioni bambinesche s'inseguivano, mentre salivo di corsa su per la collina. A metà dello scosceso, per tenermi compagnia mi davo a cantare a squarciagola; e all'udirmi, in alto, di là dallo spiazzo, qualcuno si faceva sulla soglia della cucina, chiamando con voce cadenzata e quasi drammatica:

– Ar-tu-rooo! Ar-tùùù!

A quell'ora, essa era già intenta ai preparativi della cena; io entravo con un'aria quasi cupa, di svogliataggine, e, in attesa della cena, mi stendevo sulla panca, a riposarmi della mia giornata. Ogni tanto, sbadigliavo, con una certa ostentazione di noia e di stanchezza; e a lei non accordavo molti segni d'attenzione, né c'erano molti discorsi, fra noi due. Aspettando che l'acqua bollisse, ella si sedeva su una seggiola bassa, con le mani intrecciate in grembo e la testa leggermente china; e ogni minuto si scostava dalla fronte sudata un ricciolo, sfuggente dalla sua grossa treccia. La sua persona ingrossata, senza più fanciullezza, mi appariva cinta di signoria e di riposo; come certe figure adorate dai popoli d'Oriente a cui lo scultore ha dato una gravezza strana e deforme per significare il loro potere augusto. Perfino i due cerchietti d'oro degli orecchini, ai lati del suo viso, perdevano, ai miei occhi, il loro significato di ornamenti umani, e mi sembravano piuttosto dei voti, appesi a un'effige sacra. Vedevo affacciarsi dalle ciabattelle i suoi piccoli piedi, che non avevano scherzato, come i miei, durante l'estate, per la spiaggia e la marina; e il colore candido della sua pelle, in una stagione che tutti gli uomini e i ragazzi miei simili erano sempre così scuri, mi appariva anch'esso un segno di nobiltà antica e padronale. In certi momenti, non ricordavo più che io e lei eravamo quasi coetanei: essa mi pareva nata molti anni prima di me, forse più antica della Casa dei guaglioni; ma per la compassione che provavo vicino a lei, quella sua suprema età mi pareva una cosa gentile.

A volte, mi assopivo un poco sulla panca. E in quel sopore delicato, le minime impressioni della realtà mi si trasformavano in immaginazioni simili a frammenti d'una fiaba, che pareva volessero blandirmi[3] infantilmente. Rivedevo il tremolìo scintillante del mare durante il giorno, come il sorriso d'un essere meraviglioso, che a quell'ora, supino, lasciato alle correnti carezzevoli, anche lui si riposava, pensando a me... Dalla porta-finestra, l'aria della notte si posava sul mio corpo scuro, come se qualcuno m'infilasse una camiciola di lino, fresca e pulita... Il firmamento notturno era un'immensa tenda istoriata, distesa su di me... Anzi, no, era un albero immenso,

1. **Casa dei guaglioni**: l'edificio abitato da Arturo era così chiamato perché il proprietario precedente, nemico delle donne, soleva organizzarvi festini riservati ai giovani maschi dell'isola (*guaglioni* in napoletano). La misoginia, espressione di un'omosessualità più o meno consapevole, è uno dei temi che percorrono il romanzo.
2. **spiaggetta**: il luogo di attracco della barca di Arturo, posto a picco sotto la Casa dei guaglioni.
3. **blandirmi**: accarezzarmi, coccolarmi.

fra le sue ramificazioni le stelle stormivano come foglie... e fra quei rami c'era un unico nido, il mio, io m'addormentavo dentro questo nido... Là sotto di me, intanto, m'aspettava sempre il mare, anch'esso mio... Se assaggiavo la pelle del mio braccio con la lingua, sentivo il sapore del sale... 60

Certe sere, dopo cena, attirato dalla frescura di fuori, mi stendevo sullo scalino della soglia, o sul terreno dello spiazzo. La notte, che un'ora prima, giù in piano, m'era apparsa così proterva[4], qua, a un passo dalla porta-finestra illuminata, mi ridiventava familiare. Adesso il firmamento, a guardarlo, mi diventava un grande oceano, sparso d'innumerevoli isole, e, fra le stelle, ricercavo aguzzando lo sguardo quelle di cui conoscevo i nomi: Arturo, prima di tutte le altre[5], e poi le Orse, Marte, le Pleiadi, Castore e Polluce, Cassiopea... Avevo sempre rimpianto che, ai tempi moderni, non ci fosse più sulla terra qualche limite vietato, come per gli antichi le Colonne d'Ercole, perché mi sarebbe piaciuto di oltrepassarlo io per primo, sfidando il divieto con la mia audacia; e allo stesso modo, adesso, guardando lo stellato, invidiavo i futuri pionieri che potranno arrivare fino agli astri. Era umiliante vedere il cielo e pensare: là ci sono tanti altri paesaggi, altre iridi di colori, forse tanti altri mari di chi sa quali colori, altre foreste più grandi che ai Tropici, altre forme di animali ferocissime e altre, più amorose ancora di queste che vediamo... altri esseri femminili stupendi che dormono... altri eroi bellissimi... altri fedeli[6]... e io non posso arrivare là! 65 70 75

Allora, i miei occhi e i miei pensieri lasciavano il cielo con dispetto, riandando a posarsi sul mare, il quale, appena io lo riguardavo, palpitava verso di me, come un innamorato. Là disteso, nero e pieno di lusinghe, esso mi ripeteva che anche lui, non meno dello stellato, era grande e fantastico, e possedeva territori che non si potevano contare, diversi uno dall'altro, come centomila pianeti! Presto, ormai, per me, incomincerebbe finalmente l'età desiderata in cui non sarei più un ragazzino, ma un uomo; e lui, il mare, simile a un compagno che finora aveva sempre giocato assieme a me e s'era fatto grande assieme a me, mi porterebbe via con lui a conoscere gli oceani, e tutte le altre terre, e tutta la vita! 80 85

4. **proterva**: ostile.
5. **Arturo... altre**: la stella più luminosa della costellazione di Boote, che porta lo stesso nome del protagonista, cosa che a lui appare segno di un destino eroico.
6. **fedeli**: i devoti compagni degli *eroi bellissimi*, secondo l'immaginario dei romanzi cavallereschi e di avventura.

dialogo con il testo

I temi

L'isola di Arturo è un romanzo di formazione: il protagonista raggiungerà la maturità scoprendo la realtà al di là dei miti che popolano la sua infanzia, acquistando una visione più realistica di quel mondo che ora lo affascina come remoto, sterminato, aperto alle avventure.

❓ Uno dei terreni su cui deve compiersi la maturazione di Arturo è il rapporto con la donna, che all'inizio il ragazzo sperimenta in una situazione insolita, a contatto con una matrigna che è quasi sua coetanea. Ricercate, disseminati nel brano, i segni dell'ostilità per lei, accanto ai primi indizi del rovesciamento dell'ostilità in un amore che è espresso ancora in forme mitiche e infantili.

Il fascino del libro non è nella scoperta della realtà, è nella rievocazione di quell'infanzia solitaria e favolosa, a contatto con una natura incontaminata. Agli occhi incantati di Arturo la visione reale si confonde coi sogni infantili, la natura acquista spontaneamente sembianze mitiche, il fascino del paesaggio vicino si confonde col sogno di mondi lontani.

Giuseppe Tomasi di Lampedusa

Giuseppe Tomasi di Lampedusa (1896-1957), nobile siciliano, viaggiò molto e fu coltissimo e appassionato lettore, ma visse in disparte dagli ambienti letterari. Negli ultimi anni di vita si dedicò alla scrittura di un romanzo, *Il Gattopardo*, che, pubblicato postumo nel 1958, ebbe immediatamente un largo successo di pubblico e suscitò un vero "caso" letterario. Pure postumi sono stati pubblicati i *Racconti* e le *Lezioni* su Stendhal e sulla letteratura inglese, che testimoniano la sua passione e la sua competenza nell'ambito della grande narrativa europea.

▶ **T38.39**

T38.39

«Il suo disgusto cedeva il posto alla compassione»

Il Gattopardo è un romanzo storico che si svolge tra il 1860 e il 1910. Il titolo si riferisce all'emblema araldico di famiglia del protagonista, il principe siciliano Fabrizio di Salina, che vive in una villa presso Palermo, governando autoritariamente una numerosa famiglia. Allo sbarco di Garibaldi in Sicilia, il giovane Tancredi Falconeri, nipote e pupillo del principe, va ad arruolarsi coi garibaldini, nonostante la famiglia sia legata alla monarchia borbonica, perché capisce chi sarà il vincitore e vuole essere dalla sua parte. Il principe accetta il trasformismo del nipote e alcuni mesi dopo, al plebiscito per l'annessione della Sicilia al Regno d'Italia, vota e fa votare "sì". Tancredi sposa poi Angelica, la bellissima figlia di Calogero Sedàra, un popolano di Donnafugata (feudo del principe) che si è arricchito con speculazioni di dubbia natura ed è destinato a una folgorante carriera politica nel nuovo stato; il matrimonio suggella l'alleanza tra la vecchia aristocrazia borbonica e la classe di affaristi che si fa strada nel nuovo regime. La sesta parte del romanzo, da cui è tratto il brano che riportiamo, descrive un ballo che si tiene in un palazzo aristocratico di Palermo, nel 1862. Le ultime due parti vengono dopo forti scarti temporali: la penultima narra la morte del principe, nel 1883; l'ultima, datata 1910, descrive la definitiva decadenza della sua famiglia, mettendo in scena tre sue figlie ormai vecchie e rimaste zitelle.

Giuseppe Tomasi di Lampedusa
IL GATTOPARDO
(Parte VI, Feltrinelli, Milano, 1971)

1. **cincischiato**: lavorato finemente a sbalzo.
2. **damaschinato**: filato e intessuto (da *damasco*, una seta pregiata).
3. **nodi... rococò**: decorazioni floreali di gusto *rococò*, stile settecentesco.

La sala da ballo era tutta oro: liscio sui cornicioni cincischiato[1] nelle inquadrature delle porte, damaschinato[2] chiaro quasi argenteo su meno chiaro nelle porte stesse e nelle imposte che chiudevano le finestre e le annullavano conferendo così all'ambiente un significato orgoglioso di scrigno escludente qualsiasi riferimento all'esterno non degno. Non era la doratura sfacciata che adesso i decoratori sfoggiano, ma un oro consunto, pallido come i capelli di certe bambine del Nord, impegnato a nascondere il proprio valore sotto una pudicizia ormai perduta di materia preziosa che voleva mostrare la propria bellezza e far dimenticare il proprio costo; qua e là sui pannelli nodi di fiori rococò[3] di un colore tanto svanito da non sembrare altro che un effimero rossore dovuto al riflesso dei lampadari.

Quella tonalità solare, quel variegare di brillii e di ombre fecero tutta-

Il ballo a Palazzo Pantaleone
(1962, scena
da *Il Gattopardo*
di L. Visconti)

via dolere il cuore di Don Fabrizio che se ne stava nero e rigido nel vano di una porta: in quella sala eminentemente patrizia gli venivano in mente immagini campagnole: il timbro cromatico era quello degli sterminati seminerî[4] attorno a Donnafugata[5], estatici, imploranti clemenza sotto la tirannia del sole: anche in questa sala come nei feudi a metà Agosto, il raccolto era stato compiuto da tempo, immagazzinato altrove[6] e, come là, ne rimaneva soltanto il ricordo nel colore delle stoppie; arse d'altronde e inutili. Il valzer le cui note traversavano l'aria calda gli sembrava solo una stilizzazione di quell'incessante passaggio dei venti che arpeggiano il proprio lutto sulle superfici assetate[7], ieri, oggi, domani, sempre, sempre, sempre. La folla dei danzatori fra i quali pur contava tante persone vicine alla sua carne se non al suo cuore, finì col sembrargli irreale, composta di quella materia della quale son tessuti i ricordi perenni che è più labile ancora di quella che ci turba nei sogni. Nel soffitto gli Dei, reclini su scanni dorati, guardavano in giù sorridenti e inesorabili come il cielo d'estate. Si credevano eterni: una bomba fabbricata a Pittsburgh, Penn. doveva nel 1943 provar loro il contrario[8].

"Bello, principe, bello! Cose così non se ne fanno più adesso, al prezzo attuale dell'oro zecchino!" Sedàra si era posto vicino a lui, i suoi occhietti svegli percorrevano l'ambiente, insensibili alla grazia, attenti al valore monetario.

Don Fabrizio, ad un tratto, sentì che lo odiava; era all'affermarsi di lui, di cento altri suoi simili, ai loro oscuri intrighi, alla loro tenace avarizia e avidità che era dovuto il senso di morte che adesso incupiva questi palazzi; si doveva a lui, ai suoi compari, ai loro rancori, al loro senso d'inferiorità, al loro non esser riusciti a fiorire, se adesso anche a lui, Don Fabrizio, gli abiti neri dei ballerini ricordavano le cornacchie che planavano, alla ricer-

4. **seminerî**: terreni a semina.
5. **Donnafugata**: il paese al centro di un feudo del principe di Salina (oggi in provincia di Ragusa), dove sorge il palazzo in cui si svolge parte della vicenda.
6. **il raccolto... altrove**: vuol dire, metaforicamente, che la ricchezza di cui le dora-

ture erano l'ultima traccia era in realtà passata ormai in altre mani: da quelle dell'aristocrazia borbonica a quelle borghesi.
7. **venti che... assetate**: venti che fanno risuonare le aride stoppie, comunicando un senso di morte (*lutto*); immagine del-

l'immobilità del paesaggio siciliano nel variare degli eventi storici.
8. **una bomba... contrario**: improvvisa

anticipazione: un bombardamento americano avrebbe distrutto il palazzo durante la seconda guerra mondiale.

ca di prede putride, al di sopra dei valloncelli sperduti. Ebbe voglia di rispondergli malamente, d'invitarlo ad andarsene fuori dai piedi. Ma non si poteva: era un ospite, era il padre della cara Angelica. Era forse un infelice come gli altri.

"Bello, don Calogero, bello. Ma ciò che supera tutto sono i nostri due 60
ragazzi." Angelica e Tancredi passavano in quel momento davanti a loro, la destra inguantata di lui posata a taglio sulla vita di lei, le braccia tese e compenetrate, gli occhi di ciascuno fissi in quelli dell'altro. Il nero del "frack" di lui, il roseo della veste di lei, frammisti, formavano uno strano gioiello. Essi offrivano lo spettacolo più patetico di ogni altro, quello di due giovanis- 65
simi innamorati che ballano insieme, ciechi ai difetti reciproci, sordi agli ammonimenti del destino, illusi che tutto il cammino della vita sarà liscio come il pavimento del salone, attori ignari cui un regista fa recitare la parte di Giulietta e quella di Romeo nascondendo la cripta e il veleno[9], di già previsti nel copione. Né l'uno né l'altra erano buoni, ciascuno pieno di cal- 70
coli, gonfio di mire segrete; ma entrambi erano cari e commoventi mentre le loro non limpide ma ingenue ambizioni erano obliterate dalle parole di giocosa tenerezza che lui le mormorava all'orecchio, dal profumo dei capelli di lei, dalla reciproca stretta di quei loro corpi destinati a morire.

I due giovani si allontanavano, altre coppie passavano, meno belle, al- 75
trettanto commoventi, immerse ciascuna nella propria passeggera cecità. Don Fabrizio sentì spetrarsi[10] il cuore: il suo disgusto cedeva il posto alla compassione per questi effimeri esseri che cercavano di godere dell'esiguo raggio di luce accordato loro fra le due tenebre prima della culla, dopo gli ultimi strattoni[11]. Come era possibile infierire contro chi, se ne è sicuri, 80
dovrà morire? voleva dire esser vili come le pescivendole che sessant'anni fa oltraggiavano i condannati nella piazza del Mercato[12]. Anche le scimmiette[13] sui *poufs*, anche i vecchi babbei suoi amici erano miserevoli, insalvabili e cari come il bestiame che la notte mugula per le vie della città, condotto al macello; all'orecchio di ciascuno di essi sarebbe giunto un giorno lo 85
scampanellìo che aveva udito tre ore fa dietro S. Domenico[14]. Non era lecito odiare altro che l'eternità.

E poi tutta la gente che riempiva i saloni, tutte quelle donne bruttine, tutti questi uomini sciocchi, questi due sessi vanagloriosi, erano il sangue del suo sangue[15], erano lui stesso; con essi soltanto si comprendeva, sol- 90
tanto con essi era a suo agio. "Sono forse più intelligente, sono certamente più colto di loro, ma sono della medesima risma[16], con essi debbo solidarizzare."

Si accorse che don Calogero parlava con Giovanni Finale del possibile rialzo dei prezzi dei caciocavalli e che, speranzosi di questa beatifica eve- 95
nienza, i suoi occhi si erano fatti liquidi[17] e mansueti. Poteva svignarsela senza rimorsi.

---

9. nascondendo... veleno: allusione al finale della tragedia di Shakespeare, in cui Romeo, credendo Giulietta morta, si avvelena sulla sua tomba.
10. spetrarsi: intenerire la sua durezza di pietra.
11. dopo... strattoni: dopo la morte, rappresentata dagli *strattoni* dell'agonia.
12. i condannati.. Mercato: si riferisce alle condanne a morte eseguite in pubblico, negli antichi regimi, a cui la folla accorreva come a uno spettacolo.
13. le scimmiette: in una scena precedente Don Fabrizio, osservando le giovani aristocratiche al ballo, le aveva trovate generalmente brutte, fino a paragonarle a «un centinaio di scimmiette». Un commento del narratore spiega questa bruttezza con «la frequenza di matrimoni fra cugini»; anche la bruttezza, insomma, è un segno di decadenza dell'aristocrazia.
14. lo scampanellìo... S. Domenico: durante il viaggio in carrozza verso il palazzo del ballo, si era udito il campanello del chierico che accompagnava un prete che portava il Sacramento a un mo- rente. San Domenico è una chiesa barocca nel centro di Palermo.
15. erano il sangue del suo sangue: ave- vano il suo stesso sangue aristocratico nelle vene.
16. della medesima risma: dello stesso tipo umano. Uso me- taforico frequente di *risma*, che propriamente designa un blocco di fogli uguali.
17. liquidi: lucci-

Fino a questo momento l'irritazione accumulata gli aveva dato energia; adesso con la distensione sopravvenne la stanchezza: erano di già le due. Cercò un posto dove poter sedere tranquillo, lontano dagli uomini, amati e fratelli, va bene, ma sempre noiosi. Lo trovò presto: la biblioteca, piccola, silenziosa, illuminata e vuota. Sedette poi si rialzò per bere dell'acqua che si trovava su un tavolinetto. "Non c'è che l'acqua a esser davvero buona" pensò da autentico siciliano; e non si asciugò le goccioline rimaste sulle labbra. Sedette di nuovo. La biblioteca gli piaceva, ci si sentì presto a suo agio; essa non si opponeva alla di lui presa di possesso perché era impersonale come lo sono le stanze poco abitate; Ponteleone[18] non era tipo da perdere il suo tempo lì dentro. Si mise a guardare un quadro che gli stava di fronte: era una buona copia della "Morte del Giusto" di Greuze[19]. Il vegliardo stava spirando nel suo letto, fra sbuffi di biancheria pulitissima, circondato dai nipoti afflitti e da nipotine che levavano le braccia verso il soffitto. Le ragazze erano carine, procaci, il disordine delle loro vesti suggeriva più il libertinaggio che il dolore; si capiva subito che erano loro il vero soggetto del quadro. Nondimeno un momento Don Fabrizio si sorprese che Diego tenesse ad aver sempre dinanzi agli occhi questa scena malinconica; poi si rassicurò pensando che egli doveva entrare in questa stanza sì e no una volta all'anno.

Subito dopo chiese a sé stesso se la propria morte sarebbe stata simile a quella: probabilmente sì, a parte che la biancheria sarebbe stata meno impeccabile (lui lo sapeva, le lenzuola degli agonizzanti sono sempre sudice, ci sono le bave, le deiezioni, le macchie di medicine...) e che era da sperare che Concetta, Carolina e le altre sarebbero state più decentemente vestite. Ma, in complesso, lo stesso. Come sempre la considerazione della propria morte lo rasserenava tanto quanto lo aveva turbato quella della morte degli altri; forse perché, stringi stringi, la sua morte era in primo luogo quella di tutto il mondo[20]?

100

105

110

115

120

125

canti.
18. **Ponteleone**: il nobile padrone di casa.
19. **Greuze**: pittore francese del Settecento, autore di scene di genere.
20. **la sua morte... mondo**: il principe, che non è credente, non riesce a immaginare l'esistenza del mondo dopo la fine della propria coscienza.

dialogo con il testo

I temi

Il Gattopardo è il romanzo della trasformazione sociale che si compie con l'annessione della Sicilia al Regno d'Italia: rappresenta l'ascesa di una nuova classe di affaristi e la decadenza della nobiltà borbonica. In questa "rivoluzione" (come è chiamata dai personaggi) c'è spazio per la radicata abilità trasformistica delle classi dirigenti siciliane (o italiane?): il giovane Tancredi, nobile squattrinato, si fa garibaldino, sposa la figlia di un popolano arricchito che ha bisogno di nobilitare la propria famiglia, e inizia una brillante carriera nel nuovo ordine. È divenuta famosa ed emblematica la frase con cui spiega al principe la sua scelta: «Se vogliamo che tutto rimanga come è, bisogna che tutto cambi».

Questo intreccio di mutamento e continuità è descritto dal punto di vista di un esponente della vecchia classe: il principe di Salina vede con simpatia l'ascesa del nipote, ma quanto a sé segue gli avvenimenti con rassegnata inerzia, convinto che poco cambierà nella sostanza, ma che il proprio ceto sia condannato a una decadenza inarrestabile. In un colloquio con un esponente del nuovo governo «piemontese» dice: «Noi fummo i Gattopardi, i Leoni; quelli che ci sostituiranno saranno gli sciacalletti, le iene».

▨ Nella scena del ballo, questi elementi di una complessa valutazione sociale sono condensati in immagini, col tipico procedimento del grande realismo ottocentesco. Indicate le immagini che riassumono:
– le tracce di uno splendore consunto, i segni di decadenza della vecchia classe dominante;
– la volgarità dei nuovi personaggi emergenti;
– la stupidità e l'incultura che coinvolgono anche l'aristocrazia.

Il principe è un tipo di intellettuale, si sente distaccato e superiore rispetto al proprio ceto; ma contemporaneamente si sente legato a esso da ragioni di appartenenza che investono la sua natura più profonda, il suo "sangue". Di fronte alla sua mente disillusa si profila ciò che resiste immutabile alla storia: il riarso paesaggio siciliano che resta lo stesso «ieri, oggi, domani, sempre», e il destino di morte che affratella gli uomini al di là di vittorie e sconfitte, simpatie e antipatie. Due sole idee sembrano consolarlo: l'immagine della giovane coppia felice nell'amore e nel successo, ignara per un momento della miseria umana, e il pensiero della propria morte, attesa come una liberazione.

Le forme

Il Gattopardo è un romanzo di impianto tradizionale, ottocentesco, per l'ampiezza della visione storica e sociale, sempre esplicitata, per la lentezza minuziosa della prosa, per la presenza di un narratore onnisciente, che per lo più assume il punto di vista del protagonista, ma si concede anche un proprio spazio di consapevolezza e di giudizio dall'esterno.

▨ Questo brano è tutto interno al punto di vista del principe; ma in almeno due rapidi passaggi emerge la voce del narratore che sa e vede più del personaggio. Individuateli.

Il romanzo è però moderno nella struttura temporale: le otto parti di cui si compone sono scene intervallate da periodi più o meno lunghi, senza sommari di sutura; secondo il gusto novecentesco, la rappresentazione in atto, per momenti staccati, è preferita a uno sviluppo metodico e pausato della narrazione.

La prosa di Tomasi di Lampedusa è lenta e sontuosa, capace di cogliere con ricchezza di lessico e complessità sintattica ogni particolare visivo e ogni sfumatura del pensiero.

Confronti

▨ *Il Gattopardo* si inserisce idealmente in una serie di grandi libri sul passaggio della Sicilia al Regno d'Italia, con le relative trasformazioni e delusioni; la serie include *Mastro-don Gesualdo* di Verga, *I Viceré* di De Roberto, *I vecchi e i giovani* di Pirandello. Confrontando questo brano con uno di Verga (Vol. F *T28.21*), paragonate due diversi modi di rappresentare l'ascesa di un nuovo ceto sociale; confrontandolo con quello di De Roberto (Vol. F *T26.21*), paragonate due rappresentazioni della decadenza dell'aristocrazia.

▨ Mentre la critica italiana di ispirazione marxista tendeva a condannare *Il Gattopardo* come romanzo che negava il progresso storico, György Lukács lo accolse con favore. Confrontando il brano del filosofo ungherese (*T37.21*), cercate di individuare quali aspetti delle sue teorie potessero trovare una conferma nel romanzo di Tomasi di Lampedusa.

DA VEDERE   # Il Gattopardo, di Luchino Visconti (1963, 187')

Videocassetta: Luchino Visconti, *Il Gattopardo*, © Titanus S. p. A. – S. N. P. C. – S. G. C. (1963)

Luchino Visconti era un regista di estrazione aristocratica, ma vicino al Partito comunista; dietro la sua scelta di portare in scena *Il Gattopardo* vi era l'intuizione che lo spirito conservatore di Tomasi di Lampedusa contenesse una paradossale potenzialità progressista: la celebre frase «se vogliamo che tutto rimanga come è, bisogna che tutto cambi» esprimeva una radicale critica al malcostume politico italiano, applicabile non solo al Risorgimento, ma anche alla situazione che si era venuta a creare dopo la caduta del fascismo. La polemica sul trasformismo e sul riassorbimento dei valori risorgimentali venne quindi enfatizzata nella trasposizione cinematografica.

Ma la sensibilità di Visconti si esercitò anche sul tema della rievocazione del passato, che in lui si univa a un fascino ambiguo per le situazioni di decadenza. Il momento di massima intensità è la sequenza del ballo, che occupa da sola più di trenta minuti (e fu girata in trentasei giorni, vista la maniacale cura del regista per i dettagli). Qui sono ricomposti ed esaltati tutti i motivi fondamentali del romanzo, che traggono dalla musica una suggestione di rado concessa alla parola scritta. È un affresco ampio e sontuoso della vita nobiliare all'epoca del Risorgimen-

to, uno sguardo sul panorama dei rapporti fra nobiltà e borghesia, fra rivoluzionari e conservatori, fra uomini e donne, ma anche una riflessione amara sulla Storia, su ciò che superficialmente cambia e ciò che in profondità rimane invariato.

L'aristocratico Visconti sembra riconoscersi amaramente nel principe di Salina, l'ambiguo protagonista, rappresentante di un mondo in estinzione. Prima di lasciare il palazzo, il principe balla con Angelica, la figlia dello spregiudicato arrivista Calogero Sedàra la cui bellezza popolana ha incantato l'orgoglio aristocratico dei Salina. I partecipanti al ballo si rendono conto di assistere a un simbolico passaggio di consegne, al nascere di un nuovo mondo.

La spettacolarità della scena del ballo coincide con il presentimento di morte del principe: la sua angoscia e il senso di distacco s'accrescono in mezzo alla fiumana della gente e allo splendore della festa. Sentiamo come la morte, cui non assistiamo nel film diversamente che nel libro, sia attesa, quando il principe esce dal ballo per tornarsene solitario a casa. Il film si conclude su lui che scompare in un vicolo oscuro, metafora di una sparizione definitiva.

Altri consigli di lettura e visione in *Scegli il tuo libro, scegli il tuo film*, pag. 523

Immagine del film
Il Gattopardo
(1963)

T38.39

I GENERI Secondo Novecento

GUIDA ALL'ASCOLTO **Il Gattopardo**, colonna sonora di Nino Rota

Per la colonna sonora de *Il Gattopardo* Luchino Visconti si rivolse al compositore Nino Rota (1911-1979), che all'epoca vantava già una collaudata esperienza nel campo della musica da film, ma si era impegnato anche in una vasta produzione di musica da camera, sinfonica e operistica. Per il *Gattopardo* Rota attinse appunto a una sinfonia che aveva iniziato negli anni 40, la *Sinfonia sopra una canzone*. Essa è caratterizzata da un linguaggio neoromantico che privilegia la cantabilità della melodia e non sembra influenzata dalle esperienze dell'avanguardia musicale novecentesca; pur non essendo stata specificatamente concepita per il film di Visconti, questa musica si sposa magnificamente con l'ambiente storico-sociale descritto nel romanzo di Lampedusa. Tra gli altri episodi, *Viaggio a Donnafugata* (*allegro impetuoso*), uno degli interventi musicali più articolati, accompagna il trasferimento della famiglia Salina nella residenza estiva; *Angelica e Tancredi* (*sostenuto appassionato*) commenta la vicenda amorosa. Ma è soprattutto nella scena del ballo, a cui il regista ha assegnato un notevole spazio, che la musica occupa un ruolo fondamentale. La musica di Rota dipinge con raffinatezza l'atmosfera spensierata del gran ballo nobiliare, funge da elemento connettivo tra i vari episodi e sottolinea il mutamento di situazioni e di stati d'animo, interrompendosi a tratti

per favorire l'attenzione ai dialoghi tra gli invitati. Il primo brano è un *Valzer brillante* inedito di Giuseppe Verdi per pianoforte, che Rota per l'occasione trascrisse per orchestra; esso si apre sulle immagini dei contadini di Donnafugata per continuare nel lussuoso palazzo Ponteleone dove la principessa accoglie i numerosi ospiti. Per il primo ballo di Angelica e Tancredi Rota sceglie il *Valzer del commiato*, un valzer leggero, spumeggiante che sottolinea l'ingenuità e la freschezza del loro amore, mentre Angelica e Don Fabrizio danzano accompagnati dal meno evanescente *Valzer brillante* di Verdi. Riascoltiamo nuovamente il *Valzer del commiato* quando Don Fabrizio, solo, si guarda pensieroso allo specchio: è un momento in cui il personaggio medita sullo scorrere del tempo e la musica sottolinea il suo sentimento nostalgico, ma anche il presentimento della morte.

In Rota gli interventi musicali sono sempre mirati a esaltare il significato dell'azione cinematografica senza scavalcarla. Come sosteneva un grande musicista italiano, Ildebrando Pizzetti, «il film con la musica raggiungerebbe la sua perfezione quando lo spettatore (e ascoltatore) non si accorgesse più della musica, non ne avvertisse intellettualmente la presenza, insomma ne ricevesse soltanto l'emozione che essa voleva dare».

Altri consigli di lettura e visione in *Scegli il tuo libro, scegli il tuo film*, pag. 523

Immagine del film
Il Gattopardo
(1963)

Nuove realtà urbane e industriali

Una linea realistica continua nella narrativa italiana anche dopo la crisi del neorealismo, ma con caratteri mutati: scompare l'idealizzazione del popolo e si ha una visione per lo più pessimistica di un mondo ormai privo di valori, mentre sul piano stilistico l'imitazione del linguaggio parlato e dialettale si spinge a effetti di espressività esasperata. Sono diversi anche gli ambienti rappresentati, che risentono della grande trasformazione in corso nella società italiana: il sottoproletariato delle borgate romane in Pasolini (*T38.40*), il proletariato e la piccola borghesia preda dei miti consumistici nei racconti milanesi di Testori (*T38.41*), una piccola città travolta dalla febbre dei rapidi guadagni nella trilogia di Mastronardi (*T38.42*). Nasce intanto una "narrativa industriale", che vuole cogliere direttamente la situazione di vita nei nuovi ambienti di lavoro, il cui esempio migliore è *Memoriale* di Volponi (*T38.43*). In anni successivi Primo Levi coglie un altro aspetto dell'industrializzazione, dando vita in letteratura a una nuova figura sociale di lavoratore italiano all'estero (*T38.44*).

Pier Paolo Pasolini

Pier Paolo Pasolini (1922-1975) nacque a Bologna, figlio di un ufficiale, di cui seguì nell'infanzia gli spostamenti in varie città; trascorreva le estati nel paese natale della madre, Casarsa in Friuli, dove si rifugiò anche durante la guerra. Lì cominciò a scrivere poesie in friulano, raccolte poi in *La meglio gioventù* (1954). Laureatosi in lettere a Bologna, cominciò a insegnare nelle scuole medie, ma nel 1949 fu allontanato dall'insegnamento in seguito a un processo per corruzione di minorenni, che gli costò anche l'espulsione dal P.C.I.; si trasferì quindi a Roma, dove visse poveramente, con la madre. Dal contatto coi sottoproletari delle borgate romane nacquero i romanzi *Ragazzi di vita* (1955) e *Una vita violenta* (1959), che gli diedero la fama, ma suscitarono anche scandalo: per il primo dei due fu processato per oscenità (e assolto). Intanto proseguiva l'attività poetica, in italiano (*Le ceneri di Gramsci*, 1957; *La religione del mio tempo*, 1961; *Poesia in forma di rosa*, 1964) e scriveva importanti saggi letterari, raccolti in *Passione e ideologia* (1961). Dopo aver lavorato nel cinema da sceneggiatore, Pasolini esordì come regista con *Accattone* (1961); questa attività divenne la sua prevalente, con opere come *Il Vangelo secondo Matteo* (1964), *Edipo re* (1967), e la trilogia ispirata alla narrativa medievale: *Decameron* (1971), *I racconti di Canterbury* (1972), *Il fiore delle Mille e una notte* (1974). Nel frattempo partecipava alle polemiche culturali e politiche dell'epoca con interventi appassionati, spesso provocatori, col gusto di rovesciare i luoghi comuni dell'ideologia di sinistra; i suoi articoli sono raccolti in vari volumi, tra cui *Scritti corsari* (1975; *T37.4*), *Lettere luterane* (1976). Nel novembre del 1975 Pasolini fu trovato ucciso in uno spiazzo della periferia romana, dopo un incontro erotico con uno dei "ragazzi di vita" che frequentava.

▶ **T38.40**   **T38.69**

T38.40

Ragazzi di vita

Ragazzi di vita (1955) presenta, senza una trama narrativa continua, una serie di scene di vita di giovani sottoproletari delle borgate romane, nei primi anni dopo la seconda guerra mondiale. La lingua dei personaggi (e in parte anche del narratore) è il romanesco delle borgate e il gergo della malavita; l'autore trovò opportuno aggiungere un glossarietto in fondo al volume.

Pier Paolo Pasolini
RAGAZZI DI VITA
(Cap. 3; Garzanti,
Milano, 1971)

Sul cavalcavia della stazione Tiburtina, due ragazzi spingevano un carretto   1
con sopra delle poltrone. Era mattina, e sul ponte i vecchi autobus, quello
per Monte Sacro, quello per Tiburtino III, quello per Settecamini, e il 409
che voltava subito sotto il ponte, giù per Casal Bertone e l'Acqua Bullican-
te, verso Porta Furba, cambiavano marcia raschiando in mezzo alla folla,   5
tra i tricicli e i carretti degli stracciaroli[1], le biciclette dei pischelli[2] e i bir-
roccioni rossi dei burini[3] che se ne tornavano calmi calmi dai mercati verso
gli orti della periferia. Anche i marciapiedi scrostati ai lati del ponte, erano
tutti pieni di gente: colonne di operai, di sfaccendati, di madri di famiglia
scese dal tram al Portonaccio, proprio sotto i muraglioni del Verano[4] e che   10
trascinavano le borse piene di carciofoli e cotiche, verso le casupole della
via Tiburtina, o verso qualche grattacielo, costruito da poco, tra i rottami,
in mezzo ai cantieri, ai depositi di ferrivecchi e di legname, alle grosse fabbriche di Fiorentini o della Romana Compensati. Proprio in cima al ponte, tra la marea di macchine e di pedoni, i due ragazzi che trascinavano il   15
carretto a strappi, senza badare agli zompi[5] che faceva sulle buche del selciato, e andandosene più adagio che potevano, si fermarono, e si misero a
sedere sui bordi del carretto. Uno tirò fuori dal fondo d'una saccoccia una
cicca e se l'accese. L'altro appoggiato al bracciale di una poltrona, a striscio-
ni rossi e bianchi, aspettò il suo turno per tirare una boccata, e per il caldo   20
si tolse di sotto i calzoni la maglietta nera. Ma l'altro continuava a fumare
senza badargli. «Aòh,» fece allora, «me 'a voi dà sta cica?» «Tiè, basta che te
stai zitto,» disse l'altro passandogliela. Tanto era il via vai del ponte che le
loro voci si sentivano appena. Ci si era messo pure un treno, che passava fi-
schiando sotto il cavalcavia, senza rallentare alla stazione, bassa, con tutti   25
quei fasci di binari che si sperdevano nel polverone e il sole, contro le migliaia di case che si stavano costruendo nell'avvallamento dietro la Nomen-
tana. Fumandosi la cicca che il compagno gli aveva appena passato, quello
con la maglietta nera si issò sopra una delle due poltrone che stavano sopra
il carretto, e vi si distese quant'era lungo, con le gambe larghe e la testa tut-   30
ta riccioletti appoggiata sulla spalliera. Così si mise a aspirare beatamente
quei due centimetri di nazionale che teneva tra le dita, mentre intorno a
lui, in cima al ponte, il traffico dei pedoni e delle macchine con l'avanzare
del mezzogiorno aumentava.

Anche l'altro salì sul carretto, e si distese sulla seconda poltrona, con le   35
mani sulla fessa dei calzoni. «Mannaggia,» disse, «me sto a mmorì de debolezza, è da ieri matina che nun magno.» Ma nella caciara[6] si distinsero in
fondo al ponte due lunghi fischi. I due sbragati sulle poltrone, riconoscen-
doli, si rigirarono di sguincio[7], e difatti alla curva del tram in fondo al piazzale del Portonaccio, svincolando[8] allegramente tra le macchine e gli auto-   40
bus che sboccavano a file sul ponte, videro due altri malviventi come loro
che se ne venivano in su spingendo tutti sudati un carrettino. Oltre che fischiare, gesticolavano e gridavano alla volta dei due lunghi sulle poltrone.
Giunsero sotto, col carrettino pieno di rifiuti, che puzzava come una fogna. Erano tutti laceri e sporchi, con due dita di polvere e sudore sulla fac-   45
cia, ma coi capelli tutti ben pettinati, come uscissero allora allora da qualche parrucchiere. Uno era un giovinottello bruno e snello, bello anche

1. **stracciaroli:** racco-
glitori e commercian-
ti di roba usata (for-
ma romanesca per
stracciaioli).
2. **pischelli:** ragazzini
(romanesco).
3. **burini:** contadini
(romanesco).
4. **Verano:** cimitero
monumentale di Ro-
ma.
5. **zompi:** sobbalzi.
6. **caciara:** fracasso
(romanesco).
7. **di sguincio:** guar-
dando di sbieco.
8. **svincolando:** insi-
nuandosi; la parola
pare un incrocio tra
divincolarsi e *svicolare*.

conciato a quel modo, con gli occhi neri come il carbone e le guance belle
rotonde di una tintarella tra l'ulivo e il rosa; l'altro un mezzo roscio con la
faccia bolsa piena di cigolini[9]. «Che, te sei fatto pecoraro, a cuggì?» chiese   50
al primo quello della maglietta nera, senza spostarsi d'un centimetro da come si trovava sbragato sulla poltrona con le mani sulla pancia e la cicca incollata al labbro inferiore. «Vaffan..., a Riccè,» gli rispose quello. Il Riccetto – era proprio lui[10] quel fijo de na mignotta sulla poltrona – corrugò
astutamente la fronte, e appannò lo sguardo, calcando il mento contro la   55
gola, con aria di saperla lunga. Il Caciotta, l'altro che stava col Riccetto
sdraiato sulla poltrona, si alzò e curioso come un ragazzino andò a guardare nel carretto dei due compari che cosa c'era. Fece una smorfia di disprezzo e sbottò con una risata forzata. «Uàh, uàh, uàh,» si sbellicava rigirando-
si su se stesso e mettendosi a sedere sull'orlo del marciapiede. Gli altri lo   60
guardavano aspettando che smettesse, prendendo anche loro un'espressione quasi ridente. «Si ce fate[11] ventisei lire me lasso tajà l'osso der collo,»
disse alla fine il Caciotta. Quello che il Riccetto aveva chiamato cugino, visto ch'era a questa sparata che voleva arrivare il Caciotta, facendo schioccare la lingua gli diede una spintarella e senza dir niente prese per le stanghe   65
il carrettino e fece per andarsene. L'altro, il mezzo roscio, che si chiamava
Begalone, gli tenne dietro, guardando con la coda dell'occhio che gli rideva
il Caciotta ancora seduto per terra tra i piedi dei passanti. «A ventisei lire,»
gli disse, «se vedemo stasera a chi c'ha più grana 'n saccoccia[12].» «Pff, pff,
pff,» scoppiò il Caciotta. Il Begalone si fermò col suo testone di saraceno   70
scolorito[13] di sguincio, e fece serio pesando le parole: «A morto de fame,
vòi venì che ti offrimo da beve?» «Daje,» accettò pronto il Riccetto che s'e-
ra stato a guardare la scena senza dir niente dall'alto della sua poltrona.
Balzò giù e aiutato dal Caciotta cominciò a spingere il carretto dei due
stracciaroli. Quelli, senza aggiunger altro, scesero giù dall'altra parte del   75
ponte, verso la Tiburtina, a razzo, e si fermarono davanti a un'osteria col
pergolato, tra due o tre catapecchie, sotto un grattacielo. Entrarono tutti
quattro e si bevvero il litro di vino bianco, assetati com'erano per aver spinto tutta la mattinata il carretto: Alduccio e il Begalone poi avevano la gola
secca e bruciata, per quelle quattro o cinqu'ore che avevano passato al sole   80
a capare[14] in una frana d'immondezza sotto un ponticello della ferrovia.
Dopo ch'ebbero ingollato le prime sorsate erano già tutti attoppati[15].
«Annàmise a vende[16] 'e poltrone, a Riccè,» fece il Caciotta appioppato[17]
contro il banco con le gambe in croce, «e mannamo tutto a ffà 'n...» «E
addò l'annamo a venne[18],» fece con aria competente il Riccetto. «Ma li   85
mortacci tua[19],» disse il Begalone, «annate a Porta Portese[20], no!» Il Riccetto sbadigliò, e poi guardò il Caciotta con gli occhi assonnati: «Namo[21], a
Caciò?» fece. L'altro scolò il bicchiere di vino tutto d'un fiato, finì d'ub-
briacarsi, e uscendo frettoloso dall'osteria, gridò alzando una mano: «Ve saluto, a cosi brutti.» Il Riccetto finì pure lui di bere bagnandosi tutta la ma-   90
glietta nera e tossendo e seguì il Caciotta.

Da lì a Porta Portese non c'erano di sicuro meno di quattro o cinque
chilometri di strada da fare. Era un sabato mattina, e il sole d'agosto ub-
briacava. Il Riccetto e il Caciotta, in più, dovevano farsi un bel giro per

---

9. **mezzo roscio... cigolini**: quasi rosso di capelli, con la faccia gonfia, informe, piena di foruncoli (*ciculini* in romanesco).

10. **era proprio lui**: il Riccetto è il personaggio che compare con più continuità nelle scene di *Ragazzi di vita*.

11. **Si ce fate**: se ne ricavate.

12. **A ventisei... saccoccia**: ehi tu, "ventisei lire", vediamo stasera chi ha più soldi in tasca.

13. **saraceno scolorito**: di colorito naturalmente scuro, come un nordafricano, ma pallido.

14. **capare**: frugare, scegliere.

15. **attoppati**: brilli.

16. **Annàmise a vende**: andiamocene a vendere.

17. **appioppato**: appoggiato di peso.

18. **addò... venne**: dove le andiamo a vendere.

19. **li mortacci tua**: accidenti a te; insulto romanesco che offende i cari defunti del destinatario (letteralmente "i tuoi morti").

20. **Porta Portese**: tradizionale sede di mercato della roba usata, a Roma.

21. **Namo**: andiamo.

T38.40

non passare per San Lorenzo, dov'era la bottega del principale che li aveva   95
mandati di buon mattino a consegnare le poltrone a Casal Bertone. «Ce
vorrebbe che mo nun trovassimo da venne sta mercanzia,» fece il Caciotta
con falso pessimismo, mentre in realtà camminava spedito e pieno di speranza. «Trovamo trovamo,» ribatté ghignante il Riccetto tirando fuori dalla
saccoccia un pezzo di sigaretta. «Quanto dichi che ce rimediamo[22] a   100
Riccè?» chiese ingenuo il Caciotta. «Ce famo poco poco na trentina de sacchi[23]», rispose l'altro. «E chi ce torna ppiù a casa,» aggiunse poi tirando allegramente le ultime boccate dalla cicca. Tanto la sua era una casa per modo di dire: andarci o non andarci era la stessa cosa, magnà non se magnava,
dormì, su una panchina dei giardini pubblici era uguale. Che era una casa   105
pure quella? Intanto la zia il Riccetto non la poteva vedere: e manco Alduccio, del resto, ch'era figlio suo. Lo zio era un imbriacone che rompeva il c...
a tutti l'intera giornata. E poi come fanno due famiglie complete, con
quattro figli una e sei l'altra, a stare tutte in due sole camere, strette, piccole, e senza nemmeno il gabinetto, ch'era giù abbasso in mezzo al cortile del   110
lotto[24]? In questo sistema di vita, da più d'un anno a quella parte, s'era trovato il Riccetto dopo la disgrazia delle Scuole[25], da quando era andato a
abitare a Tiburtino, lì dai parenti suoi.

Andarono a vendere le poltrone a Antonio lo stracciarolo del vicolo dei
Cinque, a cui tre o quattr'anni prima il Riccetto aveva venduto con Mar-   115
cello e Agnolo i pezzi dei chiusini[26]. Ci fecero una quindicina di sacchi, e
andarono a rimettersi a nuovo a vestiti. Un po' vergognandosi un po' senza
guardare in faccia nessuno andarono a Campo dei Fiori dove vendevano i
calzoni a tubbo per mille, millecinquecento lire, e delle belle magliette
gajarde[27] per neppure duemila: si fecero pure un paro di scarpette a punta,   120
bianche e nere, e il Caciotta gli occhiali da sole che da tanto sognava; poi
zoppicando pel male ai piedi ch'erano gonfi per la camminata dal Portonaccio a lì, andarono in cerca d'un posto dove lasciare il malloppo dei panni vecchi. Era una parola trovare un posto da quelle parti. Lo lasciarono
nel cesso d'un baretto vicino a Ponte Garibaldi, imboccando alla menefre-   125
go[28], e pensando dentro di sé, mentre passavano davanti il banco sotto lo
sguardo dei baristi: «Si o' ritrovamo bbene, sinnò ècchelo llì.»

**22. Quanto... rime-
diamo**: quanto dici
che ci ricaviamo.
23. sacchi: migliaia
di lire (gergo).
24. lotto: blocco di
case popolari.
**25. la disgrazia delle
Scuole**: il Riccetto
aveva abitato in una
scuola elementare
adibita a ospizio per
gli sfrattati; ma un'ala
dell'edificio era crol-
lata, e il ragazzo aveva
dovuto trovare un'al-
tra sistemazione di
fortuna.
**26. i pezzi dei chiu-
sini**: in un episodio
precedente, il Riccet-
to e altri ragazzi ruba-
no un chiusino di fo-
gnature, da cui ricava-
no e vendono le
parti metalliche, e
pezzi di tubi di
acquedotto.
27. gajarde: eleganti.
**28. imboccando alla
menefrego**: andando
direttamente alla toi-
lette, senza ordinare
niente.

dialogo con il testo

I temi

Nei suoi due romanzi più famosi Pasolini mette in
scena giovani che vivono ai margini della società,
campando di espedienti, in condizioni di estrema
miseria. Non si tratta del "popolo" della narrativa
neorealista, immerso in un ambiente tradizionale e
portatore di propri valori umani, ma di un sottoproletariato che cresce alla periferia di una metropoli in
trasformazione, in un ambiente degradato, «tra due
o tre catapecchie, sotto un grattacielo» (riga 77). I
ragazzi di vita di Pasolini non conoscono tradizioni e

valori, sono totalmente amorali, abbrutiti dall'ambiente e dalle condizioni di vita. Eppure rappresentano qualcosa di positivo agli occhi dell'autore, che
sembra affascinato dalla loro vitalità, dall'allegria che
esplode in mezzo alle realtà più squallide, dalla spen-
sieratezza con cui affrontano le condizioni più precarie, dalla spavalderia dei gesti e dei discorsi.

Le forme

L'aspetto più vistoso dello stile di *Ragazzi di vita* è
l'adozione massiccia del romanesco e del gergo della

malavita. Questo è il linguaggio esclusivo dei dialoghi, come ci si può aspettare da una rappresentazione realistica; ma dalle battute dei personaggi il romanesco trabocca spesso anche nella lingua del narratore.

? Rintracciate i passi in cui questo accade, e valutate se le espressioni romanesche riflettono i pensieri dei personaggi o sono assunte da un narratore esterno.

? Nel brano si può riconoscere un solo passo abbastanza lungo interpretabile come discorso indiretto libero di un personaggio. Individuatelo.

In ogni caso non c'è un'immersione costante del narratore nel punto di vista dei personaggi, che sono anzi rappresentati quasi sempre dall'esterno: il narratore registra tratti fisici, gesti, atteggiamenti, parole, e sembra ignorare la loro interiorità. E accanto alla lingua dei personaggi è ben presente quella colta e letteraria dell'autore.

? Indicate esempi di espressioni descrittive troppo raffinate per essere attribuite ai "ragazzi di vita".

C'è dunque un'alternanza di due lingue e di due punti di vista, che riflette una contraddizione dell'autore, affascinato dal mondo che rappresenta, ma separato da esso da una distanza culturale incolmabile.

DA VEDERE # Accattone, di Pier Paolo Pasolini (1961, 116', b/n)

I personaggi, le situazioni, gli ambienti del sottoproletariato delle borgate romane, descritti nei due romanzi degli anni cinquanta, diventano un film pochi anni dopo, quando Pier Paolo Pasolini decide di passare al cinema.

Accattone racconta in modo scabro e asciutto la storia di un borgataro che vive sfruttando una prostituta, fra bravate e bevute con gli amici. Un giorno conosce Stella, una giovane ingenua, di cui si innamora. Prova a cambiar vita e si mette a lavorare ma, insofferente della fatica dell'impiego, preferisce darsi al furto. Quando la polizia lo sorprende, Accattone tenta la fuga su una moto rubata e muore in un incidente.

Nonostante la trama richiami le atmosfere neorealiste, il film tratta la vitalità sottoproletaria con uno stile sostanzialmente "antirealistico": i protagonisti sono filmati ispirandosi alla pittura tardomedievale (si notino i primi piani frontali in cui i personaggi sono perfettamente al centro dell'immagine, come in un quadro quattrocentesco); alle immagini della vita quotidiana viene accostato il commento delle musiche sacre di Bach, che trasformano la borgata in un mondo tragico e austero e fanno lievitare il miserabile dramma di un ladro e "magnaccia" a livello di sacra rappresentazione.

Il film infatti affronta il mistero "scandaloso" della Grazia (anticipato da una citazione di Dante all'inizio del film): Accattone trova la sua redenzione nella morte. Dietro il comportamento di Accattone, ha scritto Pasolini, «vi è un'angoscia "preistorica" e quindi un senso di morte, una moralità diversa da quella borghese, precristiana, anche se tutta condita di cattolicesimo superstizioso e mortuario». L'autore ha osservato quello che succedeva dentro l'anima di un sottoproletario della periferia romana, riconoscendovi «tutti gli antichi mali (e tutto l'antico innocente bene della pura vita)».

L'altro tema di fondo del film (come dei romanzi e delle poesie di Pasolini), è l'idea che i sottoproletari rappresentino una cultura a sé, priva di coscienza della storia, non comprensibile dalla borghesia né dal proletariato organizzato politicamente, fatta di valori e modelli di comportamento che passano immutabili dai padri ai figli; le continue invenzioni linguistiche testimoniano quanto sia una cultura viva. Ma, come Pasolini avrebbe sconsolatamente constatato pochi anni dopo, essa era destinata a essere cancellata dalla società dei consumi, che imponendo i suoi modelli di comportamento omologanti, si affermava proprio in quel periodo.

Altri consigli di lettura e visione in *Scegli il tuo libro, scegli il tuo film*, pag. 523

Giovanni Testori

Giovanni Testori (1923-1993), milanese, fu narratore, poeta, drammaturgo e critico d'arte. Come narratore esordì con racconti di ambiente popolare, in un linguaggio colloquiale e fortemente espressivo, ricco di espressioni dialettali (*Il ponte della Ghisolfa*, 1958; *La Gilda del Mac Mahon*, 1959), che formano il ciclo *I segreti di Milano* insieme al romanzo *Il fabbrico-* ne (1961) e a due drammi, uno dei quali subì un processo per oscenità. Testori fu profondamente cattolico e aderì al movimento Comunione e liberazione; i suoi molti libri di versi alternano temi amorosi e religiosi. Nella seconda parte della sua opera spiccano testi scritti in una lingua inventata, mista di italiano aulico, dialetto settentrionale e latino, che in stile tur- gido e barocco mescolano erotismo, religiosità, oscura attrazione per il sangue e la morte; tra essi vari testi teatrali che riprendono e deformano grandi opere del passato (*Ambleto*, 1972; *Macbetto*, 1974; *Sfaust*, 1990), e il romanzo *Passio Laetitiae et Felicitatis* (1975), allucinato monologo di una suora.

► **T38.41**

T38.41

Sì, ma la Masiero...

Nei racconti milanesi di Testori si agita una colorita schiera di personaggi dalla vita povera e mediocre, affascinati dai miti della società di massa: il sesso, lo sport, il teatro di varietà. Presentiamo l'inizio di un racconto in cui si confrontano le ragio- *ni dei patiti del varietà con quelle dei tifosi dello sport, attraverso i pensieri di uno del primo gruppo. Lauretta Masiero, citata nel titolo, è stata una celebre soubrette del teatro di varietà e della televisione.*

Giovanni Testori
LA GILDA DEL MAC MAHON
(Rizzoli, Milano, 1975)

Erano, quando li volevano trattar bene, quelli della claque[1], i fans, i patiti della Wanda[2]; quando li volevano trattar a piedi in faccia, diventavan invece le fighette della balconata[3], i boys senza culo, o i culi senza boys. «Poveri scemi! Per quel che importa a noi della vostra stima! E perché non andar avanti, già che ci siamo[4]? Quel che siamo o non siamo lo sappiamo noi e questo basta; e se basta a noi, può bastar a tutti!» Del resto, loro, quelli che li trattavan come se fossero sicuri che per essere degli uomini veri e propri, dei maschi, ecco, dei maschi («l'uomo!»; «il maschio!»; chissà che fascino aveva su loro quella parola per pronunciarla come se ogni volta si vedessero entrar in tasca milioni!), ecco, cosa facevano loro? S. Siro, il Vigo[5], Palazzo dello Sport, Duilio Loi, Baldini[6], Inter, Tognaccini[7] e Milan. E se a lui e a loro piaceva invece la rivista? Se a lui e a loro, invece dei muscoli dei ciclisti, invece degli uppercut e degli uno-due del Loi e del Garbelli[8], piacevano le gambe, i ventri, i seni e fin i peli, quelli che si vedevano, delle ballerine? Se a lui e a loro, invece di tutta quella ressa «che t'arriva in bocca e ti toglie il fiato da quando entri a quando esci», piaceva la gente, i signori, «ma sì, i signori, i signori,» quelli che prendevan posto nelle poltrone, i vestiti, i gioielli e i profumi che si mettevano, le mogli e le amiche che si tiravan dietro? «Anche i figli e gli amici?» «E va bé, quand'è proprio il caso, anche quelli! Sottilizzar troppo per fare? Il bello è bello, qualunque sia la cosa che ha tra le gambe.»

(righe: 1, 5, 10, 15, 20)

---

1. claque: gli spettatori ingaggiati per suscitare col loro applauso quello del resto del pubblico (francese).
2. Wanda: Wanda Osiris (1905-1994), celebre attrice e cantante di varietà.
3. balconata: la parte alta della sala di un teatro o cinema, dove sono i posti a minor prezzo.
4. E perché... siamo?: un invito agli avversari a dire esplicitamente quello che insinuano (che i *fans* della rivista non siano veri "uomini").
5. il Vigo: il velodromo Vigorelli.
6. Duilio Loi, Baldini: un pugile e un ciclista.
7. Tognaccini: forse un calciatore.
8. uppercut... Garbelli: i colpi di due noti pugili dell'epoca.

Fischi, urla, invettive, imprecazioni e bestemmie; cosa sentivan d'altro a S. Siro o al Palazzo[9]? «Dài che è cotto!»; «Ma cosa giochetti a fare? Passa, o bamba[10]»; goal e non goal; «arbitro troia»; «arbitro venduto»; puzze e sudori, sudori e puzze da tutte le parti; quand'era inverno, un freddo da tirar scemi; tutti calzoni, calzoni vecchi, calzoni giovani, calzoni sposati e calzoni scapoli (loro che dicevan tanto!); quanto alle sottane, le poche che si vedevano parevan mosche sperdute in mezzo a un'orda di tori...   25

Sì, stavan freschi! Dopo che per tutti i sei giorni della settimana uno è stato chiuso, come stava lui, in un «Emporio», a portar giù e a portar su, a srotolare e arrotolare pezze su pezze, dopo che per tutte le ore di tutti i sei giorni della settimana uno s'è sentito chiamare «Dino, di qui, Dino, di là»; «il pettinato tre sei»; «il principe di Galles bi-due diciotto[11]»; «svelto, Dino, svelto»; che per quanto uno è svelto e agile, per quanto uno è ballerino, per i padroni non corre mai abbastanza, ecco sta' a vedere che uno, dopo tutto quello e le fatiche e le umiliazioni connesse, doveva mettersi lì, buono buono, davanti agli sportelli a far la fila, anzi più che la fila, la lotta, la lotta greco-romana; sentirsi schiacciar da tutte le parti (altro che gli sfioramenti cui alludevan gli avversari!), uno addosso all'altro, come se invece che a un match o a una partita stessero per entrare in un casino dopo due o tre anni d'astinenza...   30   35   40

«Oh, se è per quello,» ribattevan gli avversari, «gli ultimi a poter parlare siete voi, perché il secondo tempo[12] non è ancora finito e zùm, avanti, come i barboni quando apron le porte del convento! Tranne che invece della tolletta[13] con dentro la minestra, cosa danno a voi i vostri idoli? Ringraziamenti, sorrisi, quando va bene qualche sfioramento di dita; e intanto la fantasia galoppa, la testa vi bolle, e appena a casa...»   45

«Appena a casa, cosa? Avanti! Sempre meglio, per tua norma e regola, che tornarci con in mente il K.O. o l'arrivo della Milano-San Remo, se siamo uomini...» aveva aggiunto il Dino più d'una volta. Sì, perché se uno è uomo e ha il senso di quel minimo di decoro, un minimo che se la vita non permette di darsi, a un certo punto bisogna pur trovare il modo d'inventarlo, ecco, allora, dopo una settimana come quella, disposto a riconoscere d'esser uno dei pochi che il lavoro non trascina troppo in basso sulla strada dell'abbrutimento, perché dopotutto lui era commesso[14], fuori un'altra volta, un'altra volta in mezzo a un'orda di miseri e di dannati come loro e a un'orda di miseri e di dannati proprio nel momento in cui scatena tutta la sua bestialità! Ma, andiamo! Perché cos'era quell'inseguire come innamorati una palla che correva su un prato? E cosa quell'urlar dietro i montanti[15] di due che se le davano su un quadrato di legno o di cemento? Non era alla fin fine teatro anche quello? E allora, teatro per teatro, meglio il loro che oltretutto permetteva di distendersi, illudersi e sognare!   50   55   60

---

9. **al Palazzo**: dello Sport.
10. **bamba**: stupido.
11. **il pettinato... diciotto**: tipi di stoffa, indicati con le sigle dei listini commerciali.

12. **il secondo tempo**: di uno spettacolo di rivista.
13. **tolletta**: gavetta di latta (milanese).
14. **perché... commesso**: il protagonista sente il suo lavoro come un gradino più in alto dei lavori puramente manuali. Il suo discorso ha

l'andamento disordinato di un monologo interiore: quando ci si aspetterebbe che difenda le proprie scelte, improvvisamente

si raffigura invece l'abbrutimento degli altri.
15. **montanti**: colpi dati dal basso in alto, nel pugilato.

dialogo con il testo

I temi

Il monologo riproduce il clima delle discussioni da bar, in cui si manifesta la miseria intellettuale e morale di entrambi i partiti contendenti. Eppure c'è nel protagonista qualcosa che lo riscatta dallo squallore completo: la sua passione è così totale da assomigliare a un sentimento autentico, quasi religioso; e d'altra parte c'è in lui la consapevolezza che la passione nasce da un bisogno di «illudersi e sognare», come compensazione a una vita meschina.

? Tutto questo si presta a un giudizio critico sui falsi miti di evasione che nascono nella società di massa; ci si può chiedere se l'autore abbia voluto suggerire un tale giudizio o se non sia piuttosto affascinato dall'eccitazione del personaggio come segno di vitalità, per quanto degradata. Esprimete e motivate una vostra opinione in proposito.

Le forme

? Testori si immedesima nel personaggio sfruttando a fondo le tecniche del discorso indiretto libero, fino a sfiorare il monologo interiore alla maniera di Joyce (Vol. G *T32.64*), per quanto in terza persona; individuate i punti in cui la sintassi si fa frammentaria e disordinata, seguendo gli sbandamenti del flusso di coscienza.

L'espressività del discorso è forzata fino ai limiti del grottesco, con l'inserimento di frammenti di discorso diretto, espressioni tipiche del parlato, un lessico fitto di nomi propri, abbreviazioni, tecnicismi dello sport, volgarità.

Lucio Mastronardi

Lucio Mastronardi (1930-1979), maestro elementare a Vigevano, conseguì un'improvvisa popolarità col romanzo *Il calzolaio di Vigevano* (1959), presentato da Vittorini. Seguirono altri due romanzi che compongono una trilogia sulle trasformazioni del costume in una cittadina in pieno sviluppo economico: *Il maestro di Vigevano* (1962), *Il meridionale di Vigevano* (1964). Dopo aver scritto altri due romanzi, lo scrittore morì suicida.

▶ **T38.42**

T38.42

È arrivato venerdì

Il maestro di Vigevano (1962), rappresenta in chiave grottesca l'ambiente scolastico e la squallida vita quotidiana di un insegnante elementare che stenta a mantenere la famiglia col suo modesto stipendio, mentre intorno a lui si scatena la corsa all'arricchimento col boom *dell'industria calzaturiera. La moglie, che lo disprezza, lo spinge a dimettersi da insegnante per aprire un laboratorio di calzature; questo sarà il principio dello sfacelo della famiglia e alla fine il protagonista, rimasto solo, tornerà ai meschini riti burocratici della scuola. Il capitolo che presentiamo rispecchia la situazione iniziale del romanzo.*

Lucio Mastronardi
IL MAESTRO DI
VIGEVANO
(Parte I cap. II,
Mondadori, Milano,
1972)

È arrivato venerdì. Lo detesto questo giorno; anzi, detesto la sera del venerdì. Ogni sera mi vado a intrattenere un'ora al caffè, gioco a scopa coi miei amici. Al venerdì non posso andarci: Ada[1] vuole andare al cinema e devo accompagnarla.   1

1. **Ada**: la moglie.

Ho guardato la pellicola pensando alla scopa. Il film trattava di una
donna di provincia, che fugge a Parigi e riesce a diventare l'amante di pezzi
grossi. Durante gli intervalli Ada mi guardava con un'aria provocante. Il
marito della donna del film era un impiegato modesto; l'ambiente dove si
svolgevano le scene di provincia assomigliava a Vigevano. Una piazza nel
centro, quelle facce di abitudinari, quell'aria sonnolenta che hanno i piccoli borghesi di provincia, con quelle sfumature di presunzione e di distacco
che mi si svelavano dinanzi. Quell'impiegato borghese potevo essere io. Se-
guivo il film col fiato sospeso, come si trattasse di un giallo. Il film metteva
in risalto i miei difetti, le miei abitudini, il catrame[2]. E le ambizioni soffocate di Ada.

Sentivo il suo sguardo bucare l'oscurità della sala.

"Questo sei tu", sembrava dicessero i suoi occhi. "E quella sei tu", le rispondeva il mio sguardo.

Al terzo tempo non ne potevo più. «Andiamo» le dissi.

«No» rispose lei.

L'epilogo del film era cosa scontata. La moglie fa le corna al marito, il
quale continua nelle sue abitudini provinciali.

Mi sembrava di avvertire un presagio. "Questo film è un avvertimento",
mi diceva una voce dentro.

Guardai Ada e la sua faccia ormai amorfa, né brutta né bella, mi tranquillizzò[3].

"Devo liberami dalle abitudini", pensai uscendo dalla sala.

Per tornare a casa Ada volle passare dalla Piazza.

«Di qui facciamo prima» dissi indicando la strada.

«Dalla Piazza» insisté lei.

La Piazza a quell'ora assomigliava alla piazza vista nel film. Non dal
punto di vista architettonico, naturalmente, ma come atmosfera. Al caffè
Sociale un gruppetto di industrialotti se ne stavano stravaccati sulle pol-
troncine con un'aria soddisfatta e beata. A un tavolo vicino sedeva un grosso industriale con un operaio tirapiedi accanto. E tutti e due ci avevano l'a-
ria contenta di essere vicini: l'industriale sembrava voler mostrare il suo attaccamento agli operai; l'operaio sembrava soddisfatto, come se la ricchezza e la potenza dell'industriale si riflettessero su di lui. Ada mi indicò un tale che scendeva sotto i portici.

«Questo ha messo su una fabbrica di scarpe. Ha un anno meno di te!»
disse sibillina. «Era operaro[4]» seguitò: «ha tentato e ora guadagna venti milioni all'anno!».

«Non sapevo che ti contasse i suoi interessi» risposi a denti stretti.

Ella sorrise sufficiente: «L'ho letto sull'"Informatore Vigevanese": i redditi Vanoni[5]!».

Più avanti m'indicò un altro. «Quello, vedi, ha un anno più di te e ha
impiantato due fabbriche di scarpe. Ha l'alfetta!»

Ci siamo seduti al bar Principe. Accanto a noi il giornalista Pallavicino
dell'"Informatore" teneva cattedra a una dozzina di operari.

«Questa Piazza si sta rovinando» gridava.

«Ma io ce l'ho detto al sindaco, ce l'ho detto: quattro imbianchini che

5

10

15

20

25

30

35

40

45

50

2. **il catrame**: la me-
tafora di una vita che
sembra incrostata di
catrame percorre tut-
to il romanzo.
3. **mi tranquillizzò**:
di fronte all'ipotesi
che potesse essere de-
siderata da un altro
uomo.
4. **operaro**: forma
dialettale lombarda
per *operaio*.
5. **i redditi Vanoni**:
la dichiarazione dei
redditi, introdotta dal
ministro Ezio Vanoni
nel 1951, era detta
"la Vanoni".

ci diano una bella manata di bianco e la vegne fantastica. Ci scriverò un articolo.»

«Quello ha sei anni meno di te e guadagna duecento bolli[6] al mese» mi disse Ada.   55

Mentre bevevamo il caffè si fermò una fuoriserie. Scesero un industrialotto con la moglie. Tutti e due bei grassi[7], di quella grassezza flaccida e molle. La moglie avrà avuto su venti chili di oro fra braccialetti anelli collane spille; lui almeno la metà. Camminavano sussiegosi.

«Quello fino all'anno scorso era un operaio» mi disse Ada; «e lei una   60
giuntora[8]» aggiunse con voce alta e aspra.

«Non farti sentire!» mormorai.

I due erano proprio dietro noi. «E ora usano la fuoriserie per venire a farsi vedere in Piazza. Come se la fuoriserie ce l'avessero solo loro» gridò.

I due se ne andarono. Risalirono in macchina con calma. Prima hanno   65
aperto la portiera, poi hanno messo su la gamba sinistra, quindi si sono seduti, quindi hanno infilato l'altra gamba, hanno chiuso la portiera e sono partiti.

«Cerca di controllarti» dissi ad Ada.

Il giornalista Pallavicino la stava menando ancora. «Io vi dico che Vige-   70
vano vale duecento Parigi. Cosa c'è a Parigi che non ci sia a Vigevano? A Parigi c'è Pias Pigal[9]; a Vigevano ioma[10] Pias Ducal; a Parigi c'è la Senna; a Vigevano c'è il Tisin[11]; a Parigi c'è la tur Eifel, num ioma la tur Bramant[12]» diceva. Il campanone della torre rintoccò mezzanotte. Le insegne colorate dei bar tremolavano umide.   75

«Andiamo a casa!» dissi.

Ella si alzò con scatto: «Città bastarda» disse fra i denti. «Andiamo, è l'unica» disse poi.

«Non si dice: è l'unica» le disse il giornalista; «si dice è il cioccolato!»

«Il cioccolato?» dissi, visto che aspettava questa domanda.   80

«Eh sì! L'Unica[13] non fa il cioccolato?» rispose Pallavicino scoppiando a ridere di gusto.

Camminavo rasente a portici sprangati, a finestre chiuse. Dai muri trapelavano rumori di martelli che battevano, di macchinari che andavano.

«Noi andiamo a dormire!» disse Ada.   85

Il tono di voce era aspro. Non le risposi, ché sentivo che aspettava solo una parola per scatenarsi.

«Ma non possiederemo[14] mai né una macchina né una casa...»

«Il pane non ci manca» dissi offeso.

Lei rise con il suo solito sorriso materno.   90

«Prima di sposarti le mie amiche mi dicevano: la Ada sposa un maestro!, con aria invidiosa. Ora dicono: povera Ada. Ha sposato un maestro!»

Guardai la luna che rovesciava la sua luce gialla su tutto; attorno aveva un alone verde. «Stai facendo della lirica[15]!» le dissi. «Pensa a quelli che sentono i nostri passi; penseranno che siamo due amanti!»   95

«La luna ti dà al cervello!» grugnì Ada.

Nella camera da letto Ada indugiava a guardarsi allo specchio.

«Non trovi che abbia qualcosa della Ingrid Bergman?» mi domandò.

---

6. duecento bolli: duecentomila lire (espressione gergale).
7. bei grassi: la forma *bei* (dove le regole dell'italiano vorrebbero *begli*) è di sapore dialettale.
8. giuntora: cucitrice.
9. pias Pigal: place Pigalle, pronunciato con accento dialettale.
10. ioma: abbiamo (dialetto).
11. Tisin: Ticino, in dialetto.
12. num... Bramant: noi abbiamo la torre Bramante (una torre nel castello di Vigevano fatto ricostruire da Ludovico il Moro, a cui lavorò il grande architetto rinascimentale Donato Bramante).
13. L'Unica: nome di un'industria dolciaria.
14. possiederemo: errore di coniugazione (il dittongo *-ie-* dovrebbe trovarsi solo in posizione accentata), che indica nel personaggio un'incerta padronanza dell'italiano.
15. della lirica: discorsi poetici, fuori della realtà. Ironico.

«Una certa aria di somiglianza c'è davvero!» le risposi.

Ella si sorrideva, poi tornava seria; quindi assunse un aspetto drammati- 100
co: «Ma che stai facendo?» le dissi pensando: così imparerai a mostrarmi
quelli che alla mia età hanno le fabbriche; uno a uno.

Lei mi guardò con odio. Si svestì e se ne stette con indosso solo gli indumenti intimi. Una maglia rattoppata da tutte le parti, con una manica
rossa l'altra celeste, e allungata con un altro pezzo di lana. Un paio di mu- 105
tande mie, accomodate per lei. In quello stato mi seguitava a passeggiare
davanti.

«Pensa un po' se dovessi sentirmi male per strada!» disse a un tratto con
un riso nervoso. «Oppure se uno di noi dovesse finire all'ospedale!»

Riprese a passeggiare. 110

«Saranno due mesi che mi sono fatta il bagno» disse sarcastica.

Alzai le spalle.

«Me lo auguro di sentirmi male per strada. Così vedrebbero che razza
d'igiene c'è in casa del maestro Mombelli!» disse.

«Si può essere poveri e puliti» dissi. 115

Ella rise: «I ragionari del maestrucolo! Si può essere poveri ma puliti» ripeté imitando la mia voce.

Quindi da un cassetto uscì fuori la sua biancheria intima: un insieme di
stracci, di roba rammendata, frusta.

«La mia è peggiore» mormorai. 120

Ella disse a una a una tutte le parole più sconce e più volgari.

Io tacevo. Si mise a urlare. Mi scuoteva: «Sono sporca! Sono sporchissi-
ma. Toh, caro, questo è per te» ripeteva. «Ancora...»

dialogo con il testo

I temi

Il protagonista tenta debolmente di difendere un suo
stile di vita modesto e abitudinario, attaccato ai valori tradizionali del decoro piccolo-borghese: «Si può
essere poveri e puliti» (riga 115). La moglie è invece
completamente sedotta dai nuovi miti del lusso e del
successo, affascinata dagli arricchimenti rapidi che
vede intorno a sé. Sullo sfondo, la cittadina di provincia sonnolenta, coi discorsi insulsi del bar, l'esibizione volgare del lusso. La situazione condensa efficacemente la rivoluzione di mentalità e costume che
iniziò in Italia negli anni del *boom* economico, intorno al 1960.

❓ Scegliete e commentate un passo in cui risulti
particolarmente incisivo lo scontro delle due mentalità.

Le forme

Il romanzo ha la forma di un diario; la sintassi elementare e ripetitiva gli conferisce un tono piatto e
monotono, che rispecchia lo squallore materiale e
morale dell'ambiente. Su questo grigiore di fondo si
innesta però una deformazione caricaturale e grottesca, che manifesta l'intento satirico, graffiante, del-
l'autore; bastano espressioni come «un operaio tirapiedi», «un industrialotto», l'iperbole «avrà avuto su
un venti chili di oro» a ottenere questo effetto.

❓ Ha poi una forte carica espressiva la lingua tutta
impastata di forme colloquiali, gergali e dialettali; ci-
tatene esempi.

I GENERI *Secondo Novecento*

Paolo Volponi

Paolo Volponi (1924-1994), nato a Urbino, lavorò per la Olivetti e condusse ricerche sociologiche per la Fondazione Agnelli; nel 1983 fu eletto senatore nelle liste del P.C.I. Esordì con raccolte di poesie, ma si affermò soprattutto come narratore, a partire da *Memoriale* (1962), storia delle sofferenze di un operaio di una grande industria, narrata in prima persona da un protagonista ingenuo e al limite della follia. Il punto di vista di un emarginato e folle, il più adatto a comprendere e giudicare la follia del mondo contemporaneo, è adottato pure in *La macchina mondiale* (1965); i romanzi successivi si complicano di motivi simbolici e psicanalitici, oltre che di critica sociale, a volte in forme allegoriche, creando aggrovigliate macchine narrative (*Corporale*, 1974; *Le mosche del capitale*, 1989).

► T38.43

T38.43

Davanti alla fabbrica

Memoriale *(1962) si presenta come un lungo sfogo autobiografico, una «lettera a tutti e a nessuno», in cui il protagonista narra la storia dei suoi mali fisici e psichici, legati al lavoro nella grande industria. La storia si svolge tra il 1946 e il 1956; il personaggio narrante, reduce dalla guerra e dalla prigionia, vive nel Canavese e viene assunto da una grande fabbrica in cui si può riconoscere la Fiat. La vicenda si trascina fra tentativi di inserimento nel nuovo ambiente, aspirazioni frustrate, periodi di malattia e di sanatorio; alla fine il protagonista, spostato per ragioni di salute a fare il piantone sul recinto della fabbrica,* collabora coi promotori di uno sciopero e viene licenziato. La sua è la storia del disadattamento a un mondo di rapporti umani falsati, complicate gerarchie, regole scritte e non scritte create da un apparato dirigente incomprensibile e onnipresente; il disadattamento si risolve in mania di persecuzione, ma è anche il punto di vista che consente allo sprovveduto personaggio di giudicare la disumanità della grande industria. Il brano che presentiamo si riferisce al suo primo incontro con la fabbrica, dopo che ha avuto dall'ufficio di collocamento la certezza che sarà assunto.*

Paolo Volponi
MEMORIALE
(Garzanti, Milano, 1962)

Poco dopo ero davanti alla grande fabbrica dove, trascorsi altri cinque giorni, mi sarei dovuto presentare. La mia curiosità fu ripagata dal più profondo mistero. La fabbrica, grandissima e bassa, ronzava indifferentemente, ferma come il lago di Candia[1] in certe sere in cui è il solo, in mezzo a tutto il paesaggio, ad avere luce. Nemmeno in Germania[2] avevo visto una fabbrica così grande; così tutta grande subito sulla strada, senza recinti e cancellate dove la gente potesse lavorare avanti e indietro, tra il chiuso e l'aperto. Io pensavo che una fabbrica avesse bisogno di movimenti e quindi di cortili e di spazi, un poco come le officine dei meccanici, dove gli operai in tuta trafficavano sempre tra il banco, le macchine e la strada. Le porte di queste officine reggono chiavi, martelli, tubi, e servono a provare le vernici e i fuochi. La fabbrica era invece immobile come una chiesa o un tribunale, e si sentiva da fuori che dentro, proprio come in una chiesa, in un dentro alto e vuoto, si svolgevano le funzioni di centinaia di lavori. Dopo un momento il lavoro sembrava tutto uguale; la fabbrica era tutta uguale e da qualsiasi parte mandava lo stesso rumore, più che un rumore, un affanno,

1
5
10
15

1. **il lago di Candia**: laghetto prealpino nel Canavese, sulle cui rive abita il protagonista.
2. **in Germània**: dove era stato prigioniero durante la guerra.

un ansimare forte. La fabbrica era così grande e pulita, così misteriosa che uno non poteva nemmeno pensare se era bella o brutta. Ed anche a tanti anni di distanza, dopo tanti anni durante i quali vi ho lavorato, non so dire se la fabbrica sia bella o brutta, perché per tanti anni questo interrogativo anche se mi è venuto in mente non è mai stato decisivo, proprio come per una chiesa o per un tribunale. Oggi posso dire che la fabbrica è sempre stata in un ordine perfetto anche durante i lavori d'ampliamento o di riparazione, sempre pulita e sempre sconosciuta. Questo vuol forse dire che la fabbrica è bella; ma io non posso dire che la fabbrica sia bella, guardandola da fuori o da dentro: cioè bella davanti a me, come una casa o un albero. Nel corso di tanti anni, qualche volta mi è sembrata bellissima; ma ero io a giudicare dentro di me quasi senza vederla.

Quel giorno mi avvicinai sperando di entrare, almeno per un tratto, a guardare dentro. Potei entrare ma subito una guardia mi fermò. Mostrai il foglio dell'Ufficio di Collocamento, avvertendo che mi sarei dovuto presentare dopo cinque giorni. La guardia, ben vestita e gentile, mi disse di ripassare allora dopo cinque giorni, la mattina verso le otto, a quella portineria che mi indicò. Uscii senza sentirmi respinto perché la guardia e il suo discorso erano perfetti come l'ordine della fabbrica e restai fermo sulla strada, poco oltre le porte. Decisi di aspettare l'uscita degli operai, a mezzogiorno, per poterli vedere da vicino tutt'insieme e per parlare, se fosse stato possibile, con qualcuno di loro. Non molto lontano dalla fabbrica, all'angolo della strada che svolta per la città, c'era ed ancora c'è, un caffè, un odorosissimo caffè, tutto rivestito di legno, che sa di caffè, di menta, di trementina[3] e di un altro odore penetrante che allora non potei distinguere ma che oggi so essere della fabbrica, cioè degli olii e delle macchine, dei metalli e degli operai. Più che un caffè è un'osteria, con dietro un'altra stanza, nuda alle pareti e arredata di tavoli e seggiole. Mi sedetti e ordinai un vermouth. Al tavolo accanto al mio erano seduti tre operai; erano di sicuro tre operai, che aspettavano, oggi posso dirlo, il loro turno di lavoro, a mezzogiorno. Non parlavano né di lavoro, né di fabbrica; non parlavano di niente, fumando e guardando fuori. Erano vestiti come me e uno aveva addirittura un cappello in testa. Un altro operaio arrivò, comprò della liquerizia, salutò gli altri e uscì dicendo: «Vado a vedere i giornali.» Quali giornali? Mi ricordo che pensai e mi ricordo che finii per concludere che i giornali fossero bollettini di lavoro o fogli d'istruzione o anche libri di conti. Pensai anche che quello fosse un giovane qualificato, responsabile di qualche lavorazione complicata. Gli altri tre non mi sembrava avessero particolari qualità, tanto che il vederli come me o come quelli di Candia mi impediva qualsiasi curiosità che potesse farmi trovare gli argomenti per un discorso.

Entrarono nel caffè altri operai, più giovani o più anziani, alcuni vestiti in tuta. Avevano tutti l'aria di star bene, pur essendo molto riservati, dominati da un pensiero. Credevo che fosse la responsabilità del lavoro tanto delicato che nella fabbrica dovevano compiere. Apparivano tutti molto calmi e avevano mani comuni e ferme, non pesanti e sporche come quelle dei meccanici, né nodose e spaccate come quelle dei contadini. Sol-

3. **trementina**: solvente per vernici.

T38.44

tanto quando il gruppo di gente riempì il caffè ed io mi sentii confuso con gli altri ebbi il coraggio di interpellare uno degli operai, non il più vicino e nemmeno uno di quelli appena arrivati, perché il mio gesto non sembrasse incerto.

65

dialogo con il testo

I temi

Volponi è tra i pochi scrittori che abbiano tentato di interpretare le conseguenze umane del grande processo di industrializzazione che ha investito l'Italia nella seconda metà del Novecento; adottando il punto di vista di un uomo di campagna che affronta di colpo una realtà industriale totalmente sconosciuta, rispecchia l'esperienza tipica di un grandissimo numero di lavoratori negli anni del dopoguerra in cui è ambientato il romanzo e, più ancora, negli anni del *boom* in cui il romanzo è stato scritto. Si tratta di una realtà industriale di tipo moderno, dominata dall'organizzazione estremamente precisa di ogni particolare, in cui sembra scomparire l'idea tradizionale del lavoro come sforzo fisico diretto a uno scopo; il lavoro appare come la partecipazione a un meccanismo incomprensibile al singolo, regolato da un'autorità invisibile.

❓ Rintracciate nel testo le impressioni del protagonista che riflettono questa realtà:

– l'idea della fabbrica come un'istituzione quasi sacra, chiusa in una sua perfezione inaccessibile;
– lo spiazzamento di fronte all'idea tradizionale e ingenua del lavoro industriale;
– l'ammirazione per gli operai, che gli sembrano in qualche modo partecipi della perfezione della fabbrica.

Le forme

Il narratore appare totalmente estraneo a ciò che osserva, alquanto sprovveduto, pieno di timore reverenziale; adottando questo punto di vista l'autore può ottenere un effetto di straniamento, far osservare al lettore la realtà industriale attraverso uno sguardo ingenuo, che può intuire (anche se non capire) molti aspetti che un personaggio più assuefatto all'ambiente non coglierebbe.

❓ Notate i passi in cui considerazioni profonde sulla realtà industriale moderna sono tradotte nel linguaggio incerto ed esitante del personaggio.

Primo Levi

T38.44
Notizie
sull'autore T38.37

La coppia conica

La chiave a stella (1978) è una delle opere ispirate a Primo Levi dal suo lavoro di chimico industriale. Il libro registra una serie di racconti colti dalla viva voce di un operaio specializzato, Faussone, incontrato nella mensa per stranieri di una fabbrica russa; il suo cognome tipicamente piemon- *tese rivela una comune origine che favorisce la confidenza con l'autore. Il personaggio (poco importa se reale o immaginario) è una figura tipica di questi decenni: ha girato ogni parte del mondo con le imprese italiane che eseguono grandi lavori, e ama raccontare le sue esperienze.*

Primo Levi
LA CHIAVE A
STELLA
(Einaudi, Torino,
1978)

«...perché lei non deve mica credere che certi truschini[1] si combinino solo a
casa nostra, e che soltanto noialtri siamo bravi a imbrogliare la gente e a non
farci imbrogliare noi. E poi, io non so quanto ha viaggiato lei, ma io ho
viaggiato parecchio, e ho visto che non bisogna neanche credere che i paesi
siano come ce li hanno insegnati a scuola e come vengono fuori dalle sto-
rielle, sa bene, tutti gli inglesi distinti, i francesi blagueur[2], i tedeschi tutti
d'un pezzo, e gli svizzeri onesti. Eh, ci vuol altro: tutto il mondo è paese».

In pochi giorni la stagione era precipitata; di fuori nevicava asciutto e
duro: ogni tanto una folata di vento proiettava contro i vetri della mensa
come una manciata di minuscoli chicchi di grandine. Attraverso il velo del
nevischio si intravvedeva tutto intorno l'assedio nero della foresta. Ho cercato senza successo di interrompere Faussone per protestare la mia innocenza: non ho viaggiato quanto lui, ma certamente quanto basta per distinguere la vanità dei luoghi comuni su cui si fonda la geografia popolare.
Niente da fare: arrestare un racconto di Faussone è come arrestare un'onda
di marea. Ormai era lanciato, e non era difficile distinguere, dietro i panneggiamenti del prologo[3], la corpulenza della storia che si andava deli-
neando. Avevamo finito il caffè, che era detestabile, come in tutti i paesi
(mi aveva precisato Faussone) dove l'accento della parola «caffè» cade sulla
prima sillaba, e gli ho offerto una sigaretta, dimenticando che lui non è fu-
matore, e che io stesso, la sera prima, mi ero accorto che stavo fumando
troppo, e avevo fatto voto solenne di non fumare più; ma via, cosa vuoi fare dopo un caffè come quello, e in una sera come quella[4]?

«Tutto il mondo è paese, come le stavo dicendo. Anche questo paese
qui: perché è proprio qui che la storia mi è successa; no, non adesso, sei o
sette anni fa. Si ricorda del viaggio in vaporetto, di Differenza, di quel vino, di quel lago che era quasi un mare, e della diga[5] che le ho fatto vedere
di lontano? Bisogna che una domenica ci andiamo, avrei caro di mostrar-
gliela perché è un gran bel lavoro. Questi qui hanno la mano un po' pesante, ma per i lavori grossi sono più bravi di noi, poco da dire. Bene, la gru
più grossa del cantiere sono io che l'ho montata: voglio dire, sono io che
ho organizzato il montaggio, perché è una di quelle che si montano da sole, vengono su da terra come un fungo, che è abbastanza un bello spettacolo. Mi scusi se ci torno ogni tanto, su questa faccenda del montare le gru;
ormai lei lo sa bene, io sono uno di quelli che il suo mestiere gli piace. Anche se delle volte è scomodo: proprio quella volta lì, per esempio, che il
montaggio l'abbiamo fatto di gennaio, lavorando anche le domeniche, e
gelava tutto, fino il grasso dei cavi, che bisognava farlo venire molle col vapore. A un certo momento si era anche formato del ghiaccio sul traliccio,
spesso due dita e duro come il ferro, e non si riusciva più a far scorrere uno
dentro l'altro gli elementi della torre; cioè, per scorrere scorrevano, ma arrivati in cima non avevano più lo scodimento».

In generale, la parlata di Faussone mi riesce chiara, ma non sapevo che
cosa fosse lo scodimento. Gliel'ho chiesto, e Faussone mi ha spiegato che
manca lo scodimento quando un oggetto allungato passa sì in un condotto
rettilineo, ma arrivato a una curva o ad un angolo si pianta, cioè non scode
più. Quella volta, per ripristinare lo scodimento previsto dal manuale di

1
5
10
15
20
25
30
35
40
45

1. **truschini:** sotterfu-
gi, imbrogli (gergo
piemontese). Propria-
mente il termine desi-
gna un attrezzo usato
dal meccanico o dal
falegname per la trac-
ciatura di pezzi.
2. **blagueur:** burlone
(in francese).
3. **i panneggiamenti
del prologo:** gli in-
dugi dell'introduzio-
ne, scherzosamente
paragonati ai panneg-
gi abbondanti di cui
si copra un attore che
recita il prologo di
una commedia.
4. **una sera come
quella:** la mensa di
una fabbrica offre po-
che distrazioni.
5. **Si ricorda... diga:**
in un episodio prece-
dente, una domenica
l'autore e Faussone
hanno fatto una gita
in battello sul fiume
vicino, hanno visto
una diga alla cui co-
struzione Faussone
aveva lavorato anni
prima e lui ha ricono-
sciuto nel battelliere
(il cui cognome tra-
dotto significa "diffe-
renza") un suo colla-
boratore in quel la-
voro.

montaggio, avevano dovuto picconare via il ghiaccio centimetro per centimetro: un lavoro da galline.

«Insomma, bene o male siamo arrivati al giorno del collaudo. Più male che bene, come le ho detto; ma sul lavoro, e mica solo sul lavoro, se non ci fossero delle difficoltà ci sarebbe poi meno gusto dopo a raccontare; e raccontare, lei lo sa, anzi, me lo ha perfino detto, è una delle gioie della vita. Io non sono nato ieri, e il collaudo si capisce che me l'ero già fatto prima, pezzo per pezzo, per conto mio: tutti i movimenti andavano da dio, e anche la prova di carico, niente da dire. Il giorno del collaudo è sempre un po' come una festa: mi sono fatta la barba bella liscia, mi sono data la brillantina (beh sì, qui dietro: un pochi mi sono rimasti), mi sono messa la giacca di velluto e mi sono trovato sul piazzale, bell'e pronto, una buona mezz'ora prima dell'ora che avevamo combinato.

Arriva l'interprete, arriva l'ingegnere capo, arriva una di quelle loro vecchiette che non capisci mai cosa c'entrino, ficcano il naso dappertutto, ti fanno delle domande senza senso, si scarabocchiano il tuo nome su un pezzetto di carta, ti guardano con diffidenza, e poi si seggono in un angolo e si mettono a fare la calza. Arriva anche l'ingegnere della diga, che era poi una ingegneressa: simpatica, brava come il sole, con due spalle così e il naso rotto come un boxeur. Ci eravamo trovati diverse volte alla mensa e avevamo perfino fatto un po' amicizia: aveva un marito buono a niente, tre figli che mi ha fatto vedere la fotografia, e lei, prima di prendere la laurea, guidava il trattore nei colcos[6]. A tavola faceva impressione: mangiava come un leone, e prima di mangiare buttava giù cento grammi di vodca senza fare una piega. A me la gente così mi piace. Sono arrivati anche diversi pelandroni che non ho capito chi fossero: avevano già la piomba[7] alla mattina buonora, uno aveva un pintone[8] di liquore, e continuavano a bere per conto loro.

Alla fine è arrivato il collaudatore. Era un ometto tutto nero, vestito di nero, sulla quarantina, con una spalla più alta dell'altra e una faccia da non aver digerito. Non sembrava neanche un russo: sembrava un gatto ramito[9], sì, uno di quei gatti che prendono il vizio di mangiar le lucertole, e allora non crescono, vengono malinconici, non si lustrano più il pelo, e invece di miagolare fanno hhhh. Ma sono quasi tutti così, i collaudatori: non è un mestiere allegro, se uno non ha un po' di cattiveria non è un buon collaudatore, e se la cattiveria non ce l'ha gli viene col tempo, perché quando tutti ti guardano male la vita non è facile. Eppure ci vogliono anche loro, lo capisco anch'io, alla stessa maniera che ci vogliono i purganti.

Allora lui arriva, tutti fanno silenzio, lui dà la corrente, si arrampica su su per la scaletta e si chiude nella cabina, perché a quel tempo nelle gru tutti i comandi erano ancora nella cabina. Adesso? Adesso sono a terra, per via dei fulmini. Si chiude nella cabina, grida giù di fare largo, e tutti si allontanano. Prova la traslazione e tutto va bene. Sposta il carrello sul braccio: va via bello latino[10] come una barca sul lago. Fa agganciare una tonnellata e tira su: perfetto, come se il pesantore neanche lo sentisse. Poi prova la rotazione, e succede il finimondo: il braccio, che è poi un bel braccio lungo più di trenta metri, gira tutto a scatti, con degli stridori di ferro da far piangere il cuore. Sa bene, quando si sente il materiale che lavora male, che

50

55

60

65

70

75

80

85

90

6. colcos: fattorie collettive nella Russia sovietica (trascritto anche *kolchoz*).
7. piomba: sbronza (popolare).
8. un pintone: un recipiente da una pinta (misura di capacità).
9. ramito: bruciacchiato (piemontese *ramì*).
10. bello latino: liscio, con facilità. L'espressione deriva dall'antico uso di *latino* nel senso di "facile, chiaro" (si trova in Dante).

punta[11], che gratta, e ti dà una pena che neanche un cristiano. Fa tre o quattro scatti, e poi si ferma di colpo, e tutta la struttura trema, e oscilla da destra a sinistra e da sinistra a destra come se dicesse che no, per carità, così non si può andare.

Io ho fatto che[12] prendere la corsa su per la scaletta, e intanto gridavo a quello lassù che per l'amor di Dio non si muovesse, non cercasse di fare altre manovre. Arrivo in cima, e le giuro che sembrava di essere in un mare in tempesta; e vedo il mio ometto tutto tranquillo, seduto sul seggiolino, che stava già scrivendo il suo verbale sul libretto. Io il russo allora lo sapevo poco, e lui l'italiano non lo sapeva niente; ci siamo arrangiati con un po' di inglese, ma lei capisce che fra la cabina che continuava a ballare, lo sbordimento[13], e l'affare della lingua, ne è venuta fuori una discussione balorda. Lui continuava a dire niet, niet[14], che la macchina era capùt[15], e che il collaudo non me lo dava; io cercavo di spiegargli che prima di mettere giù il verbale volevo rendermi conto con un po' di calma, a bocce ferme. A questo punto io avevo già i miei sospetti: primo, perché glielo ho già detto, il giorno prima avevo fatto le mie prove e tutto era andato bene; secondo, perché mi ero accorto da un pezzo che c'erano in giro certi francesi, che era aperto un appalto per altre tre gru uguali a quella, e sapevo che la gara per quella gru noialtri l'avevamo vinta per un soffio, e che i secondi erano stati proprio i francesi.

Sa, non è per il padrone[16]. A me del padrone non me ne fa mica tanto, basta che mi paghi quello ch'è giusto, e che coi montaggi mi lasci fare alla mia maniera. No, è per via del lavoro: mettere su una macchina come quella, lavorarci dietro con le mani e con la testa per dei giorni, vederla crescere così, alta e dritta, forte e sottile come un albero, e che poi non cammini, è una pena: è come una donna incinta che le nasca un figlio storto o deficiente, non so se rendo l'idea».

La rendeva, l'idea. Nell'ascoltare Faussone, si andava coagulando dentro di me un abbozzo di ipotesi, che non ho ulteriormente elaborato e che sottopongo qui al lettore: il termine «libertà» ha notoriamente molti sensi, ma forse il tipo di libertà più accessibile, più goduto soggettivamente, e più utile al consorzio umano, coincide con l'essere competenti nel proprio lavoro, e quindi nel provare piacere a svolgerlo.

«Ogni modo: io ho aspettato che lui calasse giù, e poi mi sono messo a guardare bene come stavano le cose. C'era sicuramente qualche cosa che non andava nella coppia conica[17]... cos'ha da ridere?»

Non ridevo: sorridevo soltanto, senza rendermene conto. Non avevo più avuto niente a che fare con le coppie coniche fin da quando, a tredici anni, avevo smesso di giocare col Meccano, e il ricordo di quel gioco-lavoro solitario e intento, e di quella minuscola coppia conica di lucido ottone fresato, mi aveva intenerito per un istante.

«Sa, sono una roba molto più delicata degli ingranaggi cilindrici. Anche più difficili da montare, e se uno sbaglia il tipo di grasso, grippano[18] che è una bellezza. Del resto, non so, a me non è mai successo, ma fare un lavoro senza niente di difficile, dove tutto vada sempre per diritto, dev'essere una bella noia, e alla lunga fa diventare stupidi. Io credo che gli uomini

95

100

105

110

115

120

125

130

135

140

11. **punta**: si impunta.
12. **ho fatto che**: non ho fatto altro che.
13. **sbordimento**: confusione. Dal piemontese *sbordé*, "uscire dai bordi, nel dare una tinta".
14. **niet**: "no", in russo.
15. **capùt**: guasta (dal tedesco *kaputt*, parola di uso internazionale).
16. **per il padrone**: il proprietario dell'impresa, che sarebbe stato danneggiato da un collaudo negativo.
17. **coppia conica**: l'unione di due ruote dentate di forma conica, che serve a trasmettere un movimento rotatorio spostandone l'asse secondo un angolo.
18. **grippano**: si bloccano.

siano fatti come i gatti, e scusi se torno sui gatti ma è per via della professione. Se non sanno cosa fare, se non hanno topi da prendere, si graffiano tra di loro, scappano sui tetti, oppure si arrampicano sugli alberi e magari poi gnaulano perché non sono più buoni a scendere. Io credo proprio che 145
per vivere contenti bisogna per forza avere qualche cosa da fare, ma che non sia troppo facile; oppure qualche cosa da desiderare, ma non un desiderio così per aria, qualche cosa che uno abbia la speranza di arrivarci.

Ma torniamo alla coppia conica: cinque minuti e ho subito capito l'antifona[19]. L'allineamento, capisce? Proprio il punto più delicato, perché una 150
coppia conica è come chi dicesse il cuore di una gru, e l'allineamento è... insomma, senza allineamento una coppia dopo due giri è da buttare a rottame. Non sto a fargliela tanto lunga: lì su c'era stato qualcuno, qualcuno del mestiere; e aveva riforato uno per uno tutti i pertugi del supporto, e aveva rimontato il basamento della coppia che sembrava dritto, e invece 155
era sfalsato. Un lavoro da artista, che se non fosse del fatto che volevano fregarmi me gli avrei fino fatto i complimenti: ma invece ero arrabbiato come una bestia. Si capisce che erano stati i francesi, non so se proprio con le loro mani oppure con l'aiuto di qualcuno, magari giusto il mio collaudatore, quello che aveva tutta quella fretta di fare il verbale. 160

...Ma sì, certo, la denuncia, i testimoni, la perizia, la querela: ma intanto resta sempre come un'ombra, come una macchia d'unto, che è difficile togliersela di dosso. Adesso sono passati dei begli anni, ma la causa è ancora in cammino: ottanta pagine di perizia dell'Istituto Tecnologico di Sverdlovsk, con le deformazioni, le fotografie, le radiografie e tutto. Come crede 165
che finirà, lei? Io lo so già, come finisce, quando le cose di ferro diventano cose di carta: storta, finisce».

19. **capito l'antifona**: capito il problema. Modo di dire comune, da *antifona*, propriamente un versetto in un salmo recitato nei riti cattolici; da qui il senso di "monito, sentenza", e *capire l'antifona*, "capire il succo del discorso".

---

dialogo con il testo

I temi

La chiave a stella ha dato voce in letteratura a una delle realtà nuove più interessanti dell'Italia industrializzata: la presenza nel mondo di lavoratori italiani non più come emigranti, ma tecnici che si spostano in tutti i continenti, per periodi più o meno lunghi, a eseguire grandi opere ottenute in appalto. Faussone è dunque un personaggio tipico, nel senso che riassume in sé alcune caratteristiche di un tipo umano. Il tratto più evidenziato è il gusto per il lavoro ben fatto, la competenza professionale come valore che dà senso alla vita.

? Indicate i passi in cui la passione per la meccanica porta il personaggio a parlare dei meccanismi come di esseri animati.

Il discorso di Faussone, quando si spinge al di fuori dell'ambito tecnico, procede per luoghi comuni come «tutto il mondo è paese» (riga 7) e «io non sono nato ieri» (riga 54); eppure, nel suo linguaggio spicciolo, il personaggio è capace di riflessioni tutt'altro che banali, come quando parla di ciò che occorre «per vivere contenti» (riga 146). E l'autore interviene in prima persona a sottolineare il valore universale, di «libertà», che ha l'etica del lavoro ben fatto.

Le forme

Il personaggio Faussone vive soprattutto nel suo linguaggio. L'autore ha saputo creare una perfetta imitazione del parlato, con la sua sintassi irregolare, coi frequenti appelli all'interlocutore, col ricorso a modi di dire e frasi fatte; ma al di là di questi tratti comuni della lingua parlata, ciò che caratterizza il personaggio è l'impasto di espressioni dialettali, o gergali, e tecnicismi. Ne nasce un discorso colorito e insieme preciso, che rispecchia la cultura di un uomo che preferisce le «cose di ferro» alle «cose di carta».

Allegorie

La nuova realtà dell'Italia rapidamente modernizzata non si è riflessa nella letteratura solo in modi realistici. Fin dagli anni cinquanta, attraverso l'opera di Calvino, si è manifestata una vena narrativa che affronta questioni attuali in chiave favolistica e simbolica, riprendendo i modi del romanzo filosofico settecentesco (*T40.8*) o ispirandosi alla fantascienza; la tendenza a riferirsi alla realtà attraverso fantasie, simboli, allegorie, è presente nella produzione di Moravia successiva al 1960 e in vari scrittori di quei decenni. Nei racconti di Dacia Maraini (*T38.45*) la satira ispirata al femminismo – un grande fenomeno culturale che trova espressione in letteratura – si serve di deformazioni grottesche che rompono i limiti della rappresentazione realistica. I racconti di Primo Levi (*T38.46*) si ispirano ai modi della fantascienza per illuminare sviluppi inquietanti della civiltà contemporanea.

Dacia Maraini

Dacia Maraini, nata nel 1936 a Firenze, negli anni della seconda guerra mondiale visse in Giappone, dove il padre faceva studi etnologici; in seguito è vissuta a Roma. Esordì come narratrice sotto il patrocinio di Alberto Moravia, col racconto lungo *La vacanza* (1962), che narra l'iniziazione alla vita e al sesso di un'adolescente, a cui seguì *L'età del malessere* (1963). Il punto di vista femminile, che ispira queste narrazioni, diventa polemico e satirico nei racconti di *Mio marito* (1968) ed è proclamato nelle poesie di *Donne mie* (1974). Nelle *Memorie di una ladra* (1972) la narrazione nasce dalle confidenze di una carcerata, registrate e trascritte col minimo di intervento della scrittrice. Grande successo ha avuto il romanzo storico *La lunga vita di Marianna Ucria* (1990). La Maraini si è anche interessata attivamente di teatro, scrivendo testi e partecipando a un collettivo d'avanguardia, esperienza documentata in *Fare teatro* (1974).

▶ **T38.45**

T38.45

Madre e figlio

Presentiamo un racconto apparso nella raccolta Mio marito *del 1968, ispirata a te-* *mi della riflessione femminista.*

Dacia Maraini
MIO MARITO
(Bompiani, Milano, 1968)

Ho preso in affitto questo appartamento perché costa poco e perché ha una bella vista su un piazzale. L'ho ammobiliato con cura, in parte trasportando dei mobili che avevo nella vecchia casa dei miei, in parte comprandoli nuovi. Il letto per esempio, l'ho preso in un grande magazzino ed è fresco e piacevole, un letto moderno, alla svedese. Non avrei potuto continuare a dormire nel mio vecchio letto di legno scuro alto un metro e mezzo da terra, né in quello grande e dorato in cui dormivano i miei genitori e in cui sono morti quasi contemporaneamente. Poi ho comprato dei lampadari di vetro colorato, delle sedie di vimini e anche una grande scimmia di legno snodabile che ho appeso nella camera da letto e che mi tiene compagnia.

Da principio ho sofferto un po' la solitudine. Dopo trent'anni di vita in

1

5

10

comune coi miei, in questa casa che mi è estranea, mi sentivo persa. Ma presto ho scoperto che, pur vivendo sola, potevo partecipare alla vita dei miei vicini. La parete che divideva il mio appartamento dal loro era talmente sottile che quasi non esisteva e questo mi ha fatto sentire meno sola.

Adolfo e sua madre si svegliavano presto la mattina, verso le sei e mezza, e appena svegli, andavano in cucina, così che io potevo sentirli, restando nel letto, al buio, che parlavano fra di loro. Veramente Adolfo parlava poco. Di solito quella che si sentiva di più era la voce rauca della madre. Nel dormiveglia non arrivavo a distinguere le sue parole. Sentivo i rumori delle tazze smosse, del cucchiaino che pescava nel barattolo di vetro del caffè, della macchinetta per accendere il gas, dell'acqua che scorreva dal rubinetto, dello sportello del frigorifero che si apriva con uno scatto e si chiudeva con un tonfo accompagnato da un sibilo.

La voce della madre era coperta e nascosta da questi rumori che raggiungevano la mia coscienza ancora semispenta con estrema precisione. Poi, man mano che mi svegliavo, gli oggetti diventavano più silenziosi e la voce della madre di Adolfo si schiariva, si faceva solenne, fortissima.

Appena finita la colazione, madre e figlio tornavano nella stanza da letto. Ma poiché la porta fra la cucina e la stanza rimaneva aperta, potevo continuare a udire le loro voci, ossia la voce grassa e pesante della madre che si alzava e si abbassava come il ritmo di un respiro fragoroso, alternata solo a tratti dai grugniti e dai monosillabi del figlio.

"Adesso la tua mamma ti mette addosso le mutande."

"Mi fai il solletico."

"Ma che solletico. Alza le braccia, da bravo. Adesso la tua mamma ti infila la canottiera. Alza il piede, da bravo. Adesso la tua mamma ti infila i pantaloni. E stai dritto. Non lo vedi come penzoli da tutte le parti? Se non ti abitui a stare dritto, ti si storcerà la spina dorsale. E dopo dovrai andare in giro con un busto di ferro."

"Un busto di ferro?"

"Sì, un busto di ferro. E non potrai neanche sederti, perché la spina dorsale finisce sulle natiche e sarai tutto avvolto nel ferro. Per fare la pupù ti infileranno un tubo di plastica nel sedere."

"Che?"

"Sì, un tubo di plastica lungo un metro. E non potrai neanche piegarti per fare la pipì. E te la farai tutta sulle gambe."

"Ahi!"

"Macché ahi! Come si vede che non sai cos'è la guerra. Quando andrai in guerra vedrai cosa vuol dire non avere la mamma vicino."

"Grr."

"In guerra dormirai solo, su un letto di legno, e sarai mangiato dalle cimici e dai pidocchi. Ti verrà la scabbia. Niente di più probabile che in guerra venga la scabbia."

"Che?"

"Avrai il corpo rosso e gonfio. Ti si formeranno delle vesciche. E quando ti gratterai, ti si riempiranno le unghie di pus. E poi sarai coperto di croste. Poi ti verrà la dissenteria. Niente di più probabile che in guerra ven-

15

20

25

30

35

40

45

50

55

ga la dissenteria. Ti brucerà il sedere. Ti brucerà da morire. E poi cacherai 60
sangue. E ti sentirai torcere le budelle. E io non ci sarò."

Alle nove meno dieci uscivo per andare in sartoria. Qualche volta incontravo Adolfo nell'ascensore. E mi stupivo di trovarlo così robusto alto e bello. Ogni volta che lui sollevava una mano per premere il pulsante, mi incantavo a guardarla: è una mano da gigante, larga, chiara, tutta cosparsa 65 di vene e di tendini in rilievo, dalle grosse e tozze dita che si muovono senza agilità, con solenne calma.

Quando tornavo a casa all'una, loro erano già a tavola, in cucina. Appena giravo la maniglia, mi assaliva la voce fiera e prorompente della madre di Adolfo. Dal tintinnio dei cucchiai contro le scodelle capivo quando, in- 70 vece della pasta asciutta, mangiavano la minestra e dal continuo tonfo del bicchiere sulla tovaglia, capivo che Adolfo beveva molto, come al solito. Al tonfo, infatti, seguiva il rimprovero di lei.

"Bevi troppo, tesoro. Diventerai impotente. Il vino rende impotenti. Diventerai epilettico. Il vino rende epilettici." 75

"Uhmmmmmm."

"Lo sai o non lo sai. Te l'avrò detto cento volte. Adesso prendi i piatti puliti, sono dietro di te, sull'acquaio. E prendi la carne che sta sul fuoco. Ma il sale dov'è? Dov'è il sale? Avrei giurato che stava sulla tavola. Allunga una mano tesoro, al cassetto. Allora, dimmi, cos'è successo stamattina in 80 banca? Niente novità? Ma mangia con un po' di calma. Così ti strozzi. La carne, se non si mastica bene, rimane sullo stomaco. Ogni boccone va masticato trenta volte. Se non lo fai ti verrà l'ulcera e poi sputerai sangue e poi morirai straziato da dolori atroci."

Ormai vivevo completamente della loro vita. Appena finivo di lavorare, 85 mi rinchiudevo a casa e sdraiata sul letto, a occhi chiusi, partecipavo della loro intimità.

Ero molto attenta. Attraverso lunghe osservazioni ero arrivata a indovinare tutti i gesti che loro compivano dall'altra parte della parete. Riconoscevo il passo affrettato e pesante della madre, quello lento e timido del fi- 90 glio; sapevo quando lei lo spogliava e come lo spogliava, cominciando dalla giacca, alla camicia, alla maglia, giù fino ai pantaloni, ai calzini. Sapevo quando si inginocchiava per slegargli le scarpe e quando si rialzava sbuffando e brontolando.

Il sabato sera poi assistevo, a occhi chiusi e orecchie tese, alla prepara- 95 zione del bagno. La donna si aggirava per casa in pantofole, cercando il sapone che non trovava mai, perché ora lo adoperava per la cucina, ora per il bagno, ora per lavare la biancheria.

Intanto sentivo lo scroscio dell'acqua bollente nella vasca. Poi lei tornava in cucina, tagliava in due dei limoni, li spremeva e gettava il succo den- 100 tro l'acqua del bagno. Infine, quando la vasca era quasi colma, chiudeva il rubinetto e cominciava a chiamare il figlio.

"Il bagno, tesoro."

"Non troppo calda, lo sai che non la sopporto."

"Ma no, è appena tiepida. Vieni qui. Ecco, la tua mamma ti toglie la 105 camicia. La tua mamma ti toglie i pantaloni. La tua mamma ti toglie i cal-

zini. La tua mamma ti toglie le mutande. Come sei bello! Sei proprio ben
fatto. Non come tuo padre che era magro e rinseccolito. Sei pieno. Scoppi
di salute. Fra le gambe hai un fiore."

"È troppo calda. Non ci posso entrare." 110

"Sempre capricci. Da trent'anni non fai che fare capricci. Ecco, apro
l'acqua fredda. Prova, prova con un piede. È tiepida. Càlati. Adesso china-
ti in avanti, che ti insapono la schiena. Che bella schiena che hai! Ma che
fai? Stai fermo se no ti va il sapone in bocca."

"Mi fai male." 115

"Zitto amore. Fatti lavare bene. Adesso voltati, che ti insapono il petto
e i fianchi."

"Mi fai il solletico, mamma!"

"Cosa hai qui in fondo al ventre, un uccellino? un vermiciattolo, un
serpentello? La tua mamma ti ha fatto proprio bene: sembri un Gesù." 120

"Ho freddo."

"Per forza. Con tutta quell'acqua fredda. Adesso rimettiti giù. Sciacqua-
ti bene che poi vengo ad asciugarti."

Mentre Adolfo si sciacquava, la madre tornava in cucina a preparare la
cena e per la gioia di sapere il figlio intento a lavarsi, cantava con voce len- 125
ta e grave una nenia.

Ma qualche giorno fa, anziché essere svegliata dalla solita voce rude e
dal rumore di stoviglie della casa accanto, ho aperto gli occhi nel silenzio.
Dall'appartamento dei vicini non proveniva un suono. Ho pensato che
fossero partiti. Riandando però alle conversazioni della sera precedente 130
non ricordavo nessun accenno ad un viaggio. Quindi ho immaginato che
Adolfo stesse male o che la madre stesse male. Ma anche in questo caso
avrei dovuto sentire i passi di uno dei due per la casa o un lamento o un richiamo. Invece il silenzio era completo, assurdo.

Mi sono alzata lentamente, presa da inquietudine. Ho accostato l'orec- 135
chio alla parete. Ma il silenzio continuava, rotto solo dallo sgocciolio del
rubinetto dell'acquaio.

Mi sono vestita in fretta, ho infilato in cappotto, le scarpe. Ma non riuscivo a decidermi a lasciare la casa. Mi sono seduta sul letto, immobile,
scrutando la parete, quasi potessi attraversarla col mio sguardo e svelare il 140
mistero dei vicini.

Verso le dieci infine sono uscita per andare in sartoria. Ma ho lavorato
male: ero nervosa e inquieta. All'una meno un quarto ero di nuovo a casa.
Appena aperta la porta dell'ascensore, ho visto che l'appartamento dei vicini era spalancato e che nell'ingresso c'erano delle persone in piedi, vestite 145
di scuro. Mi sono accostata. Attraverso la porta aperta della camera da letto ho visto il grosso corpo della madre di Adolfo, disteso su un drappo vio-
letto, un rosario fra le dita e un gran mazzo di gladioli sul petto.

Da quella mattina la vita è diventata molto noiosa. Quando finivo il lavoro, non sapevo cosa fare. Mi stendevo sul letto come prima, ma non riu- 150
scivo a sentirmi più serena né contenta. Spesso l'unica compagnia era il
pianto lungo e debole di Adolfo che si trascinava per tutta la notte, senza
sosta.

Domenico Gnoli
(**Split personality**)
(1967, 15×15 cm,
acrilico su legno,
Panama, Collezione
privata)

Così ieri ho preso una grande decisione. Ho chiamato un muratore e gli ho ordinato di abbattere la parete che divide il mio appartamento da quello di Adolfo. L'ho fatto lavorare mentre Adolfo era in ufficio, in modo che quando tornava trovasse tutto fatto.   155   160

Così è stato. Man mano che il muratore abbatteva la parete, io raccoglievo i calcinacci e scopavo la stanza in modo che quando il lavoro fosse finito, non rimanessero in giro dei detriti.   165

Adolfo non si è mostrato molto sorpreso. Si direbbe che se l'aspettava. Mi ha guardata un momento, senza parlare e poi ha preso a frugare nel frigorifero.   170

Neanch'io ho detto niente. Mi sono diretta verso la credenza dove sono ammucchiati i piatti e ho cominciato ad apparecchiare la tavola. Ho acceso il fuoco con la macchinetta sprizzascintille, ho riempito la pentola d'acqua, ho regolato la fuoriuscita del gas.   175

Poi, mentre l'acqua si scaldava, ho aiutato Adolfo a spogliarsi. Gli ho sfilato la giacca, gli ho sbottonato la camicia, i pantaloni, mi sono chinata per slacciargli le scarpe e quindi sono tornata di corsa in cucina perché l'acqua bolliva.   180

dialogo con il testo

I temi

Il racconto è un apologo satirico sul mammismo; l'atteggiamento protettivo della madre crea un rapporto viscerale di dipendenza reciproca e mantiene l'uomo in una condizione comicamente infantile. Col matrimonio lo stesso rapporto si perpetua immutato fra moglie e marito.

❓ Nei discorsi della madre al figlio si può forse cogliere un risvolto ambiguamente erotico del rapporto, con sfumature sadomasochistiche. Dite se condividete questa ipotesi interpretativa e su quali passi del testo basate la vostra valutazione.

❓ Anche il personaggio narrante può essere considerato una figura esemplare: ripercorrendo gli accenni alla sua storia personale, dite se a vostro parere l'autrice ha voluto rappresentare attraverso questa figura alcuni aspetti di una condizione tipicamente femminile.

Le forme

Nella prima parte del racconto il procedimento narrativo è di caricatura: aspetti reali del comportamento di molte persone sono grottescamente esagerati in modo da renderli più evidenti e da creare un effetto comico. Nel finale, con l'abbattimento del muro divisorio, si superano decisamente i limiti della verosimiglianza, e si entra nella dimensione del racconto filosofico, che ci parla della realtà attraverso simboli.

Lo stile della scrittrice è estremamente piano: adotta una lingua media, una sintassi semplice, senza nessuna forzatura espressiva. Questo stile è adatto all'ingenuità della protagonista narrante, e rende più accettabile il passaggio progressivo dal verosimile all'inverosimile.

T38.46

I GENERI *Secondo Novecento*

Primo Levi

Lumini rossi

Negli anni sessanta Primo Levi affronta il racconto di tipo fantascientifico, più o meno contemporaneamente a Italo Calvino. Nel 1966 pubblica Storie naturali, *con lo pseudonimo Damiano Malabaila; lo pseudonimo è una manifestazione di ritegno nell'avventurarsi in un genere letterario considerato d'intrattenimento, ma le barriere tra letteratura "alta" e "bassa" stanno ormai cadendo. Nel 1971 pubblica, col proprio nome, la raccolta* Vizio di forma: *il titolo è un'espressione burocratica che indica una causa di non validità di un atto per mancanza di requisiti formali; adottandola l'autore allude ironicamente alla presenza di "piccoli" difetti nella civiltà attuale, che potrebbero avere conseguenze catastrofiche. Presentiamo un racconto di questa raccolta.*

Primo Levi
VIZIO DI FORMA
(Einaudi, Torino,
1971)

Il suo era un lavoro tranquillo: doveva stare otto ore al giorno in una camera buia, in cui a intervalli irregolari si accendevano i lumini rossi delle lampade spia. Che cosa significassero, non lo sapeva, non faceva parte delle sue mansioni. Ad ogni accensione doveva reagire premendo certi bottoni, ma neppure di questi conosceva il significato: tuttavia il suo non era un compito meccanico, i bottoni li doveva scegliere lui, rapidamente, e in base a criteri complessi, che variavano da giorno a giorno, e dipendevano inoltre dall'ordine e dal ritmo con cui le lampadine si accendevano. Insomma, non era un lavoro stupido: era un lavoro che si poteva fare bene oppure male, qualche volta era anche abbastanza interessante, uno di quei lavori che dànno occasione di compiacersi della propria prontezza, della propria inventiva e della propria logica. Però, del risultato ultimo delle sue azioni non aveva un'idea precisa: sapeva soltanto che di camere buie ce n'erano un centinaio e che tutti i dati decisionali convergevano da qualche parte, in una centrale di smistamento. Sapeva anche che in qualche modo il suo lavoro veniva giudicato, ma non sapeva se isolatamente o in cumulo col lavoro di altri: quando suonava la sirena si accendevano altre lampadine rosse, sull'architrave della porta, e il loro numero era un giudizio e un consuntivo. Spesso se ne accendevano sette od otto: una volta sola se ne erano accese dieci, mai se ne erano accese meno di cinque, perciò aveva l'impressione che le sue cose non andassero troppo male.

Suonò la sirena, si accesero sette lampadine. Uscì, si fermò un minuto in corridoio per abituare gli occhi alla luce, poi scese in strada, raggiunse l'auto e mise in moto. Il traffico era già molto intenso, e stentò ad inserirsi nella corrente che percorreva il viale. Freno, frizione, dentro la prima. Acceleratore, frizione, seconda, acceleratore, freno, prima, freno ancora, il semaforo è rosso. Sono quaranta secondi e sembrano quarant'anni, chissà perché: non c'è tempo più lungo di quello che si passa ai semafori. Non aveva altra speranza né altro desiderio che quello di arrivare a casa.

Dieci semafori, venti. Ad ognuno, una cosa sempre più lunga, lunga tre

1

5

10

15

20

25

30

rossi, lunga cinque rossi; poi un po' meglio, il traffico più fluido della periferia opposta. Guardare nello specchietto, far fronte alla breve piccola ira e alla fretta maligna di quello che ti sta dietro e vorrebbe che tu non ci fossi, lampeggiatore di sinistra, quando volti a sinistra ti senti sempre un po' colpevole. Voltare a sinistra, con precauzione: ecco il portone, ecco un posto libero, frizione, freno, chiavetta, freno a mano, antifurto, per oggi è finta.   35

Splende il lumino rosso dell'ascensore: aspettare che sia libero. Si spegne: premere il bottone, il lumino si riaccende, aspettare che sia disceso. Aspettare per metà del tempo libero: è tempo libero, questo? Alla fine si accesero nell'ordine giusto i lumi del terzo, del secondo e del primo piano,   40
si lesse PRESENTE e la porta si aprì. Di nuovo lumini rossi, primo, secondo, fino al nono piano, ci siamo. Premette il pulsante del campanello, qui non c'è da aspettare: aspettò poco, infatti, si udì la voce pacata di Maria dire «vengo», i suoi passi, poi la porta si aprì.

Non si stupì di vedere accesa la lampadina rossa fra le clavicole di Maria: era accesa già da sei giorni, e c'era da attendersi che brillasse della sua luce melanconica per qualche giorno ancora. A Luigi sarebbe piaciuto che Maria la nascondesse, la incappucciasse in qualche modo; Maria diceva di sì ma spesso se ne dimenticava, specialmente in casa; o altre volte la nascondeva male, e la si vedeva luccicare sotto il foulard, o di notte attraverso   50
le lenzuola, che era la cosa più triste. Forse, sotto sotto, e senza confessarlo neppure a se s tessa, aveva paura delle ispezioni.

Si studiò di non guardare la lampadina, anzi, di dimenticarla: in fondo, chiedeva anche altro a Maria, molto altro. Cercò di parlarle del suo lavoro, di come aveva passato la giornata; le chiese di lei, delle sue ore di solitudine, ma la conversazione non diventava viva, guizzava un momento e poi si spegneva, come un fuoco di legna umida. La lampadina invece no: splendeva ferma e costante, il più pesante dei divieti perché era lì, in casa loro e di tutti, minuscola eppure salda come una muraglia, in tutti i giorni fecondi, fra ogni coppia di coniugi che avesse già due figli. Luigi tacque a lungo,   60
poi disse: – Io... io vado a prendere il cacciavite.

– No, – disse Maria, – lo sai che non si riesce, rimane sempre una traccia. E poi... e se poi nascesse un bambino? Ne abbiamo già due, non sai quanto ce lo tasserebbero?

Era chiaro che, ancora una volta, non sarebbero stati capaci di parlare   65
d'altro. Maria disse: – Sai la Mancuso? Ricordi, no? la signora qui sotto, quella così elegante, del settimo piano. Ebbene, ha fatto domanda di cambiare modello di Stato con il nuovo 520 IBM[1]: dice che è tutta un'altra cosa.

– Ma costa un occhio della testa, e poi il conto è lo stesso.

– Certo, ma non ti accorgi neppure di averlo indosso, e le pile durano   70
un anno. Poi mi ha anche detto che in Parlamento c'è una sottocommissione che sta discutendo un modello per uomini.

– Che stupidaggini! Gli uomini avrebbero la luce rossa sempre.

– Eh no, non è così semplice. Chi guida è sempre la donna, e anche lei porta la lampadina, ma il dispositivo di blocco lo porta anche l'uomo. C'è   75
un trasmettitore, la moglie trasmette e il marito riceve, e nei giorni rossi resta bloccato. In fondo mi pare giusto: mi pare molto più morale.

1. **cambiare... IBM:** evidentemente la luce rossa, che segnala i giorni fecondi in cui alla coppia è vietato avere rapporti sessuali, è collegata a un piccolo computer.

Luigi si sentì improvvisamente sommergere dalla stanchezza. Baciò Maria, la lasciò davanti al televisore ed andò a coricarsi. Non stentò a prendere sonno, ma si svegliò al mattino assai prima che si accendesse la spia rossa della sveglia silenziosa. Si alzò, e soltanto allora, nella camera buia, notò che la lampada di Maria si era spenta: ma era ormai troppo tardi, e gli rincresceva svegliarla. Passò in rassegna la spia rossa dello scaldabagno, quella del rasoio elettrico, del tostapane e della serratura di sicurezza; poi scese in strada, entrò nell'auto, ed assistette all'accendersi delle spie rosse della dinamo e del freno a mano. Azionò il lampeggiatore di sinistra, il quale significava che incominciava una nuova giornata. Si avviò verso il lavoro, e strada facendo calcolò che le lampade rosse di una sua giornata erano in media duecento: settantamila in un anno, tre milioni e mezzo in cinquant'anni di vita attiva. Allora gli parve che la calotta cranica gli si indurisse, come se ricoperta da un'enorme callosità adatta a percuotere contro i muri, quasi un corno di rinoceronte, ma più piatto e più ottuso.

80

85

90

dialogo con il testo

I temi

Levi riprende una tendenza all'allegoria ben radicata nella fantascienza, anche in quella considerata commerciale; essa consiste nel denunciare fenomeni e tendenze della società reale presentandoli esasperati in un futuro imprecisato.

? I fenomeni che il racconto propone alla riflessione critica del lettore sono diversi, anche se connessi tra loro, riguardando il lavoro, il tempo libero, la vita privata; riassumeteli per punti.

Al centro del racconto c'è l'idea di un controllo delle nascite imposto dallo stato, per evitare i pericoli di sovrappopolazione; questi pericoli erano considerati incombenti quando il testo è stato scritto, e lo sono ancora, ma non nei paesi sviluppati. In particolare in Italia, dato il crollo delle nascite che nel frattempo è avvenuto spontaneamente, l'idea di un intervento dello stato per frenare le nascite sarebbe oggi inconcepibile;

? a vostro parere questo toglie attualità alla tematica del racconto?

Le forme

La prosa di Levi è semplice e limpida, aliena da ogni sperimentalismo; tuttavia lo scrittore si sa servire con elegante disinvoltura di tecniche narrative raffinate, che mettono a frutto le esperienze novecentesche:

– nel brano sul ritorno a casa dal lavoro è adottata una sorta di monologo interiore, che registra attimo per attimo impressioni e pensieri, con frequente uso di frasi nominali;

– il tema del divieto sessuale è manifestato con la tecnica del non detto: il lettore lo deve inferire da una serie di indizi sapientemente disseminati nel racconto e nelle battute dei personaggi.

? Individuate nel testo i procedimenti indicati.

Memorie

Nei migliori libri di memorie usciti dopo il 1960 l'intonazione cambia rispetto alla memorialistica degli anni successivi alla seconda guerra mondiale (*T38.36, T38.37*), dominata dal senso della grande tragedia storica che i narratori avevano vissuto. Anche se naturalmente compaiono ancora fascismo e antifascismo, guerra e Resistenza, questi eventi restano sullo sfondo, mentre prevale la rievocazione di costumi e modi di vivere che stanno scomparendo, travolti dalla grande trasformazione della società italiana: è questo, ormai, l'evento storico che segna la vita degli autori. Questo vale per la rievocazione affettuosa e ironica che Natalia Ginzburg fa del proprio ambiente familiare (*T38.47*), come per quella che Luigi Meneghello fa del proprio paese (*T38.48*).

Natalia Ginzburg

Natalia Ginzburg (1916-1991), nata a Palermo, dove il padre aveva insegnato per un periodo all'università, di famiglia ebraica (il cognome era Levi), crebbe a Torino in mezzo all'ambiente intellettuale antifascista della città. Pubblicò i suoi primi racconti su "Solaria". Nel 1938 sposò Leone Ginzburg, uno studioso di letteratura di origine russa, e condivise con lui il confino per antifascismo in Abruzzo (1940-1943); arrestato di nuovo, Ginzburg morì a Roma nel 1944 per le torture dei carcerieri fascisti. Nel 1983 fu eletta deputata nelle file della Sinistra indipendente (coi voti del P.C.I.). Nel dopoguerra pubblicò vari romanzi vicini al gusto neorealista, ma con un'attenzione particolare all'intimità familiare. Raggiunse il grande successo con le prose saggistiche *Le piccole virtù* (1962) e soprattutto col libro di memorie *Lessico famigliare* (1963). Tra i libri successivi, il saggio biografico *La famiglia Manzoni* (1983).

▶ **T38.47**

T38.47

Quella piccola casa editrice

Natalia Ginzburg
LESSICO
FAMIGLIARE
(Einaudi, Torino,
1998)

Lessico famigliare (1963) rievoca la vita dell'autrice, dall'infanzia trascorsa a Torino fino al momento in cui, nel dopoguerra, si trasferisce a Roma a lavorare presso la sede romana della casa editrice Einaudi. Al ritratto affettuosamente umoristico dei genitori, dei fratelli, degli amici, alle piccole vicende familiari, si intrecciano i riflessi della storia politica, e compaiono di scorcio molte figure importanti della cultura e della politica italiana, conosciute in casa: da Filippo Turati ad Adriano Olivetti, a Vittorio Foa, allo scrittore Pitigrilli. Nel brano che presentiamo, che parla di avvenimenti del 1938, compare Cesare Pavese e si rievoca la casa editrice Einaudi ai suoi inizi.

Alla fine dell'inverno, Leone Ginzburg[1] tornò a Torino dal penitenziario di Civitavecchia, dove aveva scontato la pena. Aveva un paltò troppo corto, un cappello frusto: il cappello piantato un po' storto sulla nera capigliatura. Camminava adagio, con le mani in tasca: e scrutava attorno con gli occhi neri e penetranti, le labbra strette, la fronte aggrottata, gli occhiali cerchiati di tartaruga nera, piantati un po' bassi sul suo grande naso.

1

5

1. **Leone Ginzburg**: il futuro marito della scrittrice. Ebreo di origine russa, fu studioso di letteratura e antifascista militante; dopo aver subito più volte la carcerazione e il confino, morì nel 1944 nelle carceri fasciste.

Andò a stare, con sua sorella e sua madre, in un alloggio dalle parti di corso Francia. Era vigilato speciale: cioè doveva rientrare appena faceva buio, e venivano agenti a controllare se era in casa.

Passava le serate con Pavese; erano amici da molti anni. Pavese era tornato da poco dal confino; ed era, allora, molto malinconico, avendo sofferto una delusione d'amore. Veniva da Leone ogni sera; appendeva all'attaccapanni la sua sciarpetta color lilla, il suo paltò a martingala, e sedeva al tavolo. Leone stava sul divano, appoggiandosi col gomito alla parete.

Pavese spiegava che veniva là non per coraggio[2], perché lui di coraggio non ne aveva; e nemmeno per spirito di sacrificio. Veniva perché se no non avrebbe saputo come passar le serate; e non tollerava di passar le serate in solitudine.

E spiegava che non veniva per sentir parlare di politica, perché, lui, della politica, «se ne infischiava».

A volte fumava la pipa, tutta la sera, in silenzio. A volte, avviluppandosi i capelli attorno alle dita, raccontava i fatti suoi.

Leone, la sua capacità d'ascoltare era incommensurabile e infinita; e sapeva ascoltare i fatti degli altri con profonda attenzione; anche quando era profondamente assorto a pensare a se stesso.

Poi veniva la sorella di Leone a portare il tè. Lei e la madre avevano insegnato a Pavese a dire in russo: — Io amo il tè con lo zucchero e col limone.

A mezzanotte, Pavese agguantava dall'attaccapanni la sua sciarpa, se la buttava svelto intorno al collo; e agguantava il paltò. Se ne andava giù per il corso Francia, alto, pallido, col bavero alzato, la pipa spenta fra i denti bianchi e robusti, il passo lungo e rapido, la spalla scontrosa.

Leone stava ancora un pezzo in piedi accanto allo scaffale, tirava fuori un libro e si metteva a sfogliarlo, e vi leggeva come a caso, lungamente, con le sopracciglia aggrottate. Stava così, leggendo come a caso, fino alle tre.

Leone cominciò a lavorare con un editore[3] suo amico. Erano soltanto lui, l'editore, un magazziniere e una dattilografa, che si chiamava signorina Coppa. L'editore era giovane, roseo, timido, e arrossiva spesso. Aveva però, quando chiamava la dattilografa, un urlo selvaggio:

— Coppaaa!

Cercarono di convincere Pavese a lavorare con loro. Pavese recalcitrava. Diceva:

— Me ne infischio!

Diceva: — Non ho bisogno di uno stipendio. Non devo mantenere nessuno. Per me, mi basta un piatto di minestra, e il tabacco.

Aveva una supplenza in un liceo. Guadagnava poco, ma gli bastava.

Poi faceva traduzioni dall'inglese. Aveva tradotto *Moby Dick*. L'aveva tradotto, diceva, per suo puro piacere; e l'avevano sì pagato, ma l'avrebbe fatto anche per niente, anzi avrebbe pagato lui stesso per poterlo tradurre.

Scriveva poesie. Le sue poesie[4] avevano un ritmo lungo, strascicato, pigro, una specie di amara cantilena. Il mondo delle sue poesie era Torino, il Po, le colline, la nebbia e le osterie di barriera[5].

Alla fine si persuase, entrò anche lui a lavorare con Leone in quella piccola casa editrice.

---

2. per coraggio: frequentare un noto antifascista poteva essere pericoloso; Pavese, coinvolto in un processo e finito al confino un po' casualmente, era molto meno compromesso di Ginzburg.

3. un editore: si tratta di Giulio Einaudi, figlio dell'economista e politico Luigi Einaudi (che fu poi presidente della repubblica), e fondatore nel 1933 della casa editrice omonima.

4. Le sue poesie: si tratta delle poesie di *Lavorare stanca* (Vol. G *T32.54*); dopo la prima edizione del 1936, Pavese ne scrisse ancora molte, che aggiunse alla seconda edizione.

5. di barriera: di estrema periferia, dove si trovava la *barriera* daziaria.

Diventò un impiegato puntiglioso, meticoloso, brontolando contro gli altri due che venivano tardi nella mattinata e se ne andavano magari a pranzo alle tre. Lui predicava un orario diverso: veniva presto, e se ne andava all'una precisa: perché all'una, la sorella con la quale viveva metteva la minestra in tavola.

Leone e l'editore, ogni tanto, si litigavano. Non si parlavano per qualche giorno. Poi si scrivevano lunghe lettere, e si riconciliavano così. Pavese, lui, «se ne infischiava».

Leone, la sua passione vera era la politica. Tuttavia aveva, oltre a questa vocazione essenziale, altre appassionate vocazioni, la poesia, la filologia e la storia.

Essendo venuto in Italia bambino, parlava l'italiano come il russo. Parlava tuttavia sempre il russo in casa, con la sorella e la madre. Loro uscivano poco, e non vedevano mai nessuno; e lui raccontava, nei più minuti particolari, di ogni cosa che aveva fatto e di ogni persona che aveva incontrato.

Gli piaceva, prima di andare in carcere, frequentare salotti. Era un conversatore brillante, benché parlasse con una leggera balbuzie; ed era, benché sempre fortemente assorto a pensare e a fare cose serie, tuttavia disposto a seguire la gente nei pettegolezzi più futili; essendo curioso della gente, e dotato di una grande memoria, che accoglieva anche le più futili cose.

Ma quando ritornò dal carcere, non lo invitarono più nei salotti, e anzi la gente lo sfuggiva: perché era ormai noto a Torino come un pericoloso cospiratore. Non gliene importava niente; sembrava, quei salotti, averli totalmente dimenticati.

Ci sposammo, Leone ed io; e andammo a vivere nella sua casa di via Pallamaglio.

Mio padre, quando mia madre gli aveva detto che lui voleva sposarmi, aveva fatto la solita sfuriata, che usava fare in occasione d'ogni nostro matrimonio. Questa volta non disse che lui era brutto. Disse:

– Ma non ha una posizione sicura!

Leone infatti non aveva una posizione sicura; l'aveva anzi quanto mai incerta. Potevano arrestarlo e incarcerarlo di nuovo; potevano, con un pretesto qualsiasi, mandarlo al confino. Se però finiva il fascismo, disse mia madre, Leone sarebbe diventato un grande uomo politico. Inoltre la piccola casa editrice in cui lavorava, era, benché ancora così piccola e povera, tuttavia rigogliosa di energie promettenti.

Disse mia madre:

– Stampano anche i libri di Salvatorelli[6]!

Il nome di Salvatorelli era, per mio padre e mia madre, dotato di poteri magici. Mio padre si faceva, a quel nome, benevolo e mansueto.

Mi sposai; e immediatamente dopo che mi ero sposata, mio padre diceva, parlando di me con estranei: «mia figlia Ginzburg». Perché lui era sempre prontissimo a definire i cambiamenti di situazione, e usava dare subito il cognome del marito alle donne che si sposavano. Aveva due assistenti[7], un uomo e una donna, che si chiamavano, lui Olivo, e lei Porta. Olivo e la Porta si sposarono insieme. Noi continuammo a chiamarli «Olivo e la Porta», e mio padre, ogni volta s'arrabbiava: – Non è più la Porta! dite la Olivo!

55

60

65

70

75

80

85

90

95

100

6. **Salvatorelli**: Luigi Salvatorelli (1886-1974), storico, antifascista.
7. **Aveva due assistenti**: era professore universitario di scienze naturali.

dialogo con il testo

I temi

Nel brano, come in tutto *Lessico famigliare*, compaiono figure notevoli della storia culturale e politica italiana. Ma l'autrice non si sofferma sul loro rilievo storico: di Pavese dice che «scriveva poesie» come si potrebbe dire di un poeta dilettante, l'eroismo di Leone Ginzburg appare solo indirettamente, gli inizi di una grande casa editrice sono ridotti a qualche buffo *tic* e a qualche battibecco. Perfino a un evento certo decisivo della propria vita, il matrimonio, l'autrice accenna sbrigativamente. Natalia Ginzburg preferisce ricordare uomini e fatti da un punto di vista laterale, diminutivo, che li riduce a una dimensione "famigliare". Ma in questo modo crea in pochi tratti, di scorcio, figure estremamente vive e caratterizzate: quella accigliata di Leone, quella allampanata e sofferente di Pavese.

? Ricostruite attraverso il testo i tratti della personalità di Pavese messi in luce dall'autrice.

L'ultima parte del brano è dedicata alle figure dei genitori, trattate in tono lievemente caricaturale, con affettuosa ironia; questo conferma il filo "famigliare" del racconto, bloccando qualsiasi tentativo di prendere un tono troppo serio e impegnato. La rievocazione dei loro discorsi fa rivivere il piccolo mondo di idee, valori, manie, della buona borghesia di un tempo, che non esiste più: questo gesto affettuoso della memoria, che conserva una realtà travolta dall'evoluzione storica, è il cuore dell'ispirazione del libro.

Le forme

La Ginzburg ha saputo creare una prosa di tono medio e familiare, duttile e insieme espressiva, che è raro incontrare nella letteratura italiana.

? L'autrice si prende delle libertà rispetto alle norme della grammatica scolastica più restrittiva: anacoluti, uso di *lui* e *loro* come soggetto. Individuatene esempi.

Luigi Meneghello

Luigi Meneghello, nato nel 1922 in provincia di Vicenza, partecipò alla Resistenza; nel dopoguerra emigrò in Inghilterra, dove divenne professore di letteratura italiana all'università di Reading. Come narratore ha esordito nel 1963 con *Libera nos a malo*, un libro di memorie ricco di umorismo e insieme un saggio sulle trasformazioni culturali del paese natale; nel 1964 ha pubblicato *I piccoli maestri*, rievocazione commossa e ironica, assolutamente antieroica, della propria esperienza nella Resistenza; hanno fatto seguito molti altri libri, sempre fra memoria e saggio (*Pomo Pero*, 1974; *Jura*, 1987).

▶ T38.48

T38.48

«Arrivano le cose nuove»

Libera nos a malo ("liberaci dal Maligno") è la frase finale del Padre nostro in latino, e Malo è anche il nome del paese della provincia vicentina dove l'autore è nato e cresciuto; ma il libro che porta questo titolo (1963) non è un atto di liberazione, è piuttosto un omaggio della memoria a un mondo di cose, parole, modi di vita, che sta scomparendo. L'autore, rientrando periodicamente al paese natale dall'Inghilterra dove è professore, rievoca la

propria famiglia, la propria infanzia e adolescenza, i personaggi della vita di paese; mille episodi comici si susseguono sullo sfondo del fascismo, della guerra e del dopoguerra, alternati a riflessioni saggistiche sulla cultura paesana, sul dialetto, sulle trasformazioni indotte dal nuovo benessere. Questo intreccio si ritrova nel brano che presentiamo, tratto da uno degli ultimi capitoli del libro.

Luigi Meneghello
LIBERA NOS A
MALO
(Cap. 30,
Mondadori, Milano,
1986)

Tutte le forme di vita muoiono, è naturale (ma incredibile) che sia così an- 1
che al nostro paese. Del resto vediamo benissimo che nasce qualcosa di
nuovo, in principio sembrano assurdità e ghiribizzi, poi ci si accorge che
occupano le strade, le osterie, le case, diventano il fondo del paese, e i ghiribizzi siamo noi[1]. Che da ridere quando sentimmo la ragazza di piazza 5
canzonata da Dino per via del moroso, inveire contro "il vecchietto Meneghello"! Invece non c'era tanto da ridere.

Sono già cresciuti da un pezzo quelli che noi consideriamo sempre "i
piccoli". Sono quasi tutti spilungoni, la generazione degli uomini sotto i
trent'anni, di Balocchetto, di mio cugino Roberto. Quando si raggruppa- 10
no davanti a un caffè, sembrano i figli di un'altra razza restata padrona del
paese dopo la guerra.

A questi giovani giganti non si può non portare simpatia, si presentano
meglio, e poi hanno un'efficienza superiore alla nostra: negli sport (quando
li fanno), nei giochi, sono negligentemente imbattibili. Non fanno più le 15
fatiche di una volta, le gite in bicicletta, le gare, le spedizioni, le baruffe;
sono languidi, moderati. Il nuovo sindaco è uno di loro; ha una faccia simpatica e aperta, non credo che amministrerà male il paese.

Arrivano le cose nuove, nell'intervallo tra un anno e l'altro[2] diventano
natura. Un anno al nostro arrivo dall'Inghilterra, la Lina che faceva i lavori 20
di casa, voleva sapere da me se mi piaceva di più bongiorno o tortora[3].
Non ebbi il coraggio di dirle che non li avevo mai assaggiati (pensavo a
nuovi prodotti usciti durante la nostra assenza), e per non offenderla le dissi di prepararceli tutti e due.

Le ragazze si modernizzano, molte lavorano e sono evidentemente più 25
brave dei genitori. Le attività cominciano a essere impostate diversamente,
la prosperità, per ora, sveglia l'ingegno: nascono nuove forme di intrapren-
denza, in cui tutto è svelto, pratico. C'è un'enorme confusione, alcune raf-
finatezze dell'ultima ora sono mescolate coi vecchi modi plebei: la trasformazione del paese non avviene come ci saremmo immaginati, ma a modo 30
suo.

"Le piace la Cardinale[4]?" urla la parrucchiera-figlia, che a vederla è un
figurino, ma con la voce roca, Katia[5] sotto il casco, non sapendo di che
cardinale si tratti, fa vaghi gesti di diniego. La parrucchiera-figlia si rivolge
all'altro casco e s'informa urlando: 35

"Ti piace Gauguin?"

Dal casco esce uno strillo in due tempi:

"I paesaggi sì! Le figure no!"

La parrucchiera-madre sussurra, e la frase inudibile si vede sulle sue belle labbra malinconiche: "A me piacciono anche le figure". 40

La parrucchiera-figlia: "Tasi[6] tu, cosa vuoi sapere tu?".

Abbiamo sempre avuto gran belle ragazze in paese. Ora sono anche eleganti, si dilettano di pittura, alcune parlano lingue (non abitualmente "italiano" però, per fortuna; bisognerebbe dirlo alla gente fin che c'è ancora
tempo, che l'italiano non è una lingua parlata[7]). Ogni anno osserviamo ar- 45
rivare le nuove leve.

Mi dice un amico mentre passa la Marta, "Stanotte le ho succhiato le

---

1. **i ghiribizzi siamo noi**: noi che invecchiamo siamo l'elemento strano, estraneo alla nuova cultura.
2. **nell'intervallo... altro**: nei periodi di assenza del narratore, che rientra al paese durante le vacanze.
3. **bongiorno o tortora**: Mike Bongiorno o Enzo Tortora, presentatori televisivi; l'autore li scrive con la minuscola, significando che non sapeva nemmeno che fossero nomi di persona.
4. **la Cardinale**: Claudia Cardinale, attrice del cinema.
5. **Katia**: la moglie dell'autore.
6. **Tasi**: "taci, zitta", in dialetto veneto.
7. **non abitualmente... parlata**: la lingua che parlano abitualmente non si può dire "italiano", per il forte colorito regionale, e secondo l'autore così deve essere: l'italiano parlato che si può usare è una lingua stereotipata e incolore, per questo bisognerebbe mettere in guardia dall'usarlo, prima che si affermi definitivamente (*fin che c'è ancora tempo*).

Mimmo Rotella
Cinemascope
(1962, 173×133 cm,
decollage, Colonia,
Museum Ludwig)

tettine". Ci sono sogni peggiori, la
Marta quest'anno è uno spettacolo, ma
anche sua sorella più piccola merita un
sogno. Che genere di sogno? Connesso
con la gronda del labbro, la ghiera
sghemba[8].

A mezzogiorno viene avanti regal-
mente la più bella ragazza del paese, accompagnata non da un paggio ma da
una ragazzina più piccola che non conosco. Camminano, la principessa e la
bambina, senza scambiare una parola:
c'è come un'aria di tensione, si fermano, si voltano e tornano indietro pochi
passi; sembra una cerimonia. La bellezza perfetta della più bella ragazza del
paese ha un'insolita vivacità, si piega a
qualche atto manifestamente concitato,
qualche gesto quasi veemente[9]. Che
succede?

Mio padre dice sorridendo: "Guarda guarda, le sorelle che baruffano", e le
nomina col comico soprannome del padre. Le antiche barbe del paese, pallide
nella luce estiva, si capovolgono dentro alle fronde. La piazza fa uno, due
giri, come se il mondo ruotasse[10].

Poi ci sono i bambini nuovi. Ho visto la ricostruzione di una battaglia
della guerra civile americana. Un nordista, lasciati i compagni, galoppa incontro alla schiera nemica: c'è un attimo di reciproco imbarazzo, poi un
rapido colloquio.

"Sei solo?"

"Sì."

"Ti 'coppiamo[11]!"

"Provate."

La prova, molto confusa e strepitosa, termina in una strage di sudisti
ammucchiati tra i cavalli a pancia all'aria; il nordista s'allontana lentamente sul cavalluccio di plastica.

È la prima volta che ho sentito Enrico, che ha cinque anni, parlare in
"italiano". Questa lingua da cinematografo è appropriata all'occasione; c'è
la furbizia dei vigliacchi in quel cercare informazioni dal nemico stesso:
"Sei solo?"; c'è l'ingenua franchezza dell'eroe, e il prematuro, canagliesco
grido di trionfo. Quel "Provate" poi, è in sostanza il "*prove it*" dei western,
la pacata accensione della miccia.

I bambini sono esposti come tutti alle influenze delle comunicazioni di

8. **la gronda...**
sghemba: la forma
delle labbra, parago-
nata a una *gronda*
perché sporge sul vi-
so, a una *ghiera* (anel-
lo metallico) per il
cerchietto che dise-
gnano.
9. **veemente**: energi-
co, accalorato.
10. **Le antiche...**
ruotasse: la battuta
del padre riporta im-
provvisamente il nar-

ratore dalla visione di
una bellezza moderna
all'antico mondo pae-

sano, con un effetto
di capogiro in cui le
immagini dei vecchi

del paese (*antiche
barbe*) ruotano nel
paesaggio.

11. **'coppiamo**: ac-
coppiamo, ammazzia-
mo, in dialetto.

massa, ma ci sono segni che queste vengono ancora tradotte. "Guarda
guarda!" disse Enrico la prima volta che lo portarono al cinema coi grandi.
"Si bèccano!»" Infatti l'attore s'era messo a baciare ardentemente l'attrice.
La buona critica cinematografica non dovrebbe solo distruggere, ricono- 95
scendo nei baci di celluloide un'involontaria parodia del beccarsi delle galline, ma deve anche ristabilire la natura profonda delle cose svisate sullo
schermo, riassociando il bacio umano al resto delle cose che bèccano, l'anda[12] e l'ortica, e il morso oscuro della tarantola[13].

Enrico ha problemi linguistici analoghi a quelli che avevo io alla sua 100
età. È stato a Vicenza con sua mamma, che è l'Annamaria, e s'è incantato
ad ascoltare due signore che parlavano in italiano davanti a una vetrina.
"Ciò," disse alla mamma, "che lingua ze che le parla quelle lì?" L'Annamaria si vergognò molto, e stabilì di cominciare a dargli lezioni d'italiano ancora quella sera stessa. Spiegò bene la sua intenzione, poi disse: "Sièditi". 105
Enrico rispose: "Diciassette," e l'Annamaria abbandonò il progetto.

12. **l'anda**: nel dialetto vicentino un ser-
pente (latino *anguis*).
13. **il morso... taran-
tola**: secondo una
credenza popolare, il
morso della tarantola
(un grosso ragno)
provocherebbe crisi
isteriche, associate in
certe culture a visioni
mistiche.

dialogo con il testo

I temi

La modernizzazione che investe il paese fa convivere
nello stesso ambiente due culture: quella della tradizione paesana, che si esprime in dialetto, e quella dei
media, ma anche della divulgazione culturale (vedi la
battuta su Gauguin, righe 36-38), di cui sono portatori i giovani cresciuti nel nuovo benessere, belli e
forti come la generazione dell'autore non poteva essere.

? L'urto di culture si sfaccetta in una serie di episodi umoristici; analizzate come si manifesta in qualcuno di essi.

Nel dialogo tra bambini che giocano alla guerra l'autore coglie un'italianizzazione dell'inglese *prove it*,
accanto al dialettale *Ti 'coppiamo!* (righe 80, 89):
l'urto e coesistenza di culture è in primo luogo urto e
coesistenza di lingue. Per tutto il libro Meneghello
cita e commenta amorosamente espressioni popolari
in dialetto, convinto come è che nel dialetto vive una
radice profonda della personalità di chi è cresciuto
parlandolo; in una nota finale scrive: «Finché si tra-
scrive in italiano non si può andare oltre a un certo
punto per arrivare alla verità di chi non parla italiano; non è una questione materiale di parole, ma una
questione di impostazione». Contemporaneamente
l'autore, quando parla per sé, usa continuamente
espressioni inglesi, con la spontaneità di chi vive in
una cultura sovranazionale. L'interesse per la cultura
locale cresce proprio nel contesto di una "globalizzazione" della civiltà mondiale, e il libro di Meneghello sembra dirci che ormai si è paesani oppure (e insieme) cittadini del mondo. In mezzo resta poco spazio per un'identità e lingua nazionale: «l'italiano non
è una lingua parlata». Una tesi così radicale si può
discutere; resta comunque il fatto che il libro di Meneghello ci dà un'immagine folgorante delle trasformazioni che ha attraversato la nostra civiltà.

I GENERI *Secondo Novecento*

La nuova avanguardia

La nuova avanguardia – organizzatasi nel 1963 nel gruppo che prese il nome da quell'anno – nella narrativa manifestò insofferenza per le forme tradizionali, sospettate di confermare gli stereotipi mentali del lettore e addormentarne la coscienza (si veda Eco, *T37.28*). La ricerca di un'alternativa sfocia in soluzioni svariate: il racconto-chiacchiera, divagante e saggistico, di Arbasino (*T38.49*); l'adozione di modi di raccontare sconnessi e deliranti in Malerba (*T38.50*); la narrazione come montaggio di frammenti in Balestrini, che prolunga la narrativa di avanguardia fino agli anni ottanta e novanta (*T38.51*).

Alberto Arbasino

Alberto Arbasino, nato nel 1930 a Voghera, narratore, giornalista e saggista, ha fatto parte del Gruppo 63; appunto nel 1963 è uscita la prima edizione del suo romanzo maggiore, *Fratelli d'Italia*, poi riscritto nel 1976 e nel 1993. In seguito ha pubblicato alcuni altri testi narrativi, ma soprattutto ha intensificato la sua attività giornalistica e saggistica, occupandosi di narrativa (*Certi romanzi*, 1964), di teatro (*La maleducazione teatrale*, 1966), di critica politica e di costume (*Fantasmi italiani*, 1977; *Un paese senza*, 1980). Dal 1983 al 1987 è stato deputato al Parlamento, eletto nelle liste del Partito repubblicano.

▶ **T38.49**

T38.49

Fratelli d'Italia

Fratelli d'Italia *narra le scorribande estive di un gruppo di letterati, artisti, benestanti oziosi nell'Italia del "miracolo economico" degli anni sessanta, tra feste, orge, discussioni letterarie e artistiche che inseriscono nella narrazione ampi squarci saggistici. Il romanzo, edito la prima volta nel 1963, è stato rielaborato dall'autore nelle edizioni del 1976 e del 1993. Presentiamo l'inizio, nella versione del 1976.*

Alberto Arbasino
FRATELLI D'ITALIA
(Capitolo primo, I,
Einaudi, Torino,
1976)

Siamo qui a Fiumicino senza colazione aspettando due amici di Andrea che arrivano adesso in ritardo da Parigi, si mangerà un pesce se si farà in tempo sul molo, in un bel posto degli anni scorsi che forse però quest'anno non va già più bene; e non abbiamo ancora avuto un momento per parlare della nostra estate. Appena arrivato a casa sua a Roma (ha questo appartamento nuovo in via Giulia tutto foderato di finto-legno come una scatola di sigari, e starò lì in una stanza dell'elefante[1] con tappezzeria tropicale tutta-uccelli), ho fatto appena in tempo a lasciar giù le mie robe. Una doccia svelta. A dormire: erano le quattro della mattina, lungo la strada m'ero fermato a fare dei giochi[2] nelle pinete nere di Pisa, molto sportivi, e già quasi estivi, tutti, e così vanesii, così narcisi[3], con un buon odore di pioggia sul nudo e di caprifoglio appena fiorito, splendido. Un'altra doccia e un coffee

1

5

10

1. stanza dell'elefante: Andrea, un giovane scrittore, ha in casa una stanza pronta per ospitare il suo amico e amante (quello che narra in prima persona), chiamato "l'elefante" per la sua scarsa sensibilità, l'impermeabilità ai sensi di colpa. Come appare in seguito, è uno studente di famiglia agiata, che pare studi assai poco.
2. fare dei giochi: giochi erotici con compagni occasionali.
3. così vanesii, così narcisi: vanitosi e innamorati della propria prestanza (come il mitico Narciso); il discorso si è spostato dai "giochi" ai ragazzi incontrati.

Robert Colescott
Pygmalion (1987,
228,6×289,5 cm.
Acrilico su tela,
Collezione privata)

4. **rack**: portabagagli
posteriore ("rastrelliera", in inglese).
5. **la Callas**: Maria
Callas (1923-1977),
grande soprano lirico
di origine greca.
6. **Giudecca**: isola
veneziana, di fronte a
piazza San Marco.
7. **appena... militare**:
un colpo di stato militare ci fu in Grecia
nell'aprile 1967.
8. **la MG**: automobile
sportiva di fabbricazione inglese.
9. **una gran cosa di
Mitteleuropa**: un
magnifico viaggio
nell'Europa centrale,
chiamata col nome
tedesco che evoca la
civiltà raffinata e decadente dell'Impero
austroungarico e la
letteratura novecentesca che la ha immortalata.
10. **il mood**: lo stato
d'animo (inglese).
11. **Breslavie e Cracovie**: città come Breslavia e Cracovia, centri di antica civiltà, in
Polonia.
12. **per rifarci... due**:

rapido; e subito, prima ancora di mezzogiorno, abbiamo dovuto ributtarci in strada per venire a prendere questi qui. In due macchine separate, poi, dato che tutt'e due le abbiamo a due posti, e siccome si va giù a Napoli direttamente senza ripassare per Roma, con le valigie pronte dietro sul rack[4].

Ma ho paura che anche questa estate finirà improvvisamente e insensata, come le altre. Sempre saltano fuori all'ultimo momento degli impegni imprevisti suoi. L'anno scorso doveva essere tutto un bagno fra Tangeri e Marocco, proprio fino a pochi giorni prima, e siamo finiti in Ellade per la Callas[5], con un caldo, ma un caldo; e naturalmente a Bisanzio! a Bisanzio! ma a Bisanzio naturalmente in nave, partendo dalla Giudecca[6] nel tramonto dorato, e arrivando appena finita la rivoluzione militare[7], quindi non bene. Due anni fa dopo tutto un gran progetto di un gran ritorno agiato e facoltoso in Olanda, a vedere per la quarta o quinta volta di seguito se veramente i miracoli in quel luogo di sogno continuano a ripetersi o no, se ne è andato in America con una specie di borsina di studio: praticamente scomparso per dei mesi. E là non ci arrivo ancora, per adesso. I miei non hanno voluto, con tutti gli esami che dovevo dare. Quest'anno però senza troppe storie anche se la laurea si rimanda ancora di una sessione (ma praticamente gli esami li ho finiti tutti), la MG[8] nuova me l'hanno presa lo stesso, celeste-pervinca come i miei occhi, deliziosissima. Come del resto è anche giusto: tanto, mio papà ha più di dieci milioni di franchi e in casa siamo pochissimi. Il boccon di pane non dovrebbe mancare mai.

Stavolta si era progettata una gran cosa di Mitteleuropa[9], anzi, gran giro di capitali tzigane, andando su da Vienna ma standoci poco e toccando Budapest, Praga, Varsavia, prima l'una o l'altra, come viene viene secondo gli incontri e il mood[10]; prendendo dentro anche un po' di Breslavie e Cracovie[11]; e finire a Berlino per rifarci le due zone bene tutt'e due[12] (benché come città sia sopratutto da inverno, ma fa niente, si correrà nei parchi con la luna d'agosto e i calzoncini infilati al collo, come fanno loro). Per tornare, poi, il solito avanti-e-indietro selvaggio sull'Autobahn[13], tutto sull'imprevisto e sul caso, anche perché è così oppure niente che si vedono una volta per tutte Würzburg o Bayreuth o Mannheim; magari anche qualche deviazione Amsterdam-Copenhagen, secondo gli autostoppisti e gli Olan-

tornare a visitare perbene le due zone;
Berlino fino al 1989
era divisa fra una zona occidentale, *encla-*

ve della Repubblica
federale tedesca, e
una orientale, capitale
della Germania comunista.

13. **Autobahn**: autostrada, in tedesco. All'epoca in cui è ambientato il romanzo la
rete autostradale era

molto più sviluppata
in Germania che nel
resto d'Europa, e in
Italia era appena agli
inizi.

desi Volanti e le Figlie del Reno[14] e il bel tempo. Ma vedo che è complicato. Questi nulla-osta per spingersi con la macchina «oltre Potsdam»[15] già
sono lunghi da avere. Lui mi dà l'impressione che gli sia un po' passata la
voglia. L'orrore per i programmi troppo combinati però ce l'ho anch'io...
Poi, ecco che arriva la ragione vera per cui si finirà a lasciarlo perdere, il no- 60
stro giro. Me la sento... Questa storia del film...

– Ma che film è? Non avevi detto che quest'anno volevi aver finito tutto per giugno e di altri lavori nuovi non te ne pigliavi più?

– Cosa vuoi, – comincia a rispondere. – Lo si fa con degli amici simpa-
tici, si va in giro, ci si diverte anche. 65

– Si va in giro dove?

– In Italia, scusa: la nostra cara. E poi ci dànno abbastanza soldi...

**14. gli Olandesi...
Reno**: personaggi di
opere di Wagner, nei
quali sono identificati
in fantasia i giovani e
le ragazze che si pote-
vano incontrare in
viaggio.
**15. Questi nulla-
osta... Potsdam**: i | permessi da chiedere
alle autorità della | Germania orientale
per muoversi in auto | al suo interno, uscen-
do da Berlino (Pot- | sdam è quasi alla pe-
riferia della capitale).

dialogo con il testo

I temi

Il personaggio narrante esibisce un insieme di allegro
cinismo, grossolana fame di godimenti, entusiasmo
per i consumi di lusso; il tutto si accompagna a una
certa finezza di gusti intellettuali. Anche la cultura si
manifesta però come un consumo di lusso, un'esibizione di snobismo: le scelte culturali assomigliano alla scelta di un ristorante, col dubbio se "vada bene" o
"non vada più bene"; ci si distingue dalla massa chiamando la Grecia "Ellade", facendo un viaggio apposta per seguire la Callas, e così via.

[?] Individuate altre esibizioni snobistiche di gusti
colti.

Il romanzo di Arbasino offre un'immagine vivida
delle classi ricche dell'Italia del "miracolo economico", spendaccione e crapulone, stordite dall'improv-

visa abbondanza, con la tipica mistura di grossolanità e finezza propria dei nuovi arricchiti.

[?] L'autore si nasconde dietro il personaggio narrante, per cui si può discutere fino a che punto intenda
criticare l'ambiente che rappresenta, o fino a che
punto ne sia partecipe e affascinato. Provate a motivare un'opinione in proposito.

Le forme

Il fascino del romanzo è soprattutto nel linguaggio
del personaggio narrante: un chiacchiericcio fitto,
frivolo e svagato, che mescola espressioni colloquiali
trascurate («lasciar giù le mie robe», riga 8, «con un
caldo, ma un caldo», riga 30) a riferimenti colti e a
snobistici inserti di termini inglesi (*rack*, *mood*).

Luigi Malerba

Luigi Malerba (pseudonimo di Luigi Bonardi), nato nel 1927 in provincia di Parma, si trasferì a Roma per lavorare nel cinema come sceneggiatore. Aderì alla nuova avanguardia e nel 1963 pubblicò i racconti *La scoperta dell'alfabeto*, immagini comiche di un mondo contadino emarginato dalla modernizzazione. Sempre al periodo dell'avanguardia appartengono i romanzi *Il serpente* (1966), *Salto mortale* (1968), *Il protagonista* (1973), comici e deliranti monologhi. In anni più recenti Malerba si è volto a forme narrative più complesse e meno sperimentali, con *Il pianeta azzurro* (1986), intricata storia di occulte trame politiche e mafiose, e col romanzo storico *Il fuoco greco* (1989).

▶ **T38.50**

T38.50

«C'è da aver paura»

Salto mortale (1968) è il monologo allucinato di una mente confusa; la voce narrante, che dice di chiamarsi «Giuseppe detto Giuseppe», si attribuisce mestieri diversi, ogni tanto si sdoppia parlando con un secondo Giuseppe, dialoga con una donna il cui nome cambia più volte, torna continuamente sullo stesso episodio cambiando versione: il discorso si avvita su se stesso come un "salto mortale". Il delirio del protagonista ruota prevalentemente intorno a un cadavere che è stato trovato (o lui stesso ha trovato?) nella pianura tra Roma e Latina, dove il personaggio si aggira, e all'ossessione di essere sospettato dell'assassinio. Presentiamo il capitolo iniziale.

Luigi Malerba
SALTO MORTALE
(Cap. 1, Bompiani,
Milano, 1968)

Me lo sogno o lo senti anche tu? Questo ronzìo questo ronzare. Da dove viene? Dal Cielo, dalla Terra? Stai calmo non è niente. Allora sono le mie orecchie. Ma no, viene da fuori. Questo ronzìo questo ronzare non sono le mie orecchie. Allora te lo dico io che cos'è, sono le antenne di Santa Palomba[1] della Radio Televisione,

STA PARLANDO IL PAPA.

Forse hai ragione, ho sentito delle parole in latino, ha detto magis magisque in questo momento. Certo che il Papa parla in latino, come vuoi che parli? Quella è la sua lingua come il francese per i francesi, sono secoli e secoli che i Papi parlano in latino. Ma è una lingua morta, per piacere[2]. Il Papa parla come vuole lui. Va bene il latino ma non può essere il Papa che fa tutto questo ronzìo questo ronzare. Guarda che il papa quando si arrabbia è come il temporale. Uno sciame di mosche sta volando nel Cielo di Pavona, secondo me sono loro. E invece ti sbagli, vedrai che è il Papa che parla alla Radio Vaticana.

L'aria era pesante e polverosa come quando stavano per arrivare gli aeroplani americani per bombardare. Si sentiva qualcosa da lontano, l'aria si metteva a vibrare, la polvere e il vento si sollevavano insieme, improvvisamente, gli alberi tremavano come le foglie, i cani si mettevano a scappare con la coda bassa come prima del terremoto. Erano ricordi lontani o stavano per arrivare? Ecco che arrivano gli americani con le bombe vengono dalla Sicilia, le Fortezze Volanti[3].

1

5

10

15

20

1. Santa Palomba: località a sud di Roma, ai piedi dei Colli Albani. Poco distante è *Pavona*, nominata più oltre.
2. per piacere: espressione che la voce usa continuamente discutendo con se stessa; significa più o meno "non dire sciocchezze", o "non puoi dubitare di quel che dico".
3. le Fortezze Volanti: grandi bombardieri usati durante la seconda guerra mondiale.

Questo ronzìo questo ronzare sono gli aeroplani. Stai calmo Giuseppe che la guerra è finita da molti anni c'è la pace. Eppure questo ronzìo viene dal Cielo, questo ronzare, sono gli aeroplani. Allora saranno quelli italiani, i reattori dell'aeroporto militare di Pratica di Mare che fanno le esercitazioni. Si sentono anche dei boati quando rompono il muro del suono. Non ti spaventare perché non fanno niente di male, vanno a spasso nel Cielo e tu lasciali andare.

Adesso sento la Terra che trema sotto i piedi non la senti anche tu? Questo della Terra è un fatto strano, i reattori di Pratica di Mare volano alti nel Cielo. Vuoi vedere che invece sono i carri armati che fanno tutto questo ronzìo questo ronzare? Ecco lo riconosco, sento il rumore dei carri armati, vengono dal mare. Sono sbarcati fra Anzio e Nettuno[4] e stanno per arrivare. Là dietro quella siepe vedo qualcosa che si muove. Sono loro. Guarda che ti sbagli e tu lasciami sbagliare.

Giuseppe, amico mio, stai dormendo come fai a dormire con tutto questo ronzìo questo ronzare? Ho il sonno pesante, non mi svegliano nemmeno le cannonate, nemmeno le bombe degli aeroplani o il boato dei reattori quando rompono il muro del suono, per piacere.

Ecco fra poco arriva la palla di fuoco e distruggerà tutto quello che trova. È lei. Arriva arriva. E avrà la forma di un drago. No guarda che ti sbagli con la Bibbia[5], succede certe volte di fare queste confusioni. La sento che sta arrivando la palla di fuoco a forma di drago e allagherà tutta la Pianura. Forse ti confondi con il Diluvio Universale, i draghi non esistono più al giorno d'oggi e le palle di fuoco esistono solo nel futuro, ma chi le ha mai viste? Ma come, Hiroshima. Hai ragione non parlo più, mi taglio le orecchie, no aspetta non te le tagliare.

Questo sciame di mosche volava intorno alle antenne di Santa Palomba della Radio Televisione, l'aria vibrava la Terra tremava e tu lasciala tremare. Sono stanco di questo ronzìo di questo ronzare. Ecco arrivano sono le mosche, arrivano stanno arrivando scendono dal Cielo. Saranno milioni e milioni, il Cielo è tutto nero,

C'È DA AVER PAURA.

Che cosa hai in mente di fare? Non lo so ma certo non sto qui a farmi mangiare.

Spazio per camminare ce n'è tanto nella Pianura di Pavona, chilometri e chilometri quadrati, ci sono posti vicini e lontani, strade in salita e in discesa, si può andare avanti e poi ritornare indietro, si può anche stare fermi se uno vuole stare fermo. Si possono fare delle passeggiate da soli o in compagnia, se uno trova la compagnia. Si può partire o arrivare, andare di corsa o andare piano, si può scappare. Giuseppe, carissimo amico, forse ti conviene. Ma dove? Non importa, lontano. Per via di quel fatto successo vicino alla Torre Medievale.

Dicono che l'erba era macchiata di sangue e che hanno trovato un coltello in mezzo al prato. Non sarà spuntato da solo dalla Terra. Dalla Terra spuntano i funghi quando è la stagione, in autunno quando piove. Volen-

4. **fra Anzio e Nettuno**: tra queste località della costa laziale sbarcarono nel gennaio 1944 truppe americane e alleate.
5. **ti sbagli con la Bibbia**: nella fantasticheria è affiorato un ricordo dell'*Apocalisse* (il libro del Nuovo Testamento che presenta una serie di visioni sconvolgenti, interpretate come profezia della fine del mondo). «Un altro segno apparve nel cielo: un drago enorme, rosso fuoco...» (12,3).

tieri nei boschi di castagni ma qualche volta anche nei prati, i cosidetti pra-
taioli.

Adesso corri, Giuseppe, alzati e corri perché è molto tardi. Tardi rispet-   70
to a che cosa? Non ho niente da fare. Non puoi stare fermo, Giuseppe, il
Mondo corre e devi correre anche tu, non ti puoi fermare. Altrimenti arrivi troppo tardi all'appuntamento. Ma io non ho appuntamenti non devo
andare in nessun posto non c'è nessuno che mi aspetta. Che cosa ci vuole a
prendere un appuntamento? Ce l'hai il gettone? Fai una telefonata. Muovi-   75
ti, non stare lì impalato. Se uno corre è segno che scappa e io non voglio
scappare.

NON HO FATTO NIENTE.

Questo non è possibile qualcosa avrai fatto di sicuro.

---

dialogo con il testo

I temi

Possiamo leggere queste pagine come il delirio di
una mente sconvolta dalla scoperta di un cadavere e
dal terrore di essere accusato di omicidio. Oppure
possiamo pensare che anche il cadavere sia il prodotto di un delirio più generale, di un accumulo di sensi di colpa e angosce senza oggetto: un oscuro frastuono diffuso nel mondo, un'oscura minaccia di catastrofe. Ma non è il caso di cercare una spiegazione
plausibile: il romanzo si sottrae volutamente a qualunque coerenza, è fatto di situazioni sfuggenti, in
continua metamorfosi. Ne risulta un mondo instabile e stravolto, che certo si può attribuire a una mente
malata, ma che è anche metafora di una realtà sempre più caotica e incontrollabile.

? Alcune idee deliranti possono essere lette anche
come metafore di aspetti o incubi più determinati
del mondo contemporaneo: provate a interpretare in
questo senso l'idea del ronzio continuo emesso dalle
antenne radiotelevisive, o quella che «le palle di fuoco esistono solo nel futuro» (riga 46).

Le forme

Il lettore può accettare l'incoerenza del testo, e lasciarsi prendere dalle sue suggestioni molteplici e
sfuggenti, anche perché queste sono espresse attraverso un velo di comicità. È comico l'accanito discutere della voce con se stessa, sono comiche certe
associazioni di idee incongrue e bizzarre.

? Un effetto comico si può localizzare nei punti in
cui la voce cerca di tacitare le sue ansie mettendo in
campo la propria cultura, un insieme di nozioni
frammentarie con cui cerca di spiegare, ordinare,
normalizzare le sue ossessioni. Indicate questi passi
del testo.

Confronti

? È probabile che su Malerba abbia agito la suggestione del teatro di Beckett; confrontando il brano
con *T38.9*, cercate di individuare punti di contatto.

I GENERI *Secondo Novecento*

T38.51

Nanni Balestrini

Nanni Balestrini, nato a Milano nel 1935, nel 1961 fu tra i giovani poeti d'avanguardia lanciati dall'antologia *I novissimi*. La sua poesia (*Come si agisce*, 1963; *Le ballate della signorina Richmond*, 1977) procede con la tecnica del *collage*, in una totale frantumazione del discorso (*T38.76*). Nella narrativa Balestrini ha esordito con un romanzo sperimentale programmaticamente illeggibile (*Tristano*,

1966); in seguito, in *Vogliamo tutto* (1971) ha rappresentato l'estremismo operaio di quegli anni con un *collage* di materiali diversi (confidenze registrate di un operaio, brani di giornali ecc.). La militanza nell'estrema sinistra lo ha coinvolto in inchieste giudiziarie, per cui ha dovuto espatriare per alcuni anni. Nei romanzi più recenti, ancora con una tecnica di montaggio per frammenti, ripercorre le tragedie

pubbliche degli anni settanta: *Gli invisibili* (1987), storia di giovani che passano dalla rivolta studentesca al terrorismo, fino al carcere; *L'editore* (1989), sull'oscura morte di Giangiacomo Feltrinelli nel 1972; in *I furiosi* (1994) ha rappresentato i giovani *hooligans* autori di violenze negli stadi.

▶ **T38.51** **T38.76**

T38.51

Gli invisibili

Gli invisibili *a cui è intitolato questo romanzo (1987) sono tali perché spariti nelle carceri e lì dimenticati da tutti; sono giovani formatisi nelle rivolte studentesche degli anni settanta e passati da quelle ad azioni illegali sempre più radicali, alcuni al terrorismo armato. Il romanzo intreccia momenti della vita di carcere (comprese le lotte che si svolgono anche al suo interno) con rievocazioni delle lotte passate, dai primi scioperi studenteschi alle manifesta-*

zioni di piazza con scontri violenti, alle occupazioni di edifici; il tutto è filtrato dalla voce narrante di uno dei protagonisti, che procede per frammenti narrativi, sempre al presente nonostante l'intreccio di tempi narrati diversi. Il capitolo che presentiamo è uno degli ultimi: il narratore è stato trasferito nel carcere della città dove sta per aprirsi un processo contro lui e alcuni dei suoi vecchi compagni.

Nanni Balestrini
GLI INVISIBILI
(Cap. 44, Bompiani, Milano, 1990)

1. **braccetto**: un piccolo "braccio" (reparto di un carcere) destinato ai detenuti in transito o in attesa di processo.
2. **uno speciale**: un carcere di massima sicurezza destinato agli imputati di terrorismo.
3. **spioncino**: la piccola finestra che si apre nella porta blindata di una cella.

Qualche giorno prima dell'inizio del processo sono arrivati nel braccetto[1] anche Gelso e Ortica io li aspettavo con molta ansia perché era così tanto tempo che non li vedevo Gelso era stato arrestato quando ero stato arrestato io ma era stato messo subito in uno speciale[2] ancora più giù al sud e in tutto questo tempo non avevo avuto più notizie di lui Ortica invece era stato arrestato solo qualche mese fa e era finito nello stesso speciale di Gelso io ero molto ansioso emozionato di rivedere i miei compagni dallo spioncino[3] li ho visti arrivare in fondo al corridoio circondati dalle guardie Ortica era carico di zaini Gelso non aveva niente per un momento non l'ho nemmeno riconosciuto era magrissimo i capelli corti senza occhiali guardava davanti a sé senza rispondere ai saluti dagli spioncini delle celle

allora li ho chiamati e Ortica ha sentito subito mi ha riconosciuto anche se non mi poteva vedere perché le guardie li stavano mettendo in una cella un po' lontana dalla mia ho sentito la voce di Ortica che mi chiamava e mi diceva dove sei poi schiacciando la faccia contro lo spioncino l'ho visto per un attimo in mezzo al corridoio che agitava un braccio per salutarmi men-

1

5

10

15

tre una guardia lo tirava indietro per l'altro braccio io appena li hanno chiusi dentro ho chiamato il brigadiere e gli ho detto che erano miei coimputati che erano lì per il mio stesso processo e ho scritto subito la domandina[4] perché potessero venire nella mia cella dov'ero solo il brigadiere mi ha detto che la portava in direzione e che forse la sera stessa si poteva fare il trasferimento di cella

io intanto mi sono messo subito a preparare la cena per Gelso e Ortica nella mia cella non avevo molta roba ho chiamato il lavorante[5] per mandarlo nelle altre celle per farmi dare della roba del vino soprattutto intanto ho scopato per terra e ho lavato anche con lo straccio il pavimento ho tolto il materasso dalla branda perché non c'era tavolo nella cella ma solo un pezzetto di lamiera rigida fissata al muro quando il lavorante è tornato mi ha portato tre bottiglie di plastica d'acqua minerale con dentro un quartino di vino rosso che così lo vendono alla spesa[6] e altra roba che non era un granché e allora non sapevo come fare perché volevo fare una bella cena per i miei amici

e allora ho pensato di fare un dolce avevo in cella due bustine per fare i budini ho fatto due budini uno al cioccolato e uno alla vaniglia scaldando il latte in un pentolino sul fornello e poi li ho messi a raffreddare fuori dalla finestra in due scodelle di plastica ho fatto il caffè ci ho inzuppato dentro dei biscotti secchi e poi su un piatto ho messo a strati il budino e i biscotti ho sbattuto un bianco d'uovo con lo zucchero fino a farlo montare in una crema bianca che ho messo sopra tutto e sulla branda ho messo un lenzuolo bianco pulito poi ho svitato il fornello a gas e ci ho avvitato un cono di stagnola da cui la fiammella usciva come una candela

ho spento la luce e stavo apparecchiando quando la guardia ha aperto la blindata e ha fatto entrare Ortica ma Gelso non c'era e Ortica mi ha detto che mi avrebbe spiegato dopo ci siamo abbracciati e appena le guardie se ne sono andate mi ha detto che Gelso stava male stava male di testa era già parecchio tempo che non stava bene non sopportava più il carcere in un primo tempo parlava solo di evasioni poi ha cominciato a non parlare più con nessuno sembrava che non riconosceva più le persone non voleva più parlare con nessuno e poi si metteva anche nell'ora d'aria[7] a camminare a quattro zampe nel cortile ringhiando e facendo delle smorfie come un pazzo borbottava che se era un cane l'avrebbero fatto uscire

avevo preparato per cominciare delle tartine con delle fette di salame e un po' di maionese abbiamo cominciato a mangiare e Ortica ha cominciato a raccontarmi la storia di Scilla[8] io avevo già sentito qualche voce che circolava ma non ci avevo creduto mi sembrava impossibile quello che si diceva che Scilla era diventato una spia un delatore che aveva tradito i compagni anche se lui a me non mi era mai stato simpatico però Ortica mi ha raccontato che ormai tutti i compagni fuori avevano la certezza che Scilla era diventato confidente dei carabinieri che aveva fatto arrestare un sacco di

20

25

30

35

40

45

50

55

4. **la domandina**: così si chiama nelle carceri la domanda scritta che un detenuto deve rivolgere alla direzione per qualunque sua esigenza o richiesta.
5. **lavorante**: detenuto addetto alle pulizie e alla distribuzione del cibo, che può spostarsi tra le varie celle.
6. **alla spesa**: allo spaccio interno al carcere.
7. **nell'ora d'aria**: nel tempo in cui è consentito ai detenuti uscire nel cortile della prigione.
8. **Scilla**: nome o soprannome di uno dei compagni di lotta del narratore, fino dai tempi della scuola; in momenti precedenti del libro appare uno dei più propensi alla violenza.

compagni tutto era cominciato quando i carabinieri gli hanno fatto una 60
perquisizione e o perché gli hanno trovato delle armi o non si sa per quale
altro fatto fatto sta che se lo sono portato in caserma e per tutto il giorno è
rimasto in caserma e poi lo hanno rilasciato durante la notte

Scilla aveva motivato la cosa dicendo ai suoi compagni che i carabinieri
gliela avevano menata per tutto il giorno ma che poi lo avevano lasciato 65
andare perché non avevano in mano niente[9] i compagni ci avevano creduto anzi erano felici che non era successo niente di grave ma neanche nella
maniera più lontana qualcuno ha avuto un dubbio è arrivato a pensare che
in quella occasione era cominciata la sua collaborazione con i carabinieri
Scilla era del tutto insospettabile tutti avrebbero messo la mano sul fuoco 70
per lui e invece quando i carabinieri gli hanno fatto la proposta di collaborare lui ha accettato e lo hanno lasciato andare e poco dopo c'è stato l'ag-
guato e la morte di Cotogno e poi quando ha finito di denunciare tutti i
suoi compagni Scilla sparisce non si sa forse gli danno un passaporto dei
soldi e sparisce all'estero 75

sulla morte di Cotogno la conferma che il responsabile era Scilla Ortica
l'ha avuta direttamente da Valeriana che aveva incontrato poco prima di
essere arrestato aveva incontrato Valeriana per caso davanti a una farmacia
era parecchio che non la vedeva e quasi non la riconosceva aveva sentito dire che era inscimmiata[10] ma gli ha fatto impressione quando l'ha vista 80
com'era ridotta Valeriana si vede che quel giorno era in crisi d'astinenza
che non trovava roba per farsi era conciata che non posso spiegarti mi ha
raccontato Ortica piangeva urlava era fuori dalla farmacia e urlava aiutate-
mi nessuno vuole darmi il metadone[11] ho fatto il giro di tutte le farmacie
di tutti i paesi nessuno mi vuole dare il metadone questi bastardi di farma- 85
cisti di merda li ammazzo tutti sto male sto impazzendo

non l'ho più rivista per una settimana poi un giorno mi ha aspettato sotto
casa era vestita come l'ultima volta con la stessa cuffia di lana nera calcata
sulla fronte mi ha chiesto se le potevo trovare dei soldi perché con Nocciola[12] era sotto di un milione Nocciola era diventato lo spacciatore della zona 90
questa era un'altra cosa che ho saputo da Ortica Valeriana vendeva per lui
l'eroina ma i soldi se li era spesi tutti per farsi lei insomma era nei casini e
non poteva più rivolgersi a nessuno aveva debiti dappertutto parlava ininterrottamente e diceva che voleva smettere che adesso prendeva il metadone perché voleva smettere ma che prima doveva sistemare il debito con 95
Nocciola

non aveva paura di lui quanto del suo giro di amici che erano capaci di fare storie pesanti con quelli che non pagavano l'avevano già minacciata e
Nocciola non si era messo in mezzo se ne lavava le mani e avrebbe sicuramente lasciato fare ai suoi amici siamo andati in un bar si è tolta la giacca 100
a vento ma teneva sempre in testa la cuffia di lana nera che le sembrava
incollata sulla testa i capelli ti ricordi che bei capelli aveva biondi lunghi

9. non avevano in
mano niente: non
avevano prove contro
di lui.
10. inscimmiata: tos-
sicodipendente; la
"scimmia", nel gergo
dei tossicodipendenti,
è il bisogno tormen-
toso di droga.
11. metadone: far-
maco analgesico che
può venir sommini-
strato ai tossicodipen-
denti come terapia
sostitutiva dell'eroina.
12. Nocciola: un al-
tro ex compagno di
lotte.

adesso le cadevano sulle spalle a ciocche impastate di un colore sporco
aveva la faccia sudata e giallognola gli occhi infossati e cerchiati da oc-
chiaie così scavate che sembravano delle rughe parlava in continuazione   105
facendo scorrere su e giù continuamente le unghie sulle coste dei pantaloni di velluto

è stato quella volta lì al bar che Valeriana ha raccontato a Ortica la storia
della morte di Cotogno si erano dati un appuntamento in quell'appartamento dove avevamo avuto quella famosa riunione[13] Cotogno aveva detto   110
a Valeriana prima di andarci che aveva un appuntamento con Scilla ma
Scilla non era andato all'appuntamento e invece c'erano andati i carabinieri sono entrati nell'appartamento e hanno sparato subito evidentemente
hanno voluto vendicare il carabiniere che era stato ucciso da poco e da quel
momento Scilla è scomparso dalla circolazione e c'è stata una serie di arre-   115
sti tutti compagni che avevano avuto dei rapporti con Scilla e alla fine anche Ortica che con le storie di Scilla non c'era mai c'entrato niente ma probabilmente perché Scilla lo odiava

abbiamo mangiato l'insalata di riso fredda che avevo rimediato e delle sar-
dine in scatola Ortica mi ha detto che di China[14] nessuno ne sapeva più   120
niente da un pezzo era scomparsa completamente volatilizzata lui l'aveva
vista l'ultima volta in sede quando si stavano facendo le prove della radio[15]
io preferivo non parlare di China abbiamo mangiato il budino che era
schifoso poi Ortica ha fatto un grande sorriso e ha tirato fuori dal taschino
dei jeans una caccola di fumo[16] l'ha guardata controluce e mi ha detto sai   125
che storie ho dovuto fare per portarla fin qui ci siamo seduti sul materasso
e ci siamo fatti uno spinello di fumo era buonissimo e ci siamo messi a ridere tutti e due Ortica rideva sempre più forte rideva come un matto gli
sono venute le lacrime agli occhi

130

domani abbiamo il processo ti rendi conto domani ci portano lì e ci fanno
un bel processo io non ho la minima idea ma tu hai un'idea che cosa gli diciamo ha smesso di ridere anche se sembrava che rideva ancora ma sulla
faccia aveva una smorfia io ho detto tanto ci daranno lo stesso un sacco di
anni a tutti qualsiasi cosa gli andiamo a dire o non dire la fiamma a candela del fornello è scesa piano la bomboletta a gas del fornello stava scenden-   135
do finché si è spenta del tutto io non vedevo quasi più Ortica lì al buio gli
ho detto qualche volta mi chiedo adesso che tutto è finito mi chiedo che
cosa ha voluto dire tutta questa nostra storia tutto quello che abbiamo fatto che cosa abbiamo ottenuto con tutto quello che abbiamo fatto lui ha
detto non credo che è importante che tutto è finito ma credo che la cosa   140
importante è che abbiamo fatto quello che abbiamo fatto e che pensiamo
che è stato giusto farlo questa è l'unica cosa importante io credo

Ortica mi ha passato lo spinello per l'ultimo tiro e gli ho chiesto della radio
come aveva funzionato la radio Ortica si è rimesso a ridere la radio era tutto pronto c'era tutto il materiale c'era la frequenza c'era anche il telefono   145

**13. quella famosa
riunione**: una riunio-
ne narrata in prece-
denza, in cui otto
compagni si erano
divisi sull'opportunità
di aderire a un grup-
po armato.
14. China: era la ra-
gazza del personaggio
che narra.
**15. le prove della ra-
dio**: il gruppo di cui
faceva parte il narra-
tore aveva deciso di
creare una radio di
"controinformazione"
(come si diceva all'e-
poca); lui era stato
arrestato durante i
preparativi.
**16. una caccola di
fumo**: un pezzetto di
hashish.

avevamo fatto tutte le prove di voce con la voce di China uno due tre prova rideva siamo riusciti a dire solo uno due tre prova c'era tutto lì pronto bastava schiacciare un pulsante e parlare ma non avevamo più niente da dire nella sede non ci andava più nessuno ormai ogni giorno capitava un disastro nuovo uno che arrestavano uno che impazziva uno che spariva uno che si suicidava tutti sono spariti non c'era più niente da dire e così tutto è rimasto lì a coprirsi di polvere il trasmettitore la piastra lo stereo l'amplificatore il microfono e la voce di China

150

dialogo con il testo

I temi

Gli invisibili è dedicato a una generazione di giovani sconfitti nei loro sogni rivoluzionari. Il carcere, da cui parla la voce narrante, appare in certe parti del romanzo come un luogo in cui si rinnovano le lotte; altrove, come in questo brano, è il luogo di una faticosa sopravvivenza in cui tutto diventa difficile, anche fare un po' di festa nonostante tutto. Ma è soprattutto il luogo dell'invisibilità sociale, qualcosa come un nulla che ha inghiottito chi voleva mettere a soqquadro il mondo. Nell'ultima pagina del libro i detenuti improvvisano delle fiaccole con lenzuola attorcigliate e imbevute d'olio, le fanno passare fuori dalle finestre e le accendono: «ma gli unici che potevano vedere la fiaccolata erano i pochi automobilisti che sfrecciavano piccoli lontanissimi sul nero dell'autostrada a qualche chilometro di distanza o forse un aeroplano che passa su in alto ma quelli volano altissimi lassù nel cielo nero silenzioso e non vedono niente».

In questo brano, attraverso i racconti del compagno giunto nella stessa cella, risalta in modo impressionante la dispersione del gruppo, i vari destini di sbandamento e di rovina personale che hanno colto i suoi membri, in una situazione sociale mutata in cui le loro aspirazioni erano diventate incomprensibili e «non c'era più niente da dire» (riga 151).

Le forme

La narrazione di Balestrini procede per frammenti staccati e privi di punteggiatura, come se si trattasse di brani registrati o di pezzi di documenti prelevati e direttamente trascritti; in altri romanzi l'origine documentaria dei materiali che li compongono è letteralmente vera, mentre qui si tratta probabilmente di un artificio per aumentare l'impressione di verità, di dati raccolti "in diretta" dalla realtà.

Scrittori siciliani

Nella narrativa del secondo Novecento gli scrittori siciliani hanno una presenza rilevante, con caratteristiche proprie; li accomuna una visione sfiduciata della storia, una fedeltà disillusa alla ragione e alla cultura, che si esprime attraverso una scrittura aristocratica e distaccata. Il primo a imporsi all'attenzione è stato Tomasi di Lampedusa (*T38.39*); subito dopo Leonardo Sciascia ha saputo dare immagini esemplari dei mali della società siciliana (*T38.52*, *T38.53*), in cui si rivela un male più generale che affligge ogni società umana. In scrittori affermatisi più tardi emerge una linea barocca della prosa siciliana, che si richiama allo stile artificioso e plurilingue di Gadda; come in Gadda, il virtuosismo stilistico è una sorta di reazione a una visione cupa dell'irrimediabile follia umana. Nell'opera di Stefano D'Arrigo (*T38.54*) si giunge alla creazione di una lingua inventata, nei romanzi di Vincenzo Consolo il lavoro accanito sullo stile dà esiti di straordinaria raffinatezza (*T38.55*).

Leonardo Sciascia

Leonardo Sciascia (1921-1989) nacque a Racalmuto (Agrigento); in gioventù fece il maestro nel paese natale; in seguito, vivendo della professione di scrittore, si trasferì a Palermo e nei suoi ultimi anni soggiornò a lungo a Parigi. Ottenne il successo con *Il giorno della civetta* (1961), un romanzo impostato come un poliziesco, che denunciava i metodi e le collusioni della mafia in un'epoca in cui il problema era ancora ignorato ufficialmente; la stessa tematica ricorre in *A ciascuno il suo* (1966). In altri romanzi (*Il contesto*, 1971; *Todo modo*, 1974) l'invenzione si fa più allegorica, sospesa in tempi e luoghi immaginari, ma con evidenti allusioni alla realtà italiana coi suoi intrecci fra politica, affarismo e delitto. In altri ancora il tema della vana lotta della ragione per correggere un mondo corrotto è trasferito in un contesto storico (*Il consiglio d'Egitto*, 1963; *Candido*, 1977). Sciascia fu anche autore di libri-inchiesta su scottanti casi giudiziari e politici, come *La scomparsa di* Majorana (1975), *L'affaire Moro* (1978). Impegnato in battaglie politiche, Sciascia manteneva la sua indipendenza dai partiti; nel 1975 fu eletto al consiglio comunale di Palermo come indipendente nelle liste del P.C.I., ma due anni dopo si dimise, non riuscendo a far valere la sua presenza. Dal 1979 al 1983 fu deputato eletto nelle liste radicali e membro della commissione parlamentare antimafia.

▶ **T38.52** **T38.53**

T38.52

«Perché, hanno sparato?»

Riportiamo le pagine iniziali di Il giorno della civetta *(1961); come un classico "giallo", il romanzo si apre con la scena di un delitto, da cui si dipanerà la trama delle indagini. Ma nel contesto di un paese siciliano la scena assume subito caratteristiche peculiari.*

Leonardo Sciascia
IL GIORNO DELLA CIVETTA
(Einaudi, Torino, 1988)

L'autobus stava per partire, rombava sordo con improvvisi raschi e singulti. La piazza era silenziosa nel grigio dell'alba, sfilacce di nebbia ai campanili della Matrice[1]: solo il rombo dell'autobus e la voce del venditore di panelle[2], panelle calde panelle, implorante ed ironica. Il bigliettaio chiuse lo

1

1. **Matrice**: la chiesa madre, la più importante del paese.
2. **panelle**: frittelle di farina di ceci.

T38.52

I GENERI Secondo Novecento

sportello, l'autobus si mosse con un rumore di sfasciume. L'ultima occhia- 5
ta che il bigliettaio girò sulla piazza, colse l'uomo vestito di scuro che veniva correndo; il bigliettaio disse all'autista – un momento – e aprì lo sportello mentre l'autobus ancora si muoveva. Si sentirono due colpi squarcia-
ti: l'uomo vestito di scuro, che stava per saltare sul predellino, restò per un
attimo sospeso, come tirato su per i capelli da una mano invisibile; gli cad- 10
de la cartella di mano e sulla cartella lentamente si afflosciò.

Il bigliettaio bestemmiò: la faccia gli era diventata colore di zolfo[3], tremava. Il venditore di panelle, che era a tre metri dall'uomo caduto, muovendosi come un granchio[4] cominciò ad allontanarsi verso la porta della
chiesa. Nell'autobus nessuno si mosse, l'autista era come impietrito, la de- 15
stra sulla leva del freno e la sinistra sul volante. Il bigliettaio guardò tutte
quelle facce che sembravano facce di ciechi, senza sguardo; disse – l'hanno
ammazzato – si levò il berretto e freneticamente cominciò a passarsi la mano tra i capelli; bestemmiò ancora.

– I carabinieri – disse l'autista – bisogna chiamare i carabinieri. 20

Si alzò ed aprì l'altro sportello – ci vado – disse al bigliettaio.

Il bigliettaio guardava il morto e poi i viaggiatori. C'erano anche donne
sull'autobus, vecchie che ogni mattina portavano sacchi di tela bianca, pe-
santissimi, e ceste piene di uova; le loro vesti stingevano odore di trigonella, di stallatico[5], di legna bruciata; di solito lastimavano[6] e imprecavano, 25
ora stavano in silenzio, le facce come dissepolte da un silenzio di secoli.

– Chi è? – domandò il bigliettaio indicando il morto.

Nessuno rispose. Il bigliettaio bestemmiò, era un bestemmiatore di fama tra i viaggiatori di quella autolinea, bestemmiava con estro: già gli avevano minacciato licenziamento, ché tale era il suo vizio alla bestemmia da 30
non far caso alla presenza di preti e monache sull'autobus. Era della provincia di Siracusa, in fatto di morti ammazzati aveva poca pratica[7]: una
stupida provincia, quella di Siracusa; perciò con più furore del solito bestemmiava.

Vennero i carabinieri, il maresciallo nero di barba e di sonno. L'apparire 35
dei carabinieri squillò come allarme nel letargo dei viaggiatori: e dietro al
bigliettaio, dall'altro sportello che l'autista aveva lasciato aperto, cominciarono a scendere. In apparente indolenza, voltandosi indietro come a cercare la distanza giusta per ammirare i campanili, si allontanavano verso i
margini della piazza e, dopo un ultimo sguardo, svicolavano. Di quella len- 40
ta raggera di fuga il maresciallo e i carabinieri non si accorgevano. Intorno
al morto stavano ora una cinquantina di persone, gli operai di un cantiere-
scuola[8] ai quali non pareva vero di aver trovato un argomento così grosso
da trascinare nell'ozio delle otto ore. Il maresciallo ordinò ai carabinieri di
fare sgombrare la piazza e di far risalire i viaggiatori sull'autobus: e i carabi- 45
nieri cominciarono a spingere i curiosi verso le strade che intorno alla piazza si aprivano, spingevano e chiedevano ai viaggiatori di andare a riprendere il loro posto sull'autobus. Quando la piazza fu vuota, vuoto era anche
l'autobus; solo l'autista e il bigliettaio restavano.

– E che – domandò il maresciallo all'autista – non viaggiava nessuno 50
oggi?

3. colore di zolfo:
gialla.
**4. come un
granchio**: a cauti pas-
si laterali.
**5. stingevano... stal-
latico**: spandevano
(come se perdessero la
tintura) odore di un
foraggio (*trigonella*),
di letame raccolto in
stalla (*stallatico*).
6. lastimavano: si
lagnavano (siciliano).
**7. Era della... poca
pratica**: la provincia
di Siracusa, nella Sici-
lia sud-orientale, è
stata tradizionalmen-
te estranea alla mafia,
il cui centro era nella
Sicilia occidentale.
8. cantiere-scuola:
iniziativa di formazio-
ne e lavoro, per alle-
viare il problema del-
la disoccupazione;
l'autore insinua che
non vi si lavorava sul
serio (*ozio delle otto
ore*).

– Qualcuno c'era – rispose l'autista con faccia smemorata.

– Qualcuno – disse il maresciallo – vuol dire quattro cinque sei persone: io non ho mai visto questo autobus partire, che ci fosse un solo posto vuoto. 55

– Non so – disse l'autista, tutto spremuto nello sforzo di ricordare – non so: qualcuno, dico, così per dire; certo non erano cinque o sei, erano di più, forse l'autobus era pieno... Io non guardo mai la gente che c'è: mi infilo al mio posto e via... Solo la strada guardo, mi pagano per guardare la strada. 60

Il maresciallo si passò sulla faccia una mano stirata dai nervi. – Ho capito – disse – tu guardi solo la strada; ma tu – e si voltò inferocito verso il bigliettaio – tu stacchi i biglietti, prendi i soldi, dài il resto: conti le persone e le guardi in faccia... E se non vuoi che te ne faccia ricordare in camera di sicurezza, devi dirmi subito chi c'era sull'autobus, almeno dieci nomi devi 65 dirmeli... Da tre anni che fai questa linea, da tre anni ti vedo ogni sera al caffè Italia: il paese lo conosci meglio di me...

– Meglio di lei il paese non può conoscerlo nessuno – disse il bigliettaio sorridendo, come a schermirsi da un complimento.

– E va bene – disse il maresciallo sogghignando – prima io e poi tu: va 70 bene... Ma io sull'autobus non c'ero, ché ricorderei uno per uno i viaggiatori che c'erano: dunque tocca a te, almeno dieci devi nominarmeli.

– Non mi ricordo – disse il bigliettaio – sull'anima di mia madre, non mi ricordo; in questo momento di niente mi ricordo, mi pare che sto sognando. 75

– Ti sveglio io ti sveglio – s'infuriò il maresciallo – con un paio d'anni di galera ti sveglio... – ma s'interruppe per andare incontro al pretore che veniva. E mentre al pretore riferiva sulla identità del morto e la fuga dei viaggiatori, guardando l'autobus, ebbe il senso che qualcosa stesse fuori posto o mancasse: come quando una cosa viene improvvisamente a 80 mancare alle nostre abitudini, una cosa che per uso o consuetudine si ferma ai nostri sensi e più non arriva alla mente, ma la sua assenza genera un piccolo vuoto smarrimento, come una intermittenza di luce che ci 85 esaspera: finché la cosa che cerchiamo di colpo nella mente si rapprende.

– Manca qualcosa – disse il maresciallo al carabiniere Sposito che, col diploma di ragioniere che 90 aveva, era la colonna della Stazione Carabinieri di S. – manca qualcosa, o qualcuno...

– Il panellaro – disse il carabiniere 95 Sposito.

– Perdio: il panellaro – esultò il maresciallo, e pensò delle

George Segal
Rush Hour (1983, 244×244×488 cm. gesso, New York, Sidney Janis Gallery)

scuole patrie «non lo dànno al primo venuto, il diploma di ragioniere».

Un carabiniere fu mandato di corsa ad acchiappare il panellaro: sapeva 100
dove trovarlo, ché di solito, dopo la partenza del primo autobus, andava a
vendere le panelle calde nell'atrio delle scuole elementari. Dieci minuti dopo il maresciallo aveva davanti il venditore di panelle: la faccia di un uomo
sorpreso nel sonno più innocente.

– C'era? – domandò il maresciallo al bigliettaio, indicando il panellaro. 105

– C'era – disse il bigliettaio guardandosi una scarpa.

– Dunque – disse con paterna dolcezza il maresciallo – tu stamattina,
come al solito, sei venuto a vendere panelle qui: il primo autobus per Palermo, come al solito...

– Ho la licenza[9] – disse il panellaro. 110

– Lo so – disse il maresciallo alzando al cielo occhi che invocavano pazienza – lo so e non me ne importa della licenza; voglio sapere una cosa sola, me la dici e ti lascio subito andare a vendere le panelle ai ragazzi: chi ha
sparato?

– Perché – domandò il panellaro, meravigliato e curioso – hanno spa- 115
rato?

9. **la licenza**: il permesso del Comune.

dialogo con il testo

I temi
Sciascia sottolinea impietosamente un vizio di fondo
della società siciliana, l'omertà. La paura delle vendette dei criminali genera la paura di collaborare in
qualunque modo con la giustizia, e si risolve in un
unico principio: "nulla vidi".

❓ Il rifiuto di vedere, di interessarsi al delitto, diventa insensibilità, e si manifesta anche nei minimi
atteggiamenti degli astanti; rintracciate nel brano i
particolari che colgono questo aspetto.

L'omertà è così radicata nella cultura locale da diventare una sorta di saggezza popolare: una provincia
che «di morti ammazzati aveva poca pratica» è «una
stupida provincia» (righe 31-33).

Le forme
La narrazione è realistica, è piena di colore locale, ma
non comporta nessuna identificazione del narratore
nell'ambiente; il punto di vista narrativo è collocato
all'esterno.

❓ Indicate i pochi passaggi in cui il narratore assume il punto di vista dei personaggi o penetra nei loro
pensieri.

Le scelte linguistiche sottolineano il distacco dell'autore: Sciascia dà la vivacità del parlato alle battute in
discorso diretto e assume nel proprio discorso qualche espressione locale (*lastimare, panelle, panellaro*),

ma il fondo della sua prosa resta colto e sofisticato.

❓ Questo è particolarmente evidente nel ricorso a
similitudini e metafore ricercate. Individuatene
qualcuna.

Il carattere ricercato della prosa è segno dell'atteggiamento di distanza che l'autore assume verso la materia narrata, oggetto del suo amaro giudizio.

❓ Il giudizio tra-
spare soprattutto
nell'uso frequen-
te di un'ironia
sottile: l'autore
rappresenta i per-
sonaggi così co-
me vogliono ap-
parire, e insieme
lascia intendere
ciò che per lui so-
no in realtà. Rife-
rite questa osser-
vazione a un pas-
so del brano.

Leonardo Sciascia

T38.53

Notizie sull'autore **T38.52**

Candido in Sicilia

Candido, ovvero Un sogno fatto in Sicilia *(1977) è una specie di romanzo filosofico ispirato al* Candido *di Voltaire (Vol. D T16.8); il protagonista, come il personaggio di Voltaire, è animato da una fiducia ingenua nella ragione come strumento per migliorare il mondo, la quale si scontra con una società intrigante e corrotta. La storia è ambientata nell'epoca contemporanea: Candido nasce al momento dello sbarco degli Americani in Sicilia; poco dopo la madre abbandona la famiglia per seguire un ufficiale americano; il padre, un ricco avvocato, si uccide quando il figlio, a* cinque anni, rivela ingenuamente i suoi criminali accordi con un omicida. Candido cresce così in solitudine, erede di un ricco patrimonio, sotto la tutela del nonno, generale della milizia fascista divenuto deputato democristiano; ha per precettore Don Antonio, un prete di idee illuminate che presto abbandona la Chiesa. La fiducia nella ragione e nel progresso porta i due ad aderire al Partito comunista e spinge Candido a occuparsi della coltivazione e del miglioramento delle proprie terre. A questo punto si colloca l'episodio che riportiamo.*

Leonardo Sciascia
CANDIDO
(Einaudi, Torino, 1977)

Della vita che Candido conduceva tra casa, campagna e partito; e della proposta che gli fu fatta e che non accettò[1].   1

Candido aveva deciso di smetterla, con gli studi regolari: ammesso che ne avesse mai fatti. La scuola, in cui benissimo era andato riguardo a promozioni e a voti, in effetti gli era servita per leggere tutti quei libri che niente   5 avevano a che fare con la scuola e molto con la vita. Voleva ora completamente dedicarsi alla campagna. Grazie alla scrupolosa amministrazione del generale, si trovava ad avere del denaro in banca. Comprò dei trattori, che imparò a manovrare; fece costruire condotti e gebbie[2] per sfruttare l'acqua che prima si disperdeva; impiantò vigneti e serre per gli ortaggi. Faceva la   10 vita di un contadino e, insieme, di un meccanico: arava, piantava, innestava; e curava le macchine, le riparava quando si guastavano. Ogni sera, all'imbrunire, tornava a casa contento. E trovava contenta Paola[3]. Il sabato sera, o quando c'era riunione d'assemblea, andava al partito: non ogni sera come quando andava a scuola[4]. Partecipava alle discussioni o per riportarle   15 al punto di partenza, quando talmente se ne allontanavano che più non si vedeva, o per dire nel modo più breve e più netto la sua opinione. Quei pochi contadini che c'erano, e specialmente quando si parlava di agricoltura, sempre approvavano i suoi interventi; ma quasi mai li approvavano quelli che stavano dietro il tavolo, sotto i ritratti di Marx, di Lenin e di To-   20 gliatti[5]. Ogni volta che gli capitava di esser da costoro disapprovato, Candido rincasava dubitoso di sé, della sua capacità di vedere le cose nella giusta luce, e pentito di aver parlato. Un po' di conforto soltanto lo trovava

1. *Della vita... accettò*: il lungo titolo-sommario imita quelli del *Candide* di Voltaire.
2. **gebbie**: vasche di pietra (siciliano).
3. **Paola**: la donna con cui conviveva; era stata cameriera e amante del generale che era nonno e tutore di Candido, poi aveva stabilito una relazione col giovane, fatta di autentico amore e soddisfazione sessuale. Quando il generale li aveva sorpresi assieme, era scoppiato uno scandalo cittadino, e Pao-

la si era trasferita a vivere con Candido.
4. **come quando...**

scuola: in precedenza Candido aveva frequentato una scuola

serale di partito.
5. **Togliatti**: uno dei fondatori del P.C.I. e

suo *leader* fino alla morte avvenuta nel 1964.

nel fatto che i contadini lo avessero approvato. Appunto questo Candido amava del partito: il trovarsi assieme ai contadini, agli artigiani, ai minatori; gente vera, concreta, che parlava dei propri bisogni e dei bisogni della città con poche parole e precise; e a volte raccogliendo tutto un discorso in un solo proverbio. E c'era un contrasto abbastanza netto, anche se inavvertito, tra coloro che formavano il partito, che per numero, bisogni e speranze erano il partito, e coloro che il partito rappresentavano e dirigevano: di inesauribile e sfuggente corso i discorsi di questi; rapidi e secchi come colpi al bersaglio gli interventi di quelli e non privi, a volte, di grezza ironia. Don Antonio vedeva in questo contrasto, che mai però veniva fuori come contrasto, una ripetizione di quel che nella Chiesa era sempre accaduto ed accadeva: quella stessa gente che amava parlar poco, la cui vita familiare e sociale era fatta più di silenzi che di parole, amava le prediche lunghe, i predicatori che meno si facevano capire. – L'anima mia lo capisce – aveva detto una volta una vecchietta di un predicatore verboso e incomprensibile. I dirigenti del partito ancora, dunque, parlavano all'anima di coloro che soltanto dei corpi potevano e sapevano parlare.

In questo modo di vita che si poteva dire sereno, con soltanto quel punto nero della sentenza che il partito doveva ancora pronunciare sulla sua condotta[6], Candido si trovò ad un certo punto protagonista di una vicenda che accrebbe la disistima dei più nei suoi riguardi e inclinò alla condanna, invece che all'assoluzione o all'indulgenza, quella sentenza.

Una sera, sul tardi, ebbe a casa la visita di un certo Zucco. Persona di indefinibile attività, tra il mediatore di immobili e il procacciatore di voti, Candido vagamente lo conosceva per averlo qualche volta incontrato come premuroso accompagnatore di suo nonno. Pensò venisse, appunto, da parte di suo nonno: ignorando che Zucco già da un pezzo, avendo annusato l'odor di morte che in politica emanava il generale[7], più non si accompagnava e anzi accuratamente lo evitava. Infatti, di tutt'altro aveva da parlare con Candido. Prendendo l'argomento alla lontana, quasi fosse venuto per far complimenti a Candido di essersi sistemato con Paola e di aver sistemato le sue terre, gli domandò che intenzioni avesse su quel pezzo di terra alle porte del paese che Candido forse non ricordava di avere, se ancora non aveva messo mano a sistemarlo (il verbo sistemare era da Zucco prediletto). Candido rispose che ricordava di averlo, e che forse lo avrebbe sistemato a vigneto. Zucco se ne scandalizzò. – A vigneto, quella terra? A vigneto, una terra situata alle porte del paese? Ma quella terra vale oro, ma quella terra è oro! – E spiegò come fosse oro; cioè come oro potesse diventare.

C'era in progetto, per la città, la costruzione di un grande ospedale. Quella terra era il posto ideale per costruirvelo. Solo che Candido volesse. Candido rispose che, trattandosi di un ospedale, certo che voleva: e poi, volesse o no, il comune o la provincia o lo stato con la motivazione della pubblica utilità quel pezzo di terra potevano sempre espropriarglielo. Sì, certo, – disse Zucco – ma il problema è quello del denaro.

– Capisco – disse Candido: e non aveva capito. – Ma il terreno io posso regalarlo. Figuriamoci se non lo regalo: c'è tanto bisogno di un ospedale.

– Regalarlo? – Zucco boccheggiava di stupore.

25

30

35

40

45

50

55

60

65

70

6. **della sentenza...**
condotta: lo scandalo della relazione con Paola era stato tale anche per i moralisti dirigenti del partito, che avevano aperto un lungo procedimento per decidere della sua eventuale espulsione per condotta riprovevole.
7. **l'odor... generale**: il generale, per quanto campione di trasformismo (da fascista a democristiano), era fondamentalmente onesto, e per questo stava perdendo seguito, col rischio di non essere rieletto deputato.

– Sì – disse Candido – credo si possa farlo: un atto di donazione, non so...

– Non ci siamo capiti – disse Zucco.

– Cerchiamo di capirci – disse Candido.

– Ecco... Io... Mettiamo... Ecco... – Zucco era in difficoltà, non riusciva a trovare il giusto filo del discorso; del discorso da fare a uno sprovveduto, a un cretino come il giovane Munafò. Suo padre, buonanima, avrebbe capito a volo. Suo nonno pure: pur non essendo intelligente e pur essendo onesto (una smorfia di disgusto si disegnò sulla faccia di Zucco, al pensiero dell'onestà del generale). Questo qui a chi somigliava, di chi era figlio?

Drammatico silenzio da parte di Zucco; di attesa, di curiosità e con un po' di sospetto, da parte di Candido.

– L'ospedale – disse finalmente Zucco – lo si può costruire sulla sua terra o sulla terra di qualche altro, nelle vicinanze della città. Poiché la terra espropriata sarà pagata a peso d'oro, è chiaro che chi decide quale sarà il posto in cui sorgerà l'ospedale viene fare un grosso favore, un grosso regalo al proprietario di quella terra. E il proprietario che fa, non ringrazia? Che fa, non ricambia?

– E come ringrazia? Come ricambia? – domandò Candido. Cominciava a capire, aveva preso quell'atteggiamento di gatto sonnacchioso in cui sempre nascondeva l'attenzione.

– Ringrazia, ecco, ricambia, offrendo una percentuale sul prezzo che gli sarà pagato... Il trenta per cento, ecco, sarebbe appena ragionevole, considerando che chi riceverà questo trenta per cento farà in modo che il terreno sia pagato al più alto prezzo possibile.

– E chi lo riceverà, questo trenta per cento?

– Lei conoscerà soltanto me... E poi, non si tratta di una sola persona... Sono tanti, lei capisce...

75

80

85

95

Giulio Turcato
Comizio
(1950, 145×200 cm,
olio su tela, Roma,
Galleria Anna
D'Ascanio)

– No, non capisco – disse Candido alzandosi. Si alzò anche Zucco. Si guardarono negli occhi.

– Signor Zucco, io il terreno lo regalo – disse Candido. – E poiché, pensandoci bene, è il miglior terreno su cui possa sorgere un ospedale, se un altro posto sarà scelto saprò perché, e ne farò pubblica denuncia.

– Ma come? Lei dà un calcio a una fortuna simile e vuole tradire anche me che gliela porto? – E malinconicamente aggiunse – Già, dovevo aspettarmelo. 105

– Sì, doveva aspettarselo – disse Candido.

L'indomani andò in municipio portando al sindaco, scritta, l'offerta di una cessione gratuita di quel terreno. Il sindaco ringraziò, disse che la generosa offerta sarebbe stata ben vagliata; accettata, si capisce, non poteva 110 assicurare: avrebbe deciso una commissione tecnica, con ponderazione, con oculatezza...

Candido raccontò tutto all'assemblea del partito. Ne ebbe, da quelli che stavano dietro il tavolo, approvazioni caute e l'assicurazione che il partito avrebbe vigilato sull'andamento della cosa. Un contadino si alzò per do- 115 mandare com'è che avessero osato, ad un comunista, sapendo che Candido era comunista, fare una proposta simile. – Dieci anni fa – concluse – l'imprudenza di andare a fare un simile discorso a un comunista nessuno l'avrebbe fatta –. Dieci anni prima era vivo Stalin: questo pensava il contadino e tutti, conoscendolo, sapevano che lo pensava. Alcuni risero, altri lo 120 rimproverarono. La domanda fece molta impressione a Candido.

Un mese dopo, Candido seppe che per l'ospedale avevano scelto altro terreno. Riagitò la questione all'assemblea del partito, ma con un tono che non piacque a quelli che stavano dietro il tavolo. Un tono accusatorio, dissero, che loro non meritavano e non tolleravano. Avevano fatto il possibile, 125 perché venisse accettata l'offerta di Candido: ma erano state opposte ragioni tecniche che parevano incontrovertibili. E si sarebbe potuto, sì, fare appello ad altri tecnici, più bravi o meno interessati: ma col risultato di fermar tutto, e chissà quando la città avrebbe avuto il suo ospedale. – Vogliamo uno scandalo o un ospedale? – fu domandato all'assemblea. Quasi tut- 130 ti volevano l'ospedale, Candido e qualche altro l'ospedale e lo scandalo. Si alzò a parlare il segretario. Un lungo discorso sulle cose del paese, sulla visione che il partito ne aveva, sul modo in cui il partito operava l'opposizione, la critica. Ogni tanto, sapientemente, dava un colpo a Candido: al suo esibizionismo, al suo amor proprio, alla sua condotta, al suo non tener conto 135 degli avvertimenti del partito.

Tutti guardavano Candido, ogni volta che il segretario più o meno direttamente lo colpiva. Candido era tranquillissimo. Quando il segretario finì di parlare, poiché pareva che tutti si aspettassero dicesse qualcosa, Candido disse soltanto – Compagno, hai parlato come Fomà Fomíč[8] –. E 140 veramente soltanto questo aveva pensato, mentre ascoltava il segretario.

– Come chi? – domandò il segretario.

– Come Fomà Fomíč.

– Ah – fece il segretario. Sembrava sapesse chi era Fomà Fomíč. Invece, per due giorni si sarebbe arrovellato su quel nome. 145

8. Fomà Fomíč: personaggio di un romanzo satirico di Dostoevskij, *Il villaggio di Stepančikovo e i suoi abitanti* (1859); l'allusione, molto sofisticata, getta comicamente nel panico il segretario di partito, e finirà per essere un ulteriore motivo per l'espulsione di Candido.

dialogo con il testo

I temi

Candido è un giovane idealista e disinteressato, e per questo è completamente incomprensibile per l'ambiente che lo circonda: in un capitolo precedente offre le sue terre ai contadini che le lavorano e questi, diffidenti e ormai in fuga dalla terra, rifiutano. In uno successivo, quando i parenti del padre intentano una causa per dichiararlo incapace e togliergli l'eredità, lui dichiara di volerla donare volentieri a loro per liberarsene, e proprio per questo viene dichiarato incapace di intendere.

? Analizzate le variazioni umoristiche che l'autore inserisce sul tema del "capirsi" e "non capirsi", nel dialogo con Zucco.

L'episodio offre una gustosa parabola sulla corruzione del mondo politico, ma anche sulla tortuosità, debolezza, e sostanziale connivenza di coloro che, per schieramento, dovrebbero opporsi alla corruzione: il tentativo di corruzione è incorniciato tra due rappresentazioni dell'incapacità dei dirigenti comunisti a rappresentare gli interessi autentici della gente semplice che li segue.

Non mancano gli spunti umoristici, ma il fondo è amaro. In *Candido* Sciascia ha rappresentato la sconfitta della ragione nel suo tentativo di correggere le ingiustizie e la corruzione: il mondo è radicalmente marcio, e l'intellettuale illuminista, animato dalle migliori intenzioni, può solo farci la figura del "cretino". C'è in questo una proiezione dell'esperienza dell'autore, impegnato in battaglie civili quasi sempre perdenti, e anche della sua esperienza, che all'epoca era recente, di collaborazione col P.C.I. siciliano.

Le riflessioni di Don Antonio sulle analogie tra il P.C.I. e la Chiesa cattolica (righe 33-40) introducono l'immagine degli intellettuali che invece hanno successo, e nel cercarne le ragioni estendendo il giudizio pessimistico anche alla parte oppressa dell'umanità.

Le forme

Sciascia traduce il suo giudizio sul mondo in storie esemplari, narrate con la semplicità e la scorrevolezza della fiaba. In una nota posta in fondo al libro l'autore rimpiange di non aver saputo raggiungere la "velocità" e "leggerezza" del suo modello, il *Candido* di Voltaire: «ho cercato di essere veloce, di essere leggero. Ma greve è il nostro tempo, assai greve».

Un segno dell'impossibilità di abbandonarsi al ritmo agile della fiaba filosofica sono le frequenti inversioni sintattiche che rallentano i periodi: segno di una prosa dotta e specchio di una mente sottile, che non riesce a fingersi ingenua.
? Individuatene qualche esempio.

Confronti

? Attraverso un confronto con un brano del *Candido* (Vol. D *T16.8*, *T16.9*), cercate di stabilire in che cosa Sciascia si è adeguato al suo modello, e in che cosa se ne differenzia.

Stefano D'Arrigo

Stefano D'Arrigo (1919-1992), nato ad Alì (Messina) e trasferitosi a Roma, fu giornalista e critico d'arte, ma dedicò gran parte della sua vita alla stesura di uno sterminato romanzo, *Horcynus Orca*, pazientemente atteso dall'editore per quindici anni, con l'incoraggiamento di Vittorini, e uscito infine nel 1975.

▶ **T38.54**

T38.54

Il risveglio dell'Orca

Horcynus Orca è *il nome scientifico di un enorme cetaceo, che vive nell'Atlantico e a volte entra nel Mediterraneo; assieme ai delfini, è uno dei simboli che percorrono il*

T38.54

romanzo omonimo (1975), sterminato groviglio di narrazioni, ricordi, sogni, allusioni a miti antichi. Protagonista è 'Ndrja Cambrìa, un marinaio che nel 1943, dopo lo squagliamento delle forze armate italiane, torna verso il proprio paese in Sicilia, con un viaggio a piedi lungo le coste tirreniche dell'Italia meridionale. Giunto allo stretto di Messina, ha difficoltà a trovare un'imbarcazione per passarlo, fino a che non trova aiuto nelle "femminote", intraprendenti donne di un villaggio calabrese che praticano il contrabbando sullo stretto. Una volta al suo paese, lo trova degradato e reso irriconoscibile dalla guerra, e i suoi compaesani immeschiniti in una miserabile corsa al guadagno. A questo punto assiste al misterioso risveglio dell'Orca, mitico mostro marino, simbolo della morte: qui si colloca il brano che presentiamo. Il romanzo si conclude col trionfo della morte sugli sforzi dell'uomo per recuperare la propria identità e civiltà: 'Ndrja muore colpito per errore mentre su una barca si avvicina a un incrociatore inglese alla fonda nello stretto.

Stefano D'Arrigo
HORCYNUS ORCA
(Mondadori, Milano,
1994)

Quando 'Ndrja Cambrìa arrivò qua[1], quel cinque di ottobre che cadeva di domenica, le novità che trovava, erano più o meno quelle che a furia di parolette, suo padre gli aveva incalcato dentro sino all'orlo[2]. Però, ce n'era un'altra, e pure grossa, grossissima, una novità fresca di giorni, se non di ore, che suo padre non gli fece sapere per la semplice ragione che lui stesso, segregato in casa, non la sapeva e lui stesso venne a saperla, con suo figlio, quella mattina che tornò all'aria, rappacificato col mondo.

Quello fu il primo fatto che il nuovo giorno portò a 'Ndrja Cambrìa, ancora in divisa di marinaio e stranottato di parole di novità[3] al punto, che queste gli sapevano di vecchio, gli facevano un effetto come di novità vecchie che aveva sempre saputo, alle quali era stato presente. La notte è femmina e fa chiacchiere, il giorno è maschio e porta il fatto: 'Ndrja l'aveva sentito dire che era muccuso[4] ancora, e poi l'aveva ripetuto pure lui; solo ora però, ora che ci passava di persona, quanto alla notte, gli venne la bava dalla 'sperienza che ne fece, fra Ciccina Circè[5] e suo padre, e quanto al giorno, il fatto che gli portò, era una tale novità di fatto, da riempire da solo quel giorno e i giorni che seguirono a quello, perché era immenso, allarmante come una questione di vita o di morte, e come in tutte le questioni di vita o di morte, ogni altro fatto scompariva davanti a quello, ingigantendolo, facendolo ancora di più immenso, allarmante.

E per andare al fatto, circa alla stessa ora in cui 'Ndrja tornava di tanto lontano alla 'Ricchia[6], a qualche miglio di lì, in Tirreno, nelle profondità della mezzerìa dello scill'e cariddi[7], dove poggiava sommerso nella lava fredda e nera del suo sonno, un gigantesco, misterioso, inimmaginabile animale, cominciava la poderosa operazione del suo risveglio e riassommamento[8].

La sua mente si smuoveva dal sonno di roccia, avvolta in nebbie fitte, in nuvolosità nere fumose, il suo corpo immenso andava spostandosi nelle tenebre sterminate, impenetrabili dell'abisso, entro cui combaciava con le grasse scannellature e i grumi di sangue nero, nero come di pece, per tutta la sua terrificante, alta e lunga grossezza, come in un fodero di velluto ne-

1 (line 1)
5 (line 5)
10 (line 10)
15 (line 15)
20 (line 20)
25 (line 25)
30 (line 30)

1. **qua**: al suo paese, Cariddi, sulla costa siciliana dello Stretto di Messina.
2. **le novità... orlo**: 'Ndrja è arrivato alla casa del padre, che gli ha raccontato come i suoi compaesani si sono immeschiniti, vinti dalla fame, e come ha rotto ogni rapporto con loro.
3. **stranottato... novità**: aveva passato la notte a sentire le novità dalle parole del padre.
4. **muccuso**: bambino (siciliano).
5. **Ciccina Circè**: la "femminota" che aveva traghettato 'Ndrja attraverso lo stretto; il nome evoca quello della mitica maga Circe che seduce Ulisse.
6. **'Ricchia**: un tratto di scogliera con grotte ("Orecchia").
7. **mezzerìa dello scill'e cariddi**: la zona mediana dello stretto, designato coi nomi antichi delle due località costiere, Scilla e Cariddi, che erano anche mostri mitici.
8. **riassommamento**: riemersione.

I GENERI Secondo Novecento

ro, l'enorme mole affusolata andava spostandosi con possente, inesorabile lentezza: il fenomeno di natura fatalmente aveva inizio, fatalmente si muoveva al suo fine. Dagli sprofondi abissali veniva un rimbombo spento come il rotolìo di un tuono per quelle fosse e montagne sottomarine, e il mare alla superficie si scuoteva tutto.   35

L'animalone brancolava ancora cieco e sonnoso, oscuro e inavvertito come tutti i cataclismi nelle loro sotterranee origini, quando non se ne ha ancora segno e sono già sotto i nostri piedi. La sua immensa mole affusolata saliva, preceduta dall'alta pinna dorsale ad ascia, come un sommergibile dal suo periscopio, e salendo, dalle bocchette dello sfiatatoio sprigionava   40 un sibilo come di fuoco che va per acqua, di lava di vulcano che erutta dagli abissi e raffreddandosi, forma un isolotto in superficie. E qui, alla superficie, dall'apertura occhiuta[9] dietro la grande testa incorporata, rigettava acqua soffiando come una tromba marina. Dalle camere e ripostigli di grasso, l'acqua che aveva immagazzinata nella permanenza al fondo e che   45 gli schiacciava i polmoni, scasava[10] fuori violentissimamente in due zampilli di spruzzi e schiume, che subito si fondevano in uno che in cima, a un'altezza di dieci metri circa, scoppiava come un bengala[11], frantumandosi in miria[12] e miria di bolle di spume, che facevano ribollìo sul lungo asse dello zampillo, pigliando controsole i colori dell'arcobaleno.   50

Era al suo quarto risveglio nello scill'e cariddi, perché già tre volte era riassommato per rigettare l'acqua immagazzinata: una volta dentro, una volta fuori e un'altra volta ancora dentro, e cioè due volte in Tirreno e una in Jonio, sempre dov'era rema morta[13], come se lo attirassero acque d'abisso, fredde e ferme, in cui appiccionarsi senza temere sconzo[14].   55

9. dall'apertura occhiuta: lo sfiatatoio da cui i cetacei emettono uno spruzzo d'acqua.
10. scasava: usciva.
11. bengala: razzo di segnalazione o fuoco d'artificio.
12. miria: miriadi, decine di migliaia (greco antico).
13. rema morta: una zona calma tra i flussi e riflussi che percorrono lo stretto di Messina (*rema* nel linguaggio locale).
14. appiccionarsi... sconzo: posarsi (come si posa un piccione) senza temere danno.

dialogo con il testo

I temi

Il romanzo di D'Arrigo parte da riferimenti storici reali (la guerra, lo sbandamento delle truppe italiane, la carestia e la lotta dei pescatori per sopravvivere), per immergerli in una dimensione mitica. In questo brano incontriamo allusioni al mito di Ulisse (la maga Circe, Scilla e Cariddi), e soprattutto il mito centrale del libro, l'Orca, mostro addormentato negli abissi marini che periodicamente si risveglia a portare la morte: annuncio di sciagura, simbolo della devastazione materiale e morale che la guerra ha portato.

Le forme

Nella lunga elaborazione del libro, l'autore si è inventato una sua lingua, inesistente altrove; una lingua composta di elementi di diversa estrazione, continuamente intrecciati in modo da ottenere in ogni punto un effetto di espressività estrema, iperbolica. Il fondo è un italiano aulico, con un periodare lento e gonfio; a esso si intrecciano le espressioni colloquiali («a furia di parolette», righe 2-3, «per andare al fatto», riga 21), i termini dialettali («muccuso», «'sperienza», «sconzo», righe 13, 15, 55), e soprattutto quelli coniati dall'autore sforzando e ricombinando il lessico italiano («stranottato», «appiccionarsi», righe 9, 55). L'espressività è arricchita di metafore potenti («sommerso nella lava fredda e nera del suo sonno», righe 23-24), cumuli di aggettivi («la sua terrificante, alta e lunga grossezza», riga 30), anafore («fatalmente aveva inizio, fatalmente si muoveva al suo fine», righe 32-33), ripetizioni allucinate («perché era immenso, allarmante... ancora di più immenso, allarmante», righe 17-20).

Questo esercizio linguistico portato al parossismo è una tendenza che affiora più volte nella letteratura del Novecento: ha la sua manifestazione estrema, ai limiti dell'illeggibilità, nell'ultimo libro di James Joyce, *Finnegan's wake*, e il precedente più immediato, in Italia, nell'opera di Gadda. È il tentativo di evadere dai limiti della lingua, di forzare lo strumento espressivo per fargli dire l'indicibile.

Vincenzo Consolo

Vincenzo Consolo, nato nel 1933 in provincia di Messina, si è trasferito a Milano, dove ha lavorato alla Rai e svolto collaborazioni editoriali. Nel 1976 ha pubblicato quello che forse resta il suo capolavoro, *Il sorriso dell'ignoto marinaio*, dove si intrecciano storie di patrioti siciliani e di una sanguinosa rivolta popolare, nel periodo intorno alla spedizione garibaldina del 1860. In *Retablo* (1987) l'esplorazione della Sicilia è collocata su uno sfondo settecentesco; in *Nottetempo, casa per casa* (1992) la vicenda si svolge a Cefalù nei primi anni venti, nel pieno dello squadrismo fascista. Narrazione e riflessione saggistica si intrecciano nel volume di racconti *Le pietre di Pantalica* (1988).

▶ T38.55

T38.55

«La veritate della storia»

Vincenzo Consolo
RETABLO
(Mondadori, Milano, 1992)

Retablo è *una parola spagnola che designa una grande pala d'altare divisa in scomparti dipinti o scolpiti; allo stesso modo il romanzo è costruito come un insieme di quadri. La voce narrante appartiene a un pittore milanese del Settecento, che compie un viaggio attraverso la Sicilia alla ricerca di reperti antichi da riprodurre nei suoi di-segni; la narrazione ha la forma di lettere che il protagonista invia a Milano alla sua amata. Il viaggio tra le memorie antiche nasce dal bisogno di sfuggire agli orrori del presente. Nel brano che presentiamo il viaggiatore, insieme al suo servo Isidoro, giunge alle rovine di Mozia, colonia fenicia posta su un'isoletta di fronte a Marsala.*

Camminando, s'appressava a noi, sorgendo appena da quello spesso mare evaporato[1], il bel teatro delle mure gialle, con torri e porte che lungo la spiaggia concludevano l'isola e il verdeggiare suo di terebinti, palme, ampelodesmi, pini d'Aleppo, ferule, agavi, giunchiglie[2], nell'intensa e calda, nella corposa luce dello specchio d'acque, luce fenicia, di riflesso porpora, di vetro o di conchiglia[3], che avvampa e assolve[4] ogni più vera, dura consistenza.

Assolse le spiagge d'arene e mùrici[5], le piane di palme, di sicomori, di canne, le montagne di pini, di cedri, di cipressi, e le città sue, Biblo, Sidone, Tiro; gli scali, gli empori, altre città fiorenti, Cipro, Melos, Citera, Leptis, Sabatra, Utica, Cartagine, questa felice Mozia, e Solunto e Panormo[6], che per il loro navigare vi sorgevano.

All'approdo, presso ad una porta delle mura, s'apriva un bel canale per cui dal mare il mare nella terra penetrava, in una grande vasca quadrilunga[7] come una peschiera, e sopra i lati della sua banchina s'alzavano resti di portali, scale, mura di case e magazzini. Era quello certamente un artefatto porticciolo in cui le snelle navi degli antichi agevolmente caricavano e scaricavano le merci, o un bacino calmo in cui varar le navi appena costruite o riparate.

E c'inoltrammo quindi dentro l'isola, in un silenzio fondo che il frullar d'uccelli, anatre, garzette, che per i passi nostri svolazzavano, vieppiù esal-

1
5
10
15
20

1. da quello... evaporato: i due giungono all'isola guadando una laguna poco profonda; un mare *spesso,* perché in una laguna l'evaporazione fa aumentare la concentrazione salina nell'acqua.
2. terebinti... giunchiglie: erbe, arbusti e alberi tipici della vegetazione mediterranea.
3. di riflesso... conchiglia: che sembra il riflesso color porpora di un vetro o una conchiglia.
4. assolve: dissolve.

5. mùrici: genere di molluschi, da cui i Fenici estraevano la porpora.
6. Panormo: il nome della colonia fenicia fondata dove poi sorse Palermo.
7. quadrilunga: rettangolare (di quattro lati, più lunga che larga).

tava, nell'argentare fitto d'olivastri, il pampinare[8] basso delle viti, e lo squillare giallo di sterpaglie.

Giùnsimo[9] così a uno spiazzo, un campo pieno d'anfore, vasi tondi, orcioli, quali interrati fino al labbro e quali dalla terra riemergenti, pieno di cippi o stèle[10].   25

«Ma dove capitammo?» proruppe stridulo Isidoro. «A voler dire il vero, questa mi sembra un'isola di spiriti: questo campo, don Fabrizio, sarìa[11] incantato, sarìa questo seminato di pignatte una grande trovatura[12]? O stiamo noi sognando?»   30

E mille volte si segnò, e scaricato malamente il mio bagaglio, corse saltando in mezzo a quel vasame e s'avventò sopr'uno che forse gli sembrò più promettente. Un bell'orcio panciuto ch'avea per copertura, come la testa mozza del Battista offerta a Salomè[13], un'orrida maschera in terra cotta, un viso segnato per la fronte e per le guance dai solchi delle rughe, le orecchie lunghe e in fora[14], una grande bocca ghignante per la profonda inarcatura verso il basso e le due fessure d'occhi, per contrasto, inarcate verso l'alto. Tolse, se pur con titubanza, quel coperchio, affondò le mani dentro il vaso e le ritrasse, il povero Isidoro, con un mucchio d'ossa.   35

Gracchiò allora un corvo levandosi dal ramo d'un fico carico di frutti, e la maschera per terra sembrò gli rispondesse con un riso greve e irridente.   40

«Gesù e Maria, Gesù e Maria! O santa Rosalia[15]!» fece Isidoro, e gettò desolato quelle ossa e si nettò le palme sopra i panni.

«Son ossa antiche, Isidoro, più antiche di Cristo o Maometto, ormai polite e nette[16] come ciottoli di mare. In più, Isidoro, son ossa d'innocenti.»   45

E spiegai allora ch'era quello il cimitero ove i Fenici di quest'isola di Mozia seppellivano i fanciulli dopo averli sacrificati ai loro dèi. Il primo nato sacrificavano gli sposi, la primizia, estrema privazione e suprema offerta, come l'offerta del primo fiore o frutto d'una pianta, alla celeste madre Tanit o Astarte o al gran padre Baal Hammon.   50

«O Gesù, Gesù, com'erano crudi, com'erano salvaggi 'sti pagani!» sclamò Isidoro, segnandosi e mormorando requiem[17] per i morti infanti.

Certo atroce crudeltà era quell'uso, barbarie somma, pure se questo popolo portò allora per il mondo, per le vie del mare, una nuova civiltà, nuove scoperte, nuove conoscenze. Portò e insegnò a tutti l'alfabeto, la scrittura segnica dei suoni, aleph, beth, daleth[18]..., quella che poi usaro i Greci e i Latini, questa che io uso qui mentre vi scrivo.   55

Ma così mai sempre[19] è la veritate della storia, il suo progredire lento e contrastato, il miscuglio d'animalità e di ragione, di tenebra e di luce, barbarie e civiltà. E troppo presto esulta, a mio giudizio, il barone di Montesquieu[20], nel suo essé titolato *Esprit des lois*[21], per la superiore civiltà dei Greci di Sicilia, per i Siracusani che, dopo la vittoria d'Imera[22], per volontà   60

---

8. **il pampinare**: il moto e il colore dei pampini, foglie della vite.

9. **Giùnsimo**: giungemmo. La forma insolita dà un colorito linguistico antico: nel Settecento le coniugazioni erano meno regolarizzate che oggi, e coesistevano molte forme doppie per la stessa voce verbale.

10. **cippi o stèle**: colonnette o lastre di pietra con iscrizioni o rilievi.

11. **sarìa**: sarebbe; forma arcaica e siciliana.

12. **trovatura**: artificio magico.

13. **la testa mozza... Salomè**: secondo i vangeli di Marco e di Matteo, Salomè, nipote del re della Giudea Erode, durante una festa chiese allo zio, come premio per aver ben danzato, la testa di Giovanni Battista, il predicatore precursore di Gesù, che era stato arrestato dal despota.

14. **in fora**: in fuori; forma arcaica e siciliana.

15. **santa Rosalia**: la santa protettrice di Palermo, la città del servo Isidoro.

16. **polite e nette**: levigate e pulite.

17. **requiem**: preghiere per i defunti.

18. **aleph... daleth**: i nomi delle prime lettere dell'alfabeto inventato dai Fenici.

19. **mai sempre**: sempre; *mai* come rafforzativo di *sempre* è dell'italiano antico.

20. **il barone di Montesquieu**: grande pensatore illuminista (1689-1755; Vol. D T15.20), da supporre ancora in vita nel momento in cui scrive il personaggio narrante.

21. **essé... lois**: il saggio (*essé* è la trascrizione italiana del francese *essai*) *Lo spirito delle leggi*, il capolavoro politico di Montesquieu.

22. **la vittoria d'Imera**: nel 480 a.C. Gelone, tiranno di Siracusa, sconfisse i Cartaginesi a Imera, colonia greca sulla costa sicula settentrionale.

del loro re Gelone, imposero ai Cartaginesi nel trattato di pace d'abolire quell'usanza di uccidere i fanciulli. Così dice il filosofo, il giurista (e qui riporto quanto ritiene la memoria mia): «le plus beau traité de paix dont l'histoire ait parlé est, je crois, celui que Gélon fit avec les Carthaginois. Il voulut qu'ils abolissent la coutume d'immoler leurs enfans. Chose admirable[23]!...». Ma ignorava il Montesquieu che i Siracusani stessi, col tiranno loro Dionisio, tempo dopo, espugnata e saccheggiata quest'isola di Mozia, punivano crocifiggendoli quei Greci mercenari che avean combattuto coi Moziesi. E vogliamo qui memorare le barbarie dei Romani o i massacri vergognosi che gli Ispani, nel nome di Cristo e della santa Chiesa, compirono contra i popoli inermi delle Nuove Indie[24]? Ah, lasciamo, lasciamo di dire qui di quanto l'uomo è stato orribile, stupido, efferato. Ed è, anche in questo nostro che sembra il tempo della ragione chiara e progressiva[25]. L'uomo dico in astratto, nel cammino generale della storia, ma anche ciascun uomo al concreto, io, voi[26] (perdonate), è parimenti ottuso, violento nel breve tempo della propria vita. Vive sopravvivendo sordo, cieco, indifferente su una distesa di debolezza e di dolore, calpesta inconsciamente chi soccombe. Calpesta procedendo ossa d'innocenti, come questi del campo per cui procediamo io e Isidoro. Così anche in amore – va senza dirlo[27] –, anche così procede chi è amata.

65

70

75

80

23. Le plus beau... admirable!: "Il più bel trattato di pace di cui abbia parlato la storia è, credo, quello che Gelone fece coi Cartaginesi. Volle che abolissero l'usanza di sacrificare i loro bambini. Cosa ammirevole!".
24. i popoli... Indie: gli Indiani d'America.
25. il tempo... progressiva: l'epoca dell'illuminismo.
26. voi: la donna a cui il personaggio scrive.

27. va senza dirlo: non importa dirlo; | traduzione letterale del francese *ça va sans* | *dire*: il francesismo è un carattere della pro- | sa italiana del Settecento.

dialogo con il testo

I temi

Accingendosi al suo viaggio alla ricerca di testimonianze antiche, il pittore settecentesco dice di voler porre «tra me medesimo e la storia, tra me e questo secol nostro di carestie e pesti, di guerre e di massacri [...], tra me e gli òmini e le pietre un'infinita distanza». Ma dalle tracce dell'antichità riemerge ineludibile il pensiero degli orrori della storia, e del presente. Quando pensa che l'uomo è «orribile, stupido, efferato... anche in questo nostro che sembra il tempo della ragione chiara e progressiva» (righe 75-76), il personaggio si riferisce al suo Settecento, ma il lettore è portato a pensare al proprio tempo. L'autore ci porta a una riflessione amara e sconsolata sull'irrimediabilità del male, sulla sconfitta della ragione, in ogni tempo.

Le forme

L'unica compensazione a una realtà in cui «non è che

falsità, laidezza, brutalità e follia» (come scrive altrove il protagonista) è per Consolo nello splendore dello stile. Così si può spiegare quella sua prosa esasperatamente lavorata e lambiccata, in cui ogni particolare della narrazione è pretesto allo sfoggio di parole preziose.

? Notate ad esempio le lunghe serie di nomi, comuni e propri, in cui spiccano quelli rari.

Il fondo della prosa è arcaico, con forme morfologiche e lessicali come *giunsimo, usaro, veritate, s'appressava, memorare*. In questo romanzo l'arcaismo si giustifica come imitazione della scrittura di due secoli fa, così come la presenza di certi francesismi tipicamente settecenteschi. Ma in tutta l'opera di Consolo forme arcaiche, dialettali, comunque rare, formano un impasto scintillante e prezioso.

La narrativa: anni ottanta

La cultura degli anni settanta, tutta presa da dibattiti politici e ideologici, è stata poco incline alla letteratura di invenzione. Alla fine di quel decennio c'è un ritorno di interesse per la narrativa, che si può datare dal successo di due libri di alta qualità, *Se una notte d'inverno un viaggiatore* di Italo Calvino, del 1979 (*T40.10*), e *Il nome della rosa* di Umberto Eco, del 1980 (*T38.56*); entrambi si basano su una raffinata mescolanza di generi narrativi diversi, che si può ricondurre al gusto "postmoderno".

Da allora la narrativa italiana ha una netta ripresa per quantità, qualità e successo di pubblico. Il più notevole scrittore del periodo, Tabucchi, è erede dell'ultimo Calvino per la finezza della scrittura, il gioco sottile con la letteratura precedente, il dubbio sistematico sulla realtà (*T38.58*); ma si mostra poi capace di affrontare temi di forte spessore civile e morale (*T38.59*). La stessa tensione etica appare in una delle scrittrici di più sicuro talento della stessa generazione, Clara Sereni (*T38.60*), ma senza complicazioni intellettuali, più rare in generale nella scrittura femminile.

Intanto emergono autori più giovani, che portano nel romanzo le esperienze della generazione che è passata attraverso i movimenti del decennio 1968-1978, coi suoi entusiasmi, le sue delusioni, il suo linguaggio (Pier Vittorio Tondelli, *T38.57*).

In alcuni scrittori apparsi a partire dagli anni ottanta sono più evidenti certe tendenze "postmoderne": il gusto per gli intrecci fitti e fantasiosi, la mescolanza di stili, l'inventiva linguistica. Nei migliori, questi caratteri convivono con lo sforzo di mantenere un controllo critico sulla realtà; tra essi Stefano Benni, l'autore satirico di maggiore talento, usa le invenzioni più spericolate e grottesche per manifestare un severo giudizio critico sulla realtà contemporanea (*T38.61*).

Ugo Nespolo
Alphabet man
(1990, 100×140 cm,
acrilici su legno,
Collezione privata)

Umberto Eco

T38.56

Notizie
sull'autore **T37.28**

L'arrivo all'abbazia

Con Il nome della rosa *(1980) ha fatto il suo esordio di narratore Umberto Eco, notissimo studioso di semiotica. Il romanzo ha avuto un successo mondiale, e in Italia è stato uno dei primi episodi del ritorno di interesse per la narrativa, oltre che un fattore della nuova voga del romanzo storico. Il libro di Eco sovrappone abilmente i generi del romanzo storico e del poliziesco, intrecciandoli con riferimenti a temi culturali e politici di oggi. La vicenda è ambientata ai primi del Trecento, in un'immaginaria abbazia sulle Alpi. Il narratore è Adso da Melk, un giovane frate benedettino che accompagna il più anziano e autorevole Guglielmo da Baskerville, inviato dall'imperatore a far da mediatore nelle controversie tra francescani spirituali e*
conventuali. Il nome Baskerville è una delle tipiche strizzate d'occhio di Eco al lettore: rinvia infatti al titolo del più celebre romanzo di Conan Doyle (Vol. F T26.15) con protagonista Sherlock Holmes. Come questo, Guglielmo è un abilissimo investigatore, e si troverà a risolvere il mistero di una serie di omicidi che si succederanno durante la sua permanenza nell'abbazia, dovuti a complicati intrighi di interessi religiosi, politici ed erotici.

La pagina che presentiamo è l'inizio della narrazione, dopo un esordio in cui il narratore, ormai vecchio, ha spiegato le ragioni che lo spingono a raccontare questa vicenda della sua gioventù. Adso da Melk e Guglielmo da Baskerville giungono per la prima volta in vista dell'abbazia.

Umberto Eco
IL NOME DELLA
ROSA
(«Primo giorno»,
Bompiani, Milano,
1980)

Era una bella mattina di fine novembre. Nella notte aveva nevicato un poco, ma il terreno era coperto di un velo fresco non più alto di tre dita. Al buio, subito dopo laudi[1], avevamo ascoltato la messa in un villaggio a valle. Poi ci eravamo messi in viaggio verso le montagne, allo spuntar del sole.

Come ci inerpicavamo per il sentiero scosceso che si snodava intorno al monte, vidi l'abbazia. Non mi stupirono di essa le mura che la cingevano da ogni lato, simili ad altre che vidi in tutto il mondo cristiano, ma la mole di quello che poi appresi essere l'Edificio[2]. Era questa una costruzione ottagonale che a distanza appariva come un tetragono[3] (figura perfettissima che esprime la saldezza e l'imprendibilità della Città di Dio[4]), i cui lati meridionali si ergevano sul pianoro dell'abbazia, mentre quelli settentrionali sembravano crescere dalle falde stesse del monte, su cui s'innervavano a strapiombo. Dico che in certi punti, dal basso, sembrava che la roccia si prolungasse verso il cielo, senza soluzione[5] di tinte e di materia, e diventasse a un certo punto mastio[6] e torrione (opera di giganti che avessero gran familiarità e con la terra e col cielo[7]). Tre ordini di finestre dicevano il ritmo trino della sua sopraelevazione, così che ciò che era fisicamente quadrato sulla terra, era spiritualmente triangolare[8] nel cielo. Nell'appressarvici maggiormente, si capiva che la forma quadrangolare generava, a ciascuno dei suoi angoli, un torrione eptagonale, di cui cinque lati si protendevano

1

5

10

15

20

1. **laudi**: una delle ore canoniche di preghiera dei monaci, prima dell'alba.
2. **l'Edificio**: una torre posta su un angolo delle mura che cingono le costruzioni e i cortili dell'abbazia; in questo edificio si trova la biblioteca, centro degli intrighi e dei misteri del romanzo.
3. **tetragono**: cubo, nella terminologia medievale.
4. **Città di Dio**: la società cristiana perfetta, che si oppone al mondo, "città del diavolo"; il termine risale a una celebre opera di Sant'Agostino.
5. **soluzione**: discon-
tinuità.
6. **mastio**: torrione principale.

7. **giganti... cielo**: nella mitologia antica i giganti erano figli di Urano (il cielo) e Gea (la terra).

8. **spiritualmente triangolare**: con riferimento alla Trinità divina.

all'esterno – quattro dunque degli otto lati dell'ottagono maggiore generando quattro eptagoni minori, che all'esterno si manifestavano come pentagoni. E non è chi non veda l'ammirevole concordia di tanti numeri santi, ciascuno rivelante un sottilissimo senso spirituale. Otto il numero della perfezione d'ogni tetragono, quattro il numero dei vangeli, cinque il numero delle parti del mondo, sette il numero dei doni dello Spirito Santo. Per la mole, e per la forma, l'Edificio mi apparve come più tardi avrei visto nel sud della penisola italiana Castel Ursino o Castel dal Monte[9], ma per la posizione inaccessibile era di quelli più tremendo, e capace di generare timore nel viaggiatore che vi si avvicinasse a poco a poco. E fortuna che, essendo una limpidissima mattinata invernale, la costruzione non mi apparve quale la si vede nei giorni di tempesta.

Non dirò comunque che essa suggerisse sentimenti di giocondità. Io ne trassi spavento, e una inquietudine sottile. Dio sa che non erano fantasmi dell'animo mio immaturo, e che rettamente interpretavo indubitabili presagi iscritti nella pietra, sin dal giorno che i giganti vi posero mano, e prima che la illusa volontà dei monaci ardisse consacrarla alla custodia della parola divina.

Mentre i nostri muletti arrancavano per l'ultimo tornante della montagna, là dove il cammino principale si diramava a trivio, generando due sentieri laterali, il mio maestro si arrestò per qualche tempo, guardandosi intorno ai lati della strada, e sulla strada, e sopra la strada, dove una serie di pini sempreverdi formava per un breve tratto un tetto naturale, canuto di neve.

«Abbazia ricca,» disse. «All'Abate piace apparire bene nelle pubbliche occasioni.»

Abituato come ero a sentirlo fare le più singolari affermazioni, non lo interrogai. Anche perché, dopo un altro tratto di strada, udimmo dei rumori, e a una svolta apparve un agitato manipolo di monaci e di famigli[10]. Uno di essi, come ci vide, ci venne incontro con molta urbanità: «Benvenuto signore,» disse, «e non vi stupite se immagino chi siete, perché siamo stati avvertiti della vostra visita. Io sono Remigio da Varagine, il cellario[11] del monastero. E se voi siete, come credo, frate Guglielmo da Bascavilla, l'Abate dovrà esserne avvisato. Tu,» ordinò rivolto a uno del seguito, «risali ad avvertire che il nostro visitatore sta per entrare nella cinta!»

«Vi ringrazio, signor cellario,» rispose cordialmente il mio maestro, «e tanto più apprezzo la vostra cortesia in quanto per salutarmi avete interrotto l'inseguimento. Ma non temete, il cavallo è passato di qua e si è diretto per il sentiero di destra. Non potrà andar molto lontano perché, arrivato al deposito dello strame[12], dovrà fermarsi. È troppo intelligente per buttarsi lungo il terreno scosceso...»

«Quando lo avete visto?» domandò il cellario.

«Non l'abbiamo visto affatto, non è vero Adso?» disse Guglielmo volgendosi verso di me con aria divertita. «Ma se cercate Brunello, l'animale non può che essere là dove io ho detto.»

Il cellario esitò. Guardò Guglielmo, poi il sentiero, e infine domandò: «Brunello? Come sapete?»

25

30

35

40

45

50

55

60

65

9. **Castel Ursino o Castel dal Monte**: due dei castelli costruiti da Federico II nell'Italia meridionale: Castel Ursino a Catania e Castel dal Monte nelle Murge.
10. **famigli**: servitori.
11. **cellario**: addetto alla dispensa.
12. **strame**: paglia usata come lettiera nelle stalle; qui si tratta dello strame usato, misto a sterco.

«Suvvia,» disse Guglielmo, «è evidente che state cercando Brunello, il cavallo preferito dall'Abate, il miglior galoppatore della vostra scuderia, nero di pelo, alto cinque piedi, dalla coda sontuosa, dallo zoccolo piccolo e rotondo ma dal galoppo assai regolare; capo minuto, orecchie sottili ma occhi grandi. È andato a destra, vi dico, e affrettatevi, in ogni caso.» 70

Il cellario ebbe un momento di esitazione, poi fece un segno ai suoi e si gettò giù per il sentiero di destra, mentre i nostri muli riprendevano a salire. Mentre stavo per interrogare Guglielmo, perché ero morso dalla curiosità, egli mi fece cenno di attendere: e infatti pochi minuti dopo udimmo grida di giubilo, e alla svolta del sentiero riapparvero monaci e famigli riportando il cavallo per il morso. Ci passarono di fianco continuando a guardarci alquanto sbalorditi e ci precedettero verso l'abbazia. Credo anche che Guglielmo rallentasse il passo alla sua cavalcatura per permettere loro di raccontare quanto era accaduto. Infatti avevo avuto modo di accorgermi che il mio maestro, in tutto e per tutto uomo di altissima virtù, indulgeva al vizio della vanità quando si trattava di dar prova del suo acume e, avendone già apprezzato le doti di sottile diplomatico, capii che voleva arrivare alla meta preceduto da una solida fama di uomo sapiente. 75

80

85

«E ora ditemi,» alla fine non seppi trattenermi, «come avete fatto a sapere?»

«Mio buon Adso,» disse il maestro. «È tutto il viaggio che ti insegno a riconoscere le tracce con cui il mondo ci parla come un grande libro. Alano delle Isole[13] diceva che 90

> omnis mundi creatura
> quasi liber et pictura
> nobis est in speculum[14]

e pensava alla inesausta riserva di simboli con cui Dio, attraverso le sue creature, ci parla della vita eterna. Ma l'universo è ancor più loquace di come pensava Alano e non solo parla delle cose ultime[15] (nel qual caso lo fa sempre in modo oscuro) ma anche di quelle prossime, e in questo è chiarissimo. Quasi mi vergogno a ripeterti quel che dovresti sapere. Al trivio, sulla neve ancor fresca, si disegnavano con molta chiarezza le impronte degli zoccoli di un cavallo, che puntavano verso il sentiero alla nostra sinistra. A bella e uguale distanza l'uno dall'altro, quei segni dicevano che lo zoccolo era piccolo e rotondo, e il galoppo di grande regolarità – così che ne dedussi la natura del cavallo, e il fatto che esso non correva disordinatamente come fa un animale imbizzarrito. Là dove i pini formavano come una tettoia naturale, alcuni rami erano stati spezzati di fresco giusto all'altezza di cinque piedi. Uno dei cespugli di more, là dove l'animale deve aver girato per infilare il sentiero alla sua destra, mentre fieramente scuoteva la sua bella coda, tratteneva ancora tra gli spini dei lunghi crini nerissimi... Non mi dirai infine che non sai che quel sentiero conduce al deposito dello strame, perché salendo per il tornante inferiore abbiamo visto la bava[16] dei detriti scendere a strapiombo ai piedi del torrione meridionale, bruttando la neve; e così come il trivio era disposto, il sentiero non poteva che condurre in quella direzione.» 95

100

105

110

13. **Alano delle Isole**: teologo e scrittore francese del secolo XII (Vol. A *T1.3*), più noto come Alano di Lilla (l'incertezza sulla patria deriva dalla confusione tra *Alain de Lille* e *Alain de l'Isle*).
14. **omnis mundi... speculum**: "al mondo ogni creatura è per noi come un libro e un'immagine nello specchio"; versi del celebre "ritmo" di Alano (in una versione leggermente diversa da quella da noi riportata in Vol. A *T1.3*).
15. **cose ultime**: le realtà supreme, spirituali e divine.
16. **la bava**: la striscia fluida.

«Sì,» dissi, «ma il capo piccolo, le orecchie aguzze, gli occhi grandi...»

«Non so se li abbia, ma certo i monaci lo credono fermamente. Diceva Isidoro di Siviglia[17] che la bellezza di un cavallo esige "ut sit exiguum caput, et siccum prope ossibus adhaerente, aures breves et argutae, oculi magni, nares patulae, erecta cervix, coma densa et cauda, ungularum soliditate fixa rotunditas"[18]. Se il cavallo di cui ho inferito il passaggio non fosse stato davvero il migliore della scuderia, non spiegheresti perché a inseguirlo non sono stati solo gli stallieri, ma si è incomodato addirittura il cellario. E un monaco che considera un cavallo eccellente, al di là delle forme naturali, non può non vederlo così come le auctoritates[19] glielo hanno descritto, specie se,» e qui sorrise con malizia al mio indirizzo, «è un dotto benedettino...»

«Va bene,» dissi, «ma perché Brunello?»

«Che lo Spirito Santo ti dia più sale in zucca di quel che hai, figlio mio!» esclamò il maestro. «Quale altro nome gli avresti dato se persino il grande Buridano[20], che sta per diventare rettore a Parigi, dovendo parlare di un bel cavallo, non trovò nome più naturale?»

Così era il mio maestro. Non soltanto sapeva leggere nel gran libro della natura, ma anche nel modo in cui i monaci leggevano i libri della scrittura[21], e pensavano attraverso di quelli. Dote che, come vedremo, gli doveva tornar assai utile nei giorni che sarebbero seguiti. La sua spiegazione inoltre mi parve a quel punto tanto ovvia che l'umiliazione per non averla trovata da solo fu sopraffatta dall'orgoglio di esserne ormai compartecipe e quasi mi congratulai con me stesso per la mia acutezza. Tale è la forza del vero che, come il bene, è diffusivo di sé. E sia lodato il nome santo del nostro signore Gesù Cristo per questa bella rivelazione che ebbi.

Ma riprendi le fila, o mio racconto, ché questo monaco senescente[22] si attarda troppo nei marginalia[23]. Di' piuttosto che arrivammo al grande portale dell'abbazia, e sulla soglia stava l'Abate a cui due novizi[24] sorreggevano una bacinella d'oro colma d'acqua. E come fummo discesi dai nostri animali, egli lavò le mani a Guglielmo, poi lo abbracciò baciandolo sulla bocca e dandogli il suo santo benvenuto, mentre il cellario si occupava di me.

«Grazie Abbone,» disse Guglielmo, «è per me una gioia grande mettere piede nel monastero della magnificenza vostra, la cui fama ha valicato queste montagne. Io vengo come pellegrino nel nome di Nostro Signore e come tale voi mi avete reso onore. Ma vengo anche a nome del nostro signore su questa terra[25], come vi dirà la lettera che vi consegno, e anche a suo nome vi ringrazio per la vostra accoglienza.»

L'Abate prese la lettera coi sigilli imperiali e disse che in ogni caso la venuta di Guglielmo era stata preceduta da altre missive di suoi confratelli (dappoiché, mi dissi io con un certo orgoglio, è difficile cogliere un abate benedettino di sorpresa), poi pregò il cellario di condurci ai nostri alloggiamenti, mentre gli stallieri ci prendevano le cavalcature. L'Abate si ripromise di visitarci più tardi quando ci fossimo rifocillati, ed entrammo nella grande corte dove gli edifici dell'abbazia si estendevano lungo tutto il dolce pianoro che smussava in una morbida conca – o alpe – la sommità del monte.

115

120

125

130

135

140

145

150

155

160

17. Isidoro di Siviglia: vescovo e santo (570-636), autore di opere enciclopediche studiate per tutto il Medioevo.
18. ut sit... rotunditas: "che la testa sia piccola e magra, quasi aderendo alle ossa, le orecchie corte e fini, gli occhi grandi, le froge ampie, la cervice eretta, folte la criniera e la coda, il tondo degli zoccoli ben definito per solidità".
19. le auctoritates: le "autorità", nel senso medievale di autori considerati fonti di verità indiscutibile.
20. Buridano: filosofo francese della prima metà del Trecento.
21. scrittura: cultura affidata ai testi scritti.
22. senescente: che sta invecchiando. Il narratore si riferisce a se stesso.
23. marginalia: fatti secondari; letteralmente, annotazioni a margine. È un falso latinismo, comparso nel Novecento.
24. novizi: frati da poco entrati nel monastero, che non hanno ancora preso i voti.
25. nostro... terra: l'imperatore.

dialogo con il testo

I temi

Il brano offre una buona campionatura di alcune delle caratteristiche che rendono avvincente il primo romanzo di Eco. Innanzitutto abbiamo una ricostruzione storica condotta con la precisione di un vero erudito. Il linguaggio del narratore è quello che ci possiamo aspettare da un monaco del tardo Medioevo, col suo candore, i riferimenti religiosi, l'ingenuo simbolismo dei numeri. Le citazioni del dotto Guglielmo sono tipiche della cultura del tempo; in particolare, quella del "ritmo" di Alano riprende e rafforza un tema centrale della visione del mondo medievale, l'interpretazione simbolica di ogni aspetto della realtà. Ma nel contempo questo tema getta un ponte verso la cultura contemporanea, così interessata al carattere segnico di ogni esperienza; e il semiologo Eco ne farà uno dei motivi intellettuali del libro, che a molti lettori ha rivelato l'attualità del Medioevo, la possibilità di parlare del presente parlando del passato.

Un altro spunto di attualità si ha quando Guglielmo, commentando il passo di Alano, contrappone la chiarezza dei segni riferiti alle cose «prossime», materiali, all'oscurità dei segni delle «cose ultime» (righe 96-97). Con questo afferma una visione laica ed empirista della realtà, in modo storicamente abbastanza attendibile: non per niente è rappresentante dell'imperatore, l'autorità laica, e in seguito citerà Guglielmo di Occam e Ruggero Bacone, i filosofi francescani e inglesi come lui che nel Trecento introdussero elementi di una visione scientifica del mondo nella cultura del Medioevo al tramonto. Ma al di là dell'attendibilità storica, la contrapposizione tra razionalismo e misticismo è uno dei temi di forte rilevanza attuale che Eco insinua nella narrazione.

Mentre sfiora queste questioni di portata filosofica, l'autore gioca coi modi tipici della letteratura d'intrattenimento: l'interpretazione delle tracce del cavallo ricorda da vicino le strabilianti (e anche inverosimili) deduzioni di Sherlock Holmes, il primo eroe del genere poliziesco (vedi Vol. F *T26.15*); la visione dell'«Edificio», coi suoi caratteri inquietanti, ricorda i castelli tipici della narrativa "gotica" del Settecento (vedi Vol. D *T16.11*), antenata del moderno genere "horror", e intanto introduce nel racconto un piccolo elemento di *suspense* che promette al lettore una lettura avvincente, oltre che intellettualmente impegnativa.

L'abile mescolanza di spunti intellettuali, generi e modelli letterari può far accostare la narrativa di Eco al gusto postmoderno; rispetto ai maestri americani della tendenza (vedi *T38.21*, *T38.22*), nei quali c'è un senso di resa alla confusione del mondo, nei romanzi di Eco resta però un senso di fede nella ragione come strumento per comprendere la realtà e dirimere le controversie; e Guglielmo è l'eroe di questa fede.

Le forme

? In questo romanzo Eco adotta una lingua media, scorrevole, che non cerca forzature espressive; notate però i mezzi coi quali introduce nel lessico e nella sintassi una leggera patina di arcaismo, per rendere credibile il suo narratore medievale.

Pier Vittorio Tondelli

Pier Vittorio Tondelli (1955-1991), nato a Correggio, si affermò con raccolte di racconti che mettono in scena una gioventù disorientata, fragile e inquieta; passò al romanzo con *Rimini* (1985), fitto impasto di generi giallo, erotico, politico, e con *Camere separate* (1989), appassionata storia d'amore omosessuale. Diventato autore "di culto" per molti giovani, si impegnò nel promuovere nuovi scrittori, pubblicando antologie di loro racconti; l'iniziativa è stata continuata da suoi amici dopo la scomparsa dello scrittore, morto ancora giovane di AIDS.

▶ T38.57

T38.57

Autobahn

Altri libertini, pubblicato nel 1980 da un autore venticinquenne, è costituito da sei racconti che rappresentano momenti della vita irrequieta di studenti, col loro linguaggio trasgressivo; gli ambienti, per lo più notturni, sono città deserte e squallidi bar, tra Bologna e la provincia emiliana. Riproduciamo la prima parte dell'ultimo racconto del libro, Autobahn *("autostrada" in tedesco).*

Pier Vittorio Tondelli
ALTRI LIBERTINI
(Feltrinelli, Milano, 1980)

Lacrime lacrime non ce n'è mai abbastanza quando vien su la scoglionatura, inutile dire cuore mio spaccati a mezzo come un uovo e manda via il vischioso male, quando ti prende lei la bestia non c'è da fare proprio nulla solo stare ad aspettare un giorno appresso all'altro. E quando viene comincia ad attaccarti la bassa pancia, quindi sale su allo stomaco e lo agita in tremolio di frullatore e dopo diventa ansia che è come un sospiro trattenuto che dice vengo su eppoi non viene mai. 5

E Laura diceva, mi ricordo, che questo faceva male ahimè davvero molto male come ti siringassero da dentro le budella e le graffettassero e punzecchiassero, insomma tanti scorpioncini appesi al tubo digerente così che 10 poi dovevi per guarire cercare un disinfestatore che ti imponesse i fluidi[1], magari girando mezzitalia e trovatolo fare poi sala d'attesa in compagnia di melanconici stultiferi biliatici neurotici et altri disperati[2] con artrosis e acciacchi d'ossa, persino invasamento del Maligno[3].

E l'Angelo, anche ciò mi rammento e ve lo passo, questa scoglionatura 15 che dà sul neuroduro la chiama Scoramenti, al plurale perché quando arriva non vien mai in solitudine. Si porta appresso nevralgie d'ossa, brufoletti sulle labbra o nel fondoschiena ma poi i più gravi mali, quelli della vocina; cioè chi sei? cosa fai? dove vai? qual è il tuo posto nel Gran Trojajo? cheffarai? eppoi ancora quelli più deleteri, i mali del non so giammai né perché 20 venni al mondo né cosa sia il mondo né cosa io stesso mi sia[4] e quando son proprio gravi persino il non so quale sia il mio sesso né il corpo né la cacca mia, cioè i disturbi dubitativi della decadenza.

E contagia. Ostia se contagia. Casa mia divenuta tante volte ospedaletto, sul mio lettuccio Chiara che guardava l'aquilone del soffitto e ruttava 25 invece che parlare. Ma io capito quei rutti e tradotto per voi "non ho caro-

---

1. **un disinfestatore... fluidi**: un guaritore (*disinfestatore* è ironico) di quelli che curano imponendo sul malato le mani da cui emanerebbe un fluido terapeutico.
2. **melanconici... disperati**: c'è un gioco di finta lingua antica, col latinismo inventato *stultiferi* ("pazzoidi"), *biliatici* per *biliosi*, l'arcaica grafia della congiunzione *et*.
3. **invasamento del Maligno**: la possessione del demonio, tra i mali curati.
4. **non so giammai... mi sia**: citazione, un po' storpiata ad arte, dalle *Ultime lettere di Jacopo Ortis* di Foscolo: «Io non so nè perchè venni al mondo, nè come, nè cosa sia il mondo, nè cosa io stesso mi sia»; sono parole lasciate scritte dal protagonista pochi giorni prima di uccidersi.

mio nessun progetto di me, menchemeno realizzazione libidica o razionale, ruth".

Eppoi Maria Giulia, sempre in cameretta mia con su[5] il contagio, si contava i riccioli e boccheggiava e vedevo che malediceva quel fulmine a ciel sereno che era caduto addosso a lei che non se lo aspettava proprio che arrivasse, ma una volta giunto, come digià detto, fatica boia, ma tanta tanta a cacciarlo via, il fulmine. Insomma saputo quel che vi era dovuto lettori amici miei, vi passo a fare il menastorie[6] di una sera come tante con su le belve degli scoramenti che a rimanere fermo non ci riesco trenta secondi d'orologio, mi sento un passerotto che ha perduto il nido, faccio un bar didietro all'altro e un beveraggio appresso all'altro perché il vino è farmaco dei mali e credete a me, questa è l'unica risposta che al mondo c'è.

In tale stato di coscienza bevute dunque sette vodke a credito dall'Armando, lavati dieci tavoli e consegnati cappuccini al ragioniere d'ufficio sopra il bar come baratto[7], ingoiati poi due Pinot triveneto, due Albana in compagnia del Simposio dell'Osteria[8] e sbausciate[9] infine due birrette da trecento lire dall'Aroldo, cioè entra entra vino santo strapazza il dolore, produci calore, sciogli l'uovo del mio cuore, fammi infine vomitare e cacciar lontano il mio gran male. Dopo messo in cinquecento che dico così di certo passerà. Però di soldi mica ne tenevo tanti nel portafoglio, fortuna era che ci stava la benzina almeno per scorazzare un paio d'ore cioè la lancettina diceva due quarti e traballava ballerina più verso il quattro quarti che la barretta opposta. Da questo capito il fatto, tutt'intero.

Ma dentro non ci capivo proprio niente di quel che succedeva e impossibile continuare silenziosamente la notte; dentro che granbaccano che avevo! Come una fiera di paese anco[10] coi mangiafuochi che sputavano fiammelle spiritate e gli elefanti d'India che saltavano sui trespoli e tutto un tremolio di saltimbanchi e culbuttisti[11] e trapezisti, funambolici e giocolieri, persino bertuccette e oranghi tanghi[12] mai fermi [...] cinque minuti.

Bestemmiata la malattia, ostia se la bestemmio sulla mia cinquecento bianca come il latte e scappottata ora che è primavera, o almeno sembra, cioè una bella aria fresca di marzo pazzerello che gira come un fringuelletto tra le mie gambe e petto ed esce poi da dove è entrata, cioè il tettuccio. Così metto una marcia più forte dell'altra e pesto l'acceleratore come la tavoletta della batteria e infatti ci canto sopra un bel reggae, di quelli sdiavolati e vado forte sulla strada, scanso i gatti e i topi della campagna, le ranocchie dei fossati, sempre forte bella guida, neanche paura. E scalare[13], che goduria! Sembra di stare a dar cazzotti al motore, ai pistoni, alle bielette e anco agli stronzi porci che m'incrociano con gli abbaglianti sparati sui miei denti, gli si secchino le palle, accidenti! Poi d'un tratto fiutato nel marzo pazzerello un buon odore, allargati i polmoni, litri e litri di buon odore dentro, che gioia l'ho ritrovato il buon profumo selvatico e libero, non lo farò scappare. Accidenti a te respiro mio che non ti riesce di trattenerlo dentro un po' di più questo odorino, ma fatti forza allarga il naso, sì l'hai ritrovato, esulta e impreca, all'inseguimento, e via!

Però mentre io sul mio ronzino scappottato sono lanciato all'inseguimento, dovete sapere alcune chiacchiere e portare un poco pazienza, tipo

30

35

40

45

50

55

60

65

70

5. **con su**: con addosso.

6. **menastorie**: deformazione di *cantastorie*, incrociato col modo di dire *menarla*.

7. **come baratto**: in cambio di qualche bevuta offerta.

8. **Simposio dell'Osteria**: la compagnia abituale dell'osteria, ironicamente definita col termine illustre di *Simposio* (nell'antica Grecia, l'ultima parte del banchetto, dedicata alle libagioni).

9. **sbausciate**: dal milanese *baùscia*, "fanfarone, sciocco", ma in senso proprio "bava", da cui potrebbe derivare il verbo usato qui da Tondelli nel senso di "inghiottire".

10. **anco**: arcaico per *anche*. Un altro arcaismo scherzoso, più avanti, è *in altro loco*.

11. **culbuttisti**: acrobati (dal francese *culbute*, "capriola"); termine non registrato dai dizionari.

12. **oranghi tanghi**: gioco di parole sulla forma malese *orangutan*.

13. **scalare**: scalare le marce, passare a una marcia inferiore per rallentare.

accendervi una sigaretta se c'avete il vizio, o bere una cocacola o dare un bacio alla vostra compagnia se siete in compagnia, e se siete soli, be' cazzi vostri io non lo vorrei proprio ma se è così è così, non menatevela tanto; quindi passo a dirvi le menate che vi devo cioè che al tempo degli scoramenti io abitavo in Correggio, Reggio Emilia ma non è detto che ora che abito in altro loco non abbia più gli scoramenti, ma in quel tempo erano davvero frequenti, fulmini a ciel sereno, ho detto. E lo ripeto qui.

Correggio sta a cinque chilometri dall'inizio dell'autobrennero di Carpi, Modena che è l'autobahn più meravigliosa che c'è perché se ti metti lissù e hai soldi e tempo in una giornata intera e anche meno esci sul Mare del Nord, diciamo Amsterdam, tutto senza fare una sola curva, entri a Carpi ed esci lassù. Io ci sono affezionato a questo rullo di asfalto perché quando vedo le luci del casello d'ingresso, luci proprio da granteatro, colorate e montate sul proscenio di ferri luccicanti, con tutte le cabine ordinate e pulite che ti fan sentire bene anche solo a spiarle dalla provinciale, insomma quando le guardo mi succede una gran bella cosa, cioè non mi sento prigioniero di casa mia italiana, che odio, sì odio alla follia tanto che quando avrò tempo e soldi me ne andrò in America, da tutt'altra parte s'intende, però è sempre andar via.

Ma ci son notti o pomeriggi o albe e anco tramonti, anche questo dovete imparare, che succede il Gran Miracolo, cioè arriva su quel rullo l'odore del Mare del Nord che spazza le strade e la campagna e quando arriva senti proprio dentro la salsedine delle burrasche dell'oceano e persino il rauco gridolino dei gabbiani e lo sferragliare dei docks e dei cantieri e anche il puzzo sottile delle alghe che la marea ha gettato sugli scogli, insomma t'arriva difilato lungo questo corridoio l'odore del gran mare, dei viaggi, l'odore che sento adesso come un prodigio e che sto inseguendo sulla mia ronzinante cinquecento con su gli scoramenti e dentro tanto vino e in bocca tanta voglia di gridare. Sono sulla strada amico, son partito, ho il mio odore a litri nei polmoni, ho fra i denti la salsedine aaghhh e in testa libertà. Sono partito, al massimo lancio il motore, avanti avanti attraversare il Po, dentro ai tunnel tra le montagne di Verona, avanti sfila Trento sulla destra e poi Bolzano e poi al Brennero niente frontiere per carità, non mi fermo non mi fermo, verso Innsbruck forte forte poi a Ulm, poi via Stuttgart e Karlsruhe e Mannheim, una collina dietro l'altra, da un su e giù all'altro, spicca il volo macchina mia, vola vola, Frankfurt, Köln, forza eddai ronzino mio, ormai ci siamo, fuori Arnhem, fuori Utrecht, ci siamo ci siamo ostia se ci siamo senti il mare? Amsterdam Amsterdam! Son partito chi mi fermerà più?

dialogo con il testo

I temi

Queste pagine offrono un condensato degli atteggiamenti, dei *tic*, dei miti e del linguaggio della generazione di Tondelli, che non a caso diventò rapidamente un "culto" per i suoi coetanei e i più giovani. Questa generazione aveva conosciuto intorno al 1977 un ultimo violento sussulto dei movimenti di rivolta sociale, che sul piano politico aveva rapidamente imboccato il vicolo cieco della violenza e (per alcuni) della lotta armata. Col dissolversi delle prospettive politiche, restava a questi giovani un bisogno di liberazione puramente individuale, già esploso in mezzo ai movimenti del 1977: c'era un'ansia di affermare il valore dei sentimenti e delle emozioni, rifiutando i vecchi stereotipi maschili («Lacrime lacrime non ce n'è mai abbastanza»), ma in un vuoto di prospettive, in una condizione sociale emarginata e disgregata. Da qui l'esibita fragilità emotiva, il facile rifugio nelle droghe (l'alcol, in questo racconto), il desiderio di evadere dal grigiore provinciale, il mito dei viaggi (Amsterdam, mare del Nord, America).

? Nel finale si racconta un viaggio che è in gran parte di fantasia, irrealizzabile; individuate i dati che l'autore dissemina nel testo per farcelo capire.

Le forme

Una ragione del successo dei racconti di Tondelli è la sua capacità di imitare nella scrittura il gergo giovanile della sua generazione. È un linguaggio che esibisce i suoi caratteri trasgressivi (parolacce, bestemmie), ma li mescola con una buona dose di ironia: riferimenti colti e arcaismi più o meno storpiati, giochi di parole e rime, metafore stravaganti, parole di nuovo conio. L'accostamento del gergale *menastorie*

al letterario *scoramenti* (righe 34-35) può simboleggiare il gusto dissonante dell'impasto linguistico.

? Trovate esempi delle caratteristiche linguistiche indicate.

Come risultato, la scrittura è sempre in equilibrio fra due intonazioni opposte: da un lato un'effusione emotiva viscerale, sbracata, dall'altro una consapevole caricatura di quell'emotività, una voce sforzata in falsetto. Come a dire che tutto è vissuto e sofferto con intensità, ma insieme niente è davvero serio, impegnativo, ha valore.

Confronti

Questa scrittura apparentemente così "spontanea" ha i suoi precedenti letterari, soprattutto americani, da Henry Miller a Jerome Salinger (autore di un "libro di culto" intramontabile, *Il giovane Holden*), ai poeti e narratori *beat* (*T38.19, T38.20*). E come ha i suoi antenati, ha i suoi nipoti, che prolungano e rinnovano esperienze di scrittura "giovanilistica" negli anni novanta (tra gli altri Silvia Ballestra, Giuseppe Culicchia, Enrico Brizzi, Paolo Nori).

Antonio Tabucchi

Antonio Tabucchi, nato a Pisa nel 1943, è docente di letteratura portoghese all'università di Genova; è in particolare traduttore e studioso di Fernando Pessoa, poeta e scrittore del primo Novecento. Ha esordito come romanziere con *Piazza d'Italia*

(1975), a cui hanno fatto seguito raccolte di racconti (*Il gioco del rovescio*, 1981; *Piccoli equivoci senza importanza*, 1985, e altre) e il romanzo breve *Notturno indiano* (1984). Ha raggiunto un successo notevole con *Sostiene Pereira* (1993), che ha

avuto due importanti premi letterari, e con un romanzo impostato come un "giallo", *La testa perduta di Damasceno Monteiro* (1997).

▶ T38.58 T38.59

T38.58

«C'è una signora che desidera parlare con lei»

Notturno indiano *(1984)* è il racconto, condotto dal protagonista in prima persona, di un viaggio attraverso l'India alla ricerca di un amico che sembra essersi perduto in quel paese sterminato e pieno di misteri. Seguendo le sue labili tracce, il narratore attraversa i più diversi ambienti, dagli alberghi di lusso a quelli sordidi

ed equivoci, da un affollato e misero ospedale di Bombay alla quiete di un istituto cattolico a Goa; ogni volta fa incontri sorprendenti o inquietanti, coglie allusioni profonde e insieme vaghe ai segreti dell'esistenza umana. Il finale è a sorpresa: con un gioco raffinato e un po' allucinatorio l'autore fa intendere che forse l'uomo *scomparso coincide con quello che lo sta cercando.*

Il capitolo che presentiamo è (come al- *tri) un episodio in sé concluso, senza conseguenze sul seguito della storia: quasi un racconto breve.*

Antonio Tabucchi
NOTTURNO
INDIANO
(Cap. V, Sellerio,
Palermo, 1987)

La mia guida sosteneva che il migliore ristorante di Madras era il Mysore Restaurant del Coromandel[1], e io ero molto curioso di verificarlo. Alla boutique del pianoterra acquistai una camicia bianca, all'indiana, e un paio di pantaloni eleganti. Salii in camera e feci un lungo bagno per lavare via tutte le scorie del viaggio. Le stanze del Coromandel hanno una mobilia di uno stile coloniale rifatto, ma di buon gusto. La mia stanza dava sul retro, su di uno spiazzo giallastro circondato da una vegetazione selvatica. Era una stanza vastissima, con due letti ampi coperti da due drappi assai belli. In fondo, vicino alla finestra, c'era uno scrittoio con un cassetto centrale e tre da ogni lato. Fu un puro caso se scelsi l'ultimo cassetto di destra per riporvi le mie carte.

Finii per scendere molto più tardi di quello che avrei voluto, ma tanto il Mysore restava aperto fino a mezzanotte. Era un ristorante a vetrate sulla piscina, con tavoli rotondi e separé di bambù laccato di verde. I paralumi dei tavoli avevano luci azzurre, e c'era molta atmosfera. Un suonatore, su una pedana foderata di rosso, intratteneva i commensali con una musica molto discreta. Il cameriere mi guidò fra i tavoli e fu molto premuroso nel consigliarmi le vivande. Mi concessi tre piatti e bevvi succo di mango fresco. I clienti erano quasi tutti indiani, ma al tavolo vicino al mio c'erano due signori inglesi dall'aria professorale che parlavano di arte dravidica[2]. Tenevano una conversazione sussiegosa e competente, e durante tutta la cena mi divertii a controllare sulla mia guida se le notizie che si fornivano reciprocamente erano esatte. Ogni tanto uno dei due faceva degli errori cronologici, ma l'altro sembrava non accorgersene. Sono curiose le conversazioni ascoltate per caso: li avrei detti vecchi colleghi d'università, e solo quando ciascuno di loro si confidò che avrebbe rinunciato al volo dell'indomani per Colombo[3] capii che si erano conosciuti quel giorno. Uscendo fui tentato di fermarmi all'English Bar dell'atrio, ma poi considerai che la mia stanchezza non aveva bisogno di un aiuto alcolico e salii in camera.

Quando suonò il telefono mi stavo lavando i denti. Sul momento pensai che fosse la Theosophical Society[4], che mi aveva promesso una conferma telefonica, ma andando verso il telefono scartai l'ipotesi, data l'ora. Poi mi venne in mente che prima di cena avevo avvisato la portineria che un rubinetto del bagno funzionava male. Infatti era la portineria. «Mi scusi, signore, c'è una signora che desidera parlare con lei».

«Come ha detto, prego?», risposi con lo spazzolino fra i denti.

«C'è una signora che desidera parlare con lei», ripeté la voce del telefonista. Sentii lo scatto del commutatore e una voce femminile, bassa e ferma, disse: «sono la persona che occupava la sua stanza prima di lei, ho assoluto bisogno di parlarle, mi trovo nell'atrio».

«Se mi concede cinque minuti la raggiungo all'English Bar», dissi, «dovrebbe essere ancora aperto».

1
5
10
15
20
25
30
35
40

1. **Coromandel**: un grande albergo che includeva diversi ristoranti.
2. **dravidica**: una civiltà dell'India meridionale.
3. **Colombo**: capitale dello Sri Lanka (isola di Ceylon).
4. **Theosophical Society**: associazione religiosa sorta negli Stati Uniti alla fine dell'Ottocento e che ha a Madras la sede centrale; si ispira al pensiero di E. Swedenborg (1688-1722), sintesi di diverse religioni, soprattutto orientali. Il protagonista ha saputo che l'amico scomparso era in contatto con questa società e ha preannunciato una visita ai suoi dirigenti.

«Preferisco salire io», disse senza darmi il tempo di replicare, «è una cosa della massima urgenza».

Quando bussò avevo appena finito di rivestirmi. Dissi che la porta era aperta e lei aprì sostando un attimo a guardarmi. Il corridoio era in penombra. Vidi solo che era alta e che portava un foulard sulle spalle. Entrò chiudendosi la porta dietro. Io ero seduto su una poltrona, in piena luce, e mi alzai. Non dissi niente, aspettai. E infatti parlò lei. Parlò senza avanzare nella stanza, con la stessa voce bassa e ferma che aveva al telefono. «La prego di scusarmi per questa intrusione, la mia le sembrerà una maleducazione inverosimile, purtroppo ci sono circostanze in cui non si può fare diversamente».

«Senta», dissi io, «l'India è misteriosa per definizione, ma l'enigmistica non è il mio forte, mi eviti sforzi inutili».

Lei mi guardò con ostentato stupore. «Ho semplicemente lasciato in camera sua alcune cose che mi appartengono», disse con calma. «Sono venuta a riprenderle».

«Immaginavo che sarebbe ritornata», dissi io, «ma francamente non l'aspettavo così presto, anzi, così tardi».

La donna mi guardò con accresciuto stupore. «Cosa vuole dire?», mormorò.

«Che lei è una ladra», dissi io.

La donna guardò verso la finestra e si tolse il foulard dalle spalle. Era bella, mi parve, o forse era la luce schermata del paralume che dava al suo volto un'aria aristocratica e lontana. Non era più tanto giovane e il suo corpo era pieno di grazia.

«Lei è molto definitivo[5]», disse. Si passò una mano sul viso come se volesse scacciare la stanchezza, o un pensiero. Le sue spalle tremarono per un leggero brivido. «Che cosa vuol dire rubare?», chiese.

Il silenzio cadde fra noi e avvertii il rubinetto che gocciolava in modo esasperante. «Ho chiamato prima di cena», dissi, «e mi hanno assicurato che lo avrebbero riparato subito. È un rumore insopportabile, temo che non mi favorirà il sonno».

Lei sorrise. Si era appoggiata al cassettone di giunco e un braccio le pendeva lungo il fianco come se fosse molto stanca. «Credo che ci si dovrà abituare», disse. «Io sono rimasta qui una settimana e ho chiesto decine di volte che lo riparassero, poi mi sono rassegnata». Fece una piccola pausa. «Lei è francese?».

«No», risposi.

Mi guardò con aria disfatta. «Sono venuta in taxi da Madurai», disse, «ho viaggiato tutto il giorno». Si passò il foulard sulla fronte come se fosse un fazzoletto. Per un attimo ebbe un'espressione disperata, mi parve. «L'India è orribile», disse, «e le strade sono un inferno».

«Madurai è molto lontano», replicai, «perché Madurai?».

«Stavo andando a Trivandrum, poi da lì sarei andata a Colombo».

«Ma anche da Madras c'è un aereo per Colombo», obiettai.

«Non volevo prendere quello,» disse lei, «avevo le mie buone ragioni, non le sarà difficile arguirle». Fece un gesto stanco. «Comunque ormai l'ho perduto».

45

50

55

60

65

70

75

80

85

90

5. **definitivo**: precipitoso nel dare definizioni perentorie. Calco dell'inglese *definitive*, giustificato dal fatto che i due stanno parlando in inglese.

Mi guardò con aria interrogativa e io dissi: «è tutto lì dove lo ha lasciato, nell'ultimo cassetto di destra».

Lo scrittoio era alle sue spalle, era uno scrittoio di bambù con angoli di ottone e uno specchio ampio nel quale si riflettevano le sue spalle nude. Lei aprì il cassetto e prese il mazzetto di documenti tenuti da un elastico. 95

«È troppo stupido», disse, «uno fa una cosa di questo genere e poi dimentica tutto in un cassetto. L'ho custodito una settimana nella cassaforte dell'albergo, e poi l'ho lasciato qui mentre facevo le valigie».

Mi guardò come se aspettasse il mio consenso. «Effettivamente è proprio stupido», dissi io, «il trasferimento di tutti quei soldi è un'operazione di alta truffa, e poi lei si permette una distrazione così grossolana». 100

«Forse ero troppo nervosa», disse lei.

«O troppo impegnata a vendicarsi», aggiunsi. «La sua lettera era notevole, una vendetta feroce, e lui non può farci nulla, se lei fa in tempo. È solo una questione di tempo». 105

I suoi occhi ebbero un lampo guardandomi nello specchio. Poi si girò di scatto, vibrante, col collo teso. «Ha letto anche la mia lettera!», esclamò con sdegno.

«Ne ho anche trascritto una parte», dissi io. 110

Lei mi guardò con stupore, o con paura, forse. «Trascritta?», mormorò, «perché?».

«Solo la parte finale», dissi io, «mi dispiace, è stato più forte di me. Del resto non so neppure a chi è indirizzata, ho capito solo che è un uomo che deve averla fatta soffrire molto». 115

«Era troppo ricco», disse lei, «credeva di poter comprare tutto, anche le persone». Poi fece un cenno nervoso, indicando se stessa, e io capii.

«Senta, credo di capire vagamente com'è andata. Lei non è esistita[6] per anni, è sempre stata solo un prestanome, finché un giorno ha deciso di dare una realtà a questo nome. E questa realtà è lei stessa. Però io di lei conosco solo il nome con cui si è firmata, è un nome molto comune e non ho intenzione di sapere altro». 120

«Già», fece lei, «il mondo è pieno di Margareth».

Si allontanò dallo scrittoio e andò a sedersi sullo sgabello della toeletta. Appoggiò i gomiti sulle ginocchia e si prese il viso fra le mani. Restò a lungo così, senza dire niente, nascondendo il viso. 125

«Cosa pensa di fare?», chiesi.

«Non lo so», rispose, «ho molta paura. Devo essere a quella banca di Colombo domani, altrimenti tutto quel denaro va in fumo».

«Stia a sentire», dissi, «è notte fonda, non può andare a Trivandrum a quest'ora, e comunque non ci arriverebbe per l'aereo di domani. Domattina da qui c'è un aereo per Colombo, è fortunata perché se si presenta in tempo troverà posto, e lei da questo albergo risulta partita». 130

Lei mi guardò come se non capisse. Mi guardò a lungo, intensamente, studiandomi. 135

«Per quanto mi riguarda lei è partita davvero», aggiunsi, «e in questa stanza ci sono due comodi letti».

6. **non è esistita**: non ha affermato una propria personalità e volontà nei rapporti col suo uomo.

Parve rilassarsi. Incrociò le gambe e abbozzò un sorriso. «Perché lo fa?», chiese.

«Non lo so», dissi io. «Forse ho simpatia per i fuggiaschi. E poi anch'io le ho rubato qualcosa». 140

«Ho lasciato la mia valigia in portineria», disse lei.

«Forse è più prudente lasciarla lì, la recupererà domattina. Posso prestarle un pigiama, siamo quasi della stessa taglia».

Lei rise. «Resta solo il problema del rubinetto», disse. 145

Risi anch'io. «Comunque lei c'è ormai abituata, mi pare. Il problema è solo mio».

---

dialogo con il testo

I temi

Quell'atmosfera di mistero che aleggia su tutto *Notturno indiano* assume in questo episodio un tono leggero, fino allo scherzo («l'enigmistica non è il mio forte», righe 54-55), ma anche in questo clima emergono i temi cari alla narrativa di Tabucchi: la difficoltà di afferrare e definire la realtà e la stessa identità delle persone, il caso che regola capricciosamente l'esistenza.

? La vicenda della bella sconosciuta è accennata con vari riferimenti precisi, ma resta in sostanza sospesa in una suggestiva vaghezza. Indicate in quali modi l'autore ottiene questo effetto.

Le forme

La narrazione di Tabucchi è un gioco letterario raffinato, sempre pieno di riferimenti (espliciti o impliciti) ad altra letteratura: l'autore scrive su ciò che è già stato scritto. Qui è evidente che gioca coi modi romanzeschi del genere di spionaggio: la misteriosa visitatrice appartiene alla famiglia delle eroine di quei libri, e solo in un contesto del genere è plausibile la sua situazione.

Antonio Tabucchi

T38.59

Notizie sull'autore T38.58

Pereira e il necrologio di García Lorca

Con Sostiene Pereira *(1994) Tabucchi ha affrontato per la prima volta un romanzo di una certa ampiezza, con uno sfondo storico carico di implicazioni politiche e morali. La vicenda si svolge a Lisbona nel 1938, nel pieno della dittatura salazarista e mentre nella vicina Spagna infuria la guerra civile scatenata dal generale Francisco Franco contro la repubblica. Pereira è un maturo giornalista, da poco vedovo, grasso e malato di cuore; avendo l'incarico di curare la pagina culturale del suo giornale, viene in contatto col giovane Montei-ro Rossi, di padre italiano, al quale chiede di scrivere necrologi dei più noti scrittori contemporanei. In seguito il giovane si rivela collaboratore di un'organizzazione clandestina che arruola volontari disposti a combattere per la repubblica spagnola e Pereira, che non vorrebbe occuparsi di politica, è progressivamente trascinato ad aiutarlo, per un moto di simpatia che si trasforma via via in solidarietà e provoca un profondo cambiamento nella sua vita. Monteiro Rossi viene assassinato dalla polizia politica in casa di Pereira, dove si era* nascosto, e il giornalista fugge in Francia con un passaporto falso, dopo aver pubblicato, con un colpo di mano, la notizia dell'assassinio, che sarebbe stata altrimenti censurata dal regime.

Il romanzo si presenta come una specie di verbale delle dichiarazioni rese da Pe-

reira alla polizia francese: da qui il titolo Sostiene Pereira, *frase che è frequentemente intercalata alla narrazione. Il brano che presentiamo è nella parte iniziale del libro, al principio dei rapporti fra Pereira e Monteiro Rossi.*

Antonio Tabucchi
SOSTIENE PEREIRA
(Cap. 5, Feltrinelli,
Milano, 1993)

1. **e gli disse**: nella sua malinconica solitudine, Pereira tiene lunghe conversazioni col ritratto della moglie morta da poco.
2. **i necrologi anticipati**: i quotidiani usano tenere pronti gli articoli da pubblicare in morte dei personaggi più famosi, per poterli stampare immediatamente dopo la loro scomparsa; Pereira vuole provvedersi di necrologi di scrittori per la pagina culturale che cura.
3. **Coimbra**: cittadina portoghese che a Pereira ricorda un momento felice della sua gioventù.
4. **rubrica "Ricorrenze"**: Pereira progetta di pubblicare sulla sua pagina culturale articoli in memoria di scrittori di cui ricorra l'anniversario della morte.
5. **Fernando Pessoa**: il maggiore poeta e scrittore portoghese del Novecento (1888-1935). Tabucchi ne è studioso e traduttore.
6. **sodali**: compagni di vita.
7. **foglio vergatino**: la carta vergatina è una carta sottile (simile alla carta velina, ma più robusta); era impiegata per avere varie copie di un testo con la macchina da scrivere.

L'indomani mattina, quando Pereira si alzò, sostiene, trovò una frittata al formaggio fra due fette di pane. Erano le dieci, e la donna delle pulizie veniva alle otto. Evidentemente gliela aveva preparata perché la portasse in redazione per l'ora di pranzo, la Piedade conosceva benissimo i suoi gusti, e Pereira adorava la frittata al formaggio. Bevve una tazza di caffè, fece un bagno, indossò la giacca ma decise di non mettere la cravatta. Però se la mise in tasca. Prima di uscire si fermò davanti al ritratto di sua moglie e gli disse[1]: ho trovato un ragazzo che si chiama Monteiro Rossi e ho deciso di assumerlo come collaboratore esterno per fargli fare i necrologi anticipati[2], credevo che fosse molto sveglio, invece mi pare un po' imbambolato, potrebbe avere l'età di nostro figlio, se avessimo avuto un figlio, mi assomiglia un po', gli cade una ciocca di capelli sulla fronte, ti ricordi quando anche a me cadeva una ciocca di capelli sulla fronte?, era al tempo di Coimbra[3], beh, non so che dirti, vedremo, oggi viene a trovarmi in redazione, ha detto che mi porta un necrologio, ha una bella ragazza che si chiama Marta e che ha i capelli color rame, però fa un po' troppo la spigliata e parla di politica, pazienza, staremo a vedere.

Prese il tram fino alla Rua Alexandre Herculano e poi risalì faticosamente a piedi fino alla Rua Rodrigo da Fonseca. Quando arrivò davanti al portone era inzuppato di sudore, perché era una giornata torrida. Nell'atrio, come al solito, trovò la portiera che gli disse: buongiorno dottor Pereira. Pereira la salutò con un cenno del capo e salì le scale. Appena entrato in redazione si mise in maniche di camicia e accese il ventilatore. Non sapeva che fare e era quasi mezzogiorno. Pensò di mangiare il suo pane e frittata, ma era ancora presto. Allora si ricordò della rubrica "Ricorrenze"[4] e si mise a scrivere. «Tre anni or sono scompariva il grande poeta Fernando Pessoa[5]. Era di cultura inglese, ma aveva deciso di scrivere in portoghese perché sosteneva che la sua patria era la lingua portoghese. Ci ha lasciato bellissime poesie disperse su riviste e un poemetto, *Messaggio*, che è la storia del Portogallo visto da un grande artista che amava la sua patria.» Rilesse quello che aveva scritto e lo trovò ributtante, la parola è ributtante, sostiene Pereira. Allora gettò il foglio nel cestino e scrisse: «Fernando Pessoa ci ha lasciato da tre anni. Pochi si sono accorti di lui, quasi nessuno. Ha vissuto in Portogallo come uno straniero, forse perché era straniero dappertutto. Viveva solo, in modeste pensioni o camere d'affitto. Lo ricordano gli amici, i sodali[6], coloro che amano la poesia».

Poi prese il pane e frittata e gli dette un morso. A quel punto sentì bussare alla porta, nascose il pane e frittata nel cassetto, si pulì la bocca con un foglio vergatino[7] della macchina per scrivere e disse: avanti. Era Monteiro

1

5

10

15

20

25

30

35

Rossi. Buongiorno dottor Pereira, disse Monteiro Rossi, mi scusi, forse so- 40
no in anticipo, ma le ho portato qualcosa, insomma, ieri sera, quando sono
tornato a casa, ho avuto un'ispirazione, e poi pensavo che forse qui al giornale si poteva mangiare qualcosa. Pereira gli spiegò con pazienza che quella
stanza non era il giornale, era solo una redazione culturale distaccata, e che
lui, Pereira, era la redazione culturale, credeva di averglielo già detto, era 45
solo una stanza con una scrivania e un ventilatore, perché il «Lisboa» era
un piccolo giornale del pomeriggio. Monteiro Rossi si accomodò e tirò
fuori un foglio piegato in quattro. Pereira lo prese e lo lesse. Impubblicabile, sostiene Pereira, era un articolo davvero impubblicabile. Descriveva la
morte di García Lorca[8], e cominciava così: «Due anni fa, in circostanze 50
oscure, ci ha lasciati il grande poeta spagnolo Federico García Lorca. Si
pensa ai suoi avversari politici, perché è stato assassinato. Tutto il mondo si
chiede ancora come sia potuta avvenire una simile barbarie».

Pereira alzò la testa dal foglio e disse: caro Monteiro Rossi, lei è un perfetto romanziere, ma il mio giornale non è il luogo adatto per scrivere ro- 55
manzi, sui giornali si scrivono cose che corrispondono alla verità o che assomigliano alla verità, di uno scrittore lei non deve dire come è morto, in
quali circostanze e perché, deve dire semplicemente che è morto e poi deve
parlare della sua opera, dei romanzi e delle poesie, e fare sì un necrologio,
ma in fondo deve fare una critica, un ritratto dell'uomo e dell'opera, quel- 60
lo che lei ha scritto è perfettamente inutilizzabile, la morte di García Lorca
è ancora misteriosa, e se le cose non fossero andate così?

Monteiro Rossi obiettò che Pereira non aveva finito di leggere l'articolo, più avanti parlava dell'opera, della figura, della statura dell'uomo e del-
l'artista. Pereira, pazientemente, andò avanti nella lettura. Pericoloso, so- 65
stiene, l'articolo era pericoloso. Parlava della profonda Spagna, della catto-
licissima Spagna che García Lorca aveva preso come obiettivo per i suoi
strali nella *Casa di Bernarda Alba*[9], parlava della "Barraca", il teatro ambulante che García Lorca aveva portato al popolo. E qui c'era tutto un elogio
del popolo spagnolo, che aveva sete di cultura e di teatro, e che García Lor- 70
ca aveva soddisfatto. Pereira alzò la testa dall'articolo, sostiene, si ravviò i
capelli, si rimboccò le maniche della camicia e disse: caro Monteiro Rossi,
mi permetta di essere franco con lei, il suo articolo è impubblicabile, davvero impubblicabile. Io non posso pubblicarlo, ma nessun giornale portoghese potrebbe pubblicarlo, e nemmeno un giornale italiano[10], visto che 75
l'Italia è il suo paese di origine, ci sono due ipotesi: o lei è un incosciente o
lei è un provocatore, e il giornalismo che si fa oggigiorno in Portogallo non
prevede né incoscienti né provocatori, e questo è tutto.

Sostiene Pereira che mentre diceva questo sentiva un filo di sudore che
gli colava lungo la schiena. Perché cominciò a sudare? Chissà. Questo non 80
sa dirlo con esattezza. Forse perché faceva un gran caldo, questo è fuori di
dubbio, e il ventilatore non era sufficiente a rinfrescare quella stanza angu-
sta. Ma anche perché, forse, gli faceva pena quel giovanotto che lo guardava con aria imbambolata e delusa e che aveva preso a rosicchiarsi un'unghia
mentre lui parlava. Così che non ebbe il coraggio di dire: pazienza, era una 85
prova ma non ha funzionato, arrivederci. Invece restò a guardare Monteiro

8. García Lorca: Fe-
derico García Lorca,
il maggiore poeta spa-
gnolo del Novecento
(1898-1936, vedi
Vol. G *T32.11*); ebbe
incarichi culturali
dalla Repubblica spa-
gnola e fu assassinato
dalla Guardia Civil
franchista agli inizi
della guerra civile.
**9. *Casa di Bernarda
Alba***: opera teatrale
di García Lorca, che
presenta un'immagine
aspramente satirica
dell'autoritarismo fa-
miliare tradizionale
nella Spagna cattoli-
ca.
**10. nemmeno un
giornale italiano**: in
Italia si era nel pieno
del regime fascista.

Rossi con le braccia incrociate e Monteiro Rossi disse: lo riscrivo, per domani lo riscrivo. Eh no, trovò la forza di dire Pereira, niente García Lorca, per favore, ci sono troppi aspetti della sua vita e della sua morte che non si addicono a un giornale come il "Lisboa", non so se lei si rende conto, caro Monteiro Rossi, che in questo momento in Spagna c'è una guerra civile, che le autorità portoghesi la pensano come il generale Francisco Franco e che García Lorca era un sovversivo, questa è la parola: sovversivo.

Monteiro Rossi si alzò come se avesse avuto paura di quella parola, indietreggiò fino alla porta, si fermò, avanzò di un passo e poi disse: ma io credevo di avere trovato un lavoro. Pereira non rispose e sentì che un filo di sudore gli colava lungo la schiena. E allora che devo fare?, sussurrò Monteiro Rossi con una voce che sembrava implorante. Pereira si alzò a sua volta, sostiene, e andò a collocarsi di fronte al ventilatore. Restò in silenzio per qualche minuto lasciando che l'aria fresca gli asciugasse la camicia. Deve farmi un necrologio di Mauriac, rispose, o di Bernanos[11], a sua scelta, non so se mi faccio capire. Ma io ho lavorato tutta la notte, balbettò Monteiro Rossi, mi aspettavo di esser pagato, in fondo non è che chieda molto, era solo per potere pranzare oggi. Pereira avrebbe voluto dirgli che la sera precedente gli aveva già anticipato i soldi per comprarsi un paio di pantaloni nuovi, e che evidentemente non poteva passare la giornata a dargli soldi, perché non era suo padre. Avrebbe voluto essere fermo e duro. E invece disse: se il suo problema è il pranzo di oggi, ebbene, posso invitarla a pranzo, anch'io non ho pranzato e ho un certo appetito, mi andrebbe di mangiare un bel pesce alla griglia o una scaloppa impanata, lei che ne dice?

Perché Pereira disse così? Perché era solo e quella stanza lo angosciava, perché aveva veramente fame, perché pensò al ritratto di sua moglie, o per qualche altra ragione? Questo non saprebbe dirlo, sostiene Pereira.

90
95
100
105
110

11. **Mauriac... Bernanos**: scrittori cattolici francesi, vivi all'epoca del racconto (si tratterebbe di necrologi anticipati); il loro cattolicesimo sembra a Pereira una garanzia contro articoli politicamente compromettenti, ma in realtà Bernanos avrebbe pubblicato quello stesso anno *I grandi cimiteri sotto la luna*, un'aspra requisitoria contro Franco.

dialogo con il testo

I temi

Pereira vive una vita grigia che sembra non riservargli più altro che la morte, alla quale pensa continuamente, anche nel suo lavoro di giornalista culturale.

[?] Rilevate i particolari, disseminati nel brano, che danno alla vita del protagonista un carattere modesto, monotono e un po' squallido.

Ma dentro di lui si combatte la lotta fra un uomo vecchio, pavido conformista, e un uomo nuovo, che gli suggerisce scatti di ribellione morale e di indipendenza.

[?] Rilevate il conflitto fra le due anime del personaggio che si manifesta nei due necrologi successivi che scrive su Pessoa.

L'incontro col giovane Monteiro Rossi è il detonatore che fa esplodere il conflitto interiore; di fronte a lui, in questo capitolo Pereira recita ancora il suo vecchio ruolo di giornalista "indipendente" che in realtà serve il regime dittatoriale; ma sono evidenti i segni di una simpatia che lo sta portando insensibilmente a cambiare le proprie scelte di vita.

Con molta finezza, l'autore non presenta questa svolta immediatamente come politica, ma la lega ai problemi esistenziali dell'anziano Pereira: alla nostalgia per la moglie che ha perduto e per un figlio che non ha avuto. Pensare a Monteiro come a un figlio è però pensare a se stesso giovane, a ciò che avrebbe potuto essere e non è stato. In questo modo Tabucchi affronta un tema di rilievo storico e politico senza rinunciare a quell'attenzione per le sfumature interiori e per la vita come gioco di casualità imprevedibili che caratterizza la sua opera.

Le forme

La prosa di Tabucchi ha un tono sommesso, uguale, raccolto, che qui possiamo attribuire in particolare a due scelte stilistiche:

– i dialoghi, anche quando sono in discorso diretto, non sono marcati dalle virgolette e dall'a capo; in questo modo la voce narrante assorbe quelle dei personaggi, resta unica e uniforme;

– l'intercalare *sostiene* ci porta a un momento successivo, quando Pereira depone davanti a una qualche autorità di polizia francese; la finzione del verbale non è molto credibile, ma l'intercalare serve a ritmare il racconto: come è stato scritto, «evoca cadenze da ballata popolare più che verbali di polizia».

Clara Sereni

Clara Sereni, nata a Roma nel 1946, è figlia di Emilio Sereni, che fu un dirigente del P.C.I., parlamentare, e autore di importanti studi di storia agraria. I suoi romanzi più noti ripercorrono la storia della sua famiglia, appartenente alla borghesia ebraica romana, divisa tra scelte sioniste e comuniste: *Casalin-* *ghitudine* (1987), *Il gioco dei regni* (1993).

▶ T38.60

T38.60

Atrazina

Questo racconto è apparso per la prima volta sulla rivista "Linea d'ombra" nel 1987. L'atrazina è un composto chimico usato come erbicida, che dalle coltivazioni finisce nei corsi d'acqua; poco prima dell'epoca del racconto, fece scalpore la notizia che negli acquedotti di alcune zone del Nordovest si erano trovate percentuali del prodotto superiori al livello minimo considerato potenzialmente nocivo per la salute (il problema fu poi "risolto" innalzando i livelli ammessi).

Clara Sereni
ATRAZINA
(In *Eppure*, Feltrinelli,
Milano, 1995)

Con il suo lavoro da giovane aveva girato molto: tante case ricche o almeno agiate, anche all'estero. Intellettuali e ambasciatori, nobildonne in auge e decadute, cantanti, attori: da tutti aveva imparato qualcosa, per la capacità che aveva di assorbire cultura – buon gusto, eleganza, informazioni – dovunque ne fiutasse una minima traccia. 5

Poi il matrimonio d'amore, il marito l'aveva voluta tutta per sé e anche a lei sembrava di avere imparato abbastanza. Così tutte le sue abilità di cameriera rifinita (e anche cuoca, guardarobiera, governante), l'amore per la bellezza e il piacere dell'armonia li aveva convogliati nella casa, una casa a disposizione da abbellire, strofinare, lustrare. 10

Come uno specchio. La pulizia era per lei una passione vera, profonda. I ripiani lucidi dei mobili a guardarli le davano ogni volta un'ebbrezza; e così l'acciaio dei rubinetti, il candore della biancheria, il nitore di lampadari e finestre.

In casa lui si muoveva con circospezione affettuosa, attento a non guastare la fatica di lei. Nei giorni in cui il lavoro lo lasciava libero rinnovava e aggiustava, stuccava e levigava: insieme studiavano cataloghi e vetrine, insieme immaginavano abbellimenti e migliorie. 15

Quando erano stanchi, alla fine della giornata, il grande letto inta-
gliato da lui era lucido, le lenzuola ben tese: i capelli di lei si allargavano 20
sui cuscini rigonfi, e ancora c'era la voglia di parole, di progetti, di invenzioni.

Non ebbero figli, perciò lo stipendio di operaio specializzato bastava,
perfino per qualche lusso: i fiori freschi sul comò, il divano di velluto, il
servizio da caffè placcato argento. Gli abiti sobri per lui quando uscivano, 25
per lei le scarpe assortite alla borsetta.

Decoro e dignità, pulizia e precisione, il lavoro ben fatto. Era il modo
che avevano per dare ordine – insieme – al mondo, controllarlo, adattarvi-
si: senza illusioni, con determinazione. E con speranza. Per lui poi c'era anche, in qualche sera, la politica: lei se ne teneva lontana, quel che aveva lo 30
considerava sufficiente.

Un'esistenza piena.

Fino all'incidente. Cinque suoi compagni di lavoro ci lasciarono la vita,
Donnarumma[1] un braccio, lui ci lasciò l'anima: rimase "giù di mente", come disse il medico che glielo riconsegnò. 35

Capì subito che poteva solo rassegnarsi: gli occhi di lui erano vuoti,
senza luce, forse senza nemmeno dolore. Doverglisi dedicare completamente non la stupì, in fondo si era costruita in quel modo, tuttofare significa anche infermiera e balia asciutta, fatica e isolamento.

Fiori non poteva più comprarne, mise un geranio alla finestra. Accese 40
più spesso la radio, per coprire i silenzi e tenersi al corrente.

Non era pericoloso, né violento. Parlare parlava poco, e solo del suo lavoro alla Tekno Tre: come se ancora ci andasse ogni giorno.

Infatti tutte le sere caricava la sveglia, e ogni mattina a quell'ora usciva
di casa con la tuta, il berretto, i panini che lei gli preparava. Tornava al tra- 45
monto unto nelle mani, nel viso, nella canottiera. Senza recriminare lei lo
aiutava a fare il bagno, a tornare pulito.

Chissà dove andava a sporcarsi così. Provò a chiederglielo, lui si alterò:
decise di lasciargli la libertà di quel segreto, l'ultima cosa tutta sua che gli
fosse rimasta. 50

Fece le pratiche necessarie, ebbe la pensione di invalidità e la fece bastare. La vita in casa non era troppo diversa da prima: però il dolore le marci-
va dentro, tante volte di fronte alle certezze residue di lui si trovava a pensare se non era alla fin fine tutto vero, se non era lei a sbagliarsi e confon-
dere. Poi lui poggiava la mano sporca sulla tovaglia di bucato, senza atten- 55
zione, o lasciava che i listelli del parquet si scollassero, uno dopo l'altro:
pulendo e riparando si convinceva di se stessa, quando le mani inutili di lui
lo confermavano diverso.

Cercò aiuti, ebbe assistenti sociali e operatori psichiatrici ma non servi-
rono, il marito alle facce nuove si spaventava e diventava come un bambi- 60
no, con lei soltanto riusciva a tratti a ritrovarsi uomo.

Quando le dissero di rifarsi una vita li mandò via, tutti, chiuse la porta
dietro di loro.

Le donne che incontrava al mercato, cariche di spesa e di risentimenti,
erano frettolose, evasive; perciò parlò con loro di detersivi, di metodi 65

1. **Donnarumma**: il
cognome di questo
compagno di lavoro è
una citazione: rinvia
al romanzo di
ambiente industriale
*Donnarumma all'as-
salto* di Ottiero Ottie-
ri (1959).

straordinari per lustrare il rame, del sapone di Marsiglia che non è più quello di una volta: condivise la sua scienza e un po' della sua storia, le fu riconosciuta un'autorità, si puntellò con quella.

Si diede delle abitudini, dei piccoli obiettivi: un cibo che a lui piaceva particolarmente per carpirgli un sorriso, una passeggiata insieme per essere ancora coppia.

Al futuro evitava di pensare, il presente la teneva occupata a sufficienza.

Erano difficili le domeniche, quando le fabbriche sono chiuse e lui restava in casa: allora si agitava, metteva in disordine biancheria e stoviglie, le cose gli cadevano di mano e si rompevano, ci restava male, a volte piangeva e a lei toccava consolarlo.

Quando lui sfasciò il ferro da stiro lei si improvvisò elettricista, divenne imbianchino per cancellare le manate dai muri, in ginocchio sul pavimento strofinava via le impronte di fango e la polvere dagli angoli e dalle fessure. Con l'idea che quella loro casa – la pulizia, l'ordine, la precisione del lustro, del candido, dell'immacolato, dell'integro – fosse per tutti e due come un guscio d'uovo, il contenitore che solo poteva tenere insieme il grigio e il nero della loro vita.

Togliere le macchie la rassicurava, pulirgli l'unto dalle mani la confortava: nudo e lavato davanti a lei sullo stuoino del bagno, con la pelle arrossata dagli strofinii, i capelli lucidi d'acqua, le pareva ancora intatto. Salvarlo ogni giorno, togliere via con la sporcizia il male.

Lucidare rammendare candeggiare spolverare pulire risciacquare: le sue giornate trascorrevano così, e avevano uno scopo.

Una domenica stava lavando i piatti, nella catinella di plastica con la cura di sempre. Il marito era ancora in pigiama, alla radio dissero dell'atrazina: un veleno subdolo, incolore, invisibile, micidiale stava scorrendo anche dal suo rubinetto.

Guardò i piatti, brillavano: cosa vuol dire sporco, cosa significa pulito, le braccia le si arresero lungo i fianchi.

Chiuse l'acqua, si asciugò le mani, le guardò: sciupate, inutili. Sporche, senza rimedio.

Serrò porte e finestre, controllò che tutto fosse in ordine. Tenne l'abito da fatica, aiutò il marito a indossare la tuta.

Consapevole del giorno di festa lui protestava, pacata e convincente gli spiegò di straordinari e commesse urgenti: così si lasciò persuadere, si sentì utile, ed ebbe un guizzo nello sguardo prima di perdersi di nuovo.

Lo guardò negli occhi opachi, attirò il suo viso verso di sé perché la vedesse, la ascoltasse, la capisse.

Con dolcezza, amorosa e disperata:

– Non lasciarmi più sola, portami via.

– Dove? – chiese lui, riconoscendo per un istante il bisogno di lei.

– Via da qui.

– Dove? – chiese ancora lui, già perduto.

– Dove lavori tu: alla Tekno Tre.

Chiusa a chiave la porta di casa, con tutte le mandate, lei gli prese la mano, e lui le fece strada.

dialogo con il testo

I temi e le forme

In una narrazione breve e asciutta l'autrice fa entrare vari spunti di grande rilevanza nella vita di oggi: la preoccupazione per l'inquinamento ambientale, il problema dell'insicurezza nei luoghi di lavoro. Ma il tema centrale è la condizione femminile tutta centrata sulla cura delle persone e della vita domestica (la *casalinghitudine*, secondo il termine felicemente inventato dalla Sereni nel titolo di un suo libro). La protagonista si immedesima in questo ruolo al punto da rinunciare a una carriera interessante, accennata vagamente nelle prime righe. Di fronte alla disgrazia del marito, la cura ossessiva dell'ordine domestico diventa l'ultima difesa di qualcosa che dia un senso alla propria vita. Anche la società circostante appare ordinata: c'è la pensione di invalidità, l'assistenza sociale e psichiatrica. Ma c'è un male segreto, invisibile, che non si può tenere fuori dalle mura domestiche, di fronte al quale la protagonista si arrende.

❓ Ripercorrendo il testo, potete osservare come, prima della scena finale, i significati di ogni scelta della protagonista siano sempre espliciti, commentati dall'autrice con una certa insistenza. Indicate i passi relativi.

Risulta tanto più efficace, per contrasto, il tono assolutamente asciutto dell'ultima scena, che lascia improvvisamente solo il lettore a interpretare il senso della storia.

❓ Esplicitate voi il significato della scelta finale della protagonista.

Confronti

❓ Confrontando questo racconto con quello di Dacia Maraini (*T38.45*), potete rilevare analogie sia nella tematica che nella resa narrativa.

Stefano Benni

Stefano Benni, nato a Bologna nel 1947, si è affermato come scrittore satirico collaborando a diversi giornali e periodici; i suoi primi libri sono stati raccolte di brani umoristici (*Bar sport*, 1976) e di versi comici (*Prima* *o poi l'amore arriva*, 1981). È passato poi a prove più impegnative rivelando una scatenata inventiva di trame e di linguaggio in storie stralunate, surreali, cariche di riferimenti satirici: tra gli altri i romanzi *Terra!* (1983), *La compagnia dei Celestini* (1992), *Saltatempo* (2001), i libri di racconti *Il bar sotto il mare* (1987), *L'ultima lacrima* (1994).

▶ **T38.61**

T38.61

Papà va in TV

Miti e manie della società massmediatica sono un oggetto tra i preferiti dalla satira di Benni, che ha assunto forme narrative a *partire dagli anni ottanta. Questo racconto è tratto dalla raccolta* L'ultima lacrima *(1994).*

Stefano Benni
L'ULTIMA LACRIMA
(Feltrinelli, Milano, 1994)

È tutto pronto in casa Minardi. La signora Lea ha pulito lo schermo del televisore con l'alcol, c'ha[1] messo sopra la foto del matrimonio, ha tolto la fodera al divano che ora splende in un vortice di girasoli. Ha preparato un vassoio di salatini, un panettone fuori stagione, il whisky albionico[2] e l'a-   1

---

1. **c'ha**: questa forma (che si pronuncia *cià*, violando le regole di corrispondenza tra lettere e suono) è entrata in uso nella scrittura, là dove si vuole imitare più da vicino il parlato.

2. **albionico**: britannico; da *Albione*, antico nome della Gran Bretagna, di uso letterario.

ranciata per i bambini. Ha lustrato le foglie del ficus, ha messo sul tavolino di vetro la pansé[3] più bella. I tre figli la guardano mentre controlla se tutto è in ordine, si tormenta i riccioli della permanente e beccetta coi tacchi sul pavimento tirato a cera. Non l'avevano mai vista in casa senza pantofole. 5

Anche i tre figli sono pronti. 10

Patrizio, dodici anni, è sul divano con la tuta da ginnastica preferita, rosso fuoco, e un cappellino degli Strozzacastori di Minneapolis[4].

Lucilla, sette anni, ha un pigiama con un disegno di triceratopini[5] e tiene in braccio una Barbie incinta.

Pastrocchietto, due anni, è stato imprigionato tra il seggiolone e una tuta superimbottita che gli consente di muovere solo tre dita e un cucchiaio-protesi. È stato drogato con sciroppo alla codeina[6] perché non rompa. 15

Suonano alla porta. È la vicina di casa, Mariella, col marito Mario, hanno portato i cioccolatini e il gelato che va subito in freezer se no si squaglia.

Mario, in giacca e cravatta per l'occasione, saluta i bambini e stringe con energia la mano a Patrizio. 20

– Allora, campione, contento del tuo papà?

– Insomma... – fa Patrizio.

– Che bella pettinatura – dice Mariella a Lea – ci siamo fatte belle eh, oggi? Già, non è un giorno come tutti gli altri. 25

– In un certo senso... – fa Lea.

– A che ora è il collegamento televisivo?

– Tra cinque minuti, più o meno.

– Allora possiamo accendere.

– Il telecomando lo tengo io – dice Lucilla. 30

– Lucilla non fare la prepotente.

– Papà me lo fa sempre tenere...

In quello stesso momento anche il signor Augusto Minardi è emozionato. Ha consumato un'ottima cena a base di risotto al tartufo, e cerca di rilassarsi sdraiato su una brandina. 35

– Spero di fare bella figura – pensa.

– Tra cinque minuti tocca a lei – dice una voce fuori dalla stanza.

– Maledizione – pensa il signor Minardi – mi sono dimenticato di lavarmi i denti. Chissà se in televisione si vede.

– Non ho invitato la portinaia – dice la signora Lea, masticando un gianduiotto – ma mica per una questione di classe sociale, figuriamoci, è che è una gran pettegola, e magari va a raccontare tutto quello che succede qua stasera. In certi momenti, ci si fida solo degli amici più intimi. 40

Mariella le prende la mano affettuosamente.

– Hai fatto bene – dice – poi ad Augusto non è neanche simpatica. 45

– L'avresti mai detto, campione, che un giorno avresti visto il tuo papà in televisione? – dice Mario, sedendosi sul divano vicino a Patrizio.

– Veramente no...

– Ma papà c'è già stato una volta – dice Lucilla – era nel corteo di una manifestazione, però si è visto un momento solo, e in più pioveva ed era mezzo coperto dall'ombrello. 50

3. **pansé**: viola del pensiero (francese *pensée*).
4. **Strozzacastori di Minneapolis**: nome di fantasia di una squadra sportiva.
5. **triceratopini**: il *triceratopo* è un rettile fossile simile ai dinosauri. Animali di moda tra i bambini.
6. **codeina**: derivato dell'oppio usato come calmante della tosse.

– Sì, sì, mi ricordo – dice Mario – c'ero anch'io al corteo.

– Tu ci sei mai andato in televisione? – chiede Patrizio.

– Io no, ma mio fratello sì. L'hanno ripreso con le telecamere-spia mentre faceva a botte allo stadio, più di due minuti s'è visto, con la bandiera in mano, peccato che ne prendesse un sacco, quel pirla...

– Quel pilla... – ride Pastrocchietto scucchiaiando.

– Mario ti prego, modera il linguaggio! Proprio oggi – dice la moglie severa.

Il signor Augusto percorre il lungo corridoio, verso la sala con la luce rossa. Proprio in fondo, vede una telecamera che lo sta inquadrando.

– Siamo già in onda? – chiede.

– No – dice l'accompagnatore – sono riprese che magari monteranno dopo...

– Ma guarda. Come gli spogliatoi, prima della partita.

– Più o meno è così – sorride l'altro. – Ecco, ora siamo in diretta.

L'apparizione sullo schermo di Augusto ha causato un grande applauso e anche qualche lacrima, in casa Minardi.

Patrizio non riesce a star fermo e salta sul divano. Lucilla mordicchia la Barbie. La signora Lea ha gli occhi lucidi.

– Guarda com'è tranquillo – dice la Mariella – sembra che non abbia fatto altro tutta la vita. È persino bello.

– Sì. Si è pettinato all'indietro, come gli avevo detto.

– Mi sa che riceverà un sacco di lettere di ammiratrici – dice Mario. La moglie lo rimprovera con lo sguardo.

– Ecco, si siede. Guarda che bel primo piano.

– Vecchio Augusto! – dice Mario un po' commosso – chi l'avrebbe mai pensato!

– Oh no – dice Mariella – la pubblicità proprio adesso.

– Sono in onda? – chiese Augusto.

– In questo momento no – dice il tecnico – ci sono trenta secondi di pubblicità. Poi ci sarà lo speaker che ci annuncia, poi tre minuti che servono a noi per preparare tutto, poi si comincia. Emozionato?

– Beh, certamente. Lei no?

– Non più di tanto. È il mio lavoro – sorride il tecnico.

La pubblicità è finita. Appare sullo schermo il volto compunto dello speaker.

– Cari telespettatori, siamo collegati in diretta con il carcere di San Vittore per la ripresa della prima procedura giudiziaria terminale del nostro paese. È un'occasione forse triste per alcuni, ma assai importante per la nostra crescita democratica. In questo momento vedete il condannato, Augusto Minardi, seduto in quella che si può definire l'anticamera della sala terminale. Qui gli verrà fatta un'iniezione calmante, prima della procedura.

– Oddio – dice Lea.

– Cosa c'è?

– Augusto ha una paura matta delle punture...

– È proprio necessario? – chiede Augusto al medico.

– È meglio. La intontirà un po', così non si accorgerà di niente...

– Preferisco di no. Posso rifiutare?

– Non posso obbligarla – dice il medico alzando le spalle. – Guardi 100
però che se là dentro si mette a smaniare, la brutta figura la fa lei...

– No – insiste Augusto – la puntura no.

– E ora dovrebbe essere pronta la scheda preparata dal nostro Capacci,
sulle varie fasi che hanno portato a questo giorno fatidico – dice lo speaker.

"Augusto Minardi, 50 anni, ex operaio tessile disoccupato da tre anni, 105
incensurato, la mattina del 3 luglio dell'anno scorso irrompe in un super-
mercato della periferia di M. armato di pistola. Vuole rapinare l'incasso.
Ma la cassiera aziona il segnale di allarme. Irrompe l'agente di guardia. C'è
una breve sparatoria al termine della quale restano al suolo tre persone: la
guardia giurata, Fabio Trivella, 43 anni, la cassiera Elena Petusio, 47 anni, 110
e il pensionato Roberto Aldini di 76 anni."

– Non vale – dice Lea – quello è morto d'infarto.

– Sì – dice Patrizio – ma c'è anche il fattorino...

"L'agente e la cassiera sono deceduti per le ferite riportate, il pensionato
per infarto. Il Minardi tenta la fuga, ma gli sbarra la strada il fattorino Ne- 115
vio Neghelli, di ventitré anni, che viene colpito non gravemente."

– Adesso sì che ci siamo – dice Patrizio.

"Il Minardi viene catturato poco dopo dentro una sala videogiochi. Il
processo viene celebrato due mesi dopo per direttissima e il Minardi è condannato all'ergastolo. Ma in seguito al nuovo decreto legge del 16 ottobre, 120
la pena viene commutata in terminazione mediante sedia elettrica."

– Era la scheda del delitto – spiega lo speaker – e ora vi presento gli
ospiti che animeranno il nostro dibattito durante e dopo la procedura. Abbiamo anzitutto padre Cipolla, gesuita e sociologo.

– Buonasera. 125

– L'opinionista televisivo Girolamo Schizzo.

– Buonasera.

– Ehi – salta su Patrizio – ma è Schizzo, proprio lui.

– Non mi piace, è così volgare – dice la Lea.

– Però è uno dei più seguiti – commenta Mario. 130

– Poi abbiamo il senatore Carretti dell'opposizione, che ha presentato
numerosi emendamenti a questo decreto legge, e al suo fianco lo scrittore e
regista di film horror Paolo Cappellini e l'attrice Maria Vedovia...

– Buonasera, buonasera, buonasera...

– E per finire, il ministro che ha firmato il decreto legge, l'onorevole 135
Sanguin.

– Buonasera.

– Che faccia da stronzo – commenta Mario.

– Mamma, perché non fanno più vedere papà?

– Lucilla, zitta e smetti di mangiare tutti quei gianduiotti. 140

– Accia 'a stronzo – dice Pastrocchietto.

– L'ho legata troppo stretta? – chiede il tecnico.

– No, no, va benissimo – risponde Augusto.

– Se vuole un consiglio, quando arriva la scarica, tenga la testa giù. Così non si vedono le smorfie... 145

– Le cosa?

– Le smorfie...

– Ma io vorrei che a casa mi vedessero bene.

– Io – dice il senatore – vorrei dire come prima cosa che sono contrario a quest'uso della diretta.

– E allora che ci fa qui, sepolcro imbiancato[7]? – urla Schizzo. – Come al solito lei e quei porci parassiti del suo partito vi attaccate agli avvenimenti, ma non volete pagar dazio...

– Lei si calmi e rispetti la gravità del momento, cialtrone...

– Cialtrone sarà lei, pezzo di merda...

– Per favore per favore – interviene padre Cipolla.

– Vorrei richiamarvi alla solennità dell'evento – dice lo speaker – e a tal proposito vorrei fare una domanda al regista Cappellini. Schizzo e Carretti per favore, un po' di silenzio. Lei Cappellini, sarebbe mai riuscito a immaginare uno scenario simile? Voglio dire, se per esempio dovesse pensare a un attore per la parte di Minardi, chi sceglierebbe?

– Ma, non so... forse, visto che è un tipo così sanguigno... non sarebbe male Depardieu...

– Hai sentito – dice Mariella, tutta eccitata – l'ha paragonato a Depardieu! Non sei contenta?

– Beh sì, è un bell'uomo ma non so se gli somiglia davvero... – dice Lea, timida.

Squilla il telefono.

– Mamma – dice Lucilla – è un giornalista. Chiede che cosa stiamo provando in questi momenti...

– Zitta, stanno inquadrando papà – dice Lea senza prestarle attenzione.

– E per la parte femminile? – dice lo speaker. – Lei, signorina Vedovia, se la sentirebbe di fare la parte della moglie?

– Beh, è una bella parte, molto drammatica... certo, bisognerebbe invecchiarmi molto col trucco.

– "Molto" lo dici tu, brutta troia – dice Mariella.

– Non fa niente, non fa niente – dice Lea conciliante.

– E di me non parlano? – dice Patrizio. – Io vorrei che la mia parte la facesse Johnny Depp.

– Sì, e io Gary Cooper – ride Mario.

– Uper – dice Pastrocchietto.

– In questo momento siamo davanti alla televisione e mangiamo i gianduiotti e dopo c'è anche il gelato – sta dicendo Lucilla al telefono. – Quali gusti? Non so, vuole che vada in freezer a vedere?

– Ed eccoci al momento che voi tutti attendete – dice lo speaker. Vedete la sedia, lo stesso modello in uso nei penitenziari americani. Ecco inquadrato il tecnico, signor Grossmann, che ha già eseguito dodici esecuzioni capitali nel Texas e in Alabama.

– Ma lei parla benissimo italiano – dice stupito Augusto.

– Mia madre è italiana – risponde Grossmann.

– Vedete che sta parlando con il condannato. Del resto, parla benissimo italiano, perché sua madre è di Matera. Non so se in questo momento è

150

155

160

165

170

175

180

185

190

7. **sepolcro imbiancato**: ipocrita; è l'epiteto che Gesù rivolge a scribi e farisei (*Matteo*, 23, 27: «assomigliate a sepolcri imbiancati, che esternamente hanno bella apparenza ma internamente sono pieni di ossami e di putredine»).

possibile farlo venire al microfono, credo di no, perché lo vedo molto occupato. Ora un ultimo stacco pubblicitario e poi avrà inizio la procedura
terminale.   195

– Chiamatela pure col suo nome: esecuzione! – dice Carretti.

– E lui lo vogliamo chiamare assassino, sì o no? – grida Schizzo. – La
vogliamo smettere con questa pietà pelosa, cialtrone opportunista?

– Guitto[8] sanguinario...

– Moralista da operetta.   200

– Pubblicità.

– Lo ha chiamato assassino – piange Lea.

– Beh, ma sai, così nella foga della diretta – la consola Mariella.

– Beh, sparare ha sparato, in fondo – dice Patrizio – e ha anche vinto.

– Vinto in che senso? – dice Mario.   205

– Beh, in senso western...

– Allora sicuramente limone, cioccolato e crema. Poi una cosa che non
so se è yogurt o fiordilatte – dice Lucilla al telefono.

– Ci siamo – dice il tecnico. – Guardi che adesso lei è ripreso in primo
piano. Tenga la testa un po' inclinata e respiri lentamente. Vedrà, non sen-   210
tirà nulla. Come una piccola puntura.

– Oddio, no – sbianca Augusto.

– No no, come volare giù da un sesto piano[9].

– Così va meglio – dice Augusto – sono pronto.

– Questo è un momento importante della democrazia televisiva – dice   215
lo speaker. – Volevamo fornirvi i dati di audience dopo la procedura, ma
sono così strabilianti che li rendiamo noti subito. In questo momento, sedici milioni di persone sono collegate alla nostra trasmissione.

– Mamma mia – dice Mario – come Italia-Germania.

– Guarda com'è tranquillo – dice Mariella – sembra ch_____

– No no, io lo conosco, sembra tranquillo, ma è emozi_____

– Io ho cinque anni... sì, papà è sempre stato buono co_____
ce? Beh, forse una volta o due... sì con la cinghia sul seder_____
– dice Lucilla al telefono.

– Siamo al momento tanto atteso. Schizzo e Carretti,_____
re, qualcuno li separi! Vedete il volto del condannato. Un_____
neo. Il volto di uno come noi. Si è rasato. Ha cenato un'u_____
to col tartufo e vino bianco. E ora è qui, davanti alla su_____
scienza. Il tecnico sta avviando il conto alla rovescia. Potete vedere i secondi scorrere in alto sul video. Siamo a meno quindici secondi. Ricordiamo   230
che, chi vuole, fa ancora in tempo a spegnere il televisore. È vostra facoltà
assistere o no: questa è la democrazia. Siamo a otto secondi... Osservate bene le luci sopra la sedia. Quando si accenderanno tutte e tre, vorrà dire che
la scossa è partita. Meno tre secondi... due... uno.

– Signor Grossmann, ora che ci stiamo rilassando e tutto è andato be-   235
ne, come definirebbe questa esecuzione?

– Beh, direi... normale... il condannato ha mostrato una certa tranquillità...

– Bravo papà – grida Patrizio.

8. **Guitto**: attore da
strapazzo, buffone.
9. **Come... piano**: il
tecnico sa che il con-
dannato ha paura del-
le punture, dunque la
frase potrebbe
impressionarlo invece
che calmarlo, e fargli
fare brutta figura.
Non c'è bisogno di
sottolineare il caratte-
re tragicomico di
queste preoccupa-
zioni.

– Bravo – dice Pastrocchietto battendo il cucchiaio.   240

– Vecchio Augusto – dice commosso Mario, buttando giù un sorso di whisky – chi l'avrebbe mai detto? ...che forza... mi ricordo una volta a pesca, si conficcò l'amo in un braccio...

– Mario, per favore – dice Mariella, che tiene tra le braccia la testa di Lea.   245

– Mio fratello sta facendo dei salti sul divano, il signor Mario sta bevendo il whisky, la mamma piange con la testa sulle ginocchia della signora Mariella. Molto? Sì, mi sembra che pianga molto. Io? Io sto al telefono con lei, no? Sì, mi chiamo Lucilla, mi raccomando con due elle, non Lucia, che a scuola si sbagliano sempre...   250

dialogo con il testo

I temi

Benni porta all'estremo la deformazione caricaturale di aspetti e tendenze della nostra realtà; l'effetto è comico, ma di una comicità amara, aggressivamente satirica, da moralista arrabbiato.

? Elencate gli aspetti di costume e le tendenze di opinione che sono ridicolizzati nel racconto.

Il bersaglio principale è senza dubbio l'invadenza del mezzo televisivo che spettacolarizza qualsiasi evento, anche il più tragico, e produce una completa deformazione dei sentimenti e dei valori.

Le forme

? Il racconto è costruito attraverso una serie di rapidi stacchi, cambiamenti di scena, sovrapposizioni di voci; mostrate come questo accada non solo con la frammentazione in brani segnalati tipograficamente, ma anche all'interno di molti di questi frammenti.

L'effetto è quello di un montaggio televisivo, o di un frequente *zapping* del telecomando: mentre attacca la società dello spettacolo, l'autore ne adotta un modo caratteristico di guardare la realtà. In questo si può vedere una lotta della letteratura per sopravvivere al dominio dei mezzi audiovisivi, che tendono a emarginarla, adottando un linguaggio simile al loro, gareggiando negli effetti di *choc*, movimento, simultaneità. Varie tendenze della narrativa "postmoderna" si possono ricondurre a questo sforzo: la ricerca di effetti violenti (narratori *pulp* o "cannibali"), la scrittura che assomiglia a una sceneggiatura cinematografica, i fitti intrecci di storie sovrapposte. Benni è interno a queste linee in quanto accetta la sfida dei nuovi linguaggi, ma si distingue da altri autori in quanto vuole conservare alla narrazione una forza di giudizio critico, vuole competere sul terreno della cultura di massa senza lasciarsi assimilare a essa.

La narrativa in Italia: anni novanta e oltre

La narrativa italiana dell'ultimo decennio del Novecento e dei primi anni del nuovo secolo non fa intravedere novità o personalità di grande rilievo. La letteratura, che rischia di essere sopraffatta dall'invadenza dei *media* elettronici, è costretta a difendere a fatica il suo spazio e il suo ruolo tradizionale di interprete e coscienza di una società. Alcuni scrittori che esordiscono o si affermano in questi anni, anche se non giovanissimi, continuano a considerare i loro testi come luogo dell'analisi dei sentimenti, specie se buoni sentimenti, e dell'affermazione di valori, tanto che si potrebbe parlare di una tendenza "buonista"; questo non gli impedisce di usare tecniche narrative attuali e originali, anche se esposte al rischio di un certo manierismo. È il caso di autori come Maurizio Maggiani (*T38.62*) e Erri De Luca (*T38.63*).

Al polo opposto si collocano gli scrittori più giovani esorditi sotto l'insegna provocatoria dell'antologia *Gioventù cannibale* (1996). Essi partono dall'ormai quasi totale cancellazione dei confini tra letteratura "impegnata" e letteratura "di intrattenimento", e mescolano con disinvoltura gli effetti e gli effettacci attinti ai generi *horror, splatter, pulp*. Non per nulla si tratta di generi coltivati soprattutto dal cinema: il loro sembra un estremo tentativo di contendere il terreno all'industria culturale audiovisiva, anche la più volgare, coi mezzi della scrittura. Ma i più interessanti, tra gli autori "cannibali" o nati come tali, restano quelli che, al di là di questo, manifestano l'intenzione e la capacità di dare una rappresentazione critica di aspetti significativi della vita contemporanea; questo vale per Aldo Nove (*T38.64*) come per il pur diverso Niccolò Ammaniti (*T38.65*).

Accanto ai due filoni narrativi di cui abbiamo detto, ne convivono molti altri, in un panorama abbastanza indistinto, da cui sono scomparsi i dibattiti di tendenza. Un filone che mostra una sua continuità ininterrotta attraverso i decenni è la narrativa della memoria, tipicamente femminile a partire dal grande esempio di Natalia Ginzburg (*T38.47*). Tra le molte "croniche familiari" apparse in questi anni, la più interessante ci è parsa quella di una scrittrice già anziana di origine lettone, Marina Jarre (*T38.66*).

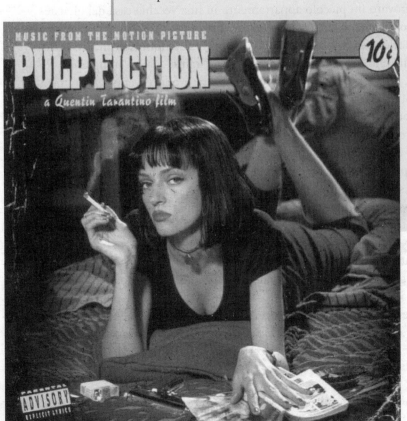

La locandina del film *Pulp fiction*, di Quentin Tarantino (1994).

Con il termine *pulp* nei paesi anglosassoni si indica una letteratura di basso livello, spesso intrisa di sesso e violenza.

In Italia, il vocabolo è divenuto popolare grazie al film di Tarantino, che dall'uso sapiente di questi ingredienti ha ricavato una rappresentazione paradossale e ironica di tale sottocultura

Maurizio Maggiani

Maurizio Maggiani, nato nel 1951 a Castelnuovo Magra (La Spezia), è stato funzionario comunale prima di dedicarsi totalmente alla scrittura e ad altre attività culturali. Ha esordito come romanziere con *Màuri, Màuri* (1989), a cui hanno fatto seguito vari altri romanzi. Il suo maggiore successo è stato *Il coraggio del pettirosso* (1995), che ha avuto due importanti premi letterari. Il successo si è ripetuto con *Il viaggiatore notturno* (2005).

▶ **T38.62**

T38.62

Il libro

Il coraggio del pettirosso *(1995) ha per protagonista un giovane nato ad Alessandria d'Egitto, figlio di emigrati da un paese delle Alpi Apuane; è lui che narra la propria storia, da una clinica in cui è in cura per un'embolia e una conseguente depressione. Il padre del giovane gestiva un forno, lo stesso che era appartenuto alla famiglia di Giuseppe Ungaretti, il poeta nato ad Alessandria nel 1888. Dopo la morte di entrambi i genitori, il protagonista non vuole continuare la stessa attività e non sa bene che fare della propria vita; vende la casa e il forno ereditati e si cerca un'altra sistemazione, con l'aiuto dei suoi amici della colonia italiana di Alessandria. A questo punto si colloca il brano che presentiamo; siamo alle prime battute del romanzo, che riserva ancora molte storie e molte sorprese.*

Maurizio Maggiani
IL CORAGGIO DEL
PETTIROSSO
(Prima parte,
Feltrinelli, Milano,
1995)

Era dunque il Sessantasette, il tempo della guerra disgraziata di Nasser[1].   1
    Mi fu trovato un piccolo appartamento in una vecchia casa del quartiere. Un secondo piano tutto di veneziane, dove si arrivava ancora con uno di quegli scaloni di legno intarsiato che ormai si vedono solo negli edifici pubblici meglio conservati. Era poco distante dalla tipografia dei   5
Battistini[2], e spesso pranzavo con loro in bottega o loro venivano da me a mangiare il *ful* di fave che mi veniva alla perfezione.
    Per il forno non si è mai trovato un italiano, ma fu invece venduto a un cipriota greco, un comunista condannato a morte in contumacia dai colonnelli di Atene[3], che era gran compagno della colonia italiana. Col tem-   10
po si è scoperto che la sua simpatia per noi italiani era regolarmente pagata dai servizi speciali di informazione dell'Unione Socialista[4]. Ma questo ormai non aveva più importanza, e il pane è sempre rimasto quello stabilito, mai più cattivo e, per quello che mi riguarda, mai più buono. Avevo ereditato, avevo i miei affarucci: ero quasi ricco.   15
    E soprattutto ero solo e libero di ogni cosa.
    Poi un giorno ho messo mano alle cose lasciate da mio padre e ho trovato il libro di quell'Ungaretti.
    Mi pareva che mio padre non avesse niente di suo oltre al necessario per fare il pane. Quando sgomberai le stanze dove vivevamo non ho trovato   20
nulla, oltre i vestiti e la busta dei certificati di credito della Misr Bank[5].

1. **il tempo... Nasser:** nel 1967 Gamal Abd el Nasser, dittatore egiziano, mosse guerra a Israele; in pochi giorni l'esercito egiziano fu disastrosamente sconfitto nel Sinai.
2. **Battistini:** due fratelli originari dello stesso paese dei genitori del protagonista.
3. **colonnelli di Atene:** i militari che imposero la loro dittatura in Grecia dal 1967 al 1974.
4. **Unione Socialista:** l'Unione Socialista Araba, il partito unico del regime egiziano dell'epoca. La colonia italiana di Alessandria era composta in buona parte di rifugiati politici, per lo più anarchici; per questo era sorvegliata dai servizi segreti.
5. **Misr Bank:** la banca nazionale egiziana.

Dalla spiaggia, la sera che lui se n'era andato in quel modo così poco paterno[6], avevo portato via le sue ciabatte, i pantaloni e la camicia avvoltolati,
con dentro l'orologio Perseo e la caffettiera che si era portati dall'Italia.
Non aveva neppure un rasoio suo e la barba gliela veniva a fare al forno un   25
vecchio barbiere del quartiere che una volta al mese si intratteneva un poco
di più, per spuntargli la chioma sempre nera e riccia e spettinata. Non c'e-
ra neppure un'immagine sua o di mia madre in casa, adesso che ci penso.
Ricordo solo una fotografia di lui e lei in posa a una festa di matrimonio
con i compagni di Ras el Tin[7]. E questa non era in casa, ma era appesa as-   30
sieme a delle altre a una parete nella saletta del Diwan[8].

Quando il cipriota prese il forno, mi passò un involto con la roba che
aveva trovato nel cassetto del banco di vendita. L'avevo tenuto senza nemmeno darci un'occhiata, e un paio di mesi dopo me lo sono ritrovato per le
mani. Così l'ho aperto e tra le carte ne è venuto fuori quel libro.   35

Era un libro non grande né spesso che mi si è spalancato tra le mani
dando alla luce pagine rugose e giallognole. Nella pagina del frontespizio
c'era scritto:

IL PORTO SEPOLTO[9]
Poesie di   40
Giuseppe Ungaretti

Ma guarda, proprio quello là[10]. Ma guarda, mio padre che si tiene un libro
di quello là. E se lo è anche letto. E riletto, a giudicare da come è tutto scivertato[11]. Mio padre al forno che impasta e cuoce e legge le poesie di quel
fascista. E ne leggeva una e poi infornava i pani, e ne leggeva un'altra e an-   45
dava a sciogliere il lievito. Poi arrivava mia madre e nascondeva il libro nel
cassetto. No, non è possibile, perché in quel cassetto mia madre ci metteva
le mani per tutto il giorno; ci infilava i soldi della gente, ci prendeva il resto, ci segnava i pani a credito e ci nascondeva i regali per me. E allora anche mia madre ha visto quel libro, mia madre che mi voleva mandare alla   50
scuola Suisse[12]. Forse ha letto anche lei le poesie di Giuseppe Ungaretti,
traditore del proletariato, rinnegato della fede libertaria. Ma la signora Ca-
milla non ci badava, forse, a queste cose.

Io quel libro l'ho messo da parte e dopo qualche giorno l'ho ficcato in
tasca e me lo sono portato alla spiaggia. Mio padre non c'entrava più nien-   55
te. Sospetto ora che mi fosse venuto in mente di dargli un'occhiata per vedere se potevo trovarci qualcosa di efficace da dire alle ragazze, qualcosa di
romantico sul porto sepolto[13], il porto fantasma di questa città.

Quando, finiti i bagni e stemperata la calura, ho finalmente aperto il libro, da tempo mi si erano cancellate dalla memoria le melense lezioni del-   60
la scuola Dante Alighieri[14]. Non avevo conservato il minimo ricordo di

6. la sera... paterno:
il padre si era inoltra-
to a nuoto nel mare
dopo aver detto enig-
maticamente al figlio
"Vieni che ti riporto
a casa mia", ed era
sparito per sempre. Il
ragazzo vive questa
fine misteriosa come
un abbandono.
7. Ras el Tin: il quartiere del porto di
Alessandria, abitato
dalla colonia italiana.
8. Diwan: il caffè frequentato dagli italiani
di Alessandria.
**9. IL PORTO SEPOL-
TO:** è il titolo della
prima raccolta di poe-
sie di Ungaretti, pub-
blicata per la prima
volta a Udine nel
1916; l'autore si rife-
risce a una nuova edi-
zione (La Spezia,
1923), che oltre alle
poesie del fascicoletto
precedente conteneva
quelle di *Allegria di
naufragi*.
**10. proprio quello
là:** in una pagina pre-
cedente il giovane ha
assistito a una discus-
sione su Ungaretti tra
i frequentatori del
Diwan. Il poeta in
gioventù era stato
anarchico, ma dopo
la partenza per l'Italia
diventò interventista
nel 1914, conobbe
Mussolini e dopo la
guerra aderì al fasci-
smo; per questo gli
amici del protagoni-
sta lo giudicavano un
"traditore".
11. scivertato: sfor-
mato, sfasciato (lette-
ralmente "storto", li-
gure).
12. scuola Suisse:
una prestigiosa scuola

privata internazio-
nale.
13. porto sepolto:
secondo una credenza
diffusa ad
Alessandria, da qual-

che parte sotto il fon-
dale marino deve es-
sere sepolto l'antico
porto della città di età
ellenistica. Ungaretti
vi fa riferimento nella

poesia che dà il titolo
alla raccolta, dove il
porto sepolto è una
metafora delle
profondità dell'anima
a cui il poeta attinge

la sua ispirazione.
**14. scuola Dante
Alighieri:** la scuola
italiana frequentata
dal protagonista ad
Alessandria.

una poesia, una che fosse, e ne sono rimasto vagamente stordito e irritato. Della poesia, delle due o tre che ho letto, non del libro. Che mi ha fatto uno schifo immediato, e l'avrei buttato tra le dune se non avesse implicato qualcosa di mio padre e del mio amore per lui.

Dico così perché, nell'aprirlo, la prima occhiata mi era andata a sbattere sulla firma di Benito Mussolini[15]. Già; c'era un saluto del capo del fascismo al poeta. Ho pensato a mio padre che si era tenuto – per quante decine di anni? – quel libro nel cassetto, e ho deciso che io potevo tenerlo almeno in mano.

Sapete cosa c'è? C'è che ci sono certe cose e sono dei muri in cui si va a battere la testa continuamente, senza rimedio. Altre cose sono invece porte sempre aperte, disposte in qualsiasi momento a ospitarti. Cose che portano noia, fatica, struggimento e maledizione; cose invece che sono lì per la gioia e la grazia, l'abbandono e il sollievo. Al primo tipo appartiene per esempio l'elenco telefonico del Cairo – chiunque ci abbia messo mano ve lo può dire – mentre del secondo fa parte senz'altro la spiaggia dove vado io.

Anzi, non tutta la spiaggia, ma quella parte di sabbia rosa, di battigia sbarluccicante[16] e di onda che ancora non approda ma approderà, dove io mi sentivo quella sera principe e padrone. Ora, per quello che ci ho capito io, la poesia è insieme queste cose e quelle altre. È carogna giocosa e ballerina, dispettosa, aspra in bocca come i datteri acerbi, e profumata come l'oleandro rosa del deserto; insopportabile e leggera, cattiveria e nostalgia. Così ho pensato, e non ne ho letto che due o tre.

E quella sera né mai più ho voluto leggerne altre. Un po' perché subito dopo ha cominciato a ronzarmi la testa, e il fondo di quel ronzio me lo sento ancora intasato nei timpani – anche se è facile per il dottor Modrian farmi presente che sono reduce da un'embolia[17]. E poi perché, sinceramente, avevo paura che continuando a leggere sarei rimasto deluso, si sarebbe infranta una specie di subdola tresca accesa tra me e quella roba di parole. Sarebbe cessato quel bordegume[18] – come si dice in italiano? – che mi aveva preso a tradimento tra fegato e intestino.

Ma soprattutto, lo dico con un po' di vergogna, io sentivo e detestavo l'intromissione dentro di me di un uomo – di quello là, mai visto né conosciuto, chi era e chi non era, fascista per di più – che con una trentina di parole e anche meno si era permesso il lusso di schiavardarmi[19] il cervello, o magari l'anima, per strisciarmi nei pensieri e nei sentimenti come fosse casa sua.

Come se ci fosse tra noi due un'amicizia di quelle che ci si può permettere ogni cosa. Chi gliela aveva chiesta tutta quella intimità? Avevo la sensazione di essere stato preso nella trappola di parole di un mago ipnotizzatore. Parole che oltretutto non avrei dovuto capirci niente, ma che invece mi pareva di capire. Oppure di essere capito, se preferite.

Una poesia era intitolata *Finestra sul mare* e un'altra il *Porto sepolto* e un'altra ancora, forse, *Risveglio*, o *Risvegli*. Le so a memoria. Non chiedetemi il perché, visto che le ho lette una volta sola e da allora sono passati parecchi anni.

65

70

75

80

85

90

95

100

105

15. **firma di Benito Mussolini**: l'edizione del 1923 del *Porto Sepolto* portava una prefazione di Mussolini, già capo del governo, che testimoniava la propria amicizia per il poeta.
16. **battigia sbarluccicante**: la zona della spiaggia in cui vanno a spegnersi le onde, sparsa di punti luminosi (*sbarluccicante*, dialettale settentrionale).
17. **dottor Modrian... embolia**: il protagonista scrive la propria storia in una clinica, dove è finito in seguito a un'embolia (seguita da una grave depressione), che lo ha colpito mentre si immergeva nel mare alla ricerca del porto sepolto. Il dottor Modrian, il medico armeno che lo cura, gli ha prescritto di scrivere come terapia della depressione.
18. **bordegume**: sommovimento delle viscere, sensazione tra fisica e psicologica (ligure).
19. **schiavardarmi**: scoperchiarmi; letteralmente *schiavardare* significa "togliere le chiavarde", barre metalliche che terminano con un bullone.

I GENERI *Secondo Novecento*

In questa stanza d'ospedale io ogni mattina le recito come se fosse la mia preghiera. Poi racconto il sogno che ho fatto[20] a quella vecchia mummia secca del dottor Modrian. Ma questo succede molto dopo.

Ora siamo ancora a quando avevo poco più di vent'anni e devo dire alcune cose che mi sono capitate, altrimenti perdo il filo e quel poco di lucidità che potrebbe finalmente aiutarmi a capire cosa mi sta succedendo.

110

20. **racconto... fatto**: il racconto dei propri sogni fa parte della psicoterapia. Il protagonista li mette anche per iscritto, e la loro successione viene a costituire un romanzo nel romanzo, la storia di un uomo bruciato come eretico nel Cinquecento, forse un antenato del narratore.

dialogo con il testo

I temi

L'incontro con la poesia di Ungaretti è l'inizio della ricerca di sé intrapresa dal protagonista. Le tappe di questa ricerca costituiscono la fitta trama del romanzo: ci sarà un viaggio a un monastero copto nel deserto; poi un incontro a Roma col vecchio Ungaretti che affiderà al protagonista un documento sul rogo di un eretico del Cinquecento che si chiamava quasi come lui – e da qui si dipanerà un colorito e commovente racconto storico che occupa, in vari tratti, una metà del libro; poi ci saranno le immersioni nel mare di Alessandria alla ricerca del mitico "porto sepolto", una storia d'amore, e altro ancora. Questo può dare un'idea dell'intreccio fantasioso di storie e di piani temporali che costituisce il fascino maggiore del romanzo.

L'accumulo di storie, il gusto di sovrapporle e stiparle nelle pagine, è una tendenza diffusa nella narrativa della fine del secolo, non solo italiana; ed è uno dei caratteri di quel che si dice gusto "postmoderno". Rispetto ai maestri americani della tendenza (*T38.21*, *T38.22*), c'è però una differenza: in quelli si avverte una resa alla complessità del mondo, una rinuncia a cercare significati, questo romanzo invece è centrato proprio su una ricerca di senso. *Il coraggio del pettirosso* è un romanzo di formazione, e proprio come nei più illustri modelli moderni del genere (a cominciare dalla *Ricerca* di Proust), il protagonista alla fine troverà la propria maturità attraverso la scrittura.

? Questo brano raffigura efficacemente il primo vero incontro con la poesia di un giovane di scarsi e poco efficaci studi; ripercorrete attraverso il testo le sue reazioni contraddittorie, fra attrazione e sconcerto.

Le forme

Al montaggio di storie diverse corrisponde nel romanzo l'alternanza di stili diversi. Nelle parti di narrazione in prima persona, come questa, prevale uno stile discorsivo, di tono parlato, di cui indichiamo alcune caratteristiche:
– gli appelli diretti ai lettori («Sapete cosa c'è?»);
– i ritorni sul già detto, per chiarire e commentare («Dico così perché...»);
– i modi di dire colloquiali («Ma guarda, proprio quello là»);
– i costrutti sintattici tipicamente parlati («un'amicizia di quelle che ci si può permettere ogni cosa»);
– le parole di sapore dialettale.

? Individuate nel testo altri esempi di queste caratteristiche.

L'effetto d'insieme non è però quello di un discorrere torrenziale e approssimativo, ma di una prosa saporosa, efficace nel raffigurare ogni particolare, capace anche di similitudini e metafore fantasiose e incisive.

? Indicatene qualche esempio.

Erri De Luca

Erri De Luca, nato a Napoli nel 1950 da una famiglia borghese, diventò militante politico in uno dei movimenti di estrema sinistra sorti dai moti studenteschi del 1968 e degli anni seguenti. In seguito, abbandonati gli studi, è stato operaio alla Fiat, camionista, muratore, mestiere che lo ha portato in Francia e in Africa. Durante le guerre che hanno in-

sanguinato la ex Jugoslavia negli anni novanta è stato conducente di convogli umanitari che portavano soccorsi alla popolazione in Bosnia. Solo verso i quarant'anni ha cominciato a pubblicare i testi che da tempo scriveva. I suoi romanzi e racconti hanno avuto un crescente successo; culminato col romanzo breve *Montedidio* (2001). At-

tualmente vive vicino a Roma e collabora a diversi giornali. Ha studiato l'ebraico da autodidatta ed è divenuto un apprezzato traduttore di vari libri della Bibbia. È anche un provetto alpinista, cosa che ha dato spunto ad alcuni suoi racconti.

▶ **T38.63**

T38.63

La gonna blu

Il titolo del libro di racconti Il contrario di uno, *da cui traiamo quello che segue, allude alla necessità di non essere soli («due è il contrario di uno»), ai valori dell'amicizia, della solidarietà, dell'amore. Alcuni racconti del libro rievocano momenti delle lotte studentesche e operaie dei primi anni settanta, quando giovani animati per lo più da una forte carica ideale, da una utopistica volontà di rinnovare il* mondo, *si davano anima e corpo all'agitazione e propaganda, organizzavano scioperi e manifestazioni che finivano spesso in scontri con la polizia e arresti. In questo clima l'autore colloca l'incontro tra un personaggio narrante che fa il militante a tempo pieno, in condizioni materiali precarie, e una ragazza di ottima famiglia che partecipa al movimento di nascosto dai genitori.*

Erri De Luca
IL CONTRARIO
DI UNO
(Feltrinelli, Milano,
2003)

Camicia bianca, gonna blu, con la divisa di scuola[1] senza passare da casa di pomeriggio arrivava nel camerone e veniva nell'angolo in cui stampavo i volantini. Le piaceva la macchina[2], l'aveva imparata, mi dava il cambio per qualche ora. Con una punta disegnava sulla matrice[3] le lettere più grandi, del titolo, le parole forti. Aggiungeva la figura di un pugno, di una stella. Le affidavo il ciclostile, era in buone mani. Se s'inceppava, lo sapeva aggiustare. Sulla panca le lasciavo le risme di carta già smazzate[4] con le quantità fissate da consegnare ai militanti.

A quel tempo il volantino era il nostro giornale, riportava il fatto del giorno e la nostra voce sul dafarsi.

La ragazza con la gonna blu si metteva il mio camice, montava la matrice nuova, controllava l'inchiostro e faceva ripartire la voce della macchina e la nostra. Di notte spettava a me governare il ciclostile. Nello stanzone an-

1

5

10

1. la divisa di scuola: la ragazza frequenta una scuola privata molto esclusiva, gestita da religiose e solo femminile (più avanti si parla di *educande*, riga 79), dove ancora si richiede alle studentesse di indossare un'uniforme.
2. la macchina: il ciclostile, una macchina da stampa abbastanza economica e facile da usare che svolgeva in quegli anni il ruolo passato dopo alle fotocopiatrici e alle stampanti dei

computer. Negli anni settanta un'enorme quantità di materiale ciclostilato circolava nei movimenti politici ed era diffusa per le strade.
3. la matrice: un fo-

glio di materiale morbido su cui veniva inciso il testo da stampare usando la macchina da scrivere, a cui veniva tolto il nastro; caratteri più grandi o disegni veni-

vano aggiunti a mano incidendo la matrice con una punta metallica.
4. risme... smazzate: una *risma* è il pacco standard di cinquecento fogli; prima di

essere inseriti in macchina i fogli dovevano essere *smazzati*, cioè smossi, perché si staccassero fra loro e non entrassero a mazzi bloccando il ciclostile.

cora affumicato dall'ultima riunione i giri del motore sputavano fuori i fo- 15
gli a ritmo di carica. Nella testa assonnata accoppiavo il rumore a quello
dei passi, alle sillabe di una canzone, così restavo sveglio.

Mi offrivo volentieri per la stampa notturna, in quel tempo ero ospite
di un militante, della sua stanza stretta. Gli era capitato l'amore e di notte
si abbracciavano forte. Non si impacciavano di amarsi mentre dormivo due 20
metri più in là. Restare al buio a sentire i colpi e i fiati commossi di due
che si amano, senza il desiderio di avere il proprio turno, potevo pure, ma
era più utile dar retta agli stantuffi del ciclostile anziché a quelli dell'amore
altrui. Perciò di notte giravo volentieri intorno alla minuscola rotativa,
marca Gestetner, del nostro gruppo di agitati[5] politici.

Spuntati tutti insieme dentro una generazione, manco ci fossimo dati 25
appuntamento in culla: tra diciott'anni in strada. Pasolini la chiamava ec-
cedente, quella generazione, un sopravanzo dovuto alla scoperta degli anti-
biotici, non provata da alcuna selezione e infoltita dall'eccesso di nozze del
dopoguerra[6]. Non era granché come spiegazione ma almeno lui se lo chiedeva: da dov'eravamo spuntati fuori noialtri estranei, dissimili da tutto? 30
Non avevo da rispondere, ero tra gli spuntati e mi mancava la distanza di
un punto di osservazione. Per spirito di contraddizione mi procuravo un
pensiero diverso dal suo e dalla provvidenza della penicillina. La nostra era
la prima generazione d'Europa che a diciott'anni non veniva presa per la
collottola e sbattuta in guerra contro un'altra gioventù dichiarata nemica. 35
Era la prima che si scrollava di dosso le conseguenze catastrofiche della parola patria. Perciò eravamo patrioti del mondo e ci impicciavamo delle sue
guerre. Su gran parte di quei volantini era scritto il nome di un lontano
paese dell'Asia: il Vietnam[7].

La ragazza con la gonna blu lo tracciava con uno stampatello punteggia- 40
to, da farlo sembrare cucito sulla carta. Disegnava la bandiera per amore
della sua stella[8]. Tra noi c'era un poco d'intesa, era un tempo buono per stabilirle, contavano poco la differenza di reddito, d'istruzione, di età. Mi raccontava qualcosa della scuola, le piaceva la chimica. "Oggi ho studiato l'o-
zono, si forma intorno ai fulmini, è blu, pizzica il naso." E poi all'improvvi- 45
so: "Tu ci andresti a combattere laggiù?". E io: "Pure subito". "Ma sai sparare?", "No". "E allora?", "Imparo, come hai fatto tu con il ciclostile".

Restava un poco sui pensieri tornava al punto: "E la paura?". "Sono un
rivoluzionario," dicevo, "la paura la devo scacciare". "A me la paura viene
pure dentro le cariche della polizia, scappo, penso ai miei genitori che non 50
s'immaginano niente. Non credo di essere rivoluzionaria".

Non sapevo rispondere alla ragazza e poi sbagliavo a dire: rivoluzionari
non eravamo noi, ma il tempo e il mondo intorno. Noi assecondavamo il
moto di scardinamento generale di colonie e imperi. Con tutta la spropor-
zione tra noi e il dafarsi, pure vedevamo crescere il numero dei volantini da 55
distribuire e dei volontari venuti a ritirarli. Le scuole erano affamate di
quei fogli, le scuole erano in subbuglio permanente, non c'erano quadri-

---

5. **agitati**: al posto di *agitatori*, quali si sentivano i membri del gruppo, è una deformazione autoironica.

6. **Pasolini... dopoguerra**: Pier Paolo Pasolini (notizie in *T38.40*), che ebbe un atteggiamento molto critico verso i movimenti giovanili cominciati nel Sessantotto, ci vedeva alla radice un problema di eccedenza demografica, dovuta al *boom* dei matrimoni e delle nascite dopo la fine della seconda guerra mondiale, ai nuovi farmaci che abbattevano la mortalità infantile, al benessere che non aveva messo a dura prova (*alcuna selezione*) quella gioventù.

7. **Vietnam**: la guerra combattuta dagli americani che sostenevano il governo di destra del Vietnam del Sud contro un'insurrezione guidata dai comunisti e appoggiata dal governo comunista della parte settentrionale del paese; la guerra sollevò un'ondata di proteste pacifiste in tutto il mondo, USA compresi, e si concluse nel 1975 con la disfatta degli americani. I movimenti estremisti dei primi anni settanta vedevano nella guerra vietnamita un momento di una supposta rivoluzione mondiale antimperia-

lista.

8. **per amore... stella**: la bandiera del Vietnam del Nord (oggi di tutto il Vietnam) portava una stella gialla in campo rosso, che ricordava la stella rossa, uno dei simboli del movimento comunista internazionale.

mestri sì e quadrimestri no, era tutt'un'assemblea da ottobre a giugno. "Se non sei rivoluzionaria, chi sei?" "Una che aiuta la giustizia, che sta con la gente oppressa dalle mancanze e dalle prepotenze." "Allora sei una che vuole aiutare il prossimo?" La mia domanda era stonata[9] in una sede e in un pomeriggio di rivoluzionari. Se ne accorse. E stette zitta, e pensai di averla offesa. Invece si girò verso di me, perché stavamo a fianco, e disse, appena più su del motore del ciclostile: "Ma tu non vuoi essere per una volta il prossimo per qualcuno?". Tolsi gli occhi da lei, credo che mi confusi con le mani.

Frequentava un istituto privato, ne portava la divisa fino alle scarpe e ai calzettoni bianchi, che però si toglieva arrivando allo stanzone nel quartiere di San Lorenzo[10]. Metteva calze di nylon e mocassini. Del suo istituto lei sola e di nascosto si era messa a partecipare delle mosse e delle ragioni di una gioventù squietata e sparigliata, nemica dei poteri costituiti, scossa dai casi del mondo. In segreto portava un poco di quei fogli dentro la scuola a suo puro rischio, senza nessuna speranza di coinvolgere. E aveva dubbi se era rivoluzionaria? Il grado di rottura dentro l'ordine sociale di allora non era misurato su persone pronte a partire per un fronte, ma da cittadini come lei che si mettevano a sabotare poteri nei posti più strani e difficili. Il grado di febbre di quell'Italia non era dato dai surriscaldati, ma dal polso dei miti, dei pacifici che collaboravano alle rivolte. Quando azzardano le educande, un paese è prossimo all'incandescenza.

La gonna blu, la camicia bianca, le calze di nylon, i mocassini e i modi: era elegante in paragone al resto di noialtri. Questo mi piaceva: che non volesse mettere una seconda uniforme, quella dei rivoltosi[11].

Aveva simpatia per me che venivo dal sud e avevo l'aria spaesata degli emigranti, che un paese non l'avranno mai più. Disegnando sulla matrice il pugno diceva che ricopiava il mio. Non mi permettevo confidenze però le guardavo la gonna, il bel colore blu mi dava pace agli occhi troppo fissati al bianco e nero dei ciclostilati sotto la luce del neon. Non era il blu delle tute operaie che uscivano all'aria aperta dalle officine per uno sciopero improvviso. Quello l'ho avuto addosso e l'ho imparato dopo. La sua gonna era il blu che circonda la lampara[12] nella pesca notturna al calamaro, al tòtano. Era il blu che avvolge la luce e l'accompagna mentre affonda in mare.

Prima di darci il cambio uscivamo a bere un caffè. Il quartiere era fitto di botteghe, tipografi, marmisti, falegnami, sarti, calzolai, c'era sempre qualcuno in pausa che attaccava discorso con noi al bar. E non era lo sport e nemmeno le piogge l'argomento, ma qualche avvenimento e cosa doverne pensare. Chiedevano volentieri un parere a quella nuova gioventù che aveva deciso di averne uno separato e suo sopra qualunque e qualsivoglia cosa.

Premessa era ribaltare, mettere il sotto sopra. Era un'insolenza metodica e portava conseguenze. La questura veniva a perquisire, a identificare, a denunciare alla magistratura. Una di queste occasioni fu brusca e c'era pure lei nello stanzone. La sorveglianza spontanea del quartiere[13] aveva fatto in tempo ad avvisare dell'arrivo della colonna. Nascosi in un appartamento vicino il ciclostile, l'unico tesoro da salvare. Eravamo in pochi e fummo

60

65

70

75

80

85

90

95

100

9. stonata: per i rivoluzionari di allora il concetto cristiano di amore per il prossimo contrastava con la loro idea della lotta di classe.
10. San Lorenzo: quartiere popolare di Roma; la ragazza veniva dai quartieri alti.
11. uniforme... rivoltosi: il modo di vestire dei giovani rivoluzionari (eskimo, lunga sciarpa rossa) era molto uniforme, quasi fosse una "uniforme" in senso proprio.
12. lampara: lampada che viene immersa in acqua, di notte, per attirare i pesci in alcune forme di pesca.
13. la sorveglianza... quartiere: i popolani del quartiere, per solidarietà spontanea, informano i giovani dello "stanzone" sui movimenti della polizia.

strapazzati. Il funzionario era scontento di non poter sequestrare niente e decise di portarci in questura. 105

Mentre avveniva il trambusto che serviva a intimidire anche il quartiere, lei restò irrigidita, pallida di paura ma pure di disgusto per l'esibizione di calci a sedie e tavoli e ordini di mettersi faccia al muro strillati nelle orecchie, con l'accento meridionale ch'era il mio eppure così opposto al 110 mio. Il funzionario si accorse di lei così diversa, le chiese in altro modo i documenti dicendo: "Signorina che ci fa qua dentro, lasci perdere questi quattro delinquenti e se ne torni alla sua casa ai Parioli". La lasciò andare. Lei intanto era passata dal pallido all'accaldato, al rosso di uno sforzo di frenare con tutti i muscoli della faccia le lacrime sul bordo degli occhi. 115 L'attenzione del vicequestore la separava da noi. Si vergognava del privilegio di potersene andare e si vergognava pure del sollievo di non trovarsi i genitori convocati in questura a riprendersi la figlia minorenne. Tra le divise degli agenti vidi uscire la sua gonna blu. Se volle con gli occhi salutarmi non posso saperlo. Guardavo il bordo della sua gonna scomparire nel buio 120 del cortile.

Così viene spenta la lampara, si dilegua il blu e gli occhi per un po' stentano al buio. Quando intorno c'è concitazione a me vengono pensieri lontani. Così dev'essere successo molti anni dopo a Carlo Giuliani col suo estintore da restituire[14]. 125

Quando uscimmo impacchettati per salire sul furgone, s'era intanto riunita un po' di buona folla di San Lorenzo, uscita di bottega, zitta e seria, affacciata ai balconi. Niente traffico, la via era bloccata dall'operazione di polizia, niente chiasso, la gente stava muta e circondava quelli che circondavano noi. Saremmo tornati di lì a poco, più ribaditi ancora al nostro po- 130 sto, ma lei no. La ragazza con la gonna blu si staccò quel giorno e chissà chi l'ha meritata tra le braccia.

14. Carlo Giuliani... restituire: nel luglio 2001, a Genova, i giovani dei movimenti detti "no-global" raccolti nel "social forum" inscenarono grandi manifestazioni contro un incontro fra i massimi dirigenti dei maggiori stati mondiali (il cosiddetto "G-7"); alcuni gruppi violenti fecero scoppiare disordini, e in uno scontro con la polizia il giovane Carlo Giuliani rimase ucciso mentre brandiva un estintore di incendio per scagliarlo contro una camionetta (per difendersi o per attaccare? le versioni sono contrastanti). È evidente la volontà dell'autore di stabilire una continuità ideale tra i giovani contestatori degli anni settanta e quelli riapparsi dopo trent'anni.

dialogo con il testo

I temi

Raramente la letteratura e il cinema sono riusciti a rendere l'atmosfera, il "vissuto" del movimento detto "del Sessantotto" (durato in realtà quasi un decennio) con la freschezza e l'incisività che hanno alcuni racconti di De Luca. In questo, intorno all'esile motivo di un breve incontro, l'autore condensa due temi rilevanti: il confronto fra giovani che arrivano al movimento da situazioni ambientali e sociali diversissime, e la diversità delle motivazioni ideali che confluiscono in un'attività comune.

[?] Esponete questa tematica in modo più esplicito e articolato, con riferimento a luoghi precisi del testo.

[?] Un altro tema di rilievo è la sorpresa costituita da quell'improvviso risveglio del mondo giovanile, comune a tutti gli osservatori dell'epoca: raccogliete le espressioni che vi si riferiscono.

Se un limite ha questa rappresentazione, è la tendenza a darne una visione tutta positiva e senza sfumature; pare che il passare del tempo abbia spinto l'autore a un'idealizzazione, più che a una riflessione critica. Da qui un certo "buonismo" di maniera, che costituisce un limite del testo sia come documento sia dal punto di vista letterario. Uno slancio idealista e disinteressato era certo presente nel movimento, ma nessuna realtà umana è priva di problemi e di contraddizioni, e da un testo letterario ci potremmo aspettare che ci spinga ad approfondirle.

Le forme

La scelta stilistica di De Luca, nei racconti di questa raccolta, è di tenere una via di mezzo tra un tono troppo sostenuto e quello volutamente sbracato di tanta letteratura "giovanilista" (a partire da Tondelli,

T38.57). La sintassi ha un andamento che ricorda il parlato: sequenze di brevi frasi coordinate, con un uso generalizzato della virgola che tende a sostituire quasi ogni altra forma di pausa o legame tra le frasi; d'altra parte non compaiono anacoluti o espressioni di gergo giovanile. Il lessico è in genere usuale, quasi trasandato. Una frase come «Tra noi c'era un poco d'intesa, era un tempo buono per stabilirle» (righe 42-43) esemplifica bene le due caratteristiche. Ma non mancano qua e là espressioni più rilevate, come «Quando azzardano le educande, un paese è prossimo all'incandescenza» (righe 78-79), resa incisiva dall'unione tra la scelta di un particolare fortemente significativo e una metafora.

? Trovate altri esempi delle caratteristiche indicate.

Aldo Nove

Aldo Nove (pseudonimo di Antonello Satta Centanin) è nato a Varese nel 1967; ha esordito come poeta e si è sempre occupato di poesia facendo il redattore di riviste e il direttore di collane editoriali. Come narratore ha esordito nel 1996 con un racconto nel volume collettivo *Gioventù cannibale* e con una propria raccolta di racconti, *Woobinda*. Nel 1997 ha pubblicato il primo romanzo, *Puerto Plata Market* e nel 2000 il secondo, *Amore mio infinito*.

T38.64

Lisa dagli occhi blu

Puerto Plata Market è una specie di cronaca scritta in prima persona da un trentenne che, dopo aver rotto con la sua ragazza, decide di partecipare a un viaggio turistico organizzato a Santo Domingo, perché «Un mio amico dell'Inter che lavora alla Unilever ogni tanto va a Santo Domingo, e dice che con le donne a Santo Domingo va bene», e «Se ti innamori, vi sposate». Le due frasi possono dare un'idea del livello mentale e linguistico che l'autore ha attribuito al suo personaggio narrante. Nell'isola esotica questi ritrova più o meno esattamente quello che ha lasciato nella sua Lombardia: passa le giornate quasi esclusivamente in compagnia di altri turisti italiani, tra supermercati, pizzerie e piscine. Una cena in pizzeria è appunto l'argomento del capitolo che presentiamo.

Aldo Nove
PUERTO PLATA
MARKET
(Einaudi, Torino,
1997)

C'è il tetto fatto di paglia, le sedie sono bianche, di plastica, come quelle che ci sono all'Ikea di Cinisello Balsamo qui alla pizzeria Sole Mio di Cost'Ambar.　　1

Le luci blu elettriche circolari fulminano le zanzare che scoppiettano a decine sulle nostre teste come fuochi artificiali di nulla, piccoli cortocircuiti serali accompagnano le scariche di gas della corteccia del legno, ancora fresca nel forno dove il pizzaiolo cubano ogni tanto si ferma a guardare a fumare una Marlboro lights dominicana.　　5

C'è un cantante sorride con le tastiere a volume altissimo è lumato[1] da quattro turiste canadesi che gli sorridono più forte, lui fa il tipico repertorio italiano per italiani che dall'Italia mancano da trent'anni, *Lisa dagli occhi blu* in versione *merengue* rallentato.　　10

1. **lumato:** adocchiato, sbirciato (parola di origine milanese).

I tavolini sono otto, quattro sono vuoti negli altri ci sono gruppi misti, uno di dominicani arricchiti, una famiglia, l'uomo con la camicia con il collo largo il crocifisso sul petto dialoga animatamente, grida sotto la musica con la moglie, quattro bambini due maschi, due femmine, seduti.

A un altro tavolino seduto da solo c'è un tedesco che non parla mai con nessuno, viene qua tutte le sere si guarda attorno mangia beve whisky. Una volta si è spostato di tavolo ha litigato con una coppia di dominicani perché diceva che senza la Germania Santo Domingo sarebbe ancora primitiva e la moglie la donna della coppia gli ha detto che forse sarebbe stato meglio così. Questa sera mangia, guarda lontano è zitto.

C'è la solita coppia coatta, l'avventura, lui avrà cinquant'anni sta in un residence poco distante da qui, è un fabbricante di scarpe, è di Bari, ha una *novia*[2] con lo spacco il vestito viola. Avrà diciassette anni. Lei lo guarda assorta mentre lui le racconta come si fa un mocassino nero in vernice trasparente realizzato in pellame *Naplak* con fibbia color oro, e la distribuzione. Sotto il tavolo lui allunga il piede verso di lei fanno piedino.

La cameriera è incinta, sesto settimo ottavo mese. È mulatta si muove con una lentezza esasperante, come qua fanno tutti porta la bottiglietta di *Tabasco*, i tovaglioli di carta, il menu con le specialità italiane, la pizza gli spaghetti.

Non esiste cucina dominicana, il piatto nazionale si chiama *veciuela* è in pratica un insieme di riso fatto bollire nella carta stagnola con fagioli. È molto semplice da preparare, i dominicani non hanno grandi specialità loro più che altro cucinano pollo o piatti di cucina creola, e comunque cose importate mischiate a piatti di ispirazione tedesca svizzera riso fatto bollire con la carta stagnola con würstel e diversi tipi di pollo cucinato all'italiana e innanzitutto pesce di molti tipi pescato direttamente da loro, pulito direttamente da loro. E sembra che c'è un frullatore di tutto il mangiare, tutte le specialità del mondo mischiate con questa prevalenza di pesce. Ferme restando le specialità italiane e specialmente la pizza.

Le quattro canadesi sono orrende, avranno almeno quarant'anni ciascuna, fanno finta di essere Paola Barale[3] sono scosciate si dimenano da sole sedute con due *sanchi panchi*, due puttani della spiaggia, due tipi che tirano avanti con espedienti di ogni tipo. Si alzano vanno vicine al tipo che suona *Lisa dagli occhi blu* si dimenano davanti a lui che sorride impenetrabile, con i *sanchi panchi* che guardano corrucciati, che tengono la situazione sotto controllo. Uno dei due si chiama Rody, vive sulla spiaggia prepara *piña colada*[4] controlla gli ombrelloni spalma la crema alle americane vecchie.

L'altro sembra un animale, è un bue è alto due metri, ha pantaloni di lino consunti bianchi e un cinturone marrone, è a petto nudo ha un anello di plastica con tre fori per tre dita. Al centro c'è il simbolo della Mercedes, sul medio. Ai lati indice e anulare il simbolo del dollaro.

E io qua da solo bevo una birra *Presidente* dietro l'altra, mangio una pizza «completa» come al solito ascolto la musica di quando ero piccolo

2. *novia*: "fidanzata" in spagnolo.
3. Paola Barale: fotomodella e presentatrice televisiva.
4. *piña colada*: cocktail a base di rum e succhi di frutta.

Lucio Battisti, I Cugini di Campagna con la vista che si sdoppia leggermente, prima piano, poi sempre più forte, come nei cartoni animati un-
gheresi che facevano alla Tv dei ragazzi alle cinque quindici anni fa, con il
salame piccante tra le labbra la musica mi sento come dentro un cartone
animato che sta per incominciare, e la serata al Nuovo Re e le ballerine.   60

Paolo suona il clacson, è arrivato.
    Mi chiama per andare al Nuovo Re io mi sento come Paperoga ubriaco,
come la pubblicità di playstation io sinceramente non sono più un uomo,
una specie di uomo.
    Pago la pizza «completa» quattro birre e me ne vado.   65

Paolo mi dice che lui mi lascia lì mi scarica fuori dal Nuovo Re perché lui
va al Marinero a caricare figa. C'è anche Gianni con noi non parla e questa
vita bellissima e di nuovo *Lisa dagli occhi blu* che diventa sempre più lontana e come la mia vita che ora inizia è colorata, è portentosa, è interessante.

dialogo con il testo

I temi

La narrativa di Nove mette in scena personaggi completamente abbrutiti dalla civiltà dei consumi di
massa; il protagonista di questo romanzo non conosce oggetti ma marche, ha come riferimenti culturali
le trasmissioni televisive più stupide, la pubblicità, i
fumetti e i cartoni animati. Notate come il suo senso
del tempo, della storia, sia costruito sulle canzoni di
moda in un certo periodo o sui «cartoni animati un-
gheresi che facevano alla Tv dei ragazzi alle cinque
quindici anni fa» (righe 59-60).

☒ Nella stessa direzione vanno i paragoni che il personaggio trova per descrivere il suo stato d'animo:
indicateli.

Il turismo a cui si dedica il personaggio è un altro
comportamento di massa in un mondo massificato:
ciò che lui trova a Santo Domingo è più o meno identico a ciò che potrebbe trovare a due passi da casa.

☒ Un'immagine graffiante della globalizzazione consumistica si può intravedere nel passo sulla cucina dominicana. Dite su quali elementi del testo si può fon-
dare (o eventualmente rifiutare) questa interpretazione.

☒ Il tono dominante della scena è lo squallore che si
riflette nell'ambiente e in ciascuno dei personaggi
che circondano il protagonista; illustrate alcuni passi
significativi in questo senso.

Fa poi parte dello squallore il fatto che in un simile
contesto sia obbligatorio credersi felici, immaginarsi
di vivere una «vita bellissima», «colorata, portentosa,
interessante».

☒ Il personaggio ritratto da Nove ha tratti grotteschi, da caricatura; a vostro parere la caricatura coglie
alcuni tratti di un tipo umano realmente presente
nell'Italia di oggi, sia pure esagerandoli, o è tanto forzata da risultare del tutto irreale?

Le forme

La frammentazione del testo in brevi paragrafi staccati rispecchia la frammentazione psichica del personaggio, incapace di collegare i suoi pensieri e le sue
sensazioni, di soffermarsi a lungo sullo stesso. La
piattezza mentale del personaggio narrante si esprime attraverso la piattezza assoluta della sintassi.

☒ Analizzate voi la sintassi del testo: il rapporto fra
coordinazione e subordinazione, le eventuali irregolarità sintattiche, altri aspetti che vi paiano rilevanti.

Il difficile, per uno scrittore che scelga questa maniera,
è non identificarsi completamente nel personaggio,
riuscire a mantenere una distanza critica pur usando
esclusivamente le sue parole, come strizzasse l'occhio
al lettore stando dietro le spalle del personaggio. In
questo capitolo Nove ci riesce felicemente nelle ultime
righe, in cui il personaggio scivola in un'involontaria
autoironia; altrove invece non riesce a fare a meno di
espressioni in cui si riconosce lo scrittore colto più che
l'abbrutito di massa che parla; questo accade ad esempio, a nostro parere, nelle parole «come fuochi artificiali di nulla, piccoli cortocircuiti serali...» (righe 5-6).

Confronti

☒ Un possibile antecedente della prosa di Nove è
quella di Nanni Balestrini; confrontando questo brano con *T38.51* mettete in luce analogie e differenze.

Niccolò Ammaniti

Niccolò Ammaniti è nato a Roma nel 1966. Nel 1994 ha pubblicato insieme al padre, docente di psicologia dell'età evolutiva, *Nel nome del padre*, un saggio sui problemi dell'adolescenza. Nel 1996 ha partecipato all'antologia *Gioventù cannibale* e nello stesso anno si è fatto conoscere con la raccolta di racconti *Fango*. In seguito ha pubblicato due romanzi centrati su figure di ragazzi e bambini, *Ti prendo e ti porto via* (1999) e *Io non ho paura* (2001); quest'ultimo è stato un successo, anche grazie a un bellissimo film che ne ha tratto Gabriele Salvatores.

▶ T38.65

T38.65

«Io sono Tiger»

Niccolò Ammaniti
IO NON HO PAURA
(Einaudi, Torino, 2001)

Io non ho paura si svolge in un'assolata campagna dell'Italia meridionale, in una frazione di poche case perduta in fondo a una strada che lì finisce. Nella torrida calura estiva, i pochi ragazzini del paese sono gli unici che si muovono, scorrazzando in bicicletta per la campagna. Esplorando una casa diroccata e abbandonata, Michele, il protagonista che narra in prima persona, ha scoperto, in fondo a una buca nel terreno dall'imboccatura frettolosamente ricoperta, quello che gli è sembrato il cadavere rinsecchito di un bambino, ed è scappato pieno di spavento. Nell'episodio che riportiamo Michele si fa coraggio e torna a vedere che cosa c'è veramente nel nascondiglio.

Un altro giorno di fuoco. 1

Alle otto della mattina il sole era ancora basso, ma già cominciava ad arrostire la pianura. Percorrevo la strada che avevamo fatto il pomeriggio prima e non pensavo a niente, pedalavo nella polvere e negli insetti e cercavo di arrivare presto. Ho preso la via dei campi, quella che costeggiava la collina e raggiungeva la valle. Ogni tanto dal grano si sollevavano le gazze con le loro code bianche e nere. Si inseguivano, si litigavano, si insultavano con quei versacci striduli. Un falco volteggiava immobile, spinto dalle correnti calde. E ho visto pure una lepre rossa, con le orecchie lunghe, sfrecciarmi davanti. Avanzavo a fatica, spingendo sui pedali, le ruote slittavano sui sassi e le zolle aride. Più mi avvicinavo alla casa, più la collina gialla cresceva di fronte a me, più un peso mi schiacciava il petto, togliendomi il respiro. 5

10

E se arrivavo su e c'erano le streghe o un orco?

Sapevo che le streghe si riunivano la notte nelle case abbandonate e facevano le feste e se partecipavi diventavi pazzo e gli orchi si mangiavano i bambini. 15

Dovevo stare attento. Se un orco mi prendeva, buttava anche me in un buco e mi mangiava a pezzi. Prima un braccio, poi una gamba e così via. E nessuno sapeva più niente. I miei genitori avrebbero pianto disperati. E tutti a dire: «Michele era tanto buono, come ci dispiace». Sarebbero venuti gli zii e mia cugina Evelina, con la Giulietta blu. Il Teschio[1] non si sarebbe messo a piangere, figuriamoci, e neanche Barbara. Mia sorella e Salvatore, sì. 20

Non volevo morire. Anche se mi sarebbe piaciuto andare al mio funerale.

Non ci dovevo andare lassù. Ma che mi ero impazzito?

Ho girato la bicicletta e mi sono avviato verso casa. Dopo un centinaio di metri ho frenato. 25

1. Il Teschio: soprannome del ragazzo un po' più grande che fa il capo nella banda dei ragazzini del paese; personaggio antipatico per la sua prepotenza. Quelli nominati subito dopo sono altri bambini del gruppo.

Cos'avrebbe fatto Tiger Jack al mio posto?

Non tornava indietro neanche se glielo ordinava Manitù[2] in persona. Tiger Jack.

Quella era una persona seria. Tiger Jack, l'amico indiano di Tex Willer.   30

E Tiger Jack su quella collina ci saliva pure se c'era il convegno internazionale di tutte le streghe, i banditi e gli orchi del pianeta perché era un indiano navajo, ed era intrepido e invisibile e silenzioso come un puma e sapeva arrampicarsi e sapeva aspettare e poi colpire con il pugnale i nemici.

Io sono Tiger, anche meglio, io sono il figlio italiano di Tiger, mi sono   35 detto.

Peccato che non avevo un pugnale, un arco o un fucile Winchester.

Ho nascosto la bicicletta, come avrebbe fatto Tiger con il suo cavallo, mi sono infilato nel grano e sono avanzato a quattro zampe, fino a quando non ho sentito le gambe dure come pezzi di legno e le braccia indolenzite. Allo-   40 ra ho cominciato a zompettare come un fagiano, guardandomi a destra e a sinistra.

Quando sono arrivato nella valle, sono rimasto qualche minuto a riprendere aria, spalmato contro un tronco. E sono passato da un albero all'altro, come un'ombra sioux. Con le orecchie drizzate a qualsiasi voce o   45 rumore sospetto. Ma sentivo solo il sangue che pulsava nei timpani.

Acquattato dietro un cespuglio ho spiato la casa.

Era silenziosa e tranquilla. Niente sembrava cambiato. Se erano passate le streghe avevano rimesso tutto a posto.

Mi sono infilato tra i rovi e mi sono ritrovato nel cortile.   50

Nascosto sotto la lastra e il materasso ci stava il buco.

Non me l'ero sognato.

Non riuscivo a vederlo bene. Era buio e pieno di mosche e saliva una puzza nauseante.

Mi sono inginocchiato sul bordo.   55

– Sei vivo?

Nulla.

– Sei vivo? Mi senti?

Ho aspettato, poi ho preso un sasso e gliel'ho tirato. L'ho colpito su un piede. Su un piede magro e sottile e con le dita nere. Su un piede che non   60 si è mosso di un millimetro.

Era morto. E da lì si sarebbe sollevato solo se Gesù in persona glielo ordinava.

Mi è venuta la pelle d'oca.

I cani e i gatti morti non mi avevano mai fatto tanta impressione. Il pe-   65 lo nasconde la morte. Quel cadavere invece, così bianco, con un braccio buttato da una parte, la testa contro la parete, faceva ribrezzo. Non c'era sangue, niente. Solo un corpo senza vita in un buco sperduto.

Non aveva più niente di umano.

Dovevo vedergli la faccia. La faccia è la cosa più importante. Dalla fac-   70 cia si capisce tutto.

Ma scendere lì dentro mi faceva paura. Potevo girarlo[3] con una mazza. Ci voleva una mazza bella lunga. Sono entrato nella stalla e lì ho trovato

2. **Manitù**: il Grande Spirito della natura venerato dagli indiani d'America. Come si capisce subito dopo, Tiger Jack è un personaggio indiano di fumetto.

3. **girarlo**: rovesciare il cadavere a faccia in su.

un palo, ma era corto. Sono tornato indietro. Sul cortile si affacciava una porticina chiusa a chiave. Ho provato a spingerla, ma anche se era malmessa, resisteva. Sopra la porta c'era una finestrella. Mi sono arrampicato puntellandomi sugli stipiti e, di testa, mi sono infilato dentro. Bastavano un paio di chili in più, o il culo di Barbara, e non ci sarei passato.

Mi sono trovato nella stanza che avevo visto mentre attraversavo il ponte[4]. C'erano i pacchi di pasta. I barattoli di pelati aperti. Bottiglie di birra vuote. I resti di un fuoco. Dei giornali. Un materasso. Un bidone pieno d'acqua. Un cestino. Ho avuto la sensazione del giorno prima, che lì ci veniva qualcuno. Quella stanza non era abbandonata come il resto della casa.

Sotto una coperta grigia c'era uno scatolone. Dentro ho trovato una corda che finiva con un uncino di ferro.

Con questa posso andare giù, ho pensato.

L'ho presa e l'ho buttata dalla finestrella e sono uscito.

Per terra c'era il braccio arrugginito di una gru. Ci ho legato intorno la corda. Ma avevo paura che si scioglieva e io rimanevo nel buco insieme al morto. Ho fatto tre nodi, come quelli che faceva papà al telone del camion. Ho tirato con tutta la forza, resisteva. Allora l'ho gettata nel buco.

– Io non ho paura di niente, – ho sussurrato per farmi coraggio, ma le gambe mi cedevano e una voce nel cervello mi urlava di non andare.

I morti non fanno niente, mi sono detto, mi sono fatto il segno della croce e sono sceso.

Dentro faceva più freddo.

La pelle del morto era sudicia, incrostata di fango e merda. Era nudo. Alto come me, ma più magro. Era pelle e ossa. Le costole gli sporgevano. Doveva avere più o meno la mia età.

Gli ho toccato la mano con la punta del piede, ma è rimasta senza vita. Ho sollevato la coperta che gli copriva le gambe. Intorno alla caviglia destra aveva una grossa catena chiusa con un lucchetto. La pelle era scorticata e rosa. Un liquido trasparente e denso trasudava dalla carne e colava sulle maglie arrugginite della catena attaccata a un anello interrato.

Volevo vedergli la faccia. Ma non volevo toccargli la testa. Mi faceva impressione.

Alla fine, tentennando, ho allungato un braccio e ho afferrato con due dita un lembo della coperta e stavo cercando di levargliela dal viso quando il morto ha piegato la gamba.

Ho stretto i pugni e ho spalancato la bocca e il terrore mi ha afferrato le palle con una mano gelata.

Poi il morto ha sollevato il busto come fosse vivo e a occhi chiusi ha allungato le braccia verso di me.

I capelli mi si sono rizzati in testa, ho cacciato un urlo, ho fatto un salto indietro e sono inciampato nel secchio e la merda si è versata ovunque. Sono finito schiena a terra urlando.

Anche il morto ha cominciato a urlare.

Mi sono dimenato nella merda. Poi finalmente con uno scatto disperato ho preso la corda e sono schizzato fuori da quel buco come una pulce impazzita.

4. **mentre... ponte:** nella precedente esplorazione Michele aveva dovuto passare sulle uniche due travi rimaste di un solaio, sospeso sul vuoto.

dialogo con il testo

I temi

Nel seguito del romanzo il protagonista scoprirà poco per volta che il bambino incatenato nel sotterraneo è la vittima di un sequestro a scopo di estorsione, e che tra i sequestratori c'è anche suo padre. Cercherà di soccorrere la piccola vittima e, in un finale di grande *suspense*, lotterà per sottrarlo ai sequestratori, che hanno deciso di ucciderlo perché stanno per essere scoperti dalla polizia.

Abbiamo dunque molti elementi propri della narrativa di intrattenimento: l'intreccio "giallo", l'insistenza su particolari atroci o ributtanti (in cui si riconosce l'origine "cannibale" dello scrittore), la *suspense* finale. Ma anche attraverso tutto questo Ammaniti riesce a cogliere vari aspetti della realtà italiana di oggi: la storia del sequestro potrebbe essere tratta dalla cronaca di questi anni; le figure dei sequestratori, una banda improvvisata che unisce la feroce insensibilità morale alla grossolana incapacità di gestire il delitto, sono pure tipi ben noti alla cronaca; sullo sfondo, la solitudine disperata di un borgo di campagna semiabbandonato. Stando a quel che si può vedere in questo brano, il paesaggio assolato è ben riconoscibile da chi abbia percorso la Basilicata o la Sicilia in estate, come pure è riconoscibile (senza limiti geografici) la campagna abbandonata piena di ruderi e rottami, tipica di un paese che non ha cura di se stesso.

L'unione di un ritmo narrativo incalzante con la capacità di creare scorci significativi sulla società italiana contemporanea fanno di Ammaniti uno degli scrittori più validi dell'ultima generazione.

❓ Un elemento di interesse è che tutto questo sia filtrato attraverso lo sguardo e le parole di un bambino. Mostrate come l'autore costruisca questo personaggio narrante attraverso i pensieri, le fantasie, i suoi riferimenti culturali.

Le forme

❓ Anche la lingua cerca di imitare quella che potrebbe scrivere o parlare un ragazzino di nove-dieci anni. Indicate le scelte sintattiche e lessicali che mirano a questo effetto.

Confronti

❓ Sia Nove (*T38.64*) sia Ammaniti si calano nei pensieri e nelle parole di personaggi che sono intellettualmente molto al di sotto dell'autore; questo comporta di imporsi una forte autolimitazione dei mezzi espressivi. A vostro parere quale dei due autori è rimasto fedele con più costanza ai caratteri della sua voce narrante? In quali punti eventualmente ciascuno dei due non c'è riuscito, creando qualche incoerenza di tono?

Immagine del film
Io non ho paura
di Gabriele
Salvatores (2003)

Marina Jarre

Marina Jarre è nata nel 1925 a Riga (Lettonia), da un padre ebreo lettone e da una madre italiana di Torre Pellice nelle valli valdesi, della quale porta il cognome. Quando aveva dieci anni i genitori divorziarono e la madre la portò con sé in Italia, insieme a una sorellina, per il ti-more che il tribunale non le as-segnasse le figlie. Qualche anno dopo, nel 1941, il padre moriva nel massacro degli ebrei di Riga organizzato dagli occupanti te-deschi. A Torre Pellice la scrittri-ce imparò l'italiano e compì gli studi. In seguito è divenuta inse-gnante ed è vissuta a Torino.

Nel 1968 ha pubblicato il suo primo romanzo, *Monumento al parallelo* (poi ristampato col ti-tolo *Un leggero accento stra-niero*), a cui hanno fatto seguito vari altri romanzi e libri di me-morie.

▶ T38.66

T38.66

Di ritorno dalla Lettonia

Ritorno in Lettonia ha per tema un viag-gio nella terra natale compiuto nel 1999 dalla scrittrice, accompagnata da un fi-glio, sessantaquattro anni dopo esserne partita. L'anziana signora, che ha vissuto un'intera vita in Italia, va a ritrovare i luoghi della sua infanzia, ma va anche incontro alla memoria del massacro che ha inghiottito suo padre e tutta la gente a cui lei apparteneva; un orrore a lungo ta-ciuto e fin rimosso dalla coscienza, perché è al di là del dicibile e del pensabile.

Marina Jarre
RITORNO IN
LETTONIA
(Einaudi, Torino,
2003)

A chi mi domandava se non fossi più ritornata in Lettonia, se là avrei po-tuto ritrovare qualche parente o persona conosciuta, magari una compagna di scuola, rispondevo di no, e di solito non spiegavo oltre. Proprio dalla domanda e dall'imbarazzo perplesso di fronte al mio no, così asciutto e conclusivo, misuravo che mi sarebbe stato impossibile motivare la negazio-ne, descrivere, narrare. Avvertivo una distanza che non avrei saputo colma-re, una doppia distanza, non solo tra gli avvenimenti di allora e le informa-zioni di chi mi poneva la domanda, ma tra me e l'altro. 1

5

Dopo il mio ritorno, in una telefonata con una carissima amica, le con-fidai che avevo trovato i luoghi della morte[1] ed essa mi chiese se c'erano i nomi. «I nomi... i nomi, – mi confusi. – Ma se erano *****!» dissi il nume-ro. Vi fu nel telefono un silenzio sbigottito. 10

La cifra mi era sfuggita mio malgrado; avevo pudore a citare cifre e mi ero ripromessa di non cedere mai.

Ma innanzi tutto provavo un disordinato impaccio al pensiero che mi si potesse sospettare di far mostra di una sofferenza che allora non avevo patito. 15

La strage mi aveva sfiorata, inconsapevole, e portavo il peso di un lutto improprio, in cui gravi vicende personali[2] si erano intrecciate così stretta-mente con l'atrocità della storia che non potevo presentarmi in modo chia-ro e univoco. Mi pareva di non avere diritto a un lutto. 20

«I primi pali della recinzione con filo spinato furono piantati sulla Ma-

1. i luoghi della morte: nel 1941, al momento dell'avanza-ta verso la Russia, i nazisti non avevano ancora organizzato lo sterminio degli ebrei su basi industriali, coi lager e i gas; il massa-cro avveniva ancora con fucilazioni di massa, compiute da reparti speciali appo-sitamente creati.

2. gravi vicende per-sonali: il divorzio dei genitori e il conseguente ritorno in Italia con la madre, a cui Marina Jarre do-vette la propria sopravvivenza.

skavas all'angolo della Lacplesa[3]». Per impedire che si potessero gettare al di là pacchetti con viveri e altri aiuti si raddoppiò il recinto.

Non avevo udito il rumore dei martelli che piantavano i pali attorno al ghetto di Riga, collocato dai tedeschi nel sobborgo «moscovita» svuotato dai suoi abitanti. Era l'ottobre del '41, io iniziavo il liceo a Torre Pellice dove vivevo da sei anni con Sisi[4] in casa della nostra nonna materna. Pensavo soprattutto a incontrare appena possibile il ragazzo di cui ero innamorata; da qualche parte giaceva in un cassetto la strana lettera arrivata alla fine di luglio da nostro padre, che ci supplicava con insistenza di aiutarlo a venir via da Riga. Non spiegava il perché, affermava di essere malato, secondo il solito non faceva cenno alla piccola Irene[5] – sapevamo che la madre tedesca della bambina era rimpatriata nel '39 lasciandogli la figlioletta – secondo il solito recriminava (almeno mi sembra) contro nostra madre.

La lettera, molto lunga, copriva due intere grandi pagine di carta giallastra (che ci fosse, mi chiedo, qualche indizio più chiaro in quel suo scribacchiamento incomprensibile?) In una piega centrale del foglio, sottolineata con un segno irregolare, la frase che non capii a qual punto fatale: «perché ricordatevi che anche voi siete ebree». Tuttora la rivedo distintamente, parola per parola.

Alcuni mesi innanzi, sempre a nostra insaputa, era terminato il lentissimo processo di divorzio tra lui e lei. Il plico con i documenti e con la sentenza definitiva giunse nella primavera del '42, la sentenza recava il timbro – aquila su croce uncinata[6] – dell'Ufficio estero del commissariato del Reich presso l'Ostland[7].

Data: 19-2-1942; firmato «Weidecker». Nostro padre era morto da tre mesi.

Mi vergognavo dunque della mia pur incolpevole incoscienza, ma ancor più mi turbava e tratteneva l'orrore dei fatti, che creava un baratro fra me e qualsiasi interlocutore. Mi sembrava di non poterli introdurre nel discorso, che la loro nequizia avrebbe di per se stessa spento ogni partecipato affetto. Oppure, persin peggio, avrebbe rischiato di suscitare la stanchezza che nasce nel sentir evocare troppo spesso una vicenda considerata nota.

Una vicenda raccontata, appunto, non una realtà vissuta.

C'è infatti una perfidia nella ripetizione, perfidia che, tal quale l'enormità delle cifre, contribuisce a rendere astratti gli avvenimenti, a farne oggetto di confronti e dissertazioni, a dargli al più carattere d'insegnamento, a togliergli carne e sangue e urla e sangue e rantoli e sangue. Una volta accolti dalla nostra mente, passato il primo urto di sconcerto e di orrore, acquisiscono una sembianza direi consolatoria. Ci trasformiamo in lettori o spettatori, ci rassicuriamo – «a me non sarebbe potuto accadere» – e non vogliamo rileggere la stessa pagina, rivedere lo stesso spettacolo.

Tra l'evento e noi che leggiamo, ascoltiamo, guardiamo, si aggirano i sopravvissuti, costretti a tener viva l'esperienza. Ci viene assicurato che ciò servirà a evitare in futuro altra simile barbarie. E narrano e rammentano e si augurano, e noi con loro, che lo strazio del ricordare sia utile e necessario, ma narrano rivolti agli innumerevoli che dovettero soccombere, non a noi che ascoltiamo e guardiamo. Il loro rimemorare, esile, interrotto, ripe-

3. **Maskavas... Lacplesa**: nomi di strade di Riga; si parla della recinzione del ghetto in cui furono rinchiusi gli ebrei di Riga, pochi mesi prima di sterminarli.
4. **Sisi**: la sorella più giovane.
5. **Irene**: la figlia che il padre aveva avuto da un'amante tedesca.
6. **aquila... uncinata**: simboli del governo nazista.
7. **Reich... Ostland**: *Reich* (letteramente "impero") era il nome che dava a se stesso lo stato nazista; *Ostland* (qualcosa come "marca orientale") erano i territori conquistati a est della Germania.

tuto, richiama con pena, a stento, gli innumerevoli dalla fossa dell'anonimato. 70

Più facile dare viso e numero ai pochi che portano testimonianza.

A Yitzak Bloch (ad esempio). Aveva dieci anni quando gli spari lo mancarono, nascosto in un cespuglio in un villaggio vicino a Kaunas[8]. Era la fine del giugno '41, mentre correva udì per l'ultima volta la voce di sua madre: «Scappa Yitzak, scappa!» 75

A Šёma Spungin. Aveva dodici anni quando nel luglio '41 arrivarono a Daugavpils[9] i tedeschi. Passato attraverso botte, interrogatori, arresti e fughe, riuscì con fortuiti documenti falsi a trovare lavoro in un villaggio. Una notte, nel sonno, gridò in yiddish[10]. Il contadino lettone presso il 80 quale lavorava s'insospettì, ma egli lo convinse di aver gridato in tedesco. Da allora non riuscì più a dormire per davvero.

Alla signora Fischgott, di cui non sappiamo il nome, che vagò nella steppa cercando il figlio. L'esercito tedesco era giunto in Crimea il 31 ottobre '41. Al falso documento caraita[11] di lei mancava il timbro di registra- 85 zione dell'autorità tedesca e nessuno *starosta*[12] volle accoglierla nel suo villaggio. Qualche contadino di qua e di là le diede da mangiare. Si nutrì di mais gelato e camminando urlava il nome del figlio. Urlare le dava una specie di sollievo. Lo *starosta* di Kražnyi Pajar le offrì infine riparo. Quando fu liberata dall'Armata Rossa, nel '43, seppe che il figlio, sottotenente, 90 combatteva sul fronte meridionale.

Ad Hanna Katz. Cadde viva nella fossa durante la fucilazione. All'alba riuscì a trascinarsi fuori; nuda, prese una camicia sull'ammasso di vestiti lì accanto e se la infilò. Lituania, 24 ottobre '41.

A Frieda Fried. Il lunedì 8 dicembre '41 cadde per terra a Rumbula, Ri- 95 ga, colpita alla testa dal calcio di una rivoltella, ma rimase in vita sotto le scarpe che proprio in quel posto venivano accumulate[13]. La notte, per non essere scoperta mentre fuggiva strisciando sulla neve, si avvolse in un lenzuolino trovato nel mucchio di panni di neonati.

Lo stesso fato, folle e avarissimo, che aiutò Hanna e Frieda, non permi- 100 se a Isaak Rosenberg di vedere il giorno della liberazione. La moglie russa lo aveva nascosto in uno scavo sotto la stufa. Lì dentro, a Monastyr, Smolensk[14], visse rintanato ventisei mesi: di notte usciva e si metteva a stento in piedi. Neppure i suoi due bambini sapevano che il padre fosse rimpiattato in quel ricettacolo, ai tedeschi la madre aveva assicurato che erano figli 105 di un suo precedente matrimonio. Quando i sovietici furono a ridosso del villaggio, gli abitanti si rifugiarono nel bosco durante la sparatoria. Terminato lo scontro, ritiratisi i tedeschi, la moglie corse verso la casa. Già da lontano vide il fumo del fuoco che l'aveva incendiata e distrutta, Isaak era morto asfissiato nel nascondiglio. 110

Al pescatore Josif Weingartner gli amici russi Kilenko riuscirono a salvare il bimbo più piccolo, tenendolo presso di loro come un figlio. Anche Josif si era arrampicato, ferito ma vivo, fuori dalla fossa. Nel buio aveva cercato di riconoscere fra gli altri corpi quello della moglie. Sollevava le teste e con le dita che s'impiastricciavano sempre più di sangue ne tastava i 115 tratti, finché non toccò il viso di lei, morta. Kerč[15], 1941.

8. **Kaunas**: città di un altro paese baltico, la Lituania.
9. **Daugavpils**: città della Lettonia.
10. **yiddish**: la lingua parlata dagli ebrei dell'Europa orientale, un dialetto tedesco.
11. **caraita**: setta ebraica diffusa in Europa orientale e particolarmente in Crimea; qui sembra riferirsi al gruppo che fabbricava documenti falsi per aiutare altri ebrei a fuggire.
12. *starosta*: capo di villaggio contadino in Russia.
13. **scarpe... accumulate**: i tedeschi accumulavano diligentemente gli indumenti di coloro che stavano per fucilare in mucchi separati, perché potevano ancora servire al *Reich*.
14. **Smolensk**: città russa.
15. **Kerč**: città in Crimea.

Centoventi furono i certificati di battesimo[16] che il prete lituano Paukštis compilò per centoventi bambini ebrei. Benedetta sia la sua memoria. E benedetta la memoria di Janis Lipke, scaricatore al porto di Riga, che nei tre anni dell'occupazione tedesca – Riga fu liberata nell'ottobre del '44 – con l'aiuto dei famigliari e di amici del suo villaggio salvò, sottraendoli al ghetto e nascondendoli dov'era possibile, quarantadue ebrei. 120

Qualcuno si è salvato, dunque. Manja tagliò con un temperino il telone del camion e si buttò giù. Evsej Efimovič Gopstein, dopo ventotto mesi trascorsi nascosto da un'amica russa, poté assistere, unico sopravvissuto di Simferopoli, all'arrivo dei sovietici. Činka la trovò il capitano Krapivin in una buca nella foresta vicina al villaggio di Golaš, in Bielorussia. I capelli lunghi, scheletrica, le mani e i piedi piagati, sopravvissuta ai suoi, ad occasionali compagni rintanati come lei nella foresta ma scoperti e uccisi, alla sua infanzia. 125 130

«Nessuno potrà mai riferire», dicevano i tedeschi agli ottanta prigionieri – settantasei ebrei, tre prigionieri di guerra russi, un giovane polacco che aveva aiutato la ragazzina ebrea Liečka – radunati, le catene ai piedi, a Ponary, Lituania, per cremare i cadaveri estratti dalle immani fosse[17].

Ponary, incantevole luogo di villeggiatura sulle rive collinose del Neris, nei pressi di Vilnius[18]. Kaiserwald, ad occidente di Riga, nella piana di sabbia tra la Daugava rossa e le belle ville liberty. Campo di concentramento di Ponary, campo di concentramento di Kaiserwald (Mežaparks). 135

Le cataste di legno di pino, alte più di tre metri, cosparse di benzina – ci volevano tre giorni e tre notti perché una catasta si consumasse – bruciarono cadaveri per cinque mesi. Nell'estate del '44 non avevano ancora esaurito il loro compito. 140

Tritate le ossa, setacciate le ceneri per un ultimo possibile bottino d'oro e d'argento, il resto veniva buttato di nuovo nelle fosse, la cui superficie era poi livellata. 145

«Nessuno vi crederà», dicevano i tedeschi.

16. **certificati di battesimo**: falsi documenti per far passare i bambini per non ebrei.
17. **cremare... fosse**: nel 1944, prima di ritirarsi di fronte alle truppe sovietiche, i tedeschi si misero al lavoro per cancellare le tracce dei delitti che avevano compiuto, con la consueta meticolosità.
18. **Vilnius**: capitale della Lituania.

dialogo con il testo

I temi

Il cuore dell'interesse che suscita *Ritorno in Lettonia* è quell'intreccio di «gravi vicende personali» con «l'atrocità della storia» a cui accenna qui l'autrice (righe 19-20); del resto la relazione tra la piccola storia privata e la storia collettiva, pubblica, è ciò che dà senso alle biografie e, prima ancora, all'autobiografia che ciascuno costruisce mentalmente di sé.

La sintesi più incisiva dei due momenti è in quella lettera dimenticata in fondo a un cassetto, in cui un uomo preso nella trappola della storia lancia una disperata invocazione di aiuto alla donna da cui si è separato con aspra inimicizia.

? Che senso possiamo dare all'affermazione (solo in parte vera) «ricordatevi che anche voi siete ebree» (riga 40)?

Sul piano della storia collettiva, un motivo di interesse di questa pagina è la rievocazione di un momento dello sterminio degli ebrei meno noto rispetto a quello della "soluzione finale": i massacri compiuti durante l'avanzata a Est delle truppe tedesche. Un orrore non inferiore a quelli dei lager, e che come quelli ha qualcosa di indicibile, suscita uno strano pudore nei sopravvissuti; la difficoltà di parlarne è il tema più significativo del brano.

? Ricavate dal testo le due ragioni che l'autrice presenta di questa difficoltà, una di carattere più personale, una di valore più generale.

Eppure, proprio attraverso la reticenza, la scrittrice riesce a imprimere nella nostra mente immagini impressionanti di momenti di quella vicenda: Quando scrive «Non avevo udito il rumore dei martelli che piantavano i pali attorno al ghetto di Riga» (righe 25-26), in quelle parole noi lettori sentiamo rimbombare cupamente quell'atto che segrega degli uo-mini dal consorzio umano, prima di sterminarli. Lo stesso effetto ha la dolente evocazione delle storie di alcuni scampati, tutta impregnata della disumanità del massacro circostante.

? Il tema della memoria affiora anche dalla parte opposta, nelle parole dei carnefici nazisti ricordate alla fine del brano; che rapporto possiamo stabilire fra la loro volontà di cancellare ogni traccia e la reticenza dei sopravvissuti?

Le forme

Il tortuoso processo della memoria, l'ambigua situazione psicologica di chi ricorda esigono una prosa lenta e tortuosa, come è quella di questo brano; anche se poi il risultato è una sintassi complessa ma ben padroneggiata, veicolo di un pensiero lucido nella sua complessità. Fra i tratti sintattici tipici di questa prosa possiamo notare le riprese parallele che ritornano su un concetto e ne esplorano le sfumature: «Mi vergognavo dunque della mia pur incolpevole incoscienza, ma ancor più mi turbava e trattenteva...» (righe 49-51); «E narrano e rammentano e si augurano...» (righe 66-69).

? Individuate altri esempi di questo carattere stilistico.

Nella rievocazione delle storie di scampati l'andamento per parallelismi assume il ritmo quasi di un'invocazione sacra, una litania.

Confronti

Sul tema della vergogna dei sopravvissuti e delle difficoltà della memoria individuale e collettiva, di fronte all'enormità di ciò che è successo, ha scritto pagine molto belle Primo Levi nel suo ultimo saggio, *I sommersi e i salvati* (vedi *Scegli il tuo libro*).

La poesia in Italia

N el secondo Novecento la poesia perde quel ruolo centrale che aveva avuto nella letteratura italiana dei decenni precedenti. L'attenzione del pubblico è minore, e anche le ambizioni poetiche sono ridimensionate: in genere non appare quella tensione verso temi universali e supremi che caratterizzava la poesia della prima metà del secolo, se non in poeti delle generazioni più anziane, come Caproni.

Nei temi e nello stile si possono individuare all'ingrosso due tendenze. La prima è verso il realismo, cioè verso una poesia che affronti realtà concrete, individuali e sociali, in modo discorsivo. La seconda tendenza muove invece dalla constatazione di una crisi del linguaggio: sono in questione i rapporti fra le parole e le cose, fra l'uomo e la realtà, e la lingua stessa diventa l'oggetto dell'operazione poetica. Nell'unico gruppo organizzato apparso in questi decenni, la nuova avanguardia, entrambe queste tendenze sono presenti, e radicalizzate. Nella generazione successiva, quella dei poeti apparsi sulla scena a partire dagli anni settanta, la spinta avanguardistica appare esaurita.

Giorgio Caproni

Coetaneo degli ermetici, Giorgio Caproni è emerso solo dagli anni sessanta come figura centrale della poesia novecentesca. La sua opera poetica si svolge appartata come si era svolta quella di Saba (notizie in Vol. G *T32.34*), con la quale condivide il rifiuto dello sperimentalismo e la scorrevole cantabilità. Ma l'ingenuità apparente, la tematica di piccole storie e affetti personali (*T38.67*) non deve ingannare: attraverso di esse si fa strada il tema più inquietante della cultura contemporanea, il nulla radicale dell'esistenza in un mondo che ha perduto Dio (*T38.68*).

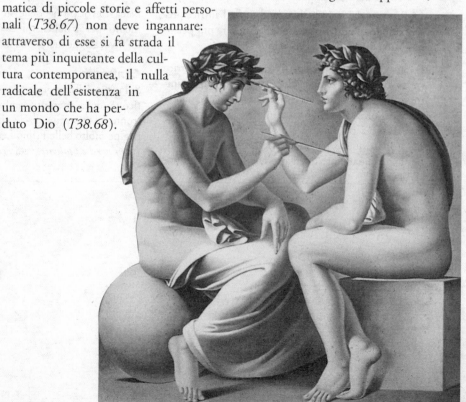

Carlo Maria Mariani
La mano ubbidisce all'intelletto
(1983, 100×85 cm, olio su tela, Collezione privata)

Giorgio Caproni

Giorgio Caproni (1912-1990) nacque a Livorno e si trasferì ancora bambino a Genova. Fece in gioventù diversi mestieri (commesso, violinista, impiegato); dopo la guerra, durante la quale partecipò alla Resistenza, visse a Roma, facendo l'insegnante e collaborando a giornali e riviste. Come poeta esordì negli anni trenta, ma la sua notorietà risale ai libri del dopoguerra (*Il passaggio d'Enea*, 1956; *Il seme del piangere*, 1959; *Congedo del viaggiatore cerimonioso*, 1966; *Il muro della terra*, 1975).

▶ T38.67 T38.68

T38.67

Preghiera

La raccolta Il seme del piangere *(1959) si apre con la serie* Versi livornesi, *in cui il poeta rievoca la figura della propria madre ancora ragazza, prima che lui nascesse. La poesia che riportiamo apre la serie.*

Giorgio Caproni
da IL SEME DEL
PIANGERE
(In *Poesie 1932-1986*,
Garzanti, Milano,
1995)

METRO: strofe di settenari e alcuni versi
più lunghi, con rime
frequenti ma non in
schemi regolari.
2. **a Livorno**: la città
natale di Caproni,
che la lasciò a dieci
anni.
7. **Anna Picchi**: la
madre del poeta.
11. **tu**: l'*anima mia*.
più netta: più pura, e
perciò più capace di
vedere e conoscere.
14. **di sangue**: di colore sanguigno. **serpentino**: una spilla.
16. **s'appannava**: per
il tepore del petto.

    Anima mia, leggera
va' a Livorno, ti prego.
E con la tua candela
timida, di nottetempo
5   fa' un giro; e, se n'hai il tempo,
perlustra e scruta, e scrivi
se per caso Anna Picchi
è ancor viva tra i vivi.

    Proprio quest'oggi torno,
10 deluso, da Livorno.
Ma tu, tanto più netta
di me, la camicetta
ricorderai, e il rubino
di sangue, sul serpentino
15 d'oro che lei portava
sul petto, dove s'appannava.

    Anima mia, sii brava
e va' in cerca di lei.
Tu sai cosa darei
20 se la incontrassi per strada.

---

dialogo con il testo

I temi

Il viaggio che il poeta propone alla propria anima è un viaggio a ritroso nel tempo, verso una Livorno del passato in cui brilla l'immagine svelta e gentile della madre ancora ragazza. I versi cantano il più impossibile degli amori: non solo è edipicamente rivolto alla madre, non solo è per una morta, ma regredisce a un'epoca prenatale. La grazia leggera dei versi nasce allora da un sentimento doloroso, se l'unica cosa che valga, che sia degna di poesia, è fuori da ogni possibile realtà. In un altro componimento della serie l'autore definisce i suoi versi «canzonetta / che sembri scritta per gioco / e lo sei piangendo: e con fuoco».

Le forme

La poesia di Caproni si affida a una cantabilità facile, basata sul ritmo agile dei settenari e sulla frequenza delle rime, che sono "facili" e spesso baciate («Per lei voglio rime chiare, / usuali: in -are», comincia un altro componimento). L'effetto non è però quello di una musicalità fine a se stessa, di stampo arcadico,

perché la musica è subordinata a un discorso che si continua effusivamente di verso in verso, e il tono è dato da un linguaggio estremamente familiare, prosastico;

🔃 indicate le espressioni del testo più esemplari in questo senso.

Giorgio Caproni

T38.68

Notizie sull'autore **T38.67**

Dopo la notizia

Il muro della terra *raccoglie poesie scritte fra il 1964 e il 1975.*   *Questa è datata 1972.*

Giorgio Caproni
da IL MURO DELLA TERRA
(In *Poesie 1932-1986*,
Garzanti, Milano,
1995)

    Il vento... È rimasto il vento.
Un vento lasco, raso terra, e il foglio
(*quel* foglio di giornale) che il vento
muove su e giù sul grigio
5   dell'asfalto. Il vento
e nient'altro. Nemmeno
il cane di nessuno, che al vespro
sgusciava anche lui in chiesa
in questua d'un padrone. Nemmeno,
10   su quel tornante alto
sopra il ghiareto, lo scemo
che ogni volta correva
incontro alla corriera, a aspettare
– diceva – se stesso, andato
15   a comprar senno. Il vento
e il grigio delle saracinesche
abbassate. Il grigio
del vento sull'asfalto. E il vuoto.
Il vuoto di *quel* foglio nel vento
20   analfabeta. Un vento
lasco e svogliato – un soffio
senz'anima, morto.

METRO: versi liberi, compresi tra il senario e l'endecasillabo.
2. lasco: rilassato. Si dice di un cavo allentato.
3. *quel* **foglio di gior-**nale: sembra alludere a un giornale che conterrebbe qualcosa di importante: forse l'imprecisata *notizia* di cui parla il titolo.
7. vespro: funzione religiosa al tramonto.
9. in questua: alla ricerca, come mendicando.
11. ghiareto: il greto ghiaioso di un torrente.
20. analfabeta: il vento non sa leggere, è indifferente; del resto il foglio è *vuoto*.

25. **spopolato**: l'impressione di deserto è trasferita sul vento. 26-27. **là dove...**
tempo: il tempo sembra essersi fermato, là dove non esiste più azione, volontà, soggetto umano. Sant'Agostino è il primo pensatore che ha parlato del tempo come

> Nient'altro. Nemmeno lo sconforto.
> Il vento e nient'altro. Un vento
> 25 spopolato. *Quel* vento,
> là dove agostinianamente
> più non cade tempo.

dimensione interiore dell'esperienza; per lui l'annullamento del tempo è raggiunto

dall'anima che si ricongiunge a Dio nell'eternità. Qui il poeta rovescia paradossal-

mente la posizione agostiniana in una sorta di teologia del nulla: l'esperienza del

tempo si annulla nella constatazione del vuoto totale della realtà.

dialogo con il testo

I temi

La *notizia* di cui parla il titolo, a cui sembra alludere l'insistenza su un foglio di giornale portato qua e là dal vento, ma che nessuno legge, potrebbe essere che non ci sono più notizie, che non c'è niente di cui valga la pena di parlare. Questo ci suggerisce la scena inerte e deserta: un'immagine di fine del mondo e del tempo, che rimanda a un senso di radicale nullità di tutte le cose. Le poche figure evocate, come ultime tracce di una vita ormai scomparsa, sono le più povere e banali: un cane senza padrone, uno scemo che ripeteva un gesto meccanico. L'uomo, come soggetto di volontà e di azione, è sparito, e con lui è sparita anche la possibilità di soffrire della morte di tutte le cose: «Nemmeno lo sconforto».

? Cercate nel testo le poche espressioni che si riferiscono a condizioni psicologiche; vedrete che sono attribuite a un soggetto non umano.

La poesia di Caproni, che nei primi libri toccava esperienze e sentimenti tenui, spesso al limite della non esistenza, nella sua fase più tarda affronta direttamente «il nulla, grande tema della poesia e della filosofia contemporanea» (come ha scritto Italo Calvino). È il tema della "morte di Dio", evocato esplicitamente in varie poesie della stessa raccolta e in questa citato di scorcio col riferimento a Sant'Agostino, che accenna a una paradossale teologia negativa.

Le forme

Nell'affrontare questi temi supremi, Caproni mantiene il suo tono sommesso, evita gli accenti tragici, spoglia il suo discorso di ogni colore emotivo. Si ha l'impressione di un discorrere al limite del silenzio.

? Questo effetto è ottenuto con le frequenti pause che spezzano i versi, con le frasi brevi e spesso nominali. Indicatene esempi.

La poesia della realtà

Nel dopoguerra lo sforzo di compromettere la poesia con la realtà concreta, di renderla capace di nominare le esperienze quotidiane, di accogliere i dibattiti politici e ideali, è presente anche in poeti formatisi al tempo dell'ermetismo; la poesia di Montale, a partire dagli anni sessanta, partecipa a modo suo a questo orientamento e ne costituisce l'espressione più alta (Vol. G *T36.24-T36.30*). Il rifiuto dell'eredità ermetica è implicito nella poesia di Pasolini, che in ampi poemetti esprime discorsivamente le sue perplessità e le sue polemiche di intellettuale impegnato (*T38.69*), e in quella di Fortini, che traduce la sua tensione morale e politica in versi lucidi e fermi, rifacendosi alla lezione di Brecht (*T38.70*). Giudici sceglie programmaticamente di esprimere "la vita in versi", immettendo direttamente nella sua poesia la realtà e il linguaggio quotidiani (*T38.71*). Anche la nuova avanguardia usa in poesia per lo più un linguaggio colloquiale, con toni accentuatamente realistici in Pagliarani (*T38.75*).

Pier Paolo Pasolini

T38.69

Notizie sull'autore **T38.40**

Le ceneri di Gramsci

Le ceneri di Gramsci *è un poemetto scritto nel 1954, quando da poco Pasolini si era stabilito a Roma, e pubblicato nel 1957 nella raccolta di versi omonima. L'occasione è una visita al cimitero protestante, vicino al Testaccio, dove è sepolto il grande pensatore marxista e fondatore del Partito comunista, morto nel 1937 dopo dieci anni di carcere (vedi notizie in T37.19). Presentiamo la prima e la quarta delle sei parti in cui è diviso il poemetto.*

Pier Paolo Pasolini
da LE CENERI DI
GRAMSCI
(I, IV, Garzanti, Milano, 1957, vv. 1-34,
129-156)

I

Non è di maggio questa impura aria
che il buio giardino straniero
fa ancora più buio, o l'abbaglia
     con cieche schiarite... questo cielo
5   di bave sopra gli attici giallini
che in semicerchi immensi fanno velo
     alle curve del Tevere, ai turchini
monti del Lazio... Spande una mortale
pace, disamorata come i nostri destini,
10   tra le vecchie muraglie l'autunnale
maggio. In esso c'è il grigiore del mondo
la fine del decennio in cui ci appare

METRO: terzine di endecasillabi a rima incatenata; ma le rime sono spesso sostituite da assonanze e la misura dei versi è spesso irregolare.

I
2. **il buio...**
straniero: il cimitero protestante, detto anche "degli Inglesi".
3-4. **l'abbaglia...**

schiarite: il cielo, con improvvise schiarite, *abbaglia*, rende cieco il luogo.
5. **bave**: leggeri soffi

di vento.
8-9. **Spande**: soggetto è *l'autunnale maggio* (vv. 10-11). **una mortale... destini**:

una pace che sa di morte, che spegne ogni passione, come nelle vite di chi, come Pasolini, ha visto

deluse le speranze di rinnovamento del dopoguerra (vv. 12-14).

tra le macerie finito il profondo
e ingenuo sforzo di rifare la vita;
15　il silenzio, fradicio e infecondo...
　　Tu giovane, in quel maggio in cui l'errore
era ancora vita, in quel maggio italiano
che alla vita aggiungeva almeno ardore,
　　quanto meno sventato e impuramente sano
20　dei nostri padri – non padre, ma umile
fratello – già con la tua magra mano
　　delineavi l'ideale che illumina
(ma non per noi: tu, morto, e noi
morti ugualmente, con te, nell'umido
25　giardino) questo silenzio. Non puoi,
lo vedi?, che riposare in questo sito
estraneo, ancora confinato. Noia
　　patrizia ti è intorno. E, sbiadito,
solo ti giunge qualche colpo d'incudine
30　dalle officine di Testaccio, sopito
　　nel vespro: tra misere tettoie, nudi
mucchi di latta, ferrivecchi, dove
cantando vizioso un garzone già chiude
　　la sua giornata, mentre intorno spiove.

IV

　　Lo scandalo del contraddirmi, dell'essere
con te e contro te; con te nel cuore,
in luce, contro te nelle buie viscere;
　　del mio paterno stato traditore
5　– nel pensiero, in un'ombra di azione –
mi so ad esso attaccato nel calore
　　degli istinti, dell'estetica passione;
attratto da una vita proletaria
a te anteriore, è per me religione
10　la sua allegria, non la millenaria
sua lotta: la sua natura, non la sua
coscienza; è la forza originaria
　　dell'uomo, che nell'atto s'è perduta,
a darle l'ebbrezza della nostalgia,
15　una luce poetica: ed altro più

15. il silenzio... infecondo: il silenzio del cimitero si identifica col silenzio storico, lo spegnersi delle tensioni di rinnovamento; per questo sa di putrefazione ed è improduttivo.
16. Tu: si rivolge a Gramsci. **in quel maggio**: il maggio 1915, che vide le manifestazioni per l'ingresso dell'Italia in guerra: un *errore*, ma segno di passioni vitali.
19-20. meno sventato... padri: i *padri*, quelli che vollero la guerra, erano imprevidenti e pieni di una vitalità mal diretta (*impuramente sano*).
20-21. non padre... fratello: Gramsci svolse la sua attività politica in età molto giovane.
22. l'ideale: la rivoluzione comunista.
24. morti ugualmente: in senso morale e politico.
27. estraneo: perché cimitero straniero; l'unico luogo adatto a Gramsci, lontano dalle miserie della società e cultura italiana. **ancora confinato**: come in vita fu segregato in carcere.
27-28. Noia patrizia: le tombe circostanti, di ricchi inglesi, appartengono a un ceto ozioso e annoiato.
30. Testaccio: è un monticello in riva al Tevere, e il nome del quartiere circostante. **sopito**: attenuato dalla distanza.
34. spiove: cessa di piovere.
IV
2-3. con te nel cuore... viscere: la volontà cosciente (*in luce*) è schierata con Gramsci e le sue idee, l'essere più intimo (*buie viscere*) appartiene a un altro mondo, nemico.
4. del mio... traditore: traditore delle proprie origini borghesi, come deve essere l'intellettuale che si schiera col proletariato.
6. ad esso: al *paterno stato* borghese.
7. estetica passione: la passione per le cose belle, individualistica e borghese.
9. a te anteriore: la vita del proletariato ha caratteri antichi, che risalgono più indietro dell'interpretazione che ne ha dato il comunismo.
9-10. è per me... allegria: ciò che venero, nel proletariato, è la forza vitale.
12-15. è la forza... poetica: è la forza dell'istinto, che si dimentica nell'azione (*nell'atto s'è perduta*: l'espressione è poco chiara, la nostra interpretazione è un'ipotesi), che rende la *vita proletaria* oggetto di nostalgia appassionata, le dà *una luce poetica*.

io non so dirne, che non sia
giusto ma non sincero, astratto
amore, non accorante simpatia...
    Come i poveri povero, mi attacco
20   come loro a umilianti speranze,
come loro per vivere mi batto
    ogni giorno. Ma nella desolante
mia condizione di diseredato,
io possiedo: ed è il più esaltante
25   dei possessi borghesi, lo stato
più assoluto. Ma come io possiedo la storia,
essa mi possiede; ne sono illuminato:
    ma a che serve la luce?

17-18. giusto... simpatia: il resto che posso dire del proletariato (su un piano propriamente politico) può essere *giusto*, ma non viene dal mio intimo; è un amore di testa, non una simpatia del cuore.
20. umilianti speranze: le umili speranze quotidiane legate alla lotta per sopravvivere, non quelle esaltanti del riscatto sociale.
24. io possiedo: è il possesso intellettuale, la coscienza della *storia* (v. 26), che i proletari non hanno.
27. essa mi possiede: il possesso della storia è un fatto puramente intellettuale; nella realtà, essa ci *possiede*, ci determina.

dialogo con il testo

I temi

La prima parte del poemetto esprime lo scoramento di un intellettuale che aveva partecipato, con tanti, alle speranze di un rinnovamento sociale radicale, dopo la sconfitta del fascismo. Il silenzio che circonda il cimitero diventa il simbolo di una situazione storica stagnante; Gramsci, relegato in morte fra tombe di patrizi stranieri, appare «ancora confinato» (v. 27), destinato a non essere capito da una società che è troppo al di sotto del suo messaggio.

❓ Individuate nel testo le immagini che traducono il senso di una sconfitta storica, di un torpore politico e morale.

❓ Anche le ultime due terzine della prima parte si possono interpretare nel senso della stessa diagnosi storica; sviluppate questa interpretazione e dite se la condividete o perché non la condividete.

Nella seconda parte riportata (IV), Pasolini analizza con lucidità la sua condizione di intellettuale borghese che vuole schierarsi dalla parte del proletariato, "tradendo" la propria origine sociale. È una scelta volontaristica, che resta in contraddizione con la propria natura più profonda: un «astratto amore», a cui si contrappone il suo vero interesse per il proletariato come «natura», non come «coscienza» politica. La sostanza è quindi data da una passione per la «vita proletaria» intesa come spontaneità originaria, istintuale: un mito di stampo decadentistico, che ha poco di politico.

❓ Spiegate le ragioni per cui, e i termini con cui, il poeta finisce per ribadire l'incolmabile distanza che lo separa dai veri proletari.

Le forme

Al tempo in cui è stato scritto questo poemetto, il clima dominante della poesia italiana era ancora quello ermetico; a quel clima rarefatto Pasolini contrappone (in modo scandaloso, per il gusto dell'epoca) una poesia discorsiva, nutrita di idee, compromessa con la realtà materiale e la politica. Per farlo, si riallaccia a un precedente più antico dell'ermetismo, quello dei *Poemetti* pascoliani (Vol. F *T29.18* e sgg.), dai quali riprende il metro e la possibilità di introdurre in poesia elementi narrativi e riflessivi.

La sostanza (come in Pascoli) resta lirica e soggettiva: per Pasolini il discorso ideologico resta inseparabile dal groviglio dei suoi sentimenti (*Passione e ideologia*, come suona il titolo di una sua raccolta di saggi). La sua poesia è un continuo fermento di immagini, emozioni e riflessioni; il discorso, spinto dall'urgenza di dire tutto questo, accumula idee, si ripete, si ripiega su se stesso.

❓ C'è un procedere per accumulo, che si manifesta nelle continue serie di apposizioni, o coordinazioni per asindeto, che riprendono e variano un medesimo concetto. Individuatene esempi.

La scelta di un metro regolare pare un tentativo di

porre degli argini all'impeto espressivo, dandosi un ordine; ma la regolarità metrica è negata da frequenti trasgressioni, e il discorso travalica continuamente i confini metrici con gli *enjambements* e i lunghi periodi che includono molte terzine.

In questo si può vedere un segno di insufficiente perizia tecnica o un'affascinante tensione fra ordine e disordine; provate ad argomentare per l'una o per l'altra valutazione.

Confronti

Confrontate questo brano con uno dei *Poemetti* di Pascoli (Vol. F *T29.18-T29.22*) da questi punti di vista:
– il modo di trattare il metro della terzina;
– il rapporto fra espressioni discorsive ed espressioni letterariamente preziose.

Franco Fortini

Franco Fortini (pseudonimo di Franco Lattes, 1917-1994), nato a Firenze, fu soldato nella seconda guerra mondiale e poi partigiano in Val d'Ossola. Laureato in Giurisprudenza e in Lettere, nel dopoguerra lavorò alla Olivetti nel settore pubblicità; in seguito fu professore negli istituti tecnici e infine all'Università di Siena. Fu redattore del "Politecnico" di Vittorini, e in seguito fu tra gli animatori di importanti riviste letterarie e politiche. Iscritto al P.S.I., ne uscì nel 1957, e da allora condusse una instancabile e solitaria critica della sinistra tradizionale e nuova, da posizioni marxiste e rivoluzionarie costantemente rielaborate. La sua attività di critico letterario e saggista politico lo pose al centro del dibattito culturale italiano. ► **T38.70**

T38.70

La gronda

L'opera poetica di Fortini costituisce nel secondo Novecento l'esempio più significativo di poesia politica, espressione delle idee e dei sentimenti di un intellettuale di sinistra. Questa poesia è inclusa nella raccolta Una volta per sempre, *pubblicata nel 1963.*

Franco Fortini
da UNA VOLTA PER SEMPRE
(In *Poesie scelte (1938-1973)*, a cura di P.V. Mengaldo, Mondadori, Milano, 1974)

Scopro dalla finestra lo spigolo d'una gronda,
in una casa invecchiata, ch'è di legno corroso
e piegato da strati di tegoli. Rondini vi sostano
qualche volta. Qua e là, sul tetto, sui giunti
5　e lungo i tubi, gore di catrame, calcine
di misere riparazioni. Ma vento e neve,
se stancano il piombo delle docce, la trave marcita
non la spezzano ancora.
　　　Penso con qualche gioia
10　che un giorno, e non importa
se non ci sarò io, basterà che una rondine
si posi un attimo lì perché tutto nel vuoto precipiti
irreparabilmente, quella volando via.

METRO: versi liberi.
1. **gronda**: sporgenza del tetto, cornicione.
4. **giunti**: i punti di giunzione fra i tubi delle grondaie.
5. **gore**: chiazze, come pozze rapprese.
7. **docce**: i canali posti lungo i cornicioni del tetto, per raccogliere l'acqua e incanalarla nelle grondaie.

dialogo con il testo

I temi

La casa dai muri corrosi e dai travi marciti rappresenta il vecchio ordine sociale, di cui Fortini, marxista e rivoluzionario, attende e auspica il crollo. L'idea che il crollo possa essere provocato dal leggero posarsi di una rondine esprime una speranza («Penso con qualche gioia») che l'autore, commentando se stesso, ha definito «persuasione che la causa occasionale finale potrà essere data dal leggero impeto di una giovinezza e di una felicità». La spinta rivoluzionaria è concepita non come violenza, ma come la liberazione del bisogno umano di felicità; di questo bisogno la poesia è un'espressione, secondo Fortini, e la rondine può essere anche simbolo della poesia.

Le forme

Fortini si era formato come poeta nel clima dell'ermetismo. Questa poesia, che appartiene alla sua maturità, mostra la volontà di negare i toni rarefatti e intimisti di quella tendenza, per contrapporvi un discorso poetico limpido ed esplicito, razionale, nutrito di realtà oggettive. C'è un netto rifiuto della "poeticità" intesa come allusione evocativa, suggestione della parola: similitudini e metafore sono quasi integralmente bandite, la sintassi è semplice e chiaramente scandita. La punteggiatura che spezza i versi, e i conseguenti *enjambements*, creano un ritmo secco ed essenziale.

? Al posto della metafora, la figura dominante della poesia è l'allegoria; chiarite questo punto e provate a spiegare perché questa figura è più in sintonia con le intenzioni del poeta.

Confronti

? Fortini è autore di un'ottima traduzione delle poesie di Brecht; confrontando il testo di quest'ultimo in Vol. G *T31.20*, si può definire l'analogia di intenzioni tra i due poeti e chiarire l'influsso che il tedesco ha esercitato sull'italiano.

Giovanni Giudici

Giovanni Giudici, nato nel 1924, ha lavorato per decenni come *copywriter* nel settore pubblicità della Olivetti. La sua attività poetica più nota comincia con *La vita in versi* (1965), a cui hanno fatto seguito numerose altre raccolte. È anche autore di saggi di poetica e sulla condizione sociale dello scrittore.

▶ **T38.71**

T38.71

Una sera come tante

Questa poesia è tratta da La vita in versi *(1965), la prima raccolta organica di poesie di Giudici, che include anche quelle già pubblicate in precedenza. Da questo libro si può datare l'affermazione del poeta sulla scena letteraria.*

Giovanni Giudici
da LA VITA IN VERSI
(In *Poesie 1953-1990*,
volume I, Garzanti,
Milano, 1991)

U
na sera come tante, e nuovamente
noi qui, chissà per quanto ancora, al nostro
settimo piano, dopo i soliti urli
i bambini si sono addormentati,
5   e dorme anche il cucciolo i cui escrementi
un'altra volta nello studio abbiamo trovati.

METRO: strofe di sette versi liberi (endecasillabi e versi più lunghi); frequenti rime, in posizioni non fisse; l'ultimo verso di una strofa rima col primo della successiva, tranne che in due casi.

2. **noi**: marito e moglie.

Lo batti col giornale, i suoi guàiti commenti.

Una sera come tante, e i miei proponimenti
intatti, in apparenza, come anni
10 or sono, anzi più chiari, più concreti:
scrivere versi cristiani in cui si mostri
che mi distrusse ragazzo l'educazione dei preti;
due ore almeno ogni giorno per me;
basta con la bontà, qualche volta mentire.

15 Una sera come tante (quante ne resta a morire
di sere come questa?) e non tentato da nulla,
dico dal sonno, dalla voglia di bere,
o dall'angoscia futile che mi prendeva alle spalle,
né dalle mie impiegatizie frustrazioni:
20 mi ridomando, vorrei sapere,
se un giorno sarò meno stanco, se illusioni
siano le antiche speranze della salvezza;
o se nel mio corpo vile io soffra naturalmente
la sorte di ogni altro, non volgare
25 letteratura ma vita che si piega al suo vertice,
senza né più virtù né giovinezza.
Potremo avere domani una vita più semplice?
Ha un fine il nostro subire il presente?
Ma che si viva o si muoia è indifferente,
30 se private persone senza storia
siamo, lettori di giornali, spettatori
televisivi, utenti di servizi:
dovremmo essere in molti, sbagliare in molti,
in compagnia di molti sommare i nostri vizi,
35 non questa grigia innocenza che inermi ci tiene
qui, dove il male è facile e inarrivabile il bene.
È nostalgia di futuro che mi estenua,
ma poi d'un sorriso si appaga o di un come-se-fosse!
Da quanti anni non vedo un fiume in piena?
40 Da quanto in questa viltà ci assicura
la nostra disciplina senza percosse?
Da quanto ha nome bontà la paura?
Una sera come tante, ed è la mia vecchia impostura
che dice: domani, domani... pur sapendo
45 che il nostro domani era già ieri da sempre.

11-12. scrivere... preti: una serie di poesie pubblicate nel 1963, poi incluse in *La vita in versi*, si intitola *L'educazione cattolica*.
13. due ore... per me: il proponimento di tenere libero dagli impegni di lavoro uno spazio per lo studio e la poesia.
14. basta... mentire: è uno dei *proponimenti* (v. 8), che manifesta la volontà di liberarsi dai vincoli psicologici dell'*educazione dei preti*.
15. a morire: da qui alla morte.
22. della salvezza: di salvarsi dalla mediocrità della *routine*.
23. vile: debole, esposto all'invecchiamento.
24-25. non volgare... vertice: non un'idea banalmente assorbita dai libri, ma la realtà della vita che declina, superato il suo culmine. All'epoca di questi versi l'autore doveva essere intorno ai quarant'anni.
30. private... storia: persone ridotte alla meschinità del proprio privato, escluse dai processi storici.
33. essere in molti: essere coinvolti in un progetto collettivo, essere politicamente vivi.
38. un come-se-fosse: un'apparenza, un'illusione.
39. un fiume in piena: metaforicamente, un grande movimento collettivo.
41. disciplina senza percosse: una disciplina sociale accettata pacificamente, senza bisogno di punizioni.
43. impostura: l'inganno fatto a se stesso.

La verità chiedeva assai più semplici tempre.
Ride il tranquillo despota che lo sa:
mi calcola fra i suoi lungo la strada che scendo.
C'è più onore in tradire che in esser fedeli a metà.

46. La verità... tempre: ci voleva una tempra umana più semplice e solida, per far emergere la *verità* contro *l'impostura* delle illusioni.
47. despota: la classe dominante, l'ordine sociale a cui l'autore si sottomette.
48. mi calcola fra i suoi: mi considera un proprio sostenitore (nonostante l'autore, a parole, si consideri un oppositore).
49. C'è più onore... metà: sarebbe più onorevole *tradire* il sistema sociale, fingendosi sottomessi, piuttosto che essergli *fedeli a metà* (nei fatti e non nelle parole).

dialogo con il testo

I temi

Il titolo della raccolta *La vita in versi* parla della volontà di trascrivere direttamente in poesia un'esperienza vissuta personale. Ma l'immagine che il poeta costruisce di sé è anche tipica di una condizione sentita da molti negli anni sessanta: da un lato il sentimento di naufragare in una quotidianità monotona e mediocre, in una tranquillità inerte, tra «impiegatizie frustrazioni» (v. 19) e «proponimenti» eternamente rimandati; dall'altro la sensazione di essersi assoggettati, con colpevole passività, a un sistema sociale condannato a parole.

▨ Lungo la poesia individuate le ripetute espressioni del sentimento di essere escluso da processi storici e movimenti collettivi, e del senso di colpa per essere integrato nel sistema sociale.

Le forme

▨ Giudici pare voler togliere alla parola poetica i suoi tradizionali privilegi, immettendo nei versi la realtà e il linguaggio quotidiani; indicate esempi del suo insistere su oggetti umili e pensieri comuni, espressi nella forma più semplice.

C'è un avvicinamento alla lingua della prosa, che si manifesta nell'uso di un verso libero lungo (dall'endecasillabo in su), nei periodi che travalicano da un verso all'altro e a volte da una strofa all'altra, con apparente trascuratezza.

Ma sotto questo aspetto così dimesso, c'è nella poesia un forte impegno tematico e formale, come appare da questi segni:
– dalla banale realtà quotidiana sorgono riflessioni generali di notevole rilievo intellettuale e morale;
– nella lingua, all'andamento prosastico si contrappone l'uso delle inversioni, che danno all'espressione energia e sapore letterario: potete vedere in atto la tensione fra questi due aspetti osservando ad esempio i vv. 21-22, 30-32.

▨ Individuate altri esempi delle caratteristiche indicate.

La volontà di compensare il tono dimesso con la sapienza formale si manifesta infine negli aspetti metrici: i frequenti endecasillabi, le rime, il numero costante di versi per strofa.

La poesia come crisi del linguaggio

Nella poesia del secondo Novecento, con la tendenza all'uso di un linguaggio ordinario e comunicativo coesiste il ricorso a un linguaggio estremamente sofisticato, difficile fino all'oscurità. Tale oscurità non è accidentale, ma esprime la denuncia di una crisi della possibilità stessa di comunicare: il rapporto fra le parole, i pensieri e le cose si è fatto problematico, se non addirittura impossibile. In Zanzotto, da molti considerato il maggiore poeta dell'epoca, l'oscurità a volte nasce da un ironico e lambiccato gioco con la tradizione letteraria (*T38.72*), o manifesta nella disgregazione del linguaggio la nullità radicale del mondo (*T38.73*). Un linguaggio frantumato e oscuro caratterizza anche l'appartata esperienza poetica di Amelia Rosselli (*T38.74*), che si distingue però per un'intonazione appassionata rara in questo mezzo secolo. Questi poeti sono stati vicini, almeno per un periodo, al filone principale della nuova avanguardia, che ha fatto della crisi della comunicazione l'unico oggetto di poesia (Balestrini, *T38.76*).

Andrea Zanzotto

Andrea Zanzotto è nato nel 1921 a Pieve di Soligo (Treviso). Si laureò in Lettere, e poi partecipò alla Resistenza. Nel dopoguerra, dopo un soggiorno in Francia e in Svizzera, è tornato al suo paese, dove ha insegnato nella scuola media. La vita ritirata non gli ha impedito di avere un fitto dialogo con gli esponenti della più avanzata cultura letteraria, filosofica, psicanalitica, a livello europeo. Si affermò come poeta con *Dietro il paesaggio*, premiato nel 1950 da una giuria che comprendeva Ungaretti e Montale; è stato riconosciuto come il maggior poeta della sua generazione soprattutto a partire da *La Beltà* (1968). Tra le sue numerose raccolte di versi, alcune sono in dialetto veneto (*Filò*, 1976).

▶ **T38.72** **T38.73**

T38.72

Sonetto del che fare e che pensare

La raccolta Il Galateo in Bosco, *che include poesie scritte fra il 1975 e il 1978, rappresenta la piena maturità di Zanzotto, in cui si manifesta il suo sperimentalismo formale più spericolato. All'interno della raccolta, sotto il titolo* Ipersonetto, *si trova una collana di quattordici sonetti, che rispettano in tutto lo schema metrico tradizionale. Presentiamo il sonetto XI, che prende le mosse dalla citazione ironica del verso iniziale del sonetto* CCLXXIII *del* Canzoniere *di Petrarca: «Che fai? che pensi? che pur dietro guardi / nel tempo, che tornar non pote omai?».*

Andrea Zanzotto
da IL GALATEO IN
BOSCO
(In *Poesie (1938-
1986)*, a cura di S.
Agosti, Mondadori,
Milano, 1993)

Che fai? Che pensi? Ed a chi mai chi parla?
Chi e che cerececè d'augèl distinguo,
con che stillii di rivi il vacuo impinguo

METRO: sonetto.
1. Ed a chi... parla?: nel sonetto citato, Petrarca si rivolge a se stesso; Zanzotto mette subito in dubbio l'identità del soggetto che parla a se stesso.
2. Chi e che... distinguo: chi mai riconosco, quale verso di uccello (*cerececè*, onomatopea).
3. con che... impinguo: di quali morii (*stillii*, da accentare *stillìi*, neologismo da *stillare*) di ruscelli riempio il vuoto.

4. **s'intarla**: marcisce,
si svuota, come corro-
so dai tarli.

5-6. **A chi... m'estin-
guo**: la logica intorno
alla quale mi consu-
mo, a chi la dò per-
ché me la rimetta in
funzione (*riattarla*), a
quale ago che me la
ricucisca.

7-8. **a che... ciarla**: a
che scopo, per chi
metto in parole (*il-
linguo*), di riga in ri-
ga, questo mio
discorso che non è
mai stato *canto* di
poeta, né discorso
oratorio (*eloquio*), e
neppure chiacchiera
(*ciarla*).

del paese che intorno a me s'intarla?

5   A chi porgo, a quale ago per riattarla
quella logica ai cui fili m'estinguo,
a che e per chi di nota in nota illinguo
questo che non fu canto, eloquio, ciarla?

       Che pensi tu, che mai non fosti, mai
10   né pur in segno, in sogno di fantasma,
sogno di segno, mah di mah, che fai?

       Voci d'augei, di rii, di selve, intensi
moti del niente che sé a niente plasma,
pensier di non pensier, pensa: che pensi?

9-10. **tu**: si rivolge a
se stesso. **mai non
fosti... segno**: non
hai avuto esistenza

neppure puramente
simbolica, nei segni
della lingua.
12-13. **intensi... pla-**

sma: i fenomeni della
natura sono espressio-
ni della nullità del
mondo (*intensi moti*

del niente), che inces-
santemente modifica
il suo nulla nel nulla
(*sé a niente plasma*).

dialogo con il testo

I temi

Nella poesia del *Galateo in Bosco* Zanzotto giunge a esprimere un dubbio radicale sulla consistenza di qualsiasi realtà, oggettiva e soggettiva. Il suo pensiero è vicino ad alcune correnti estreme dello strutturalismo di quegli anni (in particolare allo psicanalista Lacan), che affermavano che tutto ciò che possiamo conoscere ha natura puramente simbolica, è *segno*. Se però esistono solo i segni, allora sono segni di nulla, e sono essi stessi nulla; questo suggerisce il poeta, giocando sulla paronomasia *segno / sogno* .

Tutto il sonetto è un ironico e lambiccato commento sul dissolversi di ogni certezza e realtà: l'io che parla dubita di se stesso, è un «pensier di non pensier», la logica è come un vestito strappato che non trova un ago che la rammendi, il discorso poetico non ha uno scopo, anzi non esiste (vv. 7-8). La natura, che nelle prime raccolte di Zanzotto pareva l'unica certezza, l'unica realtà intatta per quanto inafferrabile all'uomo, qui va in sfacelo («s'intarla»), diventa «niente che sé a niente plasma».

Le forme

La perdita di fiducia nella realtà delle cose è perdita di fiducia nel linguaggio e nella sua espressione su-

prema, la letteratura. Zanzotto evoca qui con maestria la più illustre tradizione poetica italiana: Petrarca è citato all'inizio, mentre ricordano Dante una metafora che materializza un concetto astratto come «il vacuo impinguo», o formazioni verbali come *s'intarla*, *illinguo*. Questo linguaggio illustre è ironizzato dal dubbio radicale che investe tutto ciò che nomina, attraverso domande senza risposta, negazioni («questo che non fu canto», «tu che mai non fosti»); è un linguaggio che non significa, fino a ridursi al balbettio che usiamo nella conversazione più trascurata, quando non sappiamo che dire: «mah di mah».

Eppure, mentre la ironizza e la nega, Zanzotto riconferma paradossalmente il valore della lingua letteraria, ne usa con perizia tutte le risorse, quasi compiendo un acrobatico esercizio sul vuoto: costruisce un sonetto perfettamente regolare, come quasi nessuno ha più saputo fare nel Novecento, e sfrutta le possibilità retoriche della metafora, dell'anafora, della paronomasia. In un certo senso, qui è il linguaggio a parlare di sé, a comunicare la verità che racchiude; ma questa verità è il nulla.

Andrea Zanzotto

T38.73

Notizie sull'autore T38.72

(ILL) (ILL)

I titoli delle poesie di Zanzotto sono spesso una specie di crittografia. Quello di questi versi (dalla raccolta Il Galateo in Bosco, 1975-1978) potrebbe alludere a delle scritte ILL poste nel progetto grafico di un libro, per indicare i luoghi in cui andrà collocata un'illustrazione, con riferimento al tema della realtà come immagine. Ma è solo un'ipotesi.

Andrea Zanzotto
da IL GALATEO IN BOSCO

(In *Poesie (1938-1986)*, a cura di S. Agosti, Mondadori, Milano, 1993)

Nulla di quanto sussiste
e si dichiara   a spari   a urli   a frufru
        appena oltre i sensibili bambù
                che a tutto fanno spallucce –
5   nulla ci appartiene di questo, nulla del presente
e del futuro se non nella spaccatura
        nel netto clivaggio che solo l'occhio tuo
        già fossile
                riesce ad angolare
10   produce nella compattezza
                nella monomania
                della vita della poesia e compagnia

Occhio senza riparo,   da cui nulla ha riparo,
occhio senza ritorno,   a cui tutto ritorna,
15   occhiaia come fungaia   rasa ma mostro di fertilità
Rattratto sillogismo   ovetto fatto al tornio
a portata di piede   e scalciato –
e certamente domani dentro la pietra agganciato
dal martello del bimbo terribile

20   Minuto bip bip, occhiale e lente che sfolgora
poveramente in chissà quale prato o radura,

METRO: versi liberi.
2. si dichiara: si rivela attraverso rumori forti o fruscii.
3-4. appena... spallucce: *frufru* appena percepibili, poco più del fruscio di alberi di bambù *sensibili* perché ai minimi movimenti dell'aria si piegano (*fanno spallucce*). La spiegazione è ipotetica.
5-10. nulla ci appartiene... compattezza: il senso sembra essere: *ci appartiene* (possiamo conoscere) solo qualcosa che viene colto dall'angolo visuale del tuo occhio, qualcosa che è una *spaccatura*, un *clivaggio* (la sfaldatura di un cristallo) nella superficie compatta delle cose. L'occhio è *già*

fossile, non pronto ad adattarsi all'esperienza, ma irrigidito, ridotto a un minerale.
11-12. nella monomania... poesia: la *compattezza* che il mondo offre alla conoscenza è prodotta da una *monomania* (fissazione esclusiva su un oggetto) che è in tutta la nostra esperienza: vita, poesia eccetera (*e compagnia*).

13-14. Occhio senza riparo... ritorna: non c'è alternativa all'*occhio*, all'unico modo di cui disponiamo per conoscere; tutta l'esperienza confluisce in quel punto.
15. occhiaia... fertilità: la cavità dell'occhio è una cavità devastata (una *fungaia rasa* dalla mano del raccoglitore di funghi), ma ha contemporaneamente la po-

tenzialità di produrre sempre nuove immagini (la mostruosa *fertilità* che produrrà nuovi funghi).
16. Rattratto sillogismo: la conoscenza tramite l'occhio è un *sillogismo* (ragionamento deduttivo) contratto: è dunque un'astrazione, non si dà conoscenza concreta.
16-19. ovetto... terribile: l'occhio è ora

ridotto a un *ovetto* di legno (come quelli usati un tempo per rammendare le calze), esposto a essere preso a calci, o alle martellate di un *bimbo terribile*: immagine della fragilità della conoscenza, e dell'uomo che conosce.
20. Minuto bip bip: percepire la realtà è come rispondere a uno stimolo con un segnale.

nulla di quanto a sorte ci è stato dato
o strappato sapremo, se non ci ridurremo
a te, al tuo maldestro, umile ridere.

25   (occhio perduto per una scheggia,
                                  nel lavoro al tornio)

22-24. nulla... ridere: non sapremo nulla di ciò che la sorte ci dà o ci toglie se non attraverso il *maldestro, umile* occhio.
25-26. (occhio...

tornio): un incidente sul lavoro al tornio può far perdere un occhio: la nostra possibilità di conoscere può essere distrutta accidentalmente in un attimo.

dialogo con il testo

I temi

Il tema della poesia è il rapporto conoscitivo tra l'uomo e la realtà, racchiuso nella metafora dell'«occhio». Ciò che riusciamo a conoscere è un minimo spiraglio («clivaggio») nella «compattezza» del reale: una compattezza non oggettiva, ma costruita dalle nostre abitudini («monomania della vita»; ma anche la poesia, sforzo supremo di conoscenza, vi è coinvolta). La conoscenza è inevitabilmente soggettiva (è ciò che l'occhio «riesce ad angolare»), è la luce povera di un pezzetto di vetro («occhiale o lente») che brilla in mezzo all'erba. Ma nient'altro ci è dato sapere di noi e del mondo. E questo stentato mezzo di conoscenza è poi fragile, esposto a insidie, a incidenti casuali.

Le forme

Il senso generale si intuisce, ma ogni spiegazione parola per parola è solo una rischiosa ipotesi. Ciò che Zanzotto vuole dire è per sua natura oscuro: il linguaggio, se è il principale strumento di conoscenza della realtà, è coinvolto nella parzialità e fragilità dell'«occhio».

Dunque il contenuto della poesia è il linguaggio stesso con la sua frammentarietà e parzialità: ciò che la poesia comunica è il suo stesso linguaggio.

I vuoti che si aprono nei versi, sparpagliandoli nella pagina, permettono letture molteplici in orizzontale e in verticale, creando un discorso intrinsecamente ambiguo e disgregato. Le scelte linguistiche accozzano disordinatamente toni letterari elevati (si vedano le inversioni, nei vv. 22-23), tecnicismi (*clivaggio*), onomatopee (*frufru, bip bip*). Queste ultime sono come una resa della lingua: le parole non possono afferrare la realtà, resta solo il tentativo di riprodurre i suoni delle cose.

Il poeta sembra abbandonarsi al linguaggio e farsene guidare: l'immagine della *fungaia* nasce più che altro dalla rima con *occhiaia*, la metafora «ovetto fatto al tornio» suggerisce quella degli ultimi due versi, che pare improvvisamente distruggere tutto il discorso precedente. Il caos linguistico parla della disgregazione di una cultura che non è più in grado di dominare la realtà.

Nicola De Maria
Soave musica del mare
(1989, 180×130 cm, olio su tela,
Collezione privata)

Amelia Rosselli

Amelia Rosselli (1930-1996), nata a Parigi, figlia dell'esule democratico Carlo Rosselli assassinato nel 1937 dai sicari fascisti, fu educata in Francia, Inghilterra e Stati Uniti. Dopo la guerra si stabilì a Roma, dove compì studi letterari e musicali e visse di traduzioni, consulenze editoriali e dell'attività di musicista. Come poetessa si affermò intorno al 1960, presentata da Pasolini; collaborò a riviste letterarie e fu in contatto con la nuova avanguardia, ma condusse una vita appartata e povera. Morì suicida.

▶ **T38.74**

T38.74

Contiamo infiniti cadaveri

Questi versi appartengono alla serie Variazioni, *datata 1960-1961.*

Amelia Rosselli
da VARIAZIONI
(In *Antologia poetica*,
a cura di G. Spagnoletti, Garzanti,
Milano, 1987)

Contiamo infiniti cadaveri. Siamo l'ultima specie umana.
Siamo il cadavere che flotta putrefatto su della sua passione!
La calma non mi nutriva il sol-leone era il mio desiderio.
Il mio pio desiderio era di vincere la battaglia, il male,
5   la tristezza, le fandonie, l'incoscienza, la pluralità
dei mali le fandonie le incoscienze le somministrazioni
d'ogni male, d'ogni bene, d'ogni battaglia, d'ogni dovere
d'ogni fandonia: la crudeltà a parte il gioco riposto attraverso
il filtro dell'incoscienza. Amore amore che cadi e giaci
10   supino la tua stella è la mia dimora.
     Caduta sulla linea di battaglia. La bontà era un ritornello
che non mi fregava ma ero fregata da essa! La linea della
demarcazione tra poveri e ricchi.

METRO: versi liberi, che hanno però una certa costanza ritmica, per quanto estranea alla metrica italiana tradizionale.
1. Contiamo... umana: c'è un riferimento alle stragi della seconda guerra mondiale, che danno il sentimento di essere gli ultimi sopravvissuti dell'umanità. Ma subito dopo l'idea dei *cadaveri* sarà riferita allo spegnersi delle forti passioni.
2. su della: sulla, o su dalla. Educata in francese e in inglese, la Rosselli viola volutamente le norme dell'italiano.
3. il sol-leone: metafora per l'ardore dei sentimenti.
6-7. le somministrazioni... d'ogni dovere: tutto ciò che impone dall'esterno bene e male, impegno di lotta, doveri.
8-9. la crudeltà...

dell'incoscienza: il senso può essere: la crudeltà messa da parte, mascherata dal gioco interiore che si esercita filtrando la realtà con l'incoscienza. Si tratta ancora di qualcosa da *vincere* (v. 4).
9-10. Amore... dimora: l'amore travolto dalla brutale realtà è la *stella* che mi guida, presso la quale sta la mia anima.

11-12. La bontà... da essa: espressione volutamente contraddittoria, che allude forse alla contraddizione tra le intenzioni ("non mi faccio fregare dalla bontà") e la realtà: la bontà "frega" perché rende deboli, in un mondo di lotte brutali.
13. tra poveri e ricchi: tra vincitori e vinti nella lotta per la vita; i buoni sono *poveri*, sconfitti.

dialogo con il testo

I temi

Sullo sfondo di un mondo di stragi, lotte e «fando-nie», l'autrice afferma la sua dedizione alle passioni forti e autentiche, la volontà di non piegarsi ai mali e alle mistificazioni sociali, la fedeltà a una «bontà» che la relega inevitabilmente tra i «poveri».

Le forme

Questa affermazione non è affidata solo al senso delle parole, ma più alla struttura formale della poesia, che si presenta come un flusso traboccante di emozioni e di idee, apparentemente incontrollato. Più che dichiarata, la «passione» è in atto in un discorso gridato, esclamativo, e insieme ritmato come una litania, attraverso le insistenti ripetizioni.

Tutto questo sembra scaturire da un livello psichico profondo, primitivo, che non può parlare una lingua ordinaria; la Rosselli sconvolge costantemente le regole della comunicazione normale con le volute goffaggini della lingua («su della», «la crudeltà a parte il gioco», «ero fregata da essa»), con le aggrovigliate ripetizioni (vv. 4-8), con gli scarti fra lingua letteraria («la tua stella è la mia dimora») e volgare («non mi fregava»); come chi si sforzasse di balbettare una lingua mal conosciuta. Il fatto che la Rosselli fosse stata educata in francese e inglese ha una sua rilevanza, ma nel senso che questo le dava una particolare sensibilità linguistica, non nel senso che non fosse in grado di scrivere un italiano normale.

La poesia della Rosselli è unica, nel panorama letterario italiano, per il senso che trasmette di un coinvolgimento emotivo totale nella parola. Un precedente può forse essere indicato nella «scrittura automatica» teorizzata dai surrealisti (Vol. G *T31.17*), a patto però di aggiungere subito che si tratta di un "automatismo" voluto e controllato, regolato da un'attenta scansione ritmica.

Keith Haring
Senza titolo
(1982, 186,6×269,2 cm, inchiostro
su carta, Collezione privata)

La nuova avanguardia

La nuova avanguardia si impose all'attenzione pubblica come gruppo organizzato prima nella poesia che nella narrativa; la sua data di nascita si può far coincidere con la pubblicazione dell'antologia *I novissimi* (1961), in cui cinque giovani (Pagliarani, Giuliani, Sanguineti, Balestrini e Porta) presentavano una radicale rivoluzione del linguaggio poetico. In polemica col tardo ermetismo, ma anche col realismo poetico di Pasolini (*T38.69*), questi poeti intendevano eliminare radicalmente l'espressione del sentimento soggettivo dalla poesia, concepita come un'operazione sul linguaggio: si trattava di denunciare la crisi della cultura borghese manipolando il suo linguaggio, frantumandolo, per mostrare la sua scarsa comunicatività e insieme per farne scaturire significati nuovi, imprevedibili, "aperti". Questa poetica è poi declinata variamente dalle divese personalità: Pagliarani crea un poemetto realistico e narrativo, che utilizza sì frammenti dei linguaggi correnti nella società, ma in funzione comunicativa (*T38.75*); Balestrini spinge all'estremo la frantumazione linguistica, facendo del testo un accumulo apparentemente casuale di brandelli (*T38.76*); Sanguineti riproduce nei suoi versi un caos linguistico e culturale, ma in esso introduce un "io" impegnato in un faticoso confronto con quel caos (*T38.77*), o che constata ironicamente la propria sconfitta nella ricerca di un senso (*T38.78*).

Elio Pagliarani

Elio Pagliarani, nato nel 1927 vicino a Rimini, ha vissuto a Milano e poi a Roma, facendo l'insegnante, il redattore e collaboratore di quotidiani, il consulente editoriale. Fu tra i giovani poeti d'avanguardia presentati nel 1961 dall'antologia *I novissimi*; l'anno successivo apparve la sua raccolta poetica più nota, *La ragazza Carla e altre poesie*. Hanno fatto seguito altri libri di versi, fino a *La ballata di Rudi* (1995).

▶ **T38.75**

T38.75

La ragazza Carla

La ragazza Carla *è un poemetto narrativo che apparve per la prima volta sulla rivista "Il Menabò" nel 1960. La narrazione, ambientata a Milano nei primi anni del dopoguerra, ha per oggetto le prime esperienze di lavoro e di rapporto con l'altro sesso di una ragazza di famiglia popolare: il corso professionale, il primo impiego, aggressioni sessuali e la relazione con un collega di lavoro. Il poemetto è diviso in tre parti suddivise in sezioni; presentiamo la prima sezione della seconda e della terza parte.*

Elio Pagliarani
LA RAGAZZA CARLA
(II,1, III,1, in *La ragazza Carla e nuove poesie*, a cura di A. Asor Rosa, Mondadori, Milano, 1978)

II, 1

Carla Dondi fu Ambrogio di anni
diciassette primo impiego stenodattilo
all'ombra del Duomo
    Sollecitudine e amore, amore ci vuole al lavoro

METRO: versi liberi.
II, 1

4. **Sollecitudine...**: discorsi dei dirigenti aziendali che accolgono la nuova impiegata.

5   sia svelta, sorrida e impari le lingue
le lingue qui dentro le lingue oggigiorno
capisce dove si trova? TRANSOCEAN LIMITED
qui tutto il mondo...
                         è certo che sarà orgogliosa.
Signorina, noi siamo abbonati

10   alle Pulizie Generali, due volte
la settimana, ma il Signor Praték è molto
esigente – amore al lavoro è amore all'ambiente – cosí
nello sgabuzzino lei trova la scopa e il piumino
sarà sua prima cura la mattina.

15   UFFICIO A UFFICIO B UFFICIO C

Perché non mangi? Adesso che lavori ne hai bisogno
                adesso che lavori ne hai diritto
                          molto di più.

S'è lavata nel bagno e poi nel letto
20   s'è accarezzata tutta quella sera.
     Non le mancava niente, c'era tutta
come la sera prima – pure con le mani e la bocca
si cerca si tocca si strofina, ha una voglia
di piangere di compatirsi
                     ma senza fantasia
25   come può immaginare di commuoversi?

Tira il collo all'indietro ed ecco tutto.

III, 1

No, no, no – Carla è in fuga negando

una corsa fra i segnali del centro non si nota
se non c'è fra i venditori di sigarette
un meridionale immigrato di fresco
5   ancora curioso di facce
                   avanti in marcia
chi ci mette la carica?
                   scapigliata pallidona
non è vero se non urli, come, paonazzo atrabiliare,
quel tale per diffondere un giornale

questo no. Ho paura, mamma Dondi ho paura

Note a margine:

7. TRANSOCEAN LIMITED: il nome dell'azienda; *limited (company)* equivale in inglese a "società a responsabilità limitata".

11. Praték: il nome del proprietario.

15. UFFICIO A... UFFICIO C: targhette sulle porte.

16. Perché...: discorsi dei familiari della ragazza, al rientro dal primo giorno di lavoro.

26. Tira... tutto: il gesto di chi inghiotte le lacrime.

III, 1

1. Carla... negando: come si capisce dai versi seguenti, la ragazza è fuggita di fronte a un approccio sessuale del proprietario della ditta.

2-5. una corsa... facce: i passanti, assorbiti dal ritmo della città industriale, non osservano i comportamenti altrui; solo l'immigrato che ha ancora una cultura contadina può avere curiosità per le *facce*.

6. la carica: lo squillo di tromba militare che ordina il passo di carica.

7. non è vero: il tuo turbamento non è preso sul serio. atrabiliare: pieno di bile nera (uno degli "umori" del corpo nella medicina antica).

10 c'è un ragno, ho schifo mi fa schifo alla gola
io non ci vado piú.
Nell'ufficio B non c'era nessuno
mi guardava con gli occhi acquosi
se tu vedessi come gli fa la vena
15 ha una vena che si muove sul collo
Signorina signorina mi dice
mamma io non ci posso piú stare
è venuto vicino che sentivo
sudare, ha una mano
20 coperta di peli di sopra
io non ci vado piú.
Schifo, ho schifo come se avessi
preso la scossa
                    ma sono svelta a scappare
io non ci vado piú.

25 *Sagome dietro la tenda*
Marlene con il bocchino sottile
le sete i profumi i serpenti
l'ombra suona un violino di fibre
di nervi, sagome colore di sangue
30 *blu azzurro viola pervinca, sottili*
le braccia le cosce
enormi, bracciali monili sul cuore
nudo, l'amore
calvo la belva che urla la vergine santa
35 *l'amore che canta chissà*
dietro la tenda
le sagome.

La vedova signora Dondi
forse si sarà spaventata
40 ma non ha dato tempo a sua figlia
Non ti ha nemmeno toccata
gli chiederemo scusa
fin che non ne trovi un altro
tu non lascerai l'impiego
45 bisogna mandare dei fiori
alla signora Praték.

---

10. un ragno: trasfigurazione metaforica della ripugnanza per l'approccio subìto. **25. Sagome…**: «La parte in corsivo è un controcanto dove appaiono le figure dell'inconscio di Carla, le immagini di attrazione-repulsione destate in lei dalla manovra di Praték (l'idea della "mantenuta", della vita peccaminosa, del mistero sadicosessuale ecc.)» (da una nota nell'antologia *I novissimi*, ispirata dall'autore). **26. Marlene**: Marlene Dietrich, celebre attrice cinematografica dagli anni trenta ai sessanta, simbolo della "donna fatale". **28-29. l'ombra… nervi**: metafora di gusto surrealista, per evocare una forte tensione nervosa.

dialogo con il testo

I temi

La tematica del poemetto lo connette alla tendenza propria della narrativa intorno al 1960 a rappresentare le nuove realtà sociali create dallo sviluppo economico (vedi *T38.40-T38.44*): la ragazza Carla è schiacciata dall'ambiente della grande città industriale, dominato da una mentalità rigidamente produttivista e indifferente ai valori umani. Anche l'aggressione sessuale del padrone rientra in certo modo nelle "regole" di una società ingiusta che vuole la subordinazione della donna all'uomo, del lavoratore al proprietario.

❓ La protagonista appare una vittima indifesa, tanto più in quanto non ha consapevolezza, non domina razionalmente gli eventi; individuate i punti del testo che manifestano questa condizione.

❓ La solitudine della ragazza è accentuata dal fatto che anche i familiari la vedono unicamente come elemento produttivo e accettano le regole dell'ambiente; individuate questo aspetto nei loro interventi.

Le forme

La ragazza Carla rappresenta una scelta coraggiosa, di fronte alla tradizione della poesia novecentesca, che è quasi esclusivamente lirica: Pagliarani torna al poemetto narrativo, di ampio respiro, in cui gli elementi lirici sono subordinati alla rappresentazione realistica, il cui antecedente più diretto è stato indicato in Carlo Porta.

Il tono è costantemente medio, in accordo col grigiore della storia, senza forti accensioni emotive: anche il brano in corsivo, con le sue tinte forti, è solo una caricatura ironica di miti decadentistici (lusso e peccato) visti con occhi piccolo-borghesi, con toni da romanzo rosa.

Quello di Pagliarani è un realismo linguistico: il testo è un montaggio di brani che provengono da "voci" diverse, ciascuna rispecchiando un ambiente e una mentalità.

❓ Individuate nel testo i frammenti che appartengono al gergo burocratico, ai messaggi aziendali, alla voce dei dirigenti, a quella di Carla, a quella dei suoi familiari; infine, i pochi luoghi in cui appare una voce narrante esterna.

Sono "voci" diverse, ma che risultano per lo più stereotipate, incapaci di vera comunicazione: in accordo con la poetica della nuova avanguardia, l'autore preleva dalla realtà sociale i materiali linguistici e li pone fra loro in urto per mostrarne l'inautenticità; la poesia si presenta come critica della società in forma di critica del linguaggio: in questa poetica tendono a sparire l'espressione dell'interiorità dell'autore e l'idea della poesia come lingua privilegiata.

Confronti

❓ L'accostamento della poesia alla lingua quotidiana era già stato tentato da Pavese in *Lavorare stanca* (Vol. G *T32.54*); confrontando i due testi, potete individuare alcune affinità e differenze.

❓ La rappresentazione critica, in poesia, della banalità della vita moderna ha un precedente illustre in *La terra desolata* di Eliot; confrontando il brano Vol. G *T32.9*, notate affinità tematiche e formali.

I GENERI *Secondo Novecento*

Nanni Balestrini

non la riproduzione

La raccolta Ma noi facciamone un'altra *(1968) costituisce forse il momento massimo dello sperimentalismo di Balestrini. Il testo* Ma noi *presenta alcune affermazioni* teoriche di poetica, per quanto in linguaggio frantumato e poco comunicativo. Presentiamo le prime tre delle nove strofe che costituiscono il componimento.

Nanni Balestrini
MA NOI
(In *Ma noi facciamone un'altra*, Feltrinelli, Milano, 1968)

METRO: strofe di nove versi liberi.

1. **1.1**: sembra l'apertura di una numerazione per parti e sezioni, che però non continua; si trovano invece altre numerazioni sparse in luoghi apparentemente casuali (v. 23, v. 25); sembra che l'autore voglia rappresentare l'impossibilità di un discorso sistematico e ordinato.

2-3. non la riproduzione... linguaggio: il linguaggio non ha "occhi" capaci di riprodurre la realtà: *non mima niente* (v. 5).

6. un varco incolmabile: quello tra le parole e le cose.

9. gli anni della palude: la *palude* (metafora molto usata anche dal primo Sanguineti) è la putrefazione della società e cultura borghese, in cui la comunicazione diventa impossibile.

12. dopo la confusione delle: riferimento alla "confusione delle lingue" che nel racconto biblico colpì gli uomini che avevano voluto costruire la torre di Babele; immagine

1.1
non la riproduzione
con gli occhi del linguaggio
da qualsiasi parte ti metti
5   non mima niente
un varco incolmabile
un mare di ambiguità
dietro la pagina
gli anni della palude

10   non la riproduzione
nel paesaggio verbale
dopo la confusione delle
non c'è piú posto per loro
la rivoluzione non è un
15   si lamentano sempre
mentre passiamo bruciando
un'altra restaurazione
la negazione di un modo di formare

con gli occhi del linguaggio
20   dopo la confusione delle
il rifiuto della storia
delle intenzioni e delle idee
5.3
senza lasciar tracce
25   7.3
questo tipo di montaggio
non è un sentimento

21-22. il rifiuto... idee: sembra riferirsi a posizioni nichiliste che respingono la visione marxista della storia; può essere anche una citazione delle critiche che venivano mosse alla nuova avanguardia.

26-27. questo tipo... sentimento: pare riferirsi al testo stesso, che è un *montaggio* di frammenti e propone un modo di fare poesia radicalmente estraneo alla tradizionale espressione di sentimenti.

della situazione culturale. La confusione è mimata anche dal fatto che la frase sia interrotta.

14. la rivoluzione non è un: altro riferimento troncato, che cita una frase con cui Mao Zedong, il capo della rivoluzione cinese, giustificava la durezza e la crudeltà richieste dalla lotta: «La rivoluzione non è un pranzo di gala».

18. la negazione... formare: la frase rinvia ai dibattiti di estetica legati alla nuova avanguardia: necessità di negare il vecchio modo di dar forma alla realtà nell'opera artistica (si veda il brano di Eco *T37.28*).

dialogo con il testo

I temi

Il tema di questi versi è la frattura tra linguaggio e realtà, ma è forse improprio parlare di "tema": il testo non tanto "parla" di una crisi della comunicazione, quanto la mette in atto. Il linguaggio comunica se stesso.

Le forme

Balestrini usa un procedimento basato sulla frantumazione del discorso: frammenti di espressioni, per lo più estratte da discorsi altrui, da modi di dire presenti nel dibattito politico e culturale, vengono montati in un ordine più o meno casuale. Il significato, quando c'è, emerge a tratti, in modo frammentario, dagli accostamenti.

Il senso dell'operazione è duplice. Da un lato offre un'immagine della Babele linguistica e culturale in cui sprofonda tutta una civiltà («la confusione delle», v. 22), una situazione in cui una comunicazione diretta e normale non è più possibile. Dall'altro mira a riscattare un linguaggio consunto e non più comunicativo: prelevandone dei frammenti, accostandoli in modo imprevedibile, se ne possono far scaturire nuove possibilità di significato.

La esibita disgregazione e non comunicatività del linguaggio è d'altra parte controllata da una lucida e fredda volontà di dare al testo una forma: le strofe sono tutte di un ugual numero di versi, e i versi hanno una qualche regolarità, poggiando tendenzialmente tutti su due accenti principali. C'è l'embrione di un metro nuovo, estraneo alla tradizione metrica italiana basata sul computo delle sillabe prima che degli accenti.

Edoardo Sanguineti

Edoardo Sanguineti, nato nel 1930 a Genova, è stato docente universitario di letteratura italiana in quella città; nel suo lavoro critico sono di particolare rilievo i saggi su Dante e Pascoli. È stato tra i promotori del Gruppo 63 e fra i teorici più brillanti delle nuova avanguardia, da lui vista in prospettiva marxista. È stato militante del P.C.I., e per una quindicina di anni deputato. Accanto all'attività poetica, ininterrotta dagli anni cinquanta ad oggi, ha scritto testi narrativi d'avanguardia (*Capriccio italiano*, 1968), testi teatrali e testi per musica.

▶ T38.77   T38.78

T38.77

poi cercavo di spiegarlo

L'opera poetica di Sanguineti si presenta come un discorso ininterrotto attraverso i decenni: per questo ogni singolo brano comincia con la lettera minuscola e finisce coi due punti che annunciano un seguito. La prima parte, raccolta in Triperuno *(1951-1963), muove da un'immersione totale della poesia nella "palude" che è la caotica crisi della cultura e l'alienazione prodotta dal capitalismo: il linguaggio è oscuro, composito, affannoso. La terza sezione di questa raccolta,* Purgatorio de l'Inferno, *rappresenta una faticosa uscita dalla "palude", anche attraverso vicende private del poeta, come l'amore e la nascita di un figlio. Riproduciamo uno dei diciassette componimenti che costituiscono questa sezione, datato 1962.*

La situazione evocata è una lezione o conferenza tenuta dal professor Sanguineti. Essa ha per oggetto il passaggio da una cultura aristocratica a una cultura borghese ai primi dell'Ottocento, analizzato da un punto di vista marxista, con riferimento ai modi di vivere il sentimento

I GENERI *Secondo Novecento*

amoroso; è preso ad esempio il personaggio di Teresa, la fanciulla amata da Jacopo Ortis nel romanzo di Foscolo; ma in se- *guito il poeta coinvolge se stesso e il proprio amore nella situazione sentimentale deli- neata da grandi modelli letterari.*

Edoardo Sanguineti
da PURGATORIO DE L'INFERNO
(13, in *Segnalibro. Poesie 1951-1981*, Feltrinelli, Milano, 1982)

poi cercavo di spiegarlo (il 'residuo'); ('aristocratico'); (analizzando, allora,
il personaggio di Teresa):
        poi: ma sono già i modi, dissi, del tragico 'borghese';
(e facevo notare che l'amore deve essere impraticabile, e frustrato);
(per essere 'amore'); (riconoscibile): riconosciuto;
        anche nel (dal) praticante;
5   cosí dissi che toccava a noi superarlo (adesso); (il 'residuo');
('borghese'):
        poi ho elencato piangendo tutti i nostri gesti
di *passione* (come dicono); tutti i nostri rituali, e quanto abbiamo sudato,
anche, per convincerci (di essere in stato di *passione*, appunto, ecc.:
        [piangendo,
appunto, ecc.); in stato di
10   impraticabilità;
        e come ci siamo,
in paesaggi deputati (a questo, e cioè alla *passione*), e in tempi (a questo)
        [deputati,
e di fronte allo "spettacolo della bellezza", ecc., a questo dedicati (e con tanta
buona volontà):
        (...) poi dissi (a mia moglie) che già in Mirra era indicata,
e sperimentata (direttamente), l'estrema (sino all'assurdo) impraticabilità;
        [(garante
15 l'incesto, ecc.); e dissi: "poiché a dirtelo mi sforzi" (ridendo, dissi)
"io disperatamente amo";
        poi ho elencato carezze, tormenti (piangendo), ecc.; "ed
indarno"; perché l'amore (dissi) – per essere 'amore' – (dissi,
ridendo); (nel 'residuo') si riconosce ("ed indarno"):
non esistendo:

METRO: versi liberi, per la maggior parte lunghi, continuamente spezzati da pause, parentesi e dalla disposizione su due righe.
1. (il 'residuo'); ('aristocratico'): le tracce del modo aristocratico di vedere la vita che permangono nella cultura borghese di Foscolo.
3. l'amore deve essere... frustrato: la condizione tipica dell'amore romantico, a cui l'autore applica la definizione di *tragico 'borghese'*.
4. (riconoscibile)... praticante: nel contesto romantico-borghese, anche l'innamorato (il *praticante* l'amore) si riconosce tale solo se l'amore è *impraticabile e frustrato*.
6. ('borghese'): nella situazione attuale, l'eredità da superare non è più quella aristocratica ma quella

borghese, per un intellettuale marxista.
11. paesaggi deputati: scenari adatti, per tradizione, a ospitare episodi di passione.
12. "spettacolo della bellezza": paesaggi suggestivi *deputati* alla manifestazione

della passione; le virgolette esprimono una presa di distanza dell'autore da questa idea romantica.
13. Mirra: eroina di una tragedia di Alfieri (Vol. D *T19.18*), travolta da una passione incestuosa per il pa-

dre.
14-15. garante l'incesto: il carattere incestuoso della passione "garantisce" che essa è irrealizzabile; con questo la tragedia alfieriana porta all'estremo l'idea dell'amore *impraticabile*.

15. "poiché... sforzi": citazione dal luogo della *Mirra* (atto V, scena 2) in cui l'eroina confessa la sua tremenda passione «Amo, sì; poiché a dirtelo mi sforzi: / io disperatamente amo, ed indarno».

dialogo con il testo

I temi

La poesia di Sanguineti mette continuamente in campo l'io dell'autore, con questo contraddicendo quell'espulsione dell'io dalla poesia che caratterizza in genere la nuova avanguardia. Si tratta però di un "io" fortemente tipizzato ed emblematico: è il prototipo dell'intellettuale borghese alle prese con lo sfacelo caotico di una cultura, che tenta faticosamente di emergerne con la lucidità delle proprie analisi, ma intanto si scopre intimamente coinvolto in ciò che critica e analizza. Così nel testo si alternano frammenti di citazioni e dotte analisi della letteratura delle passioni, e i riferimenti di queste stesse cose a sé, al proprio amore coniugale.

2 Il riferimento a sé comporta un forte coinvolgimento emotivo, che si manifesta col ricorrere dei termini *passione* e *piangendo*; ma l'emotività è filtrata da una continua presa di distanza ironica; identificatene i segni nel testo.

Le forme

Il discorso poetico di Sanguineti procede per accumulo e intreccio di frammenti, in apparente disordine; imita così il farsi di un pensiero o discorso orale in atto, che continuamente ritorna su se stesso per aggiungere correggere precisare («spiegarlo (il 'residuo')», «poi dissi (a mia moglie)»), districandosi a fatica da un groviglio troppo fitto di pensieri. Solo in questo modo, ha affermato l'autore, la poesia può attraversare la crisi del linguaggio (di una cultura e di una società) per muovere alla riconquista di un ordine razionale: «la forma non si pone, in nessun caso, che a partire, per noi, dall'informe, e in questo informe orizzonte che, ci piaccia o non ci piaccia, è il nostro».

Il verso libero lungo di Sanguineti ha qualcosa di affannoso, perché è continuamente interrotto dall'interpunzione e dalle parentesi, e spesso spezzato su due righe; ma contemporaneamente ha in sé un'energia ritmica, qualcosa che spinge a una lettura rapida e in qualche modo gioiosa, nonostante l'intrico dei significati.

Edoardo Sanguineti

T38.78
Notizie
sull'autore **T38.77**

tutto è incominciato

A partire dagli anni settanta, la poesia di Sanguineti, pur mantenendo il suo impianto formale, si evolve verso un'intonazione più discorsiva e cordiale, in sintonia con la tendenza di molta poesia italiana in quegli anni. Si fanno più espliciti i riferimenti a situazioni personali e d'occasione: viaggi, incontri. Il titolo della serie Postkarten (1972-1977) significa in tedesco "cartoline postali": sono come appunti poetici inviati a casa dal professore e conferenziere durante i suoi numerosi viaggi.

**Edoardo
Sanguineti**
da POSTKARTEN
(1, in *Segnalibro. Poesie 1951-1981*, Feltrinelli, Milano, 1982)

tutto è incominciato con una stupida storia di soprabiti scambiati
al ristorante, da Rosetta: (e con quel tuo correre cieco, oltre gli uffici
dell'Alitalia, distratta, astratta):

    eh, c'è poco da ridere, cara mia,
mi sembra, allora, lí al bar d'Amore, se perdiamo con tanta facilità
5 la nostra identità, i nostri vestiti, i segni caratteristici, i punti

METRO: versi liberi lunghi.
2-3. oltre... Alitalia: lo scambio di cappotti deve essere successo in un aeroporto. **astratta**: assorta, chiusa nei propri pensieri. **4. mi sembra... d'Amore**: bisogna sottintendere "questo ti ho detto".

di riferimento, l'orientamento, il buon senso:

(siamo smarriti un'altra volta
nel mondo, ognuno come può: e come merita): (e se ti scrivo dall'aeroporto
di Capodichino, in partenza per Amsterdam, con i voli AZ 424 e AZ 382,
è già per pura scaramanzia, alla fine: e non per altro, proprio, per niente):

8. **Capodichino**: l'aeroporto di Napoli.

dialogo con il testo

I temi

Il caos con cui si misura l'io della poesia di Sanguineti non è qui la crisi di una cultura e di un linguaggio (come nei versi precedenti, *T38.77*): sono i piccoli incidenti di una vita vissuta di corsa tra spostamenti, aeroporti, incontri e separazioni. Ma in questi il poeta vede i segni di qualcosa di importante: la difficoltà di mantenere un'identità personale e un controllo razionale in un modo di vivere troppo affannoso. In tono più dimesso, si ripresenta dunque il tema della lotta per districarsi razionalmente da una realtà sociale caotica; la lotta è sentita ormai come persa («siamo smarriti... ognuno... come merita»), ma il senso della sconfitta è temperato dall'ironia, che si manifesta nei toni colloquiali e scanzonati («c'è poco da ridere, cara mia»), nel ridurre a «pura scaramanzia» gli sforzi per mantenere, nonostante tutto, un contatto comunicativo con la propria donna.

Le forme

Il linguaggio appare più disteso, meno affannosamente frantumato che nella prima poesia di Sanguineti. Aumentano in compenso gli artifici formali che danno eleganza e preziosità a un discorso tenuto tutto su toni bassi e colloquiali.

☑ Indicate le allitterazioni, le rime interne, le paronomasie.

Confronti

☑ Il tema della vita moderna caotica e disgregata compare negli stessi anni nella poesia di Montale; confrontate i versi di Sanguineti con *T36.27*, *T36.30*.

Fine di secolo e oltre

Negli sviluppi della poesia italiana, si può vedere una svolta intorno alla metà degli anni settanta. In quegli anni la produzione di versi si fa abbondante, in risposta a un diffuso bisogno di affermare il valore di ciò che è "personale", in alternativa alla fissazione sul "politico" che aveva dominato negli anni precedenti. I nuovi poeti che si affermano sono in generale indipendenti dalla nuova avanguardia, e spesso anche dalla tradizione novecentesca. Le esperienze sono varie, le tendenze molteplici, e possiamo solo offrirne qualche esempio. C'è una tendenza a raccontare in versi i minimi eventi di un'esistenza disgregata: *Il disperso* si intitola appunto il primo libro di Maurizio Cucchi (*T38.79*), mentre vent'anni dopo un altro poeta, Gianni D'Elia, scrive: «e oggi nient'altro che il frammento / sembra ci sia dato per istanti». Su un altro versante appare invece la tendenza a recuperare una poesia di tono alto, capace di misurarsi con i grandi temi dell'esistenza, come in Giuseppe Conte (*T38.80*). Questa tendenza si accompagna spesso a una maggiore attenzione ai valori formali del testo poetico, che in alcuni giunge allo sforzo di recuperare i metri tradizionali ormai quasi dimenticati da un secolo; in questo senso è significativa l'esperienza di Patrizia Valduga (*T38.81*).

Maurizio Cucchi

Maurizio Cucchi è nato a Milano nel 1945; laureato in Lettere, è stato insegnante e svolge attività di critico letterario e consulente editoriale. Come poeta ha esordito con *Il disperso* (1976), seguito da alcune altre raccolte. Ha curato antologie di poeti italiani dell'Ottocento e del secondo Novecento.

▶ T38.79

T38.79

Monte Sinai

Il titolo di questa poesia (inclusa nella prima raccolta di Cucchi, Il disperso, *1976) è ironico: il monte Sinai è quello su cui, secondo il racconto biblico, Dio apparve a Mosè e gli consegnò le tavole della legge. Qui chi appare su una collina è solo un «prete nero», in una banalissima circostanza.*

Maurizio Cucchi
da IL DISPERSO
(Mondadori, Milano,
1976)

Non dico di no, un pochino, magari,
ci avevo anche pensato (ma, in fondo,
ero talmente poco sveglio...). Ma, poi, alla vista lassù in cima
di quel prete nero, mani sui fianchi, sguardo fiero («cosa fate
5   voi due alla vostra età,
lì seduti nel prato. E poi è proprietà privata»).
C'era davvero da sprofondarsi? O piuttosto
da ridere e incavolarsi? Resta il fatto che borbottando

METRO: versi liberi.
7. **sprofondarsi**: di vergogna.

10 ci siamo messi in tasca io e lei i nostri fazzoletti
e siamo scesi giù. E ancora non sapendo dove andare («ma guarda tu,
che razza di imbecille. Si stava lì tranquilli. Chi faceva
niente di male?...»)

dialogo con il testo

I temi

Le poesie di *Il disperso* raccontano minimi eventi di cronaca o di esperienza vissuta, per frammenti, intrecciando in modo casuale fatti, voci, commenti. Comunicano il senso di un'esistenza disgregata, priva di significati importanti, in cui l'identità personale vacilla e ciascuno è un "disperso". Con questo riflettono il ripiegamento di una generazione che ha attraversato un periodo di forti tensioni ideali, intorno al 1968, e si sente fallita e delusa. Ma il tono non ha niente di tragico, esprime piuttosto un rassegnato adattamento alla banalità quotidiana, in cui non c'è più posto per la sofferenza, per il conflitto fra le aspirazioni e la realtà.

Le forme

Il linguaggio è ridotto ai minimi termini, al livello più banale della conversazione quotidiana.

? Il senso della frammentarietà dell'esperienza si riflette in frasi interrotte, sintatticamente incomplete. Individuatele.

Confronti

? L'uso di un linguaggio quotidiano e l'introduzione di voci diverse possono far pensare a *La ragazza Carla* di Pagliarani (*T38.75*); confrontando i due testi, mostrare il differente impiego di un procedimento simile, dal punto di vista della significatività delle cose rappresentate e dell'intento di far emergere un giudizio.

Giuseppe Conte

Giuseppe Conte, nato a Imperia nel 1945, è stato insegnante di Lettere e in seguito collaboratore di vari quotidiani e consulente editoriale. È autore di saggi letterari, di opere narrative e di raccolte poetiche (*L'Oceano e il Ragazzo*, 1983; *Le stagioni*, 1988; *Dialogo del poeta e del messaggero*, 1992).

▶ T38.80

T38.80

Autunno. La vite del Canada

Le stagioni (1988) è un libro di poesie costruito in modo ciclico e organico: ci sono serie di poesie intitolate alternativamente alle quattro stagioni dell'anno e dedicate prima a divinità antiche («Le stagioni di Venere», «Le stagioni di Pan»), poi ai quattro elementi della fisica antica («Le

stagioni della terra», «Le stagioni dell'acqua»). La poesia che presentiamo fa parte della serie «Le stagioni di Flora»; la vite del Canada è una pianta rampicante che appartiene alla stessa famiglia della vite da uva, ma non produce frutti commestibili ed è coltivata a scopo ornamentale.

Giuseppe Conte
da LE STAGIONI
(Rizzoli, Milano,
1988)

Nel giardino di sempreverdi, tu sola porti
le accese, crollanti insegne dell'autunno
al cielo: sei rossa come il sole dei tramonti
ed è veloce il tuo sfacelo.
5   Risali i cipressi, ti aggrappi alle spalliere
d'edera, abbracci il giovane ulivo:
loro non cambiano, non cadono, sei
tu condannata: resterà vivo
il giardino senza di te: i tuoi acini
10   scuri, secchi, impolverati
non giungeranno mai alla gioia del vino.
Così accadrà anche di noi.
Rimarrà tutto come prima
quando noi sanguinando ce ne andremo
15   e anche sognare, allora lo sapremo
che non vale, che è vano, vite del
Canada.

METRO: quartine di versi liberi, con alcune rime o assonanze.
1. **porti**: si lega a *al cielo* del v. 4.
2. **insegne dell'autunno**: i segni dell'appassimento autunnale: le foglie *accese* (di colore acceso) e *crollanti* (che tremolano e cominciano a cadere).

dialogo con il testo

I temi

La poesia di Conte scarta decisamente la tradizione novecentesca e si riallaccia piuttosto a D'Annunzio e a Carducci; ricorda Carducci, in questi versi, l'accostamento di una visione della natura a una riflessione sulla caducità umana. La riflessione è in sé triste, ma l'espressione è ferma, senza effusioni sentimentali, e lucidamente strutturata intorno al parallelismo tra la condizione della pianta e quella dell'uomo.

❓ Ripercorrete in termini puntuali i vari aspetti del parallelismo.

Le forme

Pur senza cercare parole e immagini preziose, Conte ci riporta a una concezione tradizionale della poesia come espressione nobile e alta; l'innalzamento del tono è dovuto all'apostrofe alla vite che apre e chiude la poesia, e al tono perentorio di sentenze come quelle dei vv. 4 e 12.

Patrizia Valduga

Patrizia Valduga è nata nel 1953 e vive a Milano. La prima raccolta di poesie che ha pubblicato è stata *Medicamenta* (1982), a cui hanno fatto seguito varie altre brevi raccolte, di solito caratterizzate da un particolare metro (sonetti, terzine, quartine, ottave ecc.). Ha pubblicato anche varie traduzioni di poeti e drammaturghi inglesi e francesi.

▶ **T38.81**

T38.81

Requiem

Requiem (2002) è una serie di ventotto ottave spicciolate scritte in morte del padre, seguite da altre dieci scritte a ogni anniversario del decesso. Presentiamo tre ottave dalla prima serie.

Patrizia Valduga
REQUIEM
(Einaudi, Torino,
2002)

II.

Oh padre padre, patria del mio cuore,
per tanto tempo solo col tuo male,
per giorni e giorni e notti di terrore,
come in una sequenza cerebrale
5 ti vedo, solo, solo e senza amore,
annegare tacendo nel tuo male
tra chi sa e capisce e non sa amare
e chi non sa capire, e non sa amare.

III.

Che ore nere devi aver passato,
ore per dire anni, dire vita,
fino a questo novembre disperato
di vento freddo, di fronda ingiallita,
5 padre ingiallito come fronda al fiato
di tutto il vento freddo della vita,
dell'amore frainteso e dissipato,
dell'amore che non ti è stato dato.

XXVI.

O cantico dei cantici, ti canto,
corpo senza più corpo dell'amore,
dolore senza grido senza pianto
senza corpo senza età del dolore,
5 cantico della morte, io ti canto,
cuore che continui nel mio cuore
che tutti i giorni a mezzogiorno muore
perché non può invecchiare il mio dolore!

METRO: ottave.
II
4. **sequenza cerebrale**: sequenza di immagini mentali.

XXVI
1. **cantico dei cantici**: canto d'amore; è il titolo di un libro della Bibbia di carattere intensamente erotico, probabilmente un canto di nozze.
2. **corpo senza più corpo**: può riferirsi al padre morto, oppure è il dolore stesso di lei che scrive, intenso fino a sembrare corporeo e insieme incorporeo.
6. **cuore che continui**: l'amore paterno.

dialogo con il testo

I temi e le forme

La prima impressione che possono dare questi versi è quella di un'effusione di sentimenti intensi e toccanti, ma comuni, in un linguaggio piano e comune, e per di più in un metro tradizionale. Così è ad esempio quando leggiamo, all'inizio dell'ottava III, «Che ore nere devi aver passato»: un verso che avrebbe potuto scrivere cento anni prima un poeta crepuscolare.

Ma questa impressione dura poco: il discorso si accende improvvisamente di una violenza espressiva che crea gorghi di parole ripetute e variate; qui il riferimento può essere piuttosto alla poesia barocca, con il suo senso del disfacimento fisico e della morte, con l'emotività risolta in un accumulo di artifici retorici: il chiasmo («... di fronda ingiallita, / padre ingiallito come fronda...»), la metafora («il vento freddo della vita»), l'anafora («dell'amore... dell'amore...»).

▸ Analizzate dal punto di vita retorico le altre due ottave (II e XXVI).

È come se l'impeto emotivo si ingorgasse nella fatica di trovare un'espressione adeguata, e questo può spiegare come questa poesia a tratti così piana possa poi sfiorare l'oscurità, o almeno l'ambiguità, come nell'ottava XXVI.

L'adesione alle forme metriche tradizionali sembra allora essere un modo per porre un argine, dare una forma a un impeto effusivo troppo travolgente; che in questa raccolta riguarda un dolore familiare, mentre in altre precedenti della stessa autrice è una scatenata, provocatoria esibizione di sensualità, con un linguaggio molto esplicito.

Confronti

Il ritorno ai metri tradizionali, che caratterizza tutta l'opera ormai lunga della Valduga, è parallelo ad altri "ritorni" che sono comparsi sul finire del secolo in altre arti: il ritorno a una pittura figurativa (vedi *T37.38*), o a una musica tonale. Questo ci dice che siamo ormai ben fuori dal Novecento. Ma nemmeno stiamo giocando a "rivisitare" l'Ottocento: non c'è una presa di distanza critica o ironica, né una citazione dotta, come poteva accadere quando metri tradizionali erano occasionalmente ripresi da Montale (Vol. G *T36.20*) o da Zanzotto (*T38.72*). Più che una scelta, la metrica regolare sembra una forma necessaria a contenere la violenza effusiva della poetessa.

Poesia in dialetto

Mentre l'uso dei dialetti regredisce rapidamente in molte regioni, la poesia in dialetto continua a essere coltivata, con risultati di alto livello. Per i maggiori poeti che scrivono in dialetto, questo non è più un veicolo di realismo, il riflesso di una cultura locale, ma tende a diventare lingua privata, espressione di un distacco tutto soggettivo dalla cultura dominante. Tale appare il romagnolo di Tonino Guerra, il lucano di Albino Pierro, il milanese di Franco Loi (*T38.82*).

Franco Loi

Franco Loi è nato nel 1930 a Genova, e si è trasferito a Milano a sette anni; ha cominciato a lavorare a quattordici anni, e si è diplomato ragioniere alle scuole serali; in seguito ha lavorato all'ufficio stampa della Mondado-ri. È stato militante della sinistra fino ai primi anni settanta.. Ha scritto dapprima per il teatro, in particolare di genere satirico politico. Le sue prime poesie sono state pubblicate, in rivista, solo nel 1971; ha avuto importanti riconoscimenti a partire dalla raccolta *Strolegh* (1975), alla quale ne sono seguite diverse altre (*Teater*, 1978; *Liber*, 1988; *L'angel*, 1994).

▶ **T38.82**

T38.82

G'û denter mí de mí la mia vergogna

Presentiamo una delle trenta parti che compongono il poemetto Sogn d'attur, *scritto nel 1971 e pubblicato insieme a* Teater *(1978). Il poemetto ha una tenue struttura narrativa, che serve a mettere in campo diverse voci: un attore, stanco di recitare, chiama sul palco un borghese, poi interviene un poeta. Ne risulta una specie di allegoria del predominio culturale della borghesia, condotta a strappi, con una se-rie di invettive, sfoghi, rievocazioni frammentarie. Nel brano che presentiamo parla il borghese, che (dice l'autore) «disegna un'utopia, che è poi una rappresentazione consumistica: la città che il borghese illustra non è dell'avvenire, è una città degli anni Settanta». Ma a questa voce se ne sovrappone un'altra, di un personaggio che si aggira per Milano depresso e disgustato, e pare il portavoce dell'autore.*

Franco Loi
SOGN D'ATTUR
(XXV, in *Teater*,
Einaudi, Torino,
1978)

METRO: endecasillabi, a volte con una sillaba in eccesso; le rime sono molto frequenti, ma non hanno uno schema regolare. La traduzione è a cura dello stesso autore.
2. **che céd**: sembrano sul punto di crollare, in uno scenario dominato da un senso di disfacimento.

G'û denter mí de mí la mia vergogna,
camini da 'na gesa aj câ che céd...
Ïn aqur? bumb? strabucâss de fogna
o l'è 'sta lienda de Milan che streng?

> *Ho dentro me stesso la mia vergogna, / cammino da una chiesa alle case che cedono... / Sono acque? bombe? straripare di fogne? / o è questa accidia di Milano che soffoca?*

5   Oh banc de màrmur, strâ spurch fâ de marogna,
cel de Navilli che nel piöv se speng,

4. **lienda**: l'autore traduce *accidia* (stato di indolenza e pro-strazione).
5. **marogna**: il termine indica rifiuti, sco-rie, in particolare cenere di carbone.
6. **Navilli**: i canali (oggi in gran parte ricoperti) che circondano Milano.

7. **m'intròja**: mi incattivisce, mi mette di malumore.
10. **i gajn**: "le galline luminose" (traduzione dell'autore) di qualche pubblicità luminosa fatta di tubi al neon.
11. **la bòja**: qualcosa come "una voglia boia".
12. **dàss a l'orba**: buttarsi via dalla disperazione.
safurment: espressione che maschera l'imprecazione *sacrament*, ed è usata anche per evocare "sentimenti" (come traduce l'autore).
14. **'sti robacör**: i morti sono "rubacuori", perché il pensare a loro stringe il cuore.
18. **l'è de legn**: può riferirsi alla speranza, o a *quèl* che l'ha in cuore; in ogni caso indica un disseccarsi, una perdita di vita.
19. **slümàga**: come lasciasse una bava di lumaca. **se scartògna**: si disfa, come una confezione di cartone che si scolla.
20. **san Lurenz, la Vedra**: piazza della Vetra, ampio piazzale erboso che circonda la basilica paleocristiana di San Lorenzo. **câ crament**: gioco di parole che incrocia *câ* ("case") con l'imprecazione *sacrament*.
22. **Cunfurtori**: in piazza della Vetra si tenevano un tempo le esecuzioni capitali; tra gli edifici che circondano San Lorenzo ce n'è uno detto *confortorio*, in cui un'apposita confraternita dava gli ultimi conforti religiosi ai condannati.
24. **Cüpula**: la cupola di San Lorenzo, una delle più grandi a Milano. **Balori?**: lo spazio intorno a San Lorenzo è giardino pub-

sí, mí spasseggi, ve vöri ben, m'intròja
'sti fà dané cuj grattacel de feng...

> *Oh banche di marmo, strade sporche fatte di marogna, / cielo di Navigli che nello spiovere si spegne, / sí, io passeggio, vi voglio bene, mi fa troia / questi far soldi coi grattacieli della finzione...*

E g'û i sarpent, me ciappa 'me 'na ròja...
10 Vu tra i gajn, i Vov, la Coca, i gent,
i spriss de neon che fan vegní la bòja
de dàss a l'orba cun tütt i safurment...

> *E ho i serpenti, mi prende come un vomito... / Cammino tra le galline luminose, i Vov, la Coca, la gente / gli sprizzi di neon che fanno venire la boia / di darsi alla cieca con tutti i sentimenti...*

Uhi, che te vegna! Di mort gh'è la 'bundansa...
'sti robacör, ch'j siga, e via cul vent!...
15 te passa 'rent la crus de l'ambulansa...
quj dü che piang, e quèl che ne la ment
g'à 'me 'n dulur che cerca la speransa
ma l'è de legn, e 'm' un scriccà se sent...

> *Ehi, che ti venga! Di morti ce n'è in abbondanza... / questi rubacuori, che urlano, e via col vento!... / ti passa accanto la croce dell'ambulanza... / quei due che piangono, e quello che nella mente / ha un dolore che cerca la speranza / ma è ormai di legno, e come uno scricchiolare si sente...*

E piöv, slümàga el cel che se scartògna
20 sü San Lurenz, la Vedra, i câ crament...
tí, Vedra rasa d'erba che s'inrògna
ai trist mattun d'i turr del Cunfurtori
e due la sira cala i úmber... Sogna
l'ingúmber de la Cüpula... Balori?

> *E piove, slumaca il cielo che si scartona / su San Lorenzo, la Vetra, le case sacramente... / tu, Vetra rasa d'erba che si radica rognosa / ai tristi mattoni delle torri del Confortorio / e dove la sera cala le ombre... Sogna / l'ingombro della Cupola... Schiamazzi di bambini?*

25 Sú no se 'l sia 'l sugnà... I erb che g'àn frecc...
L'è tèra Picardía, traas de memori,
e i òmen tíren via, che al mür i vecc
per quèl dundà antígh san de murtori...

Dané! dané! dané! Mort ai urècc!

> *Non so cosa sia il sognare... Le erbe che hanno freddo... / È*
> *terra d'impiccati, una spazzatura di memorie, / e gli uomini*
> *si affrettano, che al muro i vecchi / per quell'antico dondolío*
> *sanno di mortorio... / Soldi! soldi! soldi! Morte alle orecchie!*

30 Giò, giò 'sti ges! 'sti câ! 'sti uratori!
Milan la fèm de banca e de giüstissia,
e cavarèm quaj benedíss da i ori...
E smolla 'l cü! e s'cioppa l'avarissia!

> *Giú, giú queste chiese! queste case! questi oratori! / Milano la*
> *faremo di banca e di palazzi di giustizia, / e ce ne caveremo*
> *qualche beneficio dalle ricchezze... / E smolla il culo! e scoppi*
> *l'avarizia!*

Tirarèm sü 'na Milan pü franca,
35 cui munüment ai ciall e a la malissia,
e sota tèra scundarèm la barca
di vuncissún, i sacòcc-büs, i diànzen,
i stramb, i minurâ, e quèj che marca
la sua giurnada, e i menarost che vànzen...

> *Metteremo in piedi una Milano piú solida, / coi monumenti*
> *alle chiacchere e alla malizia, / e sotto terra nasconderemo la*
> *barca dei lercioni, le tasche bucate, i porci-diavoli, / gli*
> *strambi, i minorati, e quelli che timbrano / la loro giornata, e*
> *i menarrosto che crescono...*

40 Che bel Milan! che metrupulitana!
I facc, fâ de peliccia e de rumànzen,
i sciur, i delinquent, 'na quaj püciàna,
tri mezz artista e quèj che s'induína
che g'àn la bursa pièna, e 'na gulàna
45 de serv, de leccapé, ratt de cantina...

> *Che bella Milano! che metropolitana! / Le facce, fatte di pel-*
> *liccia e di letteratura, / i signori, i deliquenti, qualche putta-*
> *na, / tre mezzi artisti e quelli che s'intuisce / abbiano la borsa*
> *piena, e una collana / di servi, di leccapiedi, topi di cantina...*

'Dèss ciappi l'Ulmètt, la via di Piatti,
pö schivi San Sepúlcher e, a la mancina,
poggi a la Bursa, due se fan i fatti...
Uhi, àsen mort, té capî la süppa?...
50 E quèl del tram! chí la va de matti!

> *Adesso prendo via Olmetto, la via dei Piatti, / poi evito San*
> *Sepolcro, e, sulla sinistra, / mi avvicino alla Borsa, dove si*
> *fanno i fatti... / Ehi, asino morto, hai capito la zuppa?... / E,*
> *quello del tram! qui va sempre benone!*

I GENERI *Secondo Novecento*

Margin notes:

28. per quèl... mur-tori: il muoversi lento e impacciato dei vecchi fa pensare a un corteo di funerale.
29. Dané!: irrompe la voce che celebra la Milano affaristica. **Mort ai urècc!**: esclamazione idiomatica milanese, che equivale pressapoco a "Al diavolo tutto!".
36-38. e sota tèra... i minurâ: esprime il desiderio di nascondere alla vista tutti coloro che con la loro sola presenza denunciano i risvolti negativi dello sviluppo metropolitano: barboni, minorati ecc.
38-39. e quèj... vànzen: al corteo delle persone da nascondere sotto terra si aggiungono improvvisamente personaggi integrati: impiegàti che timbrano diligentemente il cartellino dell'orario di lavoro, *menarost* ("rompiscatole").
40. che metrupulitana: la metropolitana è il simbolo che riassume lo sviluppo cittadino; ma la parola è forse usata anche come deformazione di "metropoli".

dialogo con il testo

I temi

L'intento di fare un elogio ironico dello sviluppo metropolitano è travolto da un impeto di disgusto che vi si sovrappone, lo incornicia e quasi lo soffoca, dominando nei primi e negli ultimi versi. Abbiamo un fitto intrico di emozioni, fantasie e apparizioni stralunate, sovrapposizioni di voci diverse; possiamo tentare di dipanarlo dividendo il testo in quattro parti:

– vv. 1-12: un "io" malinconico si aggira per una Milano grigia sotto la pioggia, che gli pare sul punto di disfarsi; le esibizioni di successo commerciale, i «grattacel del feng», le pubblicità al neon gli ispirano un disgusto che confina col desiderio di annientamento («dàss a l'orba»);

– vv. 13-29: si intrecciano il pensiero dei morti, il ricordo delle esecuzioni capitali di un tempo, le apparizioni dei vivi che sanno pure di morte: un'ambulanza, una speranza morta, i vecchi che sembra seguano un funerale, sullo sfondo di una piazza che appare squallida nel freddo e nella pioggia;

– vv. 30-45: attraverso una voce che dice "noi" irrompe l'elogio sarcastico dello sviluppo cittadino, fatto di distruzione delle memorie storiche («Giò, giò 'sti ges!») e di occultamento delle miserie; e subito si risolve in un'immagine schifata dei personaggi che trionfano nella città rinnovata;

– vv. 46-50: riappare il personaggio "io" che vaga per il centro, e si rivolge l'invito ironico a "capire", a sottomettersi.

Le forme

Il discorso procede a strappi, tra esclamazioni, interruzioni, scarti improvvisi; non di rado si sfiora l'oscurità, ma l'intonazione emotiva fondamentale, rabbiosa e malinconica, si trasmette con grande efficacia.

Quasi ogni espressione si carica di intenzioni espressive molteplici: basta considerare la battuta finale, «chì la va de matt!», che è un invito ironico all'ottimismo, ma contemporaneamente denuncia una follia; si aggiungono le espressioni deformate, prese dall'uso (*safurment*) o coniate (*câ crament*), che pure impongono un'interpretazione duplice; e ancora, le espressioni che sovrappongono un senso materiale e uno metaforico («cui munüment ai ciall e a la malissia»). Il dialetto di Loi non pare tanto attinto all'uso quanto il risultato di una costruzione filologica: del resto l'autore non è milanese di nascita, e anche i nativi milanesi hanno difficoltà a capire la sua lingua. Come negli altri maggiori poeti in dialetto del Novecento, il dialetto non è più tanto l'espressione di un ambiente, di un colore locale, quanto una lingua privata, individuale: la lingua capace di dire sentimenti tanto intimi da non poter essere detti in lingua comune.

Confronti

La poesia di Loi è erede del realismo espressionistico proprio della grande tradizione milanese, da Porta (Vol. E *T21.51*) a Delio Tessa (Vol. G *T32.58*).

Esercizi di riepilogo

I GENERI

Secondo Novecento

Letterature dal mondo

T38.1-T38.25

Comprendere

1. Oltre ai testi raccolti sotto il titolo *Letteratura critica* (*T38.10-T38.13*) ce ne sono altri in questa sezione che si confrontano con problemi politici e sociali d'attualità: sceglietene uno e spiegate in che cosa consiste la presa di posizione dell'autore.

Confrontare

2. In un saggio del 1962, *La sfida al labirinto* (*T40.2*), Italo Calvino distingueva nell'avanguardia letteraria due linee: «La linea "razionalista", o della stilizzazione riduttiva matematico-geometrizzante"», e la «linea "viscerale"», caratterizzata dalla «rivendicazione della natura-uomo che diventa rivendicazione del poeta come *fatto di natura*». Fra i testi di questa sezione che si possono definire d'avanguardia (Robbe-Grillet *T38.6*, Jonesco *T38.8*, Beckett *T38.9*, Ginsberg *T38.19*), provate a identificare quali si possono ricondurre a una delle due linee, e cercate di identificare i caratteri stilistici che li distinguono.

Confrontare

3. I brani narrativi di questa sezione presentano una ricca varietà di soluzioni quanto al rapporto fra invenzione e realtà, tra verosimiglianza e inverosimiglianza. Ripercorrete quelli che avete letto e confrontateli in relazione a questi parametri:

- rappresentazione di realtà quotidiane e comuni o di casi estremi ed eccezionali;
- rispetto o non rispetto della verosimiglianza;
- attribuzione di valori simbolici agli eventi narrati;
- uso di una tecnica narrativa che dà ordine e significato alle cose o che spiazza il lettore ponendolo di fronte a situazioni ambigue e sfuggenti.

Confrontare

4. Confrontate i testi poetici presenti in questa sezione (Enzensberger, *T38.12*; Celan, *T38.15*; Szimborska, *T38.16*, *T38.12*; Ginsberg, *T38.19*), individuando affinità e differenze dal punto di vista dei temi, dello stile, dell'idea di poesia che li sottende.

Analizzare

5. Tra i testi poetici di questa sezione ce ne sono alcuni che puntano con forza particolare sulla manipolazione del linguaggio. Analizzatene le scelte stilistiche e cercate di risalire alle intenzioni comunicative degli autori.

Contestualizzare

6. Ogni narratore della seconda metà del Novecento ha avuto di fronte a sé i modelli dei grandi innovatori della narrativa nei primi decenni del secolo, che offrivano tutto un repertorio di temi e procedimenti narrativi nuovi. Schematizzando per sommi capi:

- la creazione di situazioni allucinate, da incubo, simboli inquietanti della realtà (Kafka, *T32.59, 32.60*);
- la problematizzazione del tempo, divenuto esperienza soggettiva, dimensione percorribile in più direzioni (Proust, *T32.61, T32.62*, Svevo, *T34.11, T34.12*);
- il monologo interiore e la valorizzazione di ogni minimo istante dell'esperienza vissuta (Joyce *T32.63, T32.64*);
- lo smascheramento ironico dell'atto del narrare come finzione (Musil, *T32.66*).

Nessuno degli autori presentati in questo capitolo è in senso stretto un seguace di questi modelli; ma in alcuni di loro, attraverso i brani presentati, potete rintracciare alcuni dei procedimenti indicati, ormai entrati a far parte di una nuova tradizione narrativa.

Interpretare

7. I testi di questa sezione sono raggruppati secondo criteri eterogenei: stilistici, tematici, di genere, geografici: una scelta che non scaturisce da un puro rilevamento di dati oggettivi ma contiene in sé una forte componente di arbitrarietà. Cercate di definire il tipo di criterio di volta in volta utilizzato, dite se vi sembra persuasivo, ed eventualmente proponete raggruppamenti alternativi.

(Ri)scrivere

8. Provate a riscrivere la prima parte del brano di Achebe (*T38.23*) dal punto di vista del missionario: come racconterebbe il suo incontro con gli Ibo? Come lo commenterebbe e lo valuterebbe?

La narrativa in Italia: gli anni del neorealismo
T38.26-T38.37

Comprendere

9. (esercizio guidato) I brani di Ortese (*T38.34*) e di Carlo Levi (*T38.36*) riflettono ambienti e problemi specifici dell'Italia meridionale. Confrontate le immagini del Sud che appaiono e individuate aspetti comuni e differenze.

Entrambi i titoli delle opere citate orientano il lettore a una precisa linea interpretativa dei problemi concernenti il Sud. Soffermatevi su tale aspetto.
La realtà regionale e sociale rappresentata è diversa. Mettete in luce le specifiche forme di esclusione che caratterizzano ciascuno dei due ambienti.
Attraverso l'analisi delle tecniche narrative cercate di chiarire se l'atteggiamento dell'autore nei confronti della materia rappresentata sia rivolto maggiormente alla rappresentazione di una vitalità popolare che resiste alla miseria, o alla denuncia sociale, o alla comprensione di una condizione umana, o intrecci questi vari interessi.
Indicate gli aspetti comuni che permettono di riferire le due opere allo stesso clima culturale.

Analizzare

10. Il neorealismo non è stato una "scuola", ma piuttosto una "tendenza": gli autori che abbiamo presentato non si incontrarono sulla base di un programma, ma si trovarono a convergere spontaneamente intorno ad alcune esigenze comuni. Ripercorrendo i brani che avete letto, indicate gli elementi comuni ai diversi autori (e le eventuali discordanze) in merito a:

- la tematica
- gli orientamenti ideali
- le tecniche narrative
- le scelte linguistiche.

Analizzare

11. Per ottenere maggiore aderenza alla realtà rappresentata, la narrativa neorealista adotta spesso un punto di vista interno agli ambienti e ai personaggi. Indicate quali dei brani che avete letto adottano questa tecnica e quali se ne allontanano.

Comprendere, interpretare

12. Un elemento ideologico ricorrente tra i neorealisti è il populismo, cioè l'idealizzazione dei ceti popolari come portatori di valori morali superiori. Indicate se nei brani che avete letto questo aspetto è più o meno presente, e come si manifesta.

Interpretare

13. Ai tempi del neorealismo era molto sentita l'esigenza che la letteratura avesse un valore pedagogico, indicasse cioè modelli umani da seguire o da rifiutare. Indicate se nei brani che avete letto questo aspetto è più o meno presente, e come si manifesta.

Interpretare

14. In diversi scrittori dell'epoca si manifestano due aspirazioni diverse, anche se non necessariamente contrastanti: quella a rappresentare la realtà sociale col massimo di oggettività, e quella a un'espressione soggettiva e raffinatamente lirica. Indicate se e come queste due spinte si manifestano nei brani che avete letto.

Confrontare

15. Le opere di Pavese (*T38.28-T38.30*) e di Fenoglio (*T38.32, T38.33*) hanno in comune l'ambientazione nel mondo contadino delle Langhe; gli atteggiamenti dei due scrittori, i significati che attribuiscono a quel mondo, sono però sostanzialmente diversi. Mettete in luce queste differenze.

Confrontare

16. Nei brani di Pavese (*T38.28-T38.30*) abbiamo osservato un'elaborazione raffinata dei tempi narrativi; per questo aspetto lo scrittore, più degli altri suoi contemporanei, può essere accostato alle esperienze più innovative della grande narrativa europea del primo Novecento. Un confronto con *La coscienza di Zeno* di Svevo (*T34.10-T34.14*) può evidenziare alcune affinità da questo punto di vista.

Attribuire

17. Presentiamo quattro passi narrativi, tratti dalle prime righe di romanzi o racconti pubblicati fra il 1947 e il 1962: uno è di Cesare Pavese (da *Il compagno*, 1947), gli altri sono di Elsa Morante (da *Menzogna e sortilegio*, 1948), di Carlo Cassola (da *Il taglio del bosco*, 1949), di Giorgio Bassani (da *Il giardino dei Finzi-Contini*, 1962). Identificate il brano di Pavese, indicando i caratteri stilistici che lo accomunano con quelli presentati nell'antologia; potete provare a identificare anche gli altri autori, se ne avete una conoscenza sufficiente.

a) Fu durante una delle solite gite di fine settimana. In un gruppo di amici, distribuiti su due automobili, ci eravamo avviati lungo l'Aurelia subito dopo pranzo, senza una meta precisa. A qualche chilometro da Santa Marinella, attirati dalle torri di un castello medioevale spuntate improvvisamente sulla sinistra, avevamo voltato per una viottola di terra battuta, finendo poi a passeggiare in ordine sparso lungo il desolato arenile che si stendeva ai piedi della rocca: molto meno medioevale, quest'ultima, esaminata da vicino, di quanto non avesse promesso di lontano, quando, dalla nazionale, l'avevamo veduta profilarsi controluce sul deserto azzurro e abbagliante del Tirreno.

b) Era un uomo dell'apparente età di trentasette - trentott'anni. Indossava una giacca col bavero di pelliccia consunto per l'uso, e teneva il cappello leggermente rialzato sulla fronte. Aveva il viso magro, il naso diritto, le labbra ferme, le mani ossute e robuste.
All'inizio della salita, la corriera si arrestò quasi. Ingranata la marcia, continuò a salire ronfando. L'uomo disse che fermassero alla bottega.

c) Son già due mesi che la mia madre adottiva, la mia sola amica e protettrice, è morta. Quando, rimasta orfana dei miei genitori, fui da lei raccolta e adottata, entravo appena nella fanciullezza; da allora (più di quindici anni fa), avevamo sempre vissuto insieme.
La nuova luttuosa ormai s'è sparsa per l'intera cerchia delle sue conoscenze; e, cessate ormai da tempo le casuali visite di qualche ignaro che, durante i primi giorni, veniva ancora a cercar di lei, nessuno sale più a questo vecchio appartamento, dove sono rimasta io sola.

d) Mi dicevano Pablo perché suonavo la chitarra. La notte che Amelio si ruppe la schiena sulla strada di Avigliana, ero andato con tre o quattro a una merenda in collina – mica lontano, si vedeva il ponte – e avevamo bevuto e scherzato sotto la luna di settembre, finché per via del fresco ci toccò cantare al chiuso. Allora le ragazze si eran messe a ballare. Io suonavo – Pablo qui, Pablo là – ma non ero contento, mi è sempre piaciuto suonare con qualcuno che capisca, invece quelli non volevano che gridare più forte. Toccai ancora la chitarra andando a casa e qualcuno cantava. La nebbia mi bagnava la mano. Ero stufo di quella vita.

La narrativa in Italia: gli anni della grande trasformazione

T38.38-T38.55

Comprendere

18. Gli scrittori di questa sezione, in modi diversi, si pongono con atteggiamento critico nei confronti delle nuove realtà economiche, sociali, antropologiche proprie dell'epoca del *boom* economico. Utilizzando i brani che avete letto, ricostruite gli aspetti di tali realtà criticati dagli scrittori.

Analizzare

19. In alcuni brani di questa sezione appare un procedimento di forzatura caricaturale di elementi tratti dalla realtà; individuate e descrivete il procedimento nei brani che avete letto.

Analizzare

20. In alcuni brani di questa sezione hanno rilievo le tecniche del discorso indiretto libero o del monologo interiore. Individuatele e chiaritene la funzione nei brani che avete letto.

Analizzare

21. La narrativa degli anni rappresentati in questa sezione offre una notevole varietà di soluzioni per quanto riguarda le scelte linguistiche. Esse si possono schematizzare intorno a tre alternative:
- l'adozione di una lingua media di uso comune nella scrittura, senza forti sottolineature espressive;
- una riproduzione il più possibile aderente del parlato, con le sue tipiche inflessioni espressive e dialettali;
- all'opposto, l'adozione di uno stile che esibisce la propria letterarietà, con scelte linguistiche auliche, arcaizzanti, o con la mescolanza di elementi eterogenei alla ricerca della massima espressività.

Classificate i brani che avete letto secondo queste categorie, tenendo conto che naturalmente esistono scelte intermedie e miste.

Contestualizzare

22. I testi rappresentati nella sezione *Nuove realtà urbane e industriali* (*T38.40-T38.44*) hanno un'impostazione spiccatamente realistica, e in ciascuno di essi si può trovare qualche motivo di continuità coi modi del neorealismo. Provate a individuare, nei brani che avete letto, gli aspetti che richiamano il neorealismo e quelli che se ne differenziano.

Contestualizzare

23. I libri di memorie presentati in questa sezione (Ginzburg, *T38.47*; Meneghello, *T38.48*) hanno ispirazione, scopi e intonazione abbastanza diversi da quelli dell'epoca del neorealismo (Carlo Levi, *T38.36*; Primo Levi, *T38.37*); confrontando i quattro brani citati provate a definire la differenza.

Confrontare

24. Ripercorrete i brani degli scrittori siciliani (*T38.39*, *T38.52-T38.55*) e confrontateli dai seguenti punti di vista, individuando eventuali analogie:
- il rapporto dello scrittore con la propria terra d'origine
- la concezione della storia
- i significati simbolici che si possono attribuire alla realtà siciliana
- le scelte stilistiche e le loro funzioni.

(Ri)scrivere

25. Inventate un finale alternativo alla novella *Madre e figlio* di Dacia Maraini (*T38.45*), a partire dal momento in cui la protagonista narratrice si accorge che la madre del suo vicino è morta.

La narrativa in Italia: anni ottanta, anni novanta e oltre
`T38.56-T38.66`

Comprendere

26. I movimenti giovanili del decennio 1968-1977 hanno lasciato tracce profonde in chi li ha attraversati, sia come memoria di esperienze vissute, sia come stati d'animo conseguenti al loro esaurimento; tutto questo si è riflesso in non poche opere letterarie, come mostrano i brani di Tondelli (*T38.57*), di Balestrini (*T38.51*), il racconto di De Luca (*T38.63*). Ripercorrendo questi testi potete ricostruire diversi aspetti di come è stato vissuto quel periodo e di come è stata sentita la sua fine.

Analizzare

27. Identificate nei brani di queste due sezioni le diverse soluzioni per quanto riguarda il punto di vista narrativo (narrazione in prima persona, narrazione in terza persona ma focalizzata all'interno di un protagonista, distacco più o meno marcato fra narratore e personaggio); cercate di chiarire la funzione che hanno queste scelte in ciascun testo.

Analizzare

28. Nei brani di queste due sezioni si incontra una varietà di scelte linguistiche:

- la ricerca di espressioni originali, fantasiose, di nuovo conio;
- l'adozione di modi tipici del parlato;
- la ricerca di un tono medio, privo di forzature espressive;
- una lingua con sfumature arcaiche.

Identificate queste soluzioni espressive nei brani che avete letto, tenendo conto che esse possono essere alternative l'una all'altra, ma possono anche sovrapporsi nello stesso testo.

Interpretare

29. I brani di queste due sezioni sono stati scritti in anni recenti e molti di essi vogliono rappresentare aspetti della realtà italiana contemporanea;

- identificate i brani che hanno questo oggetto;

- dite in quale misura ciascuna rappresentazione vi pare aderente alla realtà o in qualche modo deformata, messa in caricatura, o addirittura falsata;
- indicate gli aspetti della vita contemporanea che trovate più corrispondenti alla vostra esperienza o conoscenza diretta.

La poesia in Italia
`T38.67-T38.82`

Comprendere

30. In alcuni dei testi poetici che abbiamo presentato compare una tematica in senso lato politica, che riflette le speranze e le delusioni di coloro che hanno aspirato a un mutamento radicale della società. Individuate e confrontate questi motivi nelle poesie che avete letto.

Analizzare

31. Nella poesia del secondo Novecento coesistono la tendenza all'uso di un linguaggio quotidiano, prosastico, e quella a un linguaggio estremamente sofisticato. Analizzate nei testi che avete letto la presenza dell'una o dell'altra tendenza, o il loro intreccio.

Analizzare

32. In alcune delle poesie di questo capitolo si nota lo sforzo di ricostruire una certa regolarità metrica, in forme più o meno vicine alla tradizione. Individuate questo aspetto nei testi che conoscete e provate a interpretarne il significato.

Interpretare

33.

L'impoetico: raccontalo a lampi.
Nomina le nuove impercepite
cose del mondo in cui ora siamo
immersi. E siano i versi attenti al comune, alla prosa
[...]

Questa dichiarazione di poetica di Gianni D'Elia contiene elementi che si possono trovare diffusi, in forme varie, in diversi poeti del secondo Novecento. Provate a rintracciarli e confrontarli nei testi che avete letto.

CARLO EMILIO GADDA

L'Ingegnere

CARLO EMILIO GADDA

Documenti

Gadda fu soprannominato "l'Ingegnere" dagli scrittori più giovani che riconoscevano in lui un maestro: era un modo di sottolineare, attraverso l'eccezionalità della laurea per uno scrittore, la sua posizione originale nel panorama letterario italiano. Le confessioni autobiografiche sono abbastanza frequenti nella sua opera, e aiutano a comprenderne i moventi e i caratteri. Fin dalla gioventù lo scrittore indaga le ragioni dell'infelicità e della nevrosi di cui si sente preda (*T39.1*), e da vecchio elabora gli stessi temi in un atteggiamento di scontroso risentimento verso il mondo (*T39.4*); tra le ragioni di questo risentimento sta la delusione politica e morale patita al tempo della prima guerra mondiale (*T39.2*). La continua analisi di sé si nutre di motivi psicanalitici, e conduce Gadda a un'idea della complessità della natura umana che è alla base di molti aspetti della sua opera (*T39.3*).

Scipione
Apocalisse
(1930, 65×78 cm,
olio su tavola, Torino,
Galleria Civica d'Arte
Moderna)

T39.1

«Le tristi vicende della mia vita»

Richiamato alle armi nel giugno 1915, Gadda fu combattente fino alla disfatta di Caporetto del 1917, e poi fu prigioniero in Germania fino alla fine della guerra. I diari stesi in quel periodo furono pubblicati in parte nel 1955 in parte nel 1965, col titolo Giornale di guerra e di prigionia. *La pagina che presentiamo è datata 2 no-*

vembre 1915 da Edolo, in val Camonica, dove lo scrittore stava ricevendo l'istruzione per diventare sottotenente. Gli appunti della giornata cominciano: «Grande noia, grande tristezza, solitudine inesorabile. Nulla da fare per il servizio». Questa condizione favorisce l'affiorare di riflessioni generali sulla propria situazione umana.

Carlo Emilio Gadda
GIORNALE DI GUERRA E DI PRIGIONIA
(In *Saggi giornali favole*, a cura di C. Vela e altri, Garzanti, Milano, 1992, vol. II)

1. **grame**: misere.
2. **le genia**: dovrebbe essere *la genia* (pronuncia *genìa*, "brutta razza").
3. **alla prova**: di fronte alla prova della guerra.

Le tristi vicende della mia vita si accumulano ora nella mia memoria, facendomi passare delle ore ben grame[1]. Tutte le volte che rivado nel passato, non ci vedo che dolore: le sciagure famigliari, i dissapori avuti, le genia[2] dei parenti pettegoli, l'educazione manchevole, le torture morali patite, le umiliazioni subite, la sensibilità morbosa che ha reso tutto più grave, l'immaginazione catastrofica del futuro, la povertà: e se da queste premesse ricavo alcun presentimento dell'avvenire, nulla mi si fa innanzi di meglio evidente che una conseguenza di tedio e di stanchezza. Il mio popolo, la mia patria che tanto amai, mi appaiono alla prova[3] ben peggiori di quanto credevo. Sicché, se non fosse l'immagine ossessionante di mia madre e di mia sorella, vedrei, per il resto, la morte come una liberazione; e certe volte vi penso con fiducia e serenità. L'idea del suicidio che tante volte mi occupò nei momenti della amarezza, potrebbe avere ora una dignitosa attuazione.

1

5

10

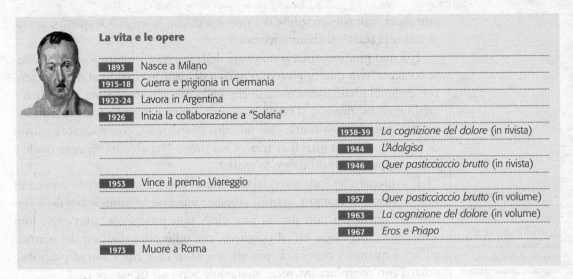

La vita e le opere

1893	Nasce a Milano
1915-18	Guerra e prigionia in Germania
1922-24	Lavora in Argentina
1926	Inizia la collaborazione a "Solaria"
1938-39	*La cognizione del dolore* (in rivista)
1944	*L'Adalgisa*
1946	*Quer pasticciaccio brutto* (in rivista)
1953	Vince il premio Viareggio
1957	*Quer pasticciaccio brutto* (in volume)
1963	*La cognizione del dolore* (in volume)
1967	*Eros e Priapo*
1973	Muore a Roma

dialogo con il testo

I temi

Il giovane Gadda si sente già un infelice, e rintraccia l'origine dell'infelicità nelle esperienze dolorose dell'infanzia e dell'adolescenza, con quel gusto per un'autoanalisi tormentosa che lo caratterizzerà anche in seguito. Non manca un certo atteggiamento vittimistico, ma c'è anche la consapevolezza che le radici del male sono più interne che esterne: «la sensibilità morbosa che ha reso tutto più grave».

Ai motivi esistenziali si aggiunge la delusione che il giovane, interventista e patriota convinto, prova di fronte alle inefficienze dell'esercito italiano.

Confronti

L'attaccamento profondo alla madre («immagine ossessionante») ispirerà più tardi le pagine più commosse della *Cognizione del dolore* (T39.9).

T39.2

«Io ho voluto la guerra»

Carlo Emilio Gadda
IL CASTELLO DI UDINE
(In *Romanzi e racconti*, a cura di R. Rodondi, G. Luchini, E. Manzotti, Garzanti, Milano, 1993, vol. I)

Il castello di Udine, pubblicato nel 1934 per le edizioni di "Solaria", è una raccolta di prose sparse, in parte già apparse su riviste. La parte che dà il titolo al libro è co- *stituita da pagine di ricordi e riflessioni sulla prima guerra mondiale. Questo brano è tratto dal capitolo intitolato «Impossibilità di un diario di guerra».*

Io ho voluto la guerra, per quel pochissimo che stava in me di volerla. Ho partecipato con sincero animo alle dimostrazioni del '15, ho urlato Viva D'Annunzio, Morte a Giolitti[1], e conservo ancora il cartello con su Morte a Giolitti che ci eravamo infilati nel nastro dei cappelli. Del resto, pace all'anima sua. Io ho presentito la guerra come una dolorosa necessità nazionale, se pure, confesso, non la ritenevo così ardua. E in guerra ho passato alcune ore delle migliori di mia vita, di quelle che m'hanno dato oblìo e

1

5

---

1. **Giolitti**: l'anziano autorevole statista che si pronunciò contro l'ingresso dell'Italia in guerra, odiatissimo dagli interventisti e da D'Annunzio (Vol. F *T30.6*).

compiuta immedesimazione del mio essere con la mia idea: questo, anche se trema la terra[2], si chiama felicità.

E il mio giudizio circa la necessità della guerra è rimasto sostanzialmente coerente: con questo però di tragico e di assurdo rispetto al delicato sentire de' miei giùdici: con questo: che nella mia retorica anima io giudico e credo molte sofferenze si sarebbero potute evitare con più acuta intelligenza, con più decisa volontà, con più alto disinteresse, con maggiore spirito di socialità e meno torri d'avorio[3]. Con meno Napoleoni[4] sopra le spalle e meno teppa e traditori dietro le spalle[5].

È evidente che son fuori del seminato. Perché sono ancora capace di odio contro chi denigrò, tramò, vilipese, indebolì, seminò scàndalo e scismi[6]: e contro chi non pensò, non vide, non predispose, non capì, non sentì, non curò. Sono un tal tànghero, che odio più i traditori dei nemici: gli àsini quanto i nemici. E più gli spioni di casa che Conrad[7], sebbene odiassi con compiuta interezza anche lui. Sono un frenetico. [...]

Ho sofferto: orrendamente sofferto: e delle mie angosce il 99 per 100 lo lascerò nella penna: il mio diario di guerra è una cosa impossibile, ognuno lo vede.

10

15

20

25

2. anche se trema la terra: sotto le cannonate.
3. torri d'avorio: atteggiamenti di aristocratica indifferenza, secondo una metafora corrente che risale a un'immagine del biblico *Cantico dei cantici* ripresa nelle litanie della Madonna (*turris eburnea*); qui si riferisce agli intellettuali che non si impegnarono a favore della guerra.
4. Napoleoni: alti ufficiali che si credevano dei Napoleoni.
5. meno teppa... spalle: alle spalle dei combattenti, nel paese, c'era la *teppa* (gentaglia) dei socialisti che si opponevano alla guerra e protestavano contro il carovita, e i *traditori* (probabilmente si riferisce ai profittatori di guerra).
6. scismi: divisioni nel paese.
7. Conrad: Franz Conrad von Hötzendorff, comandante supremo dell'esercito austriaco.

dialogo con il testo

I temi

Gadda proveniva da una famiglia della borghesia milanese legata alla tradizione risorgimentale e del Regno: un suo zio era stato ministro e senatore. Il suo interventismo si radicava dunque in un patriottismo di stampo conservatore, con qualche sfumatura di nazionalismo. A distanza di anni, mentre conferma orgogliosamente questi atteggiamenti, sottolinea però pesantemente la delusione provata di fronte alle difficoltà della guerra maggiori del previsto («non la ritenevo così ardua»), alla boriosa inefficienza degli alti comandi («Napoleoni sopra le spalle», «àsini»), alla scarsa coesione nazionale del paese («chi denigrò, tramò, vilipese, indebolì, seminò scàndalo e scismi»). Questa delusione segna profondamente la vita di Gadda, ed è all'origine di molti dei risentimenti che percorrono la sua opera.

Nella mente di Gadda c'è un ideale di comportamento sociale, di solida tradizione liberale, fatto di «acuta intelligenza, decisa volontà, alto disinteresse, spirito di socialità»; esso si scontra con una realtà fatta di incompetenza, pressapochismo, viltà, quando non di tradimento. Lo scontro è all'origine della rappresentazione della società sarcastica, graffiante, piena di viscerale disgusto, che ispira alcune delle pagine più intense dei suoi romanzi (*T39.8*, *T39.10*, *T39.12*).

☐ L'espressione «la mia retorica anima» fa il paio con «la mia retorica patriottarda», che si trova poche righe sopra il punto in cui comincia questo brano. Gadda la usa in un senso ironico, ricco di sfumature. Da chi poteva sentirsi giudicato in questo modo negativo? A vostro parere l'autore intendeva mettere nell'espressione anche qualcosa di autocritico?

T39.3 «Non sono un lavoratore normale»

Come lavoro è un saggio di Gadda sulla propria poetica, datato 1949 e apparso nel 1950 sulla rivista "Paragone"; come è tipico dell'autore, esso procede a sbalzi, tra continue digressioni e scatti di umore. Ne riportiamo una pagina.

Carlo Emilio
Gadda
I VIAGGI LA MORTE
(In *Saggi giornali
favole*, a cura di
L. Orlando,
C. Martignoni,
D. Isella, Garzanti,
Milano, 1991, vol. I)

Non sono, non riesco ad essere, un lavoratore normale, uno scrittore   1
«equilibrato»: e tanto meno uno scrittore su misura[1]. Il cosiddetto «uomo
normale» è un groppo, o gomitolo o groviglio o garbuglio, di indecifrate
(da lui medesimo) nevrosi, talmente incavestrate[2] (enchevêtrées), talmente
inscatolate (emboîtées) le une dentro l'altre, da dar coàgulo finalmente   5
d'un ciottolo, d'un cervello infrangibile: sasso-cervello o sasso-idolo: documento probante, il migliore si possa avere, dell'esistenza della normalità:
da fornire a' miei babbioni[3] ottimisti, idolatri della norma, tutte le confer-
me e tutte le consolazioni di cui vanno in cerca, non una tralasciata. Tra
queste, l'idea-madre che quel sasso, o cervello normale, sia una formazione   10
cristallina elementare, una testa d'angelo di pittore preraffaellita[4]: mentre
è, molto più probabilmente, un testicolo fossilizzato.

In realtà, la differenza tra il normale e lo anormale è questa qui: questa
sola: che il normale non ha coscienza, non ha nemmeno il sospetto metafisico[5], de' suoi stati nevrotici o paranevrotici, gli uni su gli altri così mirabil-   15
mente agguainati[6] da essersi inturgiditi a bulbo, a cipolla: non ha dunque,
né può avere, coscienza veruna del contenuto (fessissimo) delle sue nevrosi:
le sue bambinesche certezze lo immunizzano dal mortifero pericolo d'ogni
incertezza: da ogni conato[7] d'evasione, da ogni tentazione d'apertura di
rapporti con la tenebra[8], con l'ignoto infinito: mentreché lo anomalo rag-   20
giunge, qualche volta, una discretamente chiara intelligenza degli atti: e
delle cause, origini, forma prima, sviluppo, sclerotizzazione postrema[9], e
cessazione con la sua propria morte delle sue proprie nevrosi.

1. **su misura**: che lavora su ordinazione, come il sarto che confeziona *su misura*.
2. **incavestrate**: aggrovigliate (come chiarisce il termine francese tra parentesi, da cui Gadda ha coniato il suo).
3. **babbioni**: babbei.
4. **preraffaellita**: scuola di pittori inglesi sorta intorno al 1850, che intendevano ispirarsi alla pittura italiana anteriore a Raffaello, e producevano figure di este-

nuata purezza e manierata semplicità.
5. **metafisico**: filosofico, conseguente a lunghe riflessioni.

6. **agguainati**: che rivestono l'uno l'altro come guaine; riprende il concetto delle «nevrosi inscatolate le une dentro l'altre».
7. **conato**: tentativo, sforzo.
8. **la tenebra**: l'oscurità dell'inconscio.

9. **sclerotizzazione postrema**: cristallizzazione finale: col tempo la nevrosi si fissa nella personalità.

dialogo con il testo

I temi

In questa pagina la confessione autobiografica si intreccia a considerazioni di rilevanza generale. La critica al concetto di "normalità" si fonda sulla familiarità con le teorie psicanalitiche (vedi Freud, Vol. G *T31.8*), che Gadda conobbe in anticipo sulla cultura media italiana: già nel 1946 teneva una conferenza su «Letteratura e psicanalisi», un tema allora pressoché inesplorato in Italia. Dalla psicanalisi lo scrittore ricava l'idea che è impossibile tracciare un confine

netto fra "normalità" e nevrosi: la sola differenza, dichiara, è che il nevrotico conosce i propri problemi psichici, mentre il "normale" li ignora. Ne ricava soprattutto l'idea della complessità inestricabile della personalità: «groppo, o gomitolo, o groviglio, o garbuglio»; questa idea è poi solo un aspetto della complessità di tutto il reale, che in altre pagine l'autore presenta come un intrico di cause ed effetti tanto complicato da essere pressoché indecifrabile.

Queste concezioni possono spiegare, almeno in parte, l'aspetto labirintico della prosa gaddiana: i periodi contorti, l'impasto di elementi linguistici eterogenei sono tra l'altro un tentativo di adeguarsi alla complessità del reale, di penetrare l'intrico dei moventi psicologici che agiscono nell'uomo.

Le forme

Il Gadda che scrive questa pagina ha ormai una sua maniera stilistica consolidata, che resta la stessa passando dalla narrazione al saggio; qui sono in evidenza la ricerca dell'espressione sempre rara, difficile, nuova, e gli improvvisi scarti da un livello linguistico alto a uno comico e volgare.

❓ Indicate esempi di questi due caratteri stilistici.

Confronti

❓ L'atteggiamento di Gadda sul binomio "normalità"/"anormalità" si può utilmente confrontare con quanto scriveva Svevo, l'altro pioniere della psicanalisi nella letteratura italiana, sul tema della "malattia" (Vol. G *T34.2*).

T39.4 # Autopresentazione

Questo testo è la presentazione dell'autore che comparve sul risvolto di copertina della prima edizione del Pasticciaccio *(1957), e* *fu ripresa poi dall'editore su altri libri. Naturalmente non era firmata, ma era sicuramente scritta da Gadda stesso.*

Carlo Emilio Gadda
SCHEDE AUTOBIOGRAFICHE
(In *Saggi giornali favole*, a cura di C. Vela e altri, Garzanti, Milano, 1992, vol. II)

È nato a Milano quattordici giorni avanti la caduta del Ministero Giolitti, del primo[1]. Vi trascorse un'infanzia tormentata e un'adolescenza anche più dolorosa: fu accolto nelle classi elementari del Comune, ottime. Vi trovò il suo liceo e le sue matematiche[2]. Poi la guerra: la perdita del fratello Enrico, caduto nel '18. Lavorò in Italia fuori d'Italia: in Argentina, in Francia, in Germania, nel Belgio. La sua carriera di scrittore incontrò gli ostacoli classici, economici ed ambientali: più quelli dell'era, anzi delle diverse ere che gli toccò di attraversare. Visse dieci anni a Firenze: 1940-1950: gli anni belli, quand'era venuto il bello[3]. Niente Capponcina[4]. Vive nella capitale della Repubblica a quattordici chilometri dal centro, in una casa di civile abitazione, confortato nottetempo dagli ululati dei lupi e lungo tutto il giorno dai guaiti di copiosissima prole, non sua, ma egualmente cara e benedetta. «Che cosa fai tutto il giorno?» gli chiedono le persone indaffarate: «non ti muovi mai?». «No: non mi muovo.»

1

5

10

15

Elsa Morante e
Carlo Emilio Gadda
(1960 ca)

1. **la caduta... del primo**: il primo governo Giolitti durò poco più di un anno, nel 1892-93.
2. **le sue matemati-** **che**: gli studi di ingegneria; interrotti per la guerra e conclusi nel 1920.
3. **gli anni... il bello**: ironico: sono gli anni che includono la seconda guerra mondiale.
4. **Capponcina**: la fastosa villa presso Firenze dove D'Annunzio visse dal 1898 al 1909; il senso è: niente lussi, niente estetismo.

dialogo con il testo

I temi

Il Gadda maturo continua a rappresentarsi come un uomo bersagliato dall'ingiustizia della sorte e degli uomini, a cui reagisce con uno scontroso isolamento. È una resa al male del mondo (e della propria nevrosi), ma è anche un'affermazione orgogliosa di distacco, il rifiuto di farsi coinvolgere in quella vita sociale che gli appare come una grande commedia: si veda l'accenno ironico e sprezzante al mito dannunziano dell'artista superuomo.

Confronti

Confrontando questo testo col brano *T39.1*, si può notare la coincidenza di alcuni temi, ma anche una differenza di intonazione, dovuta all'età e alla diversa destinazione dello scritto.

❷ Analizzate queste affinità e differenze.

Il Resegone visto dalla Brianza. Il monte, noto al pubblico non lombardo grazie ai *Promessi sposi* manzoniani, diventa alla spagnola "Serruchon" nel Sud America di fantasia che fa da sfondo alla *Cognizione del dolore*

CARLO EMILIO GADDA

La poetica

Anche le dichiarazioni di Gadda sui suoi intenti e moventi di scrittore finiscono per essere confessioni sulla propria personalità inquieta e risentita. In una pagina che è una specie di confessione in pubblico, mette in luce le ragioni psicologiche che gli impediscono di essere un narratore "normale", un distaccato osservatore della realtà, e che fanno della sua scrittura una specie di rivalsa contro il mondo (*T39.5*). Le sue scelte linguistiche sono dichiarate con piena consapevolezza del loro carattere aristocratico e scontroso (*T39.6*), e il barocchismo della sua prosa è spiegato come una risposta (a suo modo realistica) al carattere disarmonico e deforme della realtà (*T39.7*). Lo stile lambiccato e acrobatico di queste pagine è già di per sé un esempio delle scelte che dichiarano.

Mario Mafai
Fantasia
(1942 ca, 112×142 cm. Olio su tela, Roma, Collezione privata)

T39.5

La narrazione come vendetta

Questo brano è tratto da una "Intervista al microfono" (radiofonico) che Gadda fece a sé stesso sul suo lavoro di scrittore, nel 1950.

Carlo Emilio
Gadda
I VIAGGI LA MORTE
(In *Saggi giornali favole*, a cura di
L. Orlando,
C. Martignoni,
D. Isella, Garzanti,
Milano, 1991, vol. I)

Nella mia vita di «umiliato e offeso»[1] la narrazione mi è apparsa, talvolta, lo strumento che mi avrebbe consentito di ristabilire la «mia» verità, il «mio» modo di vedere, cioè: lo strumento della rivendicazione contro gli oltraggi del destino e de' suoi umani proietti[2]: lo strumento, in assoluto, del riscatto e della vendetta. Sicché il mio narrare palesa, molte volte, il tono risentito di chi dice rattenendo l'ira, lo sdegno. Di ciò domanderei perdono a Dio, e magari alle creature, se Dio e le creature potessero garentirmi di non ripetere, in avvenire, gli scherzucci del passato. Domanderei e domando comunque perdono, poiché se gravi sono state le offese immeritamente patite, gravi sono stati anche gli errori dipoi commessi. Molti errori ho commesso: *dopo* e in *conseguenza* dei turbamenti che le offese avevano generato in me: tanto da rendere accettabile a mio vantaggio quella sublime osservazione del Manzoni[3], quando giudica di Don Rodrigo, e di Renzo in furie: «chi fa il male è responsabile non soltanto del male che ha fatto, ma dei turbamenti nei quali induce l'animo degli offesi.»

La mia scrittura si è dunque volta a narrare, al puro narrare[4]: come la mia anima si avvicina alla serenità e alla obiettività giudiziosa della morte.

1. «**umiliato e offeso**»: allusione al titolo di un romanzo di Dostoevskij, *Umiliati e offesi* (1862).
2. **umani proietti**: le persone che gli hanno fatto del male, "proiettili" del destino.
3. **sublime osservazione del Manzoni**: nel capitolo II dei *Promessi sposi*, citato a memoria; la frase esatta è: «I provocatori, i soverchiatori, tutti coloro che, in qualunque modo, fanno torto altrui, sono rei, non solo del male che commettono, ma del pervertimento ancora a cui portano gli animi degli offesi».
4. **La mia scrittura... narrare**: l'autore parla di una svolta nella sua produzione (di cui non si vedono però le tracce nell'opera).

Il giorno che s'ha le braccia in croce sul petto, siamo tutti molto giudiziosi, siamo tutti angeli.

Anch'io sarò un angelo, quel giorno: tutti i miei peccati saranno evaporati fuori dalla mia santa compostezza, dalla immobilità e dalla impossibilità di peccare. 20

Così non sarò più lo scrittore bizzoso e vendicativo che ero in vita: non sarò più l'inchiostratore maligno e pettegolo che avevo l'obbligo di essere per essere un narratore che si rispetti: non sarò più il maniaco dei tecnicismi, dei motti popolareschi, dei modi eruditi, degli archi a spiombo[5] e delle piramidi sintattiche, dei periodi a cavaturacciolo, che mi vengono così 25 giustamente rimproverati dal buon gusto e dal buon senso delle mie vittime. Ho pronunciato la parola «pettegolo». Credo realmente che un bravo narratore debba possedere e debba esercitare non soltanto quello spirito di 30 osservazione che, forse, non mi difetta, ma anche quel gusto del conoscere i fatti (i fatti altrui), quella voracità inquisitiva[6] che mi è le più volte mancata e tuttodì[7] mi manca, checché ne dicano i mordaci miei amici. Temperamento piuttosto incline a solitudine, inetto a cicalare[8] con brio, alieno dalla mondanità, io avvicino e frequento i miei simili con una certa 35 fatica e una certa titubanza, con più titubanza e con più fatica i più virtuosi di essi. Davanti a chiunque rivivo gli attimi di uno scolaro all'esame. Mi diletto invece di chiare algebre[9] alle ore di «loisir»[10]. Che non ti snervano quanto una conversazione di salotto; ove, a me, m'incorre l'obbligo di fingermi spiritoso e intelligente, non avendo né l'una né l'altra qualità. 40

Ecco dunque il mio punto debole, per riuscire narratore: manco di appetito, manco della cupidità di conoscere i fatti altrui, quella che tre grandi «pettegoli» possedettero in misura eminente: Dante, Saint-Simon[11], Balzac.

---

5. **a spiombo**: inclinati, che deviano dalla linea a piombo; metafora architettonica per riferirsi alle proprie acrobazie stilistiche.
6. **voracità inquisitiva**: voglia famelica di indagare.
7. **tuttodì**: tuttora.
8. **cicalare**: chiacchierare.
9. **chiare algebre**: studi ed esercizi astratti e razionali.
10. **loisir**: tempo libero (francese).
11. **Saint-Simon**: scrittore francese (1675-1755), vissuto a corte e tra gli intrighi dei potenti, lasciò una ricchissima descrizione di questi ambienti nelle sue *Memorie*.

dialogo con il testo

I temi

Gadda rivela una lucida consapevolezza delle radici psicologiche della sua scrittura: un senso di frustrazione, di ingiustizia patita, lo spinge a cercare nella scrittura una rivalsa contro il mondo; il tono «bizzoso e vendicativo», le contorsioni stilistiche, sono espressione di una profonda ripugnanza verso la realtà, che lo ha deluso.

Ricorre poi nella pagina un proposito manifestato più volte nella carriera di Gadda: quello di cambiare registro, di volgersi al «narrare puro», di diventare uno scrittore sereno e "normale". Subito dopo, però, l'autore si smentisce e manifesta la sua incapacità di essere «un bravo narratore»: la sua introversione gli impedisce di proiettarsi all'esterno sulle cose e sui fatti del mondo, come hanno fatto i grandi autori che cita. Di nuovo l'autoritratto è lucido: uno scrittore del Novecento non poteva non restare lontano da quella visione ampia e coerente della realtà che ha fatto la grandezza di romanzieri come Balzac.

? In un passo, Gadda elenca incisivamente una serie di caratteristiche della sua prosa:
– individuate il passo;
– distinguete le caratteristiche definite con una certa precisione analitica e quelle definite in modo fantasiosamente metaforico;
– cercate nei brani dell'antologia esempi di almeno una parte delle caratteristiche elencate.

T39.6

Contro la lingua dell'uso

Nel 1942 Gadda intervenne con un articolo in un dibattito sul tema "Lingua letteraria e lingua dell'uso", aperto su una rivista dai più importanti linguisti italiani del momento. Riportiamo la parte conclusiva dell'intervento.

Carlo Emilio Gadda
I VIAGGI LA MORTE
(In *Saggi giornali favole*, a cura di L. Orlando, C. Martignoni, D. Isella, Garzanti, Milano, 1991, vol. I)

Non sempre si parla o si scrive dassenno[1], e talora benanco, la Dio mercè[2], tu dimetti la tua grinta categorizzante[3], per una gentile bautta[4], o per un testone col naso peperonato. L'umore, l'allegrezza, la stizza, l'imbroglio, la menzogna, la frode, movono gli omini ad abusare della lingua e della penna: abuso morale, ma pieno uso idiomatico[5]. D'altro lato, i peccatori e i pupilli[6] finirono per istuccarsi[7] con l'andar dei secoli di certe bugie o tiritere de' precettori e de' maestri: e vi furon genti e persone individue che seppero benissimo irridere alle fole con il linguaggio delle fole medesime[8]. Altri vollero semplicemente ridere. Figurano, tra questi, gli scrittori satirici, i comici, i maccheronici[9], i «licenziosi»[10]. Allora le filosofie lunghe[11], le troppo dilatate teologie si sentono rifare il verso in teatro[12]: e così l'epos pallonaro, o l'umanità o la sofistica buggerona[13].

Rifare il verso! quali sottili misure si dimandano per una cotanta operazione! Dire dassenno le proprie magre opinioni sulla piantatura del rabarbaro può essere pratica d'ordinario mestiere. Ma lavorare ai sottili e congegnati equilibri cervantini[14] vi par sapienza di nulla? Ora in codesti giochi e burle ch'io dico, la lingua illustre è talora adibita a predisporre l'orditura medesima della burla. È il valido liccio[15] di fondo a cui si appoggerà l'opera: dico il disegno del simulare, o del mordere.

La lingua dell'uso piccolo-borghese, puntuale, miseramente apodittica[16], stenta, scolorata, tetra, eguale, come piccoletto grembiule casalingo da rigovernare le stoviglie, va bene, concedo, è lei pure una lingua: un «modo» dell'essere. Ma non può doventare[17] la legge, l'unica legge. Ripudio un tale obbligo e una siffatta legge, quando è dettata dall'ortodossia degli inesperti o dei malati di pauperismo[18].

Può darsi che la manìa dell'ordine astringa taluni a potare la pianta di tutte le rame capricciose della liberalità e del lusso[19]. Dichiaro, per altro, di non appartenere ad alcuna confraternita potativa. La mia penna è al servi-

1. **dassenno**: sul serio; espressione veneta.
2. **benanco... mercè**: perfino, grazie a Dio. Arcaismi.
3. **grinta categorizzante**: la faccia seria da pensatore.
4. **bautta**: tipo di maschera usato a Venezia nel Settecento; anche il *testone* che segue è da intendere come una maschera.
5. **uso idiomatico**: modo di dire irregolare, ma corrente.
6. **pupilli**: allievi dei *precettori* e *maestri*.
7. **istuccarsi**: stancarsi, disgustarsi.
8. **irridere alle fole... medesime**: deridere le *bugie* ammantate di parole solenni (*fole*, "favole") usando lo stesso linguaggio, in parodia.
9. **i maccheronici**: quelli che usano una lingua scherzosamente deformata, come il latino maccheronico usato da Teofilo Folengo nel Cinquecento (Vol. B *T9.38*).
10. **«licenziosi»**: così giudicati per le libertà che si prendono sul piano della lingua e del decoro.
11. **lunghe**: esposte in lunghi trattati.
12. **si sentono... teatro**: si vedono messe in parodia, come in uno spettacolo satirico.
13. **l'epos... buggerona**: i toni epici ampollosi (ma *pallonaro* suggerisce anche "che raccontano balle"), l'umanesimo o le sottigliezze filosofiche (*sofistica*) imbroglione.
14. **equilibri cervantini**: discorsi in bilico tra il serio e lo scherzoso, come nel *Don Chisciotte* di Cervantes.
15. **liccio**: meccanismo del telaio; qui rappresenta l'intelaiatura di fondo su cui si costruisce il *disegno* dell'opera.
16. **apodittica**: schematica (propriamente "deduttiva, che dimostra").
17. **doventare**: forma antica per *diventare*.
18. **malati di pauperismo**: affetti dalla mania di essere popolari; *pauperismo* si dice una tendenza ideologica che privilegia le esigenze dei poveri (latino *pauper*).
19. **astringa... lusso**: costringa certuni a rinunciare alle ricchezze della lingua non necessarie (dovute a prodigalità dello scrittore, al puro lusso). Metaforicamente: potare dalla pianta i rami che crescono capricciosamente.

20. **fante**: servitore.
21. **signora Cesira... Zebedia**: nomi qualunque, per indicare personaggi piccolo-borghesi di gusto mediocre.
22. **suggere dal loro breviario**: alimentarsi dalle loro letture.

zio della mia anima, e non è fante[20] o domestica alla signora Cesira e al signor Zebedia[21] che vogliono suggere dal loro breviario[22] «la lingua dell'u-   30
so», del loro uso di pitta-unghie o di fabbricanti di bretelle.

Le genti le dimandano con ogni ragione delle buone e intelligibili scrit-
ture: legittima cosa, che il fratello attenda dal fratello una parola fraterna.
Ma questa prepotenza del voler canonizzare l'uso-Cesira scopre di troppo il
desiderio, e quasi l'intento, della Cesira medesima: il desiderio d'aver tutti   35
inginocchiati al livello della sua zucca.

dialogo con il testo

I temi

Gadda confessa qui il suo gusto per una lingua bizzarra, deformata, lontana dalla norma, e dichiara
l'intento essenziale che lo muove a queste scelte, che
è la parodia: «irridere alle fole con il linguaggio delle
fole medesime», «rifare il verso». C'è da un lato l'insofferenza per tutto ciò che suona esteriormente nobile ed elevato («certe bugie o tiritere»), ma dall'altro
un aristocratico disdegno per la lingua normale, media, adibita a usi pratici («la mia penna è al servizio
della mia anima»), o almeno per l'obbligo di impie-
garla in letteratura, per chi la vuole «canonizzare».

❓ Qua e là l'autore riconosce, con atteggiamento di
condiscendenza dall'alto in basso, che una lingua
dell'uso medio è pure utile in certe circostanze.
Indicate le espressioni relative.

Nella vita, l'uomo Gadda non fu così scontroso verso gli impieghi pratici della lingua; quando lavorava
per la RAI, a Roma, scrisse un piccolo prontuario
linguistico a uso dei redattori in cui chiedeva semplicità, chiarezza, concretezza.

T39.7

«Barocco è il mondo»

Carlo Emilio Gadda
APPENDICE
(In *La cognizione del dolore*, edizione critica a cura di E. Manzotti, Einaudi, Torino, 1987)

*La cognizione del dolore, di cui vari ca-
pitoli erano apparsi sulla rivista
"Letteratura" tra il 1938 e il 1941, fu
stampata in volume per la prima volta nel
1963. Gadda vi aggiunse una premessa in*
*forma di dialogo tra l'editore e l'autore
(L'Editore chiede venia del recupero
chiamando in causa l'Autore), in cui faceva importanti commenti sulla propria
opera. Ne riportiamo un brano.*

La sceverazione[1] degli accadimenti del mondo e della società in parvenze o   1
simboli spettacolari, muffe della storia biologica e della relativa componente estetica[2], e in moventi e sentimenti profondi, veridici, della realtà spirituale, questa cérnita è metodo caratterizzante la rappresentazione che l'autore ama dare della società: i simboli spettacolari muovono per lo più il re-   5
ferto[3] a una programmata derisione, che in certe pagine raggiunge tonalità
parossistica e aspetto deforme: lo muovono alla polemica, alla beffa, al
grottesco, al «barocco»: alla insofferenza, all'apparente crudeltà, a un indu-

1. **sceverazione**: distinzione, separazione.
2. **parvenze... estetica**: le manifestazioni esteriori, i simboli collettivi, che sono come una *muffa* che si forma alla superficie della storia vera, concernente gli uomini nella loro fisicità (*biologica*), e della sua rappresentazione arti-
stica (*relativa componente estetica*). Sono le solenni bugie collettive, il lato falso della storia, che l'autore separa (*sceverazione, cérnita*) dai *moventi e sentimenti profondi, veridici*.
3. **il referto**: la rappresentazione narrativa.

gio «misantropico» del pensiero. Ma il barocco e il grottesco albergano già
nelle cose, nelle singole trovate di una fenomenologia a noi esterna[4]: nelle
stesse espressioni del costume, nella nozione accettata «comunemente» dai
pochi o dai molti: e nelle lettere, umane o disumane che siano[5]; grottesco e
barocco non ascrivibili a una premeditata volontà o tendenza espressiva
dell'autore, ma legati alla natura e alla storia: la grinta dello smargiasso, an-
corché trombato[6], o il verso «che più superba altezza[7]» non ponno addebi-
tarsi a volontà prava[8] e «baroccheggiante» dell'autore, sí a reale e storica
bambolaggine di secondi o di terzi[9], del loro contegno, o dei loro settenarî:
talché il grido-parola d'ordine «barocco è il G.!» potrebbe commutarsi nel
più ragionevole e più pacato asserto «barocco è il mondo, e il G. ne ha percepito e ritratto la baroccaggine». Riferito all'omiciàttolo Nabulione [*sic*
nell'atto di battesimo[10]] il settenario del grande Manzoni riesce al grottesco, in quanto l'Ei fu[11], cioè il Più superba altezza, fu notoriamente una
superbiciàttola piccolezza[12]: a misurarne il fisico, (fisicuzzo), un riformabi-
le se non riformato alla leva. Che fosse italiano e sveglio, non era buona ragione per chiamarlo una altezza. Il verso, in realtà grottesco, non deve
ascriversi a fissazione vale a dire manía baroccòfila di chi eventualmente lo
citi o lo riscriva, da riderne un attimo, sí bene e realtà[13] barocca nella storia
del lirismo italiano dell'Ottocento.

10

15

20

25

4. **singole... esterna**: i singoli fenomeni della realtà esterna all'autore (*trovate*, come se fossero escogitati da una mente maligna).
5. **nelle lettere.... siano**: nella letteratura; l'autore gioca sull'e-spressione umanistica *humanae litterae*.
6. **la grinta... trombato**: è probabile che Gadda avesse qui in mente Mussolini, contro il quale il suo furore polemico fu inesauribile.
7. **il verso... altezza**: è un verso dell'ode *Il Cinque Maggio* di

Manzoni dedicata alla morte di Napoleone (Vol. E *T23.15*), preso ad esempio di esaltazione retorica della grandezza umana.
8. **prava**: malvagia.
9. **bambolaggine...**

terzi: stupidità infantile di altre persone.
10. *sic*... **battesimo**: questa è la forma esatta nel documento parrocchiale del battesimo di Napoleone; la forma *Nabulione*

viene dunque a essere un esempio di baroc-caggine della realtà.
11. **l'Ei fu**: Napoleone, chiamato con le parole iniziali dell'ode manzoniana.
12. **piccolezza**: si ri-

ferisce alla statura di Napoleone, notoria-mente molto bassa.
13. **e realtà**: sembre-rerebbe una svista per *a realtà*, ma questa è la forma in tutte le edizioni.

dialogo con il testo

I temi

Il gusto gaddiano per il deforme e il grottesco nasce da un intento a suo modo realistico: deforme e grot-tesco («barocco») è il mondo. Più ancora lo è la lette-ratura, quando mistifica la miserabile realtà della sto-ria rivestendola di aulica solennità; qui a far le spese della «programmata derisione» di Gadda è addirittu-ra Manzoni (pur amato e rispettato, vedi *T39.5*, riga 13), che con un suo verso finisce tra le «muffe» della «componente estetica» della storia. Tutto serve alla furia demistificatoria dell'autore, anche la notizia

erudita sul vero nome del conquistatore quale risulta dai documenti.

☐ Il commento su Napoleone può aiutare a capire che cosa intenda l'autore quando parla di «storia bio-logica». Provate a interpretarlo in questo senso.

Confronti

☐ Notate i punti di consonanza fra questo brano e quelli riportati in *T39.5* e *T39.6*.

I romanzi

CARLO EMILIO GADDA

Le opere

Gadda esordì in pubblico con *La Madonna dei Filosofi* (1931), una raccolta di racconti, saggi e "capitoli" (come si diceva al tempo della prosa d'arte) già apparsi sulla rivista "Solaria"; ma fin dal 1928-29 aveva tentato un racconto più lungo e organico con *La meccanica*, rimasto interrotto e pubblicato nel 1970. Da allora la sua opera è una serie di romanzi incompiuti: le raccolte *L'Adalgisa* (1944) e *Novelle del ducato in fiamme* (1953) sono per buona parte costituite di capitoli sparsi di romanzi mai portati a termine. Incompiuti sono i suoi due capolavori che escono in volume nel dopoguerra: *La cognizione del dolore* (1963, ma già in parte su rivista nel 1938-41) e *Quer pasticciaccio brutto de via Merulana* (1957, ma in parte su rivista nel 1946).

Achille Luciano Manzon **"Fate tutti il vostro dovere!":** manifesto di propaganda per la sottoscrizione di un prestito di guerra (1917)

La meccanica

Scritto nel 1928-29, ma pubblicato solo nel 1970, *La meccanica* è un racconto lungo incompiuto. La vicenda si colloca nel 1915, nei primi mesi di guerra, e riflette il risentimento dell'autore, interventista convinto (*T39.2*), contro i socialisti neutralisti e soprattutto contro gli "imboscati", come furono detti quelli che si sottraevano alla chiamata alle armi con pretesti e favoritismi. La bellissima Zoraide, moglie di un operaio che è dovuto partire per il fronte, è diventata amante del giovane Paolo Velaschi, figlio di un ricco notaio, che è riuscito a "imboscarsi": il padre lo ha fatto assumere come operaio in un'industria meccanica, in modo che fosse esonerato dalla chiamata come elemento necessario alla produzione. Il frammento del romanzo scritto da Gadda si ferma qui, dopo alcune colorite scene interrotte da frequenti digressioni.

"*Fate tutti il vostro dovere!*"

I bollettini di guerra

Presentiamo un brano dall'ultimo capitolo del romanzo incompiuto La Meccanica *(1928-1929). La scena si svolge il 2 ottobre 1915: il notaio Velaschi, che è riuscito a sottrarre il figlio alla chiamata alle armi, compie la sua passeggiata mattutina e legge sul "Corriere della Sera" le notizie della guerra.*

Carlo Emilio Gadda
LA MECCANICA
(Cap. 5, Garzanti,
Milano, 1970)

Raccontava Cadorna[1]:   1

«Nel settore di Tolmino le nostre truppe, nella notte del 30 settembre, attaccarono lungo tutta la fronte, dal Mrzli al Vodil (Monte Nero) ed alle culture di Santa Maria e di Santa Lucia, riuscendo, non ostante le straordinarie difficoltà del terreno, aggravate dalla inclemenza della stagione, ad   5
espugnare fortissimi trinceramenti nemici e a prendervi qualche decina di prigionieri. Manifestatosi un violento contrattacco di numerose forze nemiche i successi aspramente conseguiti all'ala sinistra sui contrafforti del Mrzli e del Vodil non poterono essere mantenuti. All'ala destra, sulle colline di Santa Lucia, fu invece possibile afforzare e conservare il terreno con-   10
quistato.»

Il dottore trovò che il ragionamento filava. La faccenda non lo inquietò.

Altri forse avrebbe potuto inquietarsi: palmi di terreno, qualche decina di prigionieri, e la solita alterna vicenda. Il genio dell'attacco frontale[2] fun-   15
zionava. Una cosa sola non si contavano: i morti. Ed era la prosa pacata di chi spera in Dio, riconoscendo che la stagione è inclemente ai generali quando comandavano vane battaglie: e dissolve le forze della vita, che pur ci è data da Dio, in una lotta di attacchi eroici, disorganici e vani. Era il regno e la strategia del costone, della quota[3], della trincera e del trincerone: e   20
della ridotta[4] mollata e presa, presa e mollata. Con fumanti cùmuli e tonitruanti vulcani[5] sopra le quote che, visti da lunge col cannocchiale, parevano pennacchî splendidi di maresciallo. Era il regno e la strategia del «cocùssolo» come mi disse un alpino idiota a bocca aperta una volta che gli chiesi: «dove ti hanno ferito?» «Perché emo[6] preso il cocùssolo e semo re-   25
stati in pochi.» «E poi?» «Poi emo dovuto venir giò, perché è venuto su lori, in tanti.» (Noi eravamo occupati in accudire ad altro cocùzzolo.)

Il dottor Velaschi era fiducioso che le cose procedessero nel migliore de' modi; tanto che Dominedio stesso aveva decretato lui d'incanalarle a quel modo.   30

De' suoi ragazzi non era certo questione: i figli degli altri facevano il dover loro, quasi tutti; e poi il color buio[7] non lo voleva vedere, bisognava esser uomini; dunque tenersi calmi, sereni. Tutto procedeva regolarmente, secondo appare da certe tricromie della battaglia di Ain Zara o del forte di Dogali[8], che insieme con la lattea Desdemona e col moro cioccolatto[9], e   35

1. Cadorna: il generale Luigi Cadorna, comandante supremo dell'esercito italiano nella prima guerra mondiale dal 1915 al 1917, destituito dopo la disfatta di Caporetto. Quello che si cita è un bollettino ufficiale sulle operazioni al fronte.
2. Il genio... frontale: la strategia di Cadorna era basata sull'attacco frontale, in massa, che costava regolarmente perdite molto sanguinose.
3. costone... quota: costoni di montagne; "quote" erano dette nel gergo militare le posizioni di riferimento del terreno senza nome, contrassegnate solamente dalla cifra dell'altitudine sulle carte topografiche.
4. ridotta: piccola fortificazione.
5. fumanti... vulcani: le esplosioni dei proiettili di cannone, percepite da lontano: *cumuli* di fumo come nuvole, e fragorose eruzioni di vulcano.
6. emo: abbiamo. Dialetto veneto.
7. il color buio: il lato oscuro, tragico.
8. tricromie... Dogali: stampe a tre colori illustranti battaglie delle guerre coloniali italiane in Abissinia, negli anni ottanta e novanta dell'Ottocento.
9. insieme... cioccolatto: altre stampe con scene dell'*Otello* di Verdi, in cui la candida (*lattea*) Desdemona è con lo sposo, il moro Otello color cioccolato; *cioccolatto* è un aggettivo coniato su *cioccolatte*, forma usata in passato per un'errata etimologia di *cioccolato*, che in realtà è una parola di origine azteca.

con il suo pugnale tra i cupi damaschi de' cortinaggi, illustrano il salotto speciale nelle meglio trattorie di campagna.

Gli ufficiali, notoriamente affetti dall'epiteto di «brillanti», pronunziavano dei comandi recisi come crociatèt e baionettàrm[10], dei comandi pieni di saggezza e d'acume, appena vedevano che il «nemico» veniva da una parte. Quando poi vedevano che veniva da un'altra, impartivano ai proprî gregari ordini diversi sì, ma non meno geniali. I gregari, bene allineati nella trincea o nella ridotta, con zaino, ròtoli, rotoletti, tascapane, giberne, gamella[11], boraccia, sparavano fuori da feritoie marginate di belle cotenne erbose[12], d'un verde ramarro, e quando avevano finito la scorta delle «cartucce»[13] o avevan fame, passava uno che distribuiva nuove «cartucce», e nuovo «biscotto». La trincea come nei testi di costruzioni per gli edili, belle armature di puntoni squadrati alla triestina[14], e bolognini[15] di pietra salda, ben collocati. Ed era proprio un peccato che da quelle feritoie, come un barbagianni[16] da finestre aperte, entrasse in casa di quando in quando qualche colpetto sparato dal nemico: e ferisse, magari uccidesse, de' nostri. Ma, si sa, la guerra è la guerra.

Nessuna aveva lasciato sospettare al notaio Velaschi che il «nemico» si trasfigura per lo più in atroci sibili ed ululati celesti, cui seguono schianti irriproducibili con secca arsura de' nitrati[17]: e una nebbia nasconde i compagni.

I cocùzzoli paiono gli òmeri fumanti e il fumante vertice dell'Encèlado[18]. Si sentono grossi bauli piovere e rotolare con ferraglia calabroni[19] e sassi; e sono schegge, o cubi dal bianco calcàre. Poi si chiamano coi cognomi loro quelli che poco prima vedevamo, ma nessuno risponde: ed altre ed altre lacerazioni ci distolgono da questo appello. Incespichiamo, al muoverci, in panòplie[20] di fucili spezzati, zappetti, sacchi a terra travi stronche e legname e gamelle e mutande fuori uso con teli da tenda terrosi; cose divelte, come finite dal fulmine. Poi riconsegnate alla terra.

E sotto ci dev'essere qualchecosa ancora però; e mentre guardiamo i pini divelti, (dopo ululati), irradiare[21] dai cùmuli bianchi, o neri, e chiudiamo poi gli occhi davanti la grandine che proruppe dal detonante cratere, sotto il piede che s'è legato dentro un groviglio sentiamo che c'è qualchecosa di stanco, qualche cosa che fa ciak.

Due passi ancora e infarinati le mani aride ci inginocchiamo e chiniamo a scuotere, a richiamare: ma dalla bocca sudano[22] un filo di sudor rosso e il capo è pesante, stanco: gli occhi son fermi nella faccia discolorata, non conoscono, non vedono più.

Più là, meglio è non guardare nemmeno.

10. crociatèt e baionettàrm: i comandi militari fatti di parole smozzicate e amalgamate; *crociatèt* non sappiamo cosa significhi, *baionettàrm* è l'ordine di inastare la baionetta sul fucile.

11. giberne, gamella: tasche di tela appese a cinture, per tenervi i caricatori; gavetta per il rancio.

12. marginate... erbose: rinforzate sull'orlo con zolle erbose.

13. «cartucce»: l'autore ha posto tra virgolette «cartucce» e «biscotto» perché li considera (scrive in una nota) «terminologia ottocentesca».

14. puntoni... triestina: «tecnica del legname» (nota dell'au-

tore).

15. bolognini: pietre da costruzione, in vari dialetti settentrionali.

16. barbagianni: uccello rapace notturno.

17. atroci sibili... nitrati: il fischio dei proiettili in arrivo dal cielo, a cui seguono i

fragori indescrivibili dell'esplosione e il bruciore dei *nitrati* (componenti chimici degli esplosivi).

18. Encèlado: l'Etna. Secondo il mito antico, Encelado, capo del giganti che diedero l'assalto al cielo, fu abbattuto dai fulmini

di Zeus e sepolto sotto l'Etna, attraverso il quale continua a espirare fiamme.

19. calabroni: «Nel gergo di guerra le schegge informi de' grossi proietti dopo lo scoppio nelle loro nuove e singole traiettorie» (nota dell'auto-

re).

20. panòplie: armature dei guerrieri antichi, non indossate (dal greco); qui sono cumuli di armi e attrezzi dei caduti.

21. irradiare: volare in tutte le direzioni.

22. sudano: sottinteso, i compagni morti.

dialogo con il testo

I temi

Il brano rappresenta bene l'intento morale che muove Gadda nel suo primo tentativo narrativo di ampio respiro: colpire, con l'arma della rappresentazione artistica, coloro che non erano stati all'altezza dei compiti imposti dalla grande guerra (profondamente sentita dall'autore, *T39.2*), o si erano sottratti ai sacrifici comuni.

Si possono dunque individuare nel brano due oggetti di rappresentazione satirica:
– l'incapacità irresponsabile degli alti comandi che sacrificavano inutilmente vite umane;
– l'ottimismo egoista del notaio Velaschi, che aveva sottratto ai rischi il proprio figlio.
 ? Citate o sintetizzate i passi relativi.

Le forme

Accanto alla satira, c'è la rappresentazione seria, tragica, della realtà della guerra e della morte. Spicca nel brano l'accostamento per contrasto di due linguaggi: quello dei bollettini ufficiali, menzognero non tanto perché racconti bugie, quanto perché ignora e nasconde le sofferenze di cui sono fatte le azioni che riferisce; quello dell'esperienza reale, affidato alla dolente voce del narratore.

Questa pluralità di prospettive si può riconoscere anche nell'intreccio di diversi punti di vista:
– quello degli alti comandi;
– quello del notaio Velaschi, reso in discorso indiretto libero;
– quello della voce che narra e commenta;
– quello, rappresentato in forme simili al monologo interiore, di chi si è trovato in mezzo ai combattimenti.
 ? Individuate i passi che si possono riferire ai diversi punti di vista, e notate come a volte si slitta dall'uno all'altro in modo impercettibile.

Si manifesta già, in questa prova giovanile, il gusto gaddiano per la mescolanza dei linguaggi e degli stili; alcuni dei molteplici ingredienti sono:
– il dialetto veneto;
– i linguaggi tecnici (militare, delle costruzioni);
– il linguaggio corrente delle trincee (*biscotto*, *calabroni*);
– il linguaggio letterario aulico (*tonitruanti vulcani*, *panòplie*).

La cognizione del dolore

Il romanzo fu scritto tra il 1938 e il 1941, e i primi sette capitoli apparvero in quegli anni sulla rivista "Letteratura"; furono poi stampati, rivisti nella forma, in volume nel 1963; nel 1971 apparve una nuova edizione, con l'aggiunta di due capitoli che portano la vicenda quasi alla conclusione. Il romanzo si svolge in un immaginario paese sudamericano (ma il paesaggio ricorda la Brianza), in un periodo postbellico che assomiglia molto ai primi anni del fascismo in Italia. I protagonisti sono chiamati «la madre» e «il figlio», e hanno tratti autobiografici: la madre ha perso un altro figlio in guerra, e vive sola, consunta dagli anni e dal dolore, in una villa signorile (*T39.9*). Il figlio è ingegnere e scrittore, e vive in una solitudine scontrosa: buona parte del libro è occupata dai suoi sfoghi furenti contro tutto e tutti (*T39.10*). La madre viene assassinata, forse da membri di quell'Istituto di Vigilanza Notturna che dovrebbe proteggerla (probabile allegoria delle milizie fasciste). Qui il romanzo si interrompe.

«Vagava, sola, nella casa»

All'inizio della seconda parte del romanzo entra in scena la madre del protagonista,

che alla fine sarà vittima di una brutale aggressione da parte di sconosciuti.

Carlo Emilio Gadda
LA COGNIZIONE
DEL DOLORE
(Cap. V, edizione critica a cura di E. Manzotti, Einaudi, Torino, 1987)

Vagava, sola, nella casa. Ed erano quei muri, quel rame[1], tutto ciò che le era rimasto? di una vita. Le avevano precisato il nome, crudele e nero, del monte: dove era caduto[2]: e l'altro, desolatamente sereno, della terra dove lo avevano portato e dimesso[3], col volto ridonato alla pace e alla dimenticanza, privo di ogni risposta, per sempre. Il figlio che le aveva sorriso, brevi primavere! che cosí dolcemente, passionatamente, l'aveva carezzata, baciata. Dopo un anno, a Pastrufazio[4], un sottufficiale d'arma[5] le si era presentato con un diploma, le aveva consegnato un libercolo, pregandola di voler apporre la sua firma su di un altro brogliaccio: e in cosí dire le aveva porto una matita copiativa. Prima le aveva chiesto: «è lei la signora Elisabetta François?». Impallidendo all'udir pronunziare il suo nome, che era il nome dello strazio, aveva risposto: «sí, sono io». Tremando, come al feroce rincrudire d'una condanna. A cui, dopo il primo grido orribile, la buia voce dell'eternità la seguitava a chiamare. 1

Avanti che se ne andasse, quando con un tintinnare della catenella raccolse a sé, dopo il registro, anche la spada luccicante, ella gli aveva detto come a trattenerlo: «posso offrirle un bicchiere di Nevado[6]?»: stringendo l'una nell'altra le mani scarne. Ma quello non volle accettare. Le era parso che somigliasse stranamente a chi aveva occupato il fulgore breve del tempo[7]: del consumato tempo. I battiti del cuore glie lo dicevano: e sentí di dover riamare, con un tremito dei labbri, la riapparita presenza: ma sapeva bene che nessuno, nessuno mai, ritorna. 15

Vagava nella casa: e talora dischiudeva le gelosie d'una finestra, che il sole entrasse, nella grande stanza. La luce allora incontrava le sue vesti dimesse, quasi povere: i piccoli ripieghi di cui aveva potuto medicare, resistendo al pianto, l'abito umiliato della vecchiezza. Ma che cosa era il sole? Quale giorno portava? sopra i latrati del buio. Ella ne conosceva le dimensioni e l'intrinseco[8], la distanza dalla terra, dai rimanenti pianeti tutti: e il loro andare e rivolvere; molte cose aveva imparato e insegnato: e i matemi e le quadrature di Keplero[9] che perseguono nella vacuità degli spazî senza senso l'ellisse[10] del nostro disperato dolore. 25 30

Vagava, nella casa, come cercando il sentiero misterioso che l'avrebbe condotta ad incontrare qualcuno: o forse una solitudine soltanto, priva d'ogni pietà e d'ogni imagine. Dalla cucina senza piú fuoco alle stanze, senza piú voci: occupate da poche mosche. E intorno alla casa vedeva ancora la campagna, il sole. 35

Il cielo, cosí vasto sopra il tempo dissolto, si adombrava talora delle sue cupe nuvole; che vaporavano rotonde e bianche dai monti e cumulate e poi annerate ad un tratto parevano minacciare chi è sola nella casa, lontani

1. **quel rame**: vecchi utensili di cucina.
2. **era caduto**: l'altro suo figlio, trasposizione di un fratello di Gadda caduto nella prima guerra mondiale; il *nome, crudele e nero, del monte* allude probabilmente al Monte Nero, teatro di combattimenti sanguinosi.
3. **dimesso**: deposto nella terra.
4. **Pastrufazio**: capitale dell'immaginario stato sudamericano del Maradagàl; trasposizione di Milano.
5. **d'arma**: «della gendarmeria territoriale» (nota dell'autore), ovvio riferimento ai carabinieri.
6. **Nevado**: nome inventato di un vino locale.
7. **a chi... tempo**: al figlio scomparso, al quale doveva una breve stagione luminosa della sua vita.
8. **l'intrinseco**: la costituzione chimica e fisica.
9. **i matemi... Keple-**

ro: le formule matematiche e le soluzioni delle equazioni diffe-

renziali di Keplero, l'astronomo che nel Seicento stabilì le leg-

gi del moto dei pianeti. La madre di Gadda aveva insegnato

storia e geografia.
10. **l'ellisse**: l'orbita terrestre.

i figli, terribilmente. Ciò accadde anche nello scorcio di quella estate, in un   40
pomeriggio dei primi di settembre, dopo la lunga calura che tutti dicevano
sarebbe durata senza fine: trascorsi una diecina di giorni da quando aveva
fatto chiamare la custode, con le chiavi[11]; e, da lei accompagnata, era voluta discendere al Cimitero. Quella minaccia la feriva nel profondo. Era l'urto, era lo scherno di forze o di esseri non conosciuti, e tuttavia inesorabili   45
alla persecuzione: il male che risorge ancora, ancora e sempre, dopo i chiari mattini della speranza. Ciò che piú la soleva sgomentare fu sempre il malanimo impreveduto di chi non avesse cagione alcuna da odiarla, o da offenderla: di quelli a cui la sua fiducia cosí pura si era cosí trasportatamen-
te[12] rivolta, come ad eguali fratelli in una superiore società delle anime.   50
Allora ogni soccorrevole esperienza e memoria, valore e lavoro, e soccorso
della città e della gente, si scancellava a un tratto dalla desolazione dell'i-
stinto mortificato, l'intimo vigore della consapevolezza si smarriva: come
di bimba urtata dalla folla, travolta. La folla imbarbarita degli evi persi[13], la
tenebra delle cose e delle anime erano un torbido enigma, davanti a cui si   55
chiedeva angosciata – (ignara come smarrita bimba) – perché, perché.

L'uragano, e anche quel giorno, soleva percorrere con lunghi ululati le
gole paurose delle montagne, e sfociava poi nell'aperto contro le case e gli
opifici degli uomini. Dopo ogni tetro accumulo di sua rancura[14], per tutto
il cielo si disfrenava alle folgori, come nel guasto e nelle rapine un capita-   60
naccio dei lanzi a gozzovigliare[15] tra sinistre luci e spari. Il vento, che le
aveva rapito il figlio verso smemoranti cipressi[16], ad ogni finestra pareva
cercare anche lei, anche lei, nella casa. Dalla finestretta delle scale, una raffica, irrompendo, l'aveva ghermita per i capegli: scricchiolavano da parer
istantare[17] i pianciti e le loro intravature di legno: come fasciame, come di   65
nave in fortuna[18]: e gli infissi chiusi, barrati, gonfiati da quel furore del di
fuori. Ed ella, simile ad animale di già ferito, se avverta sopra di sé ancora
ed ancora le trombe efferate[19] della caccia, si raccolse come poteva nella
sua stremata condizione a ritrovare un rifugio, da basso, nel sottoscala:
scendendo, scendendo: in un canto. Vincendo paurosamente quel vuoto   70
d'ogni gradino, tentandoli uno dopo l'altro, col piede, aggrappandosi alla
ringhiera con le mani che non sapevano piú prendere, scendendo, scendendo, giú giú, verso il buio e l'umidore del fondo. Ivi, una piccola menso-
la.

E la oscurità le permise tuttavia di ritrovarvi al tatto una candela, am-   75
mollata[20], un piattello con degli zolfini[21], predisposti per l'ore della notte,
a chi rincasasse nelle tarde ore. Nessuno rincasava. Sollecitò a piú tratti
uno zolfanello, un altro, sulla carta di vetro: ed ecco, nel giallore alfine di
quella tremula cognizione dell'ammattonato[22], ecco ulteriormente fuggiti-
va una scheggia di tenebra, orrenda: ma poi subito riprendersi nella immo-   80
bilità d'una insidia: il nero dello scorpione. Si raccolse allora, chiusi gli oc-
chî, nella sua solitudine ultima[23]: levando il capo, come chi conosce vana

11. da quando...
chiavi: riferimento a
un episodio della pri-
ma parte del ro-
manzo.
12. trasportatamen-
te: con trasporto,
dandosi tutta.
13. La folla... persi:
l'umanità barbara
delle epoche passate;
oppure: l'affollarsi
implacabile nella me-
moria dei tempi tra-
scorsi invano.
14. rancura: rancore,
furia. Arcaico.
15. come... gozzovi-
gliare: come un capi-
tanaccio di soldate-
sche mercenarie del
Seicento (lanzi), du-
rante il saccheggio
(guasto) e le rapine, si
sfrena nelle baldorie.
16. che le aveva ra-
pito... cipressi: me-
taforicamente, il ven-
to rappresenta la tem-
pesta storica che ha
portato via il figlio
verso i cipressi del ci-
mitero, dove si con-
suma il ricordo (sme-
moranti).
17. istiantare:
schiantare. Forma let-
teraria, e di alcuni
dialetti toscani, come
capegli per "capelli".
18. come fasciame...
fortuna: come il rive-

stimento dello scafo
di una nave in tempe-
sta (fortuna); nave in
fortuna è espressione
dantesca (Purg.,
XXXII, 116).
19. le trombe effera-
te: i crudeli corni da
caccia.
20. ammollata: ba-

gnata dall'umidità.
21. zolfini: fiammife-
ri, zolfanelli.
22. nel giallore...
ammattonato: nella

luce tremante e gialla-
stra che rivelava alla
sua cognizione il pavi-
mento.
23. ultima: estrema.

ogni implorazione di bontà. E si sminuiva in sé, prossima a incenerire, una favilla dolorosa del tempo[24]: e nel tempo ella era stata donna, sposa, e madre. Ristava ora, atterrita, davanti l'arma senza prodezza di cui a respingerla s'avvaleva essa pure, la tenebra[25]. E la inseguivano fin là, dov'era discesa, discesa, nel fondo buio d'ogni memoria, l'accaneggiàvano[26] gli scoppî, ferocemente, e la gloria vandalica dell'uragano. La insidia repugnante della oscurità: nata, piú nera macchia, dall'umidore e dal male.

Il suo pensiero non conosceva piú perché, perché! dimentico, nella offesa estrema, che una implorazione è possibile, o l'amore, della carità delle genti: non ricordava piú nulla: ogni antico soccorso della sua gente era perduto, lontano. Invano aveva partorito le creature, aveva dato loro il suo latte: nessuno lo riconoscerebbe dentro la gloria sulfurea delle tempeste, e del caos, nessuno più ci pensava: sugli anni lontani delle viscere[27], sullo strazio e sulla dolcezza[28] cancellata, erano discesi altri fatti: e poi il clangore della vittoria[29], e le orazioni e le pompe della vittoria: e, per lei, la vecchiezza: questa solitudine postrema[30] a chiudere gli ultimi cieli dello spirito.

85

90

95

24. si sminuiva... tempo: un frammento doloroso della sua vita in lei diminuiva, vicino a spegnersi. La metafora è suggerita dal chiarore incerto della candela, e allude al pericolo di vita rappresentato dal morso velenoso dello scorpione.

25. davanti l'arma... tenebra: l'arma vile (*senza prodezza*) di cui si serviva anche la tenebra, per respingerla; *l'arma* è lo scor-

pione, *la tenebra* è il buio del sottoscala, ma metaforicamente è il male del mondo. **26. l'accaneggiàva-**

no: infierivano su lei, come cani all'inseguimento. **27. delle viscere:** quando il suo ventre

era stato fecondo. **28. strazio... dolcezza:** della maternità. **29. il clangore della vittoria:** il frastuono

delle celebrazioni della recente vittoria in guerra. **30. postrema:** ultima.

dialogo con il testo

I temi

La cognizione del dolore è un romanzo statico, povero di avvenimenti; gran parte del testo è occupato da descrizioni di condizioni umane e stati psicologici, come questa. La vecchiezza desolata della madre che ha perduto in guerra il figlio più amato, ed è lasciata sola dall'altro («Nessuno rincasava», riga 77) è sentita come l'accanimento del male del mondo contro una creatura nobile, debole e indifesa. Il male è l'indifferenza al suo dolore (la burocratica comunicazione della morte del figlio, righe 7-14), la cattiveria umana («il malanimo impreveduto di chi non avesse cagione alcuna da odiarla», righe 47-48), l'assenza di ogni aiuto caritatevole. Ma sembra essere qualcosa di più radicale, che pervade anche la natura: l'uragano che sembra cercare proprio lei, il pericolo dello scorpione, acquistano una forte carica simbolica.

? La scena in cui la madre riceve la notizia della morte del figlio è resa più efficace da un'ellissi narrativa, che lascia non detto l'essenziale. Individuatela.

? Il simbolo che ritorna con maggiore insistenza è quello dell'oscurità: rintracciatene nel brano le manifestazioni e variazioni.

Le forme

L'ispirazione del brano è più lirica che narrativa: Gadda ha saputo realizzare al più alto livello quella "prosa poetica" che era nelle aspirazioni della letteratura italiana degli anni trenta, vedi i brani di Sbarbaro (Vol. G *T32.26*) e di Cardarelli (Vol. G *T32.43*), caricando ogni parola della massima espressività.

? Si possono rintracciare alcuni dei procedimenti che consentono di raggiungere questa intensità espressiva:
– le metafore di tono lirico, a volte al limite dell'oscurità;
– le anafore, ripetizioni, riprese di parole cariche di valore emotivo;
– le spezzature introdotte dalla punteggiatura all'interno di una frase, che isolano un'espressione e la caricano di risonanze.

La lingua è costantemente aulica, con ricerca delle forme più rare e preziose; Gadda, che altrove si è prodotto nelle più spericolate mescolanze linguistiche, qui adotta uno stile omogeneamente tragico.

T39.10 «Manichini ossibuchivori»

Il capitolo che segue quello da cui abbiamo tratto il brano precedente narra un rientro del figlio, Gonzalo, alla villa materna; mentre la madre gli prepara una modesta cena, il figlio, irritato dall'ambiente di- *messo della cucina, si abbandona a un fu- rente monologo interiore contro la società, soprattutto contro la volgarità dei nuovi arricchiti.*

Carlo Emilio Gadda
LA COGNIZIONE
DEL DOLORE
(Cap. VI, edizione
critica a cura di
E. Manzotti, Einaudi,
Torino, 1987)

La mamma, ora, dopo essere uscita e rientrata piú volte, attendeva ella pure all'impiedi, quasi tremando, le mani ricongiunte sul grembo, che il figliuolo si mettesse a tavola. Ingegnandosi dentro il buio della cucina, dal fondo di un dimenticato vaso la sua speranza tenace era pervenuta a stanare alcuni sottaceti: e quei tre peperoncini verdastri, vizzi, aggiustatili in un piattino slabbrato, da caffè, tornata poi nella sala aveva deposto il piattino sulla tavola, nell'atto devoto di Melchiorre che depone in offerta, davanti al Pargolo, il vasello prezioso della mirra[1]. Un'agitazione dolorosa martellava di nuovo i suoi minuti scarni[2]: i vecchi e frusti minuti! pieni solo d'un batticuore. Gonzalo seguitava a fissare come un sonnambulo, senza vederli, il servito, la tovaglia, il cerchio della lucernetta sulla tavola. Poco piú fumo, oramai, dalla scodella[3], verso i fastigi della tenebra[4]. 　10

Dove andava la sua conoscenza umiliata, coi lembi laceri della memoria nel vento senza piú causa né fine? Dove agivano le menti operose circa la verità, con la loro sicurezza giusta, illuminata da Dio[5]? 　15

Camerieri neri[6], nei «restaurants», avevano il frac, per quanto pieno di padelle: e il piastrone d'amido, con cravatta posticcia[7]. Solo il piastrone s'intende: cioè senza che quella imponentissima fra tutte le dignità pettorali arrivasse mai a radicarsi in una totalitaria armonia, nella fisiologia necessitante d'una camicia. La quale mancava onninamente[8]. 　20

Pervase da un sottile brivido, le signore: non appena si sentissero onorare dell'appellativo di signora da simili ossequenti fracs. «Un misto panna-cioccolatto per la signora, sissignora!». Era, dalla nuca ai calcagni, come una staffilata di dolcezza, «la pura gioia ascosa» dell'inno[9]. E anche negli uomini, del resto, il prurito segreto della compiacenza: su, su, dall'inguine 　25 verso le meningi e i bulbi[10]: l'illusione, quasi, d'un attimo di potestà marchionale[11]. Dimenticati tutti gli scioperi, di colpo; le urla di morte, le barricate, le comuni[12], le minacce d'impiccagione ai lampioni, la porpora al Père Lachaise[13]; e il caglio nero e aggrumato sul goyesco[14] abbandono dei

1. **Melchiorre... mir- ra**: Melchiorre è, nella tradizione popolare, il nome di uno dei Re Magi che offrono al bambino Gesù (*al Pargolo*) oro, incenso e *mirra* (un unguento prezioso).
2. **Un'agitazione... scarni**: l'agitazione nasce da non poter contenere l'irrequietudine del figlio, "martella" come un batticuore i *minuti scarni*, poveri di esperienza vitale.
3. **Poco piú... sco- della**: Gonzalo non si decideva a mangiare, la minestra si raffreddava.
4. **i fastigi della te- nebra**: la parte alta, il soffitto, immersi nell'oscurità.
5. **Dove andava... Dio?**: nella sua coscienza *umiliata*, con la memoria della propria vita a brandelli (*lembi laceri*), priva di un senso coerente (*senza piú causa né fine*), la donna si chiede di dove stia la sicurezza dei pensatori che si sentono nel vero e nel giusto, illuminati da Dio.
6. **Camerieri neri...**: improvvisamente, dal punto di vista della madre si slitta a quel-

lo del figlio, che si abbandona a una sua sarcastica fantasticheria.
7. **il piastrone... po- sticcia**: il pettorale inamidato, con cravatta finta. Misera messinscena di lusso.
8. **onninamente**: in ogni modo (latinismo).
9. **la pura... dell'in-**

no: citazione ironica di un verso dell'inno sacro *La Pentecoste* di Manzoni: «manda alle ascose vergini / le pure gioie ascose» (Vol. E *T23.20*, vv. 133-134; si riferisce alle monache).
10. **i bulbi**: il bulbo con cui il midollo spinale termina nel cranio.
11. **un attimo... marchionale**: un momento di esercizio di potere nobiliare (*marchionale*, da *marchese*).
12. **le comuni**: rivoluzioni come quella della Comune di Parigi (1871).
13. **la porpora... La- chaise**: il sangue sparso contro il muro del

cimitero parigino del Père Lachaise, dove vennero fucilati gli ultimi 147 comunardi.
14. **goyesco**: un celebre quadro del pittore spagnolo Francisco Goya (Vol. D *T15.50*) rappresenta la fucilazione di insorti spagnoli contro Napoleone.

T39.1

CARLO EMILIO GADDA *Secondo Novecento*

distesi, dei rifiniti; e le cagnare e i blocchi e le guerre e le stragi, d'ogni qua- 30
lità e d'ogni terra; per un attimo! per quell'attimo di delizia. Oh! spasimo
dolce! Procuratoci dal reverente frac: «Un taglio limone-seltz per il signore,
sissignore! Taglio limone-seltz al signore!». Il grido meraviglioso, fastosissi-
mo, pieno d'ossequio e d'una toccante premura, piú inebriante che melode
elisia di Bellini[15], rimbalzava di garzone in garzone, di piastrone in piastro- 35
ne, locupletando di nuovi sortilegi destrogiri gli ormoni marchionici del
committente[16]; finché, pervenuto alla dispensa, era: «un taglio limone-
seltz per quel belinone[17] d'un 128!».

    Sí, sí: erano consideratissimi, i fracs. Signori serî, nei «restaurants» delle
stazioni, e da prender sul serio, ordinavano loro con perfetta serietà «un os- 40
sobuco con risotto». Ed essi, con cenni premurosi, annuivano. E ciò nel
pieno possesso delle rispettive facoltà mentali. Tutti erano presi sul serio: e
si avevano in grande considerazione gli uni gli altri. Gli attavolati si sentivano sodali nella eletta situazione delle poppe, nella usucapzione d'un
molleggio[18] adeguato all'importanza del loro deretano, nella dignità del 45
comando. Gli uni si compiacevano della presenza degli altri, desiderata
platea. E a nessuno veniva fatto di pensare, sogguardando il vicino, «quanto è fesso!». Dietro l'Hymalaia[19] dei formaggi, dei finocchi, il guardiasala
notificata le partenze: «¡Para Corrientes y Reconquista! ¡Sale a las diez el rá-
pido de Paraná! ¡Tercero andén![20]». 50

    Per lo piú, il coltello della frutta non tagliava. Non riuscivano a sbucciar
la mela. O la mela gli schizzava via dal piatto come sasso di fionda, a rotolare fra scarpe lontanissime. Allora, con voce e dignità risentita, era quando
dicevano: «Cameriere! ma questo coltello non taglia!». Tra i cigli, improvvisa, una nuvola imperatoria[21]. E il cameriere accorreva trafelato, con altri 55
ossibuchi: ed esternando tutta la sua costernazione, la sua piena partecipazione, umiliava sommessa istanza appiè il corruccio delle Loro Signorie[22]:
(in un tono più che sedativo): «provi questo, signor Cavaliere!»: ed era già
trasvolato. Il quale «questo» tagliava ancora meno di quel di prima. Oh,
rabbia! mentre tutti, invece, seguitavano a masticare, a bofonchiare addos- 60
so agli ossi scarnificati, a intingolarsi la lingua, i baffi. Con un sorriso appena, oh, un'ombra, una prurigine d'ironia, la coppia estrema ed elegantis-
sima, lui, lei, lontan lontano, avevan l'aria di seguitar a percepire quella
mela, finalmente immobile nel mezzo la corsía: lustra, e verde, come l'avesse pitturata il De Chirico[23]. Nella quale, bestemmiando sottovoce, alla bo- 65
lognese, ci intoppavano ogni volta le successive ondate dei fracs-ossibuchi,
per altro con lesti calci in discesa, e quasi in rimando, l'uno all'altro: alla
Meazza, alla Boffi[24]. Erano degli strameledísa buccinati via[25] come sputi di

15. **melode elisia di Bellini**: melodia celestiale del celebre operista Vincenzo Bellini (1801-1835).
16. **locupletando... committente**: arricchendo gli ormoni di chi aveva ordinato di nuove meravigliose combinazioni chimiche (*sortilegi destrogiri*, l'aggettivo indica un tipo di struttura in chimica organica); gli ormoni sono *marchionici*, cioè "da marchese", ma c'è (avverte l'autore in una nota) anche un riferimento antitetico a *Marchionn di gamb'avert*, misero personaggio di un poemetto di Carlo Porta (Vol. E *T21.51*).
17. **belinone**: stupido (genovese, termine di derivazione oscena). Il numero è quello del tavolo che deve essere servito.
18. **sodali... molleggio**: compagni, affratellati nella posizione impettita e nell'occupazione (*usucapzione*, deformazione del termine giuridico *usucapione*) di un cuscino.
19. **l'Hymalaia**: i mucchi alti come montagne (iperbole).
20. **«¡Para Corrientes... andén!»**: annunci in spagnolo dei treni in partenza (sia-

mo nel ristorante della stazione di un paese dell'America latina): "Per Corrientes e Reconquista! Parte alle dieci il rapido di Paraná! Terzo binario!". I nomi sono di città argentine. Il punto esclamativo rovesciato segnala, in

spagnolo, l'inizio di un'esclamazione.
21. **una nuvola imperatoria**: il corruccio di chi comanda.
22. **umiliava... Signorie**: presentava umilmente le sue sommesse ragioni ai piedi del corrucciato signore. Il linguaggio

è quello delle cancellerie dell'età barocca.
23. **il De Chirico**: il maestro della pittura metafisica (1888-1978), le cui immagini sono nitide e nette.
24. **Meazza... Boffi**: due celebri calciatori "cannonieri" degli anni trenta.

25. **strameledísa buccinati via**: imprecazioni soffiate fuori; *strameledísa* è un'imprecazione milanese ("sia stramaledetto"); *buccinare* è propriamente "soffiare nella buccina", una conchiglia usata anticamente come tromba.

vipera, non tanto sottovoce però da non arrivare a capir cosa fossero: da dietro pile di piatti in tragitto, o di bacinelle di maionese, o cataste d'asparagi di cui sbrodolava giú burro sciolto sul lucido[26]; perseguiti poi tutti, tutt'a un tratto, da improvvise trombe marine di risotti, verso la proda salvatrice[27].

Tutti, tutti: e piú che mai quei signori attavolati. Tutti erano consideratissimi! A nessuno, mai, era mai venuto in mente di sospettare che potessero anche essere dei bischeri, putacaso, dei bambini di tre anni.

Nemmeno essi stessi, che pure conoscevano a fondo tutto quanto li riguardava, le proprie unghie incarnite, e le verruche, i nèi, i calli, un per uno, le varici, i foruncoli, i baffi solitarî: neppure essi, no, no, avrebbero fatto di se medesimi un simile giudizio.

E quella era la vita.

Fumavano. Subito dopo la mela. Apprestandosi a scaricare il fascino che da lunga pezza oramai, cioè fin dall'epoca dell'ossobuco, si era andato a mano a mano accumulando nella di loro persona – (come l'elettrico delle macchine a strofinío)[28] – ecco, ecco, tutti erano certi che un loro impreveduto decreto avrebbe lasciato scoccare sicuramente la importantissima scintilla, folgore e sparo di Signoria[29] su adeguato spinterògeno ambientale[30], di forchette in travaso. Cascate di posate tintinnanti! Di cucchiaini!

Ed erano appunto in procinto di addivenire a quell'atto imprevisto, e però curiosissimo, ch'era cosí instantemente evocato dalla tensione delle circostanze.

Estraevano, con distratta noncuranza, di tasca, il portasigarette d'argento: poi, dal portasigarette, una sigaretta, piuttosto piena e massiccia, col bocchino di carta d'oro; quella te la picchiettavano leggermente sul portasigarette, richiuso nel frattempo dall'altra mano, con un tatràc; la mettevano ai labbri; e allora, come infastiditi, mentre che una sottil ruga orizzontale si delineava sulla lor fronte, onnubilata di cure altissime[31], riponevano il trascurabile portasigarette. Passati alla cerimonia dei fiammiferi, ne rinvenivano finalmente, dopo aver cercato in due o tre tasche, una bustina a matrice[32]: ma, apertala, si constatava che n'erano già stati tutti spiccati, per il che, con dispitto[33], la bustina veniva immantinenti estromessa dai confini dell'Io[34]. E derelitta, ecco giaceva nel piatto, con bucce. Altra, infine, soccorreva, stanata ultimamente dal 123° taschino. Dissigillavano il francobollo-sigillo, ubiqua immagine del Fisco Uno e Trino[35], fino a denudare in quella pettinetta miracolosa la Urmutter[36] di tutti gli spiritelli con capocchia. Ne spiccavano una unità, strofinavano, accendevano; spianando a serenità nuova la fronte, già così sopraccaricata di pensiero: (ma pensiero fessissimo, riguardante, per lo piú, articoli di bigiutteria in celluloide). Riponevano la non piú necessaria cartina in una qualche altra tasca: quale? oh! se ne scordano all'atto stesso; per aver motivo di rinnovare (in occasione d'una contigua sigaretta) la importantissima e fruttuosa ricerca.

70

75

80

85

90

95

100

105

110

26. **sul lucido**: del frac o del *piastrone*.
27. **la proda salvatrice**: il posto a cui erano trasportati, come la riva (*proda*) che rappresenta il termine, la salvezza, dopo una traversata di mare.
28. **come l'elettrico... strofinío**: come si accumulano cariche elettrostatiche (il "fluido elettrico" nelle concezioni antiche) nelle macchine che le producono con lo sfregamento di due superfici.
29. **un loro... Signoria**: la scintilla di accensione di un fiammifero, associata, per via della similitudine precedente, allo scoccare della scintilla tra due cariche elettrostatiche, prodotta per *impreveduto decreto*, quasi da una divinità (linguaggio eroicomico): come tale è associata alla *folgore* di Zeus e a uno *sparo*.
30. **su adeguato... ambientale**: l'ambiente, fatto di posate continuamente spostate (*in travaso*), è lo *spinterògeno* (l'apparecchio che nei motori a scoppio produce la tensione necessaria allo scoccare delle scintille).
31. **onnubilata di cure altissime**: annuvolata da preoccupazioni (*cure*, latinismo) importantissime.
32. **a matrice**: nel senso che i fiammiferi si strappano da un

elemento fisso, come le matrici di un bollettario.
33. **dispitto**: termine dantesco («com'avesse l'inferno in gran dispitto», nell'episodio di Farinata, *Inf.* X, 36).
34. **estromessa... dell'Io**: buttata via.
35. **ubiqua... Trino**: immagine onnipresente del Fisco, per questo rivestito di attributi divini.
36. **la Urmutter**: la genitrice prima (tedesco), idea suggerita dal termine *matrice*.

Dopo di che, oggetto di stupefatta ammirazione da parte degli «altri tavoli»[37], aspiravano la prima boccata di quel fumo d'eccezione, di Xanthia, o di Turmac[38]; in una voluttà da sibariti in trentaduesimo[39], che avrebbe fatto pena a un turco stitico. 115

E cosí rimanevano: il gomito appoggiato sul tavolino, la sigaretta fra medio e indice, emanando voluttuosi ghirigori; mescolati di miasmi, questo si sa, dei bronchi e dei polmoni felici, mentre che lo stomaco era tutto messo in giulebbe[40], e andava dietro come un disperato ameboide a mantrugiare e a peptonizzare l'ossobuco[41]. La peristalsi[42] veniva via con un andazzo trionfale, da parer canto e trionfo, e presagio lontano di tamburo, la marcia trionfale dell'Aida o il toreador della Carmen[43]. 120

Cosí rimanevano. A guardare. Chi? Che cosa? Le donne? Ma neanche. Forse a rimirare se stessi nello specchio delle pupille altrui. In piena valorizzazione dei loro polsini, e dei loro gemelli da polso. E della loro faccia di manichini ossibuchivori[44]. 125

37. **«altri tavoli»**: i clienti degli altri tavoli, con metonimia corrente nei ristoranti che l'autore trova banale e per questo virgoletta.
38. **Xanthia... Turmac**: marche di sigarette.
39. **sibariti in trentaduesimo**: amanti dei godimenti in formato ridotto. *Sibariti* da Sibari, antica città della Magna Grecia passata in proverbio per i costumi raffinati e licenziosi; *in trentaduesimo* nel linguaggio editoriale indica un formato di libro molto piccolo (trentadue pagine da un solo foglio di stampa).
40. **giulebbe**: sciroppo zuccherino, l'espressione indica la dolcezza della digestione.
41. **andava dietro... ossobuco**: in drammatica lotta con l'ossobuco, lo stomaco, con contrazioni simili a quelli di un *ameboide* (protozoo acquatico), si impegnava a *mantrugiare* ("sgualcire", popolare toscano) e a *peptonizzare* (trasformare in *peptone*, la sostanza prodotta dalla digestione delle proteine) l'ossobuco.
42. **peristalsi**: contrazione del tubo digerente che spinge il cibo lungo l'intestino.
43. **la marcia... Carmen**: celebri brani d'opera.
44. **manichini ossibuchivori**: fantocci divoratori di ossibuchi.

dialogo con il testo

I temi

L'inizio del brano, col passaggio improvviso dai pensieri della madre a quelli del figlio, ci mostra l'alternanza, nel romanzo, tra il registro tragico-lirico e quello comico-satirico. Il resto è il delirante monologo interiore di un personaggio che è preda del "male oscuro" della nevrosi; ma questa nevrosi (in cui l'autore chiaramente proietta la propria) è anche uno strumento di percezione più acuta, che smaschera implacabilmente le finzioni sociali, la falsa solennità, serietà, rispettabilità di coloro che si sentono importanti. E qui si scatena l'incontenibile, furiosa vena satirica dell'autore.

Le forme

Il modo espressivo della satira gaddiana si può definire "eroicomico": l'uso di un linguaggio elevato ed enfatico per ironizzare sulle realtà più banali, in modo da produrne una deformazione grottesca; l'effetto è sottolineato dagli scarti improvvisi dal tono sublime (il linguaggio della finzione) a un livello espressivo basso e volgare (il linguaggio della verità).

[?] Indicate esempi dei due livelli espressivi:
– da un lato iperboli, esclamazioni enfatiche, definizioni elaboratissime, riferimenti letterari, artistici e musicali illustri;
– dall'altro, improvvise cadute in immagini ed espressioni della banalità quotidiana, o decisamente volgari.

[?] Il contrasto è arricchito da un gusto sfrenato per la mescolanza delle lingue e dei registri: individuate gli inserti da una lingua straniera, da un dialetto, le espressioni prese da linguaggi tecnici e scientifici, i latinismi, le neoformazioni grottesche.

[?] Il gusto gaddiano per l'invenzione verbale è tutto in funzione dell'effetto satirico o sconfina anche nel puro gioco gratuito con la lingua e le lingue? Esprimete una vostra valutazione in proposito e argomentatela con riferimenti al testo.

Quer pasticciaccio brutto de via Merulana

Il romanzo, rimasto incompiuto, fu scritto tra il 1945 e il 1947; nel 1946 sei capitoli apparvero sulla rivista "Letteratura", l'edizione in volume apparve nel 1957. Si tratta, nel progetto, di un classico "giallo", che ha per protagonista il commissario Ciccio Ingravallo e si svolge nel 1927, con frequenti digressioni satiriche sul regime fascista (*T39.12*). A Roma, in un palazzo di via Merulana, viene commesso un furto di gioielli; mentre il commissario svolge le prime indagini, nello stesso palazzo viene trovata sgozzata Liliana Balducci (*T39.11*), che lui conosceva e ammirava. Le indagini seguenti mettono in luce ambigui rapporti fra la signora, il marito, e le loro giovani domestiche provenienti dalla campagna romana, che venivano spesso cambiate. Seguendo questo filo, gli inquirenti si addentrano in un equivoco ambiente di sartine e prostitute; nei pressi di Marino, in casa dell'amico di una di loro, vengono trovati i gioielli rubati. Le indagini sembrano a un passo dalla conclusione, ma a questo punto il romanzo si interrompe. La lingua, in questo romanzo, è un impasto di italiano e dialetti, con prevalenza del romanesco.

T39.11   «Quella cosa orribile»

Presentiamo la scena in cui il commissario Ingravallo, protagonista del romanzo, riceve la notizia dell'assassinio di Liliana   *Balducci e va a ispezionare la scena del delitto; sconvolto, perché era conoscente e un po' innamorato della signora.*

Carlo Emilio Gadda
QUER PASTICCIACCIO BRUTTO DE VIA MERULANA
(Cap. 2, in *Romanzi e racconti*, a cura di G. Pinotti, D. Isella, R. Rodondi, Garzanti, Milano, 1989, vol. II)

Ereno le undici der dicissette marzo e il dottor Ingravallo, a via D'Azeglio,   1
aveva già un piede sul predellino e teneva già con la man destra, a ghindarsi[1] in tramme, il poggiamano di ottone. Quando il Porchettini trafelato gli sopravvenne: «Dottor Ingravallo! dottor Ingravallo!»

«Che vòi? Che te sta succedenno?»   5

«Dottor Ingravallo, senta. Me manna er commissario capo,» abbassò ancora la voce: «a via Merulana... è successo un orrore... stamattina presto. Hanno telefonato ch'ereno le dieci e mezza. Lei era appena uscito. Il dottor Fumi[2] lo cercava. Tratanto m'ha mannato subbito a vede, co due agenti. Credevo quasi de trovallo là... Poi ha mannato a casa sua a cercallo.»   10

«Be', che è stato?»

«Lei ce lo sa già?»

«C'aggià sapé? mo me ne jevo a spasso...»[3]

«Hanno tajato la gola, ma scusi... so che lei è un po' parente.»

«Parente 'e chi?...» fece Ingravallo accigliandosi, come a voler respingere   15
ogni propinquità[4] con chi si fosse.

«Volevo dire, amico...»

---

1. **ghindarsi**: sollevarsi; in linguaggio marinaresco, *ghindare* significa alzare lungo i cordami.
2. **Il dottor Fumi**: è il diretto superiore di Ingravallo.
3. **C'aggià... spasso**: "che cosa ho da sapere? ora me ne andavo a spasso". Il dottor Ingravallo, molisano, parla un dialetto meridionale, mentre l'agente parla romanesco.
4. **propinquità**: vicinanza, parentela. Latinismo arcaico.

«Amico, che amico! amico 'e chi?» Raccolte a tulipano le cinque dita della mano destra, altalenò quel fiore nella ipotiposi digito-interrogativa tanto in uso presso gli Apuli[5].

«S'è trovato la signora... la signora Balducci...»

«La signora Balducci?» Ingravallo impallidì, afferrò Pompeo per il braccio. «Tu sei pazzo!» e glielo strinse forte, che a lo Sgranfia[6] parve glielo stritolasse una morsa, d'una qualche macchina.

«Sor dottó, l'ha trovata suo cugino, il dottor Vallarena... Valdassena. Hanno telefonato subbito in questura. No è là puro lui, a via Merulana. Ho dato disposizioni. Mi ha detto che lo conosce. Dice,» alzò le spalle, «dice ch'era annato a trovalla. Pe salutalla, perché ha d'annà a Genova. Salutalla a quell'ora? dico io. Dice che l'ha trovata stesa a terra, in un lago de sangue, Madonna! dove l'avemo trovata puro noi, sul parquet, in camera da pranzo: stesa de traverso co le sottane tirate su, come chi dicesse in mutanne. Il capo rigirato un tantino... Co la gola tutta segata, tutta tajata da una parte. Ma vedesse che tajo, dottó!» Congiunse le mani come implorando, si passò la destra sulla fronte: «E che faccia! ch'a momenti svengo! Già fra poco dovrà vedello. Un tajo! che manco er macellaro. Mbè, un orrore: du occhi! che guardaveno fisso fisso la credenza. Una faccia stirata, bianca da paré un panno risciacquato... che, era tisica?... come si avesse fatto una gran fatica a morì...»

Ingravallo, pallido, emise un mugolo strano, un sospiro o un lamento da ferito. Come se sentisse male puro lui. Un cinghiale co una palla in corpo.

«La signora Balducci, Liliana...» balbettò, guardando negli occhi lo Sgranfia. Si tolse il cappello. Sulla fronte, in margine al nero cresputo dei capelli, un allinearsi di gocciole: d'un sudore improvviso. Come un diadema[7] di terrore, di dolore. Il volto, per solito olivastro-bianco, lo aveva infarinato[8] l'angoscia. «Andiamo, va'!» Era madido, pareva esausto.

Giunti a via Merulana, la folla. Davanti il portone il nero della folla, con la sua corona de rote de bicicletta. «Fate passare, polizia.» Ognuno si scostò. Er portone era chiuso. Piantonava un agente: con due pizzardoni[9] e due carabinieri. Le donne li interrogavano: loro diceveno a le donne: «Fate largo!» Le donne voleveno sapé. Tre o quattro, deggià, se sentì che parlaveno de nummeri[10]: ereno d'accordo p'er dicissette, ma discuteveno sur tredici.

I due salirono in casa Balducci, l'ospitale casa che Ingravallo conosceva, si può dire, col cuore. Su le scale un parlottare di ombre, il susurro delle casigliane. Un bimbo piangeva. In anticamera... nulla di particolarmente notevole (il solito odore di cera, l'ordine abituale) eccettoché due agenti, muti, attendevano disposizioni. Sopra una seggiola un giovane col capo tra le mani. Si alzò. Era il dottor Valdarena. Apparve poi la portiera, emerse, cupa e cicciosa, dall'ombra del corridoio. Nulla di notevole si sarebbe detto: entrati appena in camera da pranzo, sul parquet, tra la tavola e la credenza piccola, a terra... quella cosa orribile.

Il corpo della povera signora giaceva in una posizione infame, supino, con la gonna di lana grigia e una sottogonna bianca buttate all'indietro, fin

5. **nella ipotiposi... Apuli**: nel gesto interrogativo fatto con le dita, tipico dei Molisani; l'*ipotiposi* è propriamente una figura retorica, consistente nel rappresentare vigorosamente un particolare; gli *Apuli* erano un'antica popolazione stanziata tra il Molise e il Tavoliere di Puglia.
6. **lo Sgranfia**: il soprannome (dato probabilmente dai malavitosi) dell'agente Pompeo Porchettini.
7. **diadema**: corona di pietre preziose.
8. **infarinato**: sbiancato.
9. **pizzardoni**: vigili urbani (voce popolare di origine romanesca).
10. **nummeri**: da giocare al lotto.

quasi al petto: come se alcuno avesse voluto scoprire il candore affascinante di quel dessous[11], o indagarne lo stato di nettezza. Aveva mutande bianche, di maglia a punto gentile, sottilissimo, che terminavano a metà coscia in una delicata orlatura. Tra l'orlatura e le calze, ch'erano in una lieve luce di seta, denudò se stessa la bianchezza estrema della carne, d'un pallore da clorosi[12]: quelle due cosce un po' aperte, che i due elastici – in un tono di lilla – parevano distinguere in grado[13], avevano perduto il loro tepido senso, già si adeguavano al gelo: al gelo del sarcofago, e delle taciturne dimore[14]. L'esatto officiare del punto a maglia[15], per lo sguardo di quei frequentatori di domestiche, modellò inutilmente le stanche proposte d'una voluttà il cui ardore, il cui fremito, pareva essersi appena esalato dalla dolce mollezza del monte[16], da quella riga, il segno carnale del mistero... quella che Michelangelo (don Ciccio ne rivide la fatica, a San Lorenzo) aveva creduto opportuno di dover omettere[17]. Pignolerie! Lassa perde!

Le giarrettiere tese, ondulate appena agli orli, d'una ondulazione chiara di lattuga: l'elastico di seta lilla, in quel tono che pareva dare un profumo, significava a momenti la frale gentilezza e della donna e del ceto[18], l'eleganza spenta degli indumenti, degli atti, il secreto modo della sommissione[19], tramutata ora nella immobilità di un oggetto, o come d'uno sfigurato manichino. Tese, le calze, in una eleganza bionda quasi una nuova pelle, dàtale (sopra il tepore creato) dalla fiaba degli anni nuovi, delle magliatrici blasfeme[20]: le calze incorticavano[21] di quel velo di lor luce il modellato delle gambe, dei meravigliosi ginocchi: delle gambe un po' divaricate, come ad un invito orribile. Oh, gli occhi! dove, chi guardavano? Il volto!... Oh, era sgraffiata, poverina! Fin sotto un occhio, sur naso!... Oh, quel viso! Com'era stanco, stanco, povera Liliana, quel capo, nel nimbo, che l'avvolgeva, dei capelli, fili tuttavia operosi della carità[22]. Affilato nel pallore, il volto: sfinito, emaciato dalla suzione atroce della Morte[23].

Un profondo, un terribile taglio rosso le apriva la gola, ferocemente. Aveva preso metà il collo, dal davanti verso destra, cioè verso sinistra, per lei, destra per loro che guardavano: sfrangiato ai due margini come da un reiterarsi dei colpi, lama o punta: un orrore! da nun potesse vede. Palesava come delle filacce rosse, all'interno, tra quella spumiccia nera der sangue, già raggrumato, a momenti; un pasticcio! con delle bollicine rimaste a mezzo. Curiose forme, agli agenti: parevano buchi, al novizio[24], come dei maccheroncini color rosso, o rosa. «La trachea,» mormorò Ingravallo chinandosi, «la carotide! la iugulare... Dio!»

65
70
75
80
85
90
95
100

11. **dessous**: biancheria (francese, "disotto").
12. **clorosi**: forma di anemia, un tempo frequente per le giovani donne, che provocava un estremo pallore.
13. **i due elastici... in grado**: le strisce color lilla degli elastici ricordano gradi militari.
14. **si adeguavano... dimore**: assumevano l'aspetto del gelo, della morte, della bara, delle tombe.
15. **L'esatto officiare... maglia**: il punto a maglia, preciso, quasi svolgesse un rito sacro (*esatto officiare*) intorno al mistero del sesso.
16. **monte**: il monte di Venere, regione del pube femminile.
17. **quella che... omettere**: nella statua dell'*Aurora*, nella Sagrestia nuova di San Lorenzo a Firenze, Michelangelo rappresenta una figura femminile nuda, in cui al posto del sesso c'è una superficie liscia.

18. **la frale... ceto**: la fragile nobiltà propria della signora e del ceto signorile a cui apparteneva.
19. **il secreto... sommissione**: l'intimità dell'atto di sottomettersi al rapporto sessuale.
20. **quasi una nuova... blasfeme**: l'oscurità del passo ricorda quella della poesia ermetica. Una possibile interpretazione: le calze sono come una *nuova pelle*, creata dalla moda degli anni venti (*fiaba degli anni nuovi*), in cui si cominciarono a portare gonne corte che mostravano le gambe, a opera di modiste (*magliatrici*) che così profanavano il segreto del corpo femminile (*blasfeme*). Il *tepore creato* potrebbe essere quello *creato* dalle calze.
21. **incorticavano**: rivestivano come una corteccia.
22. **nel nimbo... carità**: la nuvola dei capelli, che ancora compivano l'opera caritatevole di coprire in parte il volto sfigurato. Anche qui l'interpretazione è congetturale.
23. **suzione atroce della Morte**: la morte, che aveva succhiato via la morbidezza dei contorni.
24. **al novizio**: a un agente ancora poco esperto.

CARLO EMILIO GADDA *Secondo Novecento*

Er sangue aveva impiastrato tutto er collo, er davanti de la camicetta, una manica: la mano: una spaventevole colatura d'un rosso nero, da Faiti o da Cengio (don Ciccio rammemorò subito, con un lontano pianto nell'anima, povera mamma!)[25]. S'era accagliato[26] sul pavimento, sulla camicetta tra i due seni: n'era tinto anche l'orlo della gonna, il lembo rovescio de quela vesta de lana buttata su, e l'altra spalla: pareva si dovesse raggrinzare da un momento all'altro: doveva de certo risultarne un coagulato tutto appiccicoso come un sanguinaccio[27]. 105

Il naso e la faccia, così abbandonata, e un po' rigirata da una parte, come de chi nun ce la fa più a combatte, la faccia! rassegnata alla volontà della Morte, apparivano offesi da sgraffiature, da unghiate: come ciavesse preso gusto, quer boja, a volerla sfregiare a quel modo. Assassino! 110

Gli occhi s'erano affisati orrendamente: a guardà che, poi? Guardaveno, guardaveno, in direzione nun se capiva da che, verso la credenza granne, in cima in cima, o ar soffitto. Le mutandine nun ereno insanguinate: lasciaveno scoperti li du tratti de le cosce, come du anelli de pelle: fino a le calze, d'un biondo lucido. La solcatura del sesso... pareva d'esse a Ostia d'estate, o ar Forte de marmo de Viareggio, quanno so sdraiate su la rena a cocese[28], che te fanno vede tutto quello che vonno. Co quele maje tirate tirate d'oggiggiorno. 115 120

25. **da Faiti... mamma**: dosso Faiti e monte Cengio nel corso dalla prima guerra mondiale furono teatro di spaventose carneficine; probabile allusione a lutti familiari.
26. **accagliato**: coagulato.
27. **sanguinaccio**: salsiccia di sangue di porco e farina.
28. **a cocese**: a cuocersi al sole.

analisi del testo

Comprendere

Un romanzo poliziesco?

La situazione è quella classica di un romanzo poliziesco: notizia del delitto, ispezione del cadavere; ma gli aspetti del romanzo d'azione, che tradizionalmente esige una narrazione rapida, essenziale, sono travolti dal gusto per la rappresentazione minuta e vivida di ogni particolare, che rallenta il ritmo narrativo.

Gli indugi descrittivi

Notiamo intanto l'indugio sui particolari descrittivi: la riproduzione meticolosa del dialogo iniziale del commissario Ingravallo con l'agente che gli porta la notizia e la minuzia con cui sono descritti gli atteg-

giamenti del primo (righe 1-24); poi la scenetta della folla di curiosi radunata intorno al portone della casa del delitto (righe 47-53). Notiamo, soprattutto, come il racconto si avvicina lentamente al cuore della scena, la descrizione del cadavere: come in un lungo piano-sequenza cinematografico, siamo condotti prima su per le scale, poi nell'appartamento, poi nella stanza del delitto, e solo dopo una visione d'insieme della stanza (righe 60-62) cominciamo a vedere «quella cosa orribile»; la quale ancora è vista analiticamente, con uno sguardo che sale dalla parte bassa del corpo, con indugi sulla biancheria, fino al busto, all'orrenda ferita, al volto. Come nei grandi prototipi della nuova narrativa novecentesca, ogni minimo particolare è oggetto di attenzione.

I sentimenti

Non meno estraneo alla tradizione del romanzo poliziesco è il tono emotivo della narrazione e l'attenzione ai sentimenti dei personaggi: c'è l'indifferenza cinica delle donne che pensano solo ai numeri da giocare al lotto (righe 51-53) e c'è il raccapriccio di fronte al cadavere straziato, raccapriccio che si mescola però ad accenni di una sottile, morbosa attrazione erotica per il corpo quasi denudato (righe 63-88); e questa, negli animi un po' grossolani degli agenti, può assumere toni quasi volgari (righe 114-120). C'è infine il dolore profondo di Ingravallo, personaggio positivo del romanzo, che è l'inquirente e insieme è personalmente coinvolto nella tragedia che ha colpito una persona amica, se non amata; e anche questa coincidenza di ruoli è un'eccezione alle regole del genere giallo.

Analizzare

Lo svariare dei punti di vista

La varietà delle reazioni emotive è legata al vario carattere dei personaggi; ma quasi mai emozioni e sentimenti sono attribuiti esplicitamente a questo o a quello. C'è piuttosto un continuo, implicito svariare dei punti di vista assunti dal narratore. Ad esempio, la prima reazione di Ingravallo alla notizia è descritta da un punto di vista esterno («Si tolse il cappello... un sudore improvviso» ecc., righe 43-46); ma appena entriamo nell'appartamento della vittima, vediamo e sentiamo con la sensibilità del commissario: «il solito odore di cera, l'ordine abituale» (riga 57: solo un frequentatore della casa, come lui era, può esprimersi così). Poi la lunga descrizione del cadavere si può attribuire ancora, per il linguaggio e i commenti, a Ingravallo, con momenti che sfiorano il monologo interiore o il discorso indiretto libero, come nel paragone con una statua di Michelangelo, concluso da un'esclamazione «Pignolerie! Lassa perde!» (riga 78) che è chiaramente un'esortazione rivolta dal personaggio ai suoi stessi pensieri. Ma notate che la descrizione ripete in parte quella che era già stata fatta, con tutt'altra intonazione, nei discorsi dell'agente Porchettini (righe 29-38). Ci sono anche passaggi improvvisi e poco decifrabili da un punto di vista all'altro: «sfrangiato ai due margini come da un reiterarsi dei colpi, lama o punta: un orrore! da nun potesse vede» (righe 95-96); dove da un linguaggio elevato, che può essere del narratore o di Ingravallo, si scivola improvvisamente nel romanesco (che non è il dialetto del commissario): a chi attribuire quel commento? agli agenti? a un narratore nascosto nella folla anonima?

I dialetti, i registri linguistici

La presenza del dialetto, anzi di più dialetti (almeno due in questo brano) è il tratto che caratterizza più vistosamente la prosa del *Pasticciaccio*. A volte servono a caratterizzare la parlata dei personaggi, come poteva avvenire nella narrativa neorealistica degli anni di composizione del romanzo: ad esempio all'inizio del brano, quando il molisano di Ingravallo si alterna al romanesco dell'agente. A volte il dialetto appartiene al narratore, che però sembra assorbirlo dai personaggi che rappresenta in quel momento: «Le donne voleveno sapé» (riga 51).

Altre volte però l'uso di espressioni dialettali non ha alcuna spiegazione realistica: è il narratore che lo assume, per sé, e spesso proprio per accostarlo a espressioni in lingua di gusto prezioso e registro elevato. Così all'inizio del brano: «Ereno le undici der dicissette marzo... a ghindarsi in tramme»; qui abbiamo un narratore esterno che, mentre usa il romanesco, tira fuori un raro termine marinaresco per applicarlo metaforicamente al balzo sul predellino. Oppure al momento in cui il commissario riceve la triste notizia: «Ingravallo, pallido, emise un mugolo strano, un sospiro o un lamento da ferito. Come se sentisse male puro lui» (righe 39-40); dal registro alto, tragico, precipitiamo improvvisamente nel dialetto.

Ma ampie zone di questo brano sono da ascrivere per intero a un registro alto, "tragico" sia nel senso antico che in quello attuale della parola: sono quelle in cui prevale il punto di vista del narratore (o del protagonista, non sempre è facile distinguere) di fronte al dolore per la morte così orrenda di una giovane donna. Un esempio fra tanti: «Affilato nel pallore, il volto: sfinito, emaciato dalla suzione atroce della Morte» (righe 91-92), dove tutto è insieme elevato ed espressivo: la frase nominale, la spezzatura forzata introdotta dai due punti (un uso tipicamente gaddiano), la ricercata metafora «suzione della Morte». In passaggi come questo il registro si può definire anche lirico, nel senso che mira a una profonda suggestione emotiva attraverso espressioni ricercate e insieme sfumate, allusive; fino a sfiorare l'oscurità come abbiamo segnalato in due punti (vedi le note 20 e 22); e in questi casi Gadda pare proprio l'erede del gusto ermetico e della prosa lirica dominanti al tempo della sua gioventù.

Interpretare

Tutto questo impasto di elementi eterogenei si può a buon diritto definire "barocco", ma una definizione non è ancora un'interpretazione: non ci dice che cosa pensare degli intenti dell'autore e del significato della sua opera. Gadda pare seriamente intenzionato a scrivere un romanzo giallo, e fa tutt'altro; mette in scena un personaggio positivo, il commissario, e spesso si identifica con lui, ma continuamente slitta su altri punti di vista; usa un linguaggio che a volte appare realistico, a volte si innalza a un tono tragico-lirico, a volte tende alla deformazione grottesca in funzione satirica (si vedano i commenti delle ultime righe). Il lettore, quando abbia superato la difficoltà di questo aggrovigliato impasto linguistico, oscilla in ogni momento fra il divertimento e la commozione. Sembra che l'autore giochi a spiazzare continuamente ogni tentativo di interpretazione. Che cosa vuole, infine, l'autore?

Ci sono almeno due risposte possibili, e forse non si escludono a vicenda.

La prima mette l'accento sul senso della complessità, dell'ambiguità intrinseca a ogni realtà, temi su cui Gadda è tornato tante volte, sia in certi appunti filosofici che fanno parte di un baule di carte inedite esplorato dopo la sua morte, sia in commenti pubblici su se stesso. Nel 1959, rispondendo a un'inchiesta sul neorealismo, prendeva le distanze dal quel movimento e insisteva su «l'ambiguità, l'incertezza, il "può darsi ch'io sbagli", il "può darsi che da un altro punto di vista le cose stiano altrimenti", a cui pure devono tanta parte del loro incanto le pagine di certi grandi moralisti, di certi grandi romanzieri». In un altro autocommento, che abbiamo riprodotto (*T39.7*), affermava: «il barocco e il grottesco alberga-no già nelle cose», «barocco è il mondo, e il G. ne ha percepito e ritratto la baroccaggine». Il viluppo inestricabile delle forme espressive sarebbe allora un modo di affrontare l'intrinseca indecifrabilità del mondo reale.

Una seconda interpretazione sottolinea un aspetto meno filosofico e più psicologico. Anche questa si appoggia a testimonianze dell'autore, che nello stesso scritto del 1959 appena citato si autodefiniva «un romantico preso a calci dal destino», e altrove (*T39.5*) parla della narrazione come «lo strumento, in assoluto, del riscatto e della vendetta». L'impasto stilistico così variegato e irto della prosa gaddiana potrebbe esprimere allora un atteggiamento di ripugnanza verso la realtà che lo ha deluso: non solo verso il delitto, come in questo brano, non solo verso l'Italia dell'epoca fascista, come nel brano *T39.12* o in tutto lo sfondo della *Cognizione*, ma per tutto il mondo, o almeno per tutta l'umanità. Una ripugnanza mista di

attrazione, secondo il principio di compresenza degli opposti che ci ha insegnato la psicanalisi: da un lato lo scrittore è attratto da ogni particolare di ciò che rappresenta, si sofferma a caratterizzarlo e rifinirlo; dall'altro non può affrontare il mondo rappresentato in modo diretto, deve prenderne le distanze, come quando istintivamente ci tiriamo indietro di fronte a un oggetto ripugnante: e il barocco, le bizzarrie espressive, la lingua ora aulica ora dialettale, mai normale, sono un modo di distanziarsi. Insomma, se scrive «ghindarsi in tramme», è come se sottolineasse, rifiutando un modo di esprimersi più ordinario, che lui con quella realtà, con la realtà tutta, non ha a che fare e non vuole aver a che fare.

Contestualizzare

Si è spesso sottolineata la "unicità" dello scrittore Gadda, e in quello che abbiamo detto ci sono supporti più che sufficienti per una tale definizione. Ma unicità non vuol dire estraneità al proprio tempo. Ci sono aspetti di Gadda che lo legano alla vicenda letteraria italiana degli anni che ha attraversato. Abbiamo già accennato ai legami che ha avuto con l'ambiente ermetico e col gusto della prosa d'arte (anni trenta e quaranta), di cui restano tracce nella sua scrittura. Sull'altro versante cronologico, Gadda è stato un maestro per gli scrittori degli anni sessanta, in particolare per la neoavanguardia: uno scrittore del gruppo, Alberto Arbasino, si proclamava uno dei «nipotini dell'Ingegnere».

Al di là di questo, c'è qualcosa che lega Gadda, su un piano europeo, alle più importanti esperienze della nuova narrativa del Novecento. L'interesse per la psicanalisi lo apparenta a Joyce e a Svevo; il plurilinguismo e pluristilismo lo accomunano ancora a Joyce (fatte le dovute differenze tra la situazione linguistica italiana, caratterizzata dalla presenza dei dialetti, e quella inglese). Ma la cosa più notevole è forse quel gusto, o ossessione, per l'analisi di ogni particolare che tende a dissolvere la trama narrativa: con questo Gadda appare partecipe della tendenza del nuovo romanzo novecentesco ad abolire la gerarchia di importanza tra i fatti, a espandere ogni particolare fino a farne un centro autonomo di narrazione; partecipe dunque di una rivoluzione nel modo stesso di concepire la narrativa come strumento di conoscenza della realtà.

T39.12

«La moralizzazione dell'Urbe»

All'inizio del terzo capitolo del romanzo, la comparsa sui giornali della notizia del delitto dà l'occasione all'autore per una delle sue digressioni sul clima della vita pubblica nei primi anni del fascismo.

Carlo Emilio Gadda
QUER PASTICCIACCIO BRUTTO DE VIA MERULANA
(Cap. 3, in *Romanzi e racconti*, a cura di G. Pinotti, D. Isella, R. Rodondi, Garzanti, Milano, 1989, vol. II)

La mattina dopo i giornali diedero notizia del fatto. Era venerdì. Li cronisti e il telefono aveveno rotto l'anima tutta la sera: tanto a via Merulana che giù, a Sante Stefene[1]. Sicché, la mattina, un subisso[2]. «Orribile delitto a via Merulana,» gridavano li strilloni, co li pacchi fra li ginocchi de la gente: fino all'undici e tre quarti. Nella cronaca, dentro, un titolo in neretto su due colonne: ma, poi, sobrio e alquanto distaccato il referto[3]: una colonnina asciutta asciutta, dieci righe ne la svolta[4], «le indagini proseguono attivissime»: e quarc'artra parola pe contentino: di pretta marca neo-italica[5]. Ereno passati li tempi belli... che pe un pizzico ar mandolino d'una serva a piazza Vittorio, c'era un brodo longo de mezza paggina. La moralizzazione dell'Urbe e de tutt'Italia insieme, er concetto d'una maggiore austerità civile, si apriva allora la strada. Se po dì, anzi, che procedeva a gran passi. Delitti e storie sporche ereno scappati via pe sempre da la terra d'Ausonia[6], come un brutto insogno che se la squaja. Furti, cortellate, puttanate, ruffianate, rapina, cocaina, vetriolo, veleno de tossico d'arsenico per acchiappà li sorci, aborti manu armata[7], glorie de lenoni[8] e de bari, giovenotti che se fanno pagà er vermutte da una donna[9], che ve pare? la divina terra d'Ausonia manco s'aricordava più che robba fusse.

Relitti d'un'epoca andata al nulla, con le sue frivolezze e le sue «frasi», e i suoi preservativi, e le sue cazzuole massoniche[10]. Il coltello, in quegli anni, il vecchio coltello d'ogni maramalduccio[11] e d'ogni guappo 'e malu culori, – o bberbante o ttraddetori[12], – l'arma de' tortuosi chiassetti[13], de' pisciosi vicoletti, pareva davvero che fusse sparito di scena pe nun tornacce mai più: salvoché di sulla panza degli eroi funebri[14], dove si esibiva, ora, estromesso in gloria, come un genitale nichelato, argentato. Vigeva ora il vigor nuovo del Mascellone, Testa di Morto in bombetta, poi Emiro col fez, e col pennacchio[15], e la nuova castità della baronessa Malacianca-Fasulli, la nuova legge delle verghe a fascio[16]. Pensare che ce fossero dei ladri, a Roma, ora? Co quer gallinaccio co la faccia fanatica a Palazzo Chiggi?

1. **via Merulana... Sante Stefene**: l'appartamento del delitto e la sede del commissariato di polizia, presso Santo Stefano del Cacco, trascritto secondo la pronuncia meridionale del protagonista, il commissario Ingravallo.
2. **un subisso**: una quantità, un fracasso.
3. **il referto**: il resoconto.
4. **ne la svolta**: nella seconda colonna.
5. **di pretta marca neo-italica**: nel più puro stile voluto dal regime fascista per l'immagine di un'Italia nuova.
6. **Ausonia**: un nome antico dell'Italia, usato per fare il verso alla solennità dello stile di regime.
7. **manu armata**: a mano armata (latino), per indicare i mezzi violenti con cui si procuravano aborti clandestini.
8. **lenoni**: ruffiani, sfruttatori della prostituzione.
9. **giovenotti... donna**: giovanotti che si fanno offrire l'aperitivo; giro di parole per alludere a forme di prostituzione maschile.
10. **cazzuole massoniche**: la cazzuola, attrezzo del muratore, fa parte dei simboli della massoneria, società segreta; il fascismo indicava nella massoneria una forza occulta che manovrava i regimi liberali e democratici.
11. **maramalduccio**: piccolo delinquente (da *Maramaldo*, nome del comandante di ventura che uccise Francesco Ferrucci, ultimo difensore della repubblica fiorentina, nel 1530).
12. **guappo... ttraddetori**: proverbio napoletano sul *guappo* (giovane malavitoso): "guappo di brutto colore, o birbante o traditore").
13. **chiassetti**: vicoli.
14. **salvoché... funebri**: si riferisce al pugnale che spiccava sulla divisa delle milizie e dei funzionari fascisti, *funebri* perché in camicia nera.
15. **Mascellone... pennacchio**: epiteti affibbiati a Mussolini per la forte mascella che caratterizzava la sua fisionomia: *in bombetta* (cappello di un abito civile) al suo esordio come presidente del consiglio, poi passato al *fez* della divisa fascista, simile a un copricapo turco (per questo *emiro*).
16. **la nuova legge... fascio**: il fascio romano, emblema del fascismo, era costituito in origine di verghe legate; giocando sul doppio senso di *verga*, l'autore ne fa un emblema di castità obbligata, o esibita.

Cor Federzoni[17] che voleva carcerà pe forza tutti li storcioni[18] de lungote-   30
vere? o quanno che se sbaciucchiaveno al cinema? tutti li cani in fregola de
la Lungara[19]? Cor Papa milanese e co l'Anno Santo de due anni prima[20]? E
co li sposi novelli? Co li polli novelli a scarpinà pe tutta Roma[21]?

    Lunghe teorie de nerovestite, affittato er velo nero da cerimonia a Borgo
Pio, a Piazza Rusticucci, a Borgo Vecchio, si attruppavano sotto ar colon-   35
nato, basivano[22] a Porta Angelica, e poi traverso li cancelli de Sant'Anna,
p'annà a riceve la benedizzione apostolica da Papa Ratti, un milanese de se-
menza bona de Saronno de quelli tosti, che fabbricava li palazzi. In attesa
de venì finarmente incolonnate loro pure: e introdotte dopo quaranta ram-
pe de scale in sala der trono, dar gran Papa alpinista[23]. Pe dì[24] che l'Urbe   40
incarnava omai senza er minimo dubbio la città de li sette candelabri[25] de
le sette virtù: quella che avevano auspicata lungo folti millenni tutti i suoi
poeti e tutti gli inquisitori, i moralisti e gli utopici, Cola appeso. (Grascio
era[26].) Pe le strade de Roma nun se vedeva più in giro una mignotta, de
quelle co la patente. Con gentile pensiero pe l'Anno santo, il Federzoni le   45
aveva confiscate tutte.

---

17. Federzoni: espo-
nente del regime fa-
scista, ministro degli
Interni dell'epoca.
18. storcioni: omo-
sessuali (romanesco).
19. Lungara: via
presso la riva destra
del Tevere.
**20. Cor Papa... pri-
ma:** Pio XI (Achille
Ratti), salito al ponti-
ficato nel 1922 dopo
essere stato arcivesco-
vo di Milano; l'Anno
Santo fu celebrato nel
1925.
**21. co li sposi...
Roma:** Roma era una
tappa obbligata del
viaggio di nozze, all'e-
poca.
22. basivano: si sba-
lordivano, sul punto
di svenire; i luoghi ci-
tati sono nei dintorni
di piazza San Pietro, a
cui ovviamente ap-
partiene il *colonnato*.
23. Papa alpinista:

Pio XI era stato un ar-
dito alpinista in gio-
ventù.
24. Pe dì: per dire.
25. sette candelabri:
i sette candelabri no-
minati in un passo
dell'Apocalisse e in-

terpretati come sim-
bolo dei sette doni
dello Spirito Santo.
26. Cola... era: com-
preso (fra gli *utopici*)
Cola di Rienzo, il po-
polano che tentò di
instaurare un comune

popolare a Roma e fu
ucciso nel 1354. Nel-
la *Cronica* anonima
del Trecento in volga-
re romano che parla
di Cola (Vol. A
T2.61), si dice più di
una volta che era *gras-*

so, ma non compare
la forma *grascio*; pro-
babilmente Gadda ci-
tava a memoria, fa-
cendosi prendere dal
suo gusto per la
deformazione delle
parole.

---

dialogo con il testo

I temi

La satira del regime fascista – ricorrente nel *Pasticciaccio* come in altre opere di Gadda – prende qui di
mira i provvedimenti per "moralizzare" Roma, allo
scopo di dimostrare come il regime aprisse un'era
nuova, più austera; una "moralizzazione" repressiva e
mirante all'immagine più che alla sostanza.

☑ Ricavate dal testo le linee di questa politica mora-
lizzatrice, espresse in forma diretta o indiretta.

La satira tocca poi la Chiesa romana, corresponsabile
di quella politica; siamo negli anni che precedono
immediatamente il Concordato del 1929, che san-
cirà: «In considerazione del carattere sacro della
Città Eterna [...] il Governo Italiano avrà cura di impedire a Roma tutto ciò che possa essere in contrasto
con detto carattere». Questa alleanza fra i due poteri
spiega la rappresentazione tra grottesca e sarcastica
dei pellegrinaggi romani.

☑ La presentazione di papa Pio XI è però diversa da
quella di Mussolini; quali aspetti dell'uno e dell'altro
personaggio vengono messi in rilievo?

Le forme

La furia polemica scatena l'inventiva verbale di
Gadda, che si produce in un fuoco d'artificio continuo: oltre alle coloritissime espressioni dialettali, col-
piscono le imprevedibili associazioni di idee, gli inse-
rimenti improvvisi di scenette, personaggi, citazioni.

☑ L'autore ricorre più di una volta al brusco accostamento di espressioni auliche e popolari, e riprende espressioni solenni dal linguaggio ufficiale per
metterlo in ridicolo. Identificate esempi di questi
procedimenti.

CARLO EMILIO GADDA

Secondo Novecento

Esercizi di riepilogo

Documenti

T39.1-T39.7

Comprendere

1. Dall'insieme dei *Documenti* presentati su Gadda (*T39.1-T39.7*) potete ricavare alcuni tratti salienti della sua personalità di uomo e di scrittore; provate a delinearli, eventualmente raggruppandoli intorno alla caratteristica che vi pare la più importante e atta a rappresentare questa personalità nel suo insieme.

Analizzare

2. Dalle dichiarazioni di poetica di Gadda (*T39.5-T39.7*), potete ricostruire le intenzioni dell'autore nello scrivere le sue opere; sulla base dei brani letti, e di ciò che sapete delle opere intere, cercate di individuare quali di queste intenzioni si sono realizzate e quali no.

Interpretare

3. Nel 1953 Gadda, assunto alla RAI, scrisse delle «Norme per la redazione di un testo» destinate ai redattori del programma culturale della radio (la televisione non trasmetteva ancora). Nel documento scriveva tra l'altro:

All'atto di redigere il testo di un parlato radiofonico si dovrà dunque evitare in ogni modo che nel radioascoltatore si manifesti il cosiddetto "complesso di inferiorità culturale", cioè quello stato di ansia, di irritazione, di dispetto che coglie chiunque si senta condannare come ignorante dalla consapevolezza, dalla finezza, dalla sapienza altrui.

Seguiva una lunga serie di regole da seguire; tra le "regole generali assolute per la stesura di ogni testo" figurava la seguente:

Evitare le parole desuete, i modi nuovi o sconosciuti, e in generale un lessico e una semantica arbitraria, tutti quei vocaboli e quelle forme che non risultino prontamente e sicuramente afferrabili. Figurano tra essi:
a) i modi e i vocaboli antiquati;
b) i modi e i vocaboli di esclusivo uso regionale, provinciale, municipale;
c) i modi e i vocaboli, talora introdotti arbitrariamente nella pagina, della supercultura (p.e. della supercritica), del preziosismo e dello snobismo. [...]

Paragonando queste indicazioni a certe dichiarazioni dell'autore sulle scelte linguistiche in letteratura (vedi ad esempio *T39.6*), e allo stile dei romanzi, emergono stridenti contraddizioni. Ritenete che esse possano essere conciliate, eventualmente facendo riferimento alla diversità delle circostanze? Argomentate una vostra opinione in proposito.

I romanzi

T39.8-T39.12

Analizzare

4. Nell'opera di Gadda si alternano e si intrecciano un livello espressivo "comico" e uno "tragico"; prendendo in esame più di un brano, indicate la prevalenza dell'uno o dell'altro livello, o la loro mescolanza, e le forme espressive più tipiche di ciascuno.

Analizzare

5. «I doppioni [*le forme duplici di una stessa parola*] li voglio, tutti, per mania di possesso e per cupidigia di ricchezze [...]: e tutti i sinonimi, usati nelle loro variegate accezioni e sfumature, d'uso corrente, o d'uso raro rarissimo. [...] Le variazioni lessicali (sinonimi) e le varianti ortoepiche [*dovute alla pronuncia*] (riescire e riuscire; adacquare e dacquare, in aferesi [*caduta di un suono all'inizio di parola*]) mi vengono buone secondo collocazione per varare al meglio o per varare all'ottimo la clausola prosodica [*l'andamento ritmico della chiusura di una frase*]». Verificate su qualche brano l'attuazione dei propositi espressi da Gadda in questo passo del saggio *Lingua letteraria e lingua dell'uso*.

Interpretare

6. In certi appunti stesi nel 1928, in margine a un romanzo incominciato e mai finito, Gadda scriveva tra l'altro: «Mio desiderio di essere romanzesco, interessante. [...] interessare anche il grosso pubblico. [...] Il pubblico ha diritto di essere divertito. Troppi scrittori lo annoiano senza misericordia. Bisogna dunque riportare in scena anche il romanzo romanzesco».
In realtà, Gadda è risultato uno scrittore difficile, apprezzabile solo da un'*élite*, così poco "romanzesco" che non è mai riuscito a finire un romanzo. Eppure qualche cosa di queste intenzioni giovanili sopravvive anche nell'impostazione dei due romanzi maggiori. Cercate qualche ragione che possa spiegare questa contraddizione tra intenzioni e risultati raggiunti.

Interpretare

7. Nel descrivere la realtà attraverso il suo stile aggrovigliato e variegato, Gadda sembra manifestare un rapporto ambivalente verso il mondo: da un lato l'insistenza minuta su ogni particolare, reso con ricchezza espressiva, testimonia di un'attrazione verso la realtà, di un gusto per la varietà delle cose e dei sentimenti; dall'altro quello stesso stile è una presa di distanza dalle cose, esprime una ripugnanza verso la realtà in generale. Prendendo in esame qualche passo descrittivo, dite quale dei due aspetti vi pare prevalente, e perché, e discutete la validità dell'analisi che vi abbiamo proposto.

Interpretare

8. Mettete a confronto queste due valutazioni complessive dell'opera di Gadda:

> Una scrittura così composita è, di per se stessa, una confutazione di ogni convenzionale, semplificante immagine della realtà; ma è anche una confutazione della confutazione, se per quest'ultima si intende un motivato, conseguente rifiuto di un determinato sistema di valori e di leggi. [...] Infatti la complessità del suo linguaggio [...] esclude o relega in secondo piano i contenuti e i significati troppo definiti o espliciti: primi fra tutti quelli di natura sociale e civile...
>
> G.C. Roscioni, *La disarmonia prestabilita.*
> *Studio su Gadda,* Einaudi, Torino, 1969

> Nell'opera di Gadda il massimo di densità stilistica, linguistica, tematica si associa al più alto grado di conoscenza della realtà; la tensione interna, il risentimento personale, la carica nevrotica, si traducono in tensione verso l'esterno, verso l'orizzonte sociale. Ne vien fuori, così, una vigorosa e concreta immagine del carattere della società italiana in un ampio scorcio di questo secolo.
>
> G. Ferroni, *Storia della letteratura italiana.*
> *IV Il Novecento*, Einaudi, Torino, 1991

Qual è l'oggetto comune di valutazione dei due brani? Quali le differenze tra i due giudizi? Tali differenze costituiscono a vostro parere un contrasto insanabile o possono essere considerate compatibili?

Confrontare

9. (esercizio guidato) L'opera di Gadda ha influenzato ampiamente la narrativa italiana a partire dagli anni cinquanta. Le suggestioni sono state diverse: ciascun autore ha estratto e sviluppato dal repertorio stilistico gaddiano gli elementi che si confacevano di più alla sua poetica. Provate a identificare gli aspetti in cui si può riconoscere un'influenza gaddiana in alcuni passi di diversi scrittori.

Facendo l'indifferente, Tommaso si mise in mezzo alla caciara dei pipelletti, proprio dietro due o tre zozze, che, tenendosi acciambellonate, allungavano il collo verso il cortile.
Piano piano, fingendo di guardare pure lui verso il cortile, s'accostò alla più grande, tenendo le mani in saccoccia, e con le nocche dietro la tela logora e leggera dei pantaloni, cominciò un po' a paccare: quella se ne avvide subito, e cominciò a fare gli occhi al purè, guardando un po' verso il cortile, e un po' verso la strada, con certi scatti della testa, tic da una parte, tac dall'altra, che parevano quelli d'una gallina quando becca per terra.

P.P. Pasolini, *Una vita violenta* (1959), parte I cap. 3

Intenderai dunque la specialissima angoscia che illumina gli addii amorosi, quel dipartirsi di un noi da noi, esemplata nell'ironica autonomia delle nostre disiecta membra. Cosa ilare, anche di suicida ilarità, questo accomiatarsi di anime già avvinte; che comporta non so che brivido di irruzioni elettriche (temporali, scene isteriche di Iddio), come se altre mani non mai nostre commutassero interruttori e valvole.

G. Manganelli, *Hilarotragoedia* (1964)

Il lume, stranamente, stava in pizz'in pizzo sul canterano, come per fare luce ai piedi del letto. Sforzando l'occhio verso il basso, lì davanti, alla sinistra del letto, scoperse il paramento di mosciame, la grande gistra tonda e sopra, la fera tranciata, il solo quartodidietro, rovesciato sulla pancia, col bianco ventre già in gran parte scannellato e sanguinante.

S. D'Arrigo, *Horcynus Orca* (1975)

Per tornare in del principio: in della nostra casa c'era e c'è stata, fuit et sarà, solo lei. Quella signora o dama o anca regina che dai secula seculorum perseguita e inseguita i senza scorta e i senza roba; vestita de negro, 'me fosse già lei, in proprio, la morte. C'era, ecco la grande figura et statua della madonna negra che se ciama la Miseria; con tanta de emme maiuscola.

G. Testori *Passio Laetitiae et Felicitatis* (1975)

– Fetiente, sfaccimme, faccia 'e mmierda! – facevano i due sbirri bastonando. E il molosso costretto alla catena scoprì i denti ringhiando, scrollò il collare aculeato, raspò la terra con le zampe.
Gli serrarono i polsi alle manette. Sotto l'azzurro cielo, tra Resína e il mare, tra il bianco de' marmi, il rosso de' mattoni e il verde de' pinastri, egli sentì le gambe ripiegarsi, il senso che s'oscura e l'abbandona.

V. Consolo, *Il sorriso dell'ignoto marinaio* (1976), cap. IV

Non avrete difficoltà a riconoscere l'influenza gaddiana nella contaminazione dei linguaggi, degli stili e dei generi, nella forzatura del lessico a fini espressivi. Ricavate dai passi citati esempi di:
- *pastiche linguistico: mescolanza di dialetti, lingua, termini gergali, letterari, latini, arcaismi, neologismi, parole rare;*
- *alternanza di registri: lirico, ironico, grottesco, colloquiale, basso, aulico;*
- *uso di metafore espressive, di analogie bizzarre.*

Contestualizzare

10. Un aspetto centrale della cultura di Gadda è il suo interesse per la psicanalisi. Se avete qualche conoscenza di teorie psicanalitiche, provate a individuare come l'autore se ne sia servito, attraverso qualche brano letto o le conoscenze che avete di opere intere.

(Ri)scrivere

11. Scegliete un breve brano di Gadda e provate a farne la parafrasi in lingua comune e stile medio, "normale".

(Ri)scrivere

12. Prendendo spunto da un breve articolo di cronaca, provate a riscriverlo in stile gaddiano, mescolando italiano aulico, un dialetto che conoscete, tecnicismi e metafore stravaganti.

Analisi del testo

13. *Analizzate e commentate il brano «La moralizzazione dell'Urbe» (T39.12) rispondendo alle seguenti domande. Potete svolgere l'esercizio rispondendo separatamente ad ogni domanda, o integrando le singole risposte in un discorso complessivo, nell'ordine che vi sembra più efficace.*

Comprendere

13.1. Fate una parafrasi in lingua italiana corrente del primo periodo del terzo capoverso del brano (righe 34-38, da «Lunghe teorie...» a «...li palazzi»).
13.2. Quali aspetti del regime fascista e del suo "duce" sono particolarmente oggetto di satira nel brano?

Analizzare

13.3. Per buona parte del brano prevale l'uso di un dialetto, mentre in almeno due espressioni ne compare un secondo (forse in due varianti diverse). Identificate i due dialetti e le due espressioni nel secondo.
13.4. Citate alcune delle espressioni di sapore letterario e aulico che compaiono nel brano a contrasto con quelle dialettali.
13.5. Citate alcune delle espressioni più spiccatamente ironiche. "Ironia" significa, nel senso più generale, dire apparentemente una cosa intendendone un'altra: esplicitate dunque i due sensi delle espressioni a cui vi riferite.

Interpretare

13.6. Facendo riferimento all'impostazione del *Pasticciaccio* come romanzo giallo (della cui trama potete leggere un sommario a pag. 434), quale rapporto vedete tra questo brano e il romanzo nel suo complesso? Il brano vi pare qualcosa di essenziale per il romanzo o una semplice divagazione? Argomentate la vostra risposta.

Contestualizzare

13.7. Confrontate l'immagine del regime fascista che traspare da questa pagina con le vostre conoscenze storiche sull'argomento. La rappresentazione vi pare adeguata o inadeguata, parziale o ampia, superficiale o profonda...?

Analisi del testo

14. *Analizzate e commentate il brano che segue, rispondendo alle domande. Potete svolgere l'esercizio rispondendo separatamente a ogni domanda, o integrando le singole risposte in un discorso complessivo, nell'ordine che vi sembra più efficace.*

Si tratta dell'inizio della novella L'incendio di via Keplero, *datata 1930-1935 e inclusa nella raccolta* Accoppiamenti giudiziosi.

Se ne raccontavano di cotte e di crude sul fuoco del numero 14. Ma la verità è che neppur Sua Eccellenza Filippo Tommaso Marinetti avrebbe potuto simultanare quel che accadde[1], in tre minuti, dentro la ululante topaia, come subito invece gli riuscì fatto al fuoco: che ne disprigionò fuori a un tratto tutte le donne che ci abitavano seminude nel ferragosto e la lor prole globale, fuor dal tanfo e dallo spavento repentino della casa, poi diversi maschi, poi alcune signore povere e al dir d'ognuno alquanto malandate in gamba, che apparvero ossute e bianche e spettinate, in sottane bianche di pizzo, anzi che nere e composte come al solito verso la chiesa, poi alcuni signori un po' rattoppati pure loro, poi Anacarsi Rotunno, il poeta italo-americano, poi la domestica del garibaldino agonizzante del quinto piano, poi l'Achille con la bambina e il pappagallo, poi il Balossi in mutande con in braccio la Carpioni, anzi mi sbaglio, la Maldifassi, che pareva che il diavolo fosse dietro a spennarla, da tanto che la strillava anche lei, Poi, finalmente, fra persistenti urla, angosce, lacrime, bambini, gridi e straziati richiami e atterraggi di fortuna e fagotti di roba buttati a salvazione giù dalle finestre, quando già si sentivano arrivare i pompieri a tutta carriera e due autocarri si vuotavano già d'un tre dozzine di guardie municipali in tenuta bianca, ed era in arrivo anche l'autolettiga della Croce Verde, allora, infine, dalle due finestre a destra del terzo, e poco dopo del quarto, il fuoco non poté a meno di liberare anche le sue proprie spaventose faville, tanto attese!, e lingue, a tratti subitanei, serpigne e rosse, celerissime nel manifestarsi e svanire, con tortiglioni neri di fumo, questo però pecioso e crasso come d'un arrosto infernale, e libidinoso solo di morularsi a globi e riglobi[2] o intrefolarsi[3] come un pitone nero su di se stesso, uscito dal profondo e dal sottoterra tra sinistri barbagli; e farfalloni ardenti, così parvero, forse carta o più probabilmente stoffa o pergamoide[4] bruciata, che andarono a svolazzare per tutto il cielo insudiciato dal quel fumo, nel nuovo terrore delle scarmigliate, alcune a piè nudi nella polvere della strada incompiuta, altre in ciabatte senza badare alla piscia e alle polpette di cavallo, fra gli stridi e i pianti dei loro mille nati. Sentivano già la testa, e i capegli, vanamente ondulati, avvampare in un'orrida, vivente face.

Comprendere

14.1. Sintetizzate l'evento descritto in non più di quaranta parole.

14.2. Individuate nel testo gli indizi che permettono di situare il fatto raccontato negli anni trenta e in una strada di periferia.

Analizzare

14.3. Il brano esibisce la varietà di modi linguistici consueta in Gadda. Individuate esempi di
– espressioni di gusto letterario e prezioso;
– espressioni arcaizzanti;
– espressioni proprie della lingua parlata e popolare;
– espressioni che si richiamano a linguaggi specialistici;
– neologismi (parole coniate dall'autore per l'occasione).

14.4. Definite il tipo di struttura sintattica prevalente nel brano.

14.5. Definite il punto di vista narrativo; a vostro parere nel brano è fisso o variabile?

Interpretare

14.6. Sulla base dei dati raccolti sulle domande precedenti, definite l'atteggiamento del narratore verso l'evento narrato e il tipo di reazione che vuole suscitare nel lettore.

Contestualizzare

14.7. Confrontate questo brano con un brano descrittivo, a voi noto, di un narratore italiano del Novecento, dal punto di vista delle scelte di lingua e stile e degli atteggiamenti del narratore verso la materia narrata. Mettete in luce i punti di contatto (se ce ne sono) e le differenze che qualificano l'originalità di Gadda.

---

1. **Sua Eccellenza... accadde**: Filippo Tommaso Marinetti, il fondatore del futurismo (notizie in Vol. G *T31.14*), negli anni trenta era diventato accademico d'Italia e per questo aveva diritto al titolo *Sua Eccellenza*; la "simultaneità" (capacità di rappresentare eventi che avvengono simultaneamente) era uno dei cardini della poetica futurista; "simultanare" pare una creazione estemporanea dell'autore.
2. **morularsi a globi e riglobi**: la *morula* (termine della biologia) è la fase iniziale dello sviluppo di un embrione, in cui questo è costituito da un insieme di cellule di forma tondeggiante; *morularsi* (termine che non compare nei vocabolari) vorrà dire dunque che il fuoco, in fase embrionale, comincia ad assumere forme di *globi* che si rinnovano continuamente (*riglobi*).
3. **intrefolarsi**: da *trefolo*, "insieme di fili intrecciati" (il verbo è probabilmente di creazione gaddiana).
4. **pergamoide**: un materiale artificiale che imita la pelle o il cuoio (termine commerciale).

40

ITALO CALVINO

Le tappe di una continua ricerca

«**I**o sono ancora di quelli che credono, con Croce, che di un autore contano solo le opere. (Quando contano, naturalmente). Perciò dati biografici non ne do, o li do falsi, o comunque cerco sempre di cambiarli da una volta all'altra»: così Calvino scriveva nel 1964 a una studiosa che gli chiedeva informazioni sulla sua vita. Perciò i documenti più adatti a far luce sui tratti fondamentali della sua personalità sono le prese di posizione sul significato della letteratura e sul mestiere dello scrittore. Si delineano in questo modo le tappe di una ricerca mossa da una curiosità inquieta, unita a una concezione profondamente morale del ruolo dell'intellettuale e a un lucido atteggiamento critico nei confronti delle tendenze di volta in volta dominanti. Si possono leggere in questa chiave la sua personale interpretazione dell'"impegno" militante dello scrittore (*T40.1*), la discussione con la nuova avanguardia sulla funzione dell'arte (*T40.2*), l'approfondirsi di un atteggiamento di «perplessità sistematica» di fronte ai nuovi problemi posti dalla società contemporanea (*T40.3*), la rivendicazione del valore della letteratura come modello di «esattezza» di fronte alla «perdita di forma della vita» (*T40.5*).

Premio Pavese 1957
(Carlo Bo al microfono, Carlo Levi e Italo Calvino seduti a destra)

L'"impegno" e la favola

A metà degli anni cinquanta ferve, tra gli intellettuali di sinistra, il dibattito sul "realismo", l'orientamento letterario che, secondo i critici comunisti più autorevoli, poteva meglio contribuire al rinnovamento e alla democratizzazione della società: il rispecchiamento fedele dei conflitti sociali, la presenza di "eroi positivi" che incarnino i comportamenti e i valori della classe operaia sono i requisiti richiesti agli scrittori dagli esponenti più autorevoli dell'organizzazione culturale del partito. In quegli anni Calvino è a tutti gli effetti

uno scrittore "impegnato": milita nel Partito comunista, collabora a giornali e riviste politicamente schierati, ma con Il visconte dimezzato *(1952), ha inaugurato un modo fiabesco e simbolico di rappresentare la realtà, molto lontano dal modello ufficiale del realismo. In una conferenza tenuta a Firenze nel 1955 e pubblicata nello stesso anno col titolo* Il midollo del leone, *specifica la natura e i limiti dei legami che, secondo lui, devono intercorrere tra letteratura e politica.*

Ne riportiamo tre brani.

La vita e le opere

1923	Nasce a Santiago di Las Vegas (Cuba)		
1925	Con la famiglia si trasferisce a Sanremo		
1943	Partecipa alla guerra partigiana		
1945	Si iscrive al P.C.I., collabora al "Politecnico"		
		1947	*Il sentiero dei nidi di ragno*
		1949	*Ultimo viene il corvo*
		1952	*Il visconte dimezzato, La formica argentina*
		1956	*Fiabe italiane*
1957	Lascia il P.C.I.	**1957**	*Il barone rampante, La speculazione edilizia*
1959-65	Dirige con Vittorini "Il menabò"	**1959**	*Il cavaliere inesistente*
		1960	*I nostri antenati*
		1963	*La giornata di uno scrutatore, Marcovaldo*
		1965	*Le cosmicomiche*
1967	Si trasferisce a Parigi	**1967**	*Ti con zero*
		1969	*Il castello dei destini incrociati*
		1972	*Le città invisibili*
1974-79	Collobora al "Corriere della Sera"	**1979**	*Se una notte d'inverno un viagggiatore*
1980	Si trasferisce a Roma. Inizia la collaborazione con "la Repubblica"	**1980**	*Una pietra sopra*
		1983	*Palomar*
1985	Muore		
		1988	Escono le *Lezioni americane*

Italo Calvino
IL MIDOLLO
DEL LEONE
(In *Una pietra sopra*,
Mondadori, Milano,
1995)

1. *au dessus de la mêlée*: "al di sopra della mischia", in francese.
2. **Ma non ci riconosciamo... collettive**: Calvino non accetta un'idea della letteratura socialmente impegnata come coinvolgimento irrazionale, istintivo, nelle lotte popolari (*mistica comunione con le forze collettive*), espresso attraverso emozioni incontrollate e scelte stilistiche esasperate (*volontarismo espres-

sionistico*).
3. **Né ci riconoscia-mo... pedagogica**: Calvino non condivi-

de neppure l'idea che il compito dello scrittore impegnato consista nel trasporre in

letteratura un'idea politica, nel divulgarla e spiegarla alle masse. Era ciò che la par-

te più dogmatica dei critici comunisti chiedeva agli scrittori: «Passare dalla *analisi*

Noi crediamo che l'impegno politico, il parteggiare, il compromettersi sia, ancor più che dovere, necessità naturale dello scrittore d'oggi, e prima ancora che dello scrittore, dell'uomo moderno. Non è la nostra un'epoca che si possa comprendere stando *au dessus de la mêlée*[1] ma al contrario la si comprende quanto più la si vive, quanto più avanti ci si situa sulla linea del fuoco. Ma non ci riconosciamo certo nel volontarismo espressionistico che inturgida le vene e il linguaggio in una spinta di lirismo irrazionale, quasi di mistica comunione con le forze collettive[2]. Né ci riconosciamo di più negli esperimenti di una letteratura che con troppo ostentata modestia identifichi la sua funzione storica con quella esemplificativa e pedagogica[3].

Chi conosce quanto complessa e delicata e difficile e ricca sia l'attività politica, e per questo l'ama e si studia di praticarla, chi sa i tesori d'ingegno, di finezza, di pazienza e di moralità che occorrono al successo d'una lotta del lavoro, resterà sempre insoddisfatto e infastidito dallo scrittore che imita dall'esterno le operazioni del dirigente politico e sindacale, o dal critico che – con ancor maggiore facilità – gli chiede di far ciò: di passare dalla *analisi critica* alla *denuncia*, alla *indicazione dei rimedi*, alla *impostazione di lotta*, alla *critica delle deficienze*, alla *soluzione positiva* e così via. [...]

12. Noi pure siamo tra quelli che credono in una letteratura che sia presenza attiva nella storia, in una letteratura come educazione, di grado e di qualità insostituibile. Ed è proprio a quel tipo d'uomo o di donna che noi pensiamo, a quei protagonisti attivi della storia, alle nuove classi dirigenti che si formano nell'azione, a contatto con la pratica delle cose. La letteratura deve rivolgersi a quegli uomini, deve – mentre impara da loro – insegnar loro, servire a loro, e può servire solo in una cosa: aiutandoli a esser sempre più intelligenti, sensibili, moralmente forti. Le cose che la letteratura può ricercare e insegnare sono poche ma insostituibili: il modo di guardare il prossimo e se stessi, di porre in relazione fatti personali e fatti generali, di attribuire valore a piccole cose o a grandi, di considerare i propri limiti e vizi e gli altrui, di trovare le proporzioni della vita, e il posto dell'amore in essa, e la sua forza e il suo ritmo, e il posto della morte, il modo di pensarci o non pensarci; la letteratura può insegnare la durezza, la pietà, la tristezza, l'ironia, l'umorismo, e tante altre di queste cose necessarie e difficili. Il resto lo si vada a imparare altrove, dalla scienza, dalla storia, dalla vita, come noi tutti dobbiamo continuamente andare ad impararlo.
[...]

14. In un articolo di Gramsci abbiamo trovato, citata da Romain Rolland[4], una massima di sapore stoico[5] e giansenista[6] adottata come parola d'ordine rivoluzionaria: «pessimismo dell'intelligenza, ottimismo della volontà». La letteratura che vorremmo veder nascere dovrebbe esprimere nella acuta intelligenza[7] del negativo che ci circonda la volontà limpida e attiva che muove i cavalieri negli antichi cantari o gli esploratori nelle memorie di viaggio settecentesche.

Intelligenza, volontà: già proporre questi termini vuol dire credere nell'individuo, rifiutare la sua dissoluzione. E nessuno più di chi ha imparato a porre i problemi storici come problemi collettivi, di masse, di classi, e milita tra coloro che seguono questi principî, può oggi imparare quanto vale la personalità individuale, quanto è in essa di decisivo, quanto in ogni momento l'individuo è arbitro di sé e degli altri, può conoscerne la libertà, la responsabilità, lo sgomento. I romanzi che ci piacerebbe di scrivere o di leggere sono romanzi d'azione, ma non per un residuo di culto vitalistico o energetico[8]: ciò che ci interessa sopra ogni altra cosa sono le prove che l'uomo attraversa e il modo in cui egli le supera. Lo stampo delle favole più remote: il bambino abbandonato nel bosco o il cavaliere che deve superare incontri con belve e incantesimi, resta lo schema insostituibile di tutte le storie umane, resta il disegno dei grandi romanzi esemplari in cui una personalità morale si realizza muovendosi in una natura o in una società spietate. I classici che più ci stanno oggi a cuore sono nell'arco che va da Defoe a Stendhal, un arco che abbraccia tutta la lucidità razionalista settecentesca. Vorremmo anche noi inventare figure di uomini e di donne pieni d'intelligenza, di coraggio e d'appetito, ma mai entusiasti, mai soddisfatti, mai furbi o superbi.

20

25

30

35

40

45

50

55

60

critica alla *denuncia*, alla *indicazione dei rimedi*, alla *impostazione di lotta*, alla *critica delle deficienze*, alla *soluzione positiva*», come Calvino scriverà poco più avanti.
4. **Romain Rolland**: scrittore francese (1866-1944) di idee pacifiste e democratiche.
5. **stoico**: nella Grecia antica la scuola filosofica degli Stoici proponeva un modello d'uomo capace di non lasciarsi vincere o abbattere dai dolori e dalle avversità.
6. **giansenista**: il giansenismo è un movimento religioso nato in Francia nel XVII secolo, caratterizzato da un atteggiamento di forte rigorismo morale.
7. **intelligenza**: comprensione.
8. **non per... energetico**: la narrazione a cui pensa Calvino non è centrata sull'esaltazione irrazionale della forza vitale dei protagonisti, ma sulla rappresentazione della condizione umana nella sua complessità e nel suo limite.

dialogo con il testo

I temi

Calvino è convinto del valore politico e sociale della letteratura, della necessità che lo scrittore "parteggi" e "si comprometta"; ma sottolinea la specificità del lavoro letterario, il contributo autonomo che esso può dare alla società e che lo differenzia dall'azione politica diretta. La politica si occupa di «problemi storici come problemi collettivi, di masse, di classi»; lo scrittore concentra la sua attenzione principalmente sugli individui. Questa distinzione però non comporta una gerarchia e neppure un conflitto tra le due attività, ma una cooperazione in ambiti diversi.

[?] Ripercorrendo il testo cercate di definire qual è il

terreno specifico che Calvino attribuisce alla letteratura (ciò che può dare ai suoi lettori, le tematiche che le sono proprie, i suoi rapporti di distinzione e di collaborazione con l'attività politica).

[?] Il modello proposto dai teorici dell'"impegno" agli scrittori di sinistra era costituito dai grandi narratori realisti dell'Ottocento; Calvino fa riferimento invece alla «lucidità razionalista settecentesca», alle situazioni tipiche delle «favole più remote», ai «cavalieri degli antichi cantari». Mettete in connessione queste tre preferenze letterarie con l'idea di letteratura delineata dal testo.

T40.2

La sfida al labirinto

Nel 1962 Calvino ha quasi quarant'anni, ed è uno scrittore pienamente affermato. Dopo l'intervento militare dell'Unione Sovietica in Ungheria, ha lasciato il Partito comunista (1957), ma continua a occuparsi con grande impegno dei problemi di politica culturale: dal 1959 dirige con Elio Vittorini (notizie a T38.26) la rivista "Il Menabò", centrata sui nuovi problemi posti alla letteratura dalla società industriale. In un articolo sulla rivista, intitolato La sfida al labirinto, *interviene nel dibattito su industria e letteratura, aperto dallo stesso Vittorini (T37.23), prendendo una posizione critica nei confronti delle poetiche della nuova avanguardia (T37.28).*

Ne riportiamo un brano, tratto dalla parte finale del testo. Nella parte precedente Calvino ha messo in evidenza i radicali cambiamenti introdotti nella so-

cietà dalla "seconda rivoluzione industriale": mercificazione dei rapporti umani, pervasività dei ritmi della produzione e del profitto, cancellazione dell'individualità. E ha passato in rassegna le risposte che la recente letteratura d'avanguardia sta dando a questo stato di cose: da un lato la «letteratura del coacervo biologico-esistenziale» tesa a esplorare l'interiorità dell'individuo nei suoi aspetti più irrazionali e magmatici attraverso l'esplosione di un linguaggio istintuale, al limite dell'insensatezza (Beckett, la beat generation, *la pittura informale); dall'altro la «letteratura del labirinto gnoseologico-culturale», che per rendere la complicazione inestricabile del mondo contemporaneo intreccia diversi linguaggi, angoli di visuale, strumenti conoscitivi, scivolando verso l'incomunicabilità (Robbe Grillet, Borges, Gadda).*

Italo Calvino
LA SFIDA
AL LABIRINTO
(In *Una pietra sopra*,
Mondadori, Milano,
1995)

Questa letteratura del labirinto gnoseologico-culturale (e quella che ho passato in rassegna nel capitolo precedente, e che possiamo definire del coacervo biologico-esistenziale) ha in sé una doppia possibilità. Da una parte c'è l'attitudine oggi necessaria per affrontare la complessità del reale, rifiutandosi alle visioni semplicistiche che non fanno che confermare le nostre abitudini di rappresentazione e del mondo; quello che oggi ci serve

1

5

è la mappa del labirinto la più particolareggiata possibile. Dall'altra parte c'è il fascino del labirinto in quanto tale, del perdersi nel labirinto, del rappresentare questa assenza di vie d'uscita come la vera condizione dell'uomo[1]. Nello sceverare[2] l'uno dall'altro i due atteggiamenti vogliamo porre la nostra attenzione critica, pur tenendo presente che non si possono sempre distinguere con un taglio netto (nella spinta a cercare la via d'uscita c'è sempre anche una parte d'amore per i labirinti in sé; e del gioco di perdersi nei labirinti fa parte anche un certo accanimento a trovare la via d'uscita).

Resta fuori chi crede di poter vincere i labirinti sfuggendo alla loro difficoltà[3]; ed è dunque una richiesta poco pertinente quella che si fa alla letteratura, dato un labirinto, di fornire essa stessa la chiave per uscirne. Quel che la letteratura può fare è definire l'atteggiamento migliore per trovare la via d'uscita, anche se questa via d'uscita non sarà altro che il passaggio da un labirinto all'altro. È la *sfida al labirinto* che vogliamo salvare, è una letteratura della *sfida al labirinto* che vogliamo enucleare e distinguere dalla letteratura della *resa al labirinto*.

10

15

20

1. Dall'altra parte... uomo: la nuova avanguardia ha in sé due diverse potenzialità: offrire agli uomini di oggi strumenti sufficientemente nuovi e complessi per aiutarli a orientarsi nel *labirinto* della società mercificata e disumanizzata, oppure arrendersi di fronte alla sua inestricabile complicazione, considerata come inesorabilmente connaturata alla condizione umana.

2. sceverare: distinguere.
3. Resta fuori... dif- ficoltà: Calvino esclude dal suo discorso le posizioni tradizionaliste, che oppongono alle teorie avanguardistiche un puro e semplice ritorno ai modelli del passato.

dialogo con il testo

I temi

Calvino rimprovera alle poetiche della nuova avanguardia un atteggiamento di «resa al labirinto», cioè l'elaborazione di opere che cedono al fascino del mondo dell'industrializzazione totale e dell'automazione: un mondo in cui – come scrive nella parte iniziale del saggio – «le cose comandano le coscienze». La letteratura d'avanguardia finisce così per riprodurre i meccanismi della realtà mercificata e disumanizzata che la circonda, senza pronunciare su di essa un giudizio, lasciando il lettore nel suo disorientamento.

A questa idea della letteratura Calvino contrappone una letteratura della «sfida al labirinto». Non la intende però come un ritorno alle forme letterarie del passato, legate alle vecchie «abitudini di rappresentazione del mondo»: infatti non esiste «la chiave» già pronta per uscire dal labirinto della società contemporanea. Si tratta piuttosto di «definire l'atteggiamento migliore per trovare una via d'uscita»: anche se non ha una soluzione precostituita da proporre, lo scrittore non deve rinunciare all'impegno morale di ricercare nuovi rapporti con la realtà e nuovi significati, che si contrappongano all'insensatezza e all'incomunicabilità che minacciano la società contemporanea.

❓ Calvino afferma che il compito dello scrittore è aiutare a trovare una via d'uscita dal labirinto, «anche se questa via d'uscita non sarà altro che il passaggio da un labirinto all'altro». Impostate una discussione sul significato di questa metafora, e sulla maggiore o minore validità dell'atteggiamento che essa indica (in un articolo di risposta Angelo Guglielmi, teorico della neoavanguardia, definì la tesi di Calvino «un proposito, magari nobile, che non riesce ad articolarsi in un progetto»).

Confronti

❓ Confrontate questa posizione con quella espressa nel *Midollo del leone* (*T40.1*), individuando ciò che è rimasto immutato e ciò che è cambiato nelle concezioni di Calvino.

Un simile rifiuto per le «abitudini di rappresentazioni del mondo» si può trovare in Eco, *T37.28*.

L'atteggiamento dell'intellettuale che, di fronte all'inadeguatezza delle certezze ideologiche del passato, non rinuncia a cercare di orientarsi entro la magmaticità del reale è incarnato dal protagonista del romanzo *La giornata di uno scrutatore* (*T40.9*), pubblicato un anno dopo questo saggio.

Un'attitudine di perplessità sistematica

T40.3

Negli anni settanta la fama di Calvino si è diffusa in tutto il mondo: tiene conferenze, scrive articoli, introduzioni e traduzioni, collabora al "Corriere della Sera" (1974-1979); nel 1980 comincia a collaborare con "la Repubblica". Nello stesso anno Calvino raccoglie gran parte dei suoi interventi su giornali e riviste in un volume intitolato Una pietra sopra. Discorsi di letteratura e società. *Riportiamo la parte centrale della prefazione, che ripercorre sinteticamente le tappe della sua attività di scrittore e di intellettuale.*

Italo Calvino
UNA PIETRA SOPRA
(Presentazione,
Mondadori, Milano,
1995)

L'ambizione giovanile da cui ho preso le mosse è stata quella del progetto di costruzione d'una nuova letteratura che a sua volta servisse alla costruzione d'una nuova società. Quali correzioni e trasformazioni abbiano subito queste attese verrà fuori dalla successione dei testi qui raccolti. Certo il mondo che ho oggi sotto gli occhi non potrebbe essere più opposto all'immagine che quelle buone intenzioni costruttive proiettavano sul futuro. La società si manifesta come collasso, come frana, come cancrena (o, nelle sue apparenze meno catastrofiche, come vita alla giornata); e la letteratura sopravvive dispersa nelle crepe e nelle sconnessure, come coscienza che nessun crollo sarà tanto definitivo da escludere altri crolli.

Il personaggio che prende la parola in questo libro (e che in parte s'identifica, in parte si distacca dal me stesso rappresentato in altre serie di scritti e di atti) entra in scena negli anni Cinquanta cercando d'investirsi d'una personale caratterizzazione nel ruolo che allora teneva la ribalta: «l'intellettuale impegnato». Seguendo le sue mosse sul palcoscenico, s'osserverà come in lui, visibilmente anche se senza svolte brusche, l'immedesimazione in questa parte viene meno a poco a poco col dissolversi della pretesa d'interpretare e guidare un processo storico. Non per questo si scoraggia l'applicazione a cercar di comprendere e indicare e comporre, ma prende via via più rilievo un aspetto che a ben vedere era presente fin da principio: il senso del complicato e del molteplice e del relativo e dello sfaccettato che determina un'attitudine di perplessità sistematica.

1

5

10

15

20

dialogo con il testo

I temi

Calvino disegna una linea di sviluppo del suo lavoro di scrittore e delle sue idee della letteratura in rapporto alla società, scandita da tre espressioni chiave: la «pretesa di interpretare e guidare un processo storico», l'«applicazione a cercar di comprendere indicare e comporre», l'«attitudine di perplessità sistematica». Non è un percorso segnato da svolte radicali, ma da progressivi spostamenti di accento, determinati dal succedersi di diverse situazioni storiche.

1 Mettete in connessione il percorso delineato da

Calvino con i mutamenti della società e della cultura italiane tra gli anni cinquanta e gli anni settanta, anche facendo riferimento a *T40.1, T40.2*.

2 Il titolo dato da Calvino alla raccolta dei suoi articoli e saggi è *Una pietra sopra*. Alla luce del percorso intellettuale delineato nel testo, vi sembra che Calvino intenda davvero "mettere una pietra sopra" alle sue esperienze passate, o che ci sia qualcosa in esse che continua ad animare il suo lavoro di intellettuale?

Il divertimento è una cosa seria

Il visconte dimezzato (1952), il primo romanzo della trilogia I nostri antenati, *racconta la storia del Visconte Medardo di Toralba, che durante una guerra contro i Turchi viene tagliato da un colpo di cannone in due metà, una totalmente buona e l'altra totalmente cattiva, che continua-* *no a vivere indipendentemente l'una dall'altra. Nel 1983, in un colloquio con un gruppo di studenti di Pesaro, Calvino rispose con queste parole a una domanda sulle sue intenzioni nello scrivere il romanzo.*

Italo Calvino
IL VISCONTE
DIMEZZATO
(Presentazione,
Mondadori, Milano,
1993)

Quando ho cominciato a scrivere *Il visconte dimezzato*, volevo soprattutto   1
scrivere una storia divertente per divertire me stesso, e possibilmente per
divertire gli altri; avevo questa immagine di un uomo tagliato in due ed ho
pensato che questo tema dell'uomo tagliato in due, dell'uomo dimezzato
fosse un sistema significativo, avesse un significato contemporaneo: tutti ci   5
sentiamo in qualche modo incompleti, tutti realizziamo una parte di noi
stessi e non l'altra. Per fare questo ho cercato di mettere su una storia che
stesse in piedi, che avesse una simmetria, un ritmo nello stesso tempo da
racconto di avventura ma anche quasi da balletto. [...] Era tutta una costruzione narrativa basata sui contrasti. Quindi la storia si basa su una serie   10
di effetti di sorpresa: che, al posto del visconte intero, ritorni al paese un
visconte a metà che è molto crudele, mi è parso che creasse il massimo di
effetto di sorpresa; che poi, ad un certo punto, si scoprisse invece un visconte assolutamente buono al posto di quello cattivo creava un altro effetto di sorpresa; che queste due metà fossero egualmente insopportabili, la   15
buona e la cattiva, era un effetto comico e nello stesso tempo anche significativo, perché alle volte i buoni, le persone troppo programmaticamente
buone e piene di buone intenzioni sono dei terribili scocciatori.
L'importante in una cosa del genere è fare una storia che funzioni proprio
come tecnica narrativa, come presa sul lettore. Nello stesso tempo, io sono   20
anche sempre molto attento ai significati: bado a che una storia non finisca
per essere interpretata in modo contrario a come la penso io; quindi anche
i significati sono molto importanti, però in un racconto come questo l'a-
spetto di funzionalità narrativa e, diciamolo, di divertimento, è molto importante. Io credo che il divertire sia una funzione sociale, corrisponde alla   25
mia morale; penso sempre al lettore che si deve sorbire tutte queste pagine,
bisogna che si diverta, bisogna che abbia anche una gratificazione; questa è
la mia morale: uno ha comprato il libro, ha pagato dei soldi, ci investe del
suo tempo, si deve divertire. Non sono solo io a pensarla così, ad esempio
anche uno scrittore molto attento ai contenuti come Bertolt Brecht[1] diceva   30
che la prima funzione sociale di un'opera teatrale era il divertimento. Io
penso che il divertimento sia una cosa seria.

---

1. **Bertolt Brecht**: il poeta e drammaturgo tedesco che si può considerare il prototi- po dello scrittore "impegnato" (notizie a *T31.20*).

dialogo con il testo

I temi

Un atteggiamento costante in Calvino è il grande rispetto per le esigenze e le attese dei lettori: anche le sue opere più sperimentali e innovative vogliono essere comprensibili e godibili per un pubblico vasto. Divertire il lettore è un preciso impegno morale dello scrittore, che va di pari passo con l'intenzione di proporre seri elementi di riflessione sul mondo e sulla vita.

Si confermano così due aspetti fondamentali della polemica calviniana contro le poetiche del neorealismo prima e quelle della nuova avanguardia poi: la difesa della specificità della letteratura di fronte all'intenzione di farne un semplice canale di trasmissione di messaggi educativi e ideologici (*T40.1*), e il rifiuto delle ricerche letterarie che reagiscono al disordine del mondo contemporaneo scivolando verso l'oscurità e l'incomunicabilità (*T40.2*). A queste tendenze Calvino contrappone un'idea della letteratura come lavoro ben fatto, fedeltà dello scrittore alle regole artigiane del suo mestiere.

▧ Ripercorrendo il testo, catalogate gli strumenti del mestiere del romanziere che sono stati messi in atto da Calvino nel *Visconte dimezzato* per far presa sui lettori.

Confronti

▧ L'insistenza sul valore morale del lavoro dello scrittore è una costante del pensiero di Calvino. Accostando questo brano ai precedenti (*T40.1-T40.3*), definite i diversi significati che esso assume di volta in volta.

T40.5 | # Contro la peste del linguaggio

Nel 1984 Calvino fu invitato dalla Harvard University di Cambridge, nel Massachusetts, a tenere un ciclo di sei conferenze a tema libero. Scelse di illustrare «alcuni valori o qualità o specificità della letteratura» da salvare nel millennio che stava per cominciare: Leggerezza, Rapidità, Esattezza, Visibilità, Molteplicità, Consistenza. *L'anno dopo, alla vigilia della partenza per l'America, morì improvvisamente. Delle sei conferenze previste ne aveva scritte cinque, che furono pubblicate nel 1988, col titolo di* Lezioni americane. *Riportiamo un brano della terza, dedicata all'Esattezza.*

Italo Calvino
LEZIONI
AMERICANE
(Garzanti, Milano,
1988)

Cercherò prima di tutto di definire il mio tema. Esattezza vuol dire per me soprattutto tre cose:

1) un disegno dell'opera ben definito e ben calcolato;

2) l'evocazione d'immagini visuali nitide, incisive, memorabili; in italiano abbiamo un aggettivo che non esiste in inglese, «icastico», dal greco εἰκαστικός;

3) un linguaggio il più preciso possibile come lessico e come resa delle sfumature del pensiero e dell'immaginazione.

Perché sento il bisogno di difendere dei valori che a molti potranno sembrare ovvii? Credo che la mia prima spinta venga da una mia ipersensibilità o allergia: mi sembra che il linguaggio venga sempre usato in modo approssimativo, casuale, sbadato, e ne provo un fastidio intollerabile. Non si creda che questa mia reazione corrisponda a un'intolleranza per il prossimo: il fastidio peggiore lo provo sentendo parlare me stesso. Per questo cerco di parlare il meno possibile, e se preferisco scrivere è perché scrivendo posso correggere ogni frase tante volte quanto è necessario per arrivare non

1

5

10

15

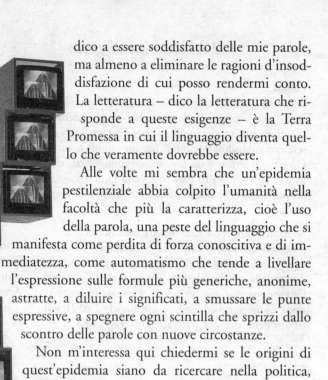

June Paik
**Electro-Symbio
Phonics for Phoenix**
(1992, televisori)

dico a essere soddisfatto delle mie parole, ma almeno a eliminare le ragioni d'insoddisfazione di cui posso rendermi conto. La letteratura – dico la letteratura che risponde a queste esigenze – è la Terra Promessa in cui il linguaggio diventa quello che veramente dovrebbe essere.

Alle volte mi sembra che un'epidemia pestilenziale abbia colpito l'umanità nella facoltà che più la caratterizza, cioè l'uso della parola, una peste del linguaggio che si manifesta come perdita di forza conoscitiva e di immediatezza, come automatismo che tende a livellare l'espressione sulle formule più generiche, anonime, astratte, a diluire i significati, a smussare le punte espressive, a spegnere ogni scintilla che sprizzi dallo scontro delle parole con nuove circostanze.

Non m'interessa qui chiedermi se le origini di quest'epidemia siano da ricercare nella politica, nell'ideologia, nell'uniformità burocratica, nell'omogeneizzazione dei mass-media, nella diffusione scolastica della media cultura. Quel che mi interessa sono le possibilità di salute. La letteratura (e forse solo la letteratura) può creare degli anticorpi che contrastino l'espandersi della peste del linguaggio.

Vorrei aggiungere che non è soltanto il linguaggio che mi sembra colpito da questa peste. Anche le immagini, per esempio. Viviamo sotto una pioggia ininterrotta d'immagini; i più potenti media non fanno che trasformare il mondo in immagini e moltiplicarlo attraverso una fantasmagoria di giochi di specchi: immagini che in gran parte sono prive della necessità interna che dovrebbe caratterizzare ogni immagine, come forma e come significato, come forza d'imporsi all'attenzione, come ricchezza di significati possibili. Gran parte di questa nuvola d'immagini si dissolve immediatamente come i sogni che non lasciano traccia nella memoria; ma non si dissolve in una sensazione d'estraneità e di disagio.

Ma forse l'inconsistenza non è nelle immagini o nel linguaggio soltanto: è nel mondo. La peste colpisce anche la vita delle persone e la storia delle nazioni, rende tutte le storie informi, casuali, confuse, senza principio né fine. Il mio disagio è per la perdita di forma che constato nella vita, e a cui cerco d'opporre l'unica difesa che riesco a concepire: un'idea della letteratura.

20

25

30

35

40

45

50

55

dialogo con il testo

I temi

Nell'introduzione alle *Lezioni americane* Calvino dichiara che la sua fiducia nel futuro della letteratura e del libro «consiste nel sapere che ci sono cose che solo la letteratura può fare coi suoi mezzi specifici». In questo brano il valore dell'«esattezza» è contrapposto alla tendenza all'approssimazione e all'indeterminatezza che caratterizza la società contemporanea.

? Ripercorrendo il testo, ricostruite il percorso grazie al quale il discorso di Calvino, partendo da una problematica che concerne gli usi della lingua, si allarga gradualmente a formulare una lucida diagnosi sociale, psicologica, antropologica, dei mali del presente.

Su questo sfondo il valore dell'«esattezza» non si presenta come una pura e semplice questione linguistica, ma acquista un profondo significato morale e sociale: un linguaggio che sappia rendere in modo nitido e incisivo le «sfumature del pensiero e dell'immaginazione» appare a Calvino l'unica arma capace di contrastare la «perdita di forma» che ha infettato il mondo, rendendo amorfa e insensata la vita degli individui e della collettività. Ne emerge un'idea del lavoro dello scrittore come sfida alla degradazione della società con le armi specifiche della letteratura, che si può leggere come una sintesi del percorso intellettuale ed esistenziale di Calvino, e come un testamento spirituale dello scrittore.

Confronti

? Una trentina d'anni prima, nel *Midollo del leone* (*T40.1*), Calvino aveva fatto riferimento alla formula gramsciana «pessimismo dell'intelligenza, ottimismo della volontà». Vi sembra che questo atteggiamento sia presente anche in questo testo? Motivate la risposta affermativa o negativa attraverso un confronto fra i due brani.

Getulio Alviani
Interrelazione cromospeculare (1969, 240×420×420 cm.)

**ITALO
CALVINO**

Le opere

Tra la realtà e la favola

La ricerca letteraria di Calvino è animata da una perenne curiosità, dal desiderio di esplorare ogni angolo della realtà e di inseguire ogni volo dell'immaginazione. Si possono così individuare nella sua opera due filoni fondamentali, che si sviluppano parallelamente: da un lato una linea "realistica", basata sull'invenzione di vicende abbastanza verosimili ambientate su sfondi storici e sociali contemporanei, che comprende *Il sentiero dei nidi di ragno* (1947, *T40.6*), *La formica argentina* (1952), *La speculazione edilizia* (1957), *La nuvola di smog* (1958), la maggior parte dei *Racconti* (1958, *T40.7*), *La giornata di uno scrutatore* (1963, *T40.9*); dall'altro una linea "fantastica", che svaria dal genere fiabesco e filosofico dei tre romanzi *Il visconte dimezzato* (1952), *Il barone rampante* (1957), *Il cavaliere inesistente* (1959, *T40.8*), ai racconti di *Marcovaldo ovvero le stagioni in città* (1963), alle variazioni fantascientifiche delle *Cosmicomiche* (1965, *T40.9*) e di *Ti con Zero* (1967). Ma la distinzione non è netta come potrebbe sembrare a prima vista: le storie realistiche sono avvolte da climi avventurosi, favolosi, bizzarri, e i racconti fantastici affrontano, sia pure in forma allegorica e figurata, le contraddizioni e i problemi del mondo contemporaneo.

Giorgio De Chirico
Ritorno al castello
(1969, 80×60 cm,
olio su tela,
Collezione privata)

T40.6

ITALO CALVINO Secondo Novecento

Il sentiero dei nidi di ragno

Il sentiero dei nidi di ragno, pubblicato nel 1947, è il primo romanzo scritto da Calvino, scaturito, come scriverà l'autore nella prefazione alla seconda edizione (1964, T37.24), dal clima animato dell'Italia dopo la liberazione: «L'esplosione letteraria di quegli anni fu, prima che un fatto d'arte, un fatto fisiologico, esistenziale, collettivo. Avevamo vissuto la guerra, e noi più giovani – che avevamo fatto appena in tempo a fare il partigiano – non ce ne sentivamo schiacciati, vinti, "bruciati", ma vincitori, spinti dalla forza propulsiva della battaglia appena conclusa [...]. Non era facile ottimismo, però, o gratuita euforia: quello di cui ci sentivamo depositari era un senso della vita come qualcosa che può ricominciare da zero, un rovello problematico generale, anche una nostra capacità di vivere lo strazio e lo sbaraglio».

Il protagonista del romanzo è Pin, un ragazzino cresciuto nei vicoli degradati della Sanremo vecchia. Istigato dagli avventori dell'osteria dove passa gran parte del suo tempo, ruba una pistola a un ma-

rinaio tedesco cliente della sorella prostituta, e la nasconde in un luogo noto solo a lui, il sentiero «dove fanno il nido i ragni». Arrestato dai tedeschi, evade insieme al partigiano Lupo Rosso, fugge in montagna e si unisce a una banda di partigiani fatta di tipi strani, irregolari: ladruncoli, vagabondi, sbandati, tra i quali trova un amico come Cugino, ma anche personaggi inquietanti, che hanno con lui rapporti falsi e strumentali. Dopo aver rivelato la tresca tra Dritto, il comandante del gruppo, e Giglia, la moglie di un altro partigiano, Pin fugge dal distaccamento per cercare la sua pistola, ma non la trova, perché è stata rubata da Pelle, un partigiano traditore: la troverà a casa della sorella, che fa la spia per i tedeschi. Il romanzo si chiude con l'incontro tra Pin e Cugino, che lo riaccompagna nella notte verso il rifugio della banda partigiana.

Riportiamo le ultime pagine del romanzo: Pin ha ritrovato la pistola a casa della sorella che ha scoperto complice dei fascisti; ora si aggira da solo nella notte.

Italo Calvino
IL SENTIERO DEI
NIDI DI RAGNO
(Cap. XII, Einaudi,
Torino, 1947)

Fuori è già notte. Il vicolo è deserto, come quando lui è venuto. Le impannate[1] delle botteghe sono chiuse. A ridosso dei muri hanno costruito antischegge di tavole e sacchi di terra.   1

Pin prende la via del torrente. Gli sembra d'essere tornato alla notte in cui ha rubato la pistola. Ora Pin ha la pistola, ma tutto è lo stesso: è solo al mondo, sempre più solo. Come quella notte il cuore di Pin è pieno d'una domanda sola: che farò?   5

Pin cammina piangendo per i beudi[2]. Prima piange in silenzio, poi scoppia in singhiozzi. Non c'è nessuno che gli venga incontro, ora. Nessuno? Una grande ombra umana si profila a una svolta del beudo.   10

– Cugino!

– Pin!

Questi sono posti magici, dove ogni volta si compie un incantesimo. E anche la pistola è magica, è come una bacchetta fatata. E anche il Cugino è un grande mago, col mitra e il berrettino di lana, che ora gli mette una mano sui capelli e chiede: – Che fai da queste parti, Pin?   15

– Son venuto a prendere la mia pistola. Guarda. Una pistola marinaia tedesca.

Il Cugino la guarda da vicino.

---

1. **impannate**: i ripari di tela davanti alle vetrine dei negozi.
2. **beudi**: terrazzamenti sui fianchi delle colline.

– Bella. Una P. 38. Tienila da conto.   20

– E tu che fai qui, Cugino?

Il Cugino sospira, con quella sua aria eternamente rincresciuta, come se fosse sempre in castigo.

– Vado a fare una visita, – dice.

– Questi sono i miei posti, – dice Pin. – Posti fatati. Ci fanno il nido i   25
ragni.

– I ragni fanno il nido, Pin? – chiede il Cugino.

– Fanno il nido solo in questo posto in tutto il mondo, – spiega Pin. –
Io sono l'unico a saperlo. Poi è venuto quel fascista di Pelle e ha distrutto
tutto. Vuoi che ti mostri?   30

– Fammi vedere, Pin. Nidi di ragni, senti senti.

Pin lo conduce per mano, quella grande mano, soffice e calda, come
pane.

– Ecco, vedi, qui c'erano tutte le porte delle gallerie. Quel fascista bastardo ha rotto tutto. Eccone una ancora intera, vedi?   35

Il Cugino s'è accoccolato vicino e aguzza gli occhi nell'oscurità: –
Guarda guarda. La porticina che s'apre e si chiude. E dentro la galleria. Va
profonda?

– Profondissima, – spiega Pin. – Con erba biascicata tutt'intorno. Il ragno sta in fondo.   40

– Accendiamoci un fiammifero, – fa il Cugino.

E tutt'e due accoccolati vicini, stanno a vedere che effetto fa la luce del
fiammifero all'imboccatura della galleria.

– Dài, buttaci dentro il fiammifero, – dice Pin, – vediamo se esce il ragno.   45

– Perché, povera bestia? – fa il Cugino. – Non vedi quanti danni hanno
già avuto?

– Di', Cugino, credi che li rifaranno, i nidi?

– Se li lasciamo in pace credo di sì, – dice il Cugino.

– Ci torniamo a guardare, poi, un'altra volta?   50

– Sì, Pin, ci passeremo a dare un'occhiata ogni mese.

È bellissimo aver trovato il Cugino che s'interessa ai nidi di ragno.

– Di', Pin.

– Cosa vuoi, Cugino?

– Sai, Pin, ho da dirti una cosa. So che tu queste cose le capisci. Vedi: 55
son già mesi e mesi che non vado con una donna... Tu capisci queste cose,
Pin. Senti, m'han detto che tua sorella...

A Pin è tornato il sogghigno; è l'amico dei grandi, lui, capisce queste
cose, è orgoglioso di fare questi servizi agli amici, quando gli capita: –
Mondoboia, Cugino, caschi bene con mia sorella. T'insegno la strada: lo   60
sai Carrugio Lungo? Ben, la porta dopo il fumista[3], all'ammezzato. Va'
tranquillo ché per la strada non incontri nessuno. Con lei, piuttosto sta' attento. Non dirgli chi sei, né che ti mando io. Digli che lavori nella «Todt»[4],
che sei qui di passaggio. Ah, Cugino, poi parli tanto male delle donne. Va'
là che mia sorella è una brunaccia che a tanti piace.   65

Il Cugino abbozza un sorriso con la sua grande faccia sconsolata.

3. **fumista**: venditore
di stufe.
4. «**Todt**»: l'organiz-
zazione Todt (dal
nome di Fritz Todt,
ministro degli arma-
menti tedesco) reclu-
tava forzatamente la-
voratori civili nei pae-
si occupati per la co-
struzione di armi e
fortificazioni.

– Grazie, Pin. Sei un amico. Vado e torno.

– Mondoboia, Cugino, ci vai con il mitra?

Il Cugino si passa un dito sui baffi.

– Vedi, non mi fido a girare disarmato.   70

A Pin fa ridere vedere come il Cugino è impacciato, in queste cose. – Piglia la mia pistola. Te'. E lasciami il mitra che gli faccio la guardia.

Il Cugino posa il mitra, intasca la pistola, si toglie il berrettino di lana e intasca anche quello. Ora cerca di ravviarsi i capelli, con le dita bagnate di saliva.   75

– Ti fai bello, Cugino, vuoi far colpo. Fai presto se vuoi trovarla in casa.

– Arrivederci, Pin, – dice il Cugino, e va.

Pin ora è solo nel buio, alle tane dei ragni, con vicino il mitra posato per terra. Ma non è più disperato. Ha trovato Cugino, e Cugino è il grande amico tanto cercato, quello che s'interessa dei nidi di ragni. Ma Cugino   80 è come tutti gli altri grandi, con quella misteriosa voglia di donne, e ora va da sua sorella la Nera e s'abbraccia con lei sul letto sfatto. A pensarci, sarebbe stato più bello che al Cugino non fosse venuta quell'idea, e fossero rimasti a guardare i nidi insieme ancora un po', e poi il cugino avesse fatto quei suoi discorsi contro le donne, che Pin capiva benissimo e approvava.   85 Invece Cugino è come tutti gli altri grandi, non c'è niente da fare, Pin capisce bene queste cose.

Degli spari, laggiù, nella città vecchia. Chi sarà? Forse pattuglie che girano. Gli spari, a sentirli così, di notte, dànno sempre un senso di paura. Certo è stata un'imprudenza, che il Cugino per una donna sia andato solo   90 in quei posti da fascisti. Pin ora ha paura che caschi in mano di una pattuglia, che trovi la casa di sua sorella piena di tedeschi, e che sia preso. Ma gli starebbe bene in fondo, e Pin ne avrebbe gusto: che piacere si può provare ad andare con quella rana pelosa di sua sorella?

Ma se il Cugino fosse preso, Pin rimarrebbe solo, con quel mitra che fa   95 paura, che non si sa come si maneggia. Pin spera che il Cugino non sia preso, lo spera con tutte le sue forze, ma non perché il Cugino sia il Grande Amico, non lo è più, è un uomo come tutti gli altri, il Cugino, ma perché è l'ultima persona che gli resti al mondo.

Però c'è ancora molto da aspettare, prima di poter cominciare a pensa-   100 re se si deve stare in pensiero. Invece ecco un'ombra che si avvicina, è già lui.

– Come mai così presto, Cugino, già fatto tutto?

Il Cugino scuote la testa con la sua aria sconsolata:

– Sai, m'è venuto schifo e me ne sono andato senza far niente.   105

– Mondoboia, Cugino, schifo, t'è venuto!

Pin è tutto contento. È davvero il Grande Amico, il Cugino.

Il Cugino si rimette il mitra in ispalla e restituisce la pistola a Pin. Ora camminano per la campagna e Pin tiene la sua mano in quella soffice e calma del Cugino, in quella gran mano di pane.   110

Il buio è punteggiato di piccoli chiarori: ci sono grandi voli di lucciole intorno alle siepi.

– Tutte così, le donne, Cugino... – dice Pin.

– Eh... – consente il Cugino. – Ma non in tutti i tempi è così: mia madre...   115

– Te la ricordi, tu, tua mamma? – chiede Pin.

– Sì, è morta che io avevo quindici anni, – dice Cugino.

– Era brava?

– Sì, – fa il Cugino, – era brava.

– Anche la mia era brava, – dice Pin.   120

– C'è pieno di lucciole, – dice il Cugino.

– A vederle da vicino, le lucciole, – dice Pin, – sono bestie schifose anche loro, rossicce.

– Sì, – dice il Cugino, – ma viste così sono belle.

E continuano a camminare, l'omone e il bambino, nella notte, in mezzo alle lucciole, tenendosi per mano.   125

dialogo con il testo

I temi

Nell'affrontare un tema impegnativo e coinvolgente come quello della Resistenza appena conclusa, Calvino sceglie di raccontare una vicenda che resta ai margini dei grandi eventi storici, e di filtrarla attraverso gli occhi di un bambino. Ne scaturisce un'immagine antieroica della lotta partigiana, sospesa fra toni realistici, avventurosi e fiabeschi, che la sottraggono al rischio della retorica celebrativa.

La conclusione del romanzo è avvolta da un'atmosfera di fiaba: il bambino solo e triste nella notte, il luogo fatato «dove fanno il nido i ragni», l'incontro con Cugino, il «grande mago» con la «gran mano di pane». Fino a questo momento Pin è stato un ragazzo selvaggio e sbandato, senza genitori, circondato da un mondo adulto incomprensibile e minaccioso; ora è tenuto per mano dal «Grande Amico» che ha sempre cercato, e nelle ultime battute recupera anche l'immagine della madre, nominata qui per l'unica volta nell'intero romanzo.

❓ L'aspetto del mondo adulto che suscita in Pin il più forte senso di estraneità e di disgusto è la sessualità, di fronte alla quale ostenta, per difesa, un atteggiamento cinico e spregiudicato: individuate nel testo alcuni riferimenti a questo tema.

❓ L'intonazione fiabesca non cancella gli aspetti inquietanti della vita. Si può notare come il lieto fine della storia sia turbato dagli ambigui indizi offerti dal narratore a proposito dell'incontro tra Cugino e la sorella di Pin: a vostro parere le cose sono andate veramente come Cugino racconta al ragazzo o è possibile un'altra interpretazione?

❓ Anche la battuta finale sulle lucciole può essere letta in questa chiave ambivalente; provate a esplicitarne il significato nascosto.

Le forme

❓ Nel corso di tutto il romanzo la voce del narratore è esterna ai fatti narrati, ma il punto di vista è interno, e coincide con quello di Pin. Individuate i punti del testo in cui l'autore riferisce i pensieri del ragazzo attraverso il discorso indiretto libero.

❓ In occasione dell'uscita del *Sentiero dei nidi di ragno*, Cesare Pavese definì Calvino «scoiattolo della penna» per le caratteristiche del suo stile. Provate ad approfondire il significato di questa metafora alla luce delle scelte stilistiche di questo brano (uso dei tempi verbali, costruzione delle frasi e dei periodi, alternanza tra il discorso del narratore e il discorso diretto, ritmo narrativo).

Confronti

❓ Nel saggio *Il midollo del leone* (*T40.1*), scritto otto anni dopo *Il sentiero dei nidi di ragno*, Calvino delinea la sua concezione della letteratura "impegnata", di cui la Resistenza era un tema canonico. Rileggendolo, indicate i punti che vi sembrano più adatti a definire le caratteristiche del romanzo e spiegate il motivo della vostra scelta.

T40.7

La gallina di reparto

Oltre che romanziere, Calvino è un gran- *fa parte della raccolta* Racconti, *uscita*
de autore di racconti. Questo è del 1954, e *nel 1958.*

Italo Calvino
I RACCONTI
(Vol. I, Mondadori,
Milano, 1993)

Il guardiano Adalberto aveva una gallina. Egli faceva parte del corpo di 1
guardia interno d'un grande stabilimento; e questa gallina la teneva in un
cortiletto della fabbrica; il capo dei guardiani gli aveva dato il permesso.
Gli sarebbe piaciuto di arrivare a farsi, col tempo, tutto un pollaio; e aveva
cominciato comprando quella gallina, che gli era stata garantita come buo- 5
na ovarola e come bestia silenziosa, che non avrebbe mai osato turbare con
un suo coccodé la severa atmosfera industriale. Difatti, non poteva dirsene
scontento: gli faceva almeno un uovo al giorno, e si sarebbe detta, non fosse stato per qualche sommesso ciangottio, del tutto muta. Il permesso che
Adalberto aveva avuto riguardava, a dire il vero, l'allevamento in gabbia, 10
ma essendo il terreno del cortile – da non molti anni conquistato alla civiltà meccanica – ricco non solo di viti arrugginite ma pure ancora di lom-
brichi, alla gallina s'era tacitamente concesso d'andare becchettando intorno. Così essa andava e veniva pei reparti, riservata e discreta, ben nota agli
operai, e, per la sua libertà e irresponsabilità, invidiata. 15

Un giorno il vecchio tornitore Pietro aveva scoperto che il suo coetaneo
Tommaso, collaudatore, veniva in fabbrica con le tasche piene di granone.
Non immemore delle sue origini contadine, il collaudatore aveva subito
valutato le doti produttive del volatile e collegando quest'apprezzamento a
un desiderio di rivalsa dalle angherie subite[1], aveva intrapreso una cauta 20
manovra per amicarsi la gallina del guardiano e indurla a deporre le sue uova in una scatola di rottami che giaceva accanto al suo banco di lavoro.

Ogni qualvolta scopriva nell'amico un'astuzia segreta, Pietro restava male, perché era sempre lontano dall'aspettarsela, e subito cercava di non essere
da meno. Da quando stavano per diventare parenti, poi (suo figlio s'era mes- 25
so in testa di sposare la figlia di Tommaso), litigavano sempre. Si munì lui
pure di granone, preparò una cassetta di tornitura di ferro e, per quel tanto
che glie lo permettevano le macchine cui aveva da badare, cercava di attirare
la gallina. Così questa partita, che aveva per posta non tanto un uovo quanto una rivincita morale, si giocava sempre più tra Pietro e Tommaso che tra i 30
due ed Adalberto, il quale, poveretto, faceva le perquisizioni degli operai al-
l'entrata e all'uscita, frugava borse e flanelle[2] e non ne sapeva niente.

Pietro stava da solo in un angolo di reparto delimitato da un pezzo di
parete, e che faceva come un locale a sé o «saletta», con una porta vetrata
che dava su un cortile. Fino a qualche anno prima in questa saletta ci stava- 35
no due macchine e due operai: lui e un altro. A un certo punto quest'altro
s'era messo in mutua per un'ernia, e Pietro provvisoriamente ebbe da badare a tutt'e due le macchine. Imparò a regolare i suoi movimenti com'era necessario: abbassava una leva in una macchina e andava a togliere il pezzo finito da quell'altra. L'ernioso fu operato, tornò, ma fu assegnato a un'altra 40
squadra. Pietro restò definitivo alle due macchine; anzi, per fargli capir bene che non era una casuale dimenticanza, venne un cronometrista a misu-

1. **angherie subite**: i
torti subiti dal guar-
diano nelle sue man-
sioni di controllore
dei lavoratori.
2. **flanelle**: camicie e
biancheria.

rare i tempi e gliene fece aggiungere una terza: aveva calcolato che tra le operazioni dell'una e dell'altra gli restava ancora qualche secondo libero. Poi, in una revisione generale dei cottimi[3], gli toccò, per far tornare non si sa bene quale somma, di pigliarsene una quarta. A sessant'anni suonati aveva dovuto imparare a fare il quadruplo del lavoro nello stesso margine di tempo, ma poiché il salario restava immutato, la sua vita non ne ricevette grandi contraccolpi, tranne lo stabilizzarsi d'un'asma bronchiale e il vizio di cadere addormentato appena si sedeva, in qualsiasi compagnia o ambiente si trovasse. Ma era un vecchio robusto e soprattutto pieno di vitalità nel morale, e sempre sapeva d'essere alla vigilia di grandi cambiamenti.

Per otto ore al giorno, Pietro girava tra le quattro macchine, a ogni giro con la stessa progressione di gesti, così noti ormai da aver potuto limarli d'ogni sbavatura superflua e da essere riuscito a regolare con precisione la cadenza dell'asma al ritmo del lavoro. Anche le sue pupille si muovevano secondo un tracciato preciso come quello degli astri, perché ogni macchina reclamava determinati colpi d'occhio, in modo da controllare che non s'inceppasse e non gli mandasse a monte il cottimo.

Dopo la prima mezz'ora di lavoro Pietro era già stanco, e ai suoi timpani i rumori della fabbrica s'impastavano in un unico ronzio di fondo, sul quale risaltava il ritmo combinato delle sue macchine. Sulla spinta di questo ritmo, andava avanti quasi intontito, finché dolce come il profilarsi della costa al naufrago non avvertiva il gemito delle cinghie di trasmissione che rallentavano la corsa e si fermavano, per un guasto o per la fine dell'orario.

Ma tale inesauribile cosa è la libertà dell'uomo, che pure in queste condizioni il pensiero di Pietro riusciva a tessere la sua ragnatela da una macchina all'altra, a fluire continuo come il filo di bocca al ragno, e in mezzo a quella geometria di passi gesti sguardi e riflessi egli a tratti si ritrovava padrone di sé e tranquillo come un nonno campagnolo che esce di mattino tardo sotto la pergola, e mira il sole, e fischia al cane, e sorveglia i nipoti che si dondolano ai rami, e guarda giorno per giorno maturare i fichi.

Certo, questa libertà di pensieri era raggiungibile solo attraverso una tecnica speciale, lunga da apprendere: bastava per esempio saper interrompere il corso del pensiero nel momento in cui la mano doveva accompagnare il pezzo sotto il tornio, e continuarlo invece quasi appoggiandolo al pezzo che procedeva per la scannellatura, e approfittare soprattutto del momento in cui c'era da camminare, perché mai si pensa bene come quando si percorre un tratto di strada ben noto, anche se qui si trattava solo di due passi: uno-due, ma quante mai cose si potevano pensare nel tragitto: una vecchiaia felice, tutta di domeniche trascorse sulle piazze a intendere comizi, vicino agli altoparlanti a orecchie tese, un impiego per il figlio disoccupato, e poi subito trovarsi con una nidiata di nipoti pescatori nelle sere d'estate tutti con la lenza sui murazzi del fiume, e una scommessa da proporre all'amico Tommaso, sul ciclismo, o sulla crisi del governo ma tanto grossa da togliergli per un po' la voglia d'essere così testone – e nello stesso tempo correre con lo guardo alla cinghia di trasmissione che non sfuggisse, a quel solito punto, dalla ruota.

«Se a mag... (alza la leva!)... gio mio figlio sposa la figlia di quel barba-

3. **revisione... cottimi**: ridefinizione del lavoro da prestare in un certo tempo in relazione alla retribuzione.

gianni... (ora accompagna il pezzo sotto il tornio!) sgomberiamo la stanza 90
grande... (e facendo i due passi:)... così gli sposi la domenica mattina restando a letto insieme fino a tardi vedranno dalla finestra le montagne...
(ed ora abbassa quella leva là!) e io e la mia vecchia ci arrangiamo nella
stanza piccola... (metti a posto quei pezzi!)... tanto noi anche se dalla finestra vediamo il gasometro non fa differenza», e di qui passando a un al- 95
tr'ordine di ragionamenti, come se l'immagine del gasometro vicino a casa
l'avesse richiamato alla realtà quotidiana, o forse perché un intoppo mo-
mentaneo del tornio gli aveva ispirato un atteggiamento combattivo:
«Seilrepartolaminatopromuoveunagitazioneperlaquestionedeicottimi, noi
possiamo... (attenzione!) ... con la rive... con la rivendicazione (è andato, 100
accidenti!) del passaggio di categoria[4] delle nostre spe...cia... lizza...zioni...»

Così il moto delle macchine condizionava e insieme sospingeva il moto
dei pensieri. E dentro a quest'armatura meccanica, il pensiero a poco a poco s'adattava agile e soffice come il corpo snello e muscoloso di un giovane
cavaliere rinascimentale s'adatta nella sua armatura, e riesce a tendere e ri- 105
lassare i bicipiti per sgranchire il braccio addormentato, a stirarsi, a strofinare la scapola che gli prude contro il ferreo schienale, a contrarre le natiche, a spostare i testicoli schiacciati contro la sella, e a divaricare l'alluce dal
secondo dito: così si dispiegava e snodava il pensiero di Pietro in quella
prigione di tensione nervosa, d'automatismo e di stanchezza. 110

Perché non c'è carcere senza i suoi spiragli. E così anche nel sistema che
pretende d'utilizzare fin le minime frazioni di tempo, si giunge a scoprire
che con una certa organizzazione di propri gesti c'è il momento in cui ci
s'apre davanti una meravigliosa vacanza di qualche secondo, tanto da fare
tre passi per conto proprio avanti e indietro, o grattarsi la pancia, o canta- 115
rellare: «*Pò, pò, pò...*» e, se il capo-officina non è lì a dar noia, c'è il tempo,
tra un'operazione e l'altra, di dire due parole ad un collega.

Ecco dunque che all'apparire della gallina Pietro poteva fare «chiò...
chiò... chiò...» e mentalmente paragonare il proprio girare su se stesso tra le
quattro macchine, lui così grosso e piedipiatti, ai movimenti della gallina; e 120
cominciava a lasciar cadere quella scia di chicchi di granone che doveva,
continuando fino alla cassetta dei trucioli di ferro, attirare il volatile a fare
l'uovo per lui e non per lo sbirro Adalberto né per l'amico-rivale Tommaso.

Ma né il nido di Pietro né quello di Tommaso ispiravano la gallina.
Pareva che lei il suo uovo lo scodellasse all'alba, nella gabbia d'Adalberto, 125
prima di cominciare il suo giro nei reparti. E sia il tornitore che il collaudatore presero l'abitudine di acchiapparla e di tastare l'addome appena la
vedevano. La gallina, domestica d'indole come un gatto, lasciava fare, ma
era sempre vuota.

Va detto che da qualche giorno Pietro non era più solo, a quelle quattro 130
macchine. Cioè, il controllo delle macchine restava tutto a lui ma s'era stabilito che un certo numero di pezzi avevano bisogno d'una rifinitura, e un
operaio armato di raspa ne prendeva ogni tanto una manciata e li portava a
un suo deschetto[5] installato lì vicino, e frin-frin, fron-fron, tranquillo tranquillo se li grattava per dieci minuti. A Pietro aiuto non ne dava, anzi lo 135
imbrogliava capitandogli sempre tra i piedi, ed era chiaro che le sue vere

4. **passaggio di cate-
goria**: l'inquadra-
mento in una catego-
ria di lavoratori con
salario più elevato.
5. **deschetto**: tavolino
da lavoro.

mansioni erano altre. Era, costui, un tipo già ben noto agli operai, e aveva pure un soprannome: Giovannino della Puzza.

Era un mingherlino, nero nero, capelluto, ricciuto, col naso in su che tirava dietro anche il labbro. Dove fosse stato pescato non si sa; si sa che il primo posto che gli toccò in fabbrica, appena assunto, fu quello di addetto alla manutenzione dei gabinetti; ma in realtà doveva stare lì tutto il giorno in ascolto e riferire. Cosa ci fosse di così importante da sentire nei gabinetti non si seppe mai bene; pare che due della Commissione Interna[6], o di chissaqualaltra diavoleria dei sindacati, visto che non c'era modo di barattare parola in altro posto senz'essere licenziati su due piedi, scambiassero le idee da un gabinetto all'altro, fingendosi lì per i bisogni loro. Non che i cessi degli operai d'una fabbrica siano posti tranquilli, senza porte come sono o con solo un basso sportello che lascia scoperti testa e busto perché nessuno possa fermarsi lì a fumare, e coi guardiani che vengono a vedere ogni tanto che non ci si resti troppo e se stai lì a defecare o a riposarti, ma comunque, in confronto al resto dello stabilimento, sono luoghi sereni ed accoglienti. Fatto sta che quei due furono accusati di far della politica nell'orario di lavoro e licenziati: qualcuno che li aveva denunciati ci doveva essere e non si tardò a identificare Giovannino della Puzza, come d'allora in poi venne chiamato. Se ne stava là chiuso, era primavera, e lui sentiva tutto il giorno rumori d'acqua, crosci, tonfi, rogli[7]; e sognava liberi torrenti ed aria pura. Nessuno parlava più nei cessi. E lo tolsero. Uomo senz'arte, fu assegnato ora a una squadra ora all'altra, con mansioni sommarie e d'evidente inutilità, e con segreti incarichi di sorveglianza, manovrato da disordinate paure di dirigenti sempre in allarme; e dovunque i compagni di lavoro gli voltavano muti le schiene, e non degnavano d'uno sguardo quelle superflue operazioni che s'ingegnava di compiere alla meglio.

Adesso era finito alle calcagna d'un operaio vecchio, sordo e solo. Cosa poteva scoprire? Era giunto anche lui all'ultimo gradino, prima d'esser messo sulla strada, come le vittime delle sue denunce? E Giovannino della Puzza si scervellava per cogliere una pista, un sospetto, un indizio. Era il momento buono; tutta la fabbrica in allarme, gli operai che bollivano, la direzione a pelo ritto. E Giovannino era da un po' che macinava una sua idea. Tutti i giorni, verso una cert'ora, entrava nel reparto una gallina. E il tornitore Pietro la toccava. L'attirava a sé con due chicchi di granturco, le s'avvicinava, e le metteva una mano proprio sotto. Cosa mai poteva voler dire? Era un sistema per passarsi dei messaggi segreti da un reparto all'altro? Giovannino ne era ormai convinto. Il gesto di Pietro con la gallina era proprio come chi cerchi o ficchi qualcosa tra le piume del volatile. E un giorno, Giovannino della Puzza, quando Pietro lasciò la gallina, la seguì. La gallina attraversò il cortile, salì su una catasta di putrelle di ferro – e Giovannino la seguì in equilibrio –, si cacciò in un segmento di conduttura – e Giovannino la seguì carponi –, percorse un altro pezzo di cortile ed entrò nel reparto dei collaudi. Là c'era un altro vecchio che pareva l'aspettasse: stava spiando all'entrata il suo apparire, e appena la vide lasciò martello e cacciavite e le andò incontro. La gallina era in confidenza anche con lui, tanto che si lasciò sollevare per le zampe, e, anche qui!, toccare sotto la co-

6. Commissione Interna: l'organismo sindacale composto di lavoratori della fabbrica eletti dai loro compagni di lavoro.
7. rogli: gorgoglii.

da. Giovannino era sicuro ormai d'avere fatto un grosso colpo. «Il messaggio – pensò – viene trasmesso tutti i giorni da Pietro a questo qui. Domani, appena la gallina parte da Pietro io la faccio arrestare e perquisire».

L'indomani Pietro, dopo avere senza convinzione tastato ancora una volta la gallina e averla melanconicamente ridisposta al suolo, vide Giovannino della Puzza piantar lì la sua raspa e andar via quasi di corsa.

Al suo annuncio d'allarme, il servizio di guardia si dispose alla cattura. Sorpresa nel cortile mentre becchettava larve di insetto di tra i bulloni seminati nella polvere, la gallina fu tradotta nell'ufficio del capo della sorveglianza.

Adalberto non ne sapeva ancora niente. Poiché non era esclusa una sua connivenza nell'affare, l'operazione fu svolta a sua insaputa. Convocato al comando, appena vide sulla scrivania del capo la gallina immobilizzata tra le mani di due suoi colleghi, per poco gli occhi non gli si empirono di lacrime. – Cos'ha fatto? Come mai? Io la tenevo sempre chiusa in gabbia! – cominciò a dire, pensando che gli fosse fatta colpa d'averla lasciata girare per la fabbrica.

Ma le accuse erano ben più gravi, non tardò ad accorgersene. Il capo del servizio lo tempestò di domande. Era un ex maresciallo dei carabinieri a riposo, e sugli ex carabinieri della guardia continuava a esercitare l'autorità del rapporto gerarchico dell'arma. Nell'interrogatorio, più che l'amore per la gallina, più che le speranze del futuro pollicoltore, poté su Adalberto la paura di compromettersi. Mise le mani avanti, cercò di giustificarsi per aver lasciato libero il volatile, ma alle domande sui rapporti tra la gallina e i sindacati non osò compromettersi a scagionarla né a scusarla. Si trincerò dietro una serie di «io non so, io non c'entro», preoccupato solo che risultasse esclusa ogni sua responsabilità nella faccenda.

La buona fede del guardino fu riconosciuta; ma lui col pianto in gola e una stretta di rimorso guardava la gallina abbandonata al suo destino.

Il maresciallo ordinò che fosse perquisita. Degli agenti uno si schermì dicendo che gli dava il voltastomaco, e un altro dopo un assalto di beccate s'allontanò, succhiandosi un dito sanguinante. Alla fine vennero fuori gli immancabili esperti, ben lieti di dar prova di zelo. L'ovidotto risultò mondo da missive contrarie agli interessi dell'azienda o d'altro genere. Esperto delle varie tecniche di guerra, il maresciallo ordinò che si frugasse sotto le ali, dove il Genio Colombofili[8] usa celare i suoi messaggi in speciali bossoletti sigillati. Si frugò, si seminò di penne e piume e zacchere[9] la scrivania, ma nulla fu trovato.

Ciononostante, considerata troppo sospetta e infida per essere innocente, la gallina fu condannata. Nello squallido cortile due uomini in divisa nera la trattennero per le zampe mentre un terzo le tirava il collo. Lanciò un lungo straziante ultimo grido, un lugubre coccodé, lei così discreta da non aver mai osato lanciarne di festosi. Adalberto si coprì il viso con mano. Il suo mite sogno d'un pollaio pigolante era spezzato sul nascere. Così la macchina dell'oppressione sempre si volta contro chi la serve. Il titolare dell'azienda, preoccupato perché doveva ricevere la commissione degli operai che protestavano per i licenziamenti, sentì dal suo studio il grido di morte della gallina e n'ebbe un triste presentimento.

185

190

195

200

205

210

215

220

225

230

8. **Genio Colombofili**: il corpo dell'esercito specializzato nell'uso dei piccioni viaggiatori.
9. **zacchere**: schizzi di sterco.

analisi del testo

Comprendere

Tra denuncia e leggerezza

Negli anni in cui è stato scritto questo racconto, nelle grandi industrie si utilizzava su larga scala la catena di montaggio e si tendeva ad aumentare al massimo la produttività sfruttando intensivamente il lavoro operaio. I conflitti tra i sindacati e i datori di lavoro erano particolarmente duri, e per contrastare le lotte dei lavoratori si attuavano vere e proprie forme di controllo poliziesco. Calvino prende di mira la vita di fabbrica, mettendone in luce i caratteri repressivi e alienanti: le perquisizioni all'entrata e all'uscita (righe 31-32), la misurazione dei tempi di lavoro (righe 42-46), le malattie professionali (righe 46-51), la subordinazione dei ritmi corporei alla velocità frenetica delle macchine (righe 53-59), lo spionaggio e i licenziamenti dei lavoratori impegnati nel sindacato (righe 139-163).

Ciò che sorprende di questa denuncia è l'intonazione leggera e scherzosa del narratore, che sembra voler mitigare la durezza delle situazioni rappresentate attraverso attenuazioni ironiche («il quale, *poveretto*, faceva le perquisizioni degli operai…», riga 31), notazioni paradossalmente ottimistiche («…ma quante mai cose si potevano pensare nel tragitto…», riga 80), toni caricaturali e quasi surreali (la «tecnica speciale» escogitata da Pietro per intrecciare i suoi pensieri ai movimenti del lavoro, righe 89-101).

Il carattere insieme fantasioso e ironico del racconto è sottolineato dal modo in cui sono delineati i personaggi, volutamente privi di profondità psicologica, simili a marionette o a protagonisti delle comiche del cinema muto, che Calvino aveva molto amato da ragazzo: tutti i protagonisti sono spinti da moventi ingenui ed elementari, e neppure i due rappresentanti della violenza del potere – Adalberto e Giovannino della Puzza – sono presentati in modo da suscitare un atteggiamento di recisa condanna da parte del lettore: il primo è tutto preso dal modesto desiderio di avere una gallina tutta per sé; il secondo, dopo una carriera passata nel fetore dei gabinetti sognando «liberi torrenti ed aria pura» (righe 157-158), vuole soltanto mostrarsi utile alla fabbrica per non essere licenziato (righe 165-166).

La trovata della gallina

Ma la trovata più sorprendente è costituita dall'inserimento nel mondo artificiale della produzione automatizzata di un animale campagnolo come la gallina, la cui innocua presenza viene interpretata dall'apparato di controllo come un diabolico piano per la trasmissione di sovversivi messaggi sindacali. Il sapore del racconto è in gran parte determinato dall'assurdità di questo accostamento: la gallina arrestata e «tradotta nell'ufficio del capo della sorveglianza» (riga 192), l'interrogatorio sui «rapporti tra la gallina e i sindacati» (righe 206-207), la perquisizione a cui è sottoposta la povera bestia e il suo sacrificio finale (righe 212-225) conferiscono alla narrazione una carattere apertamente fantastico e parodistico.

La morale conclusiva

In questa chiave va interpretata la morale conclusiva («Così la macchina dell'oppressione sempre si volta contro chi la serve», righe 226-227), la cui intonazione solenne è ironicamente alleggerita dal contrasto tra la gravità del tema (la protesta contro i licenziamenti) e la bizzarra catena di associazioni istituita dal narratore (ammazzamento della gallina / crollo del «mite sogno» di Adalberto / «triste presentimento» del titolare della ditta).

Analizzare

Tre caratteristiche dell'«esattezza»

Parecchi anni dopo la pubblicazione di questo racconto, nelle *Lezioni americane* Calvino definirà tre caratteristiche dell'«esattezza» in campo letterario: «1) un disegno dell'opera ben definito e ben calcolato; 2) l'evocazione di immagini visuali nitide, incisive, memorabili […]; 3) un linguaggio il più preciso possibile come lessico e come resa delle sfumature del pensiero e dell'immaginazione» (*T40.5*). Il racconto può essere analizzato in base a questi criteri.

Il "disegno dell'opera"

L'intreccio è costruito in modo da catturare fin dall'inizio l'attenzione del lettore e da farsi seguire nel modo più godibile e scorrevole fino alle ultime righe, attraverso una scansione ordinata e precisa, che segue la cronologia dei fatti e focalizza di volta in volta la narrazione su uno dei diversi protagonisti:
- la prima parte è dedicata al guardiano Adalberto (righe 1-15);
- la seconda al tornitore Pietro (righe 16-129);
- la terza a Giovannino della Puzza (righe 130-189);
- la quarta nuovamente ad Adalberto, a cui si aggiungono gli addetti al servizio di guardia della fabbrica (righe 190-230).

Ciascuna di queste parti comincia con l'introduzione del personaggio che ne è protagonista («Il guardiano Adalberto aveva una gallina», riga 1; «Un giorno il vecchio tornitore Pietro aveva notato…», riga 16; «Va detto che da qualche giorno Pietro non era più solo…», riga 130; «Adalberto non ne sapeva ancora niente», riga 193). In ognuna di esse, il narratore, oltre a esprimere dall'esterno i propri commenti e giudizi («Ma tale inesauribile cosa è la libertà dell'uomo…», riga 67; «Perché non c'è carcere senza i suoi spiragli…», riga 111), analizza i pensieri del personaggio che ne è il protagonista. Così il lettore entra di volta in volta nei pensieri di Adalberto («Gli sarebbe piaciuto di arrivare a farsi, col tempo, tutto un pollaio…», riga 4); di Pietro («Ogni qualvolta scopriva nell'amico un'astuzia segreta, Pietro restava male…», riga 23); di Giovannino della Puzza («E Giovannino della Puzza si scervellava per trovare una pista, un sospetto, un indizio…», righe 166-167); di nuovo di Adalberto («…pensando che gli fosse fatta colpa d'averla lasciata girare per la fabbrica…», righe 198-199); e infine, quando il racconto coinvolge l'intero apparato repressivo della fabbrica, anche del titolare dell'azienda («…sentì dal suo studio il grido di morte della gallina e ne ebbe un triste presentimento», righe 229-230).

Questa mobilità del punto di vista narrativo, oltre a rendere trasparenti al lettore i moventi dei personaggi, conferisce al racconto un andamento dinamico e variato, accentuato in qualche punto dall'uso del discorso diretto (righe 89-101) e indiretto libero («Cosa poteva scoprire? Era giunto anche lui all'ultimo gradino, prima d'esser messo sulla strada, come le vittime delle sue denunce?», righe 164-166).

Immagini e similitudini

L'impressione di vivacità e di movimento raggiunge il culmine nella scenetta finale della perquisizione della gallina: le immagini dell'«assalto di beccate» condotto dall'animale, dell'agente che si allontana «succhiandosi un dito sanguinante», della profusione di «penne e piume e zacchere» sulla scrivania (righe 212-220) si imprimono nella fantasia del lettore come brillanti esempi di quella nitidezza e concretezza visiva che è tipica della prosa di Calvino. Ma anche nelle altre parti del racconto non mancano immagini visivamente incisive, come il bizzarro duetto di movimenti e di suoni che si intreccia tra la gallina e Pietro che vuole attirarla a fare le uova nella sua cassetta (righe 118-123), o la rapida e saporita descrizione dell'aspetto fisico di Giovannino della Puzza (righe 139-140).

I commenti del narratore, oltre a esprimersi in forma diretta, sono affidati a similitudini "poetiche", volutamente stridenti rispetto alle situazioni e ai fatti narrati, che sottolineano il carattere ironico e fantasioso del racconto. Così il movimento delle pupille di Pietro alle prese con le sue quattro macchine è accostato al moto degli astri (righe 56-57), e il rallentamento delle cinghie di trasmissione al «dolce profilarsi della costa al naufrago» (righe 62-65). Questo effetto straniante riesce particolarmente efficace quando le similitudini si soffermano a lungo sull'immagine evocata, conferendole un carattere di evidenza visiva che la rende quasi autonoma rispetto alla narrazione: il «nonno campagnolo che esce di mattino tardi sotto la pergola, e mira il sole, e fischia al cane, e sorveglia i nipoti che si dondolano ai rami, e guarda giorno per giorno maturare i fichi» (righe 70-72); o il «corpo snello e muscoloso» del «giovane cavaliere rinascimentale» che «s'adatta nella sua armatura, e riesce a tendere e rilassare i bicipiti per sgranchire il braccio addormentato, a stirarsi, a strofinare la scapola che gli prude contro il ferreo schienale, a contrarre le natiche, a spostare i testicoli schiacciati contro la sella e a divaricare l'alluce dal secondo dito» (righe 104-109).

La precisione del linguaggio

L'ampia gamma di verbi utilizzati da Calvino in quest'ultima similitudine (*tendere, rilassare, sgranchire, stirarsi, strofinare, contrarre, spostare, divaricare*) esemplifica la precisione linguistica che caratterizza il racconto in ogni sua parte. Per rendere con la massima aderenza le minime sfumature della sua immaginazione, l'autore svaria dai termini tecnici («cottimi», «scannellatura», «putrelle») al registro colloquiale («quel barbagianni», righe 89-90; «grattarsi la pancia», riga 115) all'uso ironico di espressioni burocratiche («La gallina fu tradotta nell'ufficio del capo della sorveglianza», riga 192; «l'ovificio risultò mondo da missive contrarie agli interessi dell'azienda», righe 215-216). La stessa precisione e ironia ispira l'uso di sostantivi rari come «crosci, tonfi, rogli» per definire, anche con effetto onomatopeico, i diversi suoni prodotti dallo scarico dei gabinetti (riga 157), o di aggettivi antropomorfi come «riservata e discreta», «sospetta e infida», riferiti a un animale proverbialmente stupido come una gallina (righe 14, 221).

Altrettanto duttili e nitide sono le scelte sintattiche. Spesso i capoversi cominciano con periodi semplici, di una sola breve frase («Il guardiano Adalberto aveva una gallina.», riga 1; «Perché non c'è carcere senza i suoi spiragli.», riga 111; «Adalberto non ne sapeva ancora niente.», riga 193). Ma anche quando i periodi sono lunghi e articolati, la razionalità e la trasparenza dei nessi sintattici consente una lettura fluida e scorrevole. Considerate le righe 66-72, in cui il periodo coincide con un intero capoverso:

Ma tale inesauribile cosa è la libertà dell'uomo, ...	principale
che pure in queste condizioni il pensiero di Pietro riusciva	consecutiva
a tessere la sua ragnatela da una macchina all'altra, ...	infinitiva
a fluire continuo come il filo di bocca al ragno, ...	coordinata all'infinitiva
e in mezzo a quella geometria di passi gesti sguardi e riflessi egli a tratti	
si trovava padrone di sé e tranquillo come un nonno campagnolo	coordinata alla consecutiva
che esce di mattino tardo sotto la pergola, ...	relativa
e mira il sole, ...	coordinata alla relativa
e fischia al cane, ...	coordinata alla relativa
e sorveglia i nipoti che si dondolano ai rami, ...	coordinata alla relativa
e guarda giorno per giorno maturare i fichi.	coordinata alla relativa

Il gioco delle subordinazioni e delle coordinazioni, connesso con l'alternanza di brevità e lunghezza delle frasi, è congegnato in modo da accompagnare linearmente il lettore lungo lo sviluppo del discorso, senza che le pause e gli indugi descrittivi – necessari per conferire al racconto la sua intonazione elegante e sorridente – interrompano il filo del pensiero.

Contestualizzare

L'impegno politico dello scrittore

Quando Calvino ha scritto *La gallina di reparto*, militava ancora nel Partito comunista. Nel 1959 ha scritto a proposito del rapporto di quegli anni tra il suo impegno politico e la sua attività di scrittore: «La parte politica in cui militavo tendeva in letteratura a una rappresentazione del popolo che temperasse l'oggettività documentaria con una ricchezza di sentimenti positivi e di calore pedagogico. Ma il realismo sociale non era la realtà che cercavo». Il racconto rispecchia pienamente questa presa di posizione. In quegli anni Calvino riteneva che l'impegno politico fosse un dovere dello scrittore (*T40.1*), e la scelta di affrontare la disumanità dell'organizzazione del lavoro in fabbrica si colloca in questo contesto. Ma non accettava un'idea propagandistica della letteratura, come riproduzione piattamente realistica della realtà e semplice trasmissione di insegnamenti etici e politici preconfezionati: in questa chiave si possono interpretare il clima apertamente fantastico introdotto dall'invenzione della gallina, e gli accostamenti ironici che smorzano il carattere ostentatamente positivo della "morale" conclusiva.

Interpretare

Calvino "facile"?

La gallina di reparto fa parte della sezione *Gli idilli difficili*, della raccolta *Racconti*, uscita nel 1958. In una conversazione dell'anno successivo Calvino spiegherà: «Nel titolo di tutte e quattro le sezioni in cui ho diviso il mio libro ho messo l'aggettivo "difficile". Perché? Perché mi ero stancato di sentir parlare, a proposito delle cose che scrivevo, di "facilità", di "felicità", di "felice facilità", di "facile felicità". E allora, ho scritto "difficile" dappertutto». Dalla battuta traspare il fastidio dello scrittore per un'interpretazione della sua opera tutta centrata sulla gradevolezza e sulla semplicità. Se, nell'interpretare il racconto, ponessimo unilateralmente l'accento sul piacere della lettura – che del resto Calvino riteneva doveroso offrire a chi «ha comprato il libro, ha pagato i soldi, ci investe del suo tempo, si deve divertire» (*T40.4*) – rischieremmo di ricadere proprio nello stereotipo rifiutato dall'autore. Ciò che fa di Calvino un caso unico nella nostra letteratura è la sua capacità di coniugare la fluidità e la piacevolezza della scrittura con una complessità di sguardo in cui il lettore viene coinvolto quasi senza rendersene conto. In questo quadro si inserisce la contaminazione tra "favola" e "impegno" che caratterizza il racconto: Calvino non si accontenta di una semplice denuncia della violenza e della repressività della vita di fabbrica (denuncia che comunque il testo esprime con incisiva chiarezza), ma vuole contemporaneamente mettere a fuoco tematiche più ampie e complesse: il rapporto tra i tempi dell'industria e i ritmi della natura, le risorse psicologiche che possono aiutare gli esseri umani a resistere alle situazioni più insopportabili, i movimenti che possono spingerli a fare violenza sugli altri, il carattere grottesco assunto dal potere quando presume di controllare totalmente le azioni dei suoi sottoposti... Tutto questo senza mai assumere il tono serioso di chi fa una predica o tiene un comizio, ma con l'atteggiamento autoironico di chi è consapevole che la realtà è troppo complicata per poter essere integralmente compresa e spiegata da chi ci vive dentro: il mondo evocato dal racconto esibisce il suo carattere fittizio, ponendosi apertamente come una risposta soggettiva dello scrittore ai problemi del suo tempo, realizzata attraverso gli strumenti insieme rigorosi e fantastici che sono propri della letteratura.

T40.8

Il cavaliere inesistente

Il cavaliere inesistente (1959) è l'ultimo romanzo della trilogia dei Nostri antenati, *della quale fanno parte anche* Il visconte dimezzato (1952) *e* Il barone rampante (1957). *Sullo sfondo di un Medioevo di invenzione si svolgono le mirabolanti e intricate avventure di Agilulfo, un cavaliere senza corpo, che riesce a far muovere, parlare e persino amoreggiare la sua armatura vuota grazie a una tenace* «forza di volontà»: *impossibilitato ad assaporare direttamente la materialità delle cose, Agilulfo pone ogni sforzo nel tentare di dare un significato preciso e razionale a ogni aspetto della realtà, ordinando e catalogando ossessivamente eventi, oggetti e situazioni, finché, sconfitto dall'incontenibile disordine del mondo, finirà per dissolversi nel nulla. Riportiamo il primo capitolo del romanzo.*

Italo Calvino
IL CAVALIERE
INESISTENTE
(Cap. I, Mondadori,
Milano, 1997)

Sotto le rosse mura di Parigi era schierato l'esercito di Francia. Carlomagno doveva passare in rivista i paladini. Già da più di tre ore erano lì; faceva caldo; era un pomeriggio di prima estate, un po' coperto, nuvoloso; nelle armature si bolliva come in pentole tenute a fuoco lento. Non è detto che qualcuno in quell'immobile fila di cavalieri già non avesse perso i sensi o non si fosse assopito, ma l'armatura li reggeva impettiti in sella tutti a un modo. D'un tratto, tre squilli di tromba: le piume dei cimieri sussultarono nell'aria ferma come a uno sbuffo di vento, e tacque subito quella specie di mugghio marino che s'era sentito fin qui, ed era, si vede, un russare di guerrieri incupito dalle gole metalliche degli elmi. Finalmente ecco, lo scorsero che avanzava laggiù in fondo, Carlomagno, su un cavallo che pareva più grande del naturale, con la barba sul petto, le mani sul pomo della sella. Regna e guerreggia, guerreggia e regna, dài e dài, pareva un po' invecchiato, dall'ultima volta che l'avevano visto quei guerrieri.

 Fermava il cavallo a ogni ufficiale e si voltava a guardarlo dal su in giù.
– E chi siete voi, paladino di Francia?

 – Salomon di Bretagna, sire! – rispondeva quello a tutta voce, alzando la celata e scoprendo il viso accalorato; e aggiungeva qualche notizia pratica, come sarebbe: – Cinquemila cavalieri, tremilacinquecento fanti, milleottocento i servizi, cinque anni di campagna.

 – Sotto coi brètoni, paladino! – diceva Carlo, e toc-toc, toc-toc, se ne arrivava a un altro capo di squadrone.

 – Ecchisietevòi, paladino di Francia? – riattaccava.

 – Ulivieri di Vienna, sire! – scandivano la labbra appena la griglia dell'elmo s'era sollevata. E lì: – Tremila cavalieri scelti, settemila la truppa, venti macchine da assedio. Vincitore del pagano Fierabraccia, per grazia di Dio e gloria di Carlo re dei Franchi!

 – Ben fatto, bravo il viennese, – diceva Carlomagno, e agli ufficiali del seguito: – Magrolini quei cavalli, aumentategli la biada. – E andava avanti: – Ecchisietevòi, paladino di Francia? – ripeteva, sempre con la stessa cadenza: «Tàtta-tatatài-tàta-tàta-tatàta...»

 – Bernardo di Mompolier, sire! Vincitore di Brunamonte e Galiferno.

 – Bella città Mompolier! Città delle belle donne! – e al seguito: – Vedi

1

5

10

15

20

25

30

se lo passiamo di grado –. Tutte cose che dette dal re fanno piacere, ma erano sempre le stesse battute, da tanti anni.

– Ecchisietevòi, con quello stemma che conosco? – Conosceva tutti dall'arma che portavano sullo scudo, senza bisogno che dicessero niente, ma così era l'usanza che fossero loro a palesare il nome e il viso. Forse perché altrimenti qualcuno, avendo di meglio da fare che prender parte alla rivista, avrebbe potuto mandar lì la sua armatura con un altro dentro.

– Alardo di Dordona, del duca Amone...

– In gamba Alardo, cosa dice il papà, – e così via. «Tàta-tatatài-tàta-tà-ta-tatàta...».

– Gualfré di Mongioja! Cavalieri ottomila tranne i morti!

Ondeggiavano i cimieri. – Uggeri Danese! Namo di Baviera! Palmerino d'Inghilterra!

Veniva sera. I visi, di tra la ventaglia e la bavaglia[1], non si distinguevano neanche più tanto bene. Ogni parola, ogni gesto era prevedibile ormai, e così tutto in quella guerra durata da tanti anni, ogni scontro, ogni duello, condotto sempre secondo quelle regole, cosicché si sapeva già oggi per domani chi avrebbe vinto, chi perso, chi sarebbe stato eroe, chi vigliacco, a chi toccava di restare sbudellato e chi se la sarebbe cavata con un disarcionamento e una culata in terra. Sulle corazze, la sera al lume delle torce i fabbri martellavano sempre le stesse ammaccature.

– E voi? – Il re era giunto di fronte a un cavaliere dall'armatura tutta bianca; solo una righina nera correva torno torno ai bordi; per il resto era candida, ben tenuta, senza un graffio, ben rifinita in ogni giunto, sormontata sull'elmo da un pennacchio di chissà che razza orientale di gallo, cangiante d'ogni colore dell'iride. Sullo scudo c'era disegnato uno stemma tra due lembi d'un ampio manto drappeggiato, e dentro lo stemma s'aprivano altri due lembi di manto con in mezzo uno stemma più piccolo, che conteneva un altro stemma ammantato più piccolo ancora. Con disegno sempre più sottile era raffigurato un seguito di manti che si schiudevano uno dentro l'altro, e in mezzo ci doveva essere chissà che cosa, ma non si riusciva a scorgere, tanto il disegno diventava minuto. – E voi lì, messo su così in pulito... – disse Carlomagno che, più la guerra durava, meno rispetto della pulizia nei paladini gli capitava di vedere.

– Io sono, – la voce giungeva metallica da dentro l'elmo chiuso, come fosse non una gola ma la stessa lamiera dell'armatura a vibrare, e con un lieve rimbombo d'eco, – Agilulfo Emo Bertrandino dei Guildiverni e degli Altri di Corbentraz e Sura, cavaliere di Selimpia Citeriore e Fez!

– Aaah... – fece Carlomagno e dal labbro di sotto, sporto avanti, gli uscì anche un piccolo strombettio, come a dire: «Dovessi ricordarmi il nome di tutti, starei fresco!». Ma subito aggrottò le ciglia. – E perché non alzate la celata e non mostrate il vostro viso?

Il cavaliere non fece nessun gesto; la sua destra inguantata d'una ferrea e ben connessa manopola si serrò più forte all'arcione, mentre l'altro braccio, che reggeva lo scudo, parve scosso come da un brivido.

– Dico a voi, ehi, paladino! – insisté Carlomagno. – Com'è che non mostrate la faccia al vostro re?

1. **tra la ventaglia e la bavaglia**: tra le due parti della celata abbassata che coprivano il volto. *Ventaglia* è un termine usato secondo il suo significato tecnico, *bavaglia* è una parola inventata da Calvino.

La voce uscì netta dal barbazzale[2]. – Perché io non esisto, sire.

– O questa poi! – esclamò l'imperatore. – Adesso ci abbiamo in forza anche un cavaliere che non esiste! Fate un po' vedere.

Agilulfo parve ancora esitare un momento, poi con mano ferma ma lenta sollevò la celata. L'elmo era vuoto. Nell'armatura bianca dall'iridescente cimiero non c'era dentro nessuno.

– Mah, mah! Quante se ne vedono! – fece Carlomagno. – E com'è che fate a prestar servizio, se non ci siete?

– Con la forza di volontà, – disse Agilulfo, – e la fede nella nostra santa causa!

– E già, e già, ben detto, è così che si fa il proprio dovere. Be', per essere uno che non esiste, siete in gamba!

Agilulfo era il serrafila. L'imperatore ormai aveva passato la rivista a tutti; voltò il cavallo e s'allontanò verso le tende reali. Era vecchio, e tendeva ad allontanare dalla mente le questioni complicate.

La tromba suonò il segnale del «rompete le righe». Ci fu il solito sbandarsi di cavalli, e il gran bosco delle lance si piegò, si mosse a onde come un campo di grano quando passa il vento. I cavalieri scendevano di sella, muovevano le gambe per sgranchirsi, gli scudieri portavano via i cavalli per la briglia. Poi, dall'accozzaglia e il polverone si staccarono i paladini, aggruppati in capannelli svettanti di cimieri colorati, a dar sfogo alla forzata immobilità di quelle ore in scherzi ed in bravate, in pettegolezzi di donne e onori.

Agilulfo fece qualche passo per mischiarsi a uno di questi capannelli, poi senz'alcun motivo passò a un altro, ma non si fece largo e nessuno badò a lui. Restò un po' indeciso dietro le spalle di questo o di quello, senza partecipare ai loro dialoghi, poi si mise in disparte. Era l'imbrunire; sul cimiero le piume iridate ora parevano tutte d'un unico indistinto colore; ma l'armatura bianca spiccava isolata lì sul prato. Agilulfo, come se tutt'a un tratto si sentisse nudo, ebbe il gesto d'incrociare le braccia e stringersi le spalle.

Poi si riscosse e, di gran passo, si diresse verso gli stallaggi. Giunto là, trovò che il governo dei cavalli non veniva compiuto secondo le regole, sgridò gli staffieri, inflisse punizioni ai mozzi, ispezionò tutti i turni di corvè[3], ridistribuì le mansioni spiegando minuziosamente a ciascuno come andavano eseguite e facendosi ripetere quel che aveva detto per vedere se avevano capito bene. E siccome ogni momento venivano a galla le negligenze nel servizio dei colleghi ufficiali paladini, li chiamava a uno a uno, sottraendoli alle dolci conversazioni oziose della sera, e contestava con discrezione ma con ferma esattezza le loro mancanze, e li obbligava uno ad andare di picchetto[4], uno di scolta[5], l'altro giù di pattuglia, e così via. Aveva sempre ragione, e i paladini non potevano sottrarsi, ma non nascondevano il loro malcontento. Agilulfo Emo Bertrandino dei Guildiverni e degli Altri di Corbentraz e Sura, cavaliere di Selimpia Citeriore e Fez era certo un modello di soldato; ma a tutti loro era antipatico.

85

90

95

100

105

110

115

120

125

2. **barbazzale**: letteralmente, il *barbazzale* è la catenella metallica che gira intorno al mento ("barbozza") dei cavalli, e tiene fisse le briglie. Qui si riferisce alla parte della celata che copre la bocca.

3. **corvè**: termine militare riferito alle mansioni necessarie all'andamento ordinario dell'accampamento (pulizia, cucina ecc.). La parola deriva dal francese *corvée*, che nel Medioevo si riferiva ai lavori agricoli che i contadini dovevano eseguire gratuitamente sul terreno del padrone del feudo.

4. **di picchetto**: l'ufficiale *di picchetto* è quello a cui tocca sovrintendere ai servizi della caserma in una data giornata.

5. **di scolta**: di guardia.

dialogo con il testo

I temi

«Quando ho incominciato a scrivere storie fantastiche non mi ponevo ancora problemi teorici; l'unica cosa di cui ero sicuro era che all'origine di ogni mio racconto c'era un'immagine visuale. Per esempio, una di queste immagini è stato un uomo tagliato in due metà che continuano a vivere indipendentemente; un altro esempio poteva essere il ragazzo che s'arrampica su un albero e poi passa da un albero all'altro senza più scendere in terra; un'altra ancora un'armatura vuota che si muove e parla come ci fosse dentro qualcuno»; così scriveva Calvino nelle *Lezioni americane* (1985) a proposito della trilogia dei *Nostri antenati*. Da questo punto di vista *Il cavaliere inesistente* si può leggere indipendentemente dai suoi significati simbolici, come un romanzo godibile per le sorprese disseminate nella sua trama, per la ricchezza e varietà dei personaggi e degli sfondi, per l'ironia che lo pervade dalla prima pagina all'ultima.

? Individuate nel testo alcuni assaggi offerti al lettore fin da queste prime pagine:
– il contrasto comico tra il mondo epico dei paladini di Carlo Magno e il ricorrere di notazioni prosaiche o strampalate;
– l'effetto di sorpresa che sta al centro del capitolo;
– il contrasto tra la natura mirabolante del protagonista e la normalità delle reazioni che suscita negli altri personaggi.

Ma, oltre che dal puro e semplice gusto della narrazione, i romanzi fantastici di Calvino sono motivati, sempre secondo le parole dell'autore, dall'intenzione di «studiare e rappresentare la condizione dell'uomo di oggi, il modo della sua "alienazione", le vie di raggiungimento d'un'umanità totale». Il personaggio di Agilulfo esibisce già in questo primo capitolo una serie di caratteristiche che consentono di ipotizzarne un'interpretazione simbolica: impossibilitato ad assaporare direttamente la materialità delle cose, il cavaliere inesistente trova la sua ragione di vita nel tentativo di dare un significato preciso e razionale ad ogni aspetto della realtà.

? Spiegate quale significato possono assumere in questo contesto l'esistenza determinata solo dalla «forza di volontà» e dalla «fede nella nostra santa causa», l'aspetto dell'armatura e lo stemma che l'adorna, i rapporti con gli altri personaggi, l'atteggiamento nei confronti del disordine che pervade la vita dell'accampamento.

? Che cosa può rappresentare allora Agilulfo? Una chiave interpretativa è offerta dai testi saggistici di Calvino dedicati alla funzione dell'intellettuale e al ruolo della letteratura (*T40.1-T40.5*).

Le forme

Nella trilogia dei *Nostri antenati* la scrittura di Calvino raggiunge pienamente quei caratteri di agilità, precisione, leggerezza che le danno un ritmo e un sapore inconfondibile. In questo brano, oltre alla velocità e alla scioltezza delle costruzioni sintattiche, si può notare come l'intonazione favolosa e ironica della narrazione sia sottolineata dall'accostamento fra formule e termini tecnici del mondo cavalleresco, espressioni colloquiali e popolari, invenzioni verbali, e da un uso molto parco delle figure retoriche, utilizzate in funzione straniante e spoetizzante.

? Individuate nel testo qualche esempio di questi procedimenti stilistici.

T40.9

La giornata di uno scrutatore

La gestazione della Giornata di uno scrutatore *(1963) fu particolarmente lunga. La prima idea di scrivere il romanzo venne a Calvino nel 1953, quando, come candidato del Partito comunista, trascorse una decina di minuti al Cottolengo (l'istituto cattolico torinese che accoglie i minorati) durante le elezioni, e assistette a una discussione tra i membri della commissione elettorale a proposito del voto dei degenti più gravi, espresso per interposta persona dalle monache a favore della Democrazia Cristiana, il partito al governo in quegli anni. Più tardi sentì la necessità di immergersi maggiormente nell'atmosfera del Cottolengo, e in occasione delle elezioni amministrative del 1961 si fece nominare scrutatore presso l'istituto: «Il risultato – scriverà dieci anni dopo, in occasione dell'uscita del libro – fu che restai completamente impedito dallo scrivere per molti mesi: le immagini che avevo negli occhi, di infelici senza capacità di intendere né di muoversi, per i quali si allestiva la commedia di un voto delegato attraverso al prete o alla monaca, erano così* infernali che avrebbero potuto ispirarmi solo un pamphlet violentissimo, un manifesto antidemocristiano [...]. Ho dovuto aspettare che si allontanassero, che sbiadissero un poco dalla memoria; e ho dovuto far maturare sempre più le riflessioni, i significati che da esse si irradiano, come un seguito di onde o cerchi concentrici».*

Il romanzo segue, dall'alba al tramonto, la giornata di Amerigo Ormea, intellettuale iscritto al P.C.I., designato dal partito a svolgere il compito «modesto ma necessario» di scrutatore nelle elezioni del 1953 presso il Cottolengo. L'incontro con la deformità fisica e mentale dei ricoverati lo mette a confronto con una realtà disumana, di fronte alla quale la ragione e l'impegno politico appaiono impotenti: anche l'indignazione per la strumentalizzazione elettorale dei degenti passa in secondo piano, e lascia spazio a inquietudini e interrogativi più profondi. Riportiamo un brano del capitolo XII, dedicato alle operazioni elettorali nelle corsie dell'istituto.

Italo Calvino
LA GIORNATA DI
UNO SCRUTATORE
(Cap. XII,
Mondadori, Milano,
1994)

Il prete, quello col basco, era già nella corsia, ad aspettarli, anche lui con in mano un suo elenco[1]. Vedendo Amerigo si fece scuro in viso. Ma Amerigo in quel momento non pensava più all'insensato motivo per cui si trovava lì; gli pareva che il confine di cui ora gli si chiedeva il controllo fosse un altro: non quello della «volontà popolare», ormai perduto di vista da un pezzo, ma quello dell'umano[2].

Il prete e il presidente[3] s'erano avvicinati alla Madre che dirigeva quel reparto, coi nomi dei quattro iscritti a votare, e la Madre li indicava. Altre suore venivano portando un paravento, un tavolino, tutte le cose necessarie per fare le elezioni lì.

Un letto alla fine della corsia era vuoto e rifatto; il suo occupante, forse già in convalescenza, era seduto su una seggiola da una parte del letto, vestito d'un pigiama di lana con sopra una giacca, e seduto dall'altra parte del letto era un vecchio col cappello, certamente suo padre, venuto quella domenica in visita. Il figlio era un giovanotto, deficiente, di statura normale ma in qualche modo – pareva – rattrappito nei movimenti. Il padre

1

5

10

15

1. con un suo elenco: di degenti che devono votare.
2. gli pareva... umano: Amerigo si trovava al Cottolengo per verificare fino a che punto il voto espresso dai degenti potesse essere considerato espressione di una scelta autonoma, cioè a controllare il *confine* [...] *della «volontà popolare»*; il contatto con le terribili deformità e sofferenze ospitate dall'istituto lo porta a chiedersi fino a che punto gli esseri che si trova davanti possano definirsi umani, e che cosa significhi comportarsi umanamente con loro.

3. il presidente: della commissione elettorale.

schiacciava al figlio delle mandorle, e gliele passava attraverso al letto, e il figlio le prendeva e lentamente le portava alla bocca. E il padre lo guardava masticare.

I ragazzi-pesce[4] scoppiavano nei loro gridi, e ogni tanto la Madre si staccava dal gruppo di quelli del seggio per andare a zittire uno troppo agitato, ma con scarso esito. Ogni cosa che accadeva nella corsia era separata dalle altre, come se ogni letto racchiudesse un mondo senza comunicazione col resto, salvo per i gridi che s'incitavano uno dopo l'altro, in crescendo, e comunicavano un'agitazione generale, in parte come un chiasso di passeri, in parte dolorosa, gemente. Solo l'uomo con la testa enorme stava immobile, come non sfiorato da nessun uomo.

Amerigo continuava a guardare il padre e il figlio. Il figlio era lungo di membra e di faccia, peloso in viso e attonito, forse mezzo impedito da una paralisi. Il padre era un campagnolo vestito anche lui a festa, e in qualche modo, specie nella lunghezza del viso e delle mani, assomigliava al figlio. Non negli occhi: il figlio aveva l'occhio animale e disarmato, mentre quello del padre era socchiuso e sospettoso, come nei vecchi agricoltori. Erano voltati di sbieco, sulle loro seggiole ai due lati del letto, in modo da guardarsi fissi in viso, e non badavano a niente che era intorno. Amerigo teneva lo sguardo su di loro, forse per riposarsi (o schivarsi) da altre viste, o forse ancor di più, in qualche modo affascinato.

Intanto gli altri facevano votare uno in un letto. In questo modo: gli mettevano intorno il paravento, col tavolino dietro, e per lui la suora, perché era paralitico, votava. Tolsero il paravento, Amerigo lo guardò: era una faccia viola, riversa, come un morto, a bocca spalancata, nude gengive, occhi sbarrati. Più che quella faccia, nel guanciale affossato, non si vedeva; era duro come un legno, tranne un ansito che gli fischiava al fondo della gola.

Ma cosa hanno il coraggio di far votare? si domandò Amerigo, e solo allora si ricordò che toccava a lui impedirlo.

Già rizzavano il paravento a un altro letto. Amerigo li seguì. Un'altra faccia glabra[5], tumida, irrigidita a bocca aperta e storta, coi bulbi degli occhi fuori delle palpebre senza ciglia. Questo però era inquieto, smanioso.

– Ma c'è un errore! – disse Amerigo, – come può votare, questo qui?

– Eppure, c'è il suo nome, Morin Giuseppe, – fece il presidente. E al prete: – È proprio lui?

– Eh, qui c'è il certificato, – disse il prete: – impedimento motorio agli arti. Madre, è lei, vero, che l'aiuta?

– Ma sì, ma sì, povero Giuseppe! – fece la Madre.

Quello sobbalzava come colto da scosse elettriche, gemendo.

Amerigo, ora toccava a lui. Si strappò con sforzo dai suoi pensieri, da quella lontana zona di confine appena intravista – confine tra che cosa e che cosa? – e tutto quello che era al di qua e al di là sembrava nebbia.

– Un momento, – disse, con una voce senz'espressione, sapendo di ripetere una formula, di parlare nel vuoto, – è in grado l'elettore di riconoscere la persona che vota per lui? È in grado di esprimere la sua volontà? Ehi, dico a lei, signor Morin: è in grado?

20

25

30

35

40

45

50

55

60

4. **i ragazzi-pesce**: malati orrendamente deformi che il narratore ha appena descritto.
5. **glabra**: senza peli.

– La solita storia, – disse il prete al presidente, – la Madre che sta qui
con loro giorno e notte, gli chiedono se la conosce... – e scosse il capo, con
una risatina.   65

Anche la Madre sorrise, ma d'un sorriso che era per tutti e per nulla. Il
problema d'esser riconosciuta, pensò Amerigo, per lei non esisteva; e gli
venne da confrontare lo sguardo della vecchia suora con quello del contadino venuto a passare la domenica al «Cottolengo» per fissare negli occhi il 70
figlio idiota. Alla Madre non occorreva il riconoscimento dei suoi assistiti,
il bene che ritraeva da loro – in cambio del bene che loro dava – era un bene generale, di cui nulla andava perso[6]. Invece il vecchio contadino fissava
il figlio negli occhi per farsi riconoscere, per non perderlo, per non perdere
quel qualcosa di poco e di male, ma di suo, che era suo figlio. 75

La Madre, se da quel tronco d'uomo col certificato elettorale non veniva alcun segno di riconoscimento, era la meno preoccupata di tutti: eppure, si dava da fare a sbrigare quella formalità delle elezioni come una delle
tante che il mondo di fuori imponeva e che, per vie che lei non si curava
d'indagare, condizionavano l'efficienza del suo servizio; e così cercava d'al- 80
zare quel corpo con le spalle sui guanciali, quasi che potesse far la figura di
stare seduto. Ma nessuna posizione s'addiceva più a quel corpo: le braccia,
nel camicione bianco, erano rattrappite, con le mani piegate in dentro, e
anche le gambe aveva allo stesso modo, come se le membra cercassero di
tornare dentro se stesse a cercare un rifugio. 85

– Ma parlare, – fece il presidente, con un dito alzato, come chiedendo
scusa del dubbio, – non può proprio?

– Parlare no, signor presidente, – disse il prete, – eh, parli, tu? No, non
parli? Vede che non parla. Ma capisce. Lo sai chi è lei, sì? È buona? Sì?
Capisce. Del resto ha già votato l'altra volta. 90

– Sì, sì, – disse la Madre, – questo qui ha sempre votato.

– Perché è così, ma poi capisce... – disse la scrutatrice in bianco: una
frase che non si capiva se fosse una domanda, un'affermazione, o una speranza. E si rivolse alla Madre, come a coinvolgere nella sua domanda-affer-
mazione-speranza anche lei: – Capisce, neh? 95

– Eh... – la Madre allargò le braccia e guardò in su.

– Basta con questa commedia, – disse Amerigo, secco. – Non può
esprimere la sua volontà, cioè non può votare. È chiaro? Un po' più di rispetto. Non c'è bisogno di far altre parole.

(Voleva dire «un po' più di rispetto» verso le elezioni oppure «un po' più 100
di rispetto» verso la carne che soffre? Non lo specificò).

Si aspettava che le sue parole suscitassero una battaglia. Invece niente.
Nessuno protestò. Con un sospiro, scuotendo il capo, guardavano l'uomo
rattratto. – Certo, è peggiorato, – convenne il prete, a bassa voce. – Ancora
due anni fa, votava. 105

Il presidente mostrò il registro ad Amerigo: – Cosa si fa: lasciamo in
bianco o facciamo un verbale a parte?

– Lasciamo. Lasciamo perdere, – fu tutto quello che seppe dire
Amerigo; pensava a un'altra domanda: se era più umano aiutarli a vivere o
a morire, e anche a quella non avrebbe saputo dare una risposta. 110

6. **il bene... perso**: la
suora non sente l'esi-
genza di essere rico-
nosciuta da coloro
che assiste, perché
compie la sua missio-
ne in nome di un
ideale (*un bene gene-
rale*) che li trascende,
che ha un suo signifi-
cato e un suo valore
indipendentemente
dalla loro risposta.

[...]

La vecchia suora muoveva lì intorno gli occhi chiari e lieti, come si trovasse in un giardino pieno di salute, e rispondeva alle lodi[7] con quelle frasi che si sanno, improntate a modestia e ad amore del prossimo, ma naturali, perché tutto doveva essere molto naturale per lei, non ci dovevano essere dubbi, dacché aveva scelto una volta per tutte di vivere per loro. 115

Anche Amerigo avrebbe voluto dirle delle parole di ammirazione e simpatia, ma quel che gli veniva da dire era un discorso sulla società come avrebbe dovuto essere secondo lui, una società in cui una donna come lei non sarebbe considerata più una santa perché le persone come lei si sarebbero moltiplicate, anziché star relegate in margine, allontanate nel loro alone di santità, e vivere come lei, per uno scopo universale, sarebbe stato più naturale che vivere per qualsiasi scopo particolare[8], e sarebbe stato possibile a ognuno esprimere se stesso, la propria carica sepolta, segreta, individuale, nelle proprie funzioni sociali, nel proprio rapporto con il bene comune... 120 125

Ma più s'ostinava a pensare queste cose, più s'accorgeva che non era tanto questo che gli stava a cuore in quel momento, quanto qualcos'altro per cui non trovava parole. Insomma, alla presenza della vecchia suora si sentiva ancora nell'ambito del suo mondo, confermato nella morale alla quale aveva sempre (sia pur per approssimazione e con sforzo) cercato di modellarsi, ma il pensiero che lo rodeva lì nella corsia era un altro, era ancora la presenza di quel contadino e di suo figlio, che gli indicavano un territorio per lui sconosciuto. 130

La suora aveva scelto la corsia con un atto di libertà, aveva identificato – respingendo il resto del mondo – tutta se stessa in quella missione o milizia[9], eppure – anzi: proprio per questo – restava distinta dall'oggetto della sua missione, padrona di sé, felicemente libera. Invece il vecchio contadino non aveva scelto nulla, il legame che lo teneva stretto alla corsia non l'aveva voluto lui, la sua vita era altrove, sulle sue terre, ma faceva alla domenica il viaggio per veder masticare suo figlio. 135 140

Ora che il giovane idiota aveva terminato la sua lenta merenda, padre e figlio, seduti sempre ai lati del letto, tenevano tutti e due appoggiate sulle ginocchia le mani pesanti d'ossa e di vene, e le teste chinate per storto – sotto il cappello calato il padre, e il figlio a testa rapata come un coscritto[10] – in modo da continuare a guardarsi con l'angolo dell'occhio. 145

Ecco, pensò Amerigo, quei due, così come sono, sono reciprocamente necessari.

E pensò: ecco, questo modo d'essere è l'amore.

E poi: l'umano arriva dove arriva l'amore; non ha confini se non quelli che gli diamo. 150

---

7. rispondeva alle lodi: nella parte che abbiamo saltato la commissione ha visitato il reparto dei malati più gravi; una scrutatrice aveva elogiato la suora per la sua dedizione a inva-

lidi che altrimenti sarebbero stati abbandonati da tutti.
8. vivere... particolare: Amerigo si riferisce alla società comu-

nista immaginata da Marx, nella quale l'umanità, liberata dall'oppressione economica e politica, avrebbe sviluppato natural-

mente gli aspetti collaborativi e altruistici della sua natura.
9. milizia: il termine, di origine militare, aggiunge al concetto

di *missione* quello di militanza, combattimento per una causa.
10. coscritto: ragazzo appena arruolato nel servizio militare.

dialogo con il testo

I temi

Nella parte precedente del romanzo Amerigo Ormea è presentato al lettore come «un ultimo anonimo erede del razionalismo settecentesco», fedele a due princìpi fondamentali: «non farsi mai troppe illusioni e non smettere di credere che ogni cosa che fai potrà servire». La sua militanza comunista e lo stesso impegno di scrutatore si collocano in questa prospettiva: fare qualcosa di utile nel quadro di un progetto complessivo di democratizzazione e di emancipazione della società. In questo brano il contatto diretto con le sofferenze e le abnormità determinate dalla natura, che nessun cambiamento politico può sperare di eliminare, fa vacillare le sue concezioni razionalistiche, e gli propone domande a cui non sa dare risposta: pur non rinunciando a fare il proprio dovere di scrutatore, sente che l'impegno civile e il patrimonio ideologico e morale a cui fa riferimento non toccano il cuore del problema posto dalla sconvolgente realtà del Cottolengo.

? Ricostruite a partire dal testo le questioni attorno a cui vertono le nuove inquietudini di Amerigo, e indicate il punto in cui egli stesso prende atto che i suoi ideali politici non sono in grado di fornire una risposta.

Tuttavia Amerigo continua a cercare di dare ordine ai suoi pensieri, di trovare un significato in ciò che ha di fronte. Assorto nello sforzo di individuare il «confine dell'umano» all'interno del mondo degradato che lo circonda, comincia a intravedere la possibilità di una risposta osservando il contadino che schiaccia le mandorle per il figlio demente e lo guarda mangiarle.

? A differenza del prete, sbrigativo e facilone per favorire le irregolarità elettorali, la suora è un personaggio complesso, considerato dal protagonista con rispetto e ammirazione; tuttavia la sua dedizione ai malati non basta a offrire uno spiraglio di luce alla ricerca di senso che percorre il romanzo. In che cosa consiste la vicinanza tra la suora e Amerigo? Che cos'ha "in più" il contadino rispetto a loro?

Nel saggio *La sfida al labirinto* (*T40.2*), pubblicato l'anno prima dell'uscita della *Giornata di uno scrutatore*, Calvino aveva affermato il dovere da parte dell'intellettuale di misurarsi con la complicazione e l'ambiguità del mondo, di non rinunciare a cercare di darle un senso, di ricondurla a un ordine, pur riconoscendo i limiti della sua stessa capacità di comprenderla e di conoscerla. Da questo punto di vista Amerigo Ormea è una proiezione dello scrittore, della situazione di ricerca in cui si trova dopo essersi lasciato alle spalle le salde convinzioni politiche del primo dopoguerra ed essere uscito dal Partito comunista.

Le forme

? La voce che racconta è esterna, ma i fatti sono costantemente filtrati attraverso il punto di vista del protagonista, le cui riflessioni sono riportate attraverso il discorso indiretto e il discorso indiretto libero. Individuatene qualche esempio nel testo.

Coerentemente con la tematica del romanzo, Calvino vuole raffigurare la realtà inquietante che fa da sfondo alla storia col massimo di essenzialità e di chiarezza: le deformità e i gesti convulsi dei malati sono descritti con nitidezza quasi scientifica, senza commento, con un'evidenza fisica di forte impatto sul lettore. Un analogo sforzo di ordine e di precisione è impiegato dal narratore nel seguire i tormentati percorsi delle riflessioni del protagonista.

? Notate come il motivo del padre e del figlio, e quello del confronto tra la suora e il contadino, ritornano con grande naturalezza in più punti del testo, fino a sfociare nella riflessione finale.

L'ultimo Calvino

Le opere

Nel 1967 Calvino si trasferisce a Parigi, dove i contatti con la cultura francese intensificano i suoi interessi per le scienze naturali e umane, in particolare per lo strutturalismo e la semiotica (*T37.25-T37.26*). Queste suggestioni vengono incontro alla sua esigenza di coniugare l'attenzione alla realtà del presente – che gli sembra sempre più labirintica e degradata – con la ricerca di una razionalità astratta e cristallina. Ne scaturisce una serie di romanzi basati su un elegante gioco combinatorio di meccanismi narrativi che esibiscono il carattere artificiale della scrittura, la sua impossibilità di catturare la concretezza del mondo sensibile: *Il castello dei destini incrociati* (1969), *Le città invisibili* (1972), *La taverna dei destini incrociati* (1973), *Se una notte d'inverno un viaggiatore* (1979, *T40.10*). Le prose di *Palomar* (1983, *T40.11*) propongono con intonazione un po' comica e un po' malinconica il tema dell'impotenza dell'intellettuale e dell'inconoscibilità del mondo.

Victor Vasarely
Tekers-MC
(1981, 200×236 cm,
Collezione privata)

T40.10

Se una notte d'inverno un viaggiatore

L'idea della letteratura come gioco combinatorio, nel quale lo scrittore svela le sue finzioni e i suoi trucchi nel momento stesso in cui li mette in atto, raggiunge il suo culmine nel "metaromanzo" Se una notte d'inverno un viaggiatore *(1979). È un testo "a incastri", in cui si intercalano colloqui dell'autore con il lettore (che progressivamente viene assorbito nella trama divenendo egli stesso un personaggio) e dieci possibili inizi di romanzo, che utilizzano in combinazioni sempre differenti le stesse situazioni narrative. Il brano che segue è tratto da uno di questi inizi.*

Italo Calvino
SE UNA NOTTE
D'INVERNO UN
VIAGGIATORE
(Cap. I, Einaudi,
Torino, 1979)

Il romanzo comincia in una stazione ferroviaria, sbuffa una locomotiva, uno sfiatare di stantuffo copre l'apertura del capitolo, una nuvola di fumo nasconde parte del primo capoverso[1]. Nell'odore di stazione passa una ventata d'odore di buffet della stazione. C'è qualcuno che sta guardando attraverso i vetri appannati, apre la porta a vetri del bar, tutto è nebbioso, anche dentro, come visto da occhi di miope, oppure occhi irritati da granelli di carbone. Sono le pagine del libro a essere appannate come i vetri d'un vecchio treno, è sulle frasi che si posa la nuvola di fumo. È una sera piovosa; l'uomo entra nel bar; si sbottona il soprabito umido; una nuvola di vapore l'avvolge; un fischio parte lungo i binari a perdita d'occhio lucidi di pioggia.   10

Un fischio come di locomotiva e un getto di vapore si levano dalla macchina del caffè che il vecchio barista mette sotto pressione come lanciasse un segnale, o almeno così sembra dalla successione delle frasi del secondo capoverso, in cui i giocatori ai tavoli richiudono il ventaglio delle carte   15 contro il petto e si voltano verso il nuovo venuto con una tripla torsione del collo, delle spalle e delle sedie, mentre gli avventori al banco sollevano le tazzine e soffiano sulla superficie del caffè a labbra e occhi socchiusi, o sorbono il colmo dei boccali di birra con un'attenzione esagerata a non farli traboccare. Il gatto inarca il dorso, la cassiera chiude il registratore di cassa   20 sa che fa dlìn. Tutti questi segni convergono nell'informare che si tratta d'una piccola stazione di provincia, dove chi arriva è subito notato.

Le stazioni si somigliano tutte; poco importa se le luci non riescono a rischiarare più in là del loro alone sbavato, tanto questo è un ambiente che tu[2] conosci a memoria, con l'odore di treno che resta anche dopo che tutti   25 i treni sono partiti, l'odore speciale delle stazioni dopo che è partito l'ultimo treno. Le luci della stazione e le frasi che stai leggendo sembra abbiano il compito di dissolvere più che di indicare le cose affioranti da un velo di buio e di nebbia. Io[3] sono sbarcato in questa stazione stasera per la prima volta in vita mia e già mi sembra d'averci passato una vita, entrando e   30 uscendo da questo bar, passando dall'odore della pensilina all'odore di segatura bagnata dei gabinetti, tutto mescolato in un unico odore che è quello dell'attesa, l'odore delle cabine telefoniche quando non resta che recuperare i gettoni perché il numero chiamato non dà segno di vita.

---

1. **uno sfiatare... capoverso**: è come se il fumo del treno si sovrapponesse alle pagine del libro. Nel testo ritornano con frequenza le interferenze tra la finzione narrativa e il richiamo al libro come oggetto

materiale.
2. **tu**: si rivolge al lettore.

3. **Io**: il pronome "io" non designa la persona dello scrittore (che viene chiamato più avanti *l'autore*), ma un personaggio che,

nella finzione romanzesca, parla in prima persona.

Io sono l'uomo che va e viene tra il bar e la cabina telefonica. Ossia: 35
quell'uomo si chiama «io» e non sai altro di lui, così come questa stazione
si chiama soltanto «stazione»[4] e al di fuori di essa non esiste altro che il segnale senza risposta d'un telefono che suona in una stanza buia d'una città
lontana. Riattacco il ricevitore, attendo lo scroscio di ferraglia giù per la
gola metallica, ritorno a spingere la porta a vetri, a dirigermi verso le tazze 40
ammucchiate ad asciugare in una nuvola di vapore.

Le macchine-espresso nei caffè delle stazioni ostentano una loro parentela con le locomotive, le macchine espresso di ieri e di oggi con le locomotive e i locomotori di ieri e di oggi. Ho un bell'andare e venire, girare e dar
volta: sono preso in trappola, in quella trappola atemporale che le stazioni 45
tendono immancabilmente. Un pulviscolo di carbone ancora aleggia nel-
l'aria delle stazioni dopo tanti anni che le linee sono state tutte elettrificate,
e un romanzo che parla di treni e stazioni non può non trasmettere quest'odore di fumo. È già da un paio di pagine che stai andando avanti a leggere e sarebbe ora che ti si dicesse chiaramente se questa a cui io sono sceso 50
da un treno in ritardo è una stazione d'una volta o una stazione d'adesso;
invece le frasi continuano a muoversi nell'indeterminato, nel grigio, in una
specie di terra di nessuno dell'esperienza ridotta al minimo comune denominatore. Sta' attento: è certo un sistema per coinvolgerti a poco a poco,
per catturarti nella vicenda senza che te ne renda conto: una trappola. O 55
forse l'autore è ancora indeciso, come d'altronde anche tu lettore non sei
ben sicuro di cosa ti farebbe più piacere leggere: se l'arrivo a una vecchia
stazione che ti dia il senso d'un ritorno all'indietro, d'una rioccupazione
dei tempi e dei luoghi perduti, oppure un balenare di luci e di suoni che ti
dia il senso d'essere vivo oggi, nel modo in cui oggi si crede faccia piacere 60
essere vivo. Questo bar (o «buffet della stazione» come viene pure chiamato) potrebbero esser stati i miei occhi, miopi o irritati, a vederlo sfocato e
nebbioso mentre invece non è escluso che sia saturo di luce irradiata da tubi colore del lampo e riflessa da specchi in modo da colmare tutti gli andi-
ti e gli interstizi, e lo spazio senza ombre straripi di musica a tutto volume 65
che esplode da un vibrante apparecchio uccidi-silenzio, e i biliardini e gli
altri giochi elettrici simulanti corse ippiche e cacce all'uomo siano tutti in
azione, e ombre colorate nuotino nella trasparenza d'un televisore e in
quella d'un acquario di pesci tropicali rallegrati da una corrente verticale di
bollicine d'aria. E il mio braccio non regga una borsa a soffietto, gonfia e 70
un po' logora, ma spinga una valigia quadrata di materia plastica rigida
munita di piccole ruote, manovrabile con un bastone metallico cromato e
pieghevole.

Tu lettore credevi che lì sotto la pensilina il mio sguardo si fosse appun-
tato sulle lancette traforate come alabarde d'un rotondo orologio di vec- 75
chia stazione, nel vano sforzo di farle girare all'indietro, di percorrere a ritroso il cimitero delle ore passate stese esanimi nel loro pantheon[5] circolare. Ma chi ti dice che i numeri dell'orologio non s'affaccino da sportelli rettangolari e io veda ogni minuto cadermi addosso di scatto come la lama
d'una ghigliottina? Il risultato comunque non cambierebbe molto: anche 80
avanzando in un mondo levigato e scorrevole la mia mano contratta sul

4. **quell'uomo... sta-
zione**: i personaggi e
gli ambienti del ro-
manzo non hanno al-
tra realtà se non quel-
la delle parole che li
costituiscono.
5. **pantheon**: il tem-
pio di forma rotonda
dedicato dagli antichi
Romani a tutte le di-
vinità; qui è una me-
tafora per indicare il
grande quadrante di
un vecchio orologio.
L'immagine delle lan-
cette che girano al-
l'indietro indica l'ipo-
tesi che la trama si
svolga nel passato.

leggero timone della valigia a rotelle esprimerebbe pur sempre un rifiuto interiore, come se quel disinvolto bagaglio costituisse per me un peso ingrato ed estenuante.

Qualcosa mi dev'essere andata per storto: un disguido, un ritardo, una coincidenza perduta; forse arrivando avrei dovuto trovare un contatto[6], probabilmente in relazione a questa valigia che sembra preoccuparmi tanto, non è chiaro se per timore di perderla o perché non vedo l'ora di disfarmene. Quello che pare sicuro è che non è un bagaglio qualsiasi, da poterlo consegnare al deposito bagagli o far finta di dimenticarlo nella sala d'aspetto. È inutile che guardi l'orologio; se qualcuno era venuto ad aspettarmi ormai se n'è andato da un pezzo; è inutile che mi arrovelli nella smania di far girare all'indietro gli orologi e i calendari sperando di ritornare al momento precedente a quello in cui è successo qualcosa che non doveva succedere. Se in questa stazione dovevo incontrare qualcuno, che magari non aveva niente a che fare con questa stazione ma solo doveva scendere da un treno e ripartire su un altro treno, così come avrei dovuto fare io, e uno dei due doveva consegnare qualcosa all'altro, per esempio io dovevo affidare all'altro questa valigia a rotelle che invece è rimasta a me e mi brucia le mani, allora l'unica cosa da fare è cercare di ristabilire il contatto perduto.

Già un paio di volte ho attraversato il caffè e mi sono affacciato alla porta che dà sulla piazza invisibile e ogni volta il muro di buio mi ha ricacciato indietro in questa specie di limbo illuminato sospeso tra le due oscurità del fascio dei binari e della città nebbiosa. Uscire per andare dove? La città là fuori non ha ancora un nome, non sappiamo se resterà fuori del romanzo o se lo conterrà tutto nel suo nero d'inchiostro. So solo che questo primo capitolo tarda a staccarsi dalla stazione e dal bar: non è prudente che mi allontani di qui dove potrebbero ancora venirmi a cercare, né che mi faccia vedere da altre persone con questa valigia ingombrante. Perciò continuo a ingozzare di gettoni il telefono pubblico che me li risputa ogni volta: molti gettoni, come per una chiamata a lunga distanza: chissà dove si trovano, ora, quelli da cui devo ricevere istruzioni, diciamo pure prendere ordini, è chiaro che dipendo da altri, non ho l'aria d'uno che viaggia per una sua faccenda privata o che conduce degli affari in proprio: mi si direbbe piuttosto un esecutore, una pedina in una partita molto complicata, una piccola rotella d'un grosso ingranaggio, tanto piccola che non dovrebbe neppure vedersi: difatti era stabilito che passassi di qui senza lasciare tracce: e invece ogni minuto che passo qui lascio tracce: lascio tracce se non parlo con nessuno in quanto mi qualifico come uno che non vuole aprir bocca: lascio tracce se parlo in quanto ogni parola detta è una parola che resta e può tornare a saltar fuori in seguito, con le virgolette o senza le virgolette. Forse per questo l'autore accumula supposizioni su supposizioni in lunghi paragrafi senza dialoghi, uno spessore di piombo[7] fitto e opaco in cui io possa passare inosservato, sparire.

Sono una persona che non dà affatto nell'occhio, una presenza anonima su uno sfondo ancora più anonimo, se tu lettore non hai potuto fare a meno di distinguermi tra la gente che scendeva dal treno e di continuare a seguirmi nei miei andirivieni tra il bar e il telefono è solo perché io mi

85

90

95

100

105

110

115

120

125

6. **un contatto**: il termine fa pensare a un appuntamento segreto tra spie o appartenenti a un gruppo clandestino.

7. **spessore di piombo**: il piombo dei caratteri tipografici.

chiamo «io» e questa è l'unica cosa che tu sai di me, ma già basta perché tu ti senta spinto a investire una parte di te stesso in questo io sconosciuto. 130 Così come l'autore pur non avendo nessuna intenzione di parlare di se stesso, ed avendo deciso di chiamare «io» il personaggio quasi per sottrarlo alla vista, per non doverlo nominare o descrivere, perché qualsiasi altra denominazione o attributo l'avrebbe definito di più che questo spoglio pronome, pure per il solo fatto di scrivere «io» egli si sente spinto a mettere in 135 questo «io» un po' di se stesso, di quel che lui sente o immagina di sentire. Niente di più facile che identificarsi con me, per adesso il mio comportamento esteriore è quello di un viaggiatore che ha perso una coincidenza, situazione che fa parte dell'esperienza di tutti; ma una situazione che si verifica all'inizio d'un romanzo rimanda sempre a qualcosa d'altro che è successo 140 e che sta per succedere, ed è questo qualcosa d'altro che rende rischioso identificarsi con me, per te lettore e per lui autore; e quanto più grigio comune indeterminato e qualsiasi è l'inizio di questo romanzo tanto più tu e l'autore sentite un'ombra di pericolo crescere su quella frazione di «io» che avete sconsideratamente investita nell'«io» d'un personaggio che 145 non sapete che storia si porti dietro, come quella valigia di cui vorrebbe tanto riuscire a disfarsi.

dialogo con il testo

I temi, le forme

Se una notte d'inverno un viaggiatore è tutto giocato sull'ambiguità tra la tradizionale tendenza a presentare le vicende narrate come se fossero vere e la costante sottolineatura del carattere fittizio e artificiale della narrazione. Il lettore si trova così in una situazione paradossale: da un lato è invitato a cooperare con l'autore costruendosi nell'immaginazione le circostanze, gli ambienti, i personaggi evocati dalle parole del testo; dall'altro è ripetutamente messo in guardia sull'inconsistenza di quelle circostanze, quegli ambienti, quei personaggi. Il gusto ingenuo di abbandonarsi agli sviluppi di una storia, la fiducia che ciò che si legge abbia un senso e una consistenza vengono costantemente disturbati dalle prese di distanza del narratore.

▢ Individuate nel brano alcuni dei procedimenti usati da Calvino per imbastire questo labirintico gioco di mosse e contromosse con il lettore:
– le interferenze tra la finzione narrativa e la realtà del libro come oggetto materiale (come lo «sfiatare di stantuffo» che «copre l'apertura del capitolo»);
– l'insistenza sul carattere puramente verbale e convenzionale dei luoghi rappresentati;
– la natura inafferrabile del personaggio che parla in

prima persona, che da un lato si propone come un essere tanto reale da poter dialogare con il lettore, dall'altro svela il suo carattere di creatura fittizia;
– lo smascheramento delle strategie usate tradizionalmente dagli scrittori per coinvolgere i lettori nelle vicende narrate;
– la presentazione di diverse possibili ipotesi di sviluppo della trama a partire dai dati di partenza.

▢ Tutto il percorso intellettuale di Calvino ruota attorno al problema del ruolo dell'intellettuale nella società, della funzione della letteratura e del suo rapporto col disordine del mondo. Provate a formulare un'ipotesi sul significato che può assumere in questo quadro un romanzo come *Se una notte d'inverno un viaggiatore*.

Confronti

▢ La messa in discussione dell'atto stesso del narrare è una caratteristica del grande romanzo novecentesco. Un esempio particolarmente evidente è l'inizio dell'*Uomo senza qualità* di Musil (Vol. G *T32.66*): confrontatelo con questo brano di Calvino, individuando affinità e differenze.

T40.11

Due osservazioni del signor Palomar

Nelle 27 prose di Palomar *(1983) Calvino porta all'estremo quell'«atteggiamento di perplessità sistematica» (T40.3) che caratterizza l'ultima fase della sua opera. Il signor Palomar, protagonista della raccolta, è un individuo solitario e taciturno, minuzioso osservatore degli oggetti più banali ed elementari; consapevole della problematicità della conoscenza, si sforza di volta in volta di fissare l'attenzione su un unico fenomeno ben circoscritto e isolato (un'onda, il seno di una bagnante, la luna, un filo d'erba), nella speranza che «dalla muta distesa delle cose» parta «un segno, un richiamo, un ammicco», che gli*

consenta di istituire un rapporto autentico e diretto con un frammento sia pure minimo della realtà. Ma anche l'oggetto più semplice si rivela estraneo, inconoscibile, e Palomar si trova ogni volta avviluppato dalla tortuosità dei suoi stessi processi mentali.

*Il libro è diviso in tre parti (*Le vacanze di Palomar, Palomar in città, I silenzi di Palomar*), ciascuna delle quali si compone di tre capitoli, che a loro volta sono formati da tre racconti: una studiata geometria compositiva che rinvia alla strenua ricerca di ordine formale e al carattere "combinatorio" dell'ultimo Calvino.*

Italo Calvino
PALOMAR
(Arnoldo Mondadori,
Milano, 1990)

Il seno nudo   1

Il signor Palomar cammina lungo una spiaggia solitaria. Incontra rari bagnanti. Una giovane donna è distesa sull'arena prendendo il sole a seno nudo. Palomar, uomo discreto, volge lo sguardo all'orizzonte marino. Sa che in simili circostanze, all'avvicinarsi d'uno sconosciuto, spesso le donne s'affrettano a coprirsi, e questo gli pare non bello: perché è molesto per la bagnante che prendeva il sole tranquilla; perché l'uomo che passa si sente un disturbatore; perché il tabù della nudità viene implicitamente confermato; perché le convenzioni rispettate a metà propagano insicurezza e incoerenza nel comportamento anziché libertà e franchezza[1].   10

Perciò egli, appena vede profilarsi da lontano la nuvola bronzeo-rosea d'un torso nudo femminile, s'affretta ad atteggiare il capo in modo che la traiettoria dello sguardo resti sospesa nel vuoto e garantisca del suo civile rispetto per la frontiera invisibile che circonda le persone.

Però, – pensa andando avanti e, non appena l'orizzonte è sgombro, riprendendo il libero movimento del bulbo oculare – io, così facendo, ostento un rifiuto a vedere, cioè anch'io finisco per rafforzare la convenzione che ritiene illecita la vista del seno, ossia istituisco una specie di reggipetto mentale sospeso tra i miei occhi e quel petto che, dal barbaglio che me ne è giunto sui confini del mio campo visivo, m'è parso fresco e piacevole alla vista. Insomma, il mio non guardare presuppone che io sto pensando a quella nudità, me ne preoccupo, e questo è in fondo ancora un atteggiamento indiscreto e retrivo.

Ritornando dalla sua passeggiata, Palomar ripassa davanti a quella bagnante, e questa volta tiene lo sguardo fisso davanti a sé, in modo che esso sfiori con equanime uniformità la schiuma delle onde che si ritraggono, gli scafi delle barche tirate in secco, il lenzuolo di spugna steso sull'arena, la ricolma luna di pelle più chiara con l'alone bruno del capezzolo, il profilo della costa nella foschia, grigia contro il cielo.   25

5

15

20

1. **le convenzioni... franchezza**: coprendosi all'avvicinarsi di uno sconosciuto, la donna rispetta le convenzioni sociali, ma solo parzialmente (perché prima era a seno nudo): un comportamento simile non ha né un'efficacia liberatoria né un effetto di rafforzamento delle regole codificate, ma induce incertezza su quali siano i comportamenti giusti da tenere.

Ecco, – riflette, soddisfatto di se stesso, proseguendo il cammino, – sono riuscito a far sì che il seno fosse assorbito completamente dal paesaggio, e che anche il mio sguardo non pesasse più che lo sguardo d'un gabbiano o d'un nasello.

Ma sarà proprio giusto, fare così? – riflette ancora, – o non è un appiattire la persona umana al livello delle cose, considerarla un oggetto, e quel che è peggio, considerare oggetto ciò che nella persona è specifico del sesso femminile? Non sto forse perpetuando la vecchia abitudine della supremazia maschile, incallita con gli anni in un'insolenza abitudinaria?

Si volta e ritorna sui suoi passi. Ora, nel far scorrere il suo sguardo sulla spiaggia con oggettività imparziale, fa in modo che, appena il petto della donna entra nel suo campo visivo, si noti una discontinuità, uno scarto, quasi un guizzo. Lo sguardo avanza fino a sfiorare la pelle tesa, si ritrae, come apprezzando con un lieve trasalimento la diversa consistenza della visione e lo speciale valore che essa acquista, e per un momento si tiene a mezz'aria, descrivendo una curva che accompagna il rilievo del seno da una certa distanza, elusivamente ma anche protettivamente, per poi riprendere il suo corso come niente fosse stato.

Così credo che la mia posizione risulti ben chiara, – pensa Palomar, – senza malintesi possibili. Però questo sorvolare dello sguardo non potrebbe in fin dei conti essere inteso come un atteggiamento di superiorità, una sottovalutazione di ciò che un seno è e significa, un tenerlo in qualche modo in disparte, in margine o tra parentesi? Ecco che ancora sto tornando a relegare il seno nella penombra in cui l'hanno tenuto secoli di pudibonderia[2] sessuomaniaca e di concupiscenza come peccato...

Una tale interpretazione va contro alle migliori intenzioni di Palomar, che pur appartenendo a una generazione matura, per cui la nudità del petto femminile s'associava all'idea d'un'intimità amorosa, tuttavia saluta con favore questo cambiamento nei costumi, sia per ciò che esso significa come riflesso d'una mentalità più aperta nella società, sia in quanto una tale vista in particolare gli riesce gradita. È quest'incoraggiamento disinteressato che egli vorrebbe riuscire a esprimere nel suo sguardo.

Fa dietro-front. A passi decisi muove ancora verso la donna sdraiata al sole. Ora il suo sguardo, lambendo volubilmente il paesaggio, si soffermerà sul seno con uno speciale riguardo, ma s'affretterà a coinvolgerlo in uno slancio di benevolenza e gratitudine per il tutto, per il sole e il cielo, per i pini ricurvi e la duna e l'arena e gli scogli e le nuvole e le alghe, per il cosmo che ruota intorno a quelle cuspidi aureolate[3].

Questo dovrebbe bastare a tranquillizzare definitivamente la bagnante solitaria e a sgombrare il campo da illazioni fuorvianti. Ma appena lui torna ad avvicinarsi, ecco che lei s'alza di scatto, si ricopre, sbuffa, s'allontana con scrollate infastidite delle spalle come sfuggisse alle insistenze moleste d'un satiro[4].

Il peso morto d'una tradizione di malcostume impedisce d'apprezzare nel loro giusto merito le intenzioni più illuminate, conclude amaramente Palomar.

2. **pudibonderia**: pudore esagerato e ostentato.
3. **cuspidi aureolate**: punte circondate da un'aureola. "Cuspide" è una parola dotta, usata nel linguaggio architettonico e matematico.
4. **satiro**: maniaco sessuale, molestatore. La parola prende origini dai satiri, divinità pagane dei boschi dai disinvolti costumi sessuali.

Il mondo guarda il mondo

In seguito a una serie di disavventure intellettuali che non meritano d'essere ricordate, il signor Palomar ha deciso che la sua principale attività sarà
guardare le cose dal di fuori. Un po' miope, distratto, introverso, egli non
sembra rientrare per temperamento in quel tipo umano che viene di solito   80
definito un osservatore. Eppure gli è sempre successo che certe cose – un
muro di pietre, un guscio di conchiglia, una foglia, una teiera, – gli si pre-
sentino come chiedendogli un'attenzione minuziosa e prolungata: egli si
mette ad osservarle quasi senza rendersene conto e il suo sguardo comincia
a percorrere tutti i dettagli, e non riesce più a staccarsene. Il signor Palomar   85
ha deciso che d'ora in avanti raddoppierà la sua attenzione: primo, nel non
lasciarsi sfuggire questi richiami che gli arrivano dalle cose; secondo, nel-
l'attribuire all'operazione dell'osservare l'importanza che essa merita.

A questo punto sopravviene un primo momento di crisi: sicuro che d'o-
ra in poi il mondo gli svelerà una ricchezza infinita di cose da guardare, il   90
signor Palomar prova a fissare tutto ciò che gli capita a tiro: non glie ne
viene alcun piacere, e smette. Segue una seconda fase in cui egli è convinto
che le cose da guardare sono solo alcune e non altre, e lui deve andarsele a
cercare; per far questo deve affrontare ogni volta problemi di scelte, esclu-
sioni, gerarchie di preferenze; presto s'accorge che sta guastando tutto, co-   95
me sempre quando egli mette di mezzo il proprio io e tutti i problemi che
ha col proprio io.

Ma come si fa a guardare qualcosa lasciando da parte l'io? Di chi sono
gli occhi che guardano? Di solito si pensa che l'io sia uno che sta affacciato
ai proprio occhi come al davanzale d'una finestra e guarda il mondo che si   100
distende in tutta la sua vastità lì davanti a lui. Dunque: c'è una finestra che
s'affaccia sul mondo. Di là c'è il mondo; e di qua? Sempre il mondo: cos'altro volete che ci sia? Con un piccolo sforzo di concentrazione Palomar riesce a spostare il mondo da lì davanti e a sistemarlo affacciato al davanzale.
Allora, fuori della finestra, cosa rimane? Il mondo anche lì, che per l'occa- 105
sione s'è sdoppiato in mondo che guarda e mondo che è guardato. E lui,
detto anche «io», cioè il signor Palomar? Non è anche lui un pezzo di mondo che sta guardando un altro pezzo di mondo? Oppure, dato che c'è
mondo di qua e mondo di là della finestra, forse l'io non è altro che la finestra attraverso la quale il mondo guarda il mondo. Per guardare se stesso 110
il mondo ha bisogno degli occhi (e degli occhiali) del signor Palomar.

Dunque, non basta che Palomar guardi le cose dal di fuori e non dal di
dentro: d'ora in avanti le guarderà con uno sguardo che viene dal di fuori,
non da dentro di lui. Cerca di far subito l'esperimento: ora non è lui a
guardare, ma è il mondo di fuori che guarda fuori. Stabilito questo, egli gi-   115
ra lo sguardo intorno in attesa d'una trasfigurazione generale. Macché. È il
solito grigiore quotidiano che lo circonda. Bisogna ristudiare tutto da capo. Che sia il fuori a guardare fuori non basta: è dalla cosa guardata che deve partire la traiettoria che la collega alla cosa che guarda.

Dalla muta distesa delle cose deve partire un segno, un richiamo, un   120
ammicco: una cosa si stacca dalle altre con l'intenzione di significare qual-

cosa... che cosa? se stessa, una cosa è contenta d'essere guardata dalle altre cose solo quando è convinta di significare se stessa e nient'altro, in mezzo alle cose che significano se stesse e nient'altro.

Le occasioni di questo genere non sono certo frequenti, ma prima o poi dovranno pur presentarsi: basta aspettare che si verifichi una di quelle fortunate coincidenze in cui il mondo vuole guardare ed essere guardato nel medesimo istante e il signor Palomar si trovi a passare lì in mezzo. Ossia, il signor Palomar non deve nemmeno aspettare, perché queste cose accadono soltanto quando meno ci s'aspetta.

125

130

dialogo con il testo

I temi

Il signor Palomar è caratterizzato da un atteggiamento che ricorre in molti personaggi di Calvino e nell'immagine che lo stesso scrittore ha dato di sé nella sua opera saggistica (*T40.1-T40.5*): lo strenuo tentativo di conferire almeno un barlume di ordine e di senso al disordine della realtà, di perseguire una linea di comportamento razionale nel «labirinto» del mondo contemporaneo. La ricerca di Palomar però è assai più comica che seria, e il suo campo d'azione si è enormemente ridimensionato, circoscrivendosi ai minimi eventi della quotidianità.

È il caso del primo racconto, in cui il protagonista si pone con grande scrupolo un semplice problema di urbanità e di correttezza. Ma è proprio il suo sforzo di autocorreggersi, di raggiungere il comportamento più rispettoso nei confronti della bagnante a seno nudo, che lo fa passare per un molestatore: la molteplicità delle convenzioni esplicite e implicite e la complessità delle relazioni umane tipiche della società contemporanea lo avviluppano in un garbuglio inestricabile, contro il quale la sua buona volontà non può nulla.

? Ripercorrendo il testo, ricostruite i criteri di valore ai quali il protagonista fa riferimento nel reimpostare progressivamente il proprio comportamento.

Ma forse il più forte ostacolo agli sforzi di Palomar è Palomar stesso: ciò che rende veramente irrisolvibile il problema è la tortuosità dei suoi stessi processi menta-

li. Nel secondo racconto il protagonista riconosce che la sua impossibilità di comprendere anche i frammenti più semplici della piccola porzione di mondo che lo circonda nasce «da tutti i problemi che ha con il proprio io. Ma come si fa a guardare qualcosa lasciando da parte l'io»? Con questo accostamento ai "paradigmi della complessità", che non separano l'osservatore dall'oggetto dell'osservazione, ma lo concepiscono come una parte del sistema osservato (*T37.13*), Calvino ripropone da un nuovo angolo di visuale i temi che ricorrono in tutta la sua opera: il ruolo dell'intellettuale, la funzione della ragione, l'inestricabile disordine della vita. Ma il più profondo elemento di continuità è costituito dalla tenacia con cui l'antieroico personaggio di Palomar si ostina, nonostante tutto, a ricercare, con curiosità e con pazienza.

Le forme

Di fronte a una tematica così inafferrabile e narrativamente evanescente, Calvino sembra voler potenziare al massimo il potere ordinatore del suo stile preciso e concreto. Si possono notare in particolare:
- la scorrevolezza e la varietà delle costruzioni sintattiche;
- la limpidezza dei nessi che connettono tra loro i capoversi in cui è scandito il testo;
- la nitida efficacia di alcune metafore e notazioni paesaggistiche.

? Individuatene nel testo qualche esempio che vi pare particolarmente efficace.

Esercizi di riepilogo

Contestualizzare

1. Calvino ha partecipato da protagonista alle punte più avanzate del dibattito culturale e letterario del suo tempo. Ripercorrendo i documenti (*T40.1-T40.11*), individuate un fenomeno culturale e/o letterario col quale Calvino ha discusso, e sintetizzate la sua presa di posizione.

Contestualizzare

2. Disponete in ordine cronologico i testi saggistici e narrativi di Calvino (*T40.1-T40.11*) e cercate di ricostruire il percorso complessivo dello scrittore, mettendo in luce le connessioni e le eventuali sfasature tra le prese di posizione teoriche e la produzione letteraria.

Contestualizzare

3. (esercizio guidato) I personaggi di Agilulfo (*T40.8*), Amerigo Ormea (*T40.9*), Palomar (*T40.11*) si possono interpretare come incarnazioni successive della figura dell'intellettuale, delle sue aspirazioni e delle sue inquietudini nei confronti della realtà. Individuatene le differenze e i denominatori comuni, e collocateli nell'ambito del percorso di Calvino.

Suggeriamo di redigere per ogni personaggio una sintetica presentazione delle sue caratteristiche; per quali aspetti si può vedere in ciascun un'immagine di intellettuale? A partire dalla "forza di volontà" di Agilulfo, potete individuare in tutti una tensione conoscitiva ed etica nei confronti della realtà, che può essere esplicitata con l'aiuto del brano T40.2.
La realtà labirintica nei tre romanzi diventa progressivamente più complessa, ambigua e sfuggente rendendo problematica la possibilità della ragione di dare ordine e conferire un senso al mondo. Argomentate tale affermazione determinando la natura dei problemi che si trova ad affrontare ciascun personaggio e come si configura nelle diverse situazioni la "sfida al labirinto". Discutete se in Palomar *Calvino vuole offrire una rappresentazione ironica dell'impotenza dell'intellettuale oppure ribadire un'idea di letteratura che gli è cara.*
Ripercorrete le fasi dell'attività letteraria di Calvino, anche con l'aiuto della Guida storica, e vedete se è possibile fare un parallelo con l'evoluzione dei suoi personaggi.

Analizzare

4. Nell'opera di Calvino si possono distinguere una linea "realistica" e una linea "fantastica"; non mancano però le affinità tematiche e stilistiche tra opere inscrivibili nei due diversi filoni narrativi. Sceglietene qualche esempio e analizzate i caratteri comuni.

Analizzare

5. Altre due polarità che si possono individuare nell'opera di Calvino sono il "serio" e il "comico", con una vasta gamma di sfumature intermedie. Provate a classificare i testi che avete letto da questo punto di vista, indicando anche i casi di difficile o impossibile catalogazione e spiegando anche i motivi delle difficoltà.

Analizzare

6. «Posso solo dire che cerco di oppormi alla pigrizia mentale di cui danno prova tanti miei colleghi romanzieri nell'uso di un linguaggio quanto mai prevedibile e insipido. Credo che la prosa richieda un investimento di tutte le proprie risorse verbali, tal quale come la poesia: scatto e precisione nella scelta dei vocaboli, economia e pregnanza e inventiva nella loro distribuzione e strategia, slancio e mobilità e tensione nella frase, agilità e duttilità nello spostarsi da un registro all'altro, da un ritmo all'altro», ha affermato Calvino nella sua ultima intervista (1984). Scegliete un brano che vi sembra adatto a esemplificare le caratteristiche di chiarezza, eleganza e concretezza del suo stile, e analizzate le scelte sintattiche e lessicali che ne stanno alla base.

Analizzare

7. In una lettera del 1960 Calvino mette in evidenza la centralità del "guardare" nella sua opera: «l'unica cosa che vorrei insegnare è un modo di *guardare*, cioè di essere al mondo». Tra i suoi scrittori preferiti figurano Ariosto, Galileo, Leopardi, dotati tutti di una forte propensione per l'evocazione di immagini visive. Individuate qualche punto delle sue opere in cui questo carattere "visuale" è particolarmente evidente.

Confrontare

8. Carla Benedetti in un saggio intitolato *Pasolini contro Calvino* ha individuato nei due scrittori due opposte idee della letteratura, e due opposti modi di rapportarsi con le istituzioni letterarie e con la società, esaltando l'atteggiamento appassionato, viscerale, "scandaloso" di Pasolini a scapito di quello distaccato, ironico, misurato di Calvino. Confrontate la biografia e l'opera dei due autori: quali elementi di contrasto e quali (eventuali) affinità si possono individuare? Se conoscete a sufficienza i due scrittori, dite se siete o non siete d'accordo con la preferenza espressa dalla studiosa e perché.

Confrontare

9. Uno dei poeti preferiti da Calvino fin dalla giovinezza è Montale (a cui Calvino ha dedicato un'acuta analisi di *Forse un mattino, andando in un'alba di vetro*, T36.12). Confrontate le opere dei due scrittori e cercate di individuare le affinità tematiche, di atteggiamento, di stile che intercorrono tra di loro.

Attribuire

10. Riportiamo, in ordine sparso, tre inizi di racconti scritti da Calvino, Moravia e Pavese. Individuate quale appartiene a Calvino e, se li conoscete a sufficienza, a ciascuno degli altri autori, motivando la vostra attribuzione.

a) Lentamente, chiudendo la porta con una spinta del dorso e guardando fisso all'amante, il giovane entrò nella stanza. Per strada, la sua fantasia si era accanita con una specie di rabbiosa volontà a immaginare una Maria Teresa carica di autunni, dai seni pesanti, dal ventre grasso tremolante sulle giunture allentate dell'inguine, dai seni impastati e disfatti; una Maria Teresa, insomma, ormai giunta alla soglia della vecchiaia, che sarebbe stato agevole abbandonare ora che non aveva più denaro per mantenerla. Queste immagini di decadenza, aggravate e incrudelite fino alla caricatura dalla sua immaginazione compiacente, gli avevano dato un po' di coraggio mentre se ne era andato di strada in strada con l'animo pieno di angoscia e i pugni stretti in fondo alle tasche vuote.
Ma ora, pur tenendo l'amante sopra le ginocchia, sul divano profondo del salotto, si accorgeva che quell'immagine inventata apposta per la separazione imminente, non resisteva di fronte alla realtà.

b) Nello scompartimento, accanto al fante Tomagra, venne a sedersi una signora alta e formosa. Una vedova provinciale, doveva essere, a giudicare dal vestito e dal velo: il vestito era di seta nera, appropriato a un lungo lutto, ma con guarnizioni e gale inutili, e il velo le passava attorno al viso piovendole dal giro d'un pesante antiquato cappello. Altri posti erano liberi, notò il fante Tomagra, nello scompartimento; e pensava che la vedova avrebbe certo scelto uno di quelli; invece, nonostante la ruvida vicinanza di lui soldato, ella venne a sedersi proprio lì, certo per via di qualche comodità del viaggiare, s'affrettò a pensare il fante, correnti d'aria o direzione della corsa.
Per la floridezza del corpo, sodo, anzi un po' quadro, se le alte curve non ne fossero state addolcite da una matronale morbidezza, le si sarebbero dati poco più di trent'anni; ma a guardarla in viso, l'incarnato marmoreo e rilassato insieme, lo sguardo irraggiungibile sotto palpebre gravi e sopracciglia nere intense, e pu-

re le labbra severamente suggellate, tinte di sfuggita d'un rosso urtante, le davano l'aria d'averne invece oltre i quaranta.

c) Ecco che suono alla porta e se invece di Wanda esitante e sorpresa mi aprisse una Wanda sdegnosa chiedendo che cosa voglio e se credo che basti presentarmi per metterle addosso le mani e passare una notte respirando con lei dovrei pure chinare la testa e levarmi il cappello brontolando che mi sono sbagliato. Entro invece seguendola e tenendola al polso e fermandomi anch'io se si ferma a strusciarsi. Anche Wanda dovrebbe coprirsi la faccia e scappare a nascondersi se le chiedessi che cosa vuole da me. Ma le donne non ascoltano, e per tutta risposta fanno carezze: le ha fatte al marito quando aveva un marito e ora le fa a me mentre siedo, e mi guarda e mi tiene la mano e mi chiede con gli occhi perché sono in ritardo. Ancora non ha cercato di baciarmi.
Se non fosse una donna ma l'unico amico che è morto quel giorno, capirebbe che vengo non per farle carezze e parlarle d'amore ma soltanto per piangere. Mi guarda invece imbronciata come una figlia offesa e non pensa che aspetto soltanto che si alzi e mi lasci qui solo.

Interpretare

11. «L'arte di scriver storie sta nel saper tirar fuori da quel nulla che si è capito della vita tutto il resto; ma finita la pagina si riprende la vita e ci s'accorge che quel che si sapeva è proprio un nulla». Così scrive Calvino nel *Cavaliere inesistente*: l'oscillazione tra desiderio di conoscenza e consapevolezza del limite, impegno e disincanto, fiducia e scetticismo nella funzione sociale della letteratura ricorre in tutta l'opera di Calvino. Quale delle due polarità vi sembra prevalere? In quali testi narrativi e/o saggistici? In che direzione vi sembra andare il percorso intellettuale dello scrittore dagli esordi alle ultime opere?

Interpretare

12. «In realtà sempre la mia scrittura si è trovata di fronte due strade divergenti che corrispondono a due tipi di conoscenza: una che si muove nello spazio mentale d'una razionalità scorporata, dove si possono tracciare linee che congiungono punti, proiezioni, forme astratte, vettori di forze; l'altra che si muove in uno spazio gremito d'oggetti e cerca di creare un equivalente verbale di quello spazio riempiendo le pagine di parole, con uno sforzo minuzioso di adeguamento dello scritto al non scritto, alla totalità del dicibile e del non dicibile». Calvino distingue così nelle *Lezioni americane* due diversi tipi di "precisione" perseguiti nel suo lavoro di scrittore: uno tutto mentale e geometrico, l'altro orientato a rendere col massimo di concretezza il mondo sensibile. Dai testi di Calvino che avete letto citate qualche breve passo che vi sembra ascrivibile al primo e al secondo tipo di ricerca e spiegate i motivi della vostra scelta.

Interpretare

13. Alberto Asor Rosa ha individuato nell'opera di Calvino «la morale più perfettamente laica che la cultura italiana abbia mai prodotto, e cioè più coerentemente antideologica e antireligiosa che si potesse immaginare in un paese come questo». Siete d'accordo con questo giudizio? Quali aspetti dell'opera di Calvino vi sembrano più adatti a sostenerlo o a confutarlo?

Interpretare

14. Gian Carlo Ferretti ha messo in evidenza che, a fianco del Calvino ironico, distaccato, razionale, c'è «*l'altro Calvino*, il Calvino inquietante, amaro, tormentato, dolorante, dell'*alterità* naturale, di un mondo infantile, animale o preumano, emarginato e offeso da una razionalità umana incomprensiva e prevaricatrice, delle presunzioni e insensatezze del progetto, della politica e della società organizzata». In quali delle opere di Calvino che conoscete vi sembra di riconoscere questa tematica? In quali personaggi o situazioni si incarna?

Interpretare

15. In una recensione alla *Storia* di Elsa Morante (notizie in *T38.38*), Calvino ha espresso la sua diffidenza nei confronti dei romanzi che mirano a commuovere i lettori attraverso forme di effusione sentimentale: «Oggi sentiamo che far ridere il lettore, o fargli paura, sono procedimenti letterari onesti; farlo piangere, no. Perché nel far piangere ci sono pretese che il far ridere o il far paura non hanno».
– Facendo riferimento alle idee di Calvino sulla letteratura, provate a motivare la sua avversione per il "far piangere".
– Quali effetti vuole produrre Calvino sul lettore? Quali strategie adotta a questo scopo? Rispondete facendo riferimento a qualche testo, scelto come campione.

(Ri)scrivere

16. Riportiamo l'inizio di una *Cosmicomica*. Immaginate una prosecuzione (di non più di due pagine), in linea con la fantasia calviniana.

> *Una notte osservavo come al solito il cielo col mio telescopio. Notai che da una galassia lontana cento milioni di anni-luce sporgeva un cartello. C'era scritto: TI HO VISTO. Feci rapidamente il calcolo: la luce della galassia aveva impiegato cento milioni di anni a raggiungermi e siccome lassù vedevano quello che succedeva qui con cento milioni di ritardo, il momento in cui mi avevano visto doveva risalire a duecento milioni di anni fa. Prima ancora di controllare sulla mia agenda per sapere cosa avevo fatto quel giorno, ero stato preso da un presentimento agghiacciante: proprio duecento milioni di anni prima, né un giorno di più né un giorno di meno, m'era successo qualcosa che avevo sempre cercato di nascondere.*

Analisi del testo

17. *Analizzate e commentate* Il seno nudo *(T31.11), rispondendo alle seguenti domande. Potete svolgere l'esercizio rispondendo separatamente a ogni domanda, o integrando le singole risposte in un discorso complessivo, nell'ordine che vi sembra più efficace.*

Comprendere

17.1. Quali moventi spingono di volta in volta Palomar ad assumere atteggiamenti diversi passando vicino alla giovane donna?
17.2. Perché la donna alla fine se ne va indignata?
17.3. Come interpreta Palomar l'atteggiamento della donna?

Analizzare

17.4. Analizzate dal punto di vista sintattico il primo capoverso (righe 1-10), mettendo in luce le scelte (frasi lunghe o brevi; prevalenza della coordinazione o della subordinazione) che gli conferiscono la linearità e la chiarezza tipica della scrittura di Calvino.
17.5. In altri punti il narratore, per rendere la tortuosità dei processi mentali di Palomar, ricorre a scelte sintattiche più complicate: individuatene un esempio nel testo e analizzatelo.
17.6. Le scelte lessicali cercano di realizzare il massimo di esattezza e di precisione: indicate alcune espressioni da cui traspare con particolare evidenza questa ricerca.
2.4. Individuate le metafore e le similitudini presenti nel testo.

Contestualizzare *(rispondete a una delle due domande, a vostra scelta)*

17.7. Spiegate per quali aspetti Palomar assomiglia ad altri personaggi di Calvino, e si può considerare un autoritratto dell'autore stesso.
17.8. Collocate questo testo nel contesto dell'opera di Calvino, mettendolo in connessione con la prefazione a *Una pietra sopra (T40.3)*, scritta tre anni prima.

Interpretare

17.9. Le elucubrazioni e le titubanze di Palomar si possono leggere anche come rappresentazione di una più generale difficoltà maschile a vivere con naturalezza i rapporti con l'altro sesso. Vi sembra che negli attuali rapporti tra i sessi, questo tipo di difficoltà sia ancora presente? Nella risposta potete fare riferimento all'esperienza personale o a libri, film, trasmissioni televisive in cui è presente questo tema.

Analisi del testo

18. *Analizzate e commentate il testo qui riportato, rispondendo alle domande del questionario. Potete svolgere l'esercizio rispondendo separatamente a ogni domanda, o integrando le singole risposte in un discorso complessivo, nell'ordine che vi sembra più efficace.*

Questo racconto, scritto nel 1958, fa parte di una raccolta intitolata Gli amori difficili.

L'avventura di due sposi

L'operaio Arturo Massolari faceva il turno della notte, quello che finisce alle sei. Per rincasare aveva un lungo tragitto, che compiva in bicicletta nella bella stagione, in tram nei mesi piovosi e invernali. Arrivava a casa tra le sei e tre quarti e le sette, cioè alle volte un po' prima alle volte un po' dopo che suonasse la sveglia della moglie, Elide.

Spesso i due rumori: il suono della sveglia e il passo di lui che entrava si sovrapponevano nella mente di Elide, raggiungendola in fondo al sonno, il sonno compatto della mattina presto che lei cercava di spremere ancora per qualche secondo col viso affondato nel guanciale. Poi si tirava su dal letto di strappo e già infilava le braccia alla cieca nella vestaglia, coi capelli sugli occhi. Gli appariva così, in cucina, dove Arturo stava tirando fuori i recipienti vuoti dalla borsa che si portava con sé sul lavoro: il portavivande, il termos, e li posava sull'acquaio. Aveva già acceso il fornello e aveva messo su il caffè. Appena lui la guardava, a Elide veniva da passarsi una mano sui capelli, da spalancare a forza gli occhi, come se ogni volta si vergognasse un po' di questa prima immagine che il marito aveva di lei entrando in casa, sempre così in disordine, con la faccia mezz'addormentata. Quando due hanno dormito insieme è un'altra cosa, ci si ritrova al mattino a riaffiorare entrambi dallo stesso sonno, si è pari.

Alle volte invece era lui che entrava in camera a destarla, con la tazzina del caffè, un minuto prima che la sveglia suonasse; allora tutto era più naturale, la smorfia per uscire dal sonno prendeva una specie di dolcezza pigra, le braccia che s'alzavano per stirarsi, nude, finivano per cingere il collo di lui. S'abbracciavano. Arturo aveva indosso il giaccone impermeabile; a sentirselo vicino lei capiva il tempo che faceva: se pioveva o faceva nebbia o c'era neve, a secondo di com'era umido e freddo. Ma gli diceva lo stesso: – Che tempo fa? – e lui attaccava il suo solito brontolamento mezzo ironico, passando in rassegna gli inconvenienti che gli erano occorsi, cominciando dalla fine: il percorso in bici, il tempo trovato uscendo di fabbrica, diverso da quello di quando c'era entrato la sera prima, e le grane sul lavoro, le voci che correvano nel reparto, e così via.

A quell'ora, la casa era sempre poco scaldata, ma Elide s'era tutta spogliata, un po' rabbrividendo, e si lavava, nello stanzino da bagno. Dietro veniva lui, più con calma, si spogliava e si lavava anche lui, lentamente, si toglieva di dosso la polvere e l'unto dell'officina. Così stando tutti e due intorno allo stesso lavabo, mezzo nudi, un po' intirizziti, ogni tanto dandosi delle spinte, togliendosi di mano il sapone, il dentifricio, e continuando a dire le cose che avevano da dirsi, veniva il momento della confidenza, e alle volte, magari aiutandosi a vicenda a strofinarsi la schiena, s'insinuava una carezza, e si trovavano abbracciati.

Ma tutt'a un tratto Elide: – Dio! Che ora è già! – e correva a infilarsi il reggicalze, la gonna, tutto in fretta, in piedi, e con la spazzola già andava su e giù per i capelli, e sporgeva il viso allo specchio del comò, con le mollette strette tra le labbra. Arturo le veniva dietro, aveva acceso una sigaretta, e la guardava stando in piedi, fumando, e ogni volta pareva un po' impacciato, di dover stare lì senza poter fare nulla. Elide era pronta, infilava il cappotto nel corridoio, si davano un bacio, apriva la porta e già la si sentiva correre giù per le scale.

Arturo restava solo. Seguiva il rumore dei tacchi di Elide giù per i gradini, e quando non la sentiva più continuava a seguirla col pensiero, quel trotterellare veloce per il cortile, il portone, il marciapiede, fino alla fermata del tram. Il tram lo sentiva bene, invece: stridere, fermarsi, e lo sbattere della pedana a ogni persona che saliva. «Ecco, l'ha preso», pensava, e vedeva sua moglie aggrappata in mezzo alla folla d'operai e operaie sull'"undici", che la portava in fabbrica come tutti i giorni. Spegneva la cicca, chiudeva gli sportelli alla finestra, faceva buio, entrava in letto.

Il letto era come l'aveva lasciato Elide alzandosi, ma dalla parte sua, di Arturo, era quasi intatto, come fosse stato rifatto allora. Lui si coricava dalla propria parte, per bene, ma dopo allungava una gamba in là, dov'era rimasto il calore di sua moglie, poi ci allungava anche l'altra gamba, e così a poco a poco si spostava tutto dalla parte di Elide, in quella nicchia di tepore che conservava ancora la forma del corpo di lei, e affondava il viso nel suo guanciale, nel suo profumo, e s'addormentava.

Quando Elide tornava, alla sera, Arturo già da un po' girava per le stanze: aveva acceso la stufa, messo qualcosa a cuocere. Certi lavori li faceva lui, in quelle ore prima di cena, come rifare il letto, spazzare un po', anche mettere a bagno la roba da lavare. Elide poi trovava tutto malfatto, ma lui a dir la verità non ci metteva nessun impegno in più: quello che lui faceva era solo una specie di rituale per aspettare lei, quasi un venirle incontro pur restando tra le pareti di casa, mentre fuori s'accendevano le luci e lei passava per le botteghe in mezzo a quell'animazione fuori tempo dei quartieri dove ci sono tante donne che fanno la spesa alla sera.

Alla fine sentiva il passo per la scala, tutto diverso da quello della mattina, adesso appesantito, perché Elide saliva stanca dalla giornata di lavoro e carica della spesa. Arturo usciva sul pianerottolo, le prendeva di mano la sporta, entravano parlando. Lei si buttava su una sedia in cucina, senza togliersi il cappotto, intanto che lui levava la roba dalla sporta. Poi: – Su, diamoci un addrizzo, – lei diceva, e s'alzava, si toglieva il cappotto, si metteva in veste da casa. Cominciavano a preparare da mangiare: cena per tutt'e due, poi la merenda che si portava lui in fabbrica per l'intervallo dell'una di notte, la colazione che doveva portarsi in fabbrica lei l'indomani, e quella da lasciare pronta per quando lui l'indomani si sarebbe svegliato.

Lei un po' sfaccendava un po' si sedeva sulla seggiola di paglia e diceva a lui cosa doveva fare. Lui invece era l'ora in cui era riposato, si dava attorno, anzi voleva far tutto lui, ma sempre un po' distratto, con la testa già ad altro. In quei momenti lì, alle volte arrivavano sul punto di urtarsi, di dirsi qualche parola brutta, perché lei lo avrebbe voluto più attento a quello che faceva, che ci mettesse più impegno, oppure che fosse più attaccato a lei, le stesse più vicino, le desse più consolazione. Invece lui, dopo il primo entusiasmo perché lei era tornata, stava già con la testa fuori di casa, fissato nel pensiero di far presto perché doveva andare.

Apparecchiata tavola, messa tutta la roba pronta a portata di mano per non doversi più alzare, allora c'era il momento dello struggimento che li pigliava tutti e due d'avere così poco tempo per stare insieme, e quasi non riuscivano a portarsi il cucchiaio alla bocca, dalla voglia che avevano di star lì a tenersi per mano.

Ma non era ancora passato tutto il caffè e già lui era dietro la bicicletta a vedere se ogni cosa era in ordine. S'abbracciavano. Arturo sembrava che solo allora capisse com'era morbida e tiepida la sua sposa. Ma si caricava sulla spalla la canna della bici e scendeva attento le scale.

Elide lavava i piatti, riguardava la casa da cima a fondo, le cose che aveva fatto il marito, scuotendo il capo. Ora lui correva le strade buie, tra i radi fanali, forse era già dopo il gasometro. Elide andava a letto, spegneva la luce. Dalla propria parte, coricata, strisciava un piede verso il posto di suo marito, per cercare il calore di lui, ma ogni volta s'accorgeva che dove dormiva lei era più caldo, segno che anche Arturo aveva dormito lì, e ne provava una grande tenerezza.

Comprendere

18.1. Riassumete il racconto in non più di 50 parole.
18.2. Quale aspetto della vita sociale viene denunciato dal racconto?

Analizzare

Aiutandovi con la nostra analisi di *La gallina di reparto* (*T40.7*), analizzate il racconto in relazione a:
18.3. Il «disegno dell'opera»;
18.4. Immagini e similitudini;
18.5. La precisione del linguaggio.

Contestualizzare

18.6. Collocate *L'avventura di due sposi* nell'ambito dell'opera di Calvino, accostandola per somiglianza e per contrasto a testi scritti negli stessi anni (*Il midollo del leone*, T40.1; *La gallina di reparto*, T40.7, *Il cavaliere inesistente*, T40.8 ed eventualmente altri non contenuti nell'antologia).

Interpretare

18.7. Vi sembra che in questo racconto Calvino sia riuscito ad andare oltre la pura e semplice denuncia sociale, coinvolgendo la fantasia, le emozioni, la curiosità del lettore? Motivate la vostra risposta positiva o negativa con riferimenti al testo.

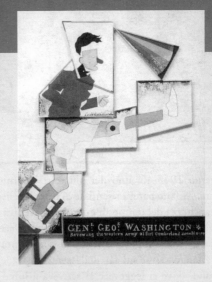

PERCORSI

Percorsi storico culturali

L'"impegno" degli intellettuali

Percorsi su un genere letterario

Letteratura di massa e di consumo 2

Narrativa postmoderna e dintorni

La poesia del quotidiano

Percorsi tematici

Le donne come soggetto e come oggetto della scrittura 6

Anni cinquanta e sessanta: la grande trasformazione

Immagini del sud nella letteratura

L'"impegno" degli intellettuali

Era l'inverno 1945-46, uno dei più tetri inverni di quegli anni. Milano pareva risentisse di tutta la tensione e la stanchezza del tempo di guerra. Chi veniva da Roma, già avvezzo ad un dopoguerra diverso[1], faceva fatica a capire come si potesse vivere in quella città di macerie e fango dove, sul far della sera, le strade si spopolavano, dove si leggeva e si scriveva a lume di candela con guanti, cappotto e passamontagna, dove la gente faceva ancora la coda per il pane e il riso e tutte le notti suonavano i colpi di mitra e di rivoltella degli "spiombatori"[2] e dei banditi, da scali merci, depositi ferroviari, fabbriche. [...] La redazione del "Politecnico" era allora non lontana dalla cappella dell'antico lazzaretto manzoniano, in un quartiere ch'era diventato il porto di mare dei camionisti, allora re delle strade, e dei borsari neri[3]; fitto di donne, di osterie, di sale da ballo. [...] Qualche volta il "Politecnico" veniva incollato ai muri cittadini; e ci dava un brivido d'orgoglio vedere i nomi e i pensieri della poesia e dell'arte, di un amore che si era sempre creduto votato all'ombra e al riserbo, tremare all'aria e alla nebbia, lettura dei passanti, dei reduci dagli occhi smorti, dei vagabondi. Talvolta si andava nei circoli operai, nelle fabbriche, a parlare del "Politecnico". Ricordo una sera verso piazzale Corvetto, una specie di *hangar* mal illuminato, pieno di operai, di donne con i bambini sulle ginocchia; e ascoltavano parlare del "Politecnico" come di una cosa loro, come si trattasse del loro lavoro e della loro salute, e interrogavano, volevano sapere.

Franco Fortini, «Che cosa è stato il "Politecnico"» in *Dieci inverni*, De Donato, Bari, 1973.

1. **già avvezzo... diverso**: a Roma la guerra era finita con l'ingresso delle truppe alleate il 4 giugno 1944, a Milano solo con la resa dei tedeschi il 25 aprile 1945.
2. **spiombatori**: propriamente, ferrovieri addetti ad aprire i vagoni merci, togliendo i piombi che li sigillano; qui, tra virgolette, si intendono ladri che aprivano i vagoni per saccheggiarli.
3. **borsari neri**: quelli che esercitavano la "borsa nera", cioè il commercio illegale di generi di prima necessità in tempi di razionamento.

Franco Fortini (vedi **T38.70**) in questo articolo del 1953 rievocava la bruciante esperienza della rivista "Politecnico", vissuta otto anni prima sotto la guida di Elio Vittorini. Come Vittorini, Fortini dopo aver partecipato alla Resistenza si era gettato nel progetto della ricostruzione morale e civile del paese uscito dalla guerra e dal fascismo. Nelle parole dell'autore si sente l'entusiasmo che aveva animato i redattori della rivista, che si sentivano finalmente parte di un movimento popolare, che non sentivano più la loro raffinata cultura estranea ai bisogni della gente comune. Nelle stesse parole si sente anche come a pochi anni di distanza quell'illusione fosse già caduta.

Il "Politecnico" rappresentò il breve momento culminante di quella esperienza di "impegno" nel movimento operaio che gli intellettuali di sinistra avevano coltivato a partire dalla rivoluzione sovietica. Ripercorrendo la storia del travagliato rapporto tra letteratura e politica nel Novecento, vedremo come all'inizio del secolo le prime forme di militanza politica di scrittori e filosofi siano state orientate per lo più verso la destra nazionalista e militarista; lo schieramento "a sinistra" diventa prevalente nel periodo fra le due guerre mondiali e trionfa dopo la seconda, quando i termini francese *"engagement"* e italiano "impegno" prendono un significato politico-culturale. Vedremo anche come il rapporto fra impegno politico-sociale e attività creativa sia stato teorizzato, ma spesso anche rifiutato, e concluderemo con alcuni esempi di arte e poesia nata nel clima dell'"impegno".

1. Profeti dell'attivismo

All'alba del Novecento le filosofie più diffuse privilegiano gli aspetti dinamici e fluidi della realtà. Molti letterati e intellettuali interpretano questa tendenza come una spinta verso l'esaltazione della violenza, del nazionalismo e del militarismo

▶ Henri Bergson, «*L'azione spezza il cerchio*» (Vol. G **T31.3**)

▶ Filippo Tommaso Marinetti, *Manifesto del futurismo* (Vol. G **T31.14**)

▶ Giovanni Papini, *Campagna per il forzato risveglio* (Vol. G **T31.27**)

▶ Enrico Corradini, *La guerra* (Vol. G **T31.28**)

Esercizi

1. Individuate nei brani di Marinetti e di Papini gli elementi che si possono ricondurre alla lontana a qualche aspetto del pensiero di Bergson.

2. L'articolo di Corradini precede di cinque anni il *Manifesto del futurismo*; rintracciate i motivi comuni ai due testi.

3. Sintetizzate le idee sul ruolo politico-sociale del letterato che si possono ritrovare implicite nei brani di Marinetti, Papini, Corradini.

2. Il dibattito fra le due guerre

Negli anni venti e trenta, alcuni intellettuali sentono il loro ruolo schiacciato dall'avvento della civiltà di massa. Altri reagiscono a questa condizione schierandosi direttamente nella lotta politico-culturale, che in quegli anni si polarizza intorno allo scontro fra i totalitarismi comunista sovietico e fascista o nazista.

▶ Paul Valéry, *Sull'intelligenza come classe* (Vol. G **T31.9**)

▶ José Ortega y Gasset, *La ribellione delle masse* (Vol. G **T31.10**)

▶ Paul Nizan, *Un umanesimo reale* (Vol. G **T31.11**)

▶ Louis Férdinand Céline, *«L'odore della porca prebenda»* (Vol. G **T31.12**)

▶ Bertolt Brecht, *Tempi grami per la lirica* (Vol. G **T31.20**)

Esercizi

4. Nei brani di Valéry e di Orgeta y Gasset vengono descritti aspetti diversi del disagio dell'intellettuale nella moderna civiltà industriale e di massa. Analizzateli e confrontateli.

5. Sintetizzate l'idea sui compiti sociali dello scrittore che si può rinvenire implicita nel brano di Nizan.

6. Ammesso che si possa pensare che nel brano di Céline sia implicita un'idea del ruolo sociale di un intellettuale, quale potrebbe essere?

7. La poesia di Brecht presenta il conflitto fra due funzioni contrastanti della poesia: raccogliete le espressioni che manifestano ciascuna delle due, e fatene una sintesi.

3. L'"impegno" nel dopoguerra

Nel periodo successivo alla seconda guerra mondiale, prevalgono ancora le teorie e le poetiche che chiedono allo scrittore di schierarsi per la rivoluzione o per il progresso sociale; alcuni però, come i maggiori poeti italiani anziani all'epoca, rifiutano di comprometterre la poesia con le lotte politiche.

▶ Jean-Paul Sartre, *La responsabilità dello scrittore* (**T37.20**)

▶ Elio Vittorini, *Una nuova cultura* (**T37.23**)

▶ György Lukács, *Il vero realismo* (**T37.21**)

▶ Herbert Marcuse, *Il pensiero dialettico e l'avanguardia letteraria* (**T37.22**)

▶ Giuseppe Ungaretti, *La missione della poesia* (Vol. G **T35.6**)

▶ Eugenio Montale, «*Una totale disarmonia con la realtà*» (Vol. G **T36.6**)

▶ Eugenio Montale, *Piccolo testamento* (Vol. G **T36.23**)

Esercizi

8. Illustrate gli aspetti comuni alle scelte compiute da Sartre e da Vittorini al termine della seconda guerra mondiale.

9. Vittorini rivolge una critica alla cultura tradizionale che ha qualche somiglianza con quella mossa da Nizan (**T31.11**) quindici anni prima. Confrontate i due brani sotto questo aspetto.

10. Lukács e Marcuse presentano due punti di vista diversi sul ruolo che l'arte e la letteratura possono avere nei confronti del progresso sociale. Confrontateli.

11. Sintetizzate le idee espresse da Ungaretti e da Montale sulle responsabilità del poeta nei confronti della società e delle vicende storiche. In che cosa si distinguono dall'"impegno" proclamato da Sartre e da Vittorini?

4. Artisti e poeti impegnati

Sul versante creativo delle arti figurative e della letteratura, l'impegno si manifesta in opere di forte impatto emotivo nel periodo fra le due guerre; negli anni seguenti la seconda guerra mondiale, il coinvolgimento della poesia nelle sue responsabilità sociali si manifesta in forme più problematiche e perplesse.

▶ George Grosz, Otto Dix, *Figurazione come impegno sociale* (Vol. G **T31.46**)

▶ Bertolt Brecht, *Domande di un lettore operaio* (Vol. G **T32.12**)

▶ Nâzım Hikmet, *Consigli a uno che deve stare in prigione* (Vol. G **T32.13**)

▶ Pier Paolo Pasolini, *Le ceneri di Gramsci* (**T38.69**)

▶ Franco Fortini, *La gronda* (**T38.70**)

▶ Giovanni Giudici, *Una sera come tante* (**T38.71**)

Esercizi

12. Considerate la dichiarazione programmatica di George Grosz riportata nel Dialogo con l'opera di **T31.46**. Che cosa ha di affine alle posizioni di Nizan (**T31.11**), Sartre (**T37.20**), Vittorini (**T37.23**)? e che cosa di specifico?

13. La poesia impegnata è stata spesso accusata di essere predicatoria, di sacrificare l'intensità espressiva alla propaganda. A vostro parere questa critica si può applicare ai testi di Brecht e di Hikmet? Motivate la vostra risposta.

14. Nelle poesie di Pasolini, Fortini, Giudici è evidente la volontà di legarsi alle lotte per la giustizia sociale, ma è presente anche un aspetto di ripiegamento del poeta su di sé che non si trovava in quelle di Brecht e di Hikmet. Illustrate questo aspetto nei tre poeti.

Letteratura di massa e di consumo 2

Copertina di Dylan Dog, *Golconda*, albo n. 41, febbraio 1990 (illustrazione di Claudio Villa - Copyright 2005 Sergio Bonelli Editore)

René Magritte **Golconda** (1953), Menil Collection, Houston, Texas

Magritte (Vol. G **T31.48**) è uno dei massimi esponenti del surrealismo. In questo suo dipinto, sullo sfondo di un lindo e sereno paesaggio cittadino, uno stuolo di distinti uomini in bombetta, tutti identici tra loro e ripresi da diverse angolazioni, galleggiano incongruamente a mezz'aria. Ciò che rende ancora più spiazzante il dipinto è che l'ombra degli uomini, oltre a riflettersi sulle facciate delle case, si stampa anche sull'immaginario piano trasparente del cielo.

La copertina di *Dylan Dog* cita esplicitamente il quadro di Magritte, tanto nel titolo quanto nei principali elementi figurativi (gli uomini in bombetta sospesi tra cielo e terra, le case sullo sfondo), ma ne modifica la prospettiva spaziale e vi introduce due elementi nuovi, che ne cambiano il significato: la presenza del protagonista

che contempla esterrefatto la scena, e l'essere mostruoso – tipica creatura da racconto *horror* – che fuoriesce dal cervello dell'uomo in bombetta in primo piano.

Questa contaminazione tra il dipinto di un artista consacrato e la copertina di un popolarissimo prodotto "di consumo" mette in evidenza un fenomeno tipico della cultura contemporanea: la disinvolta manipolazione della tradizione artistica e letteraria del passato da parte della letteratura di massa. Ne risultano opere di tipo nuovo, capaci di rispondere contemporaneamente a due diverse esigenze dei lettori: da un lato il piacere di ritrovare i procedimenti e gli ingredienti tipici della narrativa di genere, dall'altro il gusto di riconoscere, al loro interno, i riferimenti dotti introdotti consapevolmente dagli autori, strizzando l'occhio al pubblico più acculturato.

1. Il dibattito sulla cultura di massa

Nel Novecento il dibattito sulla cultura di massa coincide sostanzialmente con il dibattito sugli effetti del progresso tecnologico e dei nuovi *media* elettronici. Tre intellettuali prendono posizioni diverse sul rapporto tra tecnologia, televisione e cultura.

▶ Theodor W. Adorno, *«La passione ipnotica e stregata»* (**T37.5**)

▶ Edgar Morin, *Cultura alta e bassa* (**T37.6**)

▶ Edgar Morin, *L'uomo televisionario* (**T37.7**)

▶ Marshall McLuhan, *«Il medium è il messaggio»* (**T37.8**)

Esercizi

1. Catalogate gli argomenti a favore e contro la cultura di massa presenti nei testi, mettendo in luce l'atteggiamento complessivo (esaltazione, condanna, neutralità) di ciascun autore nei confronti della cultura di massa.

2. Qual è la vostra posizione in merito alle questioni poste dagli autori? Nella risposta fate riferimento al vostro rapporto con la televisione e con l'attuale cultura di massa.

2. Le attese del pubblico e il mestiere dello scrittore

Due grandi scrittori italiani si pronunciano in modo opposto sul rapporto che lo scrittore deve intrattenere con le attese e le abitudini dei lettori comuni.

▶ Carlo Emilio Gadda *Contro la lingua dell'uso* (**T39.6**)

▶ Italo Calvino *Il divertimento è una cosa seria* (**T40.4**)

Esercizi

3. Mettete in connessione le diverse posizioni di Calvino e di Gadda nei confronti delle attese dei lettori comuni con le diverse idee dei fini della letteratura e dei compiti dello scrittore che emergono dai loro testi.

3. Generi di massa e qualità letteraria

L'utilizzo di tecniche narrative avanzate da parte del più famoso specialista attuale del genere *horror* e l'incursione di autori canonici nei generi di massa testimoniano il carattere sempre più sfumato della distinzione tra letteratura "alta" e letteratura popolare.

▶ Stephen King, *Misery* (**T38.25**)

▶ Leonardo Sciascia, *«Perché, hanno sparato?»* (**T38.52**)

▶ Primo Levi, *Lumini rossi* (**T38.46**)

Esercizi

4. Facendo riferimento alla trama di *Misery*, collocate il romanzo nel genere di massa a cui appartiene, spiegando i motivi della vostra collocazione. Analizzate poi le tecniche narrative del brano riportato, mettendone in luce la somiglianza con quelle impiegate dagli scrittori canonici del Novecento.

5. Nell'ambito di quali generi si collocano i testi di Leonardo Sciascia e di Primo Levi? Quali tratti distintivi dei due generi consentono di operare questa catalogazione? Quali problemi della società contemporanea sono affrontati dai due autori?

4. Contaminazioni

La tendenza alla mescolanza tra i generi è tipica della «condizione postmoderna», nella quale tendono a sparire le demarcazioni tra le gerarchie e i livelli della letteratura e dell'arte, e si afferma una poetica della contaminazione e del meticciato.

▶ Remo Ceserani, *Una mappa del postmoderno* (**T37.18**)

▶ Mimmo Paladino, Carlo Maria Mariani, Keith Haring *Figurazione postmoderna* (**T37.38**)

▶ Umberto Eco, *L'arrivo all'abbazia* (**T38.56**)

▶ Stefano Benni, *Papà va in TV* (**T38.61**)

▶ Aldo Nove, *Lisa dagli occhi blu* (**T38.64**)

▶ Niccolò Ammaniti, *«Io sono Tiger»* (**T38.65**)

Esercizi

6. Le opere letterarie e artistiche presenti in questa sezione testimoniano che ormai è impossibile fare una distinzione netta tra arte "alta" e "di massa". Si possono notare una serie di caratteristiche che vanno in questa direzione:

• scelte figurative, narrative e linguistiche volutamente sgrammaticate e "ingenue";

• citazioni irriverenti della tradizione artistica e letteraria;

• mescolanza dei caratteri tipici di diversi generi, di tradizione "alta" e di consumo;

• presenza di procedimenti e tecniche mutuati dai mezzi di comunicazione di massa;

• combinazioni di elementi che possono risultare interessanti e gradevoli tanto per il lettore colto quanto per il lettore comune.

Attribuite una o più di queste caratteristiche a ciascuno dei testi.

7. Individuate un testo in cui sia presente uno dei caratteri attribuiti da Ceserani alla condizione postmoderna, e spiegate i motivi della vostra scelta.

Aldo Spoldi
Le avventure di Gordon Pym (1982)
[in C. Pirovano (a c. di),
La pittura in Italia,
vol. 9, tomo 3,
E. Crispolti, *Il Novecento/3.
Le ultime ricerche*,
Electa, 1994, p. 194]

Le avventure di Gordon Pym (1838) è un romanzo di Edgar Allan Poe (notizie biografiche in Vol. E **T21.12**), ricco dei toni inquietanti e macabri tipici dell'autore americano. Un secolo e mezzo dopo l'uscita del romanzo, il pittore Aldo Spoldi ne prende a prestito il titolo, attribuendolo a un'opera stralunata e giocosa, che sembra non avere alcun punto in comune con la sua fonte d'ispirazione. Il protagonista è una creatura di natura incerta, un po' essere umano e un po' fantoccio, un *puzzle* di frammenti vivacemente colorati e staccati che galleggiano a mezz'aria, senza peso e senza profondità, in acrobatico e precario equilibrio su una sedia che si sta rovesciando. La frammentarietà della bizzarra figura è sottolineata dalla moltiplicazione delle cornici di forme disparate che contornano i sei quadri da cui è costituita. L'immagine è accostata a una didascalia, apparentemente d'epoca, che reca una scritta inglese del tutto incongruente: "Il Generale George Washington passa in rivista l'esercito occidentale al forte Cumberland, 19 settembre 1794".

La mescolanza aprospettica di momenti disparati del passato e del presente, la palese insensatezza delle connessioni tra le parole e le immagini, l'artificialità e lo spezzettamento del personaggio, il carattere ludico, leggero e svagato della composizione sono tratti tipici di quel clima artistico e culturale che viene definito "postmoderno". Si tratta in realtà di un concetto di difficile definizione e dai confini sfumati, che contiene in sé fenomeni anche molto diversi: in questo percorso partiremo da riflessioni teoriche, opere letterarie e figurative il cui carattere postmoderno è indiscutibile e dichiarato, per passare poi in rassegna testi che interagiscono in forme diverse con questo diffuso atteggiamento culturale.

1. Postmoderno in senso proprio

Due approcci saggistici al tema della condizione postmoderna e alcune opere artistiche e letterarie che si collocano a pieno titolo in questo clima: mettendoli a confronto è possibile delineare alcuni lineamenti del postmoderno.

▶ Jean-François Lyotard, *Sapere e potere nelle società informatizzate* (**T37.17**)

▶ Remo Ceserani, *Una mappa del postmoderno* (**T37.18**)

▶ Mimmo Paladino, Carlo Maria Mariani, Keith Haring, *Figurazione postmoderna* (**T37.38**)

▶ Thomas Pynchon, *Oedipa, l'analista e l'avvocato* (**T38.21**)

▶ Don DeLillo, *La stalla più fotografata d'America* (**T38.22**)

Esercizi

1. Accostate i testi di Lyotard e di Ceserani e sintetizzate i fenomeni storici e sociali, le svolte antropologiche, i cambiamenti della mentalità e del gusto che i due studiosi considerano tipici dell'epoca postmoderna.

2. I dipinti di Paladino, Mariani, Haring sono nettamente diversi; aiutandovi con il DIALOGO CON L'OPERA, spiegate perché, nonostante le evidenti differenze, possano collocarsi nell'ambito del gusto postmoderno.

3. Pynchon e DeLillo sono considerati due esponenti tipici della narrativa postmoderna. Facendo riferimento alla sintesi della trama e ai brani riportati nell'antologia, individuate i caratteri comuni dei due romanzi. Quali collegamenti si possono istituire con i testi di Lyotard e di Ceserani?

2. "Aria di famiglia"

In autori di provenienze, storie e propensioni letterarie diverse si possono riscontrare caratteri accostabili a quelli tipici della narrativa postmoderna. Un confronto può dare l'idea della diffusione di una situazione sociale e culturale comune, e delle risposte specifiche da essa suscitate.

▶ Günther Grass, *Il terzo seno* (**T38.2**)

▶ Salman Rushdie, *Mutazione* (**T38.4**)

▶ Luigi Malerba, *C'è da aver paura* (**T38.50**)

▶ Umberto Eco, *L'arrivo all'abbazia* (**T38.56**)

▶ Pier Vittorio Tondelli, *Autobahn* (**T38.57**)

▶ Antonio Tabucchi, *«C'è una signora che desidera parlare con lei»* (**T38.58**)

▶ Stefano Benni, *Papà va in TV* (**T38.61**)

▶ Aldo Nove, *Lisa dagli occhi blu* (**T38.64**)

▶ Italo Calvino, *Se una notte d'inverno un viaggiatore* (**T40.10**)

▶ Italo Calvino, *Due osservazioni del signor Palomar* (**T40.11**)

Esercizi

4. Tra i caratteri tipici della narrativa postmoderna si possono annoverare:
- la mescolanza di livelli stilistici e di generi ("alti" e "di massa") tradizionalmente separati;

- la frammentarietà, la complicazione e l'incongruità delle trame;
- la tendenziale cancellazione del confine tra verosimiglianza e inverosimiglianza dei fatti narrati;
- la presenza ossessiva dei *media* come filtro di interpretazione della realtà;
- la messa in campo di personaggi frammentati, dalla psicologia sommaria e stereotipata;
- il senso di una realtà indecifrabile e ingovernabile;
- l'intonazione distaccata o addirittura ilare con la quale sono affrontati i più tragici problemi della contemporaneità.

Quale o quali di questi caratteri sono presenti in ciascuno dei testi di questa sezione? Per quali aspetti se ne può invece notare una distanza dal clima postmoderno?

La poesia del quotidiano

la poesia è ancora praticabile, probabilmente: io me la pratico, lo vedi,
in ogni caso, praticamente così:

                        con questa poesia molto quotidiana (e molto
da quotidiano, proprio): e questa poesia molto giornaliera (e molto giornalistica,
anche, se vuoi) è più chiara, poi, di quell'articolo di Fortini che chiacchiera
5   della chiarezza degli articoli dei giornali, se hai visto il "Corriere" dell'11,
lunedì, e che ha per titolo, appunto, "perché è difficile scrivere chiaro" (e che
dice persino, ahimè, che la chiarezza è come la verginità e la gioventù): (e che
bisogna perderle, pare, per trovarle): (e che io dico, guarda, che è molto meglio
perderle che trovarle, in fondo):

                        perché io sogno di sprofondarmi a testa prima,
10   ormai, dentro un assoluto anonimato (oggi, che ho perduto tutto, o quasi): (e
questo significa, credo, nel profondo, che io sogno assolutamente di morire,
questa volta, lo sai):

                 oggi il mio stile è non avere stile:

(Edoardo Sanguineti, da *Postkarten. Poesie 1972-1977*, Feltrinelli, Milano, 1978)

Questo testo di Edoardo Sanguineti si può leggere come un'applicazione concreta della poetica che in esso stesso viene dichiarata: una poesia «quotidiana» e «da quotidiano», «giornaliera» e «giornalistica», caratterizzata da una marcata intonazione colloquiale («lo vedi», «se vuoi», «se hai visto»…), un andamento diaristico e cronachistico («il "Corriere" dell'11»), un uso insistito di espressioni comuni e quotidiane («me la pratico», «chiacchiera», «bisogna perderle, pare, per trovarle»…). Nei primi versi il riferimento a un tema serio e grave come la sopravvivenza della poesia è subito smorzato dal tono possibilista («probabilmente», v. 1) e dalla connotazione artigianale attribuita al lavoro del poeta («praticamente», v. 2). E anche la situazione psicologica di disperazione che si delinea negli ultimi versi, immediatamente ridimensionata da un inciso («oggi, che ho perduto tutto, *o quasi*»v. 10), spiazza il lettore per il suo carattere improvviso e l'intonazione brusca e apparentemente sbadata.

È interessante che queste scelte tematiche e stilistiche vengano da uno dei massimi esponenti della neoavanguardia, che negli anni sessanta aveva teorizzato e praticato la ricerca di un linguaggio programmaticamente oscuro e lontano dalla lingua comune (**T38.77**). Con questo tipo di componimenti Sanguineti si raccorda a una linea della lirica del Novecento che, con intenzioni ed esiti diversi, si caratterizza per la quotidianità dei temi e la prosaicità del linguaggio.

1. Primo Novecento

Cinque poeti del primo Novecento prendono le distanze dall'allusività e dall'astrazione lirica tipiche della poesia dell'epoca (vedi il percorso *Il simbolismo e la lirica moderna 2*), conferendo ai loro testi un andamento di volta in volta narrativo, ironico, cantabile, volutamente semplice e leggero.

▸ Konstantinos Kavafis, *Così* (Vol. G **T32.14**)

▸ Guido Gozzano, «*Le buone cose di pessimo gusto*» (Vol. G **T32.16**)

▸ Marino Moretti, *A Cesena* (Vol. G **T32.18**)

▸ Umberto Saba, *La capra* (Vol. G **T32.34**)

▸ Sandro Penna, *Interno* (Vol. G **T32.44**)

Esercizi

1. Nelle poesie di Gozzano e di Moretti è evidente un intento ironico, di polemica indiretta contro le intonazioni solenni e autocelebrative della poesia dannunziana. Spiegate come questa intenzione traspaia dalle scelte tematiche e stilistiche delle due liriche.

2. Dalle poesie di Kavafis, Saba e Penna è assente ogni intento ironico. Date di ciascuna un'interpretazione complessiva facendo riferimento a:
• il contenuto (narrativo, introspettivo, riflessivo…);
• il significato affettivo e/o simbolico che in ogni testo assume l'oggetto, la situazione, il personaggio da cui prende spunto la poesia;
• gli effetti che ciascuno dei tre poeti intende produrre sui lettori attraverso le sue scelte tematiche e stilistiche.

2. Secondo Novecento

La poesia del secondo Novecento tende ad accantonare l'idea dell'assolutezza lirica dominante nella prima metà del secolo per compromettersi con i linguaggi della quotidianità: a fianco di una linea sperimentale, che spinge l'impasto di diversi registri linguistici fino all'indecifrabilità, prosegue la tendenza a una discorsività più diretta e comunicativa.

▸ Giorgio Caproni, *Preghiera* (**T38.67**)

▸ Giorgio Caproni, *Dopo la notizia* (**T38.68**)

▸ Giovanni Giudici, *Una sera come tante* (**T38.71**)

▸ Elio Pagliarani, *La ragazza Carla* (**T38.75**)

▸ Edoardo Sanguineti, *tutto è incominciato* (**T38.78**)

▸ Maurizio Cucchi, *Monte Sinai* (**T38.79**)

▸ Wislawa Szimborska, *La passeggiata del risuscitato* (**T38.16**)

Esercizi

3. Nelle liriche di questa sezione si possono individuare diversi nuclei tematici:
• evocazione di sentimenti privati;
• riflessione filosofica;
• denuncia di situazioni sociali inautentiche;
• rappresentazione ironica del caos dell'esistenza contemporanea;
• descrizione di eventi e situazioni banali;
• rappresentazione di storie che condensano esemplarmente problemi della contemporaneità.
Individuate quale o quali di questi nuclei tematici si trovano in ciascun testo, motivando la vostra scelta.

4. Scegliete due testi di questa sezione che vi sembrino nettamente diversi e analizzatene le scelte formali (metro, rime, effetti di suono, struttura sintattica, lessico…), mettendo in luce le differenze e dandone un'interpretazione.

3. L'ultimo Montale

Nelle ultime raccolte di Montale il poeta passa dalla forma chiusa e concentrata che aveva caratterizzato la sua poesia precedente a un'intonazione affabile e piana, a cui corrisponde un'inedita varietà di temi.

▸ Eugenio Montale, *Al Saint James di Parigi* (Vol. G **T36.25**)

▸ Eugenio Montale, *Nel silenzio* (Vol. G **T36.27**)

▸ Eugenio Montale, *Il pirla* (Vol. G **T36.28**)

▸ Eugenio Montale, *Il fuoco* (Vol. G **T36.29**)

▸ Eugenio Montale, *Sulla spiaggia* (Vol. G **T36.30**)

Esercizi

5. Le prime tre poesie sono dialoghi con la moglie morta: quale significato può avere secondo voi la scelta di situazioni e toni dimessi per affrontare un sentimento di dolore e di mancanza? Quali altri temi si intrecciano in ciascuno dei tre testi con quello del ricordo della moglie?

6. *Il fuoco* e *Sulla spiaggia* rappresentano momenti e situazioni della vita contemporanea. Come definireste l'atteggiamento del poeta nei confronti della società attuale? Come si può interpretare a vostro parere l'inserimento di termini e riferimenti dotti o di immagini complesse nell'ambito del tono piano e colloquiale che caratterizza questa fase dell'opera di Montale?

7. Tra i testi delle sezioni precedenti quale o quali accostereste a quelli di Montale? Per quali affinità tematiche e/o stilistiche?

4. Usi del dialetto

Un costante controcanto alla poesia in lingua italiana, sulla quale grava il peso di una tradizione illustre e aulica, è costituito dalla poesia dialettale.

▸ Virgilio Giott, *Piova* (Vol. G **T32,56**)

▸ Biagio Marin, *L'ora granda* (Vol. G **T32.57**)

▸ Delio Tessa, *«On struzz a porta Volta!»* (Vol. G **T32.58**)

▸ Franco Loi, *G'û denter mí de mí la mia vergogna* (**T38.82**)

Esercizi

8. La scelta dell'uso del dialetto può consentire ai poeti di riproporre forme e/o immagini che nella poesia in lingua suonerebbero logorate dall'uso. In quali testi è presente questa riproposta? Di quali forme e immagini si tratta?

9. In nessuna delle liriche di questa sezione l'adozione del dialetto ha la funzione di conferire ai testi un carattere realistico di "colore locale". Cercate di definire la tematica di ciascuna di esse, e il contributo espressivo di volta in volta apportato dall'uso del dialetto (che cosa andrebbe perso di ciascuna poesia se la leggessimo solo nella traduzione italiana?).

Natalia Ginzburg da *Discorso sulle donne* (1948)

[...] le donne hanno la cattiva abitudine di cascare ogni tanto in un pozzo, di lasciarsi prendere da una tremenda malinconia e affogarci dentro, e annaspare per tornare a galla: questo è il vero guaio delle donne. Le donne spesso si vergognano d'avere questo guaio, e fingono di non avere guai e di essere energiche e libere, e camminano a passi fermi per le strade con grandi cappelli e bei vestiti e un'aria volitiva e sprezzante; ma a me non è mai successo di incontrare una donna senza scoprire dopo un poco in lei qualcosa di dolente e di pietoso che non c'è negli uomini, un continuo pericolo di cascare in un gran pozzo oscuro, qualcosa che proviene proprio dal temperamento femminile e forse da una secolare tradizione di oppressione e di schiavitù e che non sarà tanto facile vincere [...].

Le donne sono una stirpe disgraziata e infelice con tanti secoli di schiavitù sulle spalle e quello che devono fare è difendersi con le unghie e coi denti dalla loro malsana abitudine di cascare nel pozzo ogni tanto, perché un essere libero non casca quasi mai nel pozzo e non pensa così sempre a se stesso ma si occupa di tutte le cose importanti e serie che ci sono al mondo e si occupa di se stesso soltanto per sforzarsi di essere ogni giorno più libero.

Alba de Céspedes da *Lettera a Natalia Ginzburg* (1948)

[...] anch'io, come te e come tutte le donne, ho grande e antica pratica di pozzi: mi accade spesso di cadervi e vi cado proprio di schianto, appunto perché tutti credono che io sia una donna forte e io stessa, quando sono fuori dal pozzo, lo credo. Figurati, dunque, se non ho apprezzato ogni parola del tuo scritto. Ma – al contrario di te – io credo che questi pozzi siano la nostra forza. Poiché ogni volta che cadiamo nel pozzo noi scendiamo alle più profonde radici del nostro essere umano, e nel riaffiorare portiamo in noi esperienze tali che ci permettono di comprendere tutto quello che gli uomini – i quali non cadono mai nel pozzo – non comprendono mai [...]. Sicché io a volte penso con affettuosa compassione che essi non abbiano pozzi in cui cadere e quindi non possano mai venire a contatto immediato con la debolezza, i sogni, le malinconie, le aspirazioni, e insomma tutti quei sentimenti che formano e migliorano l'animo umano e che – sebbene inconsapevolmente e per un succedersi di ignorati tranelli – pesano anche sulla vita dell'uomo più conforme al modello virile.

[...] Tu dici che le donne non sono esseri liberi: e io credo invece che debbono soltanto acquisire la consapevolezza delle virtù di quel pozzo e diffondere la luce delle esperienze fatte al fondo di esso, le quali costituiscono il fondamento di quella solidarietà, oggi segreta e istintiva, domani consapevole e palese, che si forma fra donne anche sconosciute l'una all'altra.

(in "Tuttestorie", n. 6/7, Dicembre 1992)

Anna Maria Ortese da *Il silenzio delle donne* (1989)

Tutta la storia della vita delle donne è piena di silenzi, di grida disumane, a volte, ma più spesso di silenzio, il silenzio delle vittime [...]. Ma non solo le donne, e le loro larve, hanno attraversato questo fiume eterno: i poveri di tutti i tempi, gli uomini senza valore e poi gli animali, cortei infiniti di poveri animali e di bambini senza valore; perché, poveri, sono stati compagni delle donne, del loro "silenzio" disperato.

[...] Che luogo occupano oggi la voce e il potere delle donne che hanno trovato o cercano (e troveranno) la loro importante collocazione nel quadro dei valori occidentali (e industriali)? Che ruolo occupano oggi tutti gli altri, i rimasti fuori? Che valore hanno i diritti degli ultimi (bambini, vecchi senza denaro, giovani senza destino)? E infine che luogo, che rilievo ha nel loro nuovo potere (la parola) lo sterminato mondo animale?

[...] Siamo ancora in attesa, dunque, dell'altra parte del cielo. Quando questa parte avrà una voce, una sua filosofia, quando la donna si sveglierà e riconoscerà che solo il cielo vero, i fiumi, le foreste, il corpo dei bambini, tutti i gioielli della natura, sono veramente inviolabili, che uomo e donna non sono padroni della vita, ma figli, e che occorre rispetto e compassione della natura [...], solo a questo punto si potrà dire che la donna ha rotto il silenzio.

(da una trasmissione di "Radiodue 3131", 23 marzo 1989)

I primi due brani sono tratti rispettivamente da un articolo di Natalia Ginzburg e dalla risposta di Alba de Céspedes, una scrittrice della sua stessa generazione. Il dialogo si inserisce nel clima dei primi anni del dopoguerra: si stava aprendo la strada, anche nella società italiana, a una piena integrazione delle donne nella società e nel mondo della cultura, e si discuteva sul contributo che l'esperienza femminile avrebbe potuto portare alla letteratura.

Attraverso la metafora del «pozzo» Natalia Ginzburg indica un lato oscuro e dolente della femminilità, che a suo parere ostacola la libertà e la creatività: solo lasciandoselo alle spalle, le donne potranno «occuparsi di tutte le cose importanti e serie che sono al mondo», tradizionalmente riservate agli uomini. Alba de Céspedes ribatte che l'esperienza femminile, proprio grazie alla sua consuetudine con la fragilità e col dolore, è una ricchezza nuova da condividere, un apporto specifico che le donne possono donare alla scrittura, esplo-

rando una zona profonda dell'esperienza umana che gli uomini non riescono a raggiungere.

Più di quarant'anni dopo Anna Maria Ortese ritorna in termini problematici sullo stesso argomento, indicando alle scrittrici il compito di «rompere il silenzio sul dolore delle vittime», dando voce al mondo vivente, alla natura, a tutte le creature che, come le donne, sono state messe a tacere dallo sviluppo delle culture dominanti nel corso dei secoli.

Questa discussione tocca un tema centrale della cultura contemporanea, caratterizzata da una presenza inedita delle donne in campo letterario: esiste una qualità femminile della scrittura, diversa o addirittura contrapposta a una qualità maschile? Fino a che punto il nuovo apporto delle donne alla letteratura mette in discussione i presupposti, i valori, i criteri modellati su un'attività vissuta fino a qualche decina di anni fa come "neutra" ed esercitata in grande prevalenza da uomini?

Oltre l'emancipazione

Due testi, scritti a distanza di mezzo secolo l'uno dall'altro, affrontano il tema della condizione femminile andando oltre l'esigenza di un'emancipazione che conferisca alle donne gli stessi diritti degli uomini: non si tratta soltanto di raggiungere l'"uguaglianza", ma di far emergere e valorizzare la "differenza" legata all'essere donna.

▶ Virginia Woolf, *Le donne e il romanzo* (Vol. G **T31.23**)
▶ Luce Irigaray, *Lo sfruttamento della donna* (**T37.11**)

Esercizi

1. Sia Virginia Woolf sia Luce Irigaray denunciano le condizioni di oppressione in cui sono tenute le donne, e contemporaneamente mettono in luce la radicale novità di sguardo che può scaturire da quelle situazioni. Collocate i due testi nel loro contesto storico e individuate, per ciascuna delle autrici, l'oggetto della denuncia e la specificità positiva attribuita ai punti di vista delle donne.

Tra letteratura "alta" e generi di massa

Nel primo Novecento la società letteraria e l'industria editoriale aprono spazi crescenti alle scrittrici, che assumono un ruolo di protagoniste tanto nella narrativa "alta" quanto nei generi di massa.

▶ Virginia Woolf, *Il romanzo moderno* (Vol. G **T31.21**)
▶ Virginia Woolf, «*Sì certamente, se domani è bello*» (Vol. G **T32.65**)
▶ Grazia Deledda, *La madre* (Vol. G **T32.77**)
▶ Agatha Christie, *C'è un cadavere in biblioteca* (Vol. G **T32.75**)
▶ Liala, «*Non dovrebbe aver letto D'Annunzio*» (Vol. G **T32.93**)

Esercizi

2. Virginia Woolf è stata una protagonista della rivoluzione narrativa del primo Novecento. Mettete in connessione le sue enunciazioni di poetica (**T31.21**) con le caratteristiche tematiche e formali di *Al faro* (**T32.65**).

3. Accostate il brano di Virginia Woolf sul tema della scrittura femminile (**T31.23**) al personaggio della signora Ramsay e al suo modo di intendere le sue relazioni con gli uomini (**T32.65**): quali rapporti si possono istituire tra i due testi a proposito del rapporto tra i sessi?

4. Grazia Deledda, premio Nobel per la letteratura nel 1926, è un caso evidentemente di riconoscimento ufficiale del valore letterario dell'opera di una donna. La sua narrativa si muove in una direzione nettamente diversa da quella di Virginia Woolf: confrontate i testi delle due autrici mettendo in luce le differenze tematiche e formali.

5. Agatha Christie e Liala hanno ottenuto un vasto successo di pubblico nel campo rispettivamente del romanzo poliziesco e del romanzo rosa, ma i loro atteggiamenti nei confronti delle convenzioni dei due generi letterari sono profondamente diversi. Confrontate i testi individuando il diverso grado di autonomia e di spirito critico delle due scrittrici.

Due esempi estremi di "travestitismo letterario"

Due scrittori si identificano con personaggi femminili: ne scaturiscono due immagini maschili della donna in cui si riflette il mutato rapporto tra i sessi.

▶ James Joyce, *Il monologo di Molly Bloom* (Vol. G **T32.64**)
▶ Arthur Schnitzler, *La signorina Else* (Vol. G **T32.69**)

Esercizi

6. Quali diverse idee della femminilità emergono dai personaggi di Molly Bloom e della signorina Else? Quali atteggiamenti hanno gli autori nei confronti delle loro protagoniste?

7. Confrontate la signora Ramsay (**T32.65**) e Molly Bloom, individuando somiglianze e differenze tra le due immagini di donna. Da quali segnali traspare, secondo voi, lo sguardo maschile o femminile dell'autore/autrice?

Poesia al femminile

Quattro modi diversi di conferire un timbro femminile alla parola poetica, tra amore, quotidianità, sofferenza e ricerca sul linguaggio.

▶ Anna Achmatova, *Il canto dell'ultimo incontro* (Vol. G **T32.10**)
▶ Wislawa Szimborska, *La passeggiata del risuscitato* (**T38.16**)
▶ Amelia Rosselli *Contiamo infiniti cadaveri* (**T38.74**)
▶ Patrizia Valduga, *Requiem* (**T38.81**)

Esercizi

8. La poesia di Anna Achmatova è caratterizzata da un'intensità e un'immediatezza emotiva che non si ritrova nelle liriche di altri autori dell'epoca. Confrontatela con qualche poeta contemporaneo a vostra scelta (Vol. G **T32.1-T32.14**) mettendone in luce le caratteristiche specifiche.

9. La poesia di Amelia Rosselli è caratterizzata da una ricerca linguistica di matrice avanguardistica, ma si distingue nettamente per la sua intonazione e i suoi temi dalla poesia sperimentale contemporanea. Confrontatela con i testi di Zanzotto (**T38.72**, **T38.73**), Balestrini (**T38.76**), Sanguineti (**T38.77**), mettendo in luce le differenze di ispirazione.

10. Le liriche di Szimborska e Valduga hanno in comune il tema della malattia e della morte. Confrontate i due testi, individuando affinità e differenze tematiche e stilistiche.

Memorie

Un filone privilegiato della scrittura femminile è quello dell'autobiografia: due donne di generazioni diverse ripercorrono la storia della loro famiglia sul filo della memoria.

▶ Natalia Ginzburg, *Quella piccola casa editrice* (**T38.47**)

▶ Marina Jarre, *Di ritorno dalla Lettonia* (**T38.66**)

Esercizi

11. I testi di Natalia Ginzburg e Marina Jarre sono accomunati, oltre che dal carattere autobiografico, dall'ambientazione nello stesso momento storico, ma le differenze possono dare un'idea della varietà di soluzioni a cui si presta il filone, tipicamente femminile, della narrativa "della memoria". Confrontateli, evidenziando le differenze di tono e di stile.

Un altro sguardo sulla storia e sul mondo

È tipico delle donne che scrivono battere strade esterne o marginali rispetto alle linee dominanti della ricerca letteraria, mettendo in discussione le catalogazioni e i criteri codificati.

▶ Anna Maria Ortese, *Gli occhiali* (**T38.34**)

▶ Elsa Morante, *Sere stellate* (**T38.38**)

▶ Marguerite Yourcenar, *Münster* (**T38.14**)

▶ Agota Kristof, *«Il cibo non è gratis»* (**T38.7**)

Esercizi

12. I testi di Anna Maria Ortese e di Elsa Morante sono stati scritti negli anni del neorealismo. Analizzateli, individuando gli aspetti di vicinanza e di lontananza di ciascuno rispetto alle caratteristiche tipiche di questa corrente della narrativa.

13. In un'epoca di sperimentazioni e di conclamata crisi della narrazione (1968), Marguerite Yourcenar si dà al romanzo storico, nella sua forma apparentemente più tradizionale e "superata", dimostrando come anche attraverso questo genere sia possibile dare il senso della complessità e dell'ambiguità del reale. Individuate nel testo i tratti tipici del romanzo storico e le scelte narrative attraverso le quali è espressa la problematicità del mondo rappresentato.

14. Un'immagine stereotipata della scrittura femminile è legata alla morbidezza dei sentimenti, all'identificazione empatica con i personaggi, alla domesticità dell'ambientazione. Analizzate il testo di Agota Kristoff, evidenziando la sua lontananza da questo stereotipo della femminilità.

Il tema del corpo e della cura

Un tema ricorrente nella scrittura femminile è quello del corpo e della cura. Dal confronto tra due scrittrici e uno scrittore può emergere una diversità tra sguardi maschili e femminili.

▶ Dacia Maraini, *Madre e figlio* (**T38.45**)

▶ Clara Sereni, *Atrazina* (**T38.60**)

▶ Italo Calvino, *La giornata di uno scrutatore* (**T40.9**)

Esercizi

15. I racconti di Dacia Maraini e Clara Sereni accostano al tema della differenza femminile quello della cura per chi è debole o emarginato. Confrontateli, mettendo in luce la diversità di atteggiamento e di tono.

16. Il tema del confronto con la malattia è presente anche nella *Giornata di uno scrutatore* di Italo Calvino. Quali differenze si possono notare tra l'atteggiamento del protagonista del romanzo e quelli delle protagoniste dei racconti di Maraini e Sereni?

Luchino Visconti
**Rocco e i suoi
fratelli**
(1960)

Dino Risi
Il sorpasso
(1962)

Queste due immagini, fotogrammi di film del 1960 e del 1962, sintetizzano visivamente due aspetti del cambiamento epocale che attraversava l'Italia in quegli anni.

Nella prima - da *Rocco e i suoi fratelli* di Luchino Visconti - si vede l'arrivo alla stazione di Milano di uno dei treni che ogni giorno scaricavano migliaia di emigranti in viaggio dal Mezzogiorno alle città del "triangolo industriale", dove era in corso un grande *boom* dell'industria: i vagoni sono di un modello antidiluviano già per quell'epoca, gli emigranti hanno certo viaggiato sulle panche di legno della terza classe di un tempo; in mezzo al caos e al frastuono scaricano i loro poveri bagagli, valigie di cartone e grossi pacchi legati con lo spago, mentre i parenti già insediati nella grande città corrono loro incontro.

La seconda immagine - da *Il sorpasso* di Dino Risi - è un simbolo incisivo e concreto della frenesia del consumo e dello spreco che prese l'Italia di quegli anni: un'automobile (che una gru sta sollevando) si è scontrata con un camion e questo ha rovesciato sulla strada il suo carico di frigoriferi, l'elettrodomestico che insieme all'automobile e al televisore in pochi anni entrò nella vira di milioni di italiani e la cambiò. In primo piano vediamo il cruscotto della Giulietta spider dei due protagonisti, che hanno dovuto fermarsi: è anch'essa, per quegli anni, un simbolo di eleganza, lusso, "dolce vita". Sul fondo appare un frammento dell'antico paesaggio italiano (siamo tra il Lazio e la Maremma), violentato dall'irruzione della civiltà industriale.

Abbiamo visto così, riassunte in immagini da due registi ricchi di sensibilità e di talento, le trasformazioni vertiginose e i contrasti stridenti di un'epoca decisiva della storia italiana, e forse non solo italiana. Ne esploreremo ora i riflessi letterari.

1. Prima e dopo

Immagini dell'Italia contadina della prima metà del secolo, della smania di arricchimento e di consumo che la prende negli anni cinquanta.

▶ Cesare Pavese, *Il ritorno* (**T38.30**)

▶ Lucio Mastronardi, *È arrivato venerdì* (**T38.42**)

▶ Alberto Arbasino, *Fratelli d'Italia* (**T38.49**)

Esercizi

1. Considerando i tre brani come tre *flash* esemplari su momenti di vita italiana tra gli anni quaranta e sessanta, mette a confronto gli ambienti, le condizioni di vita materiali e i valori di riferimento che vi appaiono.

2. La percezione del cambiamento

Tre saggisti riflettono sui mutamenti intervenuti nelle mentalità, nelle culture, nella percezione stessa della realtà.

▶ Pier Paolo Pasolini, *«Il centralismo della civiltà dei consumi»* (**T37.4**)

▶ Luigi Meneghello, *«Arrivano le cose nuove»* (**T38.48**)

▶ Edgar Morin, *L'uomo televisionario* (**T37.7**)

Esercizi

2. Cercate, tra le osservazioni di Meneghello, i segni di quella che Pasolini definiva la "omologazione" prodotta dalla civiltà industriale e dei consumi.

3. Definite il carattere essenziale del nuovo rapporto fra l'uomo e la realtà prodotto dalla televisione, secondo l'analisi di Morin.

3. La grande trasformazione nella narrativa

L'Italia contadina e povera della prima metà del secolo ha trovato la rappresentazione letteraria più significativa nella narrativa neorealista. A partire dagli ultimi anni cinquanta si affacciano nella narrativa italiana realtà nuove: periferie urbane, nuovi miti del consumismo, nuovi problemi della civiltà industriale. Il rinnovamento della realtà rappresentata comporta varie sperimentazioni formali, tra le quali le più innovative, ed esplicitamente teorizzate, si compiono nell'ambito della nuova avanguardia degli anni sessanta.

Prima: il neorealismo

▶ Italo Calvino, *Che cosa è stato il neorealismo* (**T37.24**)

▶ Italo Calvino, *Il sentiero dei nidi di ragno* (**T40.6**)

▶ Elio Vittorini, *Gli astratti furori* (**T38.26**)

▶ Cesare Pavese, *L'arresto di Cate* (**T38.29**)

▶ Beppe Fenoglio, *Il contadino delle Langhe* (**T38.32**)

▶ Anna Maria Ortese, *Gli occhiali* (**T38.34**)

Realtà nuove nella narrativa

▶ Pier Paolo Pasolini, *Ragazzi di vita* (**T38.40**)

▶ Giovanni Testori, *Sì, ma la Masiero...* (**T38.41**)

▶ Italo Calvino, *La gallina di reparto* (**T40.7**)

▶ Paolo Volponi, *Davanti alla fabbrica* (**T38.43**)

▶ Primo Levi, *La coppia conica* (**T38.44**)

▶ Primo Levi, *Lumini rossi* (**T38.46**)

La trasformazione cognitiva

▶ Umberto Eco, *L'arte contemporanea e l'uomo d'oggi* (**T37.28**)

▶ Angelo Guglielmi, *Il nuovo sperimentalismo* (**T37.29**)

▶ Elio Pagliarani, *La ragazza Carla* (**T38.75**)

▶ Luigi Malerba, *C'è da aver paura* (**T38.50**)

▶ Italo Calvino, *Se una notte d'inverno un viaggiatore* (**T40.10**)

Esercizi

4. Scrive Calvino nel brano in cui rievoca la poetica neorealista (**T37.24**): «mai si videro formalisti così accaniti come quei contenutisti che eravamo, mai lirici così effusivi come quegli oggettivi che passavamo per essere»; con questo indica nella tendenza due polarità: attenzione alla rappresentazione oggettiva di un "contenuto" (una situazione sociale), effusione lirica soggettiva. Per ciascuno degli autori rappresentati nella sezione sul neorealismo cercate di definire come si colloca tra le polarità indicate.

5. In ciascuno dei brani della sezione sul neorealismo appaiono aspetti di un tenore di vita povero, quando non misero. Raccogliete questi particolari, collocando ciascuno nelle sue circostanze di tempo e di luogo, e ricavatene una sintesi delle condizioni di vita che gli autori nel loro insieme hanno rappresentato.

6. Considerate gli ambienti descritti nei brani di Pasolini e Testori. Che cosa hanno di nuovo e diverso rispetto agli ambienti popolari descritti nella precedente sezione sul neorealismo? Di quali mezzi linguistici e stilistici si servono i due autori per rappresentarli più vivamente?

7. Fate una sintesi dei diversi aspetti della nuova realtà industriale che si colgono attraverso i brani di Calvino (**T40.7**), Volponi e Primo Levi (**T38.44**).

8. Nel raconto fantascientifico di Primo Levi (**T38.46**), quali aspetti reali della vita contemporanea sono evocati attraverso la lente deformante della caricatura satirica e dell'invenzione fantascientifica?

9. Per quali ragioni Eco e Guglielmi ritengono che le forme narrative tradizionali non siano adeguate a rappresentare la realtà dell'uomo contemporaneo?

10. Illustrate le novità nell'uso della lingua e nei procedimenti narrativi contenute nei brani di Pagliarani, Malerba, Calvino (**T40.10**). Quali situazioni nuove nel rapporto fra l'uomo e la realtà mirano a rappresentare?

i film

Rocco e i suoi fratelli di Luchino Visconti (1960, 180'), *Il sorpasso* di Dino Risi (1962, 104'), *Così ridevano* di Gianni Amelio (1998, 124')

La grande rottura col passato che trasforma l'Italia nel volgere di pochi anni, fra i cinquanta e i sessanta, è raccontata "in diretta" da alcuni film che mostrano il cambiamento avvenuto nel modo di produrre e consumare, di pensare e di sognare.

Rocco e i suoi fratelli, di Luchino Visconti, presenta le vicende di una famiglia meridionale emigrata a Milano, che si disgrega perché entrano in crisi i suoi arcaici valori morali. Il film, ambientato fra il mondo della *boxe* e la periferia milanese, prende spunto dai racconti di Giovanni Testori **(T38.41)** raccolti in *Il ponte della Ghisolfa*, ma trae suggestioni anche da Dostoevskij e da Thomas Mann; narra il contrastato amore di Simone e del fratello Rocco per la stessa donna. Ma al centro del film c'è il conflitto tra due opposte civiltà: quella industriale del Nord, fatta di fabbriche e di emarginazione, e quella meridionale, basata su un modello familiare atavico e tribale, che sradicata dalla propria cultura è costretta ad adottare dei modelli estranei.

Con **Il sorpasso**, Dino Risi ha raccontato con i toni sferzanti della commedia il cambiamento di un'Italia che da contadina si trasformava in industriale in modi violenti e traumatici. Il protagonista, un esuberante Vittorio Gassman, trascina con sé fra Roma e le spiagge toscane un timido studente. Dal loro girovagare privo di una meta precisa emerge uno spaccato di grande precisione sociologica dell'Italia del *boom*, una sorta di inventario dei beni che il "miracolo economico" squaderna alla vista degli italiani. Gassman incarna i vizi tipici dell'italiano, quali la superficialità, l'irresponsabilità, la volgarità e la furbizia, ma è anche un personaggio vitale e generoso. Il finale drammatico – in un incidente stradale, il giovane perde la vita – è una chiara metafora di un'Italia che non vuole riflettere, che pensa solo a godere di un benessere inaspettato e che corre incontro alla propria rovina nella più totale incoscienza.

In tempi più recenti, Gianni Amelio è tornato ad affrontare i temi legati ai grandi cambiamenti dell'Italia con un bel film, **Così ridevano**, ambientato fra il '58 e il '64. Anche qui al centro della narrazione c'è lo scontro fra la mentalità di un'Italia rurale e i ritmi industriali della realtà metropolitana, attraverso le tormentate vicende di due fratelli siciliani immigrati a Torino, divisi fra adattamento e recupero delle proprie radici.

(In alto a sinistra)
Panorama di Napoli e del golfo dalla collina del Vomero. In primo piano, al centro dell'immagine un esemplare di pino marittimo; sullo sfondo la sagoma del Vesuvio

(In alto a destra)
Scena folcloristica di ambientazione napoletana: un frate, un bersagliere, alcuni uomini, donne e bambini assistono allo spettacolo offerto da una giovane coppia di danzatori di tarantella che ballano in costumi tradizionali.

(In basso a sinistra)
Romina Power e Albano Carrisi a piedi nudi su uno scoglio in riva al mare a Capri.

(In basso a destra)
Scena di genere della Napoli popolare: tre ragazzi si trovano presso il banco di un venditore di alimenti sul quale sono disposti fiaschi di vino e ceste colme di pesci; appoggiati per terra altri cestini pieni di merce.

(Nella pagina a fronte)
Scena dal film *Le mani sulla città*, di Francesco Rosi (1963)

Dalle immagini di queste pagine emergono due idee opposte di Napoli: da un lato la città del sole, del mare e del Vesuvio, della tarantella, dei maccheroni, delle canzoni, abitata da un popolo animato da sentimenti semplici e genuini, festoso anche nella povertà; dall'altro la città del degrado, delle contraddizioni e dei conflitti sociali, percorsa da uno scontento che diventa mobilitazione e impegno. All'immagine oleografica di un sud da cartolina si contrappone una rappresentazione dura e "militante" delle condizioni e delle lotte popolari.

Nella letteratura italiana dell'Ottocento e del Novecento il sud ritorna frequentemente, come luogo storico o mitico, al centro di eventi storici o di vicende private, condannato a un'inesorabile condizione di abbandono o animato da vivaci tensioni e fermenti culturali. Gli scrittori prendono le distanze dalle immagini stereotipate, per dipingere di volta in volta un quadro amaro, satirico, nostalgico, ironico, di un mondo che continua a interrogare l'immaginazione e la coscienza dei contemporanei per il suo carattere contraddittorio e problematico.

1. Il sud fra storia e mito

Quattro luoghi del sud osservati con sguardi diversi: spazi reali e spazi mitici, proiezioni di stati d'animo soggettivi e analisi di situazioni storiche.

▸ Grazia Deledda, *La madre* (Vol. G **T32.77**)

▸ Ignazio Silone, *In che lingua devo raccontare?* (Vol. G **T31.26**)

▸ Ignazio Silone, *Fontamara* (Vol. G **T32.88**)

▸ Carlo Levi, *I contadini di Gagliano* (**T38.36**)

▸ Elsa Morante, *Sere stellate* (**T38.38**)

Esercizi

1. Ignazio Silone e Carlo Levi affrontano la realtà del sud ricostruendo la situazione sociale e culturale del mondo rappresentato. Confrontate i loro testi mettendo in luce gli elementi comuni e gli elementi specifici evidenziati da ciascun autore.

2. I testi di Grazia Deledda e di Elsa Morante sono molto diversi per i contenuti, le forme, e anche per la qualità letteraria; sono però accomunati da un approccio fortemente soggettivo all'ambiente isolano che interagisce con le vicende dei protagonisti. Cercate di definire i significati assunti in ciascun testo dallo sfondo paesaggistico e umano.

2. Napoli

Un'immagine convenzionale e bozzettistica fa di Napoli la città del sole e del mare, animata da una festosa vitalità popolaresca. Un poeta e due narratrici si relazionano variamente con questo stereotipo.

▸ Matilde Serao, *L'estrazione del lotto* (vol. F **T26.22**)

▸ Salvatore di Giacomo, *'O guaio* (Vol. F **T26.55**)

▸ Anna Maria Ortese, *Gli occhiali* (**T38.34**)

Esercizi

3. Confrontate i tre testi, mettendo in evidenza le tre immagini di Napoli che ne emergono. In che misura ciascuna di esse si discosta dall'immagine convenzionale di Napoli? Quali aspetti della città e dei suoi abitanti vengono sottolineati di volta in volta?

3. La Sicilia

La narrativa dell'Ottocento e del Novecento offre una gamma diversificata di rappresentazioni della Sicilia, considerata nella sua specificità storica e culturale, inserita nel quadro delle vicende storiche nazionali, vista come simbolo di aspetti universali della condizione umana.

▸ Giovanni Verga, *Libertà* (Vol. F **T28.13**)

▸ Federico De Roberto, *La razza degli Uzeda* (Vol. F **T26.21**)

▶ Vitaliano Brancati, *I dongiovanni a Roma* (Vol. G T32.92)

▶ Elio Vittorini, *L'uomo e il cane* (T38.27)

▶ Giuseppe Tomasi di Lampedusa, «*Il suo disgusto cedeva il posto alla compassione*» (T38.39)

▶ Leonardo Sciascia, «*Perché, hanno sparato?*» (T38.52)

▶ Leonardo Sciascia, *Candido in Sicilia* (T38.53)

▶ Stefano D'Arrigo, *Il risveglio dell'Orca* (T38.54)

Esercizi

4. Nei testi si possono individuare alcuni nuclei tematici:

• la critica dell'unificazione nazionale attuata dal risorgimento;

• la rappresentazione dell'estraneità e della lontananza delle istituzioni statali;

• la satira o la denuncia di aspetti della mentalità siciliana;

• l'interpretazione di vicende siciliane come parabole di aspetti eterni della condizione umana;

• l'interpretazione di vicende siciliane come casi esemplari di contraddizioni della vita nazionale;

• la presentazione della Sicilia in una concreta e definita situazione storica;

• la presentazione della Sicilia come luogo mitico e fuori del tempo.

In quale o quali di ciascuno dei testi si può rintracciare qualcuno di questi temi?

5. I diversi atteggiamenti degli autori rispetto alle vicende narrate sono segnalati anche dalle scelte di lingua e di stile. Indicate due testi in cui questo nesso vi pare particolarmente evidente, spiegando i motivi della vostra scelta.

i *film*

Tre film su Napoli: Viaggio in Italia *(di Roberto Rossellini, 1954),* Le mani sulla città *(di Francesco Rosi, 1963),* L'amore molesto *(di Mario Martone, 1995)*

Il cinema ha spesso ridotto la vitalità e complessità di Napoli a luoghi comuni. Alcuni registi, però, hanno saputo rappresentarne con efficacia il fascino difficile e contraddittorio.

È il caso di *Viaggio in Italia*, di Roberto Rossellini, che ambienta a Napoli e nell'entroterra partenopeo la storia di due coniugi inglesi in crisi giunti in Italia per vedere una villa ricevuta in eredità. Lo scontro con l'estraneità dell'ambiente accentua la lontananza tra i protagonisti, che giungono alle soglie del divorzio; ma proprio al culmine della loro crisi coniugale, coinvolti in una concitata processione religiosa, ritroveranno la forza di continuare il loro rapporto. Lo sfondo naturale e umano è un elemento centrale nello sviluppo della vicenda: da una parte la coppia, dall'altra Napoli e la sua esuberanza, il suo connubio di vita e morte. Il viaggio mette in evidenza, attraverso il percorso psicologico dei due protagonisti, il conflitto tra la mentalità borghese e un mondo di emozioni profonde e di tradizioni ancestrali.

Tutta diversa è l'immagine di Napoli che emerge da *Le mani sulla città* di Francesco Rosi, forte e appassionata denuncia della speculazione edilizia che, mediante le collusioni fra potere politico e potere economico, ha sconvolto la città negli anni sessanta. Il protagonista negativo del film è l'impresario edile Nottola che mira a divenire assessore comunale, per poter controllare l'appalto relativo a un terreno su cui costruire un nuovo quartiere. Nonostante sia responsabile di un crollo che ha causato morti e feriti, Nottola riesce a uscire indenne dall'inchiesta sul disastro e a divenire comunque assessore. Alla fine, con la benedizione del vescovo, aprirà i nuovi cantieri. Rosi ci mostra una Napoli estranea a qualsiasi bozzettismo: da una parte il popolino lacero e questuante, dall'altra i salotti signorili dove si prendono le decisioni, in uno stretto intreccio tra politica e malaffare. Particolarmente impressionanti sono le scene che scorrono sotto i titoli di testa, in cui si mostra dall'alto la città aggredita dall'urbanizzazione selvaggia.

La Napoli dei nostri giorni fa da sfondo a *L'amore molesto* di Mario Martone: Dalia, che lavora a Bologna, torna a Napoli, sua città natale, per indagare sulla morte della madre, annegata in circostanze misteriose. A contatto con la città, la protagonista si trova a fare i conti con un passato doloroso e rimosso. Girato nel centro storico, il film evoca la Napoli dell'infanzia attraverso il filtro della memoria, accostata alla città di oggi, caotica, brulicante di gente, di macchine, di motorini: una città sospesa tra realtà e allucinazione, animata da una convulsa vitalità sulla quale sembra incombere la minaccia del collasso.

APPARATI

Scegli il tuo libro, scegli il tuo film

Indice dei nomi

Indice delle opere

Scegli il tuo libro, scegli il tuo film

APPARATI

Secondo Novecento

523

VOL. H

APPARATI *Secondo Novecento*

Autori stranieri

Acheng
Il re degli scacchi
Il re degli alberi
Il re dei bambini (1984-85)

Trilogia di uno scrittore cinese che rappresenta la nuova letteratura della Repubblica Popolare Cinese, non più legata a schemi ideologici e capace di critica. I tre racconti lunghi sono ambientati nei campi di lavoro nei quali, durante la rivoluzione culturale, venivano inviati i giovani istruiti per essere rieducati attraverso il lavoro manuale e la condivisione della vita delle masse. Sono storie di vita quotidiana, narrate con semplicità e una certa ironia, che presentano lo scontro tra l'ottusa burocrazia rivoluzionaria e l'autentica cultura popolare, mettendo in risalto i rapporti umani, i rapporti tra generazioni e il senso della natura. **T38.13**

Isabel Allende
La casa degli spiriti (1982)

Una saga di famiglia e un grande affresco storico che ha per scena il Cile delle grandi proprietà terriere e della miseria dei contadini, dall'inizio del Novecento fino agli orrori della dittatura instaurata nel 1973. Le vicende di Esteban Trueba, un latifondista autoritario e violento, si intrecciano con quelle sociali e politiche del Cile. La nipote Alba, dopo aver subito la violenza e la tortura, una volta libera, per riscattare le cose del passato e per sopravvivere al suo stesso terrore, ricostruisce quella che le sembra una storia interminabile, destinata a ripetersi sempre, di dolore, di sangue e di amore.

Simone de Beauvoir
Memorie di una ragazza per bene (1958)

Il libro ricostruisce l'infanzia, l'adolescenza e la giovinezza della scrittrice, nata nel 1908 e appartenente a una famiglia borghese. È un'autobiografia sentimentale ed intellettuale, che dà rilievo alla dimensione interiore. La protagonista, amante degli studi e riflessiva, si interroga sul significato dell'esistenza ed è precocemente critica nei confronti delle opinioni accettate supinamente nel suo ambiente e dei comportamenti seguiti per puro conformismo. Molte delle persone significative per la sua vita e la sua maturazione sono donne. Anche il rapporto con i libri, e quindi con le idee, è centrale fin dall'infanzia; negli anni dell'università poi, Simone ha la possibilità di frequentare gli ambienti letterari e filosofici francesi e conoscere i personaggi più prestigiosi della cultura del tempo, tra i quali Jean Paul Sartre.

Heinrich Böll
L'onore perduto di Katharina Blum (1974)

Nella Repubblica Federale Tedesca, negli anni del terrorismo della R.A.F. ("Frazione dell'Armata Rossa"), una giovane domestica si trova implicata casualmente nella fuga di un giovane ricercato dalla polizia; la sua esistenza è sconvolta dall'arresto ma soprattutto dal clamore e dalle mistificazioni di una stampa avida di notizie sensazionali, priva di scrupoli e ossessionata dallo spettro di un pericolo comunista. La giovane, dalla vita irreprensibile, esasperata, arriva ad uccidere il giornalista simbolo di questa campagna diffamatoria. Ricostruendo i fatti con uno stile sobrio, da documentario e da verbale di interrogatorio, l'autore pone implicitamente l'interrogativo sulle responsabilità della violenza di cui Katharina è vittima e protagonista.

Heinrich Böll
Opinioni di un clown (1963)

Un giovane di professione *clown*, a seguito di una caduta sul palcoscenico dovuta all'ubriachezza, si fa male a un ginocchio e deve interrompere la tournée. Si trova solo a casa, senza lavoro e senza soldi, abbandonato dall'unica donna della sua vita, Maria, che si è sposata con un cattolico. Il protagonista, chiuso nel suo appartamento, intreccia febbrili conversazioni al telefono con l'impresario, la madre, il padre, il fratello seminarista, gli amici cattolici di Maria, inframmezzandole con ricordi struggenti della vita con la donna amata, esprimendo giudizi sarcastici sugli ambienti cattolici bigotti ed ipocriti e sulla borghesia tedesca che tenta di rimuovere il passato nazista, confessando il proprio abbruttimento e la propria disperazione. Il romanzo è una sorta di lungo monologo che segue il ritmo interiore di una coscienza tesa alla ricerca della verità e dell'autenticità. **T38.10**

Michail Bulgakov
Il Maestro e Margherita (1967)

Romanzo di complessa tessitura, iniziato nel 1928 ma pubblicato postumo, si articola su vari livelli di realtà e piani temporali e su diversi registri espressivi, dal grottesco al satirico, al fantastico al mistico. L'apparizione a Mosca di Woland, il diavolo, venuto a prendersi gioco degli intellettuali del nuovo regime sovietico che negano il soprannaturale, si intreccia con l'amore tra il Maestro, uno scrittore vittima della censura di partito, e Margherita, che accetta di diventare strega; a queste vicende si alterna la storia della condanna a morte di Gesù ad opera di Pilato, oggetto di un romanzo scritto dal Maestro. Se riuscirete a navigare tra i diversi livelli narrativi, sarete conquistati dalla combinazione di fantasia sbrigliata, suggestioni metafisiche, satira feroce, ritmo indiavolato. **T38.1**

Raymond Carver
Chi ha usato questo letto (1986)
Erede della tradizione americana della *short story*, Carver è stato considerato un iniziatore della tendenza narrativa detta "minimalista". I suoi racconti presentano i piccoli fatti, i gesti, il chiacchiericcio della vita di tutti i giorni, pervadendoli di sottile angoscia. I personaggi sono esseri comuni, frustrati, spesso in lotta con la tentazione dell'ubriachezza, con rapporti familiari tesi. Un'umanità alienata, fissata in momenti che ne rivelano il disagio, le paure, le ossessioni.

Don DeLillo
Great Jones Street (1973)
Bucky, una rockstar all'apice del successo, abbandona improvvisamente una tournée e si ritira in uno squallido appartamento di New York. Sembra cercare un po' di silenzio, ma anche nel suo rifugio è assediato dal suo manager e dalla casa discografica; si trova poi rocambolescamente in possesso del prototipo di una nuova potentissima droga, e al centro dei minacciosi intrighi di misteriose bande di trafficanti. Alla fine Bucky otterrà il silenzio, in un modo imprevedibile che non vi sveliamo. Il romanzo dà un'immagine stralunata e delirante dell'America metropolitana, con gli ingredienti tipici della narrativa postmoderna: situazioni inverosimili e grottesche che pure dicono qualcosa del mondo reale, narrazione frammentaria e incoerente, intonazione scanzonata e "fredda" (*cool*).

E.L. Doctorow
Ragtime (1972)
Vivace affresco della società newyorchese all'inizio del Novecento: un'epoca di progresso – il cui simbolo è l'automobile – di grandi disuguaglianze tra poveri e ricchi, di lotte sociali e per l'emancipazione della donna, di inquietudini nella comunità nera. Ma è anche l'epoca di un nuovo genere musicale, il *rag*, e valente pianista è uno dei protagonisti, un giovane nero che, vittima di un sopruso, non riuscendo a ottenere giustizia, si trasforma in terrorista. Nel romanzo si intrecciano le vicende di molti personaggi, storici e di invenzione, segnate dalla violenza dei singoli e delle istituzioni. L'immagine finale, tuttavia, è idilliaca: tre bambini, una ragazzina ebrea, un ragazzo bianco e un bimbo nero, che gli eventi hanno portato a diventare membri della stessa famiglia, giocano insieme su un prato.

William Golding
Il signore delle mosche (1954)
I ragazzi di una scuola media inglese, unici sopravvissuti di un incidentre aereo, si trovano a organizzare la loro vita, in un'isola deserta dalla natura incantevole e ospitale. L'esperienza dei novelli Robinson è disastrosa: progressivamente inselvatichiscono, rifiutano un'organizzazione ragionevole e democratica della loro piccola società, e si riducono a una tribù selvaggia, dominata da oscure superstizioni e dedita a riti sanguinari. Il romanzo, originale e avvincente, esprime un profondo pessimismo sulla natura umana.

Nadine Gordimer
Luglio (1981)
Una famiglia di bianchi sudafricani, in un periodo di disordini razziali, viene messa in salvo dal fedele servitore di colore, Luglio, che porta i due coniugi e i loro bambini nel suo villaggio, dove il tempo sembra essersi fermato. Costretti a vivere in capanne, senza acqua corrente, senza luce elettrica, in mezzo alla diffidenza, Bam e Maureen dipendono totalmente da Luglio – che a poco a poco abbandona i modi da servitore — e debbono abituarsi a ritmi e modi di vivere completamente diversi. Anche Luglio però, vissuto per tanto tempo presso i bianchi, non si ritrova con la sua gente. La scrittrice (sudafricana bianca, premio Nobel per la letteratura nel 1991) riesce a rendere con grande efficacia il groviglio di contraddizioni in cui si dibatte il suo paese e l'angoscia dell'individuo sradicato dal proprio contesto, disorientato e regredito al livello elementare della semplice sopravvivenza fisica.

Günter Grass
Gatto e topo (1961)
A Danzica, nella Germania nazista, poco prima della seconda guerra mondiale, un gruppo di adolescenti vive le ore libere dal ginnasio in riva al mare, tra nuotate, immersioni, giochi di vario genere. Il protagonista, «il grande Mahlke», ha un vistoso pomo d'Adamo che si muove come un topo, tanto che una volta un gatto lo ha attaccato. Come è tipico di Grass, la narrazione ha un ritmo picaresco, un tono scanzonato e grottesco, in cui traspare però la coscienza civile dell'autore, l'orrore per il nazismo.

Patricia Highsmith
Diario di Edith (1977)
Sembra all'inizio il diario di una donna serena, giornalista impegnata, in un felice ménage familiare. Ma su di lei si accumulano le difficoltà: i problemi scolastici del figlio, l'assistenza a uno zio infermo del marito, che ricade tutta sulle sue spalle, poi il divorzio che peggiora le sue condizioni economiche. La vita di Edith diventa sempre più un inferno, e lei reagisce tenendo un diario nel quale ben presto comincia a mescolare alla triste realtà fantasticherie consolatorie. A poco a poco la gente incomincia a trovarla strana, mentre il diario registra fedelmente il suo scivolare in una tranquilla follia. Highsmith, nota autrice di gialli, riesce a rappresentare dall'interno la

condizione di grande disagio di una donna, creando fin dalle prime pagine un'atmosfera di sottile inquietudine.

Jack Kerouac
Sulla strada (1957)

Partito da New York con il desiderio di andare nel West e di raggiungere là gli amici, il narratore inizia un vagabondaggio incessante, con l'autostop e altri mezzi di fortuna, per gli ampi spazi del Nord America. Sfilano paesaggi sempre diversi e si incontrano tipi di ogni genere; ogni immagine, ogni esperienza, ogni discorso è fedelmente registrato nel tentativo di cogliere la vita nel suo fluire e di dar voce ad un soggetto collettivo. Lo spirito di avventura, la vita disordinata e anticonformistica, la ricerca di qualcosa di trascendente fecero dello scrittore il portavoce della cosiddetta *"beat generation"*. **T38.20**

Stephen King
It (1985)

Nella cittadina di Derry, a cicli di 27 o 28 anni, si verificano ondate di violenza che hanno per vittime soprattutto dei minori. Nelle fogne della cittadina si nasconde It, la creatura maligna, informe e mostruosa contro la quale lotta un gruppo di bambini, spesso oggetto di soprusi da parte di ragazzi più grandi e prepotenti. Nel 1985 quando ricomincia l'incubo, tutti quei ragazzi, ormai cresciuti, si ritrovano a Derry per riprendere la lotta come si erano impegnati a fare con giuramento. Il romanzo di avventura e del terrore dà corpo alle paure infantili, acuisce la tensione grazie alle frequenti digressioni, e con il continuo movimento avanti e indietro nel tempo crea una spirale di orrore. Cruda la descrizione della vita di provincia segnata dalla violenza e dalla discriminazione.

Gabriel García Márquez
Cronaca di una morte annunciata (1981)

In una città sudamericana viene compiuto un delitto d'onore, i gemelli Vicario uccidono Santiago Nasar, accusato di aver sedotto la loro sorella. La narrazione ha il ritmo di un'inchiesta giornalistica, condotta ad anni di distanza. Fin dalle prime pagine il lettore è messo a conoscenza del fatto, ma la tensione è creata attraverso la ripetizione, da vari punti di vista, del racconto delle ultime ore di Santiago, per rispondere all'angoscioso interrogativo se avrebbe potuto salvarsi. Quasi tutti infatti erano a conoscenza delle intenzioni dei gemelli, ma per un oscuro gioco del destino non avevano potuto evitare l'omicidio. Intorno ai personaggi principali ferve la vita di un intero paese, resa con i colori, la vivacità e l'umorismo della scrittura di García Márquez.

George Orwell
1984 (1949)

Scritto nel 1948, in piena guerra fredda, il romanzo prospetta l'incubo di un futuro non molto lontano, ottenuto scambiando le ultime due cifre della data:

l'Occidente è dominato da un mostruoso regime totalitario che controlla istante per istante la vita dei cittadini, il loro mondo privato, perfino il linguaggio e i pensieri, sfruttando la più sofisticata tecnologia delle comunicazioni. È una lucida e amara utopia negativa, ormai entrata nell'immaginario politico: il Grande Fratello (così nel romanzo è designato il misterioso capo supremo del regime) è spesso evocato nel linguaggio corrente, quando si parla di indottrinamento attraverso i mezzi di comunicazione di massa.

Daniel Pennac
Il paradiso degli orchi (1985)

È il primo di una serie di romanzi che hanno come protagonisti Malaussène e la sua tribù di fratelli e sorelle, tutti di padri diversi, che vivono nel quartiere multietnico di Belleville. Malaussène fa di professione il "capro espiatorio" dei reclami in un grande magazzino; lì incominciano a verificarsi esplosioni tra i giocattoli natalizi; segue una catena di delitti con relative indagini, che coinvolgono i protagonisti, fino a che la soluzione dei casi rivela che gli "orchi" non esistono solo nelle fiabe. Nelle spassose avventure della banda Malaussène l'*horror* si coniuga con il comico e l'ironia: gli emarginati della nostra società, vecchi, immigrati, disoccupati, diventano gli eroi della storia, un'umanità varia e anarchica che con la sua vitalità mette in difficoltà il perbenismo borghese. Un linguaggio scanzonato e pirotecnico conferisce alla vicenda un ritmo travolgente.

J.D. Salinger
Il giovane Holden (1951)

Il protagonista sedicenne, espulso dall'ennesimo college, decide di lasciare la scuola con qualche giorno di anticipo per prendersi una vacanza a New York all'insaputa dei suoi genitori. Va incontro a deludenti avventure, visita di nascosto la sua casa e la sorella Phoebe, più giovane ma piena di buon senso, che riesce poi a convincerlo a rientrare in famiglia. Tutto il romanzo è una sorta di monologo del protagonista che analizza con occhi critici il mondo che lo circonda, giudica impietosamente gli adulti, ritiene molti dei suoi coetanei dei palloni gonfiati, mostra la propria insicurezza e il proprio disadattamento. Grazie anche al linguaggio che riproduce il gergo giovanile, il romanzo ha consacrato nel giovane Holden, ribelle ma animato da buoni sentimenti, l'eroe di una generazione.

Luis Sepúlveda
Il vecchio che leggeva romanzi d'amore (1989)

Un vecchio vive ai margini della foresta amazzonica equadoriana, insieme con gli indios shuar, in accordo con i ritmi e i segreti della natura. Il romanzo breve, permeato da un grande amore e rispetto per la natura e per le popolazioni indigene, è dedicato all'ecologista

Chico Mendes, che perse la vita nella difesa della foresta amazzonica.

Luis Sepúlveda
La frontiera scomparsa (1994)

Lo scrittore cileno in questo romanzo breve narra in prima persona la storia di un giovane che, dopo aver subito il carcere e la tortura sotto la dittatura militare, costretto all'esilio, si mette in viaggio per l'America Latina alla ricerca di una frontiera scomparsa per cui si entrava nei territori della felicità. I tempi sono terribili, ma il protagonista narra le sue avventure e descrive i tipi strani che incontra senza rinunciare all'umorismo.

Fred Uhlman
L'amico ritrovato (1971)

Storia di due ragazzi che frequentano un liceo di Stoccarda negli anni trenta. Il narratore, Hans, appartiene a una famiglia ebrea benestante e l'amico, Konradin, a una famiglia di antica aristocrazia. Tale amicizia non può non incontrare ostacoli nella Germania hitleriana. Quando scoppia la persecuzione razziale, il giovane Hans viene mandato in America, mentre i genitori si tolgono la vita. A distanza di anni il narratore apprende che Konradin è stato giustiziato per aver partecipato al complotto contro Hitler. Racconto sobrio, con il quale l'autore, pur prendendo le distanze dai tedeschi e dalla cultura in cui è cresciuto, rievoca con nostalgia luoghi, impressioni, affetti dell'adolescenza.

Vercors
Il silenzio del mare (1942)

Racconto lineare nella trama ma di grande tensione psicologica, scritto e stampato clandestinamente durante la seconda guerra mondiale. Un uomo e la nipote che vivono in un paesino nella Francia occupata dai nazisti, sono costretti ad ospitare in casa un ufficiale tedesco. Non gli rivolgeranno mai la parola, nonostante i tentativi dell'ufficiale, uomo colto e amante della letteratura francese, che si sentirà sempre più in imbarazzo e confinato nel ruolo di nemico e oppressore. Si tratta di una sorta di resistenza privata basata sul silenzio e sul rifiuto, di grande forza morale.

Kurt Vonnegut
Mattatoio no 5 o La crociata dei bambini (1969)

L'autore, americano, preso prigioniero dai tedeschi durante la seconda guerra mondiale, assistette al bombardamento di Dresda. Nel romanzo il protagonista, assistente del cappellano, goffo e senza armi, vive le stesse esperienze dell'autore, e rimane segnato dalla prigionia e dal massacro di Dresda, tanto da impazzire. Ritornato alla vita civile, vive un'esistenza sdoppiata: ritiene di essere stato rapito da extraterrestri che gli hanno insegnato una filosofia consolatoria e viaggia avanti e indietro nel tempo, ritornando ossessivamente al tempo della prigionia. Opera programmaticamente contro la guerra, scritta quando continuavano i massacri in altre parti del mondo, come nel Viet-nam, adotta uno stile fatto di brevi scene che si susseguono e si sovrappongono confondendo i tempi, mescolando realtà e fantasie allucinate.

Ellie Wiesel
La notte (1958)

Eliezer, ragazzo ebreo di Sighet in Transilvania, dal ghetto viene deportato con la sua famiglia ad Auschwitz, dove è testimone dell'abominio, vede neonati buttati nei forni crematori, e questo gli fa perdere la fede in Dio. La dura vita nel campo, il lavoro disumano, la lotta per un tozzo di pane distruggono tra i deportati la solidarietà e anche gli affetti più cari. Infine il trasferimento a Buchenwald sotto l'incalzare dell'armata russa e la liberazione, ma quando il protagonista si guarda allo specchio per la prima volta, dopo aver lasciato il ghetto, vede un cadavere il cui sguardo non lo lascerà più. Racconto lungo autobiografico commosso e teso, capace di esprimere l'esperienza del male estremo.

Marguerite Yourcenar
Memorie di Adriano (1958)

L'imperatore romano Adriano, colto e ammiratore della cultura greca, succeduto a Traiano per adozione, si propone di dimostrare di meritare il potere e si adopera per realizzare la sua idea di un impero pacifico, abbandonando le mire di conquista. Pur consapevole che Roma finirà un giorno per perire e rilevando i segni della fine, affronta il suo compito con grande determinazione, sentendosi "responsabile della bellezza del mondo". L'autrice ci presenta il suo eroe vicino alla morte mentre scrive le sue memorie per il successore Marco Aurelio. Si tratta di una confessione che scava nella sua vita di uomo e giudica la sua opera politica. Alla Yourcenar interessa ricostruire il pensiero di un uomo che è vissuto in un'epoca in cui gli dèi pagani non erano più e Cristo non era ancora, facendo, come dice lei stessa, dal di dentro ciò che gli archeologi del XIX secolo hanno fatto dal di fuori.

Autori italiani

Giorgio Bassani
Il giardino dei Finzi Contini (1962)

A Ferrara, come nel resto d'Italia, le leggi razziali del 1938 fanno scoprire bruscamente alla ricca borghesia ebraica assimilata di essere oggetto di una feroce discriminazione e persecuzione. La reazione è quella di isolarsi in un proprio universo privato, simboleggiato nel libro dal giardino della villa della famiglia Finzi-Contini. L'io narrante è un giovane innamorato segretamente della misteriosa ed affascinante Micol Finzi-Contini. Il libro è la storia dell'educazione sentimentale del protagonista sullo sfondo torbido delle persecuzioni antisemite e dello sterminio imminente. È anche una commossa rievocazione di Ferrara, la città che lo scrittore ha saputo far vivere con grande amore in tutte le sue opere.

Stefano Benni
La compagnia dei Celestini (1992)

Romanzo molto divertente, narra la storia di un gruppo di orfanelli che fuggono dal truce orfanatrofio di Gladonia per recarsi a un misterioso campionato di pallastrada indetto dal Grande Bastardo. Per evadere debbono percorrere i cunicoli sotterranei di un grande palazzo nobiliare, affollato da inquietanti presenze e sul quale grava un'oscura maledizione, inseguiti da preti maleodoranti e maneschi e da cinici giornalisti. Prende inizio una girandola di avventure umoristiche, narrate in un linguaggio immaginoso, pieno di trovate taglienti, capace di offrire un quadro sarcastico della nostra società di fine secolo.

Stefano Benni
L'ultima lacrima (1994)

Raccolta di racconti che accoppia la risata e la critica dissacrante, fissando con battute fulminanti vizi e paradossi dei nostri tempi.

Italo Calvino
Il sentiero dei nidi di ragno (1947)

Uno dei più bei romanzi sulla Resistenza, rappresentata in modo non retorico e antieroico, attraverso lo sguardo di un bambino precocemente messo a contatto con gli aspetti più duri e squallidi dell'esistenza, ma che dell'infanzia conserva la capacità di leggere la realtà secondo il codice delle favole e dell'avventura. **T40.6**

Italo Calvino
I nostri antenati (1960)

Questa trilogia raccoglie i romanzi brevi *Il visconte dimezzato* (1952), *Il barone rampante* (1957) e *Il cavaliere inesistente* (1959), ambientati in epoche lontane, ma legati al nostro mondo da sottili riferimenti filosofici e morali. Grande ammiratore di Ariosto, Calvino ne rinnova l'invenzione fantastica, il gusto dell'avventura, la maestria nel dominare gli intrecci. Il visconte dimezzato, diviso in due in una battaglia contro i turchi, ritorna in patria con le sue due metà, una buona e una cattiva. Il barone rampante decide di passare la sua esistenza sugli alberi, quasi con un ritorno alla natura, ma senza separarsi dal mondo degli uomini, partecipando anzi all'ansia propria del suo secolo di progettare un mondo nuovo. Nel terzo romanzo il cavaliere è un'armatura impeccabile ma vuota. **T40.8**

Italo Calvino
Se una notte d'inverno un viaggiatore (1979)

Un Lettore, alle prese con copie di romanzi sempre incomplete e difettose, si impegna in una ricerca frenetica del loro seguito, ma ogni volta il risultato è l'inizio di un altro romanzo. Nelle ricerche incontra una Lettrice e i due, accomunati dalla stessa passione, finiranno per sposarsi. Il romanzo si compone di dieci *incipit* che rimandano a generi romanzeschi differenti, che generano una specie di cornice costituita dall'incontro tra il Lettore e la Lettrice. La lettura successiva dei segmenti di frasi che costituiscono i dieci titoli genera a sua volta un ulteriore *incipit* di romanzo. Calvino costruisce così un romanzo divertente e coinvolgente sulla funzione del lettore, sulle sue aspettative e sulla sua collaborazione alla costruzione del testo. **T40.10**

Paola Capriolo
La grande Eulalia (1981)

La scrittrice, con una certa finezza, riprende temi della narrativa fantastica, declinandoli al femminile e creando atmosfere sospese. In un tempo imprecisato una giovane contadina, Eulalia, si unisce a una compagnia di attori girovaghi. Dopo varie vicende, le apparirà nello specchio l'immagine di un bellissimo giovane malinconico, alla quale poi se ne affiancherà un'altra, quella di una bella fanciulla. Eulalia come per magia si trasforma in una giovane belllissima come quella dietro lo specchio e diventa una famosa attrice, ma quando il cavaliere le apparirà in carne ed ossa il bel sogno finirà e sarà lei a rinchiudersi per sempre nella stanza degli specchi.

Giuseppe Culicchia
Tutti giù per terra (1994)

Finita la scuola superiore, nella Torino della fine degli anni ottanta, il giovane Walter si trova libero... di non far niente. Alle prese con i tipici problemi dei giovani, esercita una critica disincantata sulla società che lo circonda, rifiuta il modello alienante del padre operaio tutto soldi, carriera e Telemike, e prende le distanze dai coetanei, sia dai frequentatori di discoteche, sia dai poeti filosofi e figli di papà. Finito il servizio civile, si ritrova a fare il commesso, anche lui chiuso in gabbia a guardar fuori senza che ci sia più nulla da vedere. La narrazione procede sciolta e veloce attraverso efficaci flash esistenziali.

Andrea De Carlo
Due di due (1989)

Storia di un'amicizia nata tra i banchi di scuola tra il narratore e Guido, un ragazzo anticonformista e dotato di un forte carisma, una storia che si prolunga per circa vent'anni nonostante le diverse vicende dei protagonisti: il narratore evade dalla società consumista ritornando alla campagna e Guido, sempre più irrequieto e nomade, cerca di farsi strada nel mondo della letteratura, fino a una conclusione tragica. Molto efficace la rappresentazione dell'ambiente scolastico, una scuola decrepita, minata dalle prime lotte studentesche del Sessantotto, e dell'adolescenza con il suo ribellismo e la sua vulnerabilità.

Beppe Fenoglio
Una questione privata (1963)

Il giovane partigiano chiamato Milton apprende per caso che la ragazza da lui amata ha frequentato un altro, il comune amico Giorgio. Preso da gelosia, vuole trovare Giorgio, anche lui partigiano in un'altra formazione, per sapere la verità, ma il giovane è stato fatto prigioniero dai tedeschi. Milton inizia allora una sua guerra privata per liberare Giorgio, che si risolverà tragicamente. Romanzo d'amore nel quale la donna amata, Fulvia, non compare mai, rimane un nome e vive nei ricordi del protagonista. Romanzo d'azione, di inseguimenti e di scontri nei quali si dispiega la nuda violenza della guerra. Ricerca di un assoluto al quale si è disposti a sacrificare tutto. La vicenda si concentra in pochi giorni, si svolge tra la nebbia e sotto la pioggia, in una ininterrotta tensione narrativa.

Carlo Emilio Gadda
Quer pasticciaccio brutto de via Merulana (1957)

L'impianto è quello di un romanzo giallo, ambientato a Roma nei primi anni del fascismo. Da una rapina e da un assassinio, avvenuti nello stesso palazzo, si dipanano le indagini, che si complicano e si disperdono in mille rivoli, condotte prima nell'ambiente della borghesia cittadina, poi nella campagna romana. Lo sfondo è quello dell'Italia fascista, provinciale, corrotta, ridicola e cultrice dei miti della virilità e della fecondità, sui quali lo scrittore esercita una graffiante ironia. La lingua, un impasto di italiano e di dialetti, di forme auliche e popolari, di linguaggi specializzati, di neologismi ironici o grotteschi, presenta sulle prime qualche difficoltà, ma l'umorismo e l'invenzione verbale pirotecnica rendono gustosa la lettura. **T39.11** , **T39.12**

Natalia Ginzburg
Lessico famigliare (1963)

Romanzo autobiografico ma soprattutto gustoso ritratto della famiglia della scrittrice, una numerosa famiglia borghese, colta, ebrea dalla parte di padre. Molte personalità dell'ambiente intellettuale laico e antifascista, a cui la famiglia era legata, sono rapidamente schizzate nelle pagine del libro. Il filo che unisce i membri della famiglia a distanza di anni è costituito dalle parole, dalle frasi sentite tante volte nell'infanzia, a volte espressioni dialettali, a volte modi di dire comprensibili solo nell'ambiente domestico. Pur raccontando prevalentemente piccole vicende e impressioni della vita quotidiana, il libro testimonia anche di una resistenza dell'intelligenza di fronte alla retorica e alla stupidità del regime fascista. **T38.47**

Primo Levi
Se questo è un uomo (1947)

Grande libro di testimonianza che nasce dall'urgenza di raccontare agli altri l'esperienza estrema del Lager, orrenda istituzione pensata e sorta per sterminare uomini e donne annientando in primo luogo la dignità dell'essere umano. Come prefazione una celebre poesia esorta, anzi ordina, di ricordare l'orrore dello sterminio, nella consapevolezza che il Lager porta alle estreme conseguenze una convinzione che giace latente nell'animo umano, e cioè «che ogni straniero è nemico». **T38.37**

Primo Levi
Se non ora quando (1982)

La vicenda si svolge dal luglio del 1943 all'agosto del 1945 nell'Europa orientale occupata dai nazisti, dove un gruppo di ebrei scampati allo sterminio organizzano una loro banda partigiana. La narrazione, movimentata e avventurosa, si intreccia alle riflessioni e ai dialoghi con cui, nei momenti di sosta, i protagonisti si interrogano, non senza ironia, sull'identità ebraica. Il libro riporta fatti reali poco noti, relativi alla resistenza armata di gruppi ebraici.

Dacia Maraini
Voci (1994)

Michela, giornalista di una radio privata romana, apprende che la sua vicina di casa è stata assassinata, e poco dopo il direttore le affida un programma sulla violenza nei confronti delle donne. Svolge l'incarico con molta partecipazione, ascoltando e registrando tantissime voci, chiedendosi se il delitto appartenga alla natura dell'uomo o sia frutto di un condizionamento sociale. Parallelamente conduce, con delicatezza e rispetto, un'indagine volta a ricostruire la personalità della vittima, una ragazza insicura e custode di un terribile segreto, fino a comporre il mosaico e ad arrivare ad una confessione affidata al registratore. Il romanzo, costituito soprattutto da dialoghi, ha un ritmo incalzante e delinea con efficacia una varietà di ambienti e aspetti non consueti della vita in una grande città.

Lucio Mastronardi
Il maestro di Vigevano (1962)

Primo della "trilogia di Vigevano" di Mastronardi, il romanzo rappresenta in chiave grottesca l'ambiente scolastico e la squallida vita quotidiana di un insegnante elementare che stenta a mantenere la famiglia col suo modesto stipendio, mentre intorno a lui si scatena la corsa all'arricchimento col boom della piccola industria calzaturiera. La moglie, che lo disprezza, lo spinge a dimettersi da insegnante per aprire un laboratorio di calzature; questo sarà il principio dello sfacelo della famiglia e alla fine il protagonista, rimasto solo, tornerà ai meschini riti burocratici della scuola. Il libro è scritto con ironia acre, in lingua imbastardita di dialettismi. `T38.42`

Elsa Morante
La Storia (1974)

Il romanzo contrappone la Storia con la lettera maiuscola, vista come un processo distruttivo, alle storie private dei piccoli che ne sono le vittime e fungono da «cavie che non sanno il perché della loro morte». Anche la struttura dell'opera esprime l'intreccio luttuoso tra la Storia (la seconda guerra mondiale) e le vite dei personaggi, infatti ogni capitolo è intitolato con una data, dal 1941 al 1947, e preceduto da una cronologia, mentre il primo e l'ultimo, costituiti solo da cronologie, recano semplicemente 19**, a significare l'eterno e identico ripetersi della Storia. Lo spazio della vita familiare, la maternità, l'amicizia rappresentano la resistenza al potere malefico della Storia, ma la vicenda si conclude tragicamente.

Pier Paolo Pasolini
Una vita violenta (1959)

È la storia di un ragazzo di borgata come tanti, segnata dalla miseria e dalla violenza: scippi, furti, prostituzione, adesione alle azioni squadristiche di un movimento di destra; una vita vissuta tra le baracche, gli squallidi caseggiati popolari, il carcere, il sanatorio per tubercolotici. I momenti in cui il protagonista cerca di farsi una vita normale sposandosi e trovando un lavoro, o acquista una rudimentale coscienza politica partecipando a lotte collettive, si alternano ai ritorni alla condizione di piccolo malavitoso. L'infanzia spensierata pur nella miseria, gli appare l'unico periodo felice: «"Aaaah," sospirò Tommaso, "so' stato ricco, e no l'ho saputo!"». La vitalità e l'istintualità primordiale del sottoproletariato si esprimono soprattutto nel linguaggio usato da Pasolini nei dialoghi, il romanesco delle borgate con inserti di gergo della malavita.

Cesare Pavese
La casa in collina (1948)

Dopo il 25 luglio del 1943, il protagonista, professore a Torino, per sfuggire i bombardamenti si rifugia in collina dove incontra Cate, la donna da lui un tempo amata che ha un bambino, Dino, che potrebbe essere suo figlio. I rastrellamenti tedeschi disperdono il gruppo di partigiani al quale si è unita Cate, e Corrado ritorna al paese natale nelle Langhe, trovando i luoghi della sua infanzia oltraggiati dalla ferocia della guerra. A differenza di Cate, decisa e con forte legame con il popolo e la terra, l'intellettuale Corrado è incapace di partecipare ai grandi eventi collettivi e incapace di amare. Si rende conto che la guerra è stata inizialmente per lui un alibi per il suo isolamento e il suo vivere alla giornata. `T38.28`, `T38.29`

Lalla Romano
La penombra che abbiamo attraversato (1964)

Ritornata al paese natale dopo la morte della madre, la protagonista ripercorre la prima infanzia ritrovando luoghi, cose, persone e soprattutto ricordi. È una ricerca del tempo perduto, anche di quello anteriore alla nascita della narratrice, quello della giovinezza dei genitori, visto come un tempo meraviglioso dal quale si è esclusi. L'ambiente sociale è quello della borghesia intellettuale piemontese di inizio secolo. La narrazione procede attraverso *flash-back* e libere associazioni, con ellissi e salti cronologici, attenta alle sottigliezze psicologiche e ai minimi moti del cuore. La lingua limpida, fatta di parole precise e di frasi brevi, riesce a fissare l'incanto di un istante.

Leonardo Sciascia
Il giorno della civetta (1961)

In un paese della Sicilia, il capitano dei carabinieri si trova alle prese con un delitto di mafia – a cui ne seguono altri – e con l'omertà. Risolverà il caso e terrà testa al capomafia don Mariano, ma non potrà fare giustizia perché ostacolato dai padrini politici dei mafiosi locali. Indimenticabile la figura di don Mariano con la sua scala di valori e la sua visione dell'umanità divisa in categorie: «uomini, mezz'uomini, ominicchi, cornuti, quaquaraquà». Il romanzo unisce al ritmo incalzante del giallo la funzione di denuncia del sistema di potere mafioso, coraggiosa per l'epoca in cui apparve, quando a livello ufficiale si negava l'esistenza stessa della mafia. `T38.52`

Leonardo Sciascia
A ciascuno il suo (1966)

Ancora un romanzo sulla mafia. Vengono uccisi due notabili usciti per una partita di caccia. Difficile scoprire il movente, perché uno dei due è stato ucciso solo per ingarbugliare la vicenda. Il professor Laurana si improvvisa investigatore, ma diventa vittima dell'intreccio di passioni e di interessi, di complicità e di connivenze. che via via porta alla luce. Come in altri romanzi di Sciascia, la struttura del giallo aiuta a capire come la mafia non sia soltanto un fenomeno criminale ma un sistema di potere che governa la società e l'economia.

Leonardo Sciascia
Il cavaliere e la morte (1988)

È un racconto lungo in cui l'autore, già gravemente malato, torna alle trame poliziesche, ma in un quadro di meditazione sulla morte. Un commissario di polizia si trova alle prese con una grave malattia che non gli lascia più molto tempo da vivere e con un'indagine complessa su un omicidio dietro al quale si nascondono probabilmente oscure trame eversive. Il protagonista, colto e incline alle riminiscenze letterarie, oppone all'ingiustizia la ragione e la sete di verità, eroe solitario e destinato alla sconfitta, simile al cavaliere stanco e sofferente dell'incisione di Dürer (*Il cavaliere, la morte e il diavolo*) appesa nel suo ufficio. La narrazione procede per allusioni e sottintesi e spesso come flusso di coscienza del protagonista.

Antonio Tabucchi
Sostiene Pereira (1994)

A Lisbona, durante il regime salazarista, un giornalista di mediocre fortuna, avanti negli anni, triste e solo, vorrebbe restare estraneo alla politica, ma per un sentimento di affetto paterno si trova coinvolto nel sostegno a un giovane che lavora clandestinamente per aiutare la parte democratica nella guerra civile che infuria in Spagna. Questa esperienza risveglia la coscienza del giornalista, e quando il giovane viene ucciso nella sua casa dalla polizia segreta, decide di reagire nell'ambito della sua professione: riesce a beffare il regime facendo uscire sul suo giornale un articolo di denuncia, poi ripara in Francia. Il titolo deriva dal fatto che ogni affermazione è attribuita al personaggio con la formula «sostiene Pereira», quasi un verbale di interrogatorio: il personaggio si costruisce attraverso le sue parole. Il libro può essere letto come una riflessione sull'impegno civile dell'intellettuale. **T38.59**

Susanna Tamaro
Per voce sola (1991)

Il racconto che dà il titolo al volume è il monologo sofferto di una anziana donna, che si abbandona al flusso dei ricordi: ha vissuto sulla sua pelle le persecuzioni contro gli ebrei, ha maturato una visione fatalista che la porta ad affermare l'impossibilità di sfuggire al male e all'orrore. Gli altri racconti presentano bambini e adolescenti vittime della crudeltà e della violenza degli adulti, le cui storie vengono narrate in modo semplice e scarno.

Giovanni Testori
Il ponte della Ghisolfa (1958)

Raccolta di racconti ambientati nella periferia milanese, parte del ciclo *I segreti di Milano*. I personaggi, che ricorrono più volte nei racconti, sono popolani che vivono un'esistenza squallida, spesso donne dal destino di vittime. Grazie ai dialoghi e ai monologhi interiori il lettore può vivere dall'interno la loro condizione degradata, la loro coscienza rudimentale ossessionata dai miti della società di massa. Il linguaggio, ricco di dialettismi, aderisce alle movenze del parlato.

Giuseppe Tomasi di Lampedusa
Il gattopardo (1958)

Il processo storico che porta la Sicilia dal regime borbonico a far parte del nuovo Regno d'Italia viene delineato dal punto di vista di un esponente della nobiltà isolana, il colto e intelligente principe Fabrizio di Salina. Convinto che «se si vuole che tutto rimanga com'è, bisogna che tutto cambi», aderisce a una trasformazione che lascia immutati i suoi privilegi e favorisce il matrimonio tra il nipote Tancredi e la bella Angelica, figlia di un esponente della nuova borghesia arrivista e rapace. Convinto però dell'inevitabile decadenza della propria classe sociale, si rinchiude nei suoi studi astronomici e con la contemplazione degli astri incorruttibili tenta di esorcizzare il pensiero della morte. Sotto le apparenze del romanzo storico di impostazione ottocentesca, è un libro di sottile analisi psicologica, e di meditazione esistenziale, filtrata attraverso il flusso di coscienza del protagonista. **T38.39**

Pier Vittorio Tondelli
Altri libertini (1980)

Sei storie che rappresentano stili di vita anticonformisti e trasgressivi di gruppi di giovani irrequieti e sempre in movimento tra Reggio Emilia, Modena e Bologna. Il linguaggio aderente al parlato e ai gerghi giovanili riflette le situazioni più diverse, dalla disperazione degli emarginati agli umori, alle ansie, agli amori omo ed eterosessuali di una compagnia di studenti universitari di estrazione borghese. **T38.57**

Elio Vittorini
Conversazione in Sicilia (1938-39)

Il protagonista e narratore, un siciliano trapiantato al Nord, vive una condizione di malessere e di sterile agitazione, soffre «per il genere umano perduto», quando una lettera del padre lo spinge a prendere il treno e ritornare in Sicilia. È un viaggio di ritorno alle origini, alla madre e all'infanzia felice pur nelle ristrettezze, in cui si incontrano esemplari di un'umanità prostrata e di persecutori, un uomo, il Gran Lombardo, che parla di «nuovi doveri», e altri che annegano nel vino le sofferenze per il «mondo offeso». Nel cimitero del paese il protagonista ha un'allucinata conversazione con un soldato morto che si rivelerà essere un suo fratello morto nella guerra di Spagna. Lo stile, una prosa poetica intessuta di dialoghi, ricca di iterazioni e di effetti ritmici, contribuisce alla suggestione simbolica del romanzo. **T38.27**

Film

Accattone (1961)
di Pier Paolo Pasolini, interpretato da Franco Citti, Silvana Corsini. Italia.

Accattone è un piccolo delinquente di borgata, "dilaniato" da un sogno impossibile di redenzione. Primo film di Pasolini, è una tragedia ambientata nella degradata periferia romana, girata con estrema sobrietà in un drammatico bianco-nero, con momenti di profonda poesia (il sogno di Accattone e la sua morte, accompagnata dalla *Passione secondo Matteo* di Bach).

Vedi anche pag. 268

IL NEOREALISMO CINEMATOGRAFICO

Forte legame fra il periodo storico e l'opera cinematografica, rifiuto della carica retorica e ideologica del cinema fascista (dunque attenzione alla vita quotidiana e ai temi che essa propone), impegno etico e attenzione alle problematiche sociali, apertura ai dialetti e alle caratteristiche culturali locali italiane... Questi alcuni dei caratteri principali della stagione del Neorealismo, fiorita negli anni immediatamente successivi alla seconda guerra mondiale e capace di imporre all'attenzione internazionale il cinema italiano. Fra i film "simbolo", possono essere segnalati:

Roma città aperta (1945)
di Roberto Rossellini, interpretato da Anna Magnani, Aldo Fabrizi. Italia.
Sciuscià (1946)
di Vittorio De Sica, interpretato da Franco Interlenghi, Rinaldo Smordoni. Italia.
Paisà (1946)
di Roberto Rossellini, interpretato da attori non professionisti. Italia.
Ladri di biciclette (1948)
di Vittorio De Sica, interpretato da Lamberto Maggiorani, Enzo Staiola. Italia.
Umberto D (1952)
di Vittorio De Sica, interpretato da Carlo Battisti, Lina Gennari. Italia.
A ciascuno il suo (1967)
di Elio Petri, interpretato da Gian Maria Volonté, Irene Papas. Italia.

Ispirato al romanzo di Sciascia, racconta la disperata indagine del professor Laurana puntando sulla contrapposizione fra inquadrature claustrofobiche, strette su particolari, "sporcate" da oggetti che spezzano la scena o la "incorniciano" rozzamente. Il tutto è contrappuntato da una colonna sonora vivace, che pare un commento ironico.